www.valdemar.com

Narrativa completa

Volumen I

Colección Gótica Nº 62

H.P. Lovecraft

Narrativa completa

Volumen I

Edición:
Juan Antonio Molina Foix

Traducción:
Francisco Torres Oliver
José María Nebreda
Juan Antonio Molina Foix

Valdemar

2007

Dirección literaria:
Rafael Díaz Santander
Juan Luis González Caballero
Agustín Izquierdo Sánchez

Ilustración de cubierta:
© Zdzislaw Beksinski / *Sin título (1983)*

1ª edición: diciembre de 2005
2ª edición: enero de 2006
3ª edición: febrero de 2007

Corrección de pruebas: Ana García de Polavieja Embid
Maquetación y diseño: Valdemar
Fotomecánica: IRC
Impresión: Cofás, Artes Gráficas
Encuadernación: Felipe Méndez

ISBN 10: 84-7702-529-0
ISBN 13: 978-84-7702-529-0
Depósito legal: M-5.198-2007

ÍNDICE

OBSTINADO SOÑADOR   11

LA BOTELLITA DE CRISTAL   37

LA CUEVA SECRETA   39

EL MISTERIO DEL CEMENTERIO   41

EL BUQUE MISTERIOSO   47

LA BESTIA DE LA CUEVA   51

EL ALQUIMISTA   59

LA TUMBA   71

DAGÓN   85

UNA SEMBLANZA DEL DOCTOR JOHNSON   93

LA DULCE ERMENGARDE   99

POLARIS   109

AL OTRO LADO DE LA BARRERA DEL SUEÑO   115

MEMORIA   129

EL VIEJO BUGS   131

LA TRANSICIÓN DE JUAN ROMERO   141

LA NAVE BLANCA   151

LA MALDICIÓN QUE CAYÓ SOBRE SARNATH   159

EL TESTIMONIO DE RANDOLPH CARTER   167

EL VIEJO TERRIBLE   175

EL ÁRBOL   179

LOS GATOS DE ULTHAR 185

EL TEMPLO 189

ARTHUR JERMYN 205

LA CALLE 217

CELEPHAÏS 225

DEL MÁS ALLÁ 233

NYARLATHOTEP 243

LA LÁMINA DE LA CASA 247

EX OBLIVIONE 257

LA CIUDAD SIN NOMBRE 261

LA BÚSQUEDA DE IRANON 277

LA CIÉNAGA-LUNA 285

EL EXTRAÑO 295

LOS OTROS DIOSES 303

LA MÚSICA DE ERICH ZANN 309

HERBERT WEST, REANIMADOR 319

HIPNO 357

LO QUE TRAE LA LUNA 365

AZATHOTH 369

EL SABUESO 371

EL MIEDO QUE ACECHA 381

LAS RATAS DE LAS PAREDES 407

LO INNOMINABLE 429

EL CEREMONIAL 439

LA CASA EVITADA 451

EL HORROR DE RED HOOK 481

ÉL 509

EN LA CRIPTA 523

EL DESCENDIENTE 535

AIRE FRÍO 541

LA LLAMADA DE CTHULHU   553

EL MODELO DE PICKMAN   589

LA EXTRAÑA CASA ELEVADA ENTRE LA NIEBLA   605

LA BÚSQUEDA EN SUEÑOS DE LA IGNOTA KADATH   617

LA LLAVE DE PLATA   741

NOTAS   757

H.P. Lovecraft. Portada de J.K. Potter
para la revista *Heavy Metal*

OBSTINADO SOÑADOR

> El mundo deviene sueño, y el sueño deviene mundo.
>
> NOVALIS (*Heinrich von Ofterdingen*)

«Toda certeza está en los sueños», solía decir Edgar Allan Poe que, no por casualidad, dedicó su última obra, el deslumbrante poema cosmogónico *Eureka,* «a los que sienten más que a los que piensan, a los soñadores y a los que depositan su fe en los sueños como únicas realidades». Hasta Poe nunca nadie había revelado con tanta precisión la vida interior de las pesadillas que atormentan implacablemente a todo aquel que se aventura con audacia, sin reservas, en el proceloso e ilógico país de los sueños, en el cual él se desenvolvía completamente a sus anchas, cual si se tratara de un iniciado de épocas pretéritas, alguien que almacenara reminiscencias inmemoriales y atisbos de sabidurías herméticas hace tiempo desaparecidas, o que hubiese vislumbrado cosas que únicamente se pueden percibir vagamente «en las brumas del éxtasis… en el reino místico y en los imperios de la sombra» (en palabras de Rubén Darío[1]).

Al igual que el autor de "El cuervo", Howard Phillips Lovecraft (1890-1937) fue un ave nocturna y un cazador de sueños. Para este recluso que por voluntad propia vivió en perpetuo exilio interior, perversamente orgulloso de su total carencia de sentido práctico y de su autosuficiencia, la noche no sólo constituía el marco idóneo para sus

---

(1) En la tercera entrega de "Edgar Poe y los sueños", serie de artículos aparecidos en *La Nación* de Buenos Aires los días 8 de mayo y 20 y 24 de julio de 1913.

escapadas al abrigo de los curiosos y el escenario privilegiado de sus aficiones favoritas: contemplar las estrellas, leer con avidez cuanto caía en sus manos y, sobre todo, escribir (poesía, ensayo, relatos y especialmente sus más de cien mil cartas acreditadas, sucedáneo de su casi inexistente vida social), sino que le posibilitaba el acceso al paradisíaco reino de los sueños. Al refugiarse en su hermético mundo onírico, Lovecraft se embarcó en un viaje sin retorno hacia una nueva dimensión: el miedo cósmico, el «terror de los espacios infinitos», que estremecía a Pascal. Su deslumbrante visión fantástica alumbró un universo totalmente autónomo mediante el cual la imaginación lograba acceder a regiones donde hasta entonces nadie había osado aventurarse, demostrando que los sueños constituyen una puerta de entrada a otras dimensiones más allá de la cuarta, inalcanzables para los seres humanos.

Como Poe, Lovecraft abandona definitivamente las invenciones mágicas o legendarias de los góticos y, en su lugar, los terrores del alma, la enfermedad, la perversidad o la decadencia, se convierten en verdaderos protagonistas, culminando con ello la mutación del cuento de miedo anunciada por el primero con su renuncia a seguir utilizando temas y personajes del repertorio romántico (castillo encantado, fantasma, vampiro, pacto diabólico, brujería, etc.) para materializar sus propias fobias y temores infantiles, mostrando así «el terror lívido de los sueños, terror de muerte, de juicio final, meteórico, inexplicable», en palabras del insigne vate criollo antes mencionado[2]. Los tímidos intentos de finales del siglo XIX de racionalizar los mitos antiguos, dotándolos de una base más realista y cercana a nosotros, sustentada en nuevas hipótesis seudocientíficas, cristalizaron en la obra alucinatoria de Lovecraft, cima indiscutible del llamado «cuento materialista de miedo» y punto de inflexión hacia la moderna ciencia-ficción.

En la nueva mitología fantástica propuesta por el introvertido soñador de Providence ya no hay Dios ni Diablo, ni monstruos de origen sobrenatural, tan sólo híbridos semihumanos y seres extraterrestres o extradimensionales, cuyos pretendidos poderes específicos se basan

(2) Ibíd.

exclusivamente en la suposición de que todavía subsisten ancestrales secretos científicos, procedentes de desaparecidas civilizaciones prehumanas y hoy perdidos por nuestro saber mecanicista. A partir de él, la pura magia de antaño puede explicarse racionalmente mediante simples fórmulas matemáticas no euclidianas, lo mismo que el descenso al mundo onírico se troca en fascinante periplo a otras dimensiones o a los abismos del tiempo. El terror se desplaza así del plano físico al mental, del consciente al inconsciente, y el miedo se convierte en horror cósmico.

Desde su más tierna infancia Lovecraft padeció violentos sueños y pesadillas. La posterior transcripción de esas aflicciones nocturnas nutrió buena parte de su obra, en la que es bien patente la constante preocupación por los sueños: muchos de los personajes de sus relatos están dominados por ellos. Su *alter ego* Randolph Carter es un soñador nato y "La declaración de Randolph Carter", primer eslabón del ciclo de aventuras oníricas dedicado a este personaje emblemático, deriva de un sueño del propio Lovecraft. La novela corta *La búsqueda en sueños de la ignota Kadath* penetra a fondo en el fabuloso orbe de los sueños de Carter, y los relatos "La llave de plata" y su continuación "A través de las puertas de la llave de plata" hacen hincapié en las fantasías nocturnas de este mismo personaje.

Una de las primeras creaciones de la imaginación fantástica de Lovecraft fueron precisamente esas extrañas criaturas producto de sus sueños a las que llamó «noctívagos demacrados» y describió con tanto vigor (incluidos los corchetes) en sus cartas. «Cuando tenía seis o siete años solía sentirme constantemente atormentado por un extraño tipo de pesadilla recurrente en la que una monstruosa especie de entidades (a las que yo llamaba "noctívagos demacrados": no sé cómo se me ocurrió el nombre) solían agarrarme por el estómago [¿mala digestión?] y llevarme por los aires a través de infinitas leguas de oscuridad por encima de las torres de horribles ciudades muertas. Finalmente me introducían en un sombrío vacío desde donde podía ver millas más abajo las puntiagudas cimas de enormes montañas. Entonces me dejaban caer...

y mientras adquiría velocidad en mi caída digna de Ícaro, empezaba a despertar en tal estado de pánico que detestaba la sola idea de volver a dormirme. Los "noctívagos demacrados" eran unas criaturas negras, flacas, viscosas, con cuernos, rabos de púas, alas de murciélago y *sin ningún tipo de rostro*. Indudablemente saqué la imagen de una mezcla de recuerdos de dibujos de Doré (en gran parte ilustraciones de *El Paraíso perdido*) que me fascinaban en mis horas de vigilia. No tenían voz y su única forma de tortura real era su costumbre de hacerme cosquillas en el estómago [otra vez la digestión] antes de agarrarme y huir conmigo a toda prisa»[3].

La más memorable aparición de estas criaturas tiene lugar en *La búsqueda en sueños de la ignota Kadath*, donde forman parte del variopinto bestiario imaginario que puebla la singular geografía fantástica del país de los sueños, desplegada con tanta brillantez en el texto. Años más tarde Lovecraft las describiría sucintamente en el soneto "Night-Gaunts", incluido en su colección de poemas *Fungi from Yuggoth* (1929-30): «De qué cripta salen a rastras no sabría decir, / pero cada noche veo a esas viscosas criaturas, / negras, cornudas y enjutas, de alas membranosas / y colas que ostentan el dardo bífido del infierno. / Llegan por legiones traídas por el viento del norte, / y con sus obscenas garras que cosquillean y escuecen / en monstruosos viajes me arrebatan / hasta mundos sombríos ocultos en la más honda pesadilla».

Al igual que el narrador de "Al otro lado de la barrera del sueño",

---

(3) Sprague de Camp, *Lovecraft. A Biography*, Doubleday, Nueva York, 1975, pág. 33. En 1990 el poeta de Providence Brett Rutherford utilizó el nombre de estas criaturas tan relevantes en la obra de HPL para titular la obra teatral en dos actos, *Night Gaunts,* que con ocasión de la celebración del centenario de su nacimiento, estrenó el 30 de septiembre de aquel mismo año en el Ateneo de Providence [cuya biblioteca solía frecuentar aquél de joven]. Protagonizada por Carl Johnson, un actor de Rhode Island ferviente admirador del Abuelo, tanto los diálogos como los monólogos están basados parcialmente en sus cartas y en las memorias de Sonia Greene; el resto es una reconstrucción imaginativa de su forma de conversar, conservando sus manierismos y tics. El texto completo se publicó en *Lovecraft Studies*, nº 29, otoño de 1993, y en forma de libro, acompañado de otros poemas de Rutherford de temática lovecraftiana, en Grim Reaper Books, Providence, 1993.

que se pregunta si la gente «se detiene alguna vez a reflexionar sobre la inmensa importancia que de vez en cuando tienen los sueños», Lovecraft vivía por y para sus sueños. En ellos experimentaba «una extraña sensación de expectación y de aventura, relacionada con el paisaje, con la arquitectura y con ciertos efectos de las nubes en el cielo». Esos continuos viajes imaginarios, que en un principio constituían para él una simple evasión de la realidad, se convirtieron rápidamente en parte esencial de su obra: a nivel metafórico constituían un espacio para la experiencia transformadora, el descubrimiento personal. A través del sueño y el vuelo de la fantasía compensó su escasa movilidad física y viajó más lejos que nadie. «El deportado que he sido ha comprendido también que esa ruta de evasión existe, y que lleva muy lejos, mucho más allá de las alambradas de púas». Los puntos de vista de Lovecraft sobre la realidad y los sueños están expuestos admirablemente en "Hipno" y en especial en "La llave de plata", que más que un relato es una alegoría o apólogo filosófico, la auténtica autobiografía espiritual del literato.

En todos sus relatos los sueños están descritos «con la minuciosa precisión de la paranoia», como certeramente apunta Angela Carter[4]. Pero incluso los más disparatados conservan los rasgos esenciales de su carácter: el rigor científico y la lógica. Lovecraft era perfectamente consciente de que el papel del sueño, como el del mito, consiste en asimilar el conocimiento consciente y la experiencia hasta un nivel más profundo en el que residen nuestros instintos. Sabía que nada mejor que el laberinto, representación emblemática de la angustia existencial, podría simbolizar ese camino hacia dentro, ese atormentado trayecto al centro del inconsciente en el que uno debe perderse para encontrarse a sí mismo.

Mientras que la mayor parte de los cultivadores de la fantasía se muestran incapaces de describir los detalles físicos de los mundos que imaginan, la Nueva Inglaterra descrita por Lovecraft llega al lector tan

---

(4) "Lovecraft and Lanscape", apéndice C a *The Necronomicon, or The Book of Dead Names*, edición de George Hay, Neville Spearman, Jersey, 1978, pág. 173.

vívidamente como el Dublín de Joyce. Sus ciudades soñadas, pintorescas construcciones en el espacio y el tiempo que básicamente son una proyección de estados mentales, a menudo empiezan por ser bellas visiones para convertirse bien pronto en algo desapacible, inquietante. La alucinación se transforma en delirio. Son ciudades para ser vistas, no para ser habitadas. Pues como escribió Peter Cannon, para él «contemplar desde una elevación, idealmente a la caída de la tarde, una magnífica ciudad o un paisaje, podría decirse que constituía la suprema experiencia emocional de su vida»[5]. Mas el idílico refugio buscado en los sueños, una vez alcanzado resulta bastante tedioso. Y no deja de ser curioso que en esa desolada arquitectura laberíntica en la que todas las ciudades son intercambiables, un sonido de flautas anuncie invariablemente la transformación del sueño en pavor. Lovecraft se sirve de ese aflautado sonido, inquietantemente parecido a la atroz nota aguda y sostenida del violín en el cuarteto de cuerda nº 1 en mi menor de Smetana (titulado "De mi vida" y compuesto cuando el músico ya se había quedado sordo), como preludio del horror. No hay que olvidar que entre los siete y los nueve años el futuro escritor tomó clases de violín e incluso dio un recital público en 1898. Que no abandonó del todo esta afición lo demuestra, además de uno de sus relatos preferidos "La música de Erich Zann" (homenaje a su abuelo materno Whipple Phillips, símbolo para él del saber oculto), el hecho de que de adolescente formó parte de varios grupos de canto, así como su asombrosa memoria para recordar las letras y fechas de publicación de innumerables canciones populares.

Comparado a menudo con Poe por la calidad de su arte (extraño, brillante, inspirado y original, aunque frecuentemente estereotipado y repetitivo), sus preocupaciones temáticas (la obsesiva descripción de la desintegración física) y la fría acogida crítica y comercial que ambos tuvieron en vida, es indudable que presenta bastantes similitudes con él. Ambos nacieron en Nueva Inglaterra, se quedaron huérfanos de

---

(5) *H.P. Lovecraft*, Twayne Publishers, Boston, 1989, pág. 53.

padre a corta edad y tuvieron una infancia traumática marcada por una desmedida influencia de signo femenino. Asimismo les unió su vasto enciclopedismo y erudición, su prodigiosa memoria, su inmarcesible afinidad por la poesía y la cultura clásica, su profunda admiración por la vieja Inglaterra imperial, su amplio conocimiento de lenguas extranjeras (Lovecraft conocía incluso varias africanas, como el swahili y el zulú, aparte del latín y el griego), su arraigado interés por la ciencia, su ferviente devoción por los gatos (la gata Catherine, favorita de Poe, tuvo su correspondencia en Nigger-Man, mascota juvenil de HPL que más tarde protagonizaría uno de sus relatos), sus arcaísmos de estilo y excentricidades personales conscientemente cultivadas y, por supuesto, su anormal comportamiento sexual, melindroso y cohibido, resultante de la aprensiva educación materna. En sus escritos el amor y el sexo brillan por su ausencia y no hay «un solo pasaje en que se refiera a la lujuria, ni siquiera a los goces carnales» (en palabras de Baudelaire referidas al bostoniano[6]). Y aunque ambos se casaron, sus respectivos matrimonios fueron edipianos: la verdadera esposa de Lovecraft, en opinión de Sprague de Camp, fue la ciudad de Providence, en la que vivió oculto la mayor parte de su vida, curiosamente muy cerca de la casa que fuera de la poetisa y espiritista Sarah Helen Whitman, último amor de Poe, el cual la frecuentó en 1848 poco antes de su trágica muerte.

«Cuando escribo relatos, Edgar Allan Poe es mi modelo. [...] Probablemente Poe me ha influido más que cualquier otro escritor»[7]. Poe fue sin lugar a dudas su autor predilecto desde que se topara con él siendo apenas un niño. «¡¡Descubrí a EDGAR ALLAN POE!! [...] Fue mi perdición: ¡a la edad de ocho años vi oscurecerse el firmamento azul de Argos y Sicilia [referencia a la mitología grecorromana que, por aquel entonces, le fascinaba tras su entusiástica etapa "arabista" a raíz de la

---

(6) *Edgar Allan Poe, sa vie et ses ouvrages,* en *La Revue de Paris,* marzo y abril de 1852, publicada posteriormente como prólogo a su traducción al francés de las obras completas de Poe.

(7) Carta a Vincent Starrett en *Selected Letters 1925-1929,* edición de A. Derleth y D. Wandrei, Arkham House, Sauk City (Wisconsin), 1968, pág. 210.

lectura de *Las mil y una noches*] por las fétidas emanaciones de la tumba!»[8] Y a los trece años fundó una Agencia de Detectives, aunque el hecho de que adoptara el seudónimo S. H. indica que más que del Auguste Dupin de Poe el influjo procedía del Sherlock Holmes de Conan Doyle. No obstante las veleidades de sus gustos literarios, la devoción de Lovecraft por el poeta bostoniano se mantendría a lo largo de toda su vida. Además de su «poderoso e innato sentido de lo espectral, lo morboso y lo horrible que imprime en su obra la marca imborrable del genio», o de «su profundo conocimiento analítico de las verdaderas fuentes del terror», Lovecraft alababa en Poe su habilidad para «conferir a su prosa un sesgo ricamente poético [...] que duplica su fuerza»[9].

Aunque, a diferencia de la mayoría de la crítica, Lovecraft siempre consideró la prosa de Poe más importante que su poesía, la influencia de esta última puede rastrearse no sólo en los primeros pinitos líricos de aquél, como el poema "Némesis" (1918), probablemente inspirado en el "Ulalume" poesco, sino en composiciones posteriores como "Nathicana" (1927), donde se observa un indubitable eco del "Para Annie" de Poe. Igualmente sus poemas en prosa, como "Nyarlathotep", "Ex Oblivione" o "Lo que trae la luna", todos ellos escritos en 1919 aunque publicados años después, muestran el influjo del Poe de "Sombra", "Conversación de Eiros y Charmion" o "Silencio".

Sin embargo, donde el magisterio del bostoniano aparece en toda su plenitud es en la abundante obra narrativa lovecraftiana, en especial su primera época, gótica y plenamente poesca, y más sutilmente en el ciclo, dominado por el terror macabro y ambientado en Nueva Inglaterra, que forma parte, junto al luego conocido como ciclo de Cthulhu, de la etapa «realista» de nuestro escritor. Su influjo era ya evidente en los primeros cuentos de HPL que se conservan, como "La bestia en la cueva" (fechado el 1 de abril de 1905, cuando todavía no había cumplido quince años) o "El alquimista" (1908). Salvados milagrosamente de

(8) Carta a Bernard Austin Dwyer en *Selected Letters 1925-1929*, pág. 109.

(9) "Edgar Allan Poe", capítulo 7 de *Supernatural Horror in Literature* (1925-1927), en *Dagon and Other Macabre Tales*, Arkham House, Sauk City, 1986, págs. 400, 396 y 398.

la purga de 1908 que dio al traste con su primeriza producción adolescente, estos relatos muestran ya algunas características literarias de la madurez del literato. Pero sobre todo revelan el gran predicamento de Poe, del que constituyen una especie de pastiche a nivel argumental y estilístico: su premeditado uso de un lenguaje arcaizante y recargado, repleto de repeticiones cuasi bíblicas, estribillos recurrentes y retorcidas construcciones sintácticas y semánticas, plagadas de ambiguos adverbios y adjetivos; su inveterada manía de inventarse libros eruditos de títulos rimbombantes y sugestivos con el fin de reforzar la verosimilitud del relato; o su ingenua incursión en los mismos excesos de aquél, como la profusa utilización de ampulosas excentricidades tipográficas (versales, cursivas y múltiples signos de exclamación).

Sugerido, al parecer, por "El retorno" de Walter de la Mare, "La tumba", primer relato adulto de Lovecraft (escrito en 1917 y no publicado hasta 1923), es ya decididamente poesco, tanto por su espíritu de «lúcido delirio y arrebatada obsesión» como por el hecho de constituir el primer intento serio de convertir lo fantástico y lo terrorífico, como su maestro, en «un lenguaje transparente de su angustia subterránea» (en palabras de Mario Praz referidas a Poe[10]). La influencia de "La verdad sobre el caso del señor Valdemar", uno de los relatos favoritos de Lovecraft (inmediatamente después de "La caída de la casa Usher" y "Ligeia", por este orden), es evidente (por su racionalización científica de un muerto vivo) en "Aire frío" (1926), pese a su ligero tono de ciencia-ficción. Pero el relato lovecraftiano que, a mi juicio, más debe al solitario devorado por el ansia que fue Poe, es "El extraño" (1921), unánimemente considerado como uno de los más logrados suyos y, sin duda alguna, de contenido simbólicamente autobiográfico. «Representa mi literal aunque inconsciente imitación de Poe», admite Lovecraft[11].

---

(10) "Poe, genio de exportación", capítulo 3 de «Tres maestros del horror», 1ª parte de *El pacto de la serpiente. Paralipómenos de "La carne, la muerte y el diablo en la literatura romántica"*, trad. de Ida Vitale, Fondo de Cultura Económica, México, 1988, pág. 53.

(11) Carta a August Derleth del 13 de julio de 1931, en *Selected Letters 1929-1931*, Arkham House, Sauk City, 1971, pág. 379.

Aunque sus párrafos iniciales sean casi una paráfrasis de los de "Berenice", las fuentes poescas de este singular relato hay que buscarlas más bien en "La máscara de la Muerte Roja" –del que asimismo pueden encontrarse ecos en "La maldición que cayó sobre Sarnath"– y, sobre todo, en el mencionado poema en prosa "Silencio".

Según refirió por carta a su amigo Clark Ashton Smith[12], en el invierno de 1919-1920 Lovecraft cayó repentinamente bajo la férula de un nuevo maestro que le iba a abrir las puertas de otra etapa de su obra. Se trataba del aristócrata irlandés lord Dunsany, el hombre que siempre había deseado ser, tan opuesto a él (temperamental y mujeriego, deportista, cazador, militar, trotamundos, etc.) como similar era Poe, pero que tenía algo en común con ambos: su poder de ensoñación que le convertía en «talismán y llave que abre ricas reservas de sueños y recuerdos fragmentarios a los verdaderamente imaginativos» (en palabras del propio HPL[13]).

En septiembre de 1919 había llegado accidentalmente a sus manos un ejemplar de *Cuentos de un soñador* (1910), recomendado por un amigo cuya opinión no tenía en demasiada buena estima. Con semejantes recelos abrió el libro y leyó el primer cuento denominado "Poltarnees, la que mira al mar". «El primer párrafo me paralizó como una descarga eléctrica –confesaría años después al mismo Ashton Smith en otra carta– y con sólo leer dos páginas me convertí de por vida en devoto de Dunsany»[14]. Poco después, su entusiasmo se acrecentaría al enterarse de que el propio Dunsany iba a dar una conferencia en un hotel de Boston. No sólo no se la perdió, sino que acudió con bastante anterioridad para conseguir un asiento en primera fila. Terminada la conferencia, y no atreviéndose a pedirle personalmente un autógrafo, su

---

(12) Carta del 11 de enero de 1923, en *Selected Letters 1911-1924,* edición de A. Derleth y D. Wandrei, Arkham House, Sauk City, 1965, pág. 203.

(13) "The Modern Masters", capítulo 10 de *Supernatural Horror in Literature,* pág. 431.

(14) Carta a Clark Ashton Smith del 14 de abril de 1929, en *Selected Letters 1925-1929,* pág. 328.

colega Alice Hamlet, que le acompañó en tan histórica ocasión, hizo llegar a Dunsany una nota admirativa adjuntando algunos presentes, entre ellos un ejemplar de la revista *The Tryout* en donde acababa de aparecer el poema "A Edward John Moreton Drax Plunkett, décimo barón Dunsany" bajo el seudónimo de Lewis Theobald, que ocultaba la identidad de HPL. La respuesta del irlandés («escrita con pluma de ganso», se jactaba Lovecraft) no se hizo esperar: «Debo dar las gracias al autor de ese poema por su cálido y generoso entusiasmo, cristalizado en verso»[15]. A partir de entonces Lovecraft se convertiría en un fiel e incondicional discípulo de ese «estilista mayor», de «obra altiva y singular, desdeñosa de lo contemporáneo en la misma medida en que apeló a las raíces últimas de lo mítico», en feliz expresión de Pere Gimferrer[16].

El impacto en Lovecraft de la magia verbal –su pintoresca y arcaica dicción o su majestuosa repetición de palabras dentro de una misma frase– y de la cosmogonía con resonancias bíblicas inventada por Dunsany –con sus hipotéticos panteones de divinidades, sus osadas geografías fantásticas de extraños y sugerentes nombres, su personificación de fuerzas elementales tales como la fiebre, la sed o el manantial, su sorprendente y exótico folklore, e incluso sus olvidados cultos malignos– impulsó considerablemente su obra, iniciando quizás el periodo más fecundo de la misma. Entre 1917 y 1921 escribió casi una veintena de relatos «oníricos» de recio sabor dunsaniano, por más que, en realidad, algunos de sus primeros escritos –como "Dagón" (1917), "Polaris" (1918), "Memoria" o "Al otro lado de la barrera del sueño" (1919)– anticiparan ya, sin conocerlo, la textura y el color típicos de la prosa del gran bardo celta.

Títulos como "La nave blanca" (1919), "La maldición que cayó sobre Sarnath" y "Celephaïs" (ambos de 1920), "La ciudad sin nombre", "Los otros dioses" y "La búsqueda de Iranon" (todos ellos de

---

(15) Carta de lord Dunsany a Alice Hamlet del 1 de diciembre de 1919, incluida en *The Tryout,* vol. 5, nº 12, diciembre de 1919, pág. 12.

(16) "Una sombra como lord Dunsany", de la serie *Los raros,* en *El País Libros,* domingo 14 de abril de 1985, pág. 7.

1921) son ya netamente dunsanianos. Otros como "El ceremonial" (1923), "La extraña casa elevada entre la niebla" (1926) o *La búsqueda en sueños de la ignota Kadath* (1926-7), evocan todavía al maestro irlandés en cuanto a estilo y lenguaje, aunque con esta última (que mezcla a Poe y Dunsany en sus escenas náuticas, en las que hay ecos tanto del "Manuscrito encontrado en una botella" o de la *Narración de Arthur Gordon Pym* como de "Días de ocio en el país del Yann"), en realidad exorcizó su ascendiente («fue mi canto de cisne como dunsaniano»[17]). Pero el solitario de Providence nunca alcanzaría la ironía, el humor socarrón y la sofisticación de su maestro, el cual –según acabaría por reconocer él mismo a Frank Belknap Long– «está más cerca de mi propia personalidad y comprensión [que ningún otro autor fantástico] [...] Es como *yo mismo,* pero con un estilo y una cultura infinitamente mayores. Su mundo cósmico es el mundo en el que yo vivo; sus visiones, distantes y carentes de emoción, de la belleza de un claro de luna sobre viejos y pintorescos tejados son las visiones que yo conozco y amo»[18]. Y poco después confirmaba este entusiasmo a Ashton Smith: «Verdaderamente, Dunsany ha influido en mí más que cualquier otro a excepción de Poe. Su rico lenguaje, su punto de vista cósmico, su remoto mundo de ensueño y su exquisito sentido de lo fantástico, me atraen más que cualquier otra cosa de la literatura moderna. Mi primer encuentro con él [...] me proporcionó un inmenso ímpetu para escribir; tal vez el mayor que jamás he tenido»[19].

Su admiración sin reservas por Dunsany fue compensada con creces cuando, inesperadamente, encontró entre sus ancestros un lazo de parentesco con él. En efecto, rebuscando en su complicada genealogía la parte de herencia celta, halló en el escudo de armas de los Fulford (rama de la abuela paterna de su padre) una referencia a la estirpe de los

---

(17) Carta a Clark Ashton Smith del 17 de octubre de 1930, en *Selected Letters 1929-1931*, pág. 192.

(18) Carta a Frank Belknap Long del 3 de junio de 1923, en *Selected Letters 1911-1924,* pág. 234.

(19) Carta del 30 de julio de 1923, en *Selected Letters 1911-1924,* pág. 243.

Moreton[20]. Alborozado por el hallazgo, se complacía en afirmar: «¡Los Moreton siempre fuimos aficionados a la fantasía!», y desde entonces se refirió cariñosamente a su maestro como el «primo Ned».

Otro ilustre creador celta en el ámbito fantástico, el galés Arthur Llewellyn Machen, del que Lovecraft se ufana también en proclamar su parentesco espiritual («los Phillips provienen de la zona fronteriza de Gales»), gozó asimismo de su incondicional estima y puede considerarse con toda justicia como uno de los eslabones básicos en el desenvolvimiento de su literatura, especialmente en la gestación de su monumental ciclo de madurez conocido después de su muerte como los Mitos de Cthulhu. Lo que más apreciaba HPL de su nuevo mentor, al que igualmente se sentía vinculado por inciertos lazos de sangre (a través de la tatarabuela de la tatarabuela de su abuela, una tal Margaret Jenkins de Machynlleth [Machen-lleth][21]), era ese sentido místico de la realidad de lo mágico y lo sobrenatural que, a menudo, se experimenta en la niñez a través de visiones y ruidos, y que el galés tan bien supo trasladar al papel en su notable novelita *La colina de los sueños* (1904). También ese «éxtasis del miedo que el resto de los mortales son demasiado torpes o tímidos para captar, y que incluso Poe no logró concebir en toda su anormalidad»[22]; esos «elementos de horror oculto y de espanto soterrado» que en sus mejores cuentos «llegan a adquirir una sustancia y una agudeza realista casi incomparables»[23]. Y aunque reconociera que Machen «tiene una intensidad histérica que yo nunca he experimentado ni entendido, una seriedad que es una limitación filosófica»[24], y

---

(20) Véase la extensa carta a Frank Belknap Long de noviembre de 1927, en *Selected Letters 1929-1931*, pág. 184.

(21) Véase la carta a Wilfred Blanch Talman del 28 de diciembre de 1927, en *Selected Letters 1929-1931*, pág. 214.

(22) Carta a Frank Belknap Long del 8 de enero de 1924, en *Selected Letters 1911-1924*, pág. 281.

(23) *Supernatural Horror in Literature*, pág. 421.

(24) *Selected Letters 1911-1924*, pág. 234.

admitiera que «a su prosa le falta la incesante fuerza y el carácter impresionante que convierten cualquier obra de Poe en un delirio concentrado»[25], no dudó en considerarlo un «titán, tal vez el más grande autor vivo»[26], cuyo estilo –confesaría humildemente– «posee un ritmo y una música que yo nunca he podido lograr, y que ni siquiera puedo imitar sin parecer afectado»[27].

Aparte de enriquecer su onirismo de raíz dunsaniana, la aportación de Machen al orbe lovecraftiano fue más decisiva de lo que a menudo se suele admitir. Las principales preocupaciones de Machen parecían un anticipo de las inquietudes típicamente lovecraftianas, y su tema clave –la pervivencia de fuerzas del pasado– ya estaba presente en algunos cuentos suyos, como "Polaris", "La ciudad sin nombre" o, en cierta medida, el primerizo "La tumba", antes de que lo descubriera en 1923. En cualquier caso, las coincidencias temáticas entre uno y otro son bastante abundantes para ser consideradas meramente casuales: insólitos artículos en pequeños periódicos que proporcionan preocupantes pistas acerca de antiguas supervivencias y razas que vuelven a salir a la superficie para atacar a los humanos; misteriosos grupos endogámicos de campesinos que saben más de lo que dicen; inquietantes vestigios del periclitado mundo pagano; siniestros cultos escondidos con extraños ceremoniales precristianos. Lo cierto es que ambos tuvieron una educación similar y los escritos del místico soñador galés exudan una manifiesta sexualidad reprimida: "La novela del polvo blanco" (1895) ha sido interpretada como una fantasía onanista.

La influencia del imaginativo Machen es particularmente evidente en "El horror de Red Hook" (1925), con su epígrafe extraído de "The Red Hand" (1895), su referencia a la magia de los turanios (el cuento macheniano "The Turanians" se había publicado un año antes), su

---

(25) Ibíd., pág. 281.

(26) Ibíd., pág. 234.

(27) Carta a Miss Elizabeth Toldridge [poetisa whasingtoniana a quien Lovecraft revisó sus mediocres versos e incansable corresponsal del escritor de Providence] del 4 de mayo de 1929, en *Selected Letters 1929-1931*, pág. 335.

detective de la policía de Nueva York Thomas F. Malone cuyo incuestionable modelo es el propio escritor galés, y la inclusión de expresiones del tipo de «la sensación de misterio latente siempre presente en la existencia» o «la oculta belleza y el éxtasis de las cosas». Igualmente "Aire frío" (1926), que se anticipa a las modernas investigaciones criogénicas, se inspira vagamente en "La novela del polvo blanco", pese a ser en apariencia una palmaria imitación de Poe. Asimismo el sello de Machen parece indiscutible en las evocaciones topográficas de Marblehead (camuflada de Kingsport) en "El ceremonial" o "La extraña casa elevada entre la niebla", de Providence en "La casa evitada" (1924), o de Nueva York en "El horror de Red Hook" y "Él" (1925). Y es probable que las referencias a la antigüedad romana que aparecen en "Las ratas de las paredes" (1923) sean también deudoras del autor galés, a quien por aquellas fechas ya leía con fruición.

Así como Machen se enfrentó al gran misterio de la emergencia de una conciencia maligna que produce horror y causa daño, sin poder disimular ni su secreta atracción ni su nostalgia por el prohibido mundo mágico de las tradiciones que había mamado en su infancia (mitos celtas, hadas, etc.), Algernon Blackwood, otro de los grandes maestros modernos del terror según Lovecraft, lo contempló desde sus propios temores y ambigüedades y su reacción fue la huida. Aun admitiendo que es «menos intenso que Machen a la hora de describir el paroxismo del puro terror», Lovecraft, que empezó a leerlo en 1924, reconoce estar «infinitamente más identificado [que él] con la idea de que sobre nuestro mundo gravita constantemente otro mundo irreal que nos hostiga»[28]. Y aunque no se privó de formular algunas objeciones a su voluminosa e irregular obra –su «afán didáctico», «alguna que otra extravagancia», «cierto abuso de la jerga ocultista», «lo difuso e interminable de algunos de sus textos debido a su excesiva elaboración y a su estilo algo periodístico y descarnado, carente de esa magia y esa vitalidad capaces de suscitar sensaciones concretas y matices excepcio-

---

(28) *Supernatural Horror in Literature*, pág. 427.

nalmente sugerentes»[29]– jamás dudó de su genio, «ya que –en su opinión– nadie ha conseguido igualar esa habilidad, seriedad y minuciosa fidelidad con que alude a extraños matices en los seres y en las experiencias ordinarias, o esa intuición preternatural con que construye detalladamente las impresiones y percepciones que conducen de la realidad a una visión o una vida supranormal»[30]. De él tomó, pues, «la convincente y sobrecogedora sensación de inminencia de extrañas regiones o entidades espirituales» que «evocan como ninguna otra sus principales obras»[31]. Esa fascinación casi mística de sus personajes por la vida secreta del cosmos, poblado de entes vagos e indefinidos, seres primordiales que han sobrevivido hasta nuestros días, o divinidades incorpóreas, elementales y terribles, que personifican las fuerzas naturales (espíritus del bosque, de las aguas, del valle, de la nieve, de la noche, etc.) y nos retrotraen a un pasado, largo tiempo olvidado, en que nos sentíamos fundidos con el universo circundante.

Por ejemplo, en "La llamada de Cthulhu" (1926), pieza básica e inicio del ciclo de Cthulhu, escrita nada más abandonar Nueva York y regresar a Providence, Lovecraft utiliza como lema introductorio o exordio una cita de Blackwood, extraída de su novela *The Centaur* (1911), para justificar que atribuya a sus monstruos un origen extraterrestre y no sobrenatural: «Es posible que tales poderes o seres sean una supervivencia [...] la supervivencia de una época enormemente remota en la que [...] la conciencia debía manifestarse a través de formas y figuras que desaparecieron hace ya mucho tiempo ante la ascendente marea de la humanidad [...], formas de las que sólo la poesía y la leyenda han conservado un fugaz recuerdo bajo la denominación de dioses, monstruos, seres míticos de todas clases y especies». Un año después, en "El color de más allá del espacio" (1927), Lovecraft expresaría un tipo de amenaza cósmica similar a la del imperecedero cuento de Blackwood "Los sauces" (1907), aunque más que de un influjo concreto podría

---

(29) Ibíd., pág. 428.
(30) Ibíd., pág. 427.
(31) Ibíd., pág. 428.

hablarse de una afinidad esencial. Y uno de los más conocidos entes salidos de la pluma de Blackwood, "El Wendigo" (1910) –reminiscencia de olvidadas supersticiones indias que, apelando al mágico recuerdo de una época feliz y venturosa hace mucho periclitada (la nostalgia del Paraíso), cobran existencia real con la sana intención de conseguir una «ampliación de la conciencia»–, pasó pronto a formar parte del panteón de los Grandes Antiguos bajo el apelativo de Ithaqua, «El que camina en el viento», aunque tal incorporación la llevara a cabo en realidad el discípulo predilecto de HPL, August Derleth, quien, a la muerte de aquél, ordenó, completó y sistematizó el creciente cuerpo doctrinal sobre Cthulhu que fue acumulándose gracias al llamado «círculo de Lovecraft».

Una influencia similar si no mayor que la de los anteriores en la obra de madurez de Lovecraft, a la que me referiré más extensamente en el segundo tomo de su obra narrativa completa, fue la que desempeñó el británico William Hope Hodgson, en cuya práctica totalidad de relatos y novelas la idea central es el terror cósmico. O sea, el miedo como experiencia emocional ante la presencia de sobrecogedoras e incomprensibles fuerzas elementales, encarnadas en multitud de pesadillescas formas semihumanas, «nauseabundas e impías» (singular adjetivación que Lovecraft hará suya y ampliará con especial complacencia), que surgen de los abismos del mundo. Aparte de la innegable similitud de los parámetros estilísticos y conceptuales de los futuros relatos del ciclo de Cthulhu con las turbadoras novelas de Hodgson, de marcada índole profética y apocalíptica, existen otros factores recurrentes en la obra hodgsoniana que influyeron palpablemente en Lovecraft. Por ejemplo, el tipo de sensaciones y percepciones descritas, sugeridas más bien mediante alusiones casuales y detalles aparentemente insignificantes y ominosamente conectadas con parajes o edificios; y, en especial, el prodigioso despliegue de extrañas y amenazadoras entidades al acecho, como las insólitas y viscosas formas de vida o las innominables abyecciones surgidas del mar en sus primerizos relatos marítimos, o las espantosas potencias del trasmundo y las híbridas y «blasfemas» anormalidades (la calificación es, por supuesto, de Lovecraft) que pululan en la atmósfera deprimente de sus novelas visionarias. Y finalmente el hallazgo más imitado por el cine de terror de los últimos cincuenta años, aunque erróneamente atribuido casi en exclusividad a Lovecraft: la existencia de puertas místicas que permiten el acceso a otras dimensiones paralelas.

Finalmente habría que mencionar al reverendo M. R. James, el máximo cultivador del cuento de fantasmas victoriano, considerado por Lovecraft como uno de los cuatro maestros modernos del terror por su innovador planteamiento del mismo desde un punto de vista prosaico basado en los detalles de la vida cotidiana, presentados de manera ligera y coloquial, con pinceladas de malignidad humorística. Aparte de seguir a rajatabla sus tres reglas de oro (el escenario debe ser moderno y conocido; la aparición, malévola; hay que evitar a toda costa la convencional terminología del ocultismo y la seudociencia), de él obtuvo un sinfín de sugerencias que luego convertiría en ingredientes indispensables de sus relatos: manuscritos esotéricos, perversos libros imaginarios, amenazadores jardines o lagos mefíticos, informes abominaciones casi invisibles aunque perfectamente tangibles, y hasta oscuros supervivientes de otras razas que salen de noche a devorar a sus vecinos.

En el ensayo "In Defence of Dagon" (1921), Lovecraft establece tres tipos de literatura: romántica, realista e imaginativa, y coloca a la «ficción sobrenatural» en la última categoría, pero alineándola con el realismo en cuanto a su tratamiento de la psicología y la emoción humanas. Según él, «un cuento, aunque sea extraño, debe ser plausible, excepto en los pasajes en los que esté implicado un elemento sobrenatural»[32]. Aunque no niega que toda ficción es deliberadamente irreal, considera que «la *fantasía* es algo completamente diferente. Se trata de

---

(32) Citado por Joyce Carol Oates en la Introducción a su edición de *Tales of H. P. Lovecraft*, Ecco Press, Hopewell (Nueva Jersey), 1998, pág. 18.

un arte basado en la vida imaginativa de la mente humana *francamente reconocida como tal;* y a su manera tan natural y científico, tan verdaderamente emparentado con los procesos psicológicos naturales (aunque sean poco corrientes y sutiles) como el más crudo realismo fotográfico»[33]. Para Lovecraft, la ficción fantástica sólo sería posible en esta época que ha dejado de creer colectivamente en lo sobrenatural en la medida en que conserve el instinto primitivo para seguir haciéndolo de una manera excéntrica y atomizada. Y, por tanto, el realismo fantástico era el único realismo digno de la magnitud del universo. «Esa rama de la literatura –escribía– que ha sido cultivada por grandes escritores como lord Dunsany y por fracasados como yo, es el único realismo verdadero, la única toma de posición del hombre frente al universo»[34].

Sin embargo, la realidad, aun presentada como simulacro o «simulación deliberada» (como afirma Joyce Carol Oates[35]), aparece en sus relatos como algo bastante horrendo y hostil. S. T. Joshi compara, por ejemplo, la espléndida ciudad ficticia de "Al otro lado de la barrera del sueño" con la pesadillesca realidad descrita en "Del más allá": «Un mundo espantoso en el que prácticamente estamos desvalidos». Para Lovecraft, el realismo no era, pues, una meta sino un propósito, y no dudaba en declararse realista: «Estoy plenamente convencido de que, en esencia, toda mente creadora es fruto que crece del humus de su propia tierra natal, y de que ningún material literario se adapta a aquélla tan perfectamente como el rico colorido y los antecedentes históricos de ésta. Ya habrán observado ustedes que en mis cuentos he puesto mucho de mi propia Nueva Inglaterra»[36]. En toda su ficción la realidad produce una conmoción en el protagonista. Su técnica consiste precisamente, como él mismo ha explicado muy bien, en «tomar la realidad como es, aceptando todas las limitaciones

---

(33) Carta a Clark Ashton Smith del 16 de noviembre de 1926, en *Selected Letters 1925-1929*, pág. 90.

(34) Citado por Jacques Bergier, en "Lovecraft, ce grand génie venu d'ailleurs", introducción a H. P. Lovecraft, *Démons et merveilles*, Union Générale d'Éditions, París, 1963, pág. 13.

(35) "The King of Weird", en *The New York Review*, 31 de octubre de 1996, pág. 51.

(36) *Letters to Robert Bloch*, Necronomicon Press, West Warwick, 1993, pág. 78.

de la ciencia más ortodoxa»[37]. Sus relatos más evocadores están situados en lugares que parecen bastante «reales» al principio, pero sus escenarios, cual fotografías que poco a poco fueran difuminándose, insinúan un trascendentalismo simulado en el que en todas partes se percibe vitalidad excepto posiblemente en los seres humanos. Por más que están estrictamente ambientados en época moderna, podrían estar escritos –según conjetura J. Vernon Shea[38]– «en tiempos de Walpole o de Maturin», y en ellos tanto los sentimientos como el ambiente que se respira parecen indefectiblemente del siglo XVIII.

«El *conflicto con el tiempo* me parece el tema más eficaz y provechoso de toda expresión humana», comentó una vez Lovecraft[39]. No en balde pensaba que Proust (otro navegante en el tiempo que compartió con él la costumbre de enclaustrarse para trabajar, la omnímoda influencia materna y la habilidad para transmutar ciudades: Illiers/Combray y Providence/Arkham) era el más grande escritor contemporáneo, al que prefería por encima de Poe, Dunsany, Machen, Blackwood o Ambrose Bierce, debido a la sutileza y belleza de su tratamiento del tiempo. Desde que era niño Lovecraft se dio cuenta de que el tiempo era su mayor enemigo, y siempre habló de su arte como de una «derrota del tiempo». En sus *Notes On Writing Weird Fiction* (publicadas póstumamente en junio de 1937 en *Amateur Correspondent*) lo dejaba bien claro: «La razón por la que el *tiempo* desempeña un papel tan importante en muchos de mis relatos se debe a que este elemento surge en mi mente como la cosa más profunda, dramática, espantosa y terrible del universo»[40]. A desarrollar este tema dedicó lo mejor de sí mismo. Evitar

---

(37) Carta de 1930, citada por James Turner en "A Mythos in his own image", introducción a *At the Mountains of Madness and Other Novels*, Arkham House, Sauk City, 1985, pág. XV.

(38) En "H. P. Lovecraft: The House and the Shadows", *The Magazine of Fantasy and Science Fiction,* mayo de 1966, incluido en *Lovecraft Remembered*, edición de Peter Cannon, Arkham House, Sauk City, 1999.

(39) En *Notes on Writing Weird Fiction*, incluido en *Miscellaneous Writings*, Arkham House, Sauk City, 1995, edición de S. T. Joshi, pág. 113.

(40) Ibíd.

los estragos del tiempo, abandonar este mundo inestable, suponía buscar un refugio, un lugar estable: de ahí la febril búsqueda de muchos de los protagonistas de sus relatos de una ciudad intemporal donde no se produzcan cambios; algo sólo posible en los sueños. Otra forma de escapar a las garras del tiempo, y con ello a la corrupción de la carne, podía consistir en deshacerse del «vulgar cuerpo», como ocurre en "Al otro lado de la barrera del sueño". Pero en su intento de derrotar al tiempo muchos de sus personajes son vencidos por él: pueden llegar a descubrir, para su horror o su loco júbilo, que de hecho están emparentados genéticamente con sus monstruosos antepasados y que éstos viven en ellos.

La gran variedad de temas que abarcan los relatos de Lovecraft constituye un auténtico compendio de los propios miedos del autor, ya sean del pasado o del futuro: la degeneración en todas sus formas incluyendo la mutación degenerativa ("El extraño", "El miedo que acecha", "Las ratas de las paredes", "La sombra sobre Innsmouth"), el bestialismo y el mestizaje ("Arthur Jermyn", "La llamada de Cthulhu", "El horror de Dunwich"), la decadencia ("Él", "El horror de Red Hook"), la regresión ("Las ratas de las paredes", "El ceremonial") y hasta el racismo más simplista ("La calle", "Él", "Red Hook"). Lo más característico de todos ellos es que, por lo general, a excepción del narrador y algún ocasional amigo, no aparecen otros personajes, y si los hombres suelen ser meras «marionetas», las mujeres prácticamente no existen. El hipersensible y exangüe héroe lovecraftiano suele ser casi invariablemente un neurasténico y solitario erudito, un tanto desequilibrado y algo ridículo, con una viva imaginación pero escasa energía, desprovisto del menor sentido de la realidad y por lo general depositario de conocimientos prohibidos, que se siente continuamente espiado y a quien nadie cree ni toma en serio. Nunca siente necesidad de comer ni de beber, ni menos aún de tener contactos sexuales; más que desplazarse, parece flotar, como en un travelín cinematográfico; su movilidad es siempre desconcertante y su comportamiento abstracto, imprevisible. El descubrimiento de alguna anomalía o violación de las leyes naturales no altera la pasividad que le caracteriza: muestra una cautelosa tendencia a expresar innumerables reservas irracionales a los fantásticos hechos que ha observado de manera tan convincente y objetiva, hasta que, sin ningún género de duda, se le revela la terrible verdad pero, incapaz de afrontarla, enloquece o pierde el conocimiento. Su búsqueda está siempre orientada hacia el pasado, es una vuelta a lo más profundo de sí mismo. En realidad su aventura aparente consiste en un auténtico periplo interior que le conducirá a enfrentarse con su propia imagen y, rompiendo todos los tabúes, a hacer resurgir los monstruos del pasado. O sea, nada que ver con los personajes de la «era del jazz» o de la Gran Depresión que nutren las novelas de sus coetáneos: son más bien una versión idealizada del escritor, que sin embargo no vaciló en autoparodiarse en "Herbert West, reanimador" (1921) o "El sabueso" (1922). Pues, como afirmó Vincent Starrett, «el propio Lovecraft fue su más fantástica creación». Y aunque Robert Bloch insiste en que «el cuadro del hombre retraído y solitario que persigue sombras y pasea de noche en antiguos cementerios no es completo», no es menos cierto que este «Epicuro de lo terrible» (en palabras de Joshi) se inventó a sí mismo y se encargó de fomentar su propia leyenda hasta convertirse en un escritor de culto, cuya «rareza –si es que hubo tal rareza– residió en que su torre de marfil estaba mejor construida y era más bella que la mayoría, y en que invitaba al mundo entero a visitarla y a compartir sus riquezas»[41].

ESTA EDICIÓN

A excepción de "El horror de Red Hook" –que en 1927 fue incluido en una antología inglesa de Christine Campbell titulada *You'll Need a Night Light* y un año después en la versión estadounidense de Herbert

---

(41) Robert Bloch, "Poe and Lovecraft", en *Ambrosia*, nº 2, agosto de 1973, incluido en *H.P. Lovecraft: Four Decades of Criticism*, edición de S. T. Joshi, Ohio University Press, Athens, 1980, pág. 160.

Ashbury *Not at Night*– y de "La sombra sobre Innsmouth", del que una pequeña editorial de Pennsylvania (Visionary Press) imprimió en forma privada ciento cincuenta ejemplares ilustrados por Frank Utpatel, Lovecraft nunca llegó a ver editados sus relatos en forma de libro. Después de su muerte, sus amigos y admiradores se dedicaron a recopilar sus relatos dispersos o inéditos y a publicarlos poco a poco. Esta póstuma resurrección tuvo sus adalides en Donald Wandrei y August Derleth, que crearon la editorial Arkham House, cuyo nombre alude a la fabulosa ciudad de Massachusetts donde están situados varios de sus relatos. A partir de los años cuarenta Arkham House fue publicando toda su obra: relatos, poemas, ensayos y correspondencia, iniciándose así la naciente leyenda de Lovecraft, que posibilitó en las siguientes décadas su traducción al francés, español, alemán, italiano, holandés, japonés y lenguas escandinavas, y sus primeras ediciones de bolsillo en la década de los setenta. No obstante, estas ediciones por desgracia reprodujeron (y a veces aumentaron) las inevitables erratas tipográficas inherentes a toda publicación en revistas *pulp* y no restituyeron las múltiples e improcedentes supresiones a que fueron sometidas en su día. Hasta que la propia Arkham House encargó al máximo lovecraftólogo actual, S. T. Joshi (autor de su más reciente y fiable biografía), la meticulosa corrección de los textos a partir sobre todo de los manuscritos originales del escritor (o copias mecanografiadas de los mismos), que gracias a R. H. Barlow se conservan en la John Hay Library de la Brown University, o recurriendo a sus mismas rectificaciones anotadas a mano sobre los propios ejemplares de las respectivas publicaciones en revistas. De esta manera se restituía al verdadero Lovecraft en su total integridad, respetando su estilo, ortografía y sintaxis, e incluso incorporando posteriores retoques que el autor realizó en algunos relatos.

Esta versión española, que hoy ofrece la editorial Valdemar en dos tomos, ha seguido escrupulosamente la susodicha edición definitiva, publicada por Arkham House en tres volúmenes entre 1963 y 1965 (más un cuarto, *Miscellaneous Writings*, aparecido en 1995), que no incluye los relatos escritos en colaboración con otros autores, a excepción de "A través de las puertas de la llave de plata", clausura del ciclo onírico de Randolph Carter que indudablemente no podía faltar. A diferencia de aquella edición se ha respetado el orden cronológico de los relatos, establecido por el propio Joshi con la ayuda de David E. Schultz, con la salvedad que se especifica pertinentemente.

Ahora que acaba de alcanzar la suprema consagración de los literatos estadounidenses: entrar a formar parte de la selecta y restringida colección de clásicos de Library of America (equivalente de La Pléiade francesa) es el momento oportuno para que Lovecraft disponga, por fin, de la definitiva edición en castellano que tanto se ha hecho esperar, por primera vez completa, prolijamente anotada y rigurosamente fiel a los originales.

JUAN ANTONIO MOLINA FOIX

Narrativa completa

Volumen I

LA BOTELLITA DE CRISTAL[1]

«Parad, hay algo flotando a sotavento» el que hablaba era un hombre bajo y robusto llamado William Jones. era el patrón de un pequeño laúd en el que navegaban él y sus hombres en el momento en que empieza esta historia.

«Sí, sí, señor» contestó John Towers y detuvieron la embarcación. El patrón John alargó la mano hacia el objeto descubriendo ahora que era una botella «Sólo es una botella de ron que ha tirado algún barco que pasaba» dijo pero en un impulso de curiosidad la cogió. Era una botella de ron e iba a devolverla al agua cuando se dio cuenta de que dentro TENÍA un trozo de papel. Lo sacó y leyó en él lo siguiente

1 de enero de 1864
Soy John Jones el que escribe esta carta mi barco se está hundiendo deprisa con un tesoro a bordo Estoy donde hay marcado un * en la carta que incluyo

El patrón Jones le dio la vuelta a la hoja y en la otra cara tenía un mapa

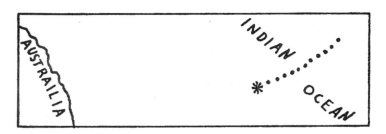

En el borde había escritas estas palabras:

las líneas de puntos representan la ruta que llevábamos

«Towers» Dijo el patrón Jones con excitación «lea esto» Towers hizo lo que le pedían «Creo que merece la pena ir» dijo el patrón Jones «¿usted qué opina?» «Igual que usted» replicó Towers. «Alquilaremos una goleta hoy mismo» dijo el patrón excitado «De acuerdo» dijo Towers, conque alquilaron una embarcación y zarparon siguiendo las líneas de puntos de la carta en 4 días llegaron al lugar donde se indicaba y varios bajaron y subieron cargados con una botella de hierro en ella encontraron las siguientes líneas garabateadas en un trozo de papel de estraza

3 de dic de 1880
Querido buscador disculpa la broma pesada que te he gastado pero te mereces no haber encontrado nada por tu estupidez.

«Razón tiene» dijo el patrón Jones «continúo»

Sin embargo pagaré tus gastos de ida y vuelta al lugar donde has encontrado la botella calculo que serán 25.0.00 dólares así que encontrarás esa cantidad en una arqueta de hierro sé dónde has encontrado la botella porque la he puesto yo ahí y la arqueta de hierro y luego busqué un buen lugar para dejar una segunda botella esperando que el dinero que contiene pague los gastos, de manera que termino –Anónimo»

«Me gustaría arrancarle la cabeza de un puntapié» dijo el patrón Jones «Buzo baja ahí y saca los 25.0.00 dólares» en un minuto el buzo subió con una arqueta de hierro dentro encontraron 25.0.00 dólares Esto pagó los gastos pero no creo que vuelvan nunca más a un lugar misterioso siguiendo las instrucciones de una botella misteriosa.

LA CUEVA SECRETA
o la aventura de John Lees[1]

«Ahora, niños, sed buenos mientras estoy fuera» dijo la señora Lee «y no hagáis diabluras». El señor y la señora Lee iban a salir todo el día y a dejar solos a Los Dos niños John de 10 años y Alice de 2 años «Sí» replicó John.

Tan pronto como los Lee mayores se fueron los pequeños Lee bajaron a la bodega y se pusieron a revolver entre los trastos la pequeña alice se recostó en la pared mientras observaba a John. Cuando John estaba haciendo un bote con duelas de barril la niña dio un grito al notar derrumbarse los ladrillos que tenía detrás el niño corrió a ella y la levantó chillando y cuando dejó de chillar dijo «la pared se ha derrumbado» John se acercó y vio que había un pasadizo dijo a la niña «entremos a ver qué es» «Sí» dijo ella entraron en el lugar podían ir derechos el pasadizo se perdía de vista John volvió a subir, fue al cajón de la cocina y cogió dos velas y algunos fósforos y regresaron al pasadizo de la bodega. entraron los dos otra vez las paredes el techo y el suelo estaban enlucidos y no vieron nada salvo una caja ésta hacía de silla sin embargo la examinaron y no contenía nada siguieron andando y poco después dejaron atrás el enlucido y estaban en una cueva La pequeña alice iba asustada al principio pero al asegurar su hermano que «no pasaba nada» desechó su temor, pronto dieron con una cajita que John cogió y se llevó consigo poco después llegaron a un bote en él había dos remos se lo llevó a rastras con dificultad poco después descubrieron que el pasadizo terminaba de repente John derribó el obstáculo y vio con consternación que entraba agua a torrentes John era experto nadador y aguantaba mucho la respiración Tomó aire y trató de subir pero con la caja y su hermana era imposible entonces vio el bote flotando se agarró a él——— lo siguiente que recuerda es que estaba en la superficie sujetando fuertemente el cuerpo de su hermana y la misteriosa caja no sabía cómo entraba el agua pero un nuevo peligro los amenazaba si el agua seguía subiendo llegaría al techo de repente le vino un pensamiento. podía cortar el agua lo hizo rápidamente y subiendo el cuerpo ahora sin vida de su hermana al bote se subió él y navegaron por el pasadizo era espantoso y extraño y estaba absolutamente oscuro porque el agua le había apagado la vela y con un cuerpo muerto tendido cerca no miró a su alrededor sino que remó con todas sus fuerzas cuando alzó los ojos flotaba en la bodega de su casa subió corriendo la escalera con el cadáver, descubriendo que sus padres habían vuelto Les contó lo que había pasado.

*   *   *   *   *   *

El funeral de alice se alargó tanto que a John se le olvidó por completo la caja; pero cuando la abrieron descubrieron que había un pedazo de oro macizo que valía 10.000 dólares suficiente para comprar cualquier cosa menos la vida de su hermana.

Fin

EL MISTERIO DEL CEMENTERIO,
o «La venganza de un hombre muerto»[1]

Capítulo I
La tumba de Burns

Era mediodía en el pueblecito de Mainville, y alrededor de la tumba de Burns había un grupo de dolientes. Joseph Burns había muerto (cuando estaba agonizando, había dado estas extrañas instrucciones: «Antes de depositar mi cuerpo en la tumba, dejad caer esta bola en el sitio señalado con una "A"». Y tendió al párroco una bola dorada). La gente sintió mucho su muerte. Una vez terminada la ceremonia, dijo el señor Dobson (el párroco): «Amigos míos, voy a cumplir el último deseo del difunto». Dicho esto bajó a la tumba (a dejar caer la bola en el sitio señalado con una «A»). No tardó la comitiva fúnebre en empezar a impacientarse, hasta que al cabo de un rato el señor Charles Green (el abogado) bajó a ver qué pasaba. Un momento después subió con el semblante asustado; y dijo: «¡El señor Dobson no está!»

Capítulo II
El misterioso señor Bell

Eran las 3.10 de la tarde cuando sonó estrepitosamente la campanilla de la puerta de la mansión Dobson, y al acudir la criada, halló a un hombre mayor de cabello negro y patillas. Pidió ver a la señorita Dobson. Cuando estuvo ante ella dijo: «Señorita Dobson, yo sé dónde está su padre, y por 10.000 libras se lo devolveré. Me llamo señor Bell». «Señor Bell –dijo la señorita Dobson–, ¿me disculpa si me ausento un momento?» «Por supuesto», contestó el señor Bell. Un instante después regresó, y dijo: «Señor Bell, ya entiendo. Ha secuestrado a mi padre, y pide un rescate».

Capítulo III
La comisaría de policía

A las 3.20 de la tarde sonó con furia el teléfono en la comisaría de policía de North End, y Gibson (el telefonista) contestó a la llamada. «¡He descubierto la desaparición de cuatro padres! –dijo una voz de mujer–. Soy la señorita Dobson, y mi padre ha sido secuestrado. ¡Manden a King John!» King John era un famoso detective del oeste[2]. Justo en ese momento irrumpió un hombre gritando: «¡Ah, qué terrible! ¡Vengan al cementerio!»

Capítulo IV
La ventana de poniente

Ahora volvamos a la Mansión Dobson. El señor Bell se había quedado mudo ante las claras palabras de la señorita Dobson; pero cuando recobró el habla dijo: «No lo exponga de manera tan simple, señorita Dobson, porque yo...» Le interrumpió la aparición de King John, quien con un par de revólveres en las manos se colocó en la puerta tapando la salida. Pero más veloz que el pensamiento, Bell corrió a la ventana de poniente y saltó.

Capítulo V
El secreto de la tumba

Ahora volvamos a la comisaría. Una vez que el visitante se hubo calmado un poco, consiguió contar su historia con más coherencia. Había visto a tres hombres en el cementerio que gritaban: «¡Bell! ¡Bell! ¿Dónde estás, compadre?», y comportándose muy sospechosamente. Así que los siguió, *¡y entraron en la tumba de Burns!* Entonces bajó tras ellos, les vio tocar un resorte en un punto marcado con una «A» y luego desaparecer. «Ojalá estuviera aquí King John –dijo Gibbson–. ¿Cómo se llama usted?» «John Spratt», replicó el visitante.

Capítulo VI

La persecución de Bell

Ahora volvamos otra vez a la Mansión Dobson: King John se quedó totalmente desconcertado ante la súbita reacción de Bell, pero tan pronto se recobró de la sorpresa, lo primero que pensó fue ir tras él. Así que emprendió la persecución del secuestrador. Su rastro le llevó hasta la estación de ferrocarril, donde para su consternación averiguó que había tomado el tren que iba a Kent, una gran ciudad del sur; y entre ella y Mainville no había telégrafo ni teléfono. ¡Y el tren acababa de salir!

Capítulo VII

El cochero negro

El tren a Kent había salido a las 10.35, y hacia las 10.36 un hombre jadeante, polvoriento y cansado* llegó corriendo a la casa de coches de alquiler, y dijo a un cochero negro que había en la puerta: «Si me lleva a Kent en 15 minutos le pagaré un dólar». «No veo cómo podría ir –dijo el negro–. No tengo un par de caballos decentes y tengo...» «¡Dos dólares!», gritó el viajero. «Está bien», dijo el cochero.

(*) King John. (N. del A.)

Capítulo VIII
La sorpresa de Bell

Eran las 11 en punto en Kent; todos los comercios estaban cerrados menos uno, una pequeña tienda sórdida y mugrienta del extremo oeste del pueblo, entre el puerto de Kent y la estación de ferrocarril de Kent-Mainville. En el local, un individuo vestido de manera andrajosa y de edad indefinida conversaba con una mujer de mediana edad y cabellos grises: «He aceptado el trabajo, Lindy –decía–. Bell llegará a las 11.30 y el coche está listo para llevarle al muelle, de donde esta noche zarpará un barco para África».

–Pero ¿y si viene King John? –preguntó «Lindy».

–Entonces nos atraparán, y colgarán a Bell –replicó el hombre.

Justo en ese momento sonó un golpecito en la puerta. «¿Es usted Bell?», preguntó Lindy. «Sí –fue la respuesta–; he venido en el de las 10.35, y he dejado plantado allí a King John, así que todo va bien». A las 11.40 el grupo llegó al embarcadero y vio un barco recortado en la oscuridad. En el casco tenía pintado: «El Kehdive» «de África», y en el momento en que iban a embarcar surgió un hombre de la oscuridad y dijo «¡John Bell, quedas detenido en nombre de la Reina!»

Era King John.

Capítulo IX
El juicio

Llegó el día del juicio, y se había juntado una multitud alrededor de la pequeña arboleda (que servía de tribunal en verano) para asistir al juicio de John Bell acusado de secuestro. «Señor Bell –dijo el juez–, ¿cuál es el secreto de la tumba de Burns?»

–Sólo le diré esto –dijo Bell–: si baja a la tumba y toca un sitio marcado con una «A» lo averiguará.

—Y diga, ¿dónde está el señor Dobson? –inquirió el juez–. «¡Aquí!», exclamó una voz detrás de ellos; y apareció en la puerta el MISMÍSIMO señor Dobson.

«¿Cómo ha llegado hasta aquí?» etcétera, exclamaron a coro. «Es una larga historia», dijo Dobson.

Capítulo X
La historia de Dobson

—Al bajar a la tumba –dijo Dobson–, estaba completamente oscuro, no veía nada, pero finalmente distinguí la letra «A» pintada en blanco en el piso de ónice, dejé caer la bola sobre la letra, e inmediatamente se abrió una trampa y apareció un hombre. Era ése de ahí –dijo (señalando a Bell, que estaba de pie, temblando en el banquillo)–; me empujó abajo, a un recinto iluminado y brillante donde he vivido hasta hoy. Un día un joven entró precipitadamente y exclamó: «¡Han descubierto el secreto!», y se fue. No me vio. Una vez Bell se dejó la llave, le saqué la impresión en cera, y el día siguiente me lo pasé limando llaves a fin de que ajustasen en la cerradura. Un día después logré hacer funcionar una, y al día siguiente (o sea, hoy) me escapé.

Capítulo XI
Revelación del misterio

«¿Por qué le pidió el difunto J. Burns que dejase caer la bola allí? (en la "A")», preguntó el juez. «Para perjudicarme –replicó Dobson–. Él y Francis Burns (su hermano) han estado años maquinando a mis espaldas de qué manera podían perjudicarme». «¡Detengan a Francis Burns!», gritó el juez.

Capítulo XII
Conclusión

Francis Burns y John Bell fueron encarcelados de por vida. El señor Dobson fue cariñosamente acogido por su hija, la cual, entretanto, se había convertido en esposa de King John. «Lindy» y su cómplice fueron enviados a Newgate, donde estuvieron encerrados 30 días por colaboradores y cómplices de una desaparición criminal.

Fin

Precio, 25 centavos

EL BUQUE MISTERIOSO[1]

Capítulo 1

Durante la primavera de 1847, la pequeña población de Ruralville se vio sumergida en un estado de excitación a causa de la llegada al puerto de un extraño bergantín. No portaba enseña alguna, y todo lo que le rodeaba era causa de recelo. No tenía nombre. Su capitán se llamaba Manuel Ruello. Pero la agitación se incrementó cuando John Griggs desapareció de su casa. Fue el 4 de octubre. El 5 de octubre el bergantín se había ido.

Capítulo 2

Al partir, el bergantín se topó con una fragata de los Estados Unidos y hubo una enconada batalla. Una vez finalizada, ellos* echaron en falta a un hombre llamado Henry Johns.

Capítulo 3

El bergantín continuó su travesía con rumbo a Madagascar. A su llegada, los nativos huyeron en todas direcciones. Cuando se reagruparon al otro lado de la isla, faltaba uno de ellos. Se llamaba Dahabea.

(*) Los de la fragata. (N. del A.)

Capítulo 4

Por fin se decidió que había que hacer algo. Se ofreció una recompensa de 5.000 libras por la captura de Manuel Ruello. Entonces llegaron unas noticias sorprendentes. Un bergantín sin nombre había naufragado en los Cayos de Florida.

Capítulo 5

Se mandó un navío a Florida, y el misterio fue resuelto. En la agitación de la batalla lanzarían al agua un submarino y tomaron lo que quisieron. Allí se quedó, meciéndose tranquilamente en las aguas del Atlántico hasta que alguien llamado John Brown desapareció. Y estaba claro que John Brown se había ido.

Capítulo 6

El descubrimiento del submarino, y la desaparición de John Brown, provocaron un renovado interés entre las gentes, cuando se hizo un nuevo descubrimiento. Para transcribir este descubrimiento se hace necesario relatar un hecho geográfico. En el Polo Norte existe un vasto continente compuesto de tierras volcánicas, una parte del mismo está abierto a los exploradores. Es la llamada «Tierra de Nadie».

Capítulo 7

En el extremo sur de la Tierra de Nadie, se encontró un hvt y algunos otros signos de asentamientos humanos. Entraron de inmediato y, encadenados al suelo, yacían Griggs, John y Dahabea. Tras llegar a

Londres se separaron, Griggs se marchó a Ruralville, Johns a la fragata y Dahabea a Madagascar.

Capítulo 8

Pero el misterio acerca de John Brown aún seguía sin resolverse, de manera que mantuvieron una estricta vigilancia en el puerto de la Tierra de Nadie, y cuando el submarino llegó, y los piratas, uno tras otro, y comandados por Manuel Ruello, salieron de la nave, se vieron sorprendidos por un fuego cruzado. Tras la lucha se pudo recuperar a Brown.

Capítulo 9

Griggs fue recibido como un rey en Ruralville, y se dio una cena en honor de Henry Johns, Dahabea se convirtió en el Rey de Madagascar, y Brown llegó a ser capitán de su propio barco.

FIN

LA BESTIA DE LA CUEVA[1]

La terrible conclusión que gradualmente se había ido fijando en mi mente confusa y reacia era ahora de una certeza espeluznante. Me hallaba perdido, completa y desesperanzadamente perdido en los vastos y laberínticos corredores de la Cueva del Mamut[2]. Mirara a donde mirara, mis ojos cansados no lograban captar ningún objeto que pudiera servirme de referencia para encontrar el camino de salida. La lógica me decía que jamás conseguiría volver a ver la bendita luz del día, ni a pasear por las deliciosas colinas y valles del hermoso mundo exterior. La esperanza se había desvanecido. Y sin embargo, adoctrinado por una vida dedicada al estudio de la filosofía, obtuve cierta satisfacción al comprobar lo desapasionado de mi conducta; pues, aunque con frecuencia he leído acerca del salvaje frenesí que embarga a las víctimas de situaciones semejantes, yo no sentía nada de eso, sino que mantuve la serenidad en cuanto descubrí plenamente que había perdido el rumbo.

Ni tan siquiera el pensar que podría haber estado vagabundeando más allá de los límites de un posible rescate me hizo abandonar mi compostura ni un solo instante. Si tenía que morir, reflexioné, que estas terribles, aunque majestuosas, cavernas, se convirtieran en un sepulcro bienaventurado, como el de cualquier camposanto; idea que me aportaba más tranquilidad que desesperación.

La muerte por inanición sería mi destino último; no tenía dudas sobre eso. Sé que muchos se habrían vuelto locos en aquellas circunstancias, pero sentía que ése no sería mi final. Mi desgracia era el resultado de mis propios errores, y de nadie más, ya que desobedecí al guía y me separé del grupo de visitantes; y, tras vagar cerca de una hora a través de las galerías prohibidas de la caverna, me había dado cuenta de que ya no podía encontrar el camino de vuelta entre los intrincados vericuetos que había recorrido tras abandonar a mis compañeros.

Mi antorcha comenzaba a extinguirse y pronto me vería envuelto en la oscuridad total y casi palpable de las entrañas de la tierra. Mientras seguía alumbrado por la luz menguante y temblorosa, me imaginé despreocupado cuáles serían las circunstancias exactas de mi indudable final. Recordaba las historias que había escuchado sobre una colonia de leprosos, que, tras tomar posesión de esta gruta gigantesca, debido a la aparente pureza del aire de aquel mundo subterráneo, a su temperatura uniforme y estable, al aire puro y a su pacífica tranquilidad, se habían topado, en lugar de todo lo anterior, con una muerte extraña y horrenda. Había visto las ruinas destartaladas de sus casitas enfermizas al pasar con el resto de mi grupo, y me había preguntado entonces por los efectos sobrenaturales que una larga estancia en aquella caverna inmensa y silenciosa produciría en una persona tan saludable y vigorosa como yo. Y ahora, me dije a mí mismo con gravedad, tenía la oportunidad de comprobarlo, suponiendo que la falta de comida no acelerase mi marcha de este mundo.

Cuando los últimos destellos intermitentes de la antorcha dieron paso a la negrura, decidí no dejar sin remover ninguna roca, ni descuidar ninguna posible vía de escape; de manera que me puse a chillar con toda la fuerza de mis pulmones, lanzando una serie de gritos enérgicos, con la vana esperanza de llamar la atención del guía. Y sin embargo, mientras aullaba, sabía de corazón que mis gritos no obtendrían respuesta, y que mi voz, engrandecida y multiplicada por las innumerables paredes rocosas del negro laberinto en el que andaba perdido, no llegaría a más oídos que los míos. Pero de pronto, mi atención se vio atraída por el sonido de unas pisadas blandas que, me imaginaba, se acercaban hacia mí sobre el suelo rocoso de la caverna. ¿Acaso mi salvación iba a llegar tan pronto? ¿Habían sido, pues, totalmente infundados mis espantosos temores, y el guía, tras advertir mi inexplicable ausencia del resto del grupo, había seguido mi rastro a través de aquel laberinto calcáreo? Según afloraban a mi mente todos esos pensamientos felices, estuve a punto de ponerme a gritar otra vez, con la esperanza de acelerar mi rescate; pero, de pronto, mi alegría se tornó en espanto al seguir escuchando, ya que mi agudo sentido del oído, aumentado aún más por el silencio total de la cueva, comunicó a mi mente entumecida la terrible e inesperada certeza de que aquellas pisadas *no se parecían a las de ningún ser humano.* En medio de la quietud sobrenatural de esa región subterránea, los pasos del guía calzado con botas habrían sonado como una serie de golpes secos y penetrantes. Aquellas pisadas, sin embargo, resultaban blandas y sigilosas, como las zarpas almohadilladas de algún felino. Además, *a veces,* si escuchaba con atención, me parecía distinguir el avance de *cuatro* pies en lugar de *dos.*

Estaba ahora convencido de que mis gritos habían despertado y atraído a alguna bestia salvaje, un puma quizá, extraviado accidentalmente en el interior de la caverna. Pensé que, a lo mejor, el Todopoderoso había elegido darme una muerte más rápida y misericordiosa que el hambre. Sin embargo, el instinto de conservación, que nunca está dormido por completo, latió dentro de mi pecho, y, aunque escapar del peligro que se avecinaba no haría otra cosa que evitarme un final más fácil y sencillo, decidí que aquella bestia pagaría un alto precio por mi vida. Por muy extraño que parezca, mi razón estaba convencida de que las intenciones del visitante tenían que ser hostiles. Así que me quedé totalmente quieto, con la esperanza de que aquella bestia desconocida, ante la ausencia de cualquier sonido que pudiera guiarla, perdiera el sentido del rumbo, de la misma manera que ya me había sucedido a mí, y, de esa forma, pasara de largo. Pero mis esperanzas no estaban destinadas a cumplirse, ya que las extrañas pisadas avanzaron a un ritmo constante, lo cual demostraba que el animal había captado mi rastro, que, en una atmósfera totalmente libre de las influencias exteriores como la que había en la caverna, podía ser seguido, sin duda, desde una gran distancia.

Decidí, pues, que tenía que conseguir alguna arma para defenderme del ataque de un ser desconocido e invisible en medio de la oscuridad, y agrupé a mi alrededor las piedras más grandes que pude encontrar en las proximidades y que estaban desperdigadas por el suelo de la caverna, y luego, con una piedra en cada mano lista para ser usada, aguardé resignado el inevitable desenlace. Mientras tanto, las espantosas pisadas como de garras seguían aproximándose. En verdad, la conducta de aquella criatura resultaba de lo más extraña. La mayor parte del tiempo, los pasos parecían ser producidos por una especie de cuadrúpedo que caminara con una extraña *ausencia de ritmo* entre las extremidades traseras y delanteras; y sin embargo, durante breves y poco frecuentes intervalos, me daba la sensación de que tan sólo dos de sus extremidades se hallaban envueltas en el proceso de locomoción. Me preguntaba contra qué clase de bestia iba a enfrentarme; debía de tratarse, decidí, de algún desdichado animal que había pagado un alto precio por su curiosidad en investigar una de las entradas de la espantosa caverna, quedando confinado de por vida en estos interminables laberintos. Sin duda obtenía su sustento a base de los peces ciegos, murciélagos y ratas que moraban en la caverna, así como de los peces ordinarios que chapotean en las bocas del río Verde, y que se comunican de alguna manera oculta con las aguas de la caverna. Distraje mi terrorífica espera con grotescas conjeturas acerca de las alteraciones físicas que podían haberse producido en el cuerpo de aquella bestia durante su estancia en la gruta, recordando las atroces apariencias con las que la tradición local describía a los tísicos que habían fallecido después de residir un largo espacio de tiempo en la gruta. Luego me vino a la cabeza de golpe que, aunque fuera capaz de matar a mi enemigo, *jamás conseguiría ver su verdadera forma*, ya que mi antorcha se había consumido mucho antes y no disponía de fósforos. La tensión mental se hizo espantosa. Mi imaginación desbocada conjuraba formas aterradoras y repugnantes que emergían de la siniestra oscuridad que me rodeaba, y que parecían *presionarme* en un sentido físico. Las terroríficas pisadas se acercaban cada vez más. Estuve a punto de soltar un grito agudo y, sin embargo, de haber sido lo suficientemente estúpido como para intentarlo, mi voz apenas me habría respondido. Estaba petrificado, como unido a la roca. Dudaba de que mi mano derecha fuera capaz de lanzar el misil sobre la bestia que se acercaba cuando se produjera el momento crucial. El inexorable *pat-pat* con el que sonaban los pasos de la criatura se encontraba ahora a la vuelta de la esquina, muy, *muy* cerca. Podía percibir la trabajosa respiración del animal, y, aun a pesar de sentirme totalmente aterrado, fui capaz de comprender que venía de muy lejos y que, por consiguiente, estaba fatigado. De repente el hechizo se rompió. Mi mano derecha, guiada por mi agudo sentido del oído, arrojó con todas sus fuerzas el anguloso trozo de roca caliza que sostenía, impulsándolo hacia el lugar en tinieblas del que surgían el resuello y las pisadas, y, aunque parezca imposible, estuvo a punto de alcanzar su objetivo, pues escuché que la cosa pegaba un brinco y aterrizaba a cierta distancia, haciendo luego una pausa.

Apunté de nuevo y lancé el segundo proyectil, esta vez con mayor efectividad, ya que escuché con gran regocijo cómo la criatura parecía caer completamente inerte, quedando sin duda inmóvil sobre el suelo. Desbordado por el tremendo alivio que me invadió, apoyé la espalda sobre la pared. La respiración seguía sonando con pesadas y difíciles inspiraciones y exhalaciones, por lo cual deduje que tan sólo había conseguido herir a la criatura. Y entonces, cualquier deseo de examinar a la *cosa* se esfumó. Por fin, un miedo supersticioso y sobrenatural se adueñó de mi mente, y no me atreví a acercarme al cuerpo, ni osé arrojarle más piedras con la intención de acabar con su vida. En lugar de eso, eché a correr con todas mis fuerzas en la misma dirección por la que había venido, o al menos eso es lo que creía en mi frenético estado de ánimo. De pronto, escuché un ruido, o mejor, una sucesión de ruidos regulares. Al poco se convirtieron en una serie de golpeteos metálicos y agudos. Ahora no había duda. *Se trataba del guía.* Y entonces me puse a gritar, a aullar, a vociferar, incluso chillé de alegría al contemplar cómo los techos abovedados iban iluminándose con los destellos resplandecientes que yo sabía producidos por la luz de una antorcha que se aproximaba. Corrí en busca del resplandor y, antes de que pudiera comprender todo lo que realmente había sucedido, me encontré tirado sobre el suelo a los pies del guía, abrazado a sus botas, balbuceando, a pesar de mi habitual timidez, de la manera más estúpida y carente de sentido los terribles sucesos que acababan de acontecerme, y, al mismo tiempo, abrumando a mi oyente con mis demostraciones de gratitud. Al final pude recuperar un poco el juicio. El guía se había dado cuenta de mi ausencia cuando el grupo llegó a la salida de la gruta, y, gracias a su sentido de la orientación, había procedido a realizar una concienzuda exploración de los pasadizos en los que me había dirigido la palabra por última vez, localizando mi situación tras una búsqueda de casi cuatro horas.

Una vez me hubo contado todo esto, yo, envalentonado por la luz de su antorcha y por su compañía, empecé a pensar en la extraña bestia a la que había dejado herida un poco detrás, en medio de las tinieblas, y le sugerí que nos acercáramos a investigar, con la ayuda de la débil luz, qué clase de criatura había sido mi víctima. Así que volví sobre mis pasos, esta vez con el coraje que me transmitía el estar acompañado, y me dirigí al lugar de mi terrible experiencia. Pronto descubrimos un cuerpo blanco tumbado en el suelo, más blanco aún que la misma caliza resplandeciente. Avanzando con gran cuidado, ambos lanzamos una exclamación de asombro al mismo tiempo, pues de todas las monstruosidades que pudiéramos haber contemplado en nuestras vidas, aquélla era sin duda la más extraña de todas. Parecía tratarse de una especie de mono antropoide de grandes proporciones, escapado quizá de alguna feria ambulante. Su pelaje era tan blanco como la nieve, característica que sin duda se debía a la acción decolorante de una larga existencia dentro de los tenebrosos confines de aquella caverna; pero también era sorprendentemente fino y escaso, y apenas le crecía en el cuerpo, excepto sobre la cabeza, donde resultaba tan largo y abundante que le caía alrededor de los hombros con notable profusión. El rostro permanecía cubierto, ya que la criatura había caído prácticamente boca abajo. El ángulo que formaban sus extremidades era ciertamente singular, pero, sin embargo, explicaba el cambio del uso habitual de éstas, que yo ya había notado antes, ya que las bestias emplean con frecuencia para desplazarse las cuatro extremidades a un mismo tiempo, mientras que, en otras ocasiones, sólo utilizan dos. De la punta de los dedos, tanto de las manos como de los pies, sobresalían unas largas uñas en forma de garra. Ni las manos ni los pies eran prensiles, característica que atribuí a la larga estancia en la caverna que, como antes mencioné, parecía suficientemente probada por la *blancura* tan antinatural y absoluta que acompañaba a toda su anatomía. No parecía haber rastro de cola.

La respiración era ahora sumamente débil, y el guía había empuñado su revólver con la evidente intención de rematar a la criatura, cuando un *sonido* inesperado emitido por esta última le hizo bajar el arma. La naturaleza de aquel sonido resultaba difícil de explicar. No se trataba de las típicas notas que pudieran emitir las especies conocidas de simios, y me pregunté si aquella cualidad tan poco natural no sería el fruto de una existencia rodeada por un silencio total y continuado, roto al fin por las sensaciones causadas ante la aparición de un foco de luz, algo que la bestia no había vuelto a ver desde que entró por primera vez en la cueva. El sonido, que yo apenas podría clasificar como una especie de chapurreo gutural, proseguía débilmente. De pronto, un espasmo de fugaz energía pareció recorrer el cuerpo de la bestia. Las garras se estremecieron compulsivamente y las extremidades se contrajeron. El cuerpo blancuzco giró con una sacudida y el rostro se volvió hacia nosotros. Durante unos instantes me sentí tan abrumado por el horror que revelaban aquellos ojos que no me percaté de nada más. Eran negros, aquellos ojos, profundos y tremendamente negros, y contrastaban en todo su espanto con aquel pelaje y aquel cuerpo tan blancos como la nieve. Igual que los de cualquier otro morador de las cavernas, estaban profundamente hundidos dentro de las órbitas y carecían por completo de iris. Según fui observando con mayor proximidad, descubrí que las cuencas se encontraban enmarcadas en un rostro de mandíbula menos prominente que la de cualquier mono normal y que resultaba infinitamente más peludo. La nariz era muy diferente.

Mientras contemplábamos la visión sobrenatural que teníamos delante de los ojos, los gruesos labios se entreabrieron y dejaron escapar varios *sonidos*, tras lo cual aquella cosa se sumió en la quietud de la muerte.

El guía agarró la manga de mi chaqueta, temblando con tal violencia que la luz titilaba espasmódicamente, dibujando sombras fantásticas e inquietas sobre las paredes que nos rodeaban.

No me moví lo más mínimo, sino que me quedé inmóvil y rígido, con los ojos llenos de espanto y la mirada fija en lo que tenía delante.

Entonces se disiparon mis miedos y fueron reemplazados por el asombro, el horror, la compasión y la piedad, pues los sonidos que habían brotado de aquella figura herida de muerte que yacía sobre la roca caliza nos habían revelado la terrible verdad. La criatura que yo había matado, la extraña bestia de la insondable caverna, era, o había sido en tiempos remotos, ¡¡¡un HOMBRE!!![3]

EL ALQUIMISTA[1]

Allá en lo alto, coronando la cima herbosa de un montículo ondulado, cuyas laderas están tapizadas por los nudosos árboles de un bosque primordial, se alza la vetusta casona de mis ancestros. Desde hace siglos sus almenas han contemplado ceñudas los campos agrestes y salvajes que se extienden alrededor y que sirven de morada y fortaleza a la orgullosa edificación cuya honorable casta es aún más vieja que los muros cubiertos de musgo del propio castillo. Esos torreones antiguos, azotados por siglos de tempestades y corrompidos por el lento pero implacable paso del tiempo, constituyeron durante la época feudal una de las más temidas y formidables fortalezas de toda Francia. Desde sus pisoteados parapetos y empinadas almenas, barones, condes e incluso reyes han sido desafiados, sin que jamás llegaran a resonar en sus espaciosos salones las pisadas del invasor.

Pero todo ha cambiado desde aquellos años gloriosos. Una pobreza rayana en la mendicidad, unida a la soberbia de un apellido que impedía ganarse la vida en asuntos mercantiles, hizo que los vástagos de nuestra casta fueran incapaces de mantener sus propiedades en todo su esplendor; y las piedras desprendidas de los muros, la maleza que invadía los jardines, el foso seco y polvoriento, los patios de baldosas desgastadas, las torres medio derruidas carentes, como los suelos combados, de sus revestimientos de madera carcomidos por los gusanos, y los deslucidos tapices; todo ello parecía narrar una historia sombría acerca de pasadas grandezas. Con el devenir de los siglos, primero una, luego otra, las cuatro grandes torres fueron desmoronándose, hasta que al final tan sólo quedó una para albergar a los pocos y tristes descendientes de los antaño poderosos señores del condado.

Fue en una de las enormes y tenebrosas estancias de aquella torre que aún se mantenía erguida donde yo, Antoine, el último de los desdicha-dos y malditos condes de C., vi por primera vez la luz del día, hace ahora noventa largos años. Dentro de esos muros, entre bosques tenebrosos y sombríos, rodeado de quebradas ásperas y grutas que se abrían en la falda de la colina, pasé los primeros años de mi atormentada existencia. Jamás conocí a mis progenitores. Mi padre había muerto a la edad de treinta y dos años, un mes antes de que yo naciera, debido a la caída de uno de los pedruscos que colgaban precariamente sobre los desolados parapetos del castillo; y, habiendo fallecido mi madre al dar a luz, mi cuidado y educación recayeron por completo en el único sirviente que quedaba, un hombre viejo y leal de considerable inteligencia que recuer-do que se llamaba Pierre[2]. Yo no era más que un chiquillo, y la ausencia de compañía que estos hechos trajeron consigo se vio aumentada por los extraños cuidados que mi vetusto guardián se tomaba para alejarme de los muchachos campesinos que moraban en las cabañas dispersas por las llanuras que se extendían a los pies de la colina. Por aquel entonces, Pie-rre siempre me decía que aquel trato discriminatorio se debía a mi noble cuna, que me situaba por encima de cualquier tipo de relación con los plebeyos. Ahora sé que su verdadero motivo era evitar que llegaran a mis oídos los cuentos de viejas que corrían acerca de la maldición de los de mi casta, murmuraciones que se contaban por las noches y que los sim-ples aldeanos exageraban mientras cuchicheaban al resplandor del hogar que crepitaba en el interior de sus chozas.

Y así, en total soledad, obligado a buscar mis propias distracciones, pasaba las horas de mi niñez enfrascado en los viejos volúmenes que poblaban la biblioteca llena de sombras del castillo, y vagabundeaba sin rumbo ni propósito a través del bosque espectral y tenebroso que tapi-zaba la base de la colina. Tal vez a causa de tales compañeros, mi mente pronto se inundó de una extraña melancolía. Todos esos estudios y búsquedas que tenían que ver con lo oculto y oscuro de la naturaleza eran lo que más me llamaba la atención.

Poco se me permitió saber de mi linaje y, sin embargo, lo poco que pude descubrir por mis propios medios me sumía en una honda depre-sión. Quizá, en un principio, fuera debido a la manifiesta aversión de mi viejo preceptor a la hora de hablar de mis antepasados paternos lo que hizo que aumentaran esos miedos que siempre había sentido cada vez que se sacaba a colación la grandeza de mi casta; sin embargo, según fui madurando, pude recuperar ciertos fragmentos inconexos de conversaciones, que se escapaban sin voluntariedad alguna de entre los labios seniles que ya empezaban a traicionar a mi guardián, y que tenían algún tipo de relación con cierto acontecimiento que yo siempre había considerado insólito, pero que ahora adoptaba una significación espantosamente turbia. El hecho al que estoy aludiendo se refiere a la temprana edad en la que todos los condes de mi casta encontraban la muerte. Aunque siempre lo había considerado como algo consustancial a una familia poco longeva, más adelante me dio por meditar acerca de todas esas muertes prematuras. Y comencé a relacionarlas con los desvaríos del anciano, que hablaba con frecuencia de una maldición secular que hacía que las vidas de mis antepasados no sobrepasaran la barrera de los treinta y dos años. En mi vigésimo primer cumpleaños, el añoso Pierre me entregó un documento familiar que, según afirmaba, había pasado de padre a hijo desde hacía muchas generaciones, y seguido al pie de la letra por cada depositario. Su contenido era de lo más inquietante y una lectura más detallada confirmó la gravedad de mis temores. Por aquel entonces, mi creencia en lo sobrenatural era firme y estaba muy arraigada, de otra manera habría desechado con burlas la increíble narración que se desplegaba ante mis ojos.

Los manuscritos me hicieron retroceder al siglo trece, cuando el viejo castillo que me servía de morada era una fortaleza temida e inexpugnable. Hablaban de cierto anciano que una vez vivió en nuestras posesiones, un sujeto de no pocas habilidades, aunque apenas era más que un plebeyo; su nombre era Michel, aunque generalmente solían llamarle Mauvais, el Malvado, debido a su siniestra reputación. Había estudiado más de lo habitual para los de su clase, indagando en cosas como la Piedra Filosofal o el Elixir de la Eterna Juventud, y tenía una fama considerable en el conocimiento de los terribles secretos de la alquimia y la magia negra. Michel Mauvais tuvo un hijo llamado Charles, un joven tan eficiente en el manejo de las artes ocultas como él mismo, al cual solía conocérsele como Le Sorcier, o el Mago. Aquel par de sujetos, repudiados por las personas honestas, eran sospechosos de las prácticas más horrendas. Se rumoreaba que el viejo Michel había quemado viva a su esposa, a modo de sacrificio al Diablo, y también se señalaba a las puertas de aquellos dos en lo tocante a las incontables desapariciones de niños plebeyos de corta edad. Sin embargo, a pesar de la naturaleza oscura de ambos personajes, había cierta característica de humanidad entre ellos; el malvado viejo amaba a su retoño con furiosa intensidad, mientras que el joven sentía por su progenitor algo más que una simple devoción filial.

Una noche, el castillo sobre la colina se vio sumido en la más atroz de las confusiones ante la desaparición del joven Godfrey, hijo del conde Henri. Un grupo de búsqueda, encabezado por el enardecido padre, invadió la morada de los brujos, sorprendiendo al viejo Michel Mauvais al cuidado de un enorme caldero que bullía con frenesí. Sin mediar causa justa, preso de una furia loca y embargado por la desesperación, el conde se abalanzó con ambas manos sobre el anciano mago y, cuando aflojó su abrazo mortal, éste había expirado. En ese mismo momento, los alegres sirvientes anunciaban el descubrimiento del joven Godfrey en una estancia aislada y poco concurrida del enorme edificio, reconociendo demasiado tarde que la muerte del pobre Michel había sido en vano. Mientras el conde y sus acompañantes dejaban la mísera choza del alquimista, la figura de Charles Le Sorcier apareció entre los árboles. La cháchara nerviosa de los criados más cercanos le puso al tanto de lo sucedido, aunque al principio no pareció darle importancia al destino de su progenitor. Luego, avanzando lentamente al encuentro del conde, pronunció con voz queda pero espeluznante la maldición que desde entonces ha afligido a la casta de los C.:

«¡Que jamás un noble de tu estirpe asesina
alcance más edad de la que ahora tienes!»

exclamó, y, de repente, dando un salto hacia atrás, entre el bosque, sacó de su túnica una redoma que contenía un líquido incoloro, y se lo arrojó al rostro del asesino de su padre mientras desaparecía detrás de la negra cortina nocturna. El conde murió sin decir ni una palabra y fue sepultado al día siguiente, con poco más de treinta y dos años desde el día de su nacimiento. Jamás se encontró rastro del homicida, a pesar de que incansables grupos de campesinos registraron los bosques cercanos y los campos herbosos que rodeaban la colina.

Mas el tiempo y la ausencia de alguien que lo recordara diluyó de la memoria de la familia del conde todo lo concerniente a la maldición; así que cuando Godfrey, que inocentemente había causado la tragedia y era ahora el nuevo portador del título, murió atravesado por una flecha mientras cazaba, a la edad de treinta y dos años, nadie pensó en otra cosa que en la tristeza por tan desdichado suceso. Pero cuando, años después, el joven conde que le sucedía, cuyo nombre era Robert, fue hallado muerto en un prado de los alrededores sin motivo aparente, los campesinos empezaron a murmurar que su señor apenas acababa de celebrar su trigésimo segundo cumpleaños cuando la muerte lo había sorprendido prematuramente. Louis, hijo de Robert, fue descubierto ahogado en el foso a la misma fatídica edad; y así, durante siglos la ominosa lista seguía sin descanso: Henris, Roberts, Antones, Armands, arrebatados de vidas felices y virtuosas cuando apenas sobrepasaban la edad que tenía su desdichado ancestro al morir.

Que por entonces no me quedaban más de once años de vida parecía demostrado por las palabras que había leído. Mi vida, tan poco valorada hasta esos momentos, se hizo más y más preciada según avanzaban los días, y fui sumergiéndome progresivamente en los misterios de un mundo oculto de magia negra. En mi soledad, la ciencia moderna no me había influido y trabajaba como en la Edad Media, con el mismo empeño que el viejo Michel y el joven Charles se habían impuesto en el logro de la sabiduría demoníaca y alquímica. Y sin embargo, por mucho que leyera, no conseguía encontrar nada que aclarara la extraña maldición que pendía sobre los de mi casta. En ciertos momentos en los que regía con inusual lucidez, creía incluso poder encontrar explicación natural, culpando de las muertes tempranas de mis ancestros al infausto Charles Le Sorcier y a sus herederos; pero, tras descubrir, después de una meticulosa búsqueda, que no existía ningún descendiente conocido del alquimista, me vi obligado a retomar mis estudios ocultos y me esforcé de nuevo en pergeñar un encantamiento que liberara a mi linaje de su terrible carga. Al menos en una cosa me hallaba completamente decidido. Jamás me casaría, pues ya no existía ninguna otra rama activa de la familia, y de esta manera conmigo terminaría la maldición.

Cuando yo rozaba la treintena, el viejo Pierre fue reclamado por el más allá. Completamente solo le enterré bajo las piedras del patio por el que tanto le gustaba vagabundear en vida. De aquella forma fui dejado a mis solitarias meditaciones, la única criatura humana que ahora habitaba la enorme fortaleza, y en aquel aislamiento absoluto mi mente fue dejando de rebelarse en vano contra la maldición que pendía sobre mí, llegando casi a reconciliarse con el destino aciago que ya había golpeado a tantos de mis ancestros. Comencé a pasar la mayor parte del tiempo explorando las salas abandonadas y los ruinosos torreones del vetusto castillo, que los miedos juveniles me habían hecho evitar, y cuyos recintos, según me aseguró un día el viejo Pierre, no habían sido hollados por el pie humano desde hacía siglos. Muchos de los objetos que allí encontré eran de lo más sorprendentes y extraños. Mis ojos se posaron sobre antiguos muebles cubiertos por el polvo de las centurias y carcomidos por una larga exposición a la intemperie. Las telarañas brotaban con una profusión que jamás había contemplado antes, y unos murciélagos enormes agitaban sus alas esqueléticas y grotescas en el vacío de las desérticas tinieblas.

En cuanto a mi edad exacta, contando incluso los días y horas, llevaba el más cuidadoso balance, pues cada ir y venir del péndulo del majestuoso reloj de la biblioteca me hablaba claramente de mi existencia maldita. Por fin estuve cerca del plazo que durante tanto tiempo había esperado con aprensión. Puesto que la mayoría de mis antepasados habían perecido siempre un poco después de alcanzar la edad que el conde Henri tenía al morir, esperaba que en cualquier momento cayera sobre mí una muerte desconocida. No podía imaginar qué extraño final me tendría reservado el destino, pero al menos estaba dispuesto a que no me sorprendiera en una actitud temerosa o pasiva. Me apliqué con nuevas fuerzas al examen del viejo castillo y de todo lo que contenía.

El evento más importante de toda mi vida aconteció durante una de las excursiones de investigación más prolongadas que llevé a cabo en la zona desierta del castillo, a menos de una semana de la fatídica hora que yo creía el límite de mi estancia en este mundo, más allá de la cual no tenía ni la más mínima esperanza de conservar el hálito. Había empleado la mayor parte de la mañana subiendo y bajando por las arruinadas escaleras de una de las torretas más devastadas y antiguas. Durante la tarde me dediqué a los niveles inferiores, descendiendo a lo que parecía ser una especie de mazmorra medieval o polvorín subterráneo de más reciente excavación. Mientras me deslizaba lentamente por el pasadizo abierto al pie de las escaleras, el suelo se tornó sumamente húmedo y pronto descubrí, a la luz de mi trémula antorcha, que un muro negro y rezumante de agua cortaba mi avance. Al darme la vuelta para retroceder sobre mis pasos, posé los ojos sobre una pequeña trampilla de la que sobresalía una argolla, justo debajo de mis pies. Me detuve y conseguí levantarla con dificultad, descubriendo una negra abertura de la que manaban unos vapores perniciosos que hicieron chisporretear mi antorcha y me revelaron, bajo el oscilante resplandor, unos escalones de piedra. En cuanto la antorcha, con la que ahora apuntaba aquellas tinieblas repugnantes, volvió a arder con firmeza y libertad, acometí el descenso. Había muchísimos peldaños y conducían directamente a un angosto pasaje de piedra que yo supuse muy por debajo del nivel del castillo. Este pasadizo resultó ser de una gran longitud, y finalizaba en una inmensa puerta de roble, rezumante de humedad e inmune a todos mis esfuerzos por abrirla. Al cabo dejé de intentarlo, y me encaminaba de nuevo hacia las escaleras cuando, de repente, sufrí una de las impresiones más profundas y enloquecedoras que pueda soportar la mente humana. Sin previo aviso, *escuché cómo la pesada puerta que ahora tenía a mi espalda rechinaba sobre sus herrumbrosos goznes.* Mis sensaciones subsecuentes escapan de todo análisis. El verme en un lugar completamente abandonado, como yo creía que era aquel vetusto castillo, y descubrirme ahora ante la prueba de la existencia de un hombre o espíritu, provocaba en mi cerebro el espanto más terrible que uno pueda imaginar. Cuando por fin me di la vuelta y encaré la fuente del sonido, mis ojos debieron de salirse de sus órbitas ante lo que veían. Bajo la vetusta arcada gótica se erguía una figura humana. Se trataba de un hombre tocado con un solideo y envuelto en una larga túnica medieval de tonos oscuros. Sus exuberantes cabellos y su frondosa barba eran de un terrible color negro intenso y de una extraordinaria abundancia. Su frente resultaba más ancha de lo normal; sus mejillas, hundidas, estaban llenas de arrugas; y tenía unas manos largas, con forma de zarpa, retorcidas, de una palidez tan mortífera y marmórea como jamás había visto antes en un ser humano. Su figura, tan descarnada como la de un esqueleto, estaba asombrosamente cargada de hombros y apenas era distinguible entre los vastos pliegues de su peculiar vestimenta. Pero sus ojos eran lo más extraño de todo el conjunto, un par de simas de una negrura abisal que mostraban una profunda expresión de sabiduría y un grado inhumano de malignidad. Los mantenía ahora fijos en mi persona, perforando mi alma con su odio, clavándome al lugar en el que permanecía erguido. Por fin, la figura habló con una voz sorda que hizo que me estremeciera a causa de su opaca vacuidad y de su latente malevolencia. El lenguaje empleado en su discurso era esa especie de latín corrompido que solía utilizar el vulgo durante la Edad Media, y pude entenderlo gracias a mis profundos conocimientos de los tratados escritos por viejos alquimistas y demonólogos. La aparición habló de la maldición que pendía sobre los de mi casta, anunció la proximidad de mi muerte, hizo hincapié en el crimen perpetrado por mi ancestro contra el viejo Michel Mauvais y se regodeó en la venganza de Charles Le Sorcier. Me dijo cómo había conseguido escapar Charles en medio de la noche y cómo había regresado años más tarde para matar al vástago Godfrey con una flecha cuando tenía casi la misma edad que su padre al cometer el crimen; y cómo había retornado en secreto al condado y se había establecido secretamente en el desolado antro subterráneo bajo cuya arcada se encontraba ahora el espantoso narrador; y cómo había sorprendido a Robert, el hijo de Godfrey, en los prados, obligándole a ingerir el veneno y haciendo que pereciera a los treinta y dos años de edad, manteniendo así la hedionda profecía de su vengativa maldición. En este punto, me dejó fantasear acerca del misterio más extraño de todos: cómo había conseguido mantenerse la maldición después de que Charles Le Sorcier muriera de acuerdo a las leyes naturales, ya que el hombre empezó a divagar sobre ciertos estudios alquímicos de honda sabiduría que ambos magos, padre e hijo, habían llevado a cabo, extendiéndose particularmente en las investigaciones de Charles Le Sorcier sobre un elixir que le otorgaría una vida y juventud eternas.

Por un instante, el entusiasmo pareció borrar de sus terribles ojos aquel odio que en un principio los hechizaba, pero enseguida volvieron a brillar con todo su maligno resplandor y, con un espeluznante sonido semejante al siseo de una serpiente, el extraño alzó una redoma de cristal con la evidente intención de terminar con mi vida de la misma manera que seiscientos años atrás habían hecho con mi antepasado. Llevado por un instinto de autodefensa, logré romper el hechizo que me mantenía inmóvil y arrojé la agonizante antorcha sobre la criatura que amenazaba mi existencia. Oí cómo se rompía la redoma inofensivamente contra las losas del pasadizo al mismo tiempo que se prendía la túnica de aquella extraña criatura, alumbrando la espantosa escena con un grotesco resplandor. El grito de terror y maligna impotencia que lanzó el malogrado asesino resultó ser una prueba demasiado terrible para mis nervios, ya muy perturbados por entonces, y me desplomé sobre el suelo húmedo completamente desmayado.

Todo estaba pavorosamente oscuro cuando al fin recobré el conocimiento y, tras recordar lo sucedido, me estremecí ante la idea de tener que soportar aún más; y, sin embargo, la curiosidad acabó imponiéndose. ¿Quién, me pregunté a mí mismo, era aquel malvado personaje, y cómo se había internado entre los muros del castillo? ¿Por qué motivo quería vengar la muerte del pobre Michel Mauvais, y cómo se había ido transmitiendo la maldición durante las largas centurias que habían transcurrido desde la época de Charles Le Sorcier? El pavor que me había acosado durante años desapareció de repente, pues estaba seguro de que el hombre al que había abatido era el portador de los peligros que conllevaban la maldición; y ahora que me sentía libre, ardía en deseos de saber aún más acerca de la siniestra criatura que había acosado durante siglos a los de mi casta, y convertido mi propia juventud en una pesadilla interminable. Dispuesto a seguir con mi investigación, hurgué en mis bolsillos en busca de yesca y pedernal, y prendí la antorcha de repuesto que había traído conmigo. Al principio, la renacida luz mostró la forma ennegrecida y desfigurada del misterioso intruso. Sus terribles ojos estaban ahora cerrados. Descompuesto por la escena, me di la vuelta y penetré en la estancia que se abría al otro lado de la arcada gótica. Encontré allí una especie de laboratorio propio de un alquimista. En una de las esquinas había una pila inmensa de un metal reluciente y amarillo que lanzaba unos destellos suntuosos bajo la luz de la tea. Debía de tratarse de oro, pero no me detuve a examinarlo, ya que me sentía extrañamente afectado por la experiencia que había padecido. Al fondo de la estancia se abría una oquedad que daba a uno de los muchos y agrestes barrancos que se extendían en la oscura ladera boscosa de la colina. Fascinado, aunque sabedor de cómo había conseguido acceder aquel hombre al interior del castillo, me dispuse a regresar. Intenté pasar sin dirigir la mirada hacia los restos del intruso, pero, al aproximarme, creí percibir un apagado sonido procedente del cuerpo, como si su vida aún no se hubiera extinguido del todo. Aterrorizado, me volví para examinar la figura carbonizada y reseca que yacía en el suelo. Y entonces, con brusquedad, aquellos terribles ojos, más negros aún que el rostro calcinado del que sobresalían, se abrieron de par en par con una expresión que me resultó imposible descifrar. Los labios agrietados intentaron articular unas palabras que no pude reconocer del todo. En un momento dado capté el nombre de Charles Le Sorcier, y más adelante creí reconocer las palabras «años» y «maldición» brotando de aquella boca retorcida. A pesar de todo, fui incapaz de encontrarle sentido a su desmadejada plática. Ante la evidencia de mi desconocimiento, esos ojos profundos como simas relampaguearon una vez más con toda su malevolencia hacia mi persona, hasta el punto de que, a pesar de ver a mi enemigo completamente vencido, no pude evitar un escalofrío.

Súbitamente, aquel miserable, animado por un último rescoldo de energía, irguió su espantosa cabeza del húmedo y chorreante enlosado. Recuerdo que en esos momentos, mientras yo estaba petrificado por el terror, aquel ser consiguió recuperar el habla, y con su último aliento vociferó las palabras que, desde entonces, habrían de obsesionarme durante todos los días y noches de mi existencia.

—¡Necio! —aulló—. ¿Acaso no puedes adivinar mi secreto? ¿Acaso no tienes el suficiente cerebro para reconocer la voluntad que durante seis largos siglos ha consumido la terrible maldición que pesa sobre tu casta? ¿No te he hablado ya del poderoso elixir de la eterna juventud? ¿No sabes aún quién descubrió el secreto de la alquimia? ¡Te lo diré! ¡Fui yo! ¡Yo! ¡Yo! *Yo, que he subsistido durante seiscientos años para perpetuar mi venganza*, PUES NO SOY OTRO QUE EL MISMO CHARLES LE SORCIER!

LA TUMBA[1]

«Sedibus ut saltem placidis in morte quiescam».[2]
VIRGILIO

Al afrontar los hechos que han desembocado en mi confinamiento en este asilo para enfermos mentales, soy consciente de que mi situación actual provocará las naturales reservas acerca de la veracidad de mi crónica. Resulta una adversidad que la mayoría de la gente tenga su percepción mental demasiado limitada para sopesar con calma e inteligencia ciertos fenómenos aislados, tan sólo vistos y sentidos por unos cuantos sujetos psíquicamente más sensibles, que subyacen por encima de sus experiencias habituales. Las personas de miras más amplias saben que no existe una gran diferencia entre lo real y lo irreal; que todas las cosas se manifiestan por virtud de los delicados e individuales sentidos físicos y mentales que nos hacen conscientes de ellas; pero el prosaico materialismo de la mayoría califica de locuras los destellos de clarividencia que logran atravesar el prosaico velo del empirismo más obvio.

Me llamo Jervas Dudley, y desde mi más tierna infancia he sido un soñador y un visionario. Al disponer de la riqueza suficiente como para no tener que preocuparme de los asuntos mercantiles, y siendo de un temperamento poco proclive a los estudios formales y a los convencionalismos sociales de mis semejantes, siempre he vivido en los lugares más alejados del mundo real, y pasado mi juventud y adolescencia rodeado de libros viejos y poco conocidos, vagabundeando entre los campos y bosquecillos que se extienden por las cercanías de mi morada ancestral. No creo que lo que leí en aquellos volúmenes, o lo que contemplé en aquellos campos y bosques, fuera exactamente igual a lo que otros muchachos solían leer o contemplar; mas poco debo hablar de tales cosas, ya que si lo hiciera con más detalle no conseguiría más que aumentar esas calumnias atroces sobre mi intelecto que a veces logro captar entre las murmuraciones de los sigilosos enfermeros que me rodean. Será mejor para mí que me limite a relatar los sucesos acaecidos sin pararme a analizar las causas.

Ya he dicho que mi existencia transcurría alejada del mundo real, pero no que vivía solo. Esto no suele ser habitual en la raza humana, pues quien carece del contacto con lo vivo inevitablemente se sumerge en la compañía de cosas que no lo están, o que antes lo han estado pero ya no. En las proximidades de mi residencia hay una extraña depresión cubierta de bosques entre cuya sombría espesura solía pasar la mayor parte del tiempo; allí leía, pensaba y soñaba. Di mis primeros pasos infantiles sobre sus laderas musgosas, y sentí crecer mis nacientes fantasías juveniles entre sus robles nudosos y grotescos. Acabé por conocer perfectamente a todas las dríadas protectoras de aquellos árboles, y con frecuencia espiaba sus primitivas danzas bajo los rayos indómitos de la luna menguante... pero no debo hablar ahora de todo eso. Tan sólo aludiré a la tumba solitaria escondida en lo más recóndito de la fronda; la solitaria tumba de los Hyde[3], una familia vieja y de alcurnia cuyo último vástago directo había sido depositado en aquel oscuro nicho muchas décadas antes de mi nacimiento.

Esta cripta de la que hablo es de viejo granito, ajado y descolorido por las brumas y humedades de generaciones. Excavada en una de las laderas, tan sólo la arcada de la estructura resulta visible. La puerta, una imponente y maciza losa de piedra, cuelga de unos herrumbrosos goznes de hierro, y siempre se halla entreabierta de una manera terriblemente lúgubre, sujeta mediante pesadas cadenas y candados, de acuerdo a las truculentas costumbres de hace medio siglo. La morada de la estirpe, cuyos vástagos residen aquí encerrados en urnas, antaño se erguía en la cima de la hondonada que ahora acoge su tumba, pero hace ya mucho que se desmoronó víctima de las llamas provocadas por la desastrosa caída de un rayo. De la tormenta nocturna que destruyó aquella lúgubre mansión sólo los más viejos del lugar cuchichean a veces en tonos inquietos y apagados, haciendo hincapié en lo que llaman «ira divina», de tal manera que, en los últimos años, hizo que aumentara la ya de por sí extraordinaria fascinación que sentía por aquella cripta enclaustrada entre bosques. Sólo un hombre murió a causa del fuego. Cuando el último de los Hyde fue enterrado en aquel recinto de sombra y quietud, la fúnebre urna que contenía sus cenizas llegó de una tierra lejana, la misma a la que la familia se había marchado tras el incendio de la mansión. Ya no hay nadie que deposite flores ante la losa de granito, y pocos osan aventurarse entre las sombras melancólicas que parecen entretenerse misteriosamente sobre las piedras roídas por el agua.

Jamás olvidaré la tarde en la que me topé por vez primera con esa recóndita mansión mortuoria. Ocurrió a mediados del verano, cuando la magia de la naturaleza transforma los campos silvestres en una alfombra verde, homogénea y reluciente; cuando los sentidos se ven intoxicados por un mar de húmedo verdor y por los aromas imprecisos y sugerentes de la tierra y la vegetación. La mente pierde su perspectiva en esos parajes; el tiempo y el espacio se convierten en algo vacuo e irreal, y los ecos de un pasado prehistórico y olvidado resuenan con insistencia sobre la razón embelesada. Estuve vagabundeando durante todo el día bajo las místicas frondas de la hondonada, meditando ciertas cosas de las que no hace falta hablar y conversando con otras que no debo nombrar. A la edad de diez años, había visto y oído multitud de maravillas vedadas a las gentes ordinarias, y era extrañamente maduro en ciertos aspectos. Cuando, tras abrirme paso entre dos frondosos macizos de zarzas, me topé repentinamente con la entrada de la cripta, no sabía aún el alcance de mi descubrimiento. Los negros bloques de granito, la puerta entreabierta de aquella curiosa manera y los bajorrelieves funerarios tallados en la arcada, no consiguieron despertar en mí ningún pensamiento de tristeza o miedo. De tumbas y sepulcros sabía mucho e imaginaba más, aunque debido a mi peculiar temperamento siempre había evitado todo contacto con camposantos y cementerios. Aquel extraño recinto de piedra en la ladera boscosa tan sólo significaba para mí una fuente de interés y especulaciones, y su interior, húmedo y frío, el cual intentaba vanamente atisbar por la rendija dispuesta de manera tan provocativa, no me transmitía ninguna sensación que tuviera que ver con la decadencia o la muerte. Pero en ese momento de curiosidad nació un deseo loco y absurdo que finalmente me ha llevado a este encierro infernal. Aguijoneado por una voz que debía de provenir del alma espantosa del bosque, decidí penetrar en aquellas tinieblas incitantes a pesar de las recias cadenas que me impedían el paso. En la menguante luz del día, me dediqué a sacudir una y otra vez los herrumbrosos impedimentos con la intención de traspasar la puerta de piedra, e intenté deslizar mi flaco cuerpo a través del espacio entreabierto; mas todos mis esfuerzos resultaron vanos. Espoleado por la curiosidad al principio, pronto me invadió el frenesí, y cuando regresaba a mi morada bajo el cielo crepuscular, juré a la miríada de dioses del bosquecillo que algún día me abriría paso *a cualquier precio* hasta las oscuras y gélidas profundidades que parecían convocarme. El médico de acerada barba gris, que cada día acude a mi cuarto, le dijo una vez a una visita que aquella decisión significó el comienzo de una lamentable monomanía; mas dejaré que los lectores emitan sus propios juicios una vez conozcan todos los demás hechos.

Los meses que precedieron a mi descubrimiento los derroché en inútiles tentativas por forzar el complejo candado de la losa entreabierta, entregado a discretas indagaciones sobre la naturaleza y la historia de aquella estructura. Gracias al sentido del oído, tan tradicionalmente receptivo en la infancia, conseguí enterarme de mucho; aunque mi habitual reserva hizo que no le notificara a nadie la información obtenida ni la decisión tomada. Quizá sería adecuado mencionar que no me sorprendí ni atemoricé al conocer el origen de la cripta. Mi particular visión de la vida y de la muerte había hecho que asociara, de una manera vaga, la gélida arcilla y el cuerpo animado; y sentía que esa familia grande y siniestra cuya mansión había ardido estaba de alguna forma representada dentro de aquel recinto pétreo que yo ansiaba examinar. Las habladurías sobre ritos salvajes e impíos ceremoniales de tiempos pasados celebrados en el lugar despertaron en mí un mayor y renovado interés por el sepulcro, ante cuya puerta podía permanecer sentado horas y horas durante todos los días. Una vez arrojé una tea encendida en su interior, pero apenas pude discernir más que un tramo de húmedos escalones que descendían. El olor del recinto me repelía y fascinaba a un mismo tiempo. Tenía la sensación de haberlo olfateado antes, en un pasado tan remoto que no era capaz de recordar, anterior incluso a mi posesión del cuerpo del que ahora gozo.

El año siguiente al descubrimiento de la tumba me topé con una traducción de las *Vidas* de Plutarco[4] roída por los gusanos en la buhardilla repleta de libros de mi morada. Mientras leía la vida de Teseo, quedé terriblemente impresionado por el pasaje que habla de esa enorme piedra bajo la que el héroe juvenil encontraría los símbolos que habrían de revelarle su destino una vez creciera lo suficiente como para alzar su formidable peso. Esta leyenda consiguió que se desvaneciera un tanto la tremenda impaciencia que sentía por entrar en la cripta, ya que me hizo pensar que aún no había llegado el momento de hacerlo. Más adelante, me dije, tendría la suficiente fuerza e ingenio como para poder aflojar fácilmente las pesadas cadenas de la puerta, pero hasta entonces debía conformarme con lo que parecía tenerme reservado el destino.

En consecuencia, mis devaneos por aquel húmedo portal se hicieron menos frecuentes, y pasé la mayor parte del tiempo entregado a otros fines igualmente extraños. A veces me levantaba sigilosamente en medio de la noche y me dedicaba a vagabundear por los camposantos y cementerios a los que mis padres me tenían terminantemente prohibido acercarme. No pienso contar lo que hacía en esos lugares, pues no estoy completamente seguro de la realidad de ciertas cosas; pero sí sé que al día siguiente de tales devaneos solía sorprenderme con la posesión de un conocimiento sobre materias casi olvidadas siglos antes. Fue tras una de aquellas noches cuando dejé atónita a la comunidad con una extraña hipótesis sobre el sepelio del rico y famoso potentado Brewster, todo un personaje histórico del lugar que fue enterrado en 1711 y cuya lápida de pizarra, en la cual había grabada una calavera y un par de tibias cruzadas, estaba desmenuzándose lentamente hasta convertirse en polvo. En un momento de enfebrecida imaginación infantil llegué a jurar que el enterrador, un tal Goodman Simpson, había sustraído al difunto, antes de ser sepultado, los zapatos con hebilla de plata, las medias de seda y los calzones de raso; y más aún, afirmé que el mismísimo potentado, no del todo muerto, se había dado la vuelta por dos veces dentro del ataúd cubierto de tierra el día siguiente a su enterramiento.

Pero la idea de penetrar en la tumba jamás se alejó de mis pensamientos; es más, incluso se vio estimulada por el inesperado descubrimiento genealógico de que mis propios antepasados por parte de madre tenían un lejano parentesco con la supuestamente extinguida familia de los Hyde. Como último vástago de mi linaje paterno, también era el descendiente final de aquella estirpe más antigua y misteriosa. Empecé a sentir que la tumba me *pertenecía*, y a mirar el futuro con ansiedad, en espera del momento en el que pudiera atravesar aquella losa de piedra y descender en medio de la oscuridad por aquellos peldaños rezumantes. Desarrollé el hábito de *escuchar* con gran atención a la entrada del portal entreabierto, y siempre escogía mis horas favoritas de la noche para aquella extraña vigilia. Cuando alcancé la edad adulta, ya había conseguido despejar un pequeño claro entre la maleza, delante del frontispicio cubierto de moho que se abría en la ladera, dejando que la vegetación del entorno creciera a su alrededor y formara una especie de muralla techada por la selvática espesura. Aquella enramada era mi templo, la encadenada puerta mi altar, y allí solía yacer tendido sobre el terreno musgoso, pensando en extrañas ocurrencias y soñando con insólitas quimeras.

La noche de la primera revelación hacía un calor bochornoso. Debí quedarme dormido a causa de la fatiga, ya que me desperté con una clara sensación de haber oído las *voces*. Me resisto a describir sus acentos y entonaciones; no pienso hablar de su *cualidad;* pero sí mencionaré que presentaban ciertas diferencias asombrosas en el vocabulario, pronunciación y distribución de su lenguaje. Todos los matices del dialecto de Nueva Inglaterra, desde las toscas sílabas de los colonos puritanos a la precisa retórica de tan sólo hace cincuenta años, parecían representadas en aquel sombrío soliloquio, aunque no me di cuenta de ello hasta más tarde. De hecho, en aquellos momentos, toda mi atención se hallaba centrada en otro fenómeno, una manifestación tan efímera que no puedo asegurar que fuera cierta. Apenas la vislumbré al despertar, una luz que se extinguió precipitadamente en el interior de la tumba. No creo que fuera presa del asombro o del pánico, pero sé que experimenté un *cambio* radical y permanente desde los sucesos de aquella noche. Al regresar a casa me dirigí sin vacilar hacia un carcomido baúl que había en la buhardilla, en cuyo interior encontré la llave con la que, al día siguiente, conseguí franquear fácilmente la barrera contra la que me había estrellado en vano durante tanto tiempo.

Fue bajo el suave resplandor de la tarde agonizante cuando por primera vez penetré en la cripta que se abría sobre la solitaria ladera. Estaba poseído por una especie de hechizo y mi corazón latía con un regocijo que apenas puedo describir. Mientras cerraba la puerta a mi espalda y descendía los chorreantes escalones bajo la huidiza luz de mi candela, creí reconocer el camino, y aunque la vela chisporroteaba a causa del aire cargado del recinto, me sentí curiosamente dichoso en aquella atmósfera mohosa, como de osario. Al mirar a mi alrededor, descubrí un montón de losas de mármol sobre las que descansaban unos ataúdes, o lo que quedaba de ellos. Algunos aún permanecían sellados e intactos, pero otros casi habían desaparecido, de manera que las asas y chapas de plata reposaban entre algunos curiosos montones de un polvo blancuzco. En una de las chapas descubrí el nombre de Sir Geoffrey Hyde, que había llegado desde Sussex en 1649 y perecido aquí unos años después. En un notorio nicho descansaba un ataúd muy bien conservado y aún vacío, en el cual lucía un único nombre que me hizo sonreír a la par que estremecer. Un extraño impulso hizo que me encaramara a la vasta losa y apagara la vela, quedándome tumbado dentro de la caja desocupada.

Salí dando tumbos por la cripta bajo la luz grisácea de la aurora y aseguré de nuevo la cadena de la puerta. Mi juventud había quedado atrás, a pesar de que sólo veintiún inviernos habían estremecido mi envoltura terrenal. Los aldeanos más madrugadores que me sorprendieron regresando a mi morada se quedaron observándome de una manera extraña, perplejos ante las señales de parranda y jolgorio que veían en una persona a la que todos consideraban sobria[5] y solitaria. No me presenté ante mis padres hasta después de un sueño largo y reparador.

A partir de entonces frecuenté la tumba todas las noches, y vi, escuché e hice cosas que no pienso revelar. Mi manera de hablar, muy susceptible a las influencias circundantes, fue lo primero que sucumbió a la transformación, y a todos causó sorpresa la súbita aparición de arcaísmos en mi lenguaje. Más adelante, mi conducta se hizo más atrevida y temeraria, de manera que, inconscientemente, adopté la personalidad de un hombre de mundo, a pesar de haber estado recluido durante toda mi vida. Mi conversación, antaño inexistente, se tornó voluble y llena de la elegancia fácil propia de un Chesterfield o del cinismo impío de un Rochester[6]. Revelaba una extraña erudición, muy alejada de los conocimientos fantásticos y monacales en los que me había enfrascado durante mi juventud, y garabateaba las guardas de mis libros con graciosos e improvisados bosquejos que recordaban a las obritas de Gay, Prior y algunos de los más vivarachos poetas neoclásicos[7]. Una mañana, durante el desayuno, estuve al borde del desastre al recitar, en un tono manifiestamente ebrio, un canto festivo propio del siglo dieciocho; una pieza picante georgiana jamás impresa en libro y que sonaba más o menos así[8]:

Venid aquí, muchachos, venid con vuestras jarras de cerveza,
y bebed por el presente antes de que se evapore;
apilad en vuestros platos montañas de carne,
pues el beber y el comer nos traen la alegría:
así que llenad vuestros vasos,
pues la vida pronto pasa;
¡no podréis brindar por el rey o vuestra mujercita cuando estéis
    muertos!

Anacreonte tenía la nariz roja, o al menos eso dicen:
mas, ¿qué importa una nariz roja si se está alegre, vivo y coleando?
¡Por todos los diablos! Prefiero estar rojo y estar aquí,

que blanco como un lirio... ¡y muerto desde hace medio año!
Así que Betty, chiquilla mía,
acércate y dame un beso;
¡no hay en el infierno hija de posadero que se te pueda comparar!

El bueno de Harry se mantiene tan erguido como puede,
pronto perderá la peluca y se desplomará bajo la mesa;
pero llenad vuestras jarras y hacedlas circular...
¡Mejor estar bajo la mesa que bajo la tierra!
Así que divertíos y gozad,
bebed sin parar:
¡difícilmente reiréis bajo dos metros de sucia tierra!

¡Que me lleven todos los diablos! ¡Apenas puedo andar!
¡Maldita sea! ¡Tampoco me tengo en pie ni soy capaz de hablar!
Aquí, posadero, dile a Betty que me traiga una silla;
¡en un momento intentaré ir a casa, pues mi mujer no está!
Así que echadme una mano;
No me tengo en pie,
¡pero qué dicha mientras consiga permanecer sobre la tierra!

Por aquel entonces empecé a tener miedo del fuego y de las tormentas. Antes era inmune a tales fenómenos, pero ahora me producían un terror inexplicable; y siempre me ocultaba en los rincones más escondidos de la casa cuando los cielos amenazaban con aparato eléctrico. Uno de mis refugios favoritos durante el día era la ruinosa bodega de la abrasada mansión, y solía imaginarme cómo había sido su estructura original antes del fuego. En cierta ocasión provoqué el asombro de un aldeano al conducirle en secreto a un lúgubre subsótano, cuya existencia sólo yo parecía conocer a pesar de que el recinto había estado oculto y olvidado desde hacía muchas generaciones.

Por fin aconteció lo que durante tanto tiempo había estado temiendo. Mis padres, alarmados por el cambio en los modales y el aspecto de su único hijo, comenzaron a ejercer sobre mis devaneos una bienintencionada vigilancia que amenazaba con llevarme al desastre. No había hablado a nadie de mis visitas a la tumba, manteniendo mis intenciones en el más absoluto secreto desde la infancia; pero ahora me veía obligado a tomar toda clase de precauciones cuando vagabundeaba por la laberíntica hondonada boscosa, ya que siempre tenía que despistar a un posible perseguidor. Ocultaba la llave de la cripta colgada de un cordel alrededor de mi cuello, y su existencia sólo era conocida por mí. Jamás llevé fuera del sepulcro ninguno de los objetos con los que me topé dentro de sus paredes.

Una mañana, mientras salía de la húmeda tumba y aseguraba las cadenas del portón con mano no muy firme, descubrí el rostro aterrorizado de alguien que me espiaba desde un matorral cercano. Sin duda, el fin estaba cerca; se había descubierto el lugar bajo las ramas y desvelado el objetivo de mis excursiones nocturnas. El hombre no me abordó, así que me apresuré por volver a casa con la intención de escuchar lo que iba a decirle a mi angustiado progenitor. ¿Revelaría al mundo entero mis devaneos más allá de la encadenada puerta? Imaginen la sensación de delicioso asombro cuando oí que el espía informaba a mi padre entre cautelosos susurros *que yo había pasado la noche bajo las ramas que colgaban en el exterior de la tumba;* ¡mirando insistentemente con mis ojos somnolientos la ranura que se abría en el portón encadenado! ¿Qué milagro había engañado al observador? Ahora estaba convencido de que un agente sobrenatural me protegía. Envalentonado por este fenómeno inexplicable, comencé a visitar la cripta sin tomar ningún tipo de precauciones, convencido de que nadie podría verme entrar en ella. Durante una semana disfruté a placer de los encantos de aquel osario cordial que no debo describir; y entonces sucedió *eso*, y me arrastraron a esta maldita residencia de pesar y monotonía.

No debería haber salido aquella noche, pues el presagio de la tormenta se dibujaba en las nubes y una fosforescencia blasfema surgía del fétido pantano situado en el fondo de la hondonada. La llamada de los muertos, además, sonaba diferente. En lugar de proceder de la tumba en la ladera, venía del sótano carbonizado en lo alto de la colina, cuyo demonio guardián me hacía señas con dedos invisibles. Mientras salía de entre la espesura al llano que se extiende delante de las ruinas, entreví a la nebulosa luz de la luna algo que siempre había esperado vagamente. La mansión, desaparecida un siglo antes, se erguía de nuevo en todo su esplendor ante mis extasiados ojos; todas las ventanas refulgían con el resplandor de muchas velas. Por el largo e inclinado camino acudían los carruajes de los nobles de Boston, al tiempo que una muchedumbre de empolvados personajes llegaban andando desde las vecinas mansiones. Me mezclé con el gentío, aun sabiendo que mi lugar estaba entre los anfitriones y no con los invitados. Dentro de los muros sonaban la música y las risas, y el vino corría de mano en mano. Reconocí algunas caras, aunque las hubiera evocado mejor de haberse encontrado marchitas, o carcomidas por la muerte y la descomposición. De entre toda aquella multitud desenfrenada y audaz yo era el más extravagante y disoluto. Alegres blasfemias brotaban a chorros de mis labios, y mis impactantes agudezas no respetaban las leyes de Dios, el Hombre o la Naturaleza. De repente retumbó un trueno, dejándose oír incluso por encima del estrépito que producía aquella muchedumbre bulliciosa, y rugió sobre los tejados, imponiendo un silencio temeroso entre los escandalosos invitados. Lenguas de fuego rojo y ráfagas abrasadoras envolvieron la casa, y los presentes, aterrorizados por la inminencia de una calamidad que parecía trascender los límites de una naturaleza ciega, huyeron vociferando en la noche. Quedé solo, clavado en mi asiento por un terror humillante jamás sentido hasta ese momento. Y entonces, un segundo horror invadió mi alma. Si ardiera vivo hasta ser reducido a cenizas que se dispersaran a los cuatro vientos, *¡jamás podría yacer en la tumba de los Hyde!* ¿Acaso no tenía derecho a reposar por los siglos de los siglos entre los descendientes de Geoffrey Hyde? ¡Sí! Exigiría mi herencia de muerte, aunque mi alma tuviera que buscar durante eras otra morada carnal a la que poder albergar en aquella losa vacante del nicho de la cripta. *¡Jervas Hyde* nunca compartiría la triste fortuna de Palinuro!

Cuando el fantasma de la casa ardiente desapareció, me descubrí gritando y forcejeando alocadamente entre los brazos de dos hombres, siendo uno de ellos el espía que me había seguido hasta la tumba. La lluvia caía torrencialmente y, hacia el horizonte meridional, aún restallaban los relámpagos que acababan de pasar sobre nuestras cabezas. Mi padre permanecía inmóvil, con un gesto de tristeza en la cara, mientras yo le pedía a voces que me dejara reposar en la cripta, y no dejaba de advertir a mis captores para que me trataran con la mayor delicadeza posible. Una renegrida circunferencia sobre el vetusto piso del sótano indicaba un violento golpe de los cielos, y un grupo de curiosos aldeanos armados con linternas se agrupaban en el lugar y examinaban un pequeño cofre de antigua factura que la caída del rayo había sacado a la luz. Cesé en mis vanos y, ahora, innecesarios forcejeos, y observé a los curiosos mientras inspeccionaban el tesoro descubierto, el cual también se me permitió admirar. El cofre, cuyos cerrojos habían saltado a causa del golpe que lo puso al descubierto, contenía muchos papeles y objetos de valor; pero yo tan sólo tenía ojos para una cosa. Se trataba de una miniatura de porcelana que representaba a un joven tocado con una elegante peluca rizada y que ostentaba las iniciales «J. H.». Su rostro era exactamente igual al mío, de manera que bien habría podido estar contemplándome en un espejo.

Al día siguiente me trajeron a esta habitación con ventanas enrejadas, pero me he mantenido al tanto de ciertas cosas gracias a un sirviente, ya muy anciano y no demasiado perspicaz, por el cual sentí gran cariño durante la infancia y que, al igual que yo, adora los cementerios. Todo lo que me he atrevido a contar acerca de mis experiencias en la tumba tan sólo me ha brindado sonrisas desdeñosas. Mi padre, que me visita con frecuencia, afirma que jamás he llegado a atravesar el portón de las cadenas, y jura que, cuando él lo examinó, aquel cerrojo lleno de herrumbre no daba señales de haber sido tocado desde hacía al menos cincuenta años. Dice incluso que todo el pueblo sabía de mis excursiones a la tumba, y que a menudo me descubrían durmiendo bajo las ramas que colgaban sobre la grotesca fachada frontal, los ojos entreabiertos y fijos en la ranura que conduce al interior. Carezco de pruebas para rebatir tales afirmaciones, ya que perdí la llave del cerrojo durante la pugna que tuvo lugar aquella horrible noche. Las extrañas cosas del pasado que aprendí durante aquellos devaneos nocturnos con la muerte son atribuidas a la lectura constante y voraz de los antiguos tratados que llenan la biblioteca familiar. Si no hubiera sido por mi viejo criado Hiram, a estas alturas yo también habría estado completamente convencido de mi locura.

Mas Hiram, fiel hasta el final, ha tenido fe en mí y ha hecho que me animara a hacer pública al menos una parte de la historia. Hace una semana forzó el cerrojo que mantenía el portón de la cripta perpetuamente entreabierto y descendió con una linterna hasta las turbias profundidades. Sobre una losa, en el interior de un nicho, descubrió un viejo ataúd vacío en cuya deslucida chapa destacaba un sencillo nombre: «Jervas». En ese ataúd, en aquella tumba, me han prometido que seré inhumado.

DAGÓN [1]

Escribo esto bajo una considerable tensión mental, ya que esta noche habré fallecido. Sin dinero, y agotada mi provisión de droga, que es lo único que me hace la vida soportable, ya no puedo resistir más esta tortura; me tiraré desde la ventana de mi buhardilla a la sórdida calle que hay debajo. No crean que porque esté esclavizado a la morfina soy una persona sin carácter o un degenerado. Cuando hayan leído estas páginas garabateadas a toda prisa es posible que se imaginen, aunque nunca lo comprendan por completo, por qué debo olvidar o morir.

Fue en una de las regiones más expuestas y menos frecuentadas del extenso Pacífico donde el paquebote en el que yo iba de sobrecargo fue apresado por un buque corsario alemán. La gran guerra estaba entonces en sus comienzos y las fuerzas navales de los alemanes todavía no habían sucumbido a su posterior degradación[2]; de modo que nuestro barco fue capturado legítimamente y nuestra tripulación tratada con toda la equidad y consideración debidas a unos prisioneros marítimos. Tan liberal era, a decir verdad, la disciplina de nuestros captores, que cinco días después de ser apresados me las arreglé para escaparme solo en un pequeño bote con agua y provisiones para mucho tiempo.

Cuando por fin me encontré libre y a la deriva, apenas tenía idea de dónde me encontraba. No estando nada capacitado para la navegación, sólo podía conjeturar vagamente, por el sol y las estrellas, que me hallaba poco más o menos al sur del Ecuador. Ignoraba por completo la longitud y no divisaba ninguna isla ni litoral. El tiempo seguía siendo bueno, y durante innumerables días fui a la deriva sin rumbo fijo bajo un sol abrasador, esperando que pasara algún barco, o que la marea me arrojase a las playas de alguna tierra habitable. Pero no apareció ningún barco ni tierra alguna, y empecé a desesperar ante mi soledad en medio de aquella convulsiva e indómita inmensidad azul.

El cambio sucedió mientras dormía. Nunca sabré los detalles; ya que mi sueño, aunque agitado y plagado de pesadillas, fue ininterrumpido. Cuando por fin desperté, me di cuenta de que me había medio tragado un viscoso y horrible fango negro que se extendía a mi alrededor en monótonas ondulaciones hasta donde mi vista alcanzaba, y en el cual se había internado mi bote algunas brazas y había encallado.

Aunque es posible imaginar que mi primera sensación sería de asombro ante una transformación del paisaje tan prodigiosa e inesperada, en realidad me sentí más horrorizado que sorprendido; pues había algo tan siniestro en la atmósfera y en la tierra podrida que me heló hasta la médula. La zona estaba putrefacta a causa de los cuerpos de peces en descomposición y de otros seres menos definidos que sobresalían del repulsivo lodo que cubría la interminable llanura. Tal vez no debería esperar el poder expresar con meras palabras el espanto indecible que puede acompañar al silencio absoluto y a la árida inmensidad. No se oía nada, ni se veía nada excepto una vasta extensión de cieno negro; no obstante la misma calma terminante y la homogeneidad del paisaje me agobiaban y me causaban un terror nauseabundo.

El sol caía de plano desde un cielo que me parecía casi negro por su inhumana ausencia de nubes; como si reflejara la impenetrable marisma que tenía bajo mis pies. Mientras me arrastraba al interior del bote varado me di cuenta de que sólo una teoría podía explicar mi situación[3]. Debido a algún levantamiento volcánico sin precedente, una parte del fondo oceánico debía haber salido a la superficie, poniendo al descubierto zonas que durante innumerables millones de años habían permanecido ocultas bajo insondables profundidades de agua. Tan grande era la extensión de la nueva tierra que había surgido debajo de mí que, por mucho que aguzara el oído, no podía percibir el más mínimo ruido del encrespado océano. Ni había ninguna ave marina que se alimentase de aquellos seres muertos.

Durante varias horas estuve pensando o dándole vueltas al asunto en el bote, que, tendido sobre un costado, proporcionaba una ligera sombra a medida que el sol se desplazaba a través del cielo. Conforme el día avanzaba, el suelo perdió un poco de su humedad y parecía probable que al cabo de poco tiempo estaría lo suficientemente seco para permitir el desplazamiento. Aquella noche apenas dormí, y al día siguiente me hice un fardo con comida y agua, con miras a emprender un viaje por tierra en busca del mar desaparecido y de un posible salvamento.

La mañana del tercer día comprobé que el suelo estaba bastante seco para caminar fácilmente por encima. El olor a pescado era exasperante; pero yo estaba demasiado preocupado por cosas más graves para que me importase una dificultad tan leve, y me atreví a ponerme en camino hacia una meta desconocida. Durante todo el día avancé sin parar hacia el oeste, guiado por un montículo lejano que se alzaba por encima de cualquier otra elevación de aquel desierto quebrado. Aquella noche acampé, y al día siguiente seguí desplazándome hacia el montículo, aunque aquel objetivo apenas parecía más cerca que cuando lo divisé por vez primera. El cuarto día por la tarde llegué al pie del montículo, que resultó ser mucho más elevado de lo que parecía de lejos; un valle intermedio resaltaba todavía más su altura en relación al resto de la superficie. Demasiado fatigado para abordar el ascenso, dormí a la sombra de la colina.

No sé por qué mis sueños fueron tan disparatados aquella noche; pero antes de que la fantástica corcova de la luna menguante se hubiese elevado por encima de la llanura oriental, me desperté bañado en sudor frío y decidí no dormir más. Las visiones que había tenido fueron demasiado tremendas para soportarlas de nuevo. Bajo el resplandor de la luna comprendí lo insensato que había sido al viajar de día. Sin la luz deslumbradora de aquel sol abrasador, el trayecto me habría supuesto menos gasto de energía; lo cierto es que en aquel momento me sentí del todo capaz de llevar a cabo la subida que me había acobardado emprender a la caída de la tarde. Recogí mis provisiones e inicié la ascensión a la cumbre del promontorio.

Ya he dicho que la continua monotonía de la quebrada llanura me producía un impreciso pavor; pero creo que ese pavor fue mayor cuando llegué a la cima del montículo y, al mirar hacia abajo, columbré al otro lado un inmensurable abismo o cañón, cuyos oscuros recovecos la luna todavía no se había elevado lo suficiente para iluminar. Me pareció encontrarme en el límite del mundo, como si al asomarme por encima del borde fuera a escudriñar un caos insondable de noche eterna. Mi terror me traía curiosos recuerdos de *El Paraíso perdido,* y de la horrenda ascensión de Satanás a través de informes regiones tenebrosas[4].

A medida que la luna se elevaba en el cielo, empecé a darme cuenta de que las vertientes del valle no eran tan verticales como me había imaginado. Los salientes y los afloramientos de rocas proporcionaban puntos de apoyo bastante cómodos para el descenso, mientras que, unos centenares de pies más abajo, el declive se hacía más gradual. Animado por un impulso que no me es posible analizar claramente, bajé a gatas por las rocas con dificultad hasta alcanzar el declive más suave, contemplando las profundidades estigias donde ninguna luz había penetrado todavía.

De repente me llamó la atención un enorme y singular objeto que había en la ladera opuesta, que surgía abruptamente a unas cien yardas de donde yo me encontraba; un objeto que emitió un resplandor blanquecino nada más recibir los rayos de la luna ascendente. Enseguida me convencí de que se trataba simplemente de una piedra gigantesca; pero tuve la clara impresión de que su contorno y su posición no eran del todo obra de la Naturaleza. Un escrutinio más minucioso me llenó de sensaciones que no me es posible expresar; pues a pesar de su enorme magnitud, y de su posición en un abismo que se había abierto en el fondo del mar cuando los inicios del mundo, comprendí más allá de toda duda que el extraño objeto era un monolito bien labrado cuya imponente mole había sido ejecutada con gran habilidad y tal vez había conocido el culto de criaturas vivas y racionales.

Aturdido y asustado, aunque no sin cierta sensación de deleite propia de un científico o un arqueólogo, examiné con más detenimiento los alrededores. La luna, ya casi en su cenit, brillaba de manera extraña y vistosa por encima de los elevados precipicios que rodeaban la sima, y ponía de manifiesto el hecho de que en el fondo corría una remota masa de agua, que serpenteaba y desaparecía de la vista en ambas direcciones, y casi lamía mis pies mientras seguía en la ladera. Al otro lado de la sima, las olitas bañaban la base del ciclópeo monolito, en cuya superficie pude entonces localizar tanto inscripciones como toscos relieves. La escritura era una serie de jeroglíficos de un tipo que me era desconocido, diferente de todo lo que había visto en los libros; en su mayor parte consistía en símbolos acuáticos estilizados, tales como peces, anguilas, pulpos, crustáceos, moluscos, ballenas, y cosas por el estilo. Varios caracteres representaban obviamente criaturas marinas que el mundo moderno desconocía, pero cuyos cuerpos en descomposición yo había observado en la llanura surgida del océano.

Fueron, sin embargo, los relieves figurativos lo que más me fascinó. Claramente visibles a través del agua intermedia, a causa de su enorme tamaño, había una serie de bajorrelieves cuyos temas habrían despertado la envidia de un Doré[5]. Creo que esas criaturas pretendían representar hombres… por lo menos cierta clase de hombres; aunque estaban representadas como peces que retozaban en las aguas de alguna gruta marina o rendían homenaje en algún santuario monolítico que también parecía estar bajo el mar. No me atrevo a indicar con todo detalle sus rostros y sus figuras; pues el mero recuerdo me pone enfermo. Más grotescas de lo que pudiera imaginar un Poe o un Bulwer[6], eran terriblemente humanas en líneas generales, a pesar de sus manos y pies palmeados, sus labios increíblemente anchos y flácidos, sus ojos vidriosos y saltones, y otros rasgos menos agradables de recordar. Aunque parezca extraño, daban la impresión de haber sido esculpidos sin guardar ni mucho menos la debida proporción con su ambiente escénico; ya que una de las criaturas estaba representada en el momento de matar a una ballena que parecía muy poco mayor que ella misma. Observé, como digo, su carácter grotesco y su extraño tamaño; pero enseguida decidí que no eran más que dioses imaginarios de alguna primitiva tribu de pescadores o navegantes; alguna tribu cuyos últimos descendientes habían perecido mucho antes de que naciera el primer antepasado del hombre de Piltdown[7] o de Neanderthal. Atemorizado ante aquel inesperado vislumbre de un pasado que sobrepasaba las concepciones del más atrevido antropólogo, me puse a reflexionar mientras la luna lanzaba extraños reflejos sobre el silencioso canal que aparecía ante mí.

Entonces de pronto la vi. Con tan sólo una ligera agitación que indicaba su subida a la superficie, la criatura se dejó ver sigilosamente por encima de las oscuras aguas. Enorme como Polifemo, y repugnante, se precipitó hacia el monolito como un formidable monstruo de pesadilla, extendió a su alrededor sus gigantescos brazos escamosos, en tanto que inclinaba su espantosa cabeza y profería ciertos sonidos acompasados. Creo que entonces me volví loco.

Recuerdo poco de mi frenética ascensión por la ladera y el precipicio, y de mi delirante viaje de regreso al bote varado. Creo que canté mucho, y me reí de una manera extraña cuando no podía cantar. Tengo confusos recuerdos de una gran tormenta poco después de llegar al bote; en cualquier caso, sé que oí truenos y otros sonidos que la Naturaleza sólo emite cuando está de peor genio.

Cuando salí de las sombras me encontraba en un hospital de San Francisco; me llevó hasta allí el capitán del barco estadounidense que había encontrado mi bote en mitad del océano. En mi delirio había hablado mucho, pero comprobé que habían hecho muy poco caso de mis palabras. Mis salvadores no sabían nada de ningún levantamiento de tierras en el Pacífico; y yo no juzgué necesario insistir en algo que sabía que no iban a creer. Una vez fui a pedir su opinión a un célebre etnólogo, y le divertí con extrañas preguntas relativas a la antigua leyenda filistea de Dagón, el dios-pez[8]; pero pronto comprendí que era una persona totalmente convencional y no insistí en mis preguntas.

Es por la noche, sobre todo cuando la luna tiene corcova y está menguando, cuando veo a esa criatura. Probé con morfina; pero la droga sólo me proporciona una cesación pasajera, y me ha atrapado en sus garras, esclavizándome sin remedio. Así que voy a acabar con todo esto, ahora que he escrito un informe completo para información o despectivo regocijo de mis semejantes. Con frecuencia me pregunto si no es posible que todo haya sido una pura ilusión… un delirio producto de un mero ataque de fiebre debido a la insolación que padecí mientras estaba en la embarcación sin cubierta después de escapar del buque de guerra alemán. Pero siempre que me lo pregunto, aparece ante mí como respuesta una visión terriblemente gráfica. No puedo pensar en las profundidades marinas sin estremecerme ante las indescriptibles criaturas que en estos mismos momentos pueden estar arrastrándose y debatiéndose en su lecho fangoso, adorando a sus antiguos ídolos de piedra y labrando sus propias efigies detestables en obeliscos submarinos de granito empapado de agua. Pienso en el día en que tal vez surjan por encima de las olas y con sus hediondas garras arrastren a las profundidades los restos de la endeble humanidad, exhausta por la guerra… en el día en que la tierra se hunda y el tenebroso fondo del océano ascienda en medio del pandemónium universal.

El fin está próximo. Oigo un ruido en la puerta, como si un inmenso cuerpo resbaladizo cargara con todo su peso contra ella. No me encontrará. ¡Dios mío, *esa mano!* ¡La ventana! ¡La ventana!

UNA SEMBLANZA DEL DOCTOR JOHNSON[1]

La Semblanza, aunque resulte plúmbea o deshilvanada, es un homenaje que suele tributarse a los muy viejos por lo general; y desde luego, gracias a esas rememoraciones se transmiten muchas veces a la posteridad sucesos poco conocidos y pequeñas anécdotas de la historia de los grandes personajes.

Aunque muchos de mis lectores han notado a veces una especie de flujo antiguo en mi estilo, me gustaba hacerme pasar por joven entre los miembros de esta generación, así que cultivaba el fingimiento de que había nacido en 1890, en *América*. Ahora, sin embargo, he decidido librarme del peso de un Secreto que he guardado hasta aquí por Temor a no ser creído, y hacer pública la verdad sobre mis muchos años, a fin de saciar la sed de información veraz sobre una época con cuyos Personajes famosos he gozado de cierta familiaridad. Sépase, pues, que nací en la heredad familiar de Devonshire, el décimo día del mes de agosto de 1690 (o, según el nuevo estilo gregoriano de cómputo, el 20 de agosto), por lo que tengo ahora 228 años. Llegado a Londres a edad temprana, conocí de Niño a muchas celebridades del tiempo del rey Guillermo, incluido al llorado señor Dryden, quien se sentó muchas veces junto a las mesas del café de Wills. Más tarde tuve trato frecuente con el señor Addison y el señor Swift, y tuve más amistad incluso con el señor Pope, al que traté y admiré hasta el día de su muerte. Pero puesto que es de mi más reciente colega, el difunto doctor Johnson, de quien quiero escribir, obviaré mi juventud en esta ocasión.

La primera vez que tuve conocimiento del doctor fue en mayo de 1738, aunque no fue en ese año cuando le conocí personalmente. El señor Pope había concluido el Epílogo a sus Sátiras (obra que empieza:

«No serán impresas dos veces en un mismo año»), y había dado los pasos necesarios para su publicación. El mismo día en que salió a la luz se publicó también una sátira a imitación de Juvenal titulada «London», del entonces desconocido *Johnson*; y causó tal asombro en la ciudad que muchos caballeros de gusto aseguraron que era obra de un poeta más grande que Pope. A pesar de lo que algunos detractores han dicho sobre celos mezquinos del señor Pope, éste dedicó no pocos elogios a los versos de su nuevo rival; y cuando se enteró por el señor Richardson de quién era el Poeta, me dijo que «el señor Johnson no tardará en ser *deterré*».

No conocí en persona al doctor hasta 1763, en que fui presentado a él en la taberna de la *Mitre* por el señor James Boswell, joven escocés de excelente familia y amplia erudición, pero de escaso ingenio, cuyas efusiones métricas le había revisado yo varias veces.

El doctor Johnson[2], tal como yo le conocí, era un hombre grueso, barrigón, muy mal vestido, y de Aspecto descuidado. Le recuerdo con una peluca redonda sin teñir ni empolvar, y demasiado pequeña para su cabeza. Sus ropas eran de un marrón herrumbroso, muy arrugadas, a las que les faltaba más de un botón. La cara, demasiado gruesa para ser agraciada, la tenía desfigurada por efecto de alguna afección escrofulosa; y hacía continuamente un movimiento con la cabeza, como por algún tic convulsivo. En realidad, yo sabía de esa dolencia desde antes; había oído hablar de ella al señor Pope, quien se había tomado el trabajo de hacer particulares averiguaciones.

Dado que yo tenía setenta y tres años, y era diecinueve mayor que el doctor Johnson (digo doctor, aunque no se graduó hasta dos años después), esperé de su parte, como es natural, alguna consideración a mi edad; y no sentía el temor que otros le profesaban. Y al preguntarle qué le había parecido mi reseña favorable a su diccionario en mi periódico, *The Londoner*[3], dijo: «Señor, no recuerdo haber leído nunca su periódico, ni me interesan las opiniones de la parte menos reflexiva de la humanidad». Sintiéndome algo más que ofendido ante tamaña grosería de alguien cuya celebridad me movía a solicitar su aprobación, le repliqué en iguales términos, y le dije que me sorprendía que una persona con sentido se atreviese a juzgar la capacidad intelectual de alguien cuyos escritos admitía no haber leído. «Verá, señor —replicó Johnson—; no necesito conocer los escritos de un hombre para evaluar la superficialidad de su juicio, cuando tan claramente la revela su ansiedad en mencionar sus propios escritos en la primera pregunta que me hace». Y, tras hacernos amigos de esta manera, conversamos sobre multitud de materias. Cuando, para coincidir con él, dije que desconfiaba de la autenticidad de los poemas de Ossian, el señor Johnson replicó: «Eso, señor, no dice mucho en favor de su sagacidad; porque si una cosa es de dominio público, no supone ningún descubrimiento que lo diga un crítico de Grub-Street[4]. ¡Es como si me dice que tiene muchas sospechas de que Milton escribió *El Paraíso perdido*!

Después vi a Johnson multitud de veces, casi siempre en las reuniones del CLUB LITERARIO que el doctor fundó al año siguiente junto con el señor Burke, orador parlamentario, el señor Beauclerk, caballero de calidad, el señor Langton, hombre piadoso y capitán de la milicia, sir J. Reynolds, pintor mundialmente famoso, el doctor Goldsmith, prosista y poeta, el doctor Nugent, suegro del señor Burke, sir John Hawkins, el señor Anthony Chamier y yo. Nos reuníamos una vez a la semana por lo general, a eso de las siete de la tarde, en la *Turk's Head* de Gerrard-Street (Soho), hasta que vendieron dicha taberna y la convirtieron en vivienda, por lo que trasladamos nuestras reuniones sucesivamente a la *Prince's* de Sackville-Street, a *Le Tellier's* de Dover-Street, a la *Parsloe's* y a la *Thatched House* de St. James's Street. En esas tertulias mantuvimos un aceptable grado de paz y amistad, que contrasta muy favorablemente con algunas disputas y desencuentros que observo en las actuales asociaciones de prensa *amateur*. Esa paz era tanto más notable cuanto que reinaba entre caballeros de opiniones opuestas. El doctor Johnson y yo, al igual que otros muchos, éramos tories de pies a cabeza; mientras que el señor Burke era whig, estaba en contra de la guerra americana, y se habían editado muchos discursos suyos sobre el particular. El miembro menos compatible era uno de sus fundadores: sir John Hawkins, quien desde entonces ha escrito muchas falsedades sobre nuestra sociedad. Sir John, miembro excéntrico, se negó a pagar una vez la parte que le correspondía de la cena porque en su casa no tenía costumbre de cenar. Más tarde ofendió al señor Burke de manera tan intolerable que decidimos todos manifestarle nuestra desaprobación; a raíz de ese incidente dejó de asistir a nuestras reuniones. Sin embargo, nunca rompió con el doctor, y fue su albacea; aunque el señor Boswell y otros tienen motivo para dudar de la sinceridad de su afecto. Otros que ingresaron más tarde en el club fueron el señor David Garrick, actor y antiguo amigo del doctor Johnson, los señores Tho. y Jos. Warton, el doctor Adam Smith, el doctor Percy, autor de las *Reliques*, el señor Edw. Gibbon, historiador, el doctor Burney, músico, el señor Malone, crítico, y el señor Boswell. El señor Garrick, con dificultad, consiguió ser admitido; porque el doctor, a pesar de su gran amistad, estaba continuamente menospreciando el teatro y cuanto se relacionaba con él. Johnson, a decir verdad, tenía la peregrina costumbre de salir en defensa de Dhabi cuando los demás arremetían contra él, y de rebatirle cuando otros lo defendían. No tengo duda de que quería sinceramente al señor Garrick, porque nunca aludía a él como hacía con Foote, que era un auténtico zafio a pesar de su genio cómico. El señor Gibbon era otro miembro no demasiado apreciado, porque tenía una odiosa sonrisita burlona que ofendía incluso a los que más admirábamos sus trabajos históricos. Mi preferido era el señor Goldsmith, bajo de estatura, muy vanidoso en el vestir y de escasa brillantez en la conversación; porque me pasaba lo que a él: era incapaz de brillar en el discurso. El señor Goldsmith estaba enormemente celoso del doctor Johnson, aunque le quería y le respetaba. Recuerdo que una vez un extranjero, alemán creo, asistió a una de nuestras reuniones; y mientras hablaba Goldsmith, observó que el doctor se disponía a decir algo. Considerando inconscientemente a Goldsmith como un mero estorbo comparado con el gran hombre, el extranjero lo interrumpió de repente, y se ganó su eterna animadversión gritándole: «¡Chist, el doctor *Schonson* va a hablar!»

En cuanto a mí, se me toleraba en esas reuniones más por mi edad que por mi ingenio o mis conocimientos, ya que no llegaba ni por asomo a la altura del resto. Mi amistad con el célebre *monsieur* Voltaire fue siempre causa de enojo para el doctor, que era profundamente ortodoxo, y solía decir del filósofo francés: «*Vir est acerrimi Ingenii et paucarum Literarum*[5]».

El señor Boswell, hombre un poco guasón al que conocía desde hacía algún tiempo, solía burlarse de mis modales torpes, así como de mi peluca y mi ropa. Una vez en que llegó algo cargado de vino (al que era aficionado), se esforzó en satirizarme mediante unos versos improvisados que escribió en el tablero de la mesa; pero al faltarle las ayudas a las que normalmente acudía para sus composiciones, le salió un disparate gramatical. Le repliqué que no debía convertir en libelos el manantial de su poesía. En otra ocasión, Bozzy (como solíamos llamarle) se quejó de mi rigor con los autores noveles en los artículos que escribía para la *Monthly Review*. Dijo que arrojaba a los aspirantes por las laderas del Parnaso. «Se equivoca, señor –le contesté–. Se caen solos cuando pierden pie porque no tienen fuerza; pero como quieren ocultar su debilidad, atribuyen su falta de éxito al primer crítico que habla de ellos». Me satisface recordar que el doctor Johnson me apoyó en esa ocasión.

Nadie ganaba al doctor Johnson en corregir versos malos de los demás[6]; por cierto, se dice que en el libro de la pobre ciega señora Williams apenas hay dos versos que no sean del doctor. Una vez Johnson me recitó unos de un criado del duque de Leeds; le habían divertido tanto que se los había aprendido de memoria. Aluden a la boda del duque, y se parecen tanto en calidad a la obra de otro asno poético más reciente que no me resisto a copiarlos:

> «Cuando el duque de Leeds se case al fin
> con una dama hermosa y distinguida
> cuán feliz será la joven, sí,
> en compañía tan apetecida».

Le pregunté al doctor si le encontraba numen a esta composición; y al contestarme que no, me divertí con el siguiente arreglo:

«Cuando el apuesto LEEDS se haya al fin casado,
la bella de alcurnia y virtuosa,
¡qué contenta estará, qué orgullosa,
con tan gran marido a su lado!»

Al enseñárselo al doctor Johnson, dijo: «Señor, ha arreglado la estrofa; pero no ha añadido gracia ni poesía a los versos».

Me encantaría extenderme más en mis vivencias con el doctor Johnson y su círculo de ingenios; pero soy viejo y me canso enseguida. Me parece que divago sin demasiada lógica o continuidad cuando me esfuerzo en recordar cosas del pasado; y me temo que aporto muy pocos incidentes que otros no hayan comentado con anterioridad. Si mis actuales evocaciones son acogidas con favor, quizá escriba más anécdotas de una época de la que soy el único superviviente. Sé bastantes cosas de Sam Johnson y su club, porque continué siendo miembro mucho después de la muerte del doctor, al que lloré sinceramente. Recuerdo cómo el general John Burgoyne, cuyas obras dramáticas y poéticas se publicaron póstumamente, fue expulsado por tres votos; sin duda a causa de la derrota que sufrió durante la guerra americana en Saratoga. ¡Pobre John! A su hijo le fue mejor, creo, y recibió el título de baronet. Pero estoy cansado. Soy viejo, muy viejo; y es mi hora de la siesta.

LA DULCE ERMENGARDE

O EL CORAZÓN DE UNA MUCHACHA CAMPESINA[1]

Capítulo I
Una doncella rústica y sencilla

Ermengarde Stubbs era la bella y rubia hija de Hiram Stubbs, un pobre pero honrado campesino contrabandista de licores de Hogton (Vermont). El nombre completo de la muchacha era Ethyl Ermengarde, pero su padre la convenció de que abandonara el primero, asegurando que le despertaba las ganas de beber ya que le recordaba el alcohol etílico, C_2H_5OH, después de la aprobación de la 18ª Enmienda[2]. Lo que él elaboraba contenía sobre todo alcohol metílico, o de madera, CH_3OH. Ermengarde confesaba tener dieciséis primaveras, y tachaba de mendaces los rumores sobre que ya había cumplido los treinta. Tenía grandes ojos negros, prominente nariz romana, unos cabellos rubios cuyas raíces no se volvían oscuras más que cuando la droguería del pueblo se quedaba sin existencias, y un color de piel hermoso aunque barato. Medía de estatura 5 pies y 5,33 pulgadas, y pesaba 115,47 libras en la báscula de su padre –también fuera de ella–, y era considerada una belleza por los galanes del pueblo que admiraban las tierras de su padre y paladeaban sus líquidas cosechas.

Dos ardientes enamorados aspiraban a la mano de Ermengarde. El *squire* Hardman, que poseía una hipoteca sobre el viejo hogar, y era muy rico y entrado en años. Era moreno y cruelmente guapo, y siempre iba a caballo y con la fusta en la mano. Hacía tiempo que solicitaba a la radiante Ermengarde, y su ardor ahora se había convertido en pasión desbocada debido a un secreto que sólo él conocía: ¡en los acres humildes del campesino Stubbs había descubierto una veta de ORO! «¡Ah

—se dijo—, conquistaré a la doncella antes de que su padre se entere de su insospechada riqueza, y añadiré a mi fortuna otra mucho más grande!» Así que empezó a visitarla dos veces por semana en vez de una como antes.

Pero ¡vaya con los designios del malvado! Porque no era el *squire* Hardman el único que pretendía a la hermosa. Muy cerca del pueblo vivía otro: el apuesto Jack Manly, cuyos rubios y rizados cabellos se habían ganado el afecto de la dulce Ermengarde cuando apenas los dos iban a la escuela. Jack era demasiado vergonzoso para declararle su amor; pero un día, yendo con Ermengarde por un sendero umbrío junto al viejo molino, había encontrado valor para expresarle lo que su corazón guardaba.

—¡Luz de mi vida —dijo—, siento el alma tan abrumada que no tengo más remedio que hablar! Ermengarde, mi ideal [pronunció ideel], la vida carece de sentido sin ti. Ermengarde, ¡ay Ermengarde, elévame a un cielo de felicidad diciendo que un día serás mía! Es cierto que soy pobre, pero ¿acaso no tengo juventud y fuerzas para abrirme camino hacia la fama? ¡Pero sólo podré hacerlo para ti, querida Ethyl (perdona: Ermengarde), mi única, mi queridísima...! —y aquí hizo una pausa para enjugarse los ojos y secarse la frente; y la bella respondió:

—Jack, ángel mío, al fin... quiero decir, ¡qué inesperado, qué de sopetón! Nunca imaginé que abrigases sentimientos de afecto hacia la niña de un humilde campesino como Stubbs; ¡porque aún soy una niña! Es tanta tu nobleza natural que había temido... o sea, había pensado, que estarías ciego a los modestos encantos de mi persona, y que te irías a buscar fortuna a la gran ciudad, donde conocerías a una de esas damiselas que aparecen con todo esplendor en las revistas de modas, y te casarías con ella.

»Pero, Jack, puesto que es a ti a quien adoro de verdad, dejemos a un lado los rodeos inútiles. Jack, cariño, hace tiempo que mi corazón es sensible a tus cualidades varoniles. Te quiero; considérame tuya, y no dejes de comprar el anillo en la tienda de Perkins, donde hay una preciosa imitación de diamantes en el escaparate.

—¡Ermengarde, amor mío!

–¡Jack, cariño!
–¡Mi vida!
–¡Mi alma!
–¡Mi corazón!

[Telón]

Capítulo II
Y el malvado seguía persiguiéndola

Pero estas tiernas efusiones, aunque sagradas para ambos, no pasaron inadvertidas a unos ojos impíos; ¡porque agazapado en los arbustos y rechinando los dientes, se hallaba el cobarde *squire* Hardman! Cuando los enamorados se alejaron finalmente, salió al camino retorciéndose el bigote y estrujando con furia la fusta, y propinó un puntapié a un gato indiscutiblemente inocente que había salido al camino también.

–¡Maldición –gritó Hardman, no el gato–, me han desbaratado el plan de quedarme con la tierra y la chica! ¡Pero Jack Manly no se saldrá con la suya! ¡Yo soy un hombre poderoso... y lo voy a dejar bien claro!

Al punto se dirigió a la humilde casa de Stubbs, donde halló al cariñoso padre en la bodega llenando botellas bajo la supervisión de la bondadosa esposa y madre, Hannah Stubbs. Y yendo directamente al asunto, dijo el malvado:

–Campesino Stubbs, hace tiempo que siento un tierno afecto por tu encantadora hija Ethyl Ermengarde. Me consumo de amor, y quiero su mano en matrimonio. Siempre he sido de pocas palabras, así que no voy a perder el tiempo en eufemismos. ¡Dame a la muchacha, o ejecutaré la hipoteca y me quedaré con esta vieja casa!

–Pero, señor –imploró el confundido Stubbs mientras su asombrada esposa se limitaba a enrojecer–, sé de seguro que la criatura ha puesto sus ojos en otro.

–¡Ha de ser mía! –tronó amenazador el siniestro *squire*–. Yo haré que me ame: ¡nadie se resiste a mi voluntad! ¡O se casa conmigo, o perdéis la casa!

Y con una sonrisa de desprecio y un chasquido de fusta el *squire* Hardman se perdió en la oscuridad de la noche.

Apenas se había ido, entraron por la puerta de atrás los radiantes enamorados, ansiosos por contar a los ancianos Stubbs su recién hallada felicidad. ¡Imaginad la consternación general que reinó cuando se supo todo! Las lágrimas manaron cual incolora cerveza, hasta que súbitamente Jack cobró conciencia de que era el héroe, y alzó la cabeza, declamando en tono apropiadamente viril:

–¡Jamás mientras yo viva será ofrecida en sacrificio la bella Ermengarde a esa bestia! Yo la protegeré; ¡es mía, mía, mía, y de los suyos! No temáis, queridos futuros padres: ¡yo os defenderé a los tres! Seguirá siendo vuestro el viejo hogar [aunque Jack no estaba en absoluto de acuerdo con el tipo de producción al que se dedicaba Stubbs], y llevaré al altar a la bella Ermengarde, ¡la más adorable de su sexo! ¡Al infierno el *squire*, sus gruñidos y su mal amasada fortuna; siempre saldrá airosa la causa justa, y el héroe siempre tiene razón! ¡Me iré a la ciudad, y haré fortuna antes de que venza la hipoteca! ¡Adiós, amor mío: ahora te dejo sumida en llanto, pero cuando vuelva saldaré la hipoteca y te pediré como esposa!

–¡Jack, mi protector!

–¡Ermie, mi dulce amor!

–¡Vida mía!

–¡Cariño! No te olvides del anillo de la tienda de Perkins.

–¡Oh!

–¡Ah!

[Telón]

Capítulo III
Una acción ruin

Pero el industrioso *squire* Hardman no se dejaba chasquear fácilmente. No lejos del pueblo había una colonia de casuchas habitadas por una escoria humana sin oficio que vivía del robo y otras actividades de ese estilo. Aquí consiguió el malvado dos cómplices, individuos cuya mala catadura mostraba a las claras que no eran caballeros. Y llegada la medianoche, irrumpieron los tres en casa de Stubbs, secuestraron a la bella Ermengarde, y la encerraron en un cuchitril miserable de la colonia, dejándola bajo la custodia de la tía María, una vieja arpía. El campesino Stubbs cayó en la desesperación, y habría puesto anuncios en los periódicos si hubiesen costado menos de un centavo la palabra. Pero Ermengarde se mostró firme, y no vaciló en su negativa a casarse con el malvado.

–¡Ah, orgullosa preciosidad –dijo el *squire*–, te tengo en mi poder, y tarde o temprano doblegaré tu tozudez! Entretanto, ¡piensa en tus pobres padres arrojados del hogar y vagando sin amparo por los campos!

–¡Ay, perdónalos, perdónalos! –dijo la doncella.

–Nunca... ¡Ja, ja, ja!

Y así pasaba los días el cruel; y mientras, completamente ignorante, el joven Jack Manly buscaba fama y fortuna en la gran ciudad.

Capítulo IV
Villanía sutil

Un día en que el *squire* Hardman estaba sentado en el salón de su rico y suntuoso hogar, dedicado a su pasatiempo favorito de rechinar los dientes y hacer silbar la fusta en el aire, le vino de repente una idea luminosa, y maldijo en voz alta al Satanás de ónice que había en la repisa de la chimenea.

–¡Cuidado que soy idiota! –exclamó–. ¿Por qué me tomo estas

molestias con la muchacha, cuando puedo conseguir la tierra con sólo ejecutar la hipoteca? ¡No se me había ocurrido! ¡La soltaré, me quedaré con la tierra, y seré libre de casarme con alguna chica guapa de la ciudad, como esa importante dama de la compañía de cómicos que dio una función la semana pasada en el Ayuntamiento!

Conque fue a la colonia, pidió disculpas a Ermengarde, la soltó, y regresó a su casa a tramar nuevos crímenes e inventar nuevas villanías.

Pasaron los días, y los Stubbs se deprimieron muchísimo ante la inminente pérdida de su hogar, porque por lo visto seguía sin haber nadie que pudiera hacer nada al respecto. Y un día, una partida de cazadores de la ciudad se perdió casualmente por la vieja finca, ¡y uno de ellos encontró oro! Ocultando el descubrimiento a sus compañeros, fingió que le había mordido una serpiente de cascabel y se dirigió a la casa de Stubbs a pedir oportuno auxilio. Abrió la puerta Ermengarde, y vio al desconocido. Éste se quedó mirándola igualmente, y al punto decidió conseguirla, y con ella el oro también. «Por mi anciana madre lo debo hacer –exclamó para sí–. ¡Ningún sacrificio será demasiado!»

Capítulo V
El señorito de la ciudad

Algernon Reginald Jones era un refinado hombre de mundo llegado de la gran ciudad; por lo que, en sus manos sofisticadas, nuestra pobre Ermengarde no era más que una niña. Casi podría decirse que un maduro bombón de dieciséis años. Algy sabía ir deprisa, aunque no era un bruto: habría podido enseñar a Hardman un par de cosas sobre sutileza en el arte de seducir. Total, que a la semana de llegar al círculo familiar de los Stubbs, donde se había alojado cual vil serpiente que era, ¡había persuadido a la heroína de que se fugasen! Y la muchacha huyó una noche, no sin dejar una nota a sus padres, aspirar el familiar olor a malta por última vez, y dar un beso de despedida al gato, ¡compañero entrañable! Una vez en el tren a Algernon le entró sueño, y se durmió en el asiento; esto hizo que se le cayera accidentalmente un papel del bolsillo. Ermengarde, haciendo uso de su supuesta posición de prometida, recogió la hoja doblada, leyó la perfumada misiva, y... ¡ah, casi se desmaya! ¡Era una carta de amor de otra mujer!

–¡Pérfido impostor –murmuró al dormido Algernon–, conque en esto quedan todos tus alardes de fidelidad! ¡Contigo me he perdido eternamente!

Y dicho esto, lo arrojó por la ventanilla y volvió a sentarse, ya que tenía necesidad de descansar.

Capítulo VI
Sola en la gran ciudad

Cuando el ruidoso tren entró en la oscura estación de la ciudad, la pobre y desvalida Ermengarde se encontró totalmente sola y sin dinero para regresar a Hogton. «Ah –suspiró con inocente pesar–, ¿por qué no le quitaría la cartera antes de arrojarlo por la ventanilla? ¡Bueno, no hay que preocuparse! Me lo ha explicado todo sobre la ciudad, ¡así que no me será difícil ganar lo suficiente para volver, y hasta para saldar la hipoteca!»

Pero por desgracia para nuestra pequeña heroína, no le es fácil a una novata encontrar trabajo; así que durante una semana se vio obligada a dormir en los bancos de los parques y buscar comida en las colas de caridad. En una ocasión, un individuo taimado y perverso, al darse cuenta de su desamparo, le ofreció un puesto de lavaplatos en un cabaret elegante y depravado; pero nuestra heroína, fiel a sus rústicos ideales, se negó a trabajar en ese dorado y brillante palacio de la frivolidad; sobre todo porque ofrecían 3 dólares semanales y comida, pero no alojamiento. Intentó buscar a Jack Manly, su antiguo amor, pero no lo encontró en ninguna parte. Quizá él tampoco la habría reconocido; porque, dada la situación extrema en que estaba, el pelo se le había vuelto moreno otra vez, y Jack no la había visto así desde los tiempos de la escuela. Y un día Ermengarde se encontró un bolso limpio pero caro en la oscuridad; y tras descubrir que no contenía casi nada, se lo llevó a la rica dama cuya tarjeta la acreditaba como su propietaria. Indeciblemente feliz ante el gesto de honradez de esta criatura abandonada, la aristocrática señora Van Itty la adoptó en sustitución de la hijita que le robaron hacía muchos años. «¡Cuánto te pareces a mi preciosa Maude!», suspiró la dama al ver cómo la hermosa morena volvía al color rubio. Y así pasaron varias semanas mientras, en casa, los viejos se mesaban los cabellos y el malvado *squire* Hardman soltaba risas diabólicas.

Capítulo VII
Y fueron felices y comieron perdices

Un día la rica heredera Ermengarde S. Van Itty contrató a un auxiliar de chófer. Sorprendida ante el aire familiar de su cara, se volvió a mirarlo otra vez, y dio un respingo. ¡Porque hete aquí que no era otro que el pérfido Algernon Reginald Jones, al que ella había arrojado por la ventanilla aquel fatídico día! Así pues, había sobrevivido; eso estaba casi tan claro como el día. Además, se había casado con la otra, la cual se había fugado después con el lechero y con todo el dinero de la casa. Ahora, completamente humillado, suplicó perdón a nuestra heroína, y le confesó la historia del oro que había descubierto en la tierra de su padre. Indeciblemente conmovida, le subió el salario un dólar al mes; y decidió satisfacer por fin su nunca aplacado deseo de remediar las tribulaciones de sus viejos padres. Así que un radiante día Ermengarde emprendió en automóvil el regreso a Hogton, y llegó a casa justo cuando el *squire* Hardman estaba ejecutando la hipoteca y echando a los viejos.

–¡Alto, villano! –gritó, sacando un grueso fajo de billetes–. ¡Al fin se desbaratan tus planes! Aquí está tu dinero: ahora vete, ¡y no vuelvas a ensombrecer nunca más nuestro humilde hogar!

Siguió entonces un gozoso reencuentro, en tanto el *squire* se retorcía el bigote y estrujaba la fusta con frustración y consternación. ¡Pero, alto! ¿Qué ruido es ése? Suenan pasos en la grava del sendero; y ¿quién hace su aparición, sino nuestro héroe Jack Manly, cansado y desharrapado, pero con el rostro risueño? Y yendo directamente al abatido malvado, le dijo:

—*Squire*, préstame un billete de diez, ¿quieres? Acabo de volver de la ciudad con mi esposa, la bella Bridget Goldstein, y necesito algo para empezar en la vieja finca —y volviéndose luego a los Stubbs, se excusó por no haber podido saldar la hipoteca como habían acordado.

—No importa —dijo Ermengarde—; nos ha llegado la prosperidad, y consideraré suficiente pago si olvidas las tontas fantasías de nuestra niñez.

Durante todo ese rato la señora Van Itty había seguido sentada en el automóvil, esperando a Ermengarde; pero al mirar lánguidamente el rostro afilado de Hanna Stubbs, un vago recuerdo afloró a su cerebro. A continuación le acudieron todos los detalles, y gritó acusadora a la rústica matrona.

—Tú, tú... eres Hanna Smith... ¡Ahora te reconozco! Hace veintiocho años fuiste la nodriza de mi hijita Maude, ¡y me la robaste de la cuna! ¿Dónde, dónde está mi hija? —y al punto le vino un pensamiento, como un rayo caído de un cielo tenebroso—: *Ermengarde*... dices que es tu hija... ¡Pero es mía! ¡El destino me ha devuelto a mi hijita, a mi pequeña Maudita! Ermengarde, Maude... ¡ven a los brazos de tu madre amantísima!

Pero Ermengarde estaba haciendo cálculos de altos vuelos. ¿Cómo iba ésta a llevarse un bombón de dieciséis años cuando le habían robado la hija hacía veintiocho? Además, si no era hija de Stubbs el oro jamás sería suyo. La señora Van Itty era rica, pero el *squire* Hardman lo era más. Así que acercándose al desalentado malvado, le infligió un último y terrible castigo.

—*Squire*, cariño —murmuró—, lo he reconsiderado todo. Te quiero a ti, con tu fuerza innata. Casémonos ahora mismo, o te demandaré por secuestrarme el año pasado. Redime esa hipoteca, y disfruta conmigo del oro que ha descubierto tu sagacidad. ¡Anda, cariño!

Y el bobo obedeció.

FIN

POLARIS[1]

A través de la ventana de mi habitación que da al norte resplandece la Estrella Polar con extraña luminiscencia. Brilla siempre durante las horas terribles preñadas de oscuridad. Y en el otoño, cuando los vientos del norte ululan y lanzan imprecaciones, cuando las hojas de los árboles del pantano se tornan rojizas y susurran entre sí a primeras horas de la madrugada, bajo una luna menguante y ganchuda, me siento en el alféizar de la ventana y contemplo esa estrella. Según pasa el tiempo la titilante Casiopea[2] refulge un poco más abajo en el firmamento, mientras el Carro parece suspendido entre los árboles envueltos en bruma del pantano que la brisa nocturna mece. Justo antes de la aurora, Arturo parpadea rubicundo sobre el cementerio del altozano y la Cabellera de Berenice[3] centellea fantasmagóricamente en los confines del misterioso oriente; mas la Estrella Polar aún se mantiene en la misma posición sobre la negra bóveda del cielo, parpadeando espectral como un ojo malsano y vigilante que pugnara por transmitir algún extraño mensaje, aunque ya no recordara el mensaje en sí mismo, sino que tenía algo que transmitir. Algunas veces, cuando todo está nublado, puedo dormir.

Bien recuerdo la noche de la gran Aurora, cuando sobre el pantano danzaban los espeluznantes fulgores de luz demoníaca. Tras los destellos llegaron las nubes, y entonces logré conciliar el sueño.

Y fue bajo una luna menguante y ganchuda cuando vi la ciudad por vez primera. Estaba silenciosa y somnolienta, sobre una extraña llanura hundida entre picachos. Sus murallas y torreones, sus columnas, cúpulas y pavimentos, estaban revestidos de un mármol espectral. Sobre esas calles de mármol se erguían pilares de mármol cuya parte superior estaba rematada por graves rostros barbados esculpidos en la piedra. La brisa era suave y cálida. Y arriba, apenas a diez grados sobre el cenit, lucía la vigilante Estrella Polar. Durante mucho tiempo observé la ciudad, pero el día no llegaba. Cuando la roja Aldebarán[4], que brilla siempre baja en el firmamento aunque jamás llega a ponerse, se había impulsado una cuarta parte de su recorrido en el cielo, descubrí luz y movimiento en las casas y callejas. Figuras con extraños ropajes, nobles y familiares a un mismo tiempo, paseaban por las calles y bajo la luna menguante y ganchuda los hombres hablaban con gravedad en una lengua que me resultaba familiar, aunque el idioma era completamente distinto a cualquier otro que antes hubiera conocido. Y cuando la roja Aldebarán hubo recorrido más de la mitad de su camino sobre el firmamento, volvieron de nuevo el silencio y la oscuridad.

Al despertar, ya no era la misma persona. En mi memoria había quedado grabada la imagen de la ciudad, y de las entrañas de mi alma surgía otro recuerdo más vago, cuya naturaleza me resultaba incierta. A partir de entonces, durante las noches nubladas en las que podía dormir, contemplé la ciudad con frecuencia; a veces bajo el resplandor de aquella misma luna menguante y ganchuda, y otras bajo los rayos cálidos y amarillos de un sol que no llegaba jamás a ponerse, sino que rotaba lentamente y muy bajo sobre el horizonte. Y, en las noches despejadas, la Estrella Polar espiaba con un celo jamás visto antes.

Poco a poco comencé a preguntarme cuál sería mi lugar en aquella ciudad que se erguía sobre la extraña meseta entre picos extraños. Al principio me contentaba con observar la escena como un simple espectador de incorpórea presencia, pero pronto empecé a desear que mi relación con ella fuera más definida, y medir mis talentos logísticos entre los graves personajes que platicaban todos los días en las plazas públicas. Me decía a mí mismo: «Esto no es un sueño, ¿de qué manera podré demostrar que aquella escena es más real que esta otra de la casa de piedra y ladrillo al sur de un tenebroso pantano y ese cementerio en lo alto de la loma, desde donde la Estrella Polar escudriña mi ventana que mira al norte noche tras noche?»[5]

Una noche, mientras escuchaba las disertaciones en una gran plaza sobre la que se erguían multitud de estatuas, noté un cambio y me di cuenta de que al fin tenía una forma corpórea. Y ya no era un extraño en las calles de Olathoë, que reposa en la meseta de Sarkis, entre los picos Noton y Kadiphonek. Era mi amigo Alos quien hablaba, y su discurso complacía mi alma, pues eran las palabras de un hombre íntegro y de un patriota. Esa noche habían llegado nuevas sobre la caída de Daikos y el avance de los inutos, diablos amarillos, enjutos e infernales que cinco años atrás habían llegado del ignoto occidente para devastar los confines de nuestro reino, y que finalmente acabaron sitiando nuestras ciudades. Habiendo conquistado los puestos fortificados al pie de las montañas, su avance hacia la meseta ya no tenía oposición, a no ser que cada habitante pudiera hacerles frente con la fuerza de diez hombres. Pues esas criaturas achaparradas eran hábiles en el arte de la guerra y carecían de los escrúpulos y el honor que distinguían a los hombres de Lomar, altos, de ojos grises e incapaces para la rapiña.

Alos, mi amigo, era el comandante de todas las fuerzas de la meseta, y en él estaban depositadas las últimas esperanzas de nuestra patria. En esta oportunidad hablaba de los peligros que habríamos de encarar, y alentaba a los hombres de Olathoë, los más bravos de todo Lomar, a salvaguardar las tradiciones de sus antepasados, quienes, al verse obligados a migrar al sur de Zobna ante el avance de la mortaja de hielo (de la misma manera que nuestros descendientes tendrán que huir algún día de la tierra de Lomar), rechazaron valerosamente a los gnophkehs[6], unos caníbales velludos y de largos brazos que se interponían en su camino. Alos impidió que yo formara parte del ejército, ya que era un hombre enfermizo y dado a extraños desvanecimientos cuando algo requería demasiada tensión o esfuerzo. Pero mis ojos eran los más penetrantes de la ciudad, a pesar de las largas horas que dedicaba todos los días al estudio de los manuscritos Pnakóticos[7] y a la sabiduría de los Padres Zobnarianos; por esto, mi amigo, que no deseaba condenarme a la inactividad, me recompensó con una tarea de gran importancia. Me envió a la torre de vigilancia de Thapnen, para ser los ojos de nuestro ejército. Si los inutos pretendían acceder a la ciudad por el estrecho desfiladero que discurría detrás del pico Noton, sorprendiendo así a la guarnición, yo debía prender el fuego que pondría en alerta a los soldados de guardia y salvar a la ciudad de un desastre inmediato.

Ascendí a solas hasta la torre, pues todos los hombres de constitución fuerte eran necesarios en los desfiladeros. Mi mente estaba ofuscada y dolorida por la excitación y la fatiga, ya que no había dormido en muchos días; pero mi confianza se mantenía firme, pues amaba mi tierra natal de Lomar y la ciudad de mármol de Olathoë, que se yergue entre los picos Noton y Kadiphonek.

Pero mientras permanecía en el recinto más elevado de la torre, contemplé la siniestra luna roja, ganchuda y menguante, estremeciéndose entre los vapores que pululaban por encima del lejano valle de Banof. Y, a través de una rendija del techo, lucía la pálida Estrella Polar, titilando como si estuviera viva, acechándome como un diablo tentador. Sentía que me susurraba consejos malignos, arrastrándome a una somnolencia traicionera con una promesa deplorablemente rítmica que se repetía una y otra vez:

«Duerme, vigía, hasta que las esferas
veintiséis mil años
hayan girado, y yo retorne
al lugar en el que ahora ardo.
Otras estrellas surgirán
en el eje de los cielos;
estrellas que consuelen y estrellas que bendigan
con un dulce olvido;
sólo al final de mi recorrido
el pasado golpeará tu puerta».

En vano luché contra el sopor, intentando acoplar estas palabras extrañas con la sabiduría estelar que había aprendido en los manuscritos Pnakóticos. Mi cabeza, pesada y tambaleante, terminó descansando sobre mi pecho, y al volver a mirar lo hice como entre sueños, mientras la Estrella Polar parecía burlarse de mí a través de una ventana y entre los árboles espantosamente retorcidos de un tenebroso pantano. Y aún sigo soñando.

En mi vergüenza y desesperación a veces grito locamente, implorando a las criaturas de ensueño que me rodean que me despierten antes de que los inutos se deslicen por el desfiladero que discurre tras el pico Noton y tomen la ciudadela por sorpresa; pero tales criaturas no son más que diablos, pues se ríen de mí y dicen que ya estoy despierto. Se mofan en mi sueño, y mientras tanto esos enemigos amarillos y achaparrados podrían estar arrastrándose cautamente hacia nosotros. He fracasado en mi cometido y traicionado a la ciudad de mármol de Olathoë; le he fallado a Alos, mi amigo y comandante. Pero todavía esas sombras de mi sueño no dejan de burlarse. Dicen que no existe ningún reino de Lomar, salvo en mis pesadillas nocturnas, que en esas tierras en las que la Estrella Polar brilla alta en el firmamento y la roja Aldebarán apenas sobresale en el horizonte no hay más que hielo y nieve desde hace milenios, y que ningún hombre habita aquellos parajes, excepto unas criaturas achaparradas y amarillas, consumidas por el frío, que ellos llaman «esquimales».

Y mientras escribo esto en una agonía culpable, desesperado por salvar la ciudad de un peligro que crece a cada instante, tratando inútilmente de sacudirme ese sueño antinatural sobre una casa de piedra y ladrillo al sur de un pantano tenebroso y del cementerio en lo alto de la loma, la Estrella Polar, maligna y monstruosa, me espía desde la negra bóveda celeste, parpadeando horriblemente como un ojo malsano y vigilante que intentara transmitirme algún extraño mensaje, aunque ya no recordara el mensaje en sí mismo, sino que tenía algo que transmitir.

AL OTRO LADO DE LA BARRERA DEL SUEÑO[1]

> Estoy dispuesto a que se apodere de mí un sueño.
> SHAKESPEARE[2]

Me he preguntado con frecuencia si la mayoría de la humanidad se detiene alguna vez a reflexionar sobre la inmensa importancia que de vez en cuando tienen los sueños, y el oscuro mundo al que pertenecen. Mientras que la mayor parte de nuestras visiones nocturnas no son quizá más que vagos y fantásticos reflejos de nuestras experiencias cuando estamos despiertos –al contrario de lo que afirma Freud con su simbolismo pueril[3]–, hay sin embargo algunas otras cuyo carácter extramundano y etéreo no permite una interpretación ordinaria, y cuyo efecto vagamente apasionante y preocupante sugiere posibles vislumbres fugaces de una esfera de existencia mental no menos importante que la vida física, pero separada de ella por una barrera casi infranqueable. Mi experiencia no me permite dudar de que el hombre, cuando pierde la conciencia terrena, realmente habita durante algún tiempo en otra vida incorpórea de naturaleza muy diferente a la de la vida que conocemos, de la cual, cuando despierta, sólo perviven los recuerdos más insignificantes y más confusos. De esos recuerdos borrosos y fragmentarios podemos deducir mucho, pero comprobar poco. Podemos suponer que en sueños la vida, la materia y la vitalidad, tal como el mundo entiende tales cosas, no son forzosamente constantes; y que el tiempo y el espacio no existen tal como nosotros los comprendemos cuando estamos despiertos. A veces creo que esta vida menos material es nuestra más auténtica vida, y que nuestra vana presencia sobre el globo terráqueo es en sí misma un fenómeno secundario o meramente virtual.

De uno de aquellos ensueños juveniles llenos de especulaciones de ese tipo desperté una tarde del invierno de 1900-1901, cuando llevaron a la institución estatal para psicópatas en la que ejerzo de interno al hombre cuyo caso me ha obsesionado incesantemente desde entonces. Su nombre, según consta en los archivos, era Joe Slater, o Slaader, y su aspecto era el del típico habitante de la región de Catskill Mountains[4], uno de esos extraños y repelentes descendientes de un primitivo linaje de campesinos coloniales cuyo aislamiento durante casi tres siglos en el refugio montañoso de una región poco visitada los sumió en una especie de degeneración brutal, en lugar de progresar como sus hermanos más afortunadamente situados en zonas densamente pobladas. Entre aquella gente extraña, que equivale exactamente al grupo en decadencia de la «escoria blanca» del sur, la ley y la moral son inexistentes; y su nivel mental probablemente está por debajo del de cualquier otro sector de la población autóctona norteamericana.

Joe Slater, que llegó a la institución custodiado por cuatro policías del Estado, y fue descrito como un tipo altamente peligroso, ciertamente no presentaba ningún indicio de peligrosidad la primera vez que lo vi. Aunque era de una estatura bastante por encima de la media y de complexión un tanto musculosa, ofrecía un absurdo aspecto de estupidez inofensiva por el color azul pálido de sus somnolientos y llorosos ojillos, su escasa y descuidada barba amarilla jamás afeitada y su abultado labio inferior que le colgaba lánguidamente. Se desconocía su edad, ya que entre los de su clase no existen datos genealógicos ni lazos familiares permanentes; pero, a juzgar por la calvicie de la parte delantera de su cabeza y sus dientes cariados, el cirujano jefe lo inscribió como un hombre de unos cuarenta años.

Por los informes médicos y judiciales nos enteramos de todo lo que pudo saberse sobre su caso. Aquel hombre, vagabundo, cazador y trampero, siempre les había parecido extraño a sus primitivos compañeros. De noche solía dormirse mucho más tarde de lo que era habitual, y al despertar hablaba a menudo de cosas desconocidas de un modo tan extraño que inspiraba temor en los corazones de un populacho poco imaginativo. No es que su lenguaje fuese poco común en modo alguno, pues no hablaba más que en el degradado dialecto de su entorno; pero el tono y el tenor de sus expresiones eran tan misteriosamente extravagantes, que nadie podía escucharlo sin recelo. Por lo general él mismo se mostraba tan aterrorizado y desconcertado como sus oyentes, y una hora después de despertarse se olvidaba de todo lo que había dicho, o por lo menos de lo que le había motivado a decir lo que dijo, y volvía a sumirse en la misma normalidad bovina y semiafable de los demás habitantes de las montañas.

Al parecer, a medida que Slater envejecía, sus aberraciones matutinas fueron aumentando paulatinamente en frecuencia y violencia; hasta que alrededor de un mes antes de su llegada a la institución ocurrió la horrible tragedia que motivó su arresto por las autoridades. Un día, tras un profundo sueño que comenzó con un exceso de whisky a eso de las cinco de la tarde anterior, el hombre se había despertado de repente a mediodía, aullando de manera tan espantosa que atrajo a varios vecinos a su choza… un chiquero mugriento donde vivía con una familia tan indescriptible como él. Saliendo precipitadamente a la nieve, había extendido los brazos en alto y comenzó a pegar saltos hacia arriba, mientras expresaba en voz alta que estaba resuelto a alcanzar una «gran, gran choza con techo, paredes y suelo luminosos, y una música extraña y ruidosa a lo lejos». Cuando dos hombres de estatura mediana trataron de refrenarlo, él había forcejeado con una fuerza y un furor maníacos, gritando que deseaba y necesitaba encontrar y matar a una cierta «criatura que reluce y tiembla y ríe». Por fin, tras derribar momentáneamente a uno de los que lo sujetaban con un súbito golpe, se había abalanzado sobre el otro con un diabólico arrebato de carácter sanguinario, chillando endemoniadamente que «se elevaría muy alto en los aires y abrasaría cualquier cosa que se cruzara en su camino».

La familia y los vecinos habían huido presa del pánico y, cuando regresó el más valiente de todos ellos, Slater había desaparecido, dejando tras él una cosa irreconocible parecida a la pulpa que una hora antes había sido un ser humano. Ninguno de los montañeses se había atrevido a perseguirlo, y es probable que se hubieran alegrado si hubiese muerto de frío; pero cuando varios días más tarde oyeron sus gritos en un barranco lejano, comprendieron que de algún modo se las había arreglado para sobrevivir, y que de una manera u otra habría que liquidarlo. Por consiguiente le había seguido una patrulla armada, que (no importa cuál fuese su objetivo al principio) se convirtió en un pelotón del *sheriff*, una vez que uno de los escasamente populares policías montados del Estado hubiera visto por casualidad a los perseguidores, luego interrogado, y finalmente se hubiera unido a ellos.

Al tercer día Slater fue encontrado inconsciente en el hueco de un árbol, y llevado a la cárcel más cercana, donde alienistas de Albany lo reconocieron en cuanto recobró el sentido. Les contó una sencilla historia. Una tarde, dijo, se había dormido al ponerse el sol después de haber bebido mucho. Al despertar se encontraba de pie en la nieve delante de su choza, con las manos ensangrentadas y a sus pies el cadáver mutilado de su vecino Peter Slader. Horrorizado, se había dirigido hacia el bosque en un vago intento de huir del escenario del que seguramente había sido su crimen. Fuera de eso no parecía saber nada más, ni tampoco el experto interrogatorio a que fue sometido fue capaz de descubrir un solo dato más. Aquella noche Slater durmió tranquilamente, y a la mañana siguiente despertó sin ninguna característica especial salvo cierto cambio en su expresión. El doctor Barnard, que había estado observando al paciente, creyó advertir un cierto brillo peculiar en sus ojos azul pálido, y una tirantez casi imperceptible en sus flácidos labios, como si tuviera una determinación inteligente. Pero cuando fue interrogado, Slater volvió a sumirse en la habitual apatía del montañés, y sólo repetía lo que había dicho el día anterior.

Al tercer día por la mañana tuvo lugar el primero de los ataques mentales de aquel hombre. Tras dar algunas muestras de desasosiego mientras dormía, de repente estalló en un frenesí tan exacerbado que fueron necesarios los esfuerzos combinados de cuatro hombres para ponerle una camisa de fuerza. Los alienistas escucharon sus palabras con viva atención, ya que las sugestivas, aunque sobre todo contrapuestas e incoherentes, historias de su familia y sus vecinos habían despertado su curiosidad en grado sumo. Slater desvarió durante más de quince minutos, farfullando en su rústico dialecto acerca de espléndidas estructuras luminosas, la mar de espacio, música extraña, y montañas y valles sombríos. Pero más que nada hizo hincapié en cierta entidad misteriosa y resplandeciente que temblaba y se reía y se burlaba de él. Esa enorme y vaga figura parecía haberle causado un daño terrible y su máximo deseo era matarla para vengarse clamorosamente. Para conseguirlo, decía, se elevaría a través de abismos de desolación, *calcinando* cualquier obstáculo que se pusiera en su camino. Así discurría su discurso, hasta que inesperadamente cesó. El ardor de la locura desapareció de sus ojos, y miró con torpe asombro a sus interrogadores y les preguntó por qué estaba atado. El doctor Barnard desabrochó las correas de cuero y no volvió a ponerle la camisa de fuerza hasta la noche, en que logró persuadir a Slater para que lo hiciera voluntariamente, por su propio bien. Para entonces había admitido que a veces hablaba de un modo extraño, aunque no sabía por qué.

Antes de terminar la semana tuvo dos ataques más, pero los médicos no sacaron nada en limpio de ellos. Especularon con detenimiento acerca del *origen* de las visiones de Slater, pues dado que no sabía leer ni escribir, y al parecer nunca había oído ni una sola leyenda ni un cuento de hadas, su espléndida imaginación era bastante inexplicable. Que no procedía de ninguna ficción o mito conocido lo daba a entender sobre todo el hecho de que el desgraciado lunático se expresara con su habitual simpleza. Desvariaba sobre cosas que no entendía ni podía explicar; cosas que pretendía haber experimentado, pero que no podía saber por ningún relato normal o coherente. Los alienistas estuvieron pronto de acuerdo en que la explicación del problema eran unos sueños anormales; unos sueños tan intensos que durante algún tiempo después de despertarse podían dominar por completo la mente de aquel hombre básicamente inferior. En la debida forma, Slater fue juzgado por asesinato, absuelto por motivos de locura, e internado en la institución en donde yo desempeñaba un cargo tan humilde.

He dicho que suelo especular constantemente sobre el mundo de los sueños, y podrán comprender por tanto el ansia con que me dediqué a estudiar al nuevo paciente en cuanto hube comprobado enteramente los detalles de su caso. Él pareció percibir en mí cierta simpatía, por efecto sin duda del interés que no me era posible ocultar y del modo amable con que lo interrogaba. No es que llegara a reconocerme durante sus ataques, en que yo estaba pendiente ansiosamente de sus caóticas aunque cósmicas descripciones gráficas; pero me reconocía en sus periodos de calma, cuando, sentado junto a los barrotes de su ventana, trenzaba cestos de paja y sauce, suspirando tal vez por la libertad de las montañas que nunca podría disfrutar de nuevo. Su familia jamás fue a visitarlo; seguramente porque había encontrado otro jefe provisional, como es costumbre en aquella gente en decadencia de las montañas.

Poco a poco comencé a sentir una irresistible admiración por las fantásticas locuras que Joe Slater se imaginaba. Lamentablemente aquel hombre era inferior tanto en mentalidad como en su forma de hablar; pero sus brillantes y colosales visiones, aunque descritas en una jerga llena de barbarismos e inconexa, eran sin duda cosas que sólo un cerebro superior o incluso excepcional podría concebir. ¿Cómo era posible, me preguntaba a menudo, que la estólida imaginación de un degenerado de Catskill evocara visiones cuya mera tenencia indicaba una latente chispa de genio? ¿Cómo podía haber conseguido un patán zoquete hacerse ni siquiera una idea de aquellos brillantes reinos de excelso resplandor y espacio sobre los que divagaba Slater en su furioso desvarío? Me inclinaba cada vez más a creer que en el lastimoso personaje que se arrastraba ante mí yacía el núcleo perturbado de algo que no alcanzaba a comprender; algo infinitamente más allá de la comprensión de mis colegas de la medicina y la ciencia, más expertos aunque menos imaginativos que yo.

Y no obstante, no pude sacar de aquel hombre nada definitivo. El resumen de mi investigación fue que, en una especie de vida semiincorpórea en sueños, Slater vagaba o flotaba a través de resplandecientes y prodigiosos valles, prados, jardines, ciudades y palacios de luz, en una región ilimitada y desconocida para los humanos. Que allí no era un campesino ni un degenerado, sino una criatura importante y de vida intensa, que actuaba con arrogancia y avasallamiento, y cuyo único freno era cierto enemigo mortal, que parecía tratarse de un ser de estructura visible aunque etérea, y que no debía de tener forma humana, ya que Slater nunca se refería a él como a un *hombre,* sino como a una *criatura.* Esta *criatura* le había hecho a Slater algún daño horrible pero no identificado, del cual el maníaco (si es que era un maníaco) ansiaba vengarse. Por el modo en que Slater aludía a sus relaciones, deduje que él y la *criatura* luminosa se habían enfrentado en pie de igualdad; que en su existencia en sueños el hombre era una *criatura* luminosa de la misma raza que su enemigo. Esta impresión la respaldaban sus frecuentes alusiones a *volar a través del espacio* y *calcinar* todo lo que le impidiera avanzar. No obstante, estas ideas las formulaba con toscas palabras completamente inadecuadas para expresarlas, circunstancia que me llevó a la conclusión de que si realmente existía un mundo onírico, el lenguaje oral no era su medio para transmitir el pensamiento. ¿Sería posible que en los sueños el alma que habitaba aquel cuerpo inferior se esforzara desesperadamente por decir cosas que la lengua simple y vacilante de su torpeza no pudiera expresar? ¿Sería posible que me encontrara cara a cara con emanaciones intelectuales que explicaran el misterio si pudiese descubrirlas e interpretarlas? No hablé de estas cosas a los médicos mayores que yo, ya que las personas de mediana edad son escépticas, cínicas y reacias a aceptar nuevas ideas. Además, el director de la institución me había llamado la atención recientemente, a su modo paternal, por trabajar demasiado, advirtiéndome de que mi mente necesitaba un descanso.

Desde hacía tiempo estaba convencido de que el pensamiento humano consiste básicamente en un mecanismo atómico o molecular, convertible en ondas etéreas de energía radiante como el calor, la luz y la electricidad. Esta creencia pronto me había llevado a contemplar la posibilidad de la telepatía o comunicación mental por medio de un equipo adecuado, y en mis tiempos de universidad había ideado un conjunto de aparatos transmisores y receptores algo parecidos a los pesados artefactos utilizados en la telegrafía sin hilos en aquella época rudimentaria anterior a la radio. Los había probado con un compañero de estudio; pero como no obtuve ningún resultado, enseguida los guardé con otros trastos científicos para un posible uso en el futuro.

Deseando ardientemente investigar la vida en sueños de Joe Slater, busqué de nuevo esos instrumentos y pasé varios días reparándolos para ponerlos en funcionamiento. Cuando volvieron a funcionar, no perdí ocasión de ponerlos a prueba. Cada vez que Joe Slater sufría un ataque de violencia, conectaba el transmisor a su frente y el receptor a la mía, y continuamente efectuaba delicados ajustes para las hipotéticas diferentes longitudes de onda de la energía mental. No tenía más que una pequeña idea de cómo las señales emitidas por el pensamiento, si es que se transmitían satisfactoriamente, suscitarían una respuesta inteligente en mi cerebro; pero estaba seguro de poder percibirlas e interpretarlas. Por consiguiente continué con mis experimentos, aunque sin informar a nadie de su naturaleza.

Fue el veintiuno de febrero de mil novecientos uno cuando por fin ocurrió algo. Cuando rememoro aquellos lejanos años me doy cuenta de lo irreal que parece; y a veces me pregunto si el viejo doctor Fenton no tenía razón cuando achacó todo a mi excitada imaginación. Recuerdo que me escuchó con gran atención y paciencia cuando se lo conté, pero después me dio unos polvos para los nervios y dispuso que me tomara medio año de vacaciones a partir de la semana siguiente. Aquella noche fatídica estaba yo terriblemente nervioso y preocupado, pues a pesar del excelente cuidado que había recibido, Joe Slater se estaba muriendo sin lugar a dudas. Puede que echase de menos su libertad en las montañas, o quizá el trastorno de su cerebro se había agudizado en exceso para que su constitución más bien indolente pudiera soportarlo; pero en todo caso la llama de la vitalidad se estaba apagando en aquel cuerpo en decadencia. Se adormeció al acercarse su fin, y cuando la oscuridad lo invadió todo se sumió en un sueño agitado. Le aflojé la camisa de fuerza como era habitual cuando dormía, pues me figuré que estaba demasiado débil para ser peligroso, aunque se despertara una vez más con trastornos mentales antes de pasar a mejor vida. Pero coloqué sobre su cabeza y la mía los dos extremos de mi «radio» cósmica, esperando contra todo pronóstico un primer y último mensaje del mundo de los sueños en el poco tiempo que quedaba. Estaba con nosotros en la celda un enfermero, un individuo mediocre que no comprendía la finalidad del equipo, ni se le ocurrió hacer averiguaciones acerca de mi tratamiento. A medida que pasaban las horas vi que inclinaba la cabeza con dificultad mientras dormía, pero no lo molesté. Arrullado por las rítmicas respiraciones del hombre sano y del moribundo, poco después yo mismo debí de dar alguna cabezada.

El sonido de una extraña y lírica melodía fue lo que me despertó. Acordes, vibraciones y arrebatos armónicos resonaban apasionadamente por todas partes, mientras que ante mis embelesados ojos irrumpió un prodigioso espectáculo de suprema belleza. Muros, columnas y arquitrabes de fuego incandescente brillaban y refulgían en torno al lugar en donde yo parecía flotar en el aire, prolongándose hacia arriba hasta una cúpula abovedada de increíble altura e indescriptible esplendor. Armonizando con este despliegue de suntuosa magnificencia, o más bien suplantándolo a veces en caleidoscópica rotación, se vislumbraban extensas llanuras y preciosos valles, altas montañas y atractivas grutas, todo ello recubierto de cuantos deliciosos atributos paisajísticos mis encantados ojos pudieran imaginar y, sin embargo, formado enteramente de una especie de entidad plástica, resplandeciente y etérea, cuya consistencia participaba tanto del espíritu como de la materia. Mientras contemplaba aquello, me di cuenta de que mi propio cerebro tenía la clave de aquellas encantadoras metamorfosis, pues cada vista que se me aparecía era la que mi cambiante mente deseaba contemplar. En aquellos campos elíseos yo no me sentía forastero, pues cada visión y cada sonido me resultaban familiares, como lo habían sido antes durante innumerables eones[5] de eternidad y lo serían durante similares eternidades futuras.

Entonces el aura resplandeciente de mi hermano de luz se acercó y sostuvo un coloquio conmigo, de un alma a otra, con un silencioso y perfecto intercambio de pensamientos. El momento triunfal era inminente, pues ¿no iba a escaparse por fin mi semejante de una degradante esclavitud periódica, no iba a escaparse para siempre y se disponía a seguir al odioso opresor hasta los supremos campos etéreos, para una vez en ellos poder llevar a cabo una furibunda venganza cósmica que estremecería las esferas? De modo que flotamos durante algún tiempo, hasta que percibí que los objetos que nos rodeaban se difuminaban ligeramente y se desvanecían, como si alguna fuerza me llamara a la tierra… adonde yo menos deseaba ir. La figura cercana a mí pareció experimentar también un cambio, pues poco a poco fue concluyendo su discurso y se dispuso a abandonar el lugar, desapareciendo de mi vista algo menos rápidamente que los demás objetos. Intercambiamos unos cuantos pensamientos más, y comprendí que el ente luminoso y yo íbamos a volver al cautiverio, aunque para mi hermano de luz sería la última vez. Casi gastada su lamentable apariencia planetaria, en menos de una hora mi compañero sería libre de perseguir al opresor por la Vía Láctea y más allá de las estrellas cercanas hasta los mismos confines de la infinidad.

Un nítido sobresalto diferencia mi impresión final del evanescente escenario luminoso de mi repentino y algo avergonzado despertar cuando me enderecé en la silla y vi que la agonizante figura de la cama se movía con vacilación. Joe Slater se estaba despertando, en efecto, aunque seguramente por última vez. Cuando miré con más atención, vi que en sus cetrinas mejillas brillaban unas manchas de color que antes nunca había presentado. También sus labios parecían fuera de lo normal: firmemente apretados, como por la fuerza de un carácter más enérgico que el suyo. Finalmente todo su rostro empezó a ponerse en tensión y volvió la cabeza nerviosamente con los ojos cerrados. No desperté al enfermero dormido, sino que ajusté de nuevo los cascos ligeramente desbaratados de mi «radio» telepática, resuelto a captar cualquier mensaje de despedida que el soñador pudiera haber enviado. De repente volvió la cabeza bruscamente hacia mí y abrió los ojos, haciendo que me quedara mirándolo perplejo por lo que veía. El hombre que había sido Joe Slater, el decadente palurdo de Catskill, me miraba fijamente con un par de ojos luminosos y dilatados cuyo color azul parecía haberse intensificado sutilmente. En aquella mirada no era perceptible ni manía ni degeneración, y me pareció estar viendo sin lugar a dudas un rostro detrás del cual había una mente activa de primer orden.

En esa coyuntura mi cerebro se dio perfecta cuenta de que una continua influencia externa actuaba sobre él. Cerré los ojos para concentrar mis pensamientos más profundamente, y fui recompensado con la constatación categórica de que *el mensaje mental que buscaba desde hacía tanto tiempo había llegado por fin.* Cada una de las ideas transmitidas tomó forma rápidamente en mi mente, y aunque no se empleó ningún lenguaje concreto, mi habitual asociación de idea y expresión era tan grande que me pareció estar recibiendo el mensaje en inglés corriente.

«Joe Slater ha muerto», me llegó la petrificante voz o mediación que procedía del otro lado de la barrera del sueño. Mis ojos abiertos buscaron el lecho del dolor con extraño pavor, pero los ojos azules seguían mirándome tranquilamente, y en el semblante todavía alentaba la inteligencia. «Está mejor muerto, pues era incapaz de soportar el intelecto activo de una entidad cósmica. Su vulgar cuerpo no podía aguantar los ajustes necesarios entre la vida etérea y la vida planetaria. Tenía demasiado de animal, y muy poco de hombre; sin embargo, si has llegado a descubrirme ha sido gracias a su deficiencia, pues las almas cósmicas y planetarias nunca deberían verse directamente. Ha sido mi tormento y mi prisión diurna durante cuarenta y dos años terrestres. Yo soy una entidad como aquella en la que tú te conviertes mientras duermes tranquilamente. Soy tu hermano de luz y he flotado contigo por los valles refulgentes. No me está permitido hablarle a tu yo despierto de tu yo verdadero, pero todos deambulamos por los vastos espacios y viajamos en muchas épocas distintas. El año que viene puedo estar viviendo en el enigmático Egipto que vosotros llamáis antiguo, o en el cruel imperio de Tsan Chan que tiene que venir de aquí a tres mil años. Tú y yo hemos sido arrastrados a los mundos que giran en torno a la roja Arturo y hemos vivido en los cuerpos de los filósofos-insecto que se deslizan arrogantemente sobre la cuarta luna de Júpiter. ¡Qué poco sabe el yo terrestre de la vida y su importancia! ¡Qué poco debe saber, en efecto, para su propia tranquilidad! Del opresor no puedo hablar. Vosotros que sois de la tierra habéis notado su lejana presencia sin daros cuenta… vosotros que sin saberlo disteis tontamente el nombre de *Algol, la Estrella del Demonio*[6], a su baliza intermitente. Es para enfrentarme y

vencer al opresor por lo que me he esforzado en vano durante eones, frenado por impedimentos corporales. Esta noche soy como una Némesis que lleva a cabo una justa y enardecida venganza cataclísmica. *Obsérvame en el cielo muy cerca de la Estrella del Demonio.* No puedo hablar más, pues el cuerpo de Joe Slater se está poniendo frío y rígido, y su tosco cerebro ha dejado de vibrar como yo deseo. Has sido mi amigo en el cosmos; has sido mi único amigo en este planeta… la única alma que me ha percibido y me ha buscado dentro del repelente cuerpo que yace en este lecho. Volveremos a encontrarnos… tal vez en las radiantes brumas de la Espada de Orión[7], o en una desolada meseta del Asia prehistórica. Tal vez esta noche en sueños olvidados, o en alguna otra forma de aquí a un eón, cuando el sistema solar haya sido suprimido».

Al llegar a este punto, las ondas del pensamiento cesaron súbitamente y los pálidos ojos del soñador –¿o debo decir hombre muerto?– comenzaron a ponerse vidriosos como los de un pez. Medio atónito, pasé al otro lado de la cama y le tomé la muñeca, pero la encontré fría, rígida y sin pulso. Sus cetrinas mejillas volvían a estar pálidas y sus abultados labios se abrieron de pronto, revelando los colmillos repulsivamente podridos del degenerado Joe Slater. Me estremecí, cubrí su espantoso rostro con una manta y desperté al enfermero. Luego abandoné la celda y me fui en silencio a mi habitación. Sentía un apremiante e inexplicable deseo de soñar cosas que no debía recordar.

¿El clímax? ¿Qué relato verdaderamente científico puede jactarse de semejante efecto retórico? Me he limitado a exponer ciertas cosas que me parecen hechos reales, dejando que ustedes los interpreten como quieran. Como ya he admitido, mi superior, el viejo doctor Fenton, niega que todo lo que he contado sea real. Jura que yo había perdido el control debido al agotamiento nervioso y que me hacían mucha falta esas largas vacaciones sin suspensión de sueldo que tan generosamente me concedió. Me asegura por su honor profesional que Joe Slater no era más que un paranoico que no revestía gravedad, cuyas fantásticas ideas debían de provenir de los rudimentarios cuentos populares hereditarios que circulan incluso en las comunidades más decadentes. Todo eso me dice… sin embargo no puedo olvidar lo que vi en el cielo la noche siguiente a la muerte de Slater. Para que no crean que soy un testigo parcial, incluyo este terminante testimonio de otra fuente, que quizá proporcione el clímax que esperaban. Citaré literalmente el siguiente informe sobre la estrella *Nova de Perseo,* extraído de las páginas del profesor Garrett P. Serviss, esa eminente autoridad en astronomía[8]:

«El 22 de febrero de 1901, el doctor Anderson de Edimburgo descubrió una nueva estrella maravillosa, *muy cerca de Algol.* Antes nunca se había visto una estrella en aquella posición. En menos de veinticuatro horas el desconocido astro se había vuelto tan brillante que eclipsó a Cabra[9]. Al cabo de una o dos semanas su brillo había disminuido visiblemente, y en el transcurso de unos meses apenas se percibía a simple vista».

MEMORIA[1]

En el valle de Nis[2] brilla pálida la odiosa luna menguante, abriendo paso a su luz con débiles cuernos en el follaje letal de un upas inmenso. Y en lo más profundo, adonde la luz no llega, se mueven formas que no conviene observar. La yerba es espesa en uno y otro declive, donde malignas enredaderas trepan entre las piedras de palacios ruinosos, se enroscan en rotas columnas y extraños monolitos, y levantan las losas de mármol que unas manos olvidadas colocaron. Y en los árboles que crecen gigantescos en los patios desmoronados saltan pequeños simios, mientras dentro y fuera de profundas criptas de tesoros se retuercen serpientes venenosas y seres escamosos que no tienen nombre.

Enormes son los sillares que duermen bajo colchas de húmedo musgo, e imponentes eran los muros de los que cayeron. Sus constructores los erigieron para siempre, y en verdad que aún cumplen con nobleza, porque debajo de ellos hace su morada el sapo gris.

En el fondo mismo del valle discurre el río Than, de aguas fangosas pobladas de algas. Brota de ocultos manantiales y se pierde en grutas subterráneas, de manera que el Demonio del Valle[3] no sabe por qué son rojas sus aguas, ni cuál es su último destino.

El Genio que habita en los rayos de la luna habló al Demonio del Valle, y le dijo: «Soy viejo y se me olvidan muchas cosas. Cuéntame de los que erigieron estas cosas de piedra, de sus hechos, y de su aspecto y su nombre». Y el Demonio contestó: «Yo soy la Memoria, y poseo el saber del pasado; pero también yo soy viejo. Esos seres, como las aguas del río Than, están más allá de toda comprensión. No recuerdo sus hechos, porque sólo fueron un momento. Recuerdo vagamente su aspecto; eran como los pequeños simios de los árboles. En cuanto a su nombre, lo recuerdo muy bien, porque rimaba con el del río: esos seres del pasado se llamaban *Hombres*[4]».

Y el Genio, dicho esto, regresó a la luna delgada y cornuda. Y el Demonio volvió sus ojos atentos hacia un pequeño simio que habitaba en uno de los patios ruinosos.

EL VIEJO BUGS[1]

El Billar de Sheehan, que honra un pequeño callejón del Distrito de los Corrales del corazón de Chicago, no es un local elegante. Su ambiente, cargado de mil olores como los que Coleridge debió de encontrar en Colonia, sabe muy poco de los purificadores rayos de sol, que luchan por abrirse paso con el humo acre de innumerables cigarros y cigarrillos baratos que cuelgan de los labios gruesos del montón de animales humanos que frecuentan día y noche el lugar. Sin embargo, la popularidad del *Sheehan's* continúa intacta; y hay una razón: una razón evidente para cualquiera que se tome la molestia de analizar los olores que allí reinan. Además del humo y de la opresiva falta de ventilación, flota un aroma en otro tiempo familiar en todo el país, aunque hoy por fortuna desterrado a las callejas traseras de la vida por decreto de un gobierno benévolo: el aroma del whisky fuerte y execrable, preciada especie de fruto prohibido en este año de gracia de 1950.

El *Sheehan's* es un conocido centro de tráfico subterráneo de licores y narcóticos, y como tal goza de cierta dignidad que incluye incluso a los desaliñados personajes adscritos al lugar. Aunque hasta hace poco había uno al que no alcanzaba tal privilegio; compartía la suciedad y la mugre, pero no la importancia del *Sheehan's*. Le llamaban el viejo Bugs, y era el ser más despreciable de ese despreciable lugar. Muchos habían intentado averiguar qué había sido en otro tiempo; porque su lenguaje y pronunciación eran tales, cuando llegaba a determinado grado de embriaguez, que causaban asombro; en cuanto a lo que era en la actualidad, era menos difícil observarlo: el viejo Bugs compendiaba en grado superlativo la especie conocida como «inútiles» e «indigentes totales». Nadie sabía de dónde había salido. Una noche entró violentamente en el *Sheehan's* con espumarajos en la boca y pidiendo a gritos whisky y hachís; y tras suministrársele a cambio de prometer ocuparse de las tareas más bajas, andaba desde entonces fregando el suelo, limpiando las escupideras y los vasos, y haciendo docenas de trabajos por el estilo a cambio de la bebida y la droga que necesitaba para seguir en pie.

Hablaba poco, y normalmente en la jerga vulgar de los bajos fondos; pero a veces, cuando se sentía enardecido por una dosis excepcional de whisky, prorrumpía en retahílas de incomprensibles polisílabos y retazos de prosa o verso que hacían pensar a más de un parroquiano que debió de conocer tiempos mejores. Un cliente asiduo –un desfalcador bancario no descubierto– solía conversar con él, y por el tono de su discurso arriesgaba la opinión de que había sido escritor o profesor en sus tiempos. Pero la única pista tangible del pasado del viejo Bugs era una fotografía descolorida que llevaba siempre consigo, el retrato de una joven de noble y hermoso rostro. A veces se la sacaba del bolsillo, le quitaba cuidadosamente el papel de seda que la envolvía, y se quedaba mirándola horas enteras con indecible tristeza y ternura. No era el retrato de una de esas que suele conocer el habitante de un barrio miserable, sino el de una dama de crianza y calidad, vestida con un pintoresco vestido de treinta años atrás. El propio Bugs parecía pertenecer también al pasado, ya que su inclasificable indumentaria mostraba todos los signos de lo anticuado. Era un hombre de estatura enorme, probablemente medía más de seis pies, aunque sus hombros cargados desdecían a veces ese hecho. El pelo, de un blanco sucio y a mechones, lo tenía siempre despeinado; y en su cara flaca crecía un asqueroso matojo de tosca barba que parecía siempre a medio crecer: nunca estaba afeitada, ni nunca lo bastante larga para dar a las patillas un aire respetable. Su rostro quizá había sido noble en otro tiempo, pero ahora lo tenía marcado por los efectos horribles de la disipación. En alguna época –probablemente en su madurez– había sido evidentemente corpulento; pero ahora estaba horriblemente flaco, y bajo los ojos nublados, sobre las mejillas, le colgaban unas bolsas amoratadas. Total, que la pinta del viejo Bugs no era muy grata de ver.

Y su humor era tan atrabiliario como su persona. En conjunto, entraba cabalmente en la categoría de desecho humano –era de los dispuestos a hacer lo que fuera por un níquel o una dosis de whisky o hachís–; sin embargo, había raros momentos en que le afloraban detalles que le hacían merecedor de su apodo[2]. Entonces trataba de andar derecho, y asomaba cierto fuego a sus ojos hundidos. Su ademán adquiría una gracia e incluso una dignidad insólitas; y los seres embrutecidos de su entorno percibían cierta superioridad en él, algo que les hacía abstenerse de propinarle al miserable doméstico el habitual pescozón o puntapié. En esos momentos el viejo Bugs mostraba un humor sardónico y hacía comentarios que los parroquianos del *Sheehan's* juzgaban absurdos. Aunque tales rachas se le pasaban enseguida, y volvía al sempiterno fregoteo del suelo y limpieza de escupideras. Una cosa hacía que no fuera esclavo absoluto del establecimiento, y era su reacción cuando alguien pretendía iniciar a algún joven en el alcohol. Entonces el viejo se levantaba del suelo furioso, mascullando amenazas y tratando de disuadir al neófito de lanzarse por el camino de «conocer el mundo como es». Farfullaba y bufaba y estallaba en interminables amonestaciones y extraños juramentos, animado de una espantosa seriedad que hacía estremecer a más de un espíritu castigado por la droga del concurrido local. Pero al momento siguiente su cerebro, debilitado por el whisky, olvidaba el asunto y volvía con una sonrisa estúpida a su fregona y su trapo.

No creo que muchos asiduos del *Sheehan's* olviden fácilmente el día en que entró el joven Alfred Trever. Era un «hallazgo» por así decir, un joven rico y alegre deseoso de «llegar al final» de cuanto emprendía; al menos ése fue el veredicto de Pete Schultz, «agente» del *Sheehan's*, que había tropezado con el muchacho en el Lawrence College, de la pequeña ciudad de Appleton (Wisconsin). Trever era hijo de un matrimonio significado de Appleton. Su padre, Karl Trever, era abogado y ciudadano distinguido, en tanto que su madre había alcanzado una envidiable reputación como poetisa con el nombre de soltera de Eleanor Wing[3]. Alfred era asimismo un joven cultivado y un poeta destacado, aunque adolecía de cierta pueril irresponsabilidad que le hacía una presa ideal para el agente del *Sheehan's*. Era rubio, guapo, y consentido; de genio vivo, estaba deseoso de saborear las diversas formas de disipación de las que tenía noticia por sus lecturas, o por lo que le habían contado. En el Lawrence, había destacado en el pseudo-club «Tappa Tappa Keg», donde era el más alegre y lanzado de los jóvenes juerguistas; pero no le bastaba esta inmadura frivolidad estudiantil. Sabía por los libros de vicios más profundos, y ahora ansiaba probarlos. Quizá esta inclinación suya hacia el desenfreno se había visto estimulada en cierto modo por la represión a la que le tenían sometido en casa; porque la señora Trever tenía motivos especiales para educar a su hijo único con rígida severidad: de joven había concebido un profundo y permanente horror a la disipación a causa de alguien de quien fue prometida durante un tiempo.

El joven Galpin⁴, el novio en cuestión, había sido uno de los hijos más insignes de Appleton. Tras destacar, de adolescente, por su brillante inteligencia, alcanzó gran fama en la Universidad de Wisconsin, y al cumplir los veintitrés años regresó a Appleton para ocupar una plaza de profesor en el Lawrence, y deslizar un diamante en el dedo de la hija más bella y alegre de Appleton. Durante unos meses todo fue sobre ruedas; hasta que, sin previo aviso, estalló la tormenta. Al joven profesor se le manifestaron unos malos hábitos que databan de la primera borrachera cogida años antes en el aislamiento del bosque; y sólo gracias a la inmediata renuncia a su plaza se libró de un proceso desagradable por escándalo moral y social para con los alumnos a su cargo. Roto su compromiso matrimonial, Galpin se marchó al este para empezar una nueva vida; pero no había transcurrido mucho tiempo cuando los ciudadanos de Appleton se enteraron de su expulsión ignominiosa de la Universidad de Nueva York, donde había obtenido una plaza de profesor de inglés. Galpin dedicó ahora su tiempo a la biblioteca y a las conferencias, preparando volúmenes y discursos sobre diversas materias relacionadas con *les belles lettres,* y siempre haciendo gala de un genio tan notable que parecía que algún día el público habría de perdonarle sus yerros pasados. Sus apasionadas conferencias en defensa de Villon, de Poe, de Verlaine y de Oscar Wilde podían aplicarse a él también, y en el breve destello otoñal de su gloria se habló de un renovado compromiso suyo con cierto hogar cultivado de Park Avenue. Pero entonces sobrevino el golpe definitivo: un último escándalo, comparado con el cual los anteriores fueron una pequeñez, echó por tierra las ilusiones de los que habían llegado a creer en la reforma de Galpin; y el joven renunció a su nombre y desapareció de la vida pública. Algún rumor lo asociaba de tarde en tarde con cierto «cónsul Hasting», cuyo trabajo para compañías teatrales y cinematográficas atraía cierta atención por su amplia y profunda erudición; pero el tal Hasting desapareció pronto de la vista del público, y Galpin se convirtió en un mero ejemplo al que los padres recurrían como advertencia. No tardó Eleanor Wing en contraer matrimonio con Karl Traver, un abogado joven y prometedor, y de su antiguo admirador sólo conservó recuerdo para poner nombre a su único hijo, y dar orientación moral a este joven guapo y testarudo. Sin embargo, a pesar de todos los consejos, Alfred Trever estaba en el *Sheehan's* a punto de tomar su primer trago.

—¡Jefe! —gritó Schultz al entrar en el maloliente tugurio con su joven víctima—, te presento aquí a mi amigo Al Trever; y que sepas que es el mejor tipo del Lawrence, o sea de Appleton (Wisconsin). Por cierto, su padre es también un tipo fenomenal, abogado de una importante sociedad de su distrito, y su madre una genialidad de las letras. Quiere conocer la vida, quiere ver cómo sabe un vaso de ese whisky para hombres de pelo en pecho... Pero recuerda que es amigo mío, así que trátalo bien.

En cuanto saltaron al aire los nombres de Trever, Lawrence y Appleton, los presentes notaron algo anormal. Quizá sólo fue algún ruido relacionado con el entrechocar de bolas en las mesas de billar, o el repiqueteo de los vasos que sacaban de las crípticas regiones de atrás; quizá fue sólo eso, además de cierto extraño susurro de ropas sucias en la ventana empañada; pero muchos tuvieron la impresión de que alguien había rechinado los dientes y había soltado un respingo.

—Encantado de conocerle, Sheehan —dijo Trever en tono tranquilo y educado—. Es la primera vez que entro en un lugar como éste; pero soy un estudioso de la vida, y no quiero dejar de probar ninguna experiencia. Hay poesía en esto como sabe... o quizá no lo sabe; pero da igual.

—Joven —contestó el dueño—, viene usted al sitio fetén para conocer la vida. Aquí tenemos de todo: para conocerla de verdad, y para disfrutarla. Que intente el maldito gobierno, si quiere, que el personal sea formalito; eso no va a impedir que un camarada eche una cana al aire cuando le dé la gana. ¿Qué es lo que prefiere, camarada: bebida, coca, o alguna otra cosa? Lo que pida lo tenemos.

Dicen los clientes que al llegar aquí notaron un silencio especial al cesar los golpes regulares y monótonos de la fregona.

—Quiero whisky; ¡buen whisky añoso de centeno! —exclamó Trever con entusiasmo—. Estoy harto de agua, después de leer lo bien que se lo pasaban en la antigüedad. No puedo leer una anacreóntica sin que se me haga la boca agua… ¡pero es algo más fuerte que el agua lo que me está reclamando la boca!

—¿Una anacreóntica? ¿Y eso qué diantre es? —varios gorrones alzaron los ojos cuando el joven se salió un poco de su esfera de comprensión. Pero el desfalcador no descubierto les explicó que Anacreonte era un sujeto jovial que había vivido hacía muchos años y que escribió sobre lo mucho que se disfrutaba cuando el mundo entero era como el *Sheehan's*.

—Oiga, Trever —prosiguió el desfalcador—, ¿ha dicho Schultz que su madre es persona de letras también?

—Sí, caramba —replicó Trever—; ¡pero está muy lejos del bardo de Teos! Forma parte de esos eternos y aburridos moralistas que tratan de despojar la vida de toda alegría. Una ñoñería; ¿ha oído hablar alguna vez de ella? Escribe con su nombre de soltera, Eleanor Wing.

Aquí fue donde el viejo Bugs soltó la fregona.

—¡Ea, aquí tiene su ración! —anunció Sheehan alegremente cuando entraba en la sala una bandeja con botellas y vasos—. Buen whisky de centeno, el más fuerte que se puede encontrar en Chicago.

Al joven le brillaron los ojos, y se le curvaron las aletas de la nariz al llegarle el aroma del líquido pardusco que escanciaban para él. Sintió náuseas, y se le revolvió su heredada delicadeza; pero no le había abandonado su determinación de probar la vida a fondo, y siguió firme. Pero antes de que se pusiera a prueba su resolución, intervino lo inesperado. De repente se levantó el viejo Bugs de la postura agachada en que había estado hasta ahora, saltó sobre el joven y le arrancó el vaso de la mano, atacando casi a la vez con la fregona la bandeja de botellas y vasos, y esparciéndolos por el suelo en una confusión de líquidos odoríferos y vidrios rotos. Varios hombres, o seres que fueron hombres, se echaron al suelo y empezaron a lamer el licor derramado; la mayoría, sin embargo, se quedó inmóvil, observando el comportamiento inaudito del esclavo y desecho del bar. El viejo Bugs se enderezó ante el asombrado Trever, y dijo con voz suave y cultivada: «No hagas eso. Yo antes era como tú, y lo hice. Y ahora... esto es lo que soy».

–¿Qué hace, estúpido viejo? –gritó Trever–. ¿Qué pretende entrometiéndose en los placeres de un caballero?

Sheehan, recobrado de su asombro, se adelantó y dejó caer una mano pesada en el hombro del viejo granuja.

–¡Es tu última hazaña aquí, pajarraco! –exclamó furioso–. Si un caballero quiere echar un trago en esta casa, por Dios que lo hará, y no serás tú quien lo impida. Sal de aquí, y vete al infierno antes de que te arroje a patadas.

Pero Sheehan había evaluado sin conocimientos científicos la psicología anormal y el efecto de los estímulos nerviosos. El viejo Bugs, conseguido un mayor grado de seguridad gracias a la fregona, empezó a blandirla como la jabalina de un hoplita macedonio, y no tardó en despejar un espacio considerable a su alrededor, mientras recitaba a gritos pasajes inconexos, entre los que repetía sobre todo: «... Los hijos de Belial hinchados de insolencia y de vino».

El local se convirtió en un pandemónium en el que los hombres gritaban y aullaban asustados ante el ser siniestro que habían invocado. Trever, aturdido en medio de la confusión, se pegó a la pared al aumentar la refriega. «¡No beberá! ¡No beberá!», tronó el viejo Bugs cuando se le agotaron las citas, o pasó de ellas. Apareció la policía en la puerta atraída por el ruido, pero durante unos momentos no hicieron ademán de intervenir. Trever, ahora completamente aterrado, y curado de su deseo de conocer la vida por el camino del vicio, se fue desplazando prudentemente hacia los uniformados. Si conseguía salir y coger el tren para Appleton, pensó, consideraría concluido su aprendizaje en disipación.

Entonces el viejo Bugs dejó de blandir su jabalina y se quedó inmóvil, erguido, como nadie de los presentes le había visto nunca. *«Ave, Caesar, moriturus te saluto!»*, gritó, y se desplomó en el suelo empapado de whisky para no volver a levantarse.

Nunca se le borrarán del cerebro al joven Trever las impresiones que siguieron. La escena es confusa, pero imborrable. La policía avanzó poco a poco entre los parroquianos, interrogando con detalle a cada uno sobre el incidente y sobre el muerto que yacía en el suelo. En especial acosaron a Sheehan con preguntas, aunque sin obtener ninguna información de valor con relación al viejo Bugs. Entonces el desfalcador recordó el retrato, y sugirió que podían examinarlo, y llevárselo a la comisaría para su identificación. Un agente se inclinó con repugnancia sobre el cuerpo de ojos vidriosos, encontró la cartulina envuelta en papel de seda, y la pasó a los otros.

—¡Una monada! —comentó maliciosamente un borracho al ver el bello rostro; pero los que estaban más sobrios no sonrieron, sino más bien miraron con respeto y vergüenza el semblante delicado y espiritual. Nadie fue capaz de identificar a la persona retratada, y todos mostraron su asombro de que un despojo degradado por la droga estuviese en posesión de tal imagen; mejor dicho, todos menos el desfalcador, que miraba con recelo a los entrometidos uniformados. Él se había asomado debajo de la máscara de absoluta degradación del viejo Bugs.

Luego pasaron el retrato a Trever, y el joven experimentó un cambio. Tras un sobresalto inicial, envolvió otra vez el retrato en el papel de seda, como para protegerlo de la sordidez del lugar. A continuación miró larga y escrutadoramente la figura del suelo, observando su estatura, y cómo afloraban rasgos distinguidos a su rostro, ahora que la desventurada llama de la vida se había apagado con un parpadeo final. No, dijo apresuradamente cuando le formularon la pregunta, no conocía a la persona del retrato. Pero era tan antiguo que no era de esperar que nadie la conociese.

Pero Alfred Trever no había dicho la verdad, como intuyeron muchos cuando ofreció hacerse cargo del cuerpo para proporcionarle un entierro en Appleton. Sobre la chimenea de la biblioteca de su casa cuelga una réplica exacta de ese retrato, y toda su vida había conocido y amado al original.

Porque aquel rostro noble y amable era el de su madre.

LA TRANSICIÓN DE JUAN ROMERO[1]

No tengo ningún deseo de comentar los sucesos que se desarrollaron en la Mina Norton el 18 y 19 de octubre de 1894. Un sentimiento de compromiso para con la ciencia es lo que me lleva a recordar, en estos últimos años de mi vida, escenas y sucesos preñados de un terror doblemente intenso por mi incapacidad para situarlo adecuadamente. Pero pienso que antes de morir debo contar todo lo que sé de la –llamémosla transición– de Juan Romero.

Mi nombre y orígenes no tienen por qué ser conocidos para la posteridad; en cierta manera, creo que es mejor omitirlos, pues cuando un hombre emigra súbitamente a los Estados o las Colonias, abandona su pasado tras de sí. Además, lo que antes fui carece por completo de interés en este relato, con la excepción, quizá, de que durante mi servicio en la India me sentía más cómodo entre los sabios nativos de blancas barbas que entre mis camaradas oficiales. Mi conocimiento de la extraña sabiduría oriental no era en absoluto despreciable cuando padecí las calamidades que me empujaron en busca de una vida nueva en el gran Oeste americano y que me llevaron a adoptar otro nombre, el mismo que ahora poseo, un nombre bastante vulgar que no significa nada.

Durante el verano y el otoño de 1894 viví entre las áridas extensiones de las Montañas del Cacto, trabajando de simple peón en la famosa Mina Norton, cuyo descubrimiento por un viejo explorador algunos años antes había transformado aquellas regiones prácticamente despobladas en un caldero hirviente de sórdida vida. Una gruta de oro, justo debajo de un lago de montaña, había enriquecido a su venerable descubridor de una manera que sobrepasaba sus más disparatados sueños, y ahora se había convertido en el escenario de extensas operaciones de apertura de nuevas galerías por parte de la corporación que había terminado comprándola. Se habían descubierto cavernas adicionales y la producción del metal amarillo resultaba exageradamente abundante, de manera que un poderoso y heterogéneo ejército de mineros se afanaba día y noche entre las múltiples galerías y oquedades rocosas. El encargado, un tal señor Arthur, disertaba a menudo sobre la singularidad de las formaciones geológicas locales y especulaba con la posible ampliación de la cadena de galerías, valorando el futuro de la titánica empresa minera. Pensaba que todas aquellas cavidades auríferas eran el resultado de la acción del agua y creía que pronto se llegaría a la última de ellas.

No mucho después de mi llegada y contratación, Juan Romero arribó a la Mina Norton. Uno más entre toda la caterva de sucios mexicanos que llegaban del vecino país, al principio llamó la atención a causa de sus rasgos, que, a pesar de ser claramente del tipo piel roja, destacaban, sin embargo, por su palidez y refinamiento, que los hacían totalmente distintos a los de los vulgares «greasers»[2] o los piutes[3] locales. Es curioso que, aun distinguiéndose tan escandalosamente del tropel de indios hispanizados, o de los de raza pura, Romero no daba la más mínima impresión de poseer sangre caucásica. No era el conquistador castellano ni el pionero americano, sino el antiguo y noble azteca el que se aparecía en la imaginación cuando el silencioso jornalero se levantaba al nacer el día y contemplaba fascinado cómo el sol se erguía entre las colinas orientales mientras alzaba sus brazos hacia el astro rey, como si ejecutara una especie de rito cuya naturaleza ni él mismo comprendía. Pero, a excepción de su rostro, Romero no tenía ningún otro rasgo de nobleza. Sucio e ignorante, se encontraba como en su casa entre los demás mexicanos de piel morena, y procedía (según me contaron después) de la más baja clase social de los contornos. De niño fue encontrado en un tosco chamizo montañés, siendo el único superviviente de una epidemia letal que había arrasado la región. Cerca de la cabaña, al pie de una extraña fisura abierta en la roca, yacían dos esqueletos recientemente despellejados por los buitres y que, con toda probabilidad, conformaban los últimos restos de sus progenitores. Nadie recordaba sus identidades y pronto fueron completamente olvidados.

Además, el posterior derrumbe de la choza de adobe y la clausura de la fisura rocosa a causa de una avalancha ayudaron aún más a arrinconar todo lo relacionado con el asunto. Criado por un ladrón de ganado mexicano que le prestó su apellido, Juan apenas se diferenciaba en nada del resto de sus compañeros.

El apego que Romero me mostraba tenía sin duda su origen en el curioso y antiguo anillo hindú que yo solía llevar cuando no estaba trabajando. De su naturaleza, y la manera en que llegó a mis manos, prefiero no decir nada. Se trataba de la última atadura con un capítulo de mi vida ya cerrado para siempre, y lo tenía en gran estima. Pronto me di cuenta de que aquel mexicano de curioso aspecto parecía profundamente interesado en él, y que lo miraba con una expresión que estaba totalmente exenta de cualquier sospecha de simple codicia. Sus arcaicos jeroglíficos parecían avivar algún recuerdo vago en su inculta y, sin embargo, vivaracha mente, aunque sin duda jamás había contemplado antes un objeto parecido. A las pocas semanas de su llegada, Romero se había convertido para mí en una especie de criado fiel, a pesar de que yo no era más que un simple minero. Nuestra conversación resultaba por fuerza bastante limitada. Él apenas chapurreaba unas cuantas palabras de inglés, y yo descubrí que mi español de Oxford se diferenciaba notablemente del dialecto de un peón de Nueva España.

Los sucesos que estoy a punto de mencionar se vieron precedidos por significativos presagios. Aunque Romero resultaba un sujeto interesante, y a pesar de la impresión que mi anillo había causado en él, creo que ninguno de nosotros teníamos el más mínimo presentimiento de lo que iba a pasar tras la enorme explosión. Motivos de orden geológico habían aconsejado una prolongación de la mina directamente hacia abajo de la zona más profunda del área subterránea y, de acuerdo a los cálculos del encargado, que pensaba que no encontraríamos más que roca maciza, se había colocado una carga prodigiosa de dinamita. Ni Romero ni yo teníamos nada que ver con estos preparativos, de manera que las primeras noticias que recogimos sobre aquellas extraordinarias disposiciones nos llegaron por mediación de otros. La carga, seguramente más poderosa de lo previsto, hizo estremecer toda la montaña. Las ventanas de los barracones levantados sobre la ladera se hicieron añicos por la deflagración, y los mineros que se encontraban en las galerías más cercanas fueron lanzados al aire. El Lago Joya, próximo al lugar del suceso, se encrespó como bajo los efectos de una tempestad. Después de la oportuna investigación, se descubrió un nuevo abismo que se hundía hasta el infinito, una sima tan monstruosa que ninguna sonda era lo suficientemente larga como para llegar al fondo, ni ninguna lámpara lo suficientemente poderosa como para alumbrarla. Desconcertados, los mineros tuvieron una reunión con el encargado, y éste hizo que se llevaran enormes rollos de cuerda a la boca del pozo y que se encadenaran unos a otros hasta conseguir hacer fondo.

No transcurrió mucho tiempo antes de que los asustados trabajadores informaran al encargado de su fracaso. Con firmeza, aunque respetuosamente, le hicieron saber de su más rotunda negativa a trabajar en aquella fosa, ni tan siquiera a volver a entrar en la mina hasta que el abismo no fuera cegado. Sin duda, se enfrentaban a algo que sobrepasaba su experiencia, ya que, por cuanto ellos sabían, el abismo no tenía fin. El encargado no se lo reprochó. En lugar de eso, estuvo reflexionando profundamente y elaboró distintos planes para el día siguiente. El turno de noche no entró en la mina aquella tarde.

A las dos de la madrugada, un coyote solitario se puso a aullar con melancolía en las montañas. Los ladridos de un perro del campamento le respondieron desde alguna parte; al coyote... o a lo que quiera que fuese. Una tormenta comenzaba a formarse en las alturas de las montañas y nubes de extrañas formas se deslizaban grotescas por la senda turbia de luz celeste que una luna ganchuda* dibujaba al brillar entre capas y más capas de cirroestratos. Fue la voz de Romero, que surgía de una de las literas superiores, la que me despertó; era una voz tensa y excitada a causa de un presagio indefinido que yo no sabía identificar.

(*) He aquí una lección de cómo los escritores de ficción deben buscar la exactitud científica. Acabo de repasar las fases lunares para octubre de 1894, hasta descubrir el momento en el que era visible una luna ganchuda a las 2, ¡y luego he cambiado los datos en consecuencia! (N. del A.)

—¡*Madre de Dios!... el sonido... ese sonido... ¡oiga usted!... ¿lo oye usted?... ¡Señor*[4], ESE SONIDO!

Me puse a escuchar, preguntándome a qué sonido se refería. El coyote, el perro, la tormenta, todo ello era audible; esta última ganaba ahora fuerza mientras el viento aullaba con creciente frenesí. Podía ver el resplandor de los relámpagos tras las ventanas del barracón. Le pregunté al perturbado mexicano, enumerando los sonidos que escuchaba:

—¿*El coyote?... ¡el perro?... ¡el viento?*[5]

Pero Romero no respondió. Luego se puso a murmurar aterrorizado:

—*El ritmo, señor... el ritmo de la tierra*[6]*...* ¡ESE LATIDO BAJO LA TIERRA!

Y entonces yo también lo oí; lo oí y me puse a temblar sin saber por qué. Abajo, de lo más profundo, surgía un sonido —un latido, tal y como dijo el peón— que, aun extremadamente vago, se superponía a los sonidos del perro, el coyote y la creciente tormenta. Resulta inútil toda descripción, ya que no acepta ninguna. Era quizá parecido al tableteo de los motores interiores de un gran barco, tal y como pueden sentirse desde las cubiertas, aunque no resultaba tan mecánico, tan desprovisto de vida y consciencia. De todas sus cualidades, la que más me impresionó fue su *lejanía*. A mi cabeza acudieron los fragmentos de un pasaje de Joseph Glanvill[7] que Poe ha citado con tremendo efecto:

«... la vastedad, la profundidad y la inescrutabilidad de Sus obras, *que contienen en sí mismas una hondura mayor que la del pozo de Demócrito*».

De pronto, Romero saltó de su litera, deteniéndose delante de mí para observar el insólito anillo que llevaba en mi mano, y que relucía de forma extraña al resplandor de los rayos, lanzando luego una mirada intensa a la boca de la mina. También yo me incorporé, y ambos nos quedamos inmóviles durante un rato, aguzando el oído mientras aquel latido extraordinario parecía adoptar una condición cada vez más vital. Entonces, desprovistos de voluntad, comenzamos a ir hacia la puerta, cuya vibración al fragor de la tempestad aportaba una confortable sensación terrenal. La salmodia de las profundidades –pues en eso parecía haberse convertido ahora el sonido– creció en volumen y claridad, y nos sentimos terriblemente impulsados a salir al exterior, en medio de la tormenta y de la impenetrable oscuridad del pozo.

No nos cruzamos con ningún ser vivo, pues los hombres del turno de noche habían sido librados del trabajo y sin duda se hallaban ahora en el poblado del Barranco Seco, murmurando siniestros rumores a los oídos de algún tabernero adormilado. Pero de la caseta del vigilante salía un pequeño rectángulo de luz amarillenta que parecía un ojo guardián. Me pregunté vagamente cómo podía haber afectado al vigía aquel rítmico sonido, pero Romero avanzaba ahora con rapidez y yo le seguí sin detenerme.

Mientras descendíamos por el pozo, el sonido de las profundidades se convirtió en una especie de amalgama de ritmos. Tenía cierta similitud con algún tipo de ceremonia oriental, repleta del batir de los tambores y los cánticos de multitud de voces. Como ya saben, había pasado una larga temporada en la India. Romero y yo avanzamos sin titubeos entre galerías y escalerillas interiores, dirigiéndonos siempre hacia el objeto de nuestra atracción, aun cuando nos sentíamos cautivos de un miedo lastimoso y renuente. Une vez creí haberme vuelto loco... sucedió cuando, al sorprenderme de que nuestro camino estuviera iluminado a pesar de la ausencia de lámparas y velas, descubrí que el viejo anillo que portaba en mi dedo lucía con un resplandor espectral, llenándolo todo de una luminosidad pálida que atravesaba el aire pesado y húmedo en el que estábamos sumidos.

Sin previo aviso, Romero, tras descolgarse por una de las innumerables escalerillas, echó a correr y me dejó completamente solo. Una nota novedosa y salvaje entre aquellos redobles y cánticos, que yo apenas podía percibir, le hizo lanzarse a ello, y, lanzando un grito bestial, se sumergió de cabeza en la impenetrable oscuridad de la caverna. Escuché el eco de sus aullidos por delante de mí mientras trastabillaba torpemente al avanzar por las zonas niveladas y descendía alocadamente las destartaladas escalerillas. Aunque estaba aterrorizado, conseguí mantener el suficiente sentido común como para notar que su cháchara, cuando resultaba entendible, no se parecía a ninguna lengua que yo conociera. Un conglomerado de polisílabos crudos, aun cuando resultaban solemnes, habían reemplazado a la mezcla de mal español y peor inglés del nativo, y de todo ese amasijo sólo el frecuentemente repetido *«Huitzilopotchli»* me resultaba al menos familiar. Más tarde pude descubrir aquella palabra en las obras de un gran historiador[8]... y me estremecí al establecer las asociaciones.

El final de esa noche terrible resultó confuso aunque algo breve, dando comienzo en cuanto alcancé la última caverna de nuestro periplo. De entre la oscuridad que se abría delante de mí surgió un grito postrero del mexicano, seguido de tal coro de innumerables sonidos que no creo poder sobrevivir de nuevo si volviera a escucharlos. En ese momento pareció como si todos los terrores y monstruosidades ocultas de la tierra hubieran conseguido expresar su deseo de aplastar a la raza humana. Al mismo tiempo la luz de mi anillo se extinguió y distinguí una luminosidad nueva que brillaba en una zona inferior, aunque tan sólo se encontraba a unos metros por delante de mí. Había llegado al abismo, que ahora resplandecía rojizo y que, evidentemente, se había tragado al desventurado Romero. Avancé unos pasos y me asomé al borde de aquella sima cuya profundidad ninguna sonda era capaz de medir, y que ahora se había convertido en un pandemónium de llamaradas que brincaban y rugían de manera espantosa. Al principio no distinguí más que una luminosidad hirviente y brumosa, pero enseguida unas sombras infinitamente lejanas comenzaron a destacarse entre la confusión, y vi... ¿era eso Juan Romero?... ¡pero, por Dios! *¡No me atrevo a decir lo que contemplé!*... Algún poder celestial, que vino en mi ayuda, arrasó toda imagen y sonido con una especie de cataclismo como el que debe escucharse al colisionar dos universos en medio del espacio. Sobrevino el caos y me fue concedida la paz de la inconsciencia.

Apenas sé cómo proseguir, y más teniendo en cuenta las condiciones tan singulares que están involucradas; pero intentaré hacerlo lo mejor posible, sin hacer distinciones entre lo real y lo aparentemente real. Cuando desperté, me hallaba sano y salvo en mi litera, y pude distinguir el resplandor rosa de la aurora en la ventana. Un poco más allá, el cuerpo sin vida de Juan Romero descansaba sobre una mesa, rodeado por un grupo de hombres entre los que se hallaba el médico del campamento. Los hombres estaban debatiendo acerca de la extraña muerte del mexicano que le había sorprendido durante el sueño, una muerte que parecía conectada de alguna manera con el terrorífico estallido de un relámpago que había golpeado y sacudido la montaña. No existían evidencias de una causa directa, y la autopsia era incapaz de mostrar cualquier síntoma por el que Romero no pudiera estar aún vivo. Por los retazos de la conversación que me llegaban, pude deducir que ni Romero ni yo mismo habíamos abandonado el barracón en toda la noche, y que tampoco nos habíamos despertado durante la espantosa tormenta que había atravesado las Montañas del Cacto. Esa tormenta, afirmaron los hombres que se aventuraron hasta la entrada del pozo, había causado enormes derrumbamientos, cegando por completo el profundo abismo que tantos temores despertara el día anterior. Cuando pregunté al vigilante acerca de los sonidos que habían precedido al estallido del imponente trueno, mencionó a un coyote, un perro, al aullido del viento en la montaña... y nada más. No tengo motivos para dudar de su palabra.

Tras el restablecimiento del trabajo, el encargado Arthur hizo que algunos hombres de toda confianza investigaran la zona en la que se había abierto el abismo. Le obedecieron, aunque sin mucho entusiasmo, y se realizó una profunda perforación del terreno. Los resultados fueron bastante curiosos. El techo superior del abismo, como se pudo comprobar mientras estaba despejado, no era en modo alguno espeso; sin embargo, ahora las máquinas perforadoras de los investigadores desvelaron lo que parecía ser una extensión ilimitada de roca sólida. Al no encontrar nada más, ni siquiera oro, el encargado de la mina canceló las investigaciones, pero a veces lo acompañaba una expresión de perplejidad cuando meditaba sentado a su mesa.

Hay algo más que resulta bastante curioso. Al poco de despertar la mañana siguiente a la tormenta, descubrí la ausencia inexplicable del anillo hindú que llevaba en mi dedo. Sentía un gran aprecio por él y, sin embargo, experimenté una sensación de alivio ante su desaparición.

Si lo había robado alguno de mis compañeros de trabajo, anduvo lo bastante listo a la hora de deshacerse del botín, ya que a pesar de los anuncios sobre su pérdida y de la investigación policial sobre el asunto, jamás volví a ver el anillo. En cierta manera, dudo que fuera robado por manos humanas, ya que aprendí muchas cosas extrañas en la India.

Mis juicios sobre aquella experiencia varían de un tiempo a otro. A plena luz del día, y la mayoría de las estaciones anuales, me inclino a pensar que casi todo fue un simple sueño; pero a veces en otoño, hacia las dos de la madrugada, cuando el viento y los animales aúllan con pesar, me llega desde una profundidad inconcebible el maligno indicio de un latir rítmico... y siento que la transición de Juan Romero fue, en verdad, algo terrible.

LA NAVE BLANCA[1]

Soy Basil Elton, guardián de la luz en la Punta Norte, tal y como mi padre y mi abuelo lo fueron antes que yo. En el interior de la costa se yergue el faro grisáceo, sobre las rocas sumergidas y viscosas que sólo son visibles en la bajamar, pero que permanecen ocultas cuando la marea está alta. Ante ese fanal han desfilado durante siglos las embarcaciones majestuosas de los siete mares. En los tiempos de mi abuelo lo hicieron muchas; en los de mi padre no tanto, y ahora lo hacen tan pocas que a veces me siento extrañamente solo, como si fuera el último hombre de nuestro planeta[2].

De costas lejanas llegaban aquellos antiguos bajeles de velas blancas, de las distantes costas orientales donde relucen cálidos soles y dulces perfumes se mecen sobre extraños jardines y templos festivos. Viejos lobos de mar se presentaban con frecuencia ante mi abuelo y le hablaban de todas esas cosas, y él se las contaba después a mi padre, y mi padre me las transmitía a mí en las largas tardes otoñales, cuando el viento del este aúlla con melancolía. Y yo he leído más acerca de tales cosas, y de otras muchas, en los libros que me dieron los hombres cuando era joven y estaba lleno de inquietudes.

Pero más fascinante que la sabiduría de los ancianos y que la ciencia de los libros resulta el saber secreto de los océanos. Azul, verde, gris, blanco o negro; sereno, agitado o montañoso; ese océano jamás está en silencio. Lo he observado y escuchado durante todos los días de mi existencia, y lo conozco bien. Al principio me contaba tan sólo relatos sencillos sobre playas apacibles y puertos cercanos, pero con el devenir de los años se hizo más amigable y me habló de otras cosas, cosas cada vez más extrañas y alejadas en el tiempo y el espacio. A veces en el crepúsculo los vapores grises que flotan en el horizonte se han rasgado para dejarme ver lo que hay más allá, y en ocasiones, durante la noche, las aguas profundas se han vuelto cristalinas y fosforescentes para mostrarme lo que hay más abajo. Y tales visiones han sido con frecuencia no sólo de los caminos que existen, sino también de los que pudieron existir; pues el océano es más viejo que las montañas y carga con los recuerdos y los sueños del Tiempo.

Del lejano sur solía llegar la Nave Blanca cuando la luna llena resplandecía en lo alto de los cielos. Desde el lejano sur se deslizaba con suavidad y en silencio sobre los mares. Y ya estuviera el mar agitado o en calma, ya fuera el viento favorable o adverso, siempre navegaba con suavidad y en silencio, las velas henchidas y sus largas hileras de remos moviéndose rítmicamente. Una noche me fijé en un hombre, de largas barbas y cubierto con una túnica, que estaba sobre la cubierta, y pareció hacerme señas para que embarcara hacia costas hermosas y extrañas. Desde entonces le volví a ver muchas veces bajo la luz de la luna llena y siempre me animaba a embarcar.

Muy brillante en el cielo lucía la luna la noche que respondí a su llamada y caminé por encima de las aguas hacia la Nave Blanca sobre un puente de rayos lunares. El hombre de la cubierta me dio la bienvenida en un delicado idioma que yo era capaz de entender a la perfección, y las horas se colmaron con las suaves canciones de los remeros mientras nos deslizábamos hacia el sur misterioso y bañado en oro por los rayos de una luna llena y vetusta.

Y al romper la aurora, rosada y resplandeciente, divisé las verdes costas de unas tierras lejanas, hermosas y claras que me resultaban completamente desconocidas. Muy por encima del mar se erguían terrazas señoriales llenas de verdor y tachonadas de árboles, entre los que se distinguían retazos de luminosos tejados blancos y columnatas de insólitos templos. Según nos fuimos aproximando a la verde costa, el anciano de larga barba me dijo que en aquella tierra, la Tierra de Zar, moran todos los sueños y pensamientos hermosos que en algún momento tienen los hombres y luego son olvidados. Y cuando de nuevo examiné las terrazas, descubrí que lo que decía era cierto, pues entre las visiones que se extendían ante mí había muchas cosas que antes vislumbraba más allá de las brumas que ocultaban el horizonte y en las profundidades fosforescentes del océano. También acogía formas y fantasías más espléndidas que todo lo que había conocido hasta entonces: los sueños de jóvenes poetas que murieron en la pobreza antes de que el mundo llegara a conocer cuanto habían visto y fantaseado. Mas no pusimos el pie sobre las empinadas praderas de Zar, pues se ha dicho que quien las mancille jamás retornará a sus costas natales.

Mientras la Nave Blanca navegaba silenciosa alejándose de los templos escalonados de Zar, divisamos en la distancia las agujas de una poderosa ciudad; y el venerable anciano me dijo:

—Ésa es Thalarion, la Ciudad de las Mil Maravillas, donde residen todos los misterios que el hombre siempre ha tratado en vano de desentrañar.

Yo volví a mirar, esta vez con mayor atención, y descubrí que la ciudad era más grande que cualquier otra que antes hubiera visto o soñado. Las agujas de los templos atravesaban los cielos, de manera que ningún hombre podía entrever sus remates; y hasta mucho más allá del horizonte se alzaban los muros grises y sombríos por encima de los cuales apenas se podía atisbar unos pocos tejadillos, ominosos y grotescos, aunque adornados de frisos barrocos y seductoras estatuas. Ansiaba entrar en esa fascinante y, a un tiempo, repulsiva ciudad, y supliqué al hombre barbado que me desembarcara en el muelle de piedra que hay junto a la formidable puerta de Akariel, llena de bajorrelieves, pero él se negó gentilmente a mis deseos, diciendo:

—Muchos son los que se han internado en Thalarion, la Ciudad de las Mil Maravillas, pero ninguno ha vuelto. Tras sus muros sólo pasean los demonios y unos seres enloquecidos que antaño eran hombres, y las calles están blanqueadas por los huesos insepultos de aquellos que han osado contemplar el ídolo[3] de Lathi, que gobierna la ciudad.

Así que la Nave Blanca siguió navegando y dejó atrás los muros de Thalarion, y siguió durante muchos días el rastro de un ave que volaba hacia el sur, y cuyo lustroso plumaje hacía juego con el color de los cielos en los que había surgido.

Entonces llegamos a una costa risueña y alegre, repleta de flores de todos los tonos posibles y en la que se distinguían, hasta donde alcanzaba la vista, fragantes bosquecillos y luminosas pérgolas bajo el sol meridional. Desde los ocultos enramados nos llegaba un estallido de canciones y retazos de lírica armonía, entremezclados con risas tan claras y deliciosas que, en mi ansiedad por alcanzar la escena, exhorté a los remeros a seguir avanzando con premura. Y el hombre barbado no dijo nada, aunque me observaba atentamente según nos fuimos aproximando a la costa repleta de lirios. De repente, un viento que venía de las floridas praderas y de los tupidos bosquecillos nos trajo un aroma que me hizo temblar. El viento arreció y el aire se colmó del efluvio pestilente y letal de las ciudades corrompidas y de los cementerios abiertos. Y mientras bogábamos frenéticamente, alejándonos de aquella costa maldita, el hombre barbado habló por fin, y dijo:

–Ésa es Xura, la Tierra de los Placeres Inaccesibles.

Así que de nuevo la Nave Blanca siguió el curso del pájaro de los cielos, y navegó sobre mares bendecidos, acariciados por brisas dulces y aromáticas. Día tras día y noche tras noche proseguimos nuestro avance, y cuando la luna estaba llena podíamos oír las suaves canciones de los remeros, tan cálidas como en aquella noche remota en la que nos alejamos de mi tierra natal[4]. Y así, al resplandor de la luna, echamos el ancla al fin en el puerto de Sona-Nyl, que está custodiado por dos peñones gemelos de cristal que surgen del mar para unirse formando un arco resplandeciente. Ésa es la Tierra de la Imaginación, y alcanzamos sus costas verdosas caminando sobre un puente dorado de rayos de luna.

En la Tierra de Sona-Nyl no existe el tiempo ni el espacio, no hay lugar para el sufrimiento o la muerte, y allí moré durante muchos eones. Verdes son los bosques y praderas, luminosas y fragantes las flores, azulados y cantarines los arroyos, claras y frías las fuentes, majestuosos y palaciegos son los templos, castillos y ciudades de Sona-Nyl. En aquella tierra no hay límites, pues a cada paisaje hermoso le sucede otro aún más bello. Sobre sus campos, y entre el esplendor de sus ciudades, vagan a su antojo unas gentes despreocupadas llenas de gracia y alegría. Durante los eones que allí moré, anduve ebrio de felicidad

entre jardines y macizos de arbustos de los que surgen curiosas pagodas, y cuyos blancos paseos están adornados con delicadas flores.
Ascendí a las suaves colinas desde cuyas cimas pude vislumbrar paisajes
repletos de ensueño y fascinación, y los campanarios de las aldeas que
se acurrucan entre el verdor de los valles, mientras las cúpulas doradas
de unas ciudades gigantescas relucen en un horizonte infinitamente
lejano. Y también contemplé el mar efervescente bajo la luz de la luna,
los peñones cristalinos y el plácido puerto donde se mecía la Nave
Blanca con las anclas echadas.

Una noche, en el año remoto de Tharp, volví a ver la fascinante
silueta del pájaro celestial recortándose contra la luna llena, y experimenté la primera punzada de inquietud. Entonces me dirigí al hombre
barbado y le hablé de mi reciente anhelo por partir hacia la lejana
Cathuria, que ningún hombre ha contemplado, aunque todos sospechan que está más allá de las columnas basálticas del Oeste. Ésa es la
Tierra de la Esperanza, y en ella resplandecen los ideales perfectos de
todo cuanto conocemos; o al menos eso es lo que cuentan las gentes.
Pero el hombre barbado apuntó:

—Guárdate de esos mares traicioneros en los que, al decir de los
hombres, se halla Cathuria. En Sona-Nyl no existe el dolor ni la muerte, pero ¿quién puede nombrar lo que hay más allá de los pilares de
basalto del oeste?

Sin embargo, a la siguiente luna llena, embarqué de nuevo en la
Nave Blanca y, acompañado a regañadientes por el hombre barbado,
abandoné el alegre puerto en pos de mares inexplorados.

Y el ave de los cielos volaba por delante, y nos guió hacia los pilares
de basalto del oeste, pero esta vez los remeros no entonaron sus dulces
cánticos bajo la luna llena. A menudo fantaseaba con la desconocida
Tierra de Cathuria, me imaginaba sus bosques y palacios maravillosos,
y especulaba con los nuevos placeres que allí me aguardaban.

—Cathuria —solía decirme a mí mismo— es la morada de los dioses y
tierra de innumerables ciudades de oro. Sus bosques son de sándalo y
aloe, como las perfumadas florestas de Camorin, y entre los árboles
revolotean alegres pájaros de dulces trinos. Sobre las montañas verdes y

floridas de Cathuria se yerguen templos de mármol rosa, adornados con pinturas y grabados deliciosos, y en sus patios hay fuentes frescas y plateadas en las que murmuran cantarinas las aguas aromáticas procedentes del río Narg, que nace en el interior de una caverna. Y las ciudades de Cathuria están flanqueadas por murallas doradas, y sus calles también son de oro. En los jardines de tales ciudades florecen insólitas orquídeas y hay lagos perfumados repletos de ámbar y coral. Al anochecer, las calles se iluminan de hermosas lámparas elaboradas con las conchas tricolores de la tortuga, y en ellas resuenan las notas gentiles del cantor y del laúd. Y todas las casas de las ciudades de Cathuria son palaciegas, y están levantadas sobre un aromático canal por donde discurren las aguas sagradas del río Narg. De mármol y pórfido son estas casas, y sus techos de oro resplandeciente reflejan los rayos del sol y realzan el esplendor de las ciudades ante los ojos de los dioses benevolentes que las contemplan desde las cumbres lejanas. Y el palacio más hermoso de todos es el del monarca Dorieb, de quien algunos dicen ser un semidiós y otros una verdadera deidad. Alto es el palacio de Dorieb, y muy numerosas las torres de mármol que se alzan sobre sus muros. En sus salones inmensos pueden concurrir enormes multitudes, y allí penden los trofeos de las eras. Y el techo es de oro puro, y se apoya en altas columnas de zafiro y rubí, y está adornado por unas figuras talladas de dioses y héroes tan bellas que todo el que dirige la vista a las alturas cree estar frente al mismo Olimpo. Y los pavimentos del palacio son de cristal, y por debajo fluyen las aguas hábilmente iluminadas del Narg, rebosantes de peces de colores desconocidos más allá de las fronteras de la bendecida Cathuria.

Así hablaba conmigo mismo de Cathuria, pero el hombre barbado me instaba una y otra vez a regresar a las costas dichosas de Sona-Nyl; pues Sona-Nyl es bien conocida por los hombres, mientras que nadie ha visto Cathuria.

Y a los treinta y un días de seguir el curso del ave, avistamos los pilares de basalto del oeste. Se hallaban invadidos por la bruma, de manera que nadie podía ver lo que había más allá ni descubrir sus límites superiores, que muchos aseguran llegan incluso a rozar los cielos. Y el hombre barbado de nuevo me rogó que regresáramos, mas no le hice caso; pues, entre las nieblas que se demoraban más allá de los pilares de basalto, creí escuchar las melodías de los cánticos y el laúd, más dulces aún que la más dulce balada de Sona-Nyl, y me parecían entonadas en mi honor, en honor de alguien que ha viajado lejos a la luz de la luna llena y morado en la Tierra de la Fantasía.

A la búsqueda de aquellas melodías, la Nave Blanca se adentró en la bruma que cubría los pilares de basalto del oeste. Y cuando la música cesó y las nieblas levantaron, descubrimos que no estábamos frente a las costas de Cathuria, sino ante un mar encrespado e invencible que empujaba nuestro navío hacia un final incierto. Pronto llegó hasta nuestros oídos el distante bramido de las aguas al precipitarse, y en el lejano horizonte avistamos las espumas colosales de una monstruosa catarata, allá donde los océanos del mundo se desploman en una nada abismal. Entonces el hombre barbado se dirigió a mí con lágrimas en las mejillas:

—Hemos desdeñado la hermosa Tierra de Sona-Nyl, a la que nunca volveremos a ver. Los dioses son más poderosos que los hombres, y han vencido.

Y yo cerré los ojos ante el impacto que se avecinaba, y aparté la vista del pájaro celestial que agitaba sus burlonas alas azules por encima del borde del abismo torrencial.

Tras el choque llegó la oscuridad, y escuché los gritos de los hombres y de otros seres que no lo eran. Unos vientos tempestuosos soplaron desde el oriente, y sentí que el frío me inundaba mientras permanecía acurrucado en un bloque de piedra húmeda que había surgido a mis pies. Luego escuché otra colisión y abrí los ojos para descubrir que me hallaba sobre la plataforma de aquel faro que tantos eones atrás había abandonado para hacerme a la mar. En la oscuridad de abajo se vislumbraban las formas vagas y amorfas de un gran navío que se había estrellado contra los crueles acantilados y, mientras contemplaba los restos del naufragio, descubrí que la luz del faro se había apagado por primera vez desde que mi abuelo se hiciera cargo de su custodia.

Y lo último que advertí aquella noche, nada más entrar en la torre, fue que el calendario de la pared se encontraba tal y como lo dejara a la hora de embarcar. Al alba descendí de la torre y busqué los restos del naufragio entre las rocas, pero lo único que encontré fue un extraño pájaro de color azul cielo y una simple astilla de madera, cuya blancura resultaba aún mayor que la de la espuma de las olas o la de la nieve de las montañas.

Y desde entonces el océano jamás ha vuelto a revelarme sus secretos, y aunque la luna llena ha brillado alta muchas veces en el cielo, la Nave Blanca del Sur nunca más ha regresado.

LA MALDICIÓN QUE CAYÓ SOBRE SARNATH[1]

Hay en el país de Mnar un lago inmenso y tranquilo que ningún río alimenta, y ningún río fluye de él. Hace diez mil años se alzaba en su borde la poderosa ciudad de Sarnath; pero ya no existe Sarnath[2].

Se dice que en los años inmemoriales en que el mundo era joven, antes de que los hombres de Sarnath llegaran a la tierra de Mnar, otra ciudad se alzaba junto al lago: Ib, la ciudad de piedra gris, antigua como el lago mismo, en la que vivían seres de aspecto nada agradable. Muy raros y feos eran tales seres, como lo son la mayoría de los que habitan todo mundo incipiente y sin acabar de formar. Está escrito en los cilindros de arcilla de Kadatheron que los de Ib eran verdosos como las aguas del lago y las brumas que emanan de él; que tenían los ojos prominentes, los labios flácidos con las comisuras caídas, las orejas curiosas, y que carecían de voz. También está escrito que una noche descendieron de la luna por una niebla: ellos y el lago inmenso y tranquilo y la ciudad de Ib. Aunque puede que así sea, lo cierto es que adoraban a un ídolo de piedra verde mar cincelado con la figura de Bok-rug[3], el gran lagarto acuático, ante el que bailaban horriblemente cuando la luna era gibosa. Y se dice en los papiros de Ilarnek que un día descubrieron el fuego, y desde entonces encendieron hogueras en sus celebraciones ceremoniales. Pero no hay mucho escrito sobre esos seres, porque vivieron en tiempos muy antiguos, y el ser humano es joven, y sabe poco de criaturas tan remotas.

Miles de siglos después llegó al país de Mnar un oscuro pueblo de pastores con sus ganados, el cual construyó Thraa, Ilarnek y Kadatheron a orillas del serpeante río Ai. Y algunas tribus, más osadas que el resto, avanzaron hasta el lago y levantaron Sarnath en el lugar donde hallaron metales preciosos.

Las tribus errantes pusieron las primeras piedras de Sarnath no lejos de la ciudad de Ib, y se maravillaron lo indecible al ver a los habitantes de Ib. Pero en su maravilla había también aversión; porque no parecía tranquilizador que seres como aquéllos anduvieran de noche por el mundo de los hombres. Tampoco les gustaban los extraños relieves tallados en los grandes monolitos de Ib. Y no se sabe cómo esos relieves subsistieron hasta épocas tardías, hasta la aparición de los hombres; a no ser que se debiera a que el país de Mnar es tranquilo, y se encuentra muy apartado de las tierras del sueño y de la vida vigil.

Conforme los hombres de Sarnath veían más seres de Ib, aumentaba su odio hacia ellos; tanto más cuanto que los encontraban débiles, y blandos como la gelatina al impacto de las piedras y las flechas. Así que un día los jóvenes guerreros, honderos, lanceros y arqueros marcharon sobre Ib, mataron a sus habitantes y, empujando sus cuerpos extraños con largas lanzas a fin de no tocarlos, los arrojaron al lago. Y como les desagradaban los grises monolitos esculpidos de Ib, los arrojaron al lago también, preguntándose, ante empresa tan gigantesca, cómo habrían transportado aquellas rocas de tan lejos, como tuvieron que hacer, dado que de aquella clase no las había en el país de Mnar ni en las tierras vecinas.

Así que no quedó nada de la antiquísima ciudad de Ib, salvo el ídolo de piedra verde mar tallado con la figura de Bokrug, el lagarto acuático. Y los jóvenes guerreros se lo llevaron como símbolo de su victoria sobre los viejos dioses y seres de Ib, y como signo de su poderío en Mnar. Pero a la noche siguiente de entronizarlo en el templo, algo terrible debió de acontecer, porque sobre el lago se vieron luces espectrales, y a la mañana siguiente el pueblo descubrió que había desaparecido el ídolo, y que el gran sacerdote Taran-Ish yacía muerto, a causa de un terror indecible al parecer. Y antes de expirar, Taran-Ish había garabateado sobre el altar de crisolita con trazos rudimentarios el signo de MALDICIÓN.

Después de Taran-Ish hubo muchos jerarcas en Sarnath; pero nunca llegaron a encontrar el ídolo de piedra verde mar. Y llegaron y pasaron muchos siglos, durante los que Sarnath prosperó sobremanera, de forma que sólo los sacerdotes y las viejas recordaban lo que Taran-Ish había garabateado sobre el altar de crisolita. Entre Sarnath y la ciudad de Ilarnek surgió una ruta de caravanas, y gracias a ellas intercambiaron metales preciosos de la tierra por otros metales, costosos vestidos, joyas, libros, instrumentos para artífices, y todos los objetos de lujo conocidos por los pueblos que habitan a lo largo del serpeante río Ai y más allá. Y así, Sarnath se volvió fuerte y sabia y hermosa, y envió ejércitos conquistadores a someter las ciudades vecinas; y con el tiempo sentaron en un trono, en Sarnath, a los reyes del país de Mnar y de muchos países adyacentes.

Asombro del mundo y orgullo de la humanidad era Sarnath la magnífica. De mármol pulido extraído del desierto eran sus murallas de trescientos codos de altura y setenta y cinco de grosor, de manera que dos carros podían cruzarse sobre ellas cuando las recorrían. Tenían quinientos estadios de longitud, y sólo estaba abierta la ciudad por el lado del lago, donde un dique de piedra verde detenía las olas que se levantaban extrañamente una vez al año, durante las celebraciones por la destrucción de Ib. En Sarnath había cincuenta calles que iban del lago a la puerta de las caravanas, y otras cincuenta que las cortaban. Con ónice estaban pavimentadas, salvo donde pisaban los caballos y los camellos y los elefantes, cuyo piso era de granito. Y las puertas de Sarnath eran tantas como los extremos de las calles por el lado de tierra; y todas eran de bronce, y estaban flanqueadas por figuras de leones y elefantes, esculpidos en una piedra que los hombres ya no han conocido. Los edificios de Sarnath eran de ladrillo vidriado y calcedonia, y cada uno tenía su jardín vallado y con un pequeño lago cristalino. Con extraño arte estaban construidos, pues ninguna otra ciudad tenía casas como aquéllas; y los viajeros que llegaban de Thras y de Ilarnek y de Kadatheron se quedaban maravillados ante las cúpulas refulgentes que las coronaban.

Pero más deslumbrantes aún eran los palacios y templos y jardines que hizo el antiguo rey Zokkar. Muchos palacios había, y el último de ellos era el más imponente de cuantos se alzaban en Thraa y en Ilarnek y en Kadatheron. Eran tan altos que en su interior uno podía imaginar que se encontraba bajo la bóveda del cielo; sin embargo, cuando se iluminaban con antorchas empapadas en aceite de Dothur, sus paredes mostraban inmensas pinturas de reyes y ejércitos de un esplendor a la vez asombroso y sugerente para quien las contemplaba. Las columnas de estos palacios eran numerosas, todas de mármol teñido, y esculpidas con motivos de una belleza sorprendente. Y en la mayoría de los palacios, los pisos eran mosaicos de berilo y lapislázuli y sardónice y carbúnculo y otros minerales escogidos, y estaban dispuestos de tal modo que el observador podía imaginar que caminaba sobre arriates de flores preciosas. Y había asimismo fuentes que asperjaban aguas perfumadas en agradables chorros dispuestos con arte ingenioso. Y eclipsándolos todos estaba el palacio de los reyes de Mnar y países adyacentes. El trono descansaba sobre dos leones de oro tumbados, en lo alto de una gran escalinata que arrancaba del piso reluciente. Y el trono estaba labrado de una sola pieza de marfil, aunque no vive nadie que sepa de dónde podía provenir tan enorme pieza[4]. En ese palacio había también numerosas galerías, y multitud de anfiteatros donde luchaban leones y hombres y elefantes para solaz de los reyes; a veces los inundaban con agua traída del lago por medio de grandes acueductos, y entonces se celebraban bulliciosas batallas navales, o combates entre nadadores y peligrosas criaturas marinas.

Altísimos y asombrosos eran los diecisiete templos de Sarnath en forma de torre, hechos de brillante piedra multicolor desconocida en otras partes. A mil codos de altura se alzaba la más grande de todas, en la que moraban los jerarcas con una magnificencia que en nada envidiaba a la de los reyes. Abajo tenía salones tan grandes y espléndidos como los de los palacios, donde acudían las multitudes a adorar a Zo-Kalar y a Tamash y a Lobon, principales dioses de Sarnath, cuyas capillas envueltas en incienso eran como tronos de monarcas. No se parecían sus iconos a los de Zo-Kalar y de Tamash y de Lobon. Porque estaban dotados de tal realismo que uno habría jurado que eran los mismos dioses barbados sentados en sus tronos de marfil. Y en lo alto de una escalinata interminable de circonio estaba la cámara de la torre, desde donde los jerarcas contemplaban la ciudad y las llanuras y el lago durante al día, y la críptica luna y los astros y planetas significativos, con sus reflejos en el lago, durante la noche. Aquí se celebraba el muy secreto y antiguo rito de la abominación de Bokrug, el lagarto acuático; y aquí descansaba el altar de crisolita con el signo de Maldición garabateado por Taran-Ish.

Igualmente maravillosos eran los jardines construidos por el antiguo rey Zokkar. Ocupaban el centro de Sarnath, abarcaban un gran espacio y estaban cercados por un alto muro. Los cerraba una inmensa cúpula de cristal, a través de la cual brillaban el sol y la luna y los planetas cuando el cielo estaba despejado, y de ella colgaban fulgentes imágenes del sol y la luna y las estrellas y los planetas cuando no lo estaba. En verano los jardines eran refrescados con brisas fragantes hábilmente levantadas con ventiladores, y en invierno se templaban con fuegos ocultos, de manera que en estos jardines era siempre primavera. Los recorrían pequeños arroyos sobre limpios guijarros que separaban prados y jardines de múltiples matices, con numerosos puentes tendidos sobre ellos. Muchas eran las cascadas de sus cursos, y muchos los lagos minúsculos en que se ensanchaban. En los riachuelos y los lagos nadaban blancos cisnes, mientras pájaros extraños mezclaban sus trinos con la melodía del agua. Sus verdes orillas se alzaban en ordenadas terrazas, adornadas aquí y allá con emparrados de dulces racimos, y asientos y bancos de mármol y pórfido. Y había infinidad de pequeños santuarios y templos donde se podía descansar o rezar a los pequeños dioses.

Todos los años se celebraba en Sarnath la fiesta de la destrucción de Ib, en la que abundaban el vino, las canciones, los bailes y las diversiones de todo género. En ella se rendían grandes honras a las sombras de los que habían aniquilado a los seres antiguos, y la memoria de esos seres y de sus dioses era escarnecida por danzarines y lunáticos que se coronaban con rosas de los jardines de Zokkar. En cuanto a los reyes, se asomaban al lago y maldecían los huesos de los muertos sepultados en él.

Al principio, a los altos sacerdotes no les agradaban estas celebraciones, porque les habían llegado extrañas historias sobre cómo había desaparecido el icono verde mar, y cómo Taran-Ish había muerto de terror tras dejar su advertencia. Y decían que desde su alta torre veían a veces luces bajo las aguas del lago. Pero, después de transcurridos muchos años sin que ocurriese ninguna calamidad, incluso los sacerdotes se rieron y maldijeron y se sumaron a las orgías de los celebrantes. ¿Acaso no ejecutaban ellos a menudo, en su alta torre, el rito antiquísimo y secreto de la abominación de Bokrug, el lagarto acuático? Y pasaron por Sarnath, maravilla del mundo, mil años de lujo y deleite.

Fastuosa más allá de lo imaginable fue la celebración del milenario de la destrucción de Ib. Durante un decenio se había estado hablando de él en la tierra de Mnar, y cuando estuvo próximo empezaron a llegar a Sarnath, sobre caballos y camellos y elefantes, hombres de Thraa, de Ilarnek, de Kadatheron y de todas las ciudades de Mnar y de países más lejanos. La noche designada se plantaron ante los muros de mármol pabellones de príncipes y tiendas de viajeros. En la sala de los banquetes se hallaba recostado el rey Nargis-Hei, ebrio de vino viejo de las bodegas de la conquistada Pnath⁵, rodeado de nobles comensales y esclavos atareados. Muchos platos raros se consumieron en ese festín: pavos reales de las islas de Nariel en el Océano Medio, cabritos de los montes lejanos de Implan, talones de camello del desierto Bnazico, nueces y especias de los huertos cidarthianos, y perlas de Mtal, ciudad bañada por las olas, disueltas en vinagre de Thraa. Un sinnúmero de salsas se sirvieron, preparadas por los más sutiles cocineros de todo Mnar conforme al paladar de cada comensal. Pero las más preciadas de todas las exquisiteces fueron los grandes pescados del lago, de enorme tamaño todos ellos, servidos en fuentes de oro engastadas con rubíes y diamantes.

Mientras el rey y sus nobles se regalaban en palacio, y no quitaban ojo al manjar culminante que aguardaba en fuentes de plata, otros lo hacían en otra parte: en la torre del gran templo los sacerdotes celebraban su festín, y en los pabellones del exterior de las murallas se divertían los príncipes de los países vecinos. Y fue el sumo sacerdote Gnai-Kah quien vio primero las sombras que descendían de la luna gibosa al lago, y las brumas detestables que subían del lago al encuentro de la luna y que envolvían con siniestro velo las torres y cúpulas de la sentenciada Sarnath. Poco después los que estaban en las torres y fuera de las murallas advirtieron extrañas luces en el agua, y vieron que la roca gris Akurion, que se alzaba muy alta cerca de la orilla, estaba casi sumergida. Y un vago temor se propagó rápidamente, de manera que los príncipes de Ilarnek y de la lejana Rokol desmontaron y plegaron sus tiendas y pabellones y se fueron; aunque no sabían muy bien por qué se iban.

Entonces, cerca ya la medianoche, se abrieron de par en par las puertas de bronce de Sarnath y vomitaron una turba frenética que ennegreció la llanura, de manera que todos los príncipes y viajeros huyeron espantados. Porque los rostros de esta multitud llevaban escrita una locura hija de un horror insoportable, y sus bocas proferían palabras tan terribles que nadie de cuantos las oían se detenía a comprobarlas. Hombres con los ojos desorbitados de pánico gritaban qué habían presenciado en la sala de los banquetes del rey, desde cuyos ventanales no se veían ya las figuras de Nargis-Hei y sus nobles y esclavos, sino una horda de seres verdosos de ojos saltones, bocas de comisuras torcidas y raras orejas; seres que bailaban horriblemente, portando en sus zarpas platos de oro engastados con rubíes y diamantes que contenían toscas llamas. Y los príncipes y los viajeros, mientras huían de la sentenciada ciudad de Sarnath a lomos de sus caballos y camellos y elefantes, miraron hacia el lago engendrador de brumas, y vieron que la roca gris Akurion había quedado por completo sumergida.

Por toda la tierra de Mnar y países adyacentes corrieron las historias de los que habían huido de Sarnath; y las caravanas dejaron de buscar esa ciudad condenada y sus preciosos metales. Pasó mucho tiempo antes de que ningún viajero visitara el lugar; y aun entonces sólo se atrevieron los intrépidos y decididos jóvenes de cabellos amarillos y ojos azules de la lejana Falona, sin parentesco ninguno con la gente de Mnar. Éstos son los que efectivamente fueron al lago en busca de Sarnath; y si bien encontraron el lago inmenso y tranquilo, y la altísima roca gris Akurion que se alza junto a la orilla, no pudieron ver el prodigio del mundo y el orgullo de la humanidad: donde en otro tiempo se levantaron murallas de trescientos codos y torres aún más altas, ahora se extendía sólo la orilla pantanosa, y donde antes habían vivido cincuenta millones de habitantes ahora se arrastraba el detestable lagarto acuático. Ni siquiera quedaban las minas de precioso metal. La MALDICIÓN se había abatido sobre Sarnath.

Pero, medio sepultado en los juncos, descubrieron un curioso ídolo verde; un ídolo prodigiosamente antiguo con la figura de Bokrug, el gran lagarto acuático. Ese ídolo, entronizado en el alto templo de Ilarnek, fue adorado más tarde bajo la gibosa luna en toda la tierra de Mnar.

EL TESTIMONIO DE RANDOLPH CARTER[1]

Les repito, caballeros, que su interrogatorio es inútil. Deténganme de por vida, si lo desean; reclúyanme o ejecútenme, si necesitan una víctima para aplacar esa ficción que ustedes llaman justicia; pero no puedo decir más de lo que ya he dicho. Todo cuanto recuerdo se lo he contado a ustedes con toda franqueza. No he tergiversado ni ocultado nada y, si algo les parece poco claro, se debe únicamente a ese negro nubarrón que me nubla la mente... a ese nubarrón y a la sombría naturaleza de los horrores que él ha hecho recaer sobre mí.

Lo diré una vez más: no sé qué ha sido de Harley Warren, aunque creo... casi lo espero... que habrá alcanzado el reposo eterno, si es que existe en alguna parte semejante dicha[2]. Es cierto que durante cinco años he sido su más íntimo amigo y que, de alguna manera, he participado en sus terribles exploraciones de lo desconocido. No negaré, aunque mis recuerdos son inciertos y confusos, que ese testigo de ustedes pueda habernos visto juntos, como dice, en la carretera de Gainesville, camino de la ciénaga del Gran Ciprés, a las once y media de aquella espantosa noche. Afirmaré, incluso, que llevábamos linternas eléctricas, palas y un extraño rollo de alambre con las correspondientes herramientas, puesto que todas esas cosas desempeñaron un papel en la única escena horrorosa que permanece grabada en mi desconcertada memoria. Pero debo insistir en que, de lo que sucedió a continuación, y del motivo de que a la mañana siguiente me encontraran solo y aturdido al borde de la ciénaga, no sé nada salvo lo que tantas veces les he reiterado. Me dicen ustedes que no hay nada en la ciénaga ni en sus alrededores que pudiera servir de escenario a aquel tremendo episodio. Lo único que puedo responder a eso es que no sé más de lo que vi. Pues, fuera alucinación o pesadilla... y espero fervientemente que lo sea..., es sin embargo todo cuanto recuerdo de lo que sucedió en aquellas espeluznantes horas después de que perdiéramos de vista a los últimos seres humanos. Por qué no regresó Harley Warren sólo podrían decirlo él o su sombra… o alguna *criatura* horrenda que no puedo describir.

Como he dicho antes, conocía perfectamente los horripilantes estudios de Harley Warren y, hasta cierto punto, los compartía. De su extensa colección de libros raros y desconocidos sobre temas prohibidos he leído todos los que estaban escritos en las lenguas que domino; pero son pocos en comparación con los que están en lenguas que desconozco. La mayoría, creo, están escritos en árabe; y el libro de inspiración demoníaca que provocó el desenlace… libro que él llevaba en el bolsillo cuando desapareció de este mundo… estaba escrito en caracteres que jamás he visto en ninguna otra parte. Warren no quiso decirme nunca de qué trataba aquel libro. En cuanto a la índole de nuestros estudios… ¿debo decirles una vez más que ya no recuerdo nada con exactitud? Me parece una bendición no acordarme de ellos, pues eran unos estudios atroces, a los que me dedicaba más por una fascinación a la que no podía resistirme que por verdadera inclinación. Warren me dominaba siempre, y a veces incluso llegué a temerlo. Recuerdo, la noche anterior a aquel atroz suceso, cómo me estremecí al ver la expresión de su rostro mientras me hablaba sin parar de su teoría acerca de *por qué ciertos cadáveres no se descomponen nunca, sino que se conservan firmes y enteros en sus tumbas durante mil años.* Pero ahora ya no le temo, pues tengo la impresión de que ha conocido horrores totalmente incomprensibles para mí. Ahora temo por él.

Afirmo una vez más que no tengo una idea precisa del objetivo que perseguíamos aquella noche. Desde luego, tenía mucho que ver con algo relacionado con el libro que Warren llevaba consigo… aquel libro antiguo, escrito en caracteres indescifrables, que le había llegado de la India un mes antes… pero les juro que ignoro qué era lo que esperábamos encontrar. Su testigo dice que nos vio a las once y media en la carretera de Gainesville, en dirección a la ciénaga del Gran Ciprés. Probablemente es cierto, pero no lo recuerdo con claridad. La única imagen que se me quedó grabada en el alma se reduce a una escena que debió de desarrollarse mucho después de la medianoche, pues la media luna, en cuarto menguante, estaba ya alta en el nebuloso cielo.

El lugar era un antiguo cementerio; tan antiguo que temblé al contemplar las numerosas huellas de tiempos inmemoriales. Se encontraba en una hondonada profunda y húmeda, cubierta de exuberante maleza, musgo y extrañas plantas trepadoras, en donde flotaba un vago hedor que mi ociosa imaginación asociaba absurdamente a las rocas desmenuzadas. Por todas partes había señales de abandono y decrepitud, y me obsesionaba la idea de que Warren y yo éramos los primeros seres vivos que invadíamos aquel letal silencio secular. Por encima del borde del valle asomaba la pálida luna menguante entre fétidos vapores que parecían emanar de ignoradas catacumbas y, a la débil luz de sus vacilantes rayos, pude distinguir un repugnante despliegue de antiguas lápidas, urnas, cenotafios y mausoleos, completamente desmoronados, cubiertos de musgo y con manchas de humedad, y parcialmente ocultos por la densa exuberancia de una vegetación malsana.

La primera impresión que tuve de mi propia presencia en aquella terrible necrópolis está relacionada con la parada que Warren y yo hicimos ante un viejo sepulcro medio destruido, tirando al suelo algunos bultos que, al parecer, habíamos llevado. Entonces me di cuenta de que yo llevaba una linterna eléctrica y dos palas, mientras que mi compañero iba provisto de otra linterna similar y un equipo telefónico portátil. No pronunciamos palabra alguna, ya que parecíamos conocer el lugar y sabíamos lo que teníamos que hacer; y sin demora cogimos nuestras palas y comenzamos a limpiar de hierba, maleza y tierra amontonada aquella arcaica tumba plana. Después de dejar al descubierto toda su superficie, que consistía en tres enormes losas de granito, retrocedimos unos pasos para examinar aquel osario; y Warren pareció hacer ciertos cálculos mentales. Volvió enseguida al sepulcro y, usando su pala como palanca, trató de levantar la losa más próxima a las ruinas de un edificio de piedra que, en su día, debió de ser un monumento funerario. Como no lo consiguió, me indicó con la mano que fuera a ayudarlo. Por fin, tras aunar nuestros esfuerzos, logramos mover la losa, la levantamos y la volcamos a un lado.

Al quitar la losa quedó al descubierto una negra abertura, de la que salió una emanación de gases miasmáticos tan nauseabundos que retrocedimos horrorizados. Al cabo de un rato, sin embargo, nos acercamos de nuevo al hoyo y comprobamos que las exhalaciones eran menos insoportables. La luz de nuestras linternas reveló el arranque de un tramo de escalones de piedra, que goteaban una especie de icor[3] procedente de las entrañas de la tierra, y cuyos húmedos muros de contención estaban incrustados de salitre. Y ahora recuerdo por vez primera nuestra conversación: Warren se dirigió a mí, por fin, con su melodiosa voz de tenor, una voz particularmente impasible pese al impresionante escenario que nos rodeaba.

—Siento tener que pedirte que te quedes aquí arriba —me dijo—, pues sería un crimen permitir que alguien con los nervios tan frágiles como los tuyos baje a esta sima. No te puedes imaginar, ni siquiera por lo que has leído o lo que yo te haya podido contar, las cosas que tendré que ver y hacer. Es un trabajo diabólico, Carter[4], y dudo que ningún hombre que no tenga nervios de acero pueda soportar verlo y subir luego sin perder la vida o la cordura[5]. No quisiera ofenderte, y Dios sabe cuánto me gustaría tenerte a mi lado, pero la responsabilidad, en cierto sentido, es mía, y no podría arrastrar a un manojo de nervios como tú a una probable muerte o locura. ¡Te aseguro que no puedes imaginarte de qué se trata! Pero te prometo mantenerte informado de todo cuanto suceda a través del teléfono… ¡ya ves que dispongo de bastante cable telefónico para llegar hasta el centro de la tierra y volver!

Todavía me parece estar oyendo aquellas palabras, dichas con sangre fría; y aún recuerdo mis protestas. Creo que yo deseaba desesperadamente acompañar a mi amigo en su descenso a aquellas profundidades sepulcrales, pero él se mostró inflexible en su obstinación. Al mismo tiempo me amenazó con abandonar la expedición si yo seguía insistiendo; una amenaza que resultó eficaz, ya que sólo él poseía la clave del *asunto*. Todavía puedo recordar todo eso, aunque ya no sé qué era *exactamente* lo que buscábamos. Después de lograr que accediera de mala gana a sus propósitos, Warren cogió el rollo de cable telefónico y ajustó los aparatos. Por indicación suya, tomé uno de ellos y me senté sobre una lápida añosa y descolorida que había junto a la abertura recién descubierta. Entonces me estrechó la mano, se echó al hombro el rollo de cable y desapareció en el interior de aquel osario indescriptible.

Durante unos minutos seguí viendo el resplandor de su linterna y oí el crujido del cable a medida que él lo iba soltando; pero enseguida el resplandor desapareció de pronto, como si Warren hubiese encontrado un recodo en la escalera de piedra, y casi al mismo tiempo el sonido se desvaneció. Me encontraba solo, aunque unido a las profundidades desconocidas por aquellos cables mágicos, cubiertos de aislante, que parecían verdosos bajo los incisivos rayos de la media luna en cuarto menguante.

En el desolado silencio de aquella necrópolis blanca y desierta, mi imaginación concibió las más horribles fantasías y las más espantosas quimeras, mientras que las tumbas y los extraños monolitos parecieron adquirir una horrenda entidad… de la que sólo tenía conciencia a medias. Unas sombras amorfas parecían ocultarse en las más sombrías ondulaciones del valle obstruido por las malas hierbas, y desplazarse rápida y sigilosamente como en una blasfema procesión ceremonial, y franquear las puertas de las tumbas de la colina, a punto de desmoronarse; unas sombras que no podían haber sido proyectadas por aquel pálido claro de luna que asomaba.

Yo consultaba constantemente mi reloj a la luz de la linterna eléctrica y escuchaba con febril ansiedad por el receptor del teléfono; pero durante más de un cuarto de hora no oí nada. Luego me llegó por el aparato un leve chasquido y llamé a mi amigo con voz tensa. Aunque me sentía inquieto, no estaba preparado sin embargo para escuchar las palabras que brotaron de aquella extraña bóveda, proferidas con una voz más sobresaltada y temblorosa de lo que nunca le había oído a Harley Warren. Él, que poco antes me había abandonado con tanta calma, me llamaba ahora desde abajo con un tembloroso susurro, más siniestro que el más estrepitoso alarido:

–*¡Cielos! ¡Si pudieras ver lo que estoy viendo!*[6]

No pude responder. Había enmudecido, y sólo podía esperar. Entonces me llegaron de nuevo sus frenéticas palabras:

—*Carter, ¡es terrible… monstruoso… increíble!*

Esta vez la voz no me falló y vertí en el transmisor un torrente de preguntas nerviosas. Aterrado, repetí una y otra vez:

—¿Qué ocurre, Warren? ¿Qué ocurre?

Una vez más llegó hasta mí la voz de mi amigo, enronquecida todavía por el miedo, y ahora aparentemente teñida de desesperación:

—*¡No puedo decírtelo, Carter! Sobrepasa con mucho a todo lo que es posible imaginar… no me atrevo a decírtelo… nadie podría estar al tanto y seguir con vida… ¡Dios mío! ¡Nunca imaginé nada como ESTO!*[7]

Otra vez se hizo el silencio, a excepción del incoherente torrente de mis estremecidas preguntas. Luego llegó de nuevo la voz de Warren en un tono de la más desesperada consternación:

—*¡Carter, por el amor de Dios, vuelve a poner la losa en su sitio y sal de aquí mientras puedas! ¡Rápido!… deja todo lo demás y vete de aquí… ¡es tu única oportunidad! ¡Haz lo que digo y no me preguntes por qué!*

Aunque le oí, sólo pude repetir mis frenéticas preguntas. A mi alrededor sólo había tumbas, oscuridad y sombras; debajo de mí, algún peligro que escapaba al ámbito de la imaginación humana. Pero mi amigo corría más peligro que yo y, a causa de mi miedo, sentí un vago resentimiento contra él por creerme capaz de abandonarlo en semejantes circunstancias. Se oyó un nuevo chasquido y, tras una pausa, el grito lastimero de Warren:

—*¡Sal pitando! ¡Por el amor de Dios, vuelve a colocar la losa y sal pitando, Carter!*

Aquella jerga infantil que acababa de utilizar mi amigo denotaba tal espanto que recobré la razón. Tomé una determinación y la expresé en voz alta:

—¡Ánimo, Warren! ¡Voy a bajar!

Pero, al oír aquel ofrecimiento, cambió el tono de voz de mi oyente hasta convertirse en un grito de total desesperación:

—*¡No lo hagas! ¡Tú no puedes entenderlo! Es demasiado tarde… y la culpa es mía. Vuelve a poner la losa en su sitio y corre… ¡ya no puedes hacer nada!… ¡ni tú ni nadie!*

Su tono de voz cambió de nuevo, adquiriendo esta vez una suavidad, como de resignación desesperanzada. No obstante, creí percibir en ella una tensa ansiedad por mí.

—*¡Rápido… antes de que sea demasiado tarde!*

Traté de no hacerle caso; traté de sacudirme la parálisis que me atenazaba, y de cumplir mi promesa solemne de bajar enseguida. Pero cuando me llegó su siguiente susurro todavía me encontraba inerte, encadenado por el ilimitado pavor que sentía.

—*¡Carter… date prisa! Es inútil… debes irte… más vale uno que dos… la losa…*

Una pausa, más chasquidos, luego la voz apenas perceptible de Warren:

—*Esto se acaba… no me lo pongas más difícil… tapa esos malditos escalones y echa a correr… estás perdiendo el tiempo… hasta pronto, Carter… no volveré a verte.*

En aquel mismo momento, el susurro de Warren se convirtió en un grito; un grito que poco a poco fue elevándose hasta un alarido, que expresaba todo un horror secular…

—*¡Malditas sean esas infernales criaturas!… son legión… ¡Dios mío! ¡Sal pitando! ¡Sal pitando! ¡Sal pitando!*

Después de eso, se hizo un silencio. No sé durante cuántos interminables eones permanecí allí estupefacto, murmurando, refunfuñando, llamando, gritando por el teléfono. Una y otra vez, durante todos aquellos eones, murmuré, refunfuñé, llamé, grité y chillé:

—¡Warren! ¡Warren! Respóndeme, ¿estás ahí?

Y entonces llegó hasta mí el mayor de todos los horrores… la cosa más increíble, inconcebible y casi indecible. Ya he dicho que parecía haber pasado una eternidad desde que Warren me gritara su última y desesperada advertencia, y que sólo mis propios gritos rompieron aquel espantoso silencio. Pero al cabo de un rato se oyó un nuevo chasquido en el receptor y agucé el oído para escuchar. Invoqué de nuevo:

—¿Estás ahí, Warren?

Y en respuesta, oí *eso* que me ha nublado la mente. No sabría explicar a quién pertenecía… aquella *voz*… ni me atrevería a describirla en detalle, ya que las primeras palabras me hicieron perder el sentido y me provocaron una especie de vacío mental del que no me recobré hasta despertar en el hospital. ¿Debo decir que la voz era profunda, hueca, gelatinosa, remota, sobrenatural, inhumana, incorpórea? ¿Qué puedo decir? Fue el final de mi experiencia y aquí termina mi relato. La oí y no supe nada más... la oí mientras permanecí petrificado en aquel ignorado cementerio en el fondo del valle, entre piedras desmenuzadas y tumbas derrumbadas, vegetación exuberante y vapores miasmáticos... oí claramente que surgía de las más recónditas profundidades de aquel detestable sepulcro abierto, mientras veía danzar amorfas sombras necrófagas bajo una execrable luna menguante.

Y esto fue lo que dijo:

—*¡IDIOTA, WARREN HA MUERTO!*

EL VIEJO TERRIBLE[1]

Angelo Ricci y Joe Czanek y Manuel Silva trazaron el plan de hacerle una visita al Viejo Terrible. Este viejo vive solo en una casa antigua de Water Street, cerca del mar, y dicen que es muy rico y decrépito; cualidades que lo hacen atrayente a sujetos de la profesión de los señores Ricci, Czanek y Silva, que era ni más ni menos que el robo.

Los habitantes de Kingsport creen y cuentan del Viejo Terrible muchas cosas, que son una salvaguardia frente a las atenciones de caballeros como Ricci y sus colegas, pese al hecho casi cierto de que oculta una fortuna incalculable en algún lugar de su mohosa morada. Es, desde luego, un personaje muy extraño –dicen que en sus tiempos fue capitán de un clíper de las Indias Orientales–, tan viejo que nadie le recuerda de joven, y tan reservado que pocos conocen su nombre verdadero. Entre los árboles nudosos del patio delantero de su vetusta residencia, conserva una extraña colección de grandes piedras, singularmente agrupadas y pintadas de manera que semejan ídolos de algún oscuro templo oriental. Esta colección ahuyenta a la mayoría de los chicos, que disfrutan burlándose del viejo de blancos y largos cabellos y barba, o rompiéndole los cristales con perversos proyectiles; pero hay otras cosas que infunden más temor a los adultos curiosos que a veces se acercan furtivamente a su casa para atisbar por las ventanas polvorientas. Dicen estos fisgones que sobre una mesa de una habitación desnuda de la planta baja hay multitud de botellas raras, y que cada una tiene un trocito de plomo suspendido de un cordón a modo de péndulo. Y dicen que el Viejo Terrible habla con esas botellas, interpelándolas con nombres tales como Jack, Scar-Face, Long Tom, Spanish Joe, Peters y Mate Ellis; y que cuando se dirige a una, su pequeño péndulo de plomo ejecuta vibraciones como en respuesta. Los que espiaron al alto y flaco Viejo Terrible en alguna de esas sesiones no han vuelto a hacerlo más. Pero Angelo Ricci y Joe Czanek y Manuel Silva no eran naturales de Kingsport[2]; formaban parte de esa nueva y heterogénea estirpe extranjera[3] ajena al círculo encantado de la vida y las tradiciones de Nueva Inglaterra, de manera que sólo veían en el Viejo Terrible un viejo vacilante y casi desvalido, incapaz de dar un paso sin la ayuda de su nudoso bastón, y cuyas manos flacas temblaban de manera lastimosa. En realidad les daba pena en cierto modo este viejo solitario e impopular al que todo el mundo evitaba, y al que ladraban los perros de forma sorprendente. Pero el negocio es el negocio, y para el ladrón que pone el alma en su trabajo, un viejo decrépito que carece de una cuenta en el banco y paga lo poco que compra con plata y oro españoles acuñados hace dos siglos, era un aliciente y un desafío.

Así que los señores Ricci, Czanek y Silva escogieron la noche del 11 de abril para hacerle una visita. Al pobre anciano lo entrevistarían el señor Ricci y el señor Silva; entretanto el señor Czanek les esperaría, a ellos y al probable cargamento metálico, en un automóvil cerrado, en Ship Street, junto a la puerta del muro posterior de la residencia. El deseo de evitar explicaciones innecesarias a la policía, en caso de que apareciese, les indujo a tomar esta medida, y así efectuar una huida callada y discreta.

Como habían tramado, salieron los tres aventureros separadamente, para evitar cualquier malpensada sospecha después. Los señores Ricci y Silva se reunieron en Water Street, cerca de la puerta principal del anciano; y aunque no les gustaba cómo la luna iluminaba las piedras pintadas a través de las ramas de los árboles nudosos, tenían cosas más perentorias en que pensar, antes que en supersticiones sin fundamento. Temían que resultase un trabajo desagradable hacer hablar al Viejo Terrible sobre el oro y la plata que atesoraba; porque sabido es que los viejos capitanes de mar son testarudos y contumaces. Pero éste era muy viejo y decrépito, y ellos eran dos. Los señores Ricci y Silva eran expertos en el arte de volver locuaces a los renuentes; y los gritos de un viejo venerable y endeble por lo demás pueden sofocarse sin dificultad. Conque se dirigieron a la única ventana iluminada, y descubrieron al Viejo

Terrible hablando como un niño a las botellas con péndulo. Se pusieron las máscaras y llamaron discretamente a la puerta de roble manchada por el tiempo.

Le estaba pareciendo muy larga la espera al señor Czanek, que aguardaba nervioso en el automóvil cerrado junto a la puerta de atrás del Viejo Terrible que daba a Ship Street. Era demasiado blando, y no le habían hecho ninguna gracia los horribles alaridos que oyó en la vieja casa poco después de la hora concertada para la acción. ¿Acaso no había dicho a sus colegas que tratasen al pobre capitán lo más benévolamente que pudiesen? Y vigilaba nervioso la estrecha puerta de roble del alto muro cubierto de hiedra, y no paraba de mirar el reloj, extrañado de tanta tardanza. ¿Habría muerto el viejo antes de revelar dónde tenía escondido el tesoro, y estaban haciendo un registro exhaustivo? No le gustaba al señor Czanek tener que esperar tanto tiempo a oscuras en semejante lugar. Y entonces oyó ruido de tacones o pasos apagados en el enlosado del otro lado de la puerta, un suave manoteo en el cerrojo herrumbroso, y vio que la estrecha puerta se abatía hacia dentro. Y al pálido resplandor del único farol de la calle, sus ojos atentos distinguieron lo que sus colegas sacaban de la siniestra casa que se recortaba detrás. Pero al fijarse, se percató de que no era lo que esperaba; porque no eran sus colegas, sino sólo el Viejo Terrible que, apoyado calladamente en su nudoso bastón, sonreía de manera horrible. Jamás se había fijado el señor Czanek en el color de los ojos de ese hombre, ahora se daba cuenta de que eran amarillos.

En las ciudades pequeñas, cualquier suceso trivial produce un enorme revuelo; y ésa es la razón por la que los ciudadanos de Kingsport no pararon de hablar, durante esa primavera y ese verano, de los tres cuerpos no identificados –horriblemente tajados como con machetes, y machacados de manera espantosa como por multitud de crueles tacones de bota– que sacó la marea. Algunos hablaron incluso de detalles banales, como del automóvil abandonado que encontraron en Ship Street, o de ciertos chillidos inhumanos –sin duda proferidos por alguna ave migratoria o algún animal extraviado– que oyeron en plena noche los vecinos que estaban despiertos. Pero esas habladurías no despertaron el menor interés en el Viejo Terrible. Era de carácter reservado; y cuando uno es viejo y endeble, se vuelve doblemente reservado. Además, un capitán de barco tan viejo sin duda ha visto cosas mucho más espantosas en los tiempos lejanos de su juventud.

EL ÁRBOL[1]

«Fata viam invenient...»[2]

Sobre una ladera verde del Monte Ménalo, en Arcadia, se alza un campo de olivos entre las ruinas de un villorrio. En las cercanías hay un sepulcro, antaño adornado con las más sublimes esculturas, pero sumido ahora en la misma decadencia que el caserón. A un extremo del sepulcro, con sus extrañas raíces desencajando los bloques corroídos por el tiempo de mármol del Pentélico[3], crece un olivo de insólita grandeza y aspecto repulsivo; resulta tan parecido a la figura de un hombre deforme, o a la de un cadáver desfigurado por la muerte, que las gentes del lugar temen pasar cerca en las noches de luna llena, cuando los rayos de luz relucen débilmente entre las ramas retorcidas. El Monte Ménalo es una de las moradas favoritas del terrible Pan[4], cuyos acompañantes son muchos y muy extraños, y los sencillos pastores sospechan que el árbol debe de tener alguna horrenda conexión con los salvajes acólitos; pero un anciano apicultor que vive en una granja de las cercanías me contó una historia diferente.

Hace muchos años, cuando el villorrio de la ladera era nuevo y resplandeciente, los escultores Calos y Musides habitaban entre sus paredes. La belleza de sus obras era aclamada desde Lidia a Neápolis[5], y nadie osaba afirmar que la habilidad de uno era mayor que la del otro. El Hermes de Calos se alzaba sobre un santuario de mármol en Corinto, y la Palas de Musides coronaba una columna en Atenas, cerca del Partenón. Todos los hombres rendían tributo a Calos y Musides, y se admiraban de que ninguna sombra de celo artístico nublara su amistad fraternal.

Pero aunque Calos y Musides convivían en perfecta armonía, sus temperamentos no resultaban similares. Mientras que Musides andaba de juerga nocturna gozando de los placeres urbanos en Tegea, Calos prefería quedarse en casa, oculto de la vista de sus esclavos, bajo la fresca sombra de los olivos. Allí meditaba acerca de las visiones que acudían a su mente, y allí concebía las hermosas figuras que más tarde inmortalizaría en el mármol vivo. Los haraganes, por supuesto, murmuraban que Calos departía con los espíritus del olivar, y que sus esculturas no eran más que las representaciones de los faunos y dríadas con los que tenía tratos, ya que jamás esculpía sus obras en base a un modelo vivo.

Tan famosos eran Calos y Musides que a nadie le extrañó que el Tirano de Siracusa[6] mandara heraldos para preguntarles acerca de la costosa estatua de Tique[7] que planeaba erigir en su ciudad. De tamaño y factura colosal había de ser la estatua, ya que se esperaba fuese la maravilla del mundo y meta de los viajeros. Alabado sin límites sería aquel que fuese elegido para realizar la escultura, y Calos y Musides fueron invitados a competir por semejante distinción. Su fraterna amistad era de sobra conocida, y el astuto tirano presumía que, en lugar de ponerse trabas artísticas, ambos se prestarían consejo y ayuda; esta colaboración mutua produciría dos obras de inigualable belleza, y la más hermosa eclipsaría incluso los sueños de los poetas.

Los escultores aceptaron entusiasmados el encargo del tirano, y en los días que siguieron sus esclavos escucharon el incesante repicar de los escoplos. Ni Calos ni Musides ocultaron sus obras, aunque sólo se permitieron verlas entre ellos. A excepción de sus miradas, ninguna más pudo contemplar las dos figuras divinas que iban siendo forjadas a base de hábiles golpeteos sobre la vasta piedra que las había aprisionado desde la creación del mundo.

Por las noches, como siempre, Musides frecuentaba las tabernas festivas de Tegea, y Calos vagabundeaba en solitario por el campo de olivos. Pero según pasaba el tiempo, las gentes advirtieron una falta de alegría en el antaño jovial Musides. Resultaba extraño, comentaban entre ellos, que la tristeza hubiera hecho mella en quien tenía tantas posibilidades de alcanzar la más alta recompensa artística. Transcurrieron muchos meses, pero el rostro preocupado de Musides no mostraba más que un agudo nerviosismo que parecía incrementarse con la situación.

Luego, un día, Musides habló de la enfermedad de Calos, tras lo cual nadie se extrañó de la tristeza que lo embargaba, ya que todos sabían lo hondo y sagrado que era el afecto de los escultores. Así que muchos fueron a visitar a Calos, y en verdad notaron la palidez que cubría su cara; pero también vieron a su alrededor un aura de serena felicidad que hacía su mirada más mágica que la de Musides, quien se hallaba en un estado de gran nerviosismo y despedía a los esclavos para ocuparse personalmente de los cuidados y alimentación de su amigo. Ocultas detrás de unas pesadas cortinas aguardaban las esculturas inacabadas de Tique, de las que ahora apenas se ocupaban el enfermo y su fiel compañero.

Y Calos, a pesar de que inexplicablemente cada vez estaba más débil y no respondía a los cuidados de los desconcertados médicos y de su inseparable amigo, pedía con frecuencia que lo llevaran al campo de olivos que tanto amaba. Una vez allí, rogaba que lo dejasen solo, como si deseara hablar en privado con unos seres invisibles. Musides siempre complacía sus deseos, aunque sus ojos se llenaban de lágrimas al ver que Calos prefería la compañía de los faunos y las dríadas a la suya propia. Por fin, se acercó el final, y Calos se puso a divagar sobre cosas del más allá. Musides, sollozando, le prometió un sepulcro más hermoso que la tumba del mismísimo Mausolo[8]; pero Calos le pidió que no le hablara más de glorias de mármol. Sólo un deseo llenaba ahora la mente del moribundo: que enterrasen junto a su cuerpo, cerca de la cabeza, unas ramitas de cierto olivo que crecía en el bosquecillo. Y una noche, estando a solas en la oscuridad del campo de olivos, murió Calos.

De una belleza indescriptible fue el sepulcro de mármol que el afligido Musides esculpió para su amado amigo. Nadie, excepto el propio Calos, habría podido emular sus bajorrelieves, donde se revelaban todos los esplendores del Elíseo. Tampoco olvidó Musides enterrar las ramas de olivo cerca de la cabeza de su amigo.

Cuando el dolor de los primeros momentos dio paso a la resignación, Musides siguió trabajando con ahínco en su figura de Tique.

Todo el honor sería ahora suyo, ya que el tirano de Siracusa tan sólo quería su escultura o la de Calos. El trabajo le ayudó a dar rienda suelta a sus emociones, y cada día que pasaba esculpía con mayor tesón, evitando las diversiones a las que antes se entregara. Mientras tanto, pasaba las noches junto a la tumba de su amigo, donde un joven olivo había brotado cerca de la cabeza del durmiente. Tan rápido resultaba el crecimiento de este árbol, y tan extraña su forma, que cuantos lo contemplaban prorrumpían en exclamaciones de sorpresa; y Musides parecía a un mismo tiempo fascinado y repelido.

Tres años después de la muerte de Calos, Musides envió un emisario al tirano, y en el ágora de Tegea se corrió la voz de que la maravillosa estatua estaba terminada. Por aquel entonces, el árbol que se alzaba junto al sepulcro se había desarrollado hasta alcanzar unas proporciones asombrosas, superiores a las de todos los árboles de su especie, y alargaba una rama frondosa por encima del recinto donde Musides trabajaba. Como eran muchos los curiosos que acudían a contemplar el prodigioso árbol y a admirar el arte del escultor, Musides casi nunca estaba solo. Pero no le importaba que siempre hubiera tantos visitantes; al contrario, ahora que había terminado tan absorbente trabajo, parecía tener miedo a quedarse solo. Los lóbregos vientos de la montaña, suspirando entre el campo de olivos y el árbol de la tumba, tenían una extraña facilidad para producir vagos sonidos articulados.

El cielo estaba oscuro la tarde en que los emisarios del tirano llegaron a Tegea. De todos era conocido que venían para llevarse la enorme figura de Tique, y a traer honores eternos a Musides, de manera que la acogida que les dispensaron los próxenos[9] fue sumamente cálida. Al caer la noche, se desató una impetuosa tormenta de viento sobre la cresta del Ménalo, y los hombres de la lejana Siracusa se alegraron de poder descansar al resguardo de la ciudad. Hablaron de su ilustre tirano y de la grandiosidad de su metrópoli, y se regocijaron con la belleza de la estatua que Musides había esculpido para él. Y entonces los hombres de Tegea hablaron a su vez de la bondad de Musides, y de su profundo pesar por la muerte de su amigo; y cómo ni tan siquiera los laureles que glorificaban su arte podrían consolarle por la ausencia de Calos, quien quizá los habría llevado en su lugar. También hablaron del árbol que crecía sobre la tumba, al lado de la cabeza de Calos. Pero el viento aullaba de manera espantosa, y tanto los de Siracusa como los de Tegea elevaron sus plegarias a Eolo.

Con los primeros rayos de la mañana, los próxenos guiaron a los emisarios del tirano ladera arriba, a la casa del escultor, pero el viento nocturno había hecho extrañas cosas. Los gritos de los esclavos se alzaban en medio de un escenario de devastación, y en el campo de olivos ya no se erguían las esplendorosas columnas de la vasta residencia en la que Musides había esculpido y soñado. Solitarias y quebradas, tan sólo se distinguían los recintos más humildes y los muros bajos, pues sobre el suntuoso peristilo se había desplomado la portentosa rama del árbol extraño, reduciendo el magnífico poema de mármol a un montón de ruinas lamentables. Tanto los forasteros como los tegeos se quedaron horrorizados, y fijaron su mirada en el árbol siniestro e inmenso cuya silueta resultaba ahora misteriosamente humana, y cuyas raíces se hundían de manera insólita en el esculpido sepulcro de Calos. Y el espanto de todos se incrementó cuando registraron el deshecho recinto, ya que no hallaron rastro alguno del bondadoso Musides ni de la imagen maravillosamente esculpida de Tique. Tan sólo el caos reinaba a sus anchas entre las espantosas ruinas, y los representantes de ambas ciudades quedaron decepcionados: los emisarios por no poder llevar la estatua a su tierra, los tegeos por perderse la coronación de su artista. Sin embargo, los de Siracusa consiguieron poco después en Atenas una maravillosa estatua, y los tegeos se consolaron levantando en el ágora un templo de mármol conmemorando el talento, las virtudes y la bondad fraterna de Musides.

Pero el campo de olivos aún sigue en pie, como también el árbol que crece junto a la tumba de Calos, y el viejo apicultor me ha contado que a veces, cuando sopla el viento nocturno, sus ramas susurran entre sí, musitando una y otra vez: «¡Οἶδα! ¡Οἶδα!... *¡Yo sé! ¡Yo sé!*»

LOS GATOS DE ULTHAR[1]

Se dice que en Ulthar, villa emplazada más allá del río Skai, ningún hombre puede matar a los gatos; cosa que creo firmemente cuando observo al que ahora mismo está ronroneando frente al fuego. Pues el gato es enigmático y se halla cerca de extrañas cosas que el hombre no puede ver. Es el alma del antiguo Egipto y portador de las leyendas de las ciudades olvidadas de Meroé y Ofir[2]. Es el descendiente de los señores de la selva, y heredero de los misterios de la vetusta y siniestra África. La esfinge es su prima, y habla la misma lengua, pero él es aún más antiguo y recuerda todo lo que ella ha olvidado[3].

En Ulthar, antes de que sus mandatarios prohibieran las matanzas de gatos, vivían un viejo campesino y su esposa que se divertían poniendo trampas a los gatos de sus vecinos para luego matarlos. Ignoro sus motivos, aunque hay muchos que aborrecen los maullidos del gato durante las noches, y les enferma que anden furtivamente por patios y jardines al atardecer. Fuera cual fuera la razón, el caso es que este anciano y su mujer disfrutaban cazando y matando todo gato que rondara su mísero tugurio, y por los sonidos que se oían durante la noche, muchos convecinos sospechaban que la manera de eliminarlos debía de ser de lo más peculiar. Pero los habitantes del lugar no hablaban de ello con el anciano y su mujer, debido a la expresión que siempre mostraban sus rostros marchitos, y a que su choza era muy pequeña y resultaba sombría bajo la fronda de unos olmos corpulentos que crecían en la parte trasera de un descuidado patio. En realidad, aunque los dueños de los gatos odiaban a estos personajes repulsivos, los temían aún más; y en lugar de acusarles de brutales asesinos, se limitaban a evitar que sus queridos animalitos pudieran acercarse a la apartada casucha oculta bajo los sombríos árboles. Cuando desaparecía algún gato tras un descuido inevitable, y se escuchaban sus maullidos en la noche, el dueño suspiraba impotente, o daba gracias al cielo porque no había sido uno de sus hijos. Pues los habitantes de Ulthar eran gentes sencillas, y no sabían de dónde habían venido los gatos en el principio.

Un día llegó a las empedradas y estrechas callejas de Ulthar una caravana de extraños vagabundos que venían del sur[4]. Eran personas errantes y bronceadas, muy diferentes de otros nómadas que arribaban a la villa dos veces al año. Decían la buenaventura a cambio de plata en la plaza del mercado, y compraban vistosos abalorios a los mercaderes. Nadie sabía su lugar de procedencia, pero observaron que solían rezar extrañas plegarias y que en los costados de sus carromatos había dibujadas unas figuras insólitas con cuerpos humanos y cabezas de gatos, halcones, carneros o leones. Y el cabecilla de la caravana vestía un tocado con dos cuernos y un curioso disco en el medio.

En esta singular caravana había un niño, huérfano de padre y madre, cuyo único compañero era un pequeño gatito negro al que cuidaba. La peste no había sido amable con él, pero le dejó este ser diminuto y peludo que aplacaba su pena; y, cuando se es muy joven, siempre se encuentra gran alivio en las pícaras travesuras de un gatito negro. Así, el pequeño, al que las bronceadas gentes llamaban Menes[5], sonreía con mayor frecuencia y lloraba cada vez menos mientras se sentaba a jugar con su travieso gatito en los peldaños de un carromato lleno de extrañas pinturas.

En la mañana del tercer día desde que los vagabundos llegaron a Ulthar, Menes no pudo encontrar a su gatito, y cuando las gentes del lugar le vieron sollozando en la plaza del mercado le hablaron del anciano y su esposa, y de los maullidos que se oían por la noche. Y cuando el niño escuchó todo esto sus llantos dieron paso a la reflexión, y luego a las plegarias. Extendió los brazos hacia el sol y oró en una lengua que ningún aldeano pudo entender; aunque, en realidad, tampoco hicieron muchos esfuerzos por entenderla, ya que toda su atención había sido acaparada por el cielo y las formas curiosas que iban adoptando las nubes. Resultaba muy extraño, pero en cuanto el niño terminó sus plegarias, parecieron perfilarse en lo alto las figuras nebulosas y sombrías de unos seres exóticos, híbridas criaturas coronadas con los cuernos y el disco intermedio. La Naturaleza está llena de semejantes ilusiones que fascinan a los que son imaginativos.

Aquella noche los trotamundos abandonaron Ulthar, y jamás se les volvió a ver. Y los habitantes se sintieron consternados al descubrir que no quedaba un solo gato en toda la villa. De todos los hogares había desaparecido el gato familiar; gatos grandes y pequeños, negros, grises, rayados, amarillos o blancos. El viejo Kranon, que era el burgomaestre, juró que los bronceados vagabundos se habían llevado a todos los animales en venganza por la muerte del gatito de Menes, y maldijeron a la caravana y al pequeño. Pero Nith, el magro notario, declaró que el anciano campesino y su esposa eran los verdaderos sospechosos, pues su odio a los gatos era bien conocido por todos y cada vez iba a más. Y sin embargo, nadie se atrevió a acusar a la siniestra pareja, a pesar de que el pequeño Atal, el hijo del posadero, aseguraba haber visto a todos los gatos de Ulthar en aquel patio maldito bajo los árboles, marchando lenta y ceremoniosamente en círculos, en fila de a dos, alrededor del chamizo, como si llevaran a cabo algún extraño ritual gatuno. Los lugareños no sabían si creer a un niño tan pequeño, y aunque temían que la siniestra pareja hubiera hechizado a los gatos para provocar su muerte, prefirieron no enfrentarse con el viejo campesino hasta que éste saliera de su sombrío y repulsivo chamizo.

Así que el pueblo de Ulthar se durmió embargado por una rabia impotente; mas cuando las gentes se levantaron al alba, ¡he aquí que cada gato había regresado a su respectiva morada! Los grandes y los pequeños, los negros y grises, los rayados, amarillos y blancos; no faltaba ninguno. Todos se hallaban lustrosos y rollizos, y ronroneaban llenos de satisfacción. Los aldeanos hablaron entre ellos, y su asombro no era poco. El viejo Kranon insistió de nuevo en que los bronceados vagabundos se los habían llevado, ya que los gatos jamás habrían regresado vivos de la choza del viejo matrimonio. Pero todos coincidieron en un extremo: que la negativa de sus mascotas a comer sus respectivas raciones o a beber su plato de leche resultaba extraordinariamente singular. Y durante dos días enteros, los rollizos y perezosos gatos de Ulthar no probaron alimento alguno, y se conformaban con dormitar junto al fuego o bajo el sol.

Transcurrió una semana hasta que los aldeanos se dieron cuenta de que ninguna luz se encendía al anochecer en las ventanas del chamizo oculto entre los árboles. Luego, el enjuto Nith comentó que nadie había visto a la marchita pareja desde la noche en la que desaparecieron todos los gatos. A la semana siguiente, el burgomaestre decidió vencer sus miedos y visitar, como era su deber, la choza extrañamente silenciosa, aunque tuvo la prudencia de llevarse de testigos a Shang, el herrero, y a Thul, el picapedrero. Y cuando derribaron la frágil puerta no encontraron más que dos esqueletos humanos, mondos y lirondos, recostados en el suelo de tierra, y un montón de cucarachas que correteaban por los rincones oscuros.

Mucho se habló después entre los habitantes de Ulthar. Zath, el corregidor, discutió largamente con Nith, el enjuto notario. Incluso el pequeño Atal, el hijo del posadero, fue interrogado en profundidad, y luego se le regaló un dulce como recompensa. Hablaron del viejo campesino y de su esposa, de la caravana de bronceados vagabundos, del pequeño Menes y de su gatito negro, de las plegarias de Menes y del aspecto del cielo mientras las recitaba, de las actividades de los gatos la noche de la partida de los carromatos, y de lo que más tarde hallaron en la choza bajo los árboles sombríos del repulsivo patio.

Y al final, los mandatarios aprobaron esa famosa ley de la que tanto hablan los mercaderes de Hatheg y discuten los peregrinos en Nir; a saber: que en Ulthar ningún hombre puede matar un solo gato.

EL TEMPLO
(Manuscrito encontrado en la costa de Yucatán)[1]

El 20 de agosto de 1917[2], yo, Karl Heinrich, Graf von Altberg-Ehrenstein, capitán de corbeta de la Marina Imperial Alemana, al mando del submarino U-29, deposito esta botella y su mensaje adjunto sobre el Océano Atlántico en unas coordenadas que desconozco, pero que probablemente se encuentran alrededor de los 20º de latitud norte, 35º de longitud oeste[3], donde yace mi nave, totalmente inservible, en el fondo oceánico. Y lo hago así porque quiero que ciertos hechos insólitos sean del dominio público, ya que con toda seguridad no sobreviviré para poder darlos a conocer en persona, pues las circunstancias que me rodean son tan amenazadoras como extraordinarias, y no sólo tienen que ver con la pérdida de maniobrabilidad del U-29, sino también con el desplome de mi férrea voluntad germana de la manera más desastrosa.

La tarde del 18 de junio, tal y como fue transmitido por radio al U-61 con destino a Kiel, torpedeamos al carguero británico *Victory*, en ruta de Nueva York a Liverpool, coordenadas: 45º 16' latitud norte, 28º 34' longitud oeste, permitiendo que la tripulación abandonara el carguero en los botes salvavidas, a fin de obtener una buena filmación de la escena para los archivos del Almirantazgo. El buque se hundió de la manera más vistosa: primero la proa, mientras la popa surgía hacia lo alto desde el agua, y luego se fue a pique perpendicularmente, camino del fondo oceánico. Nuestra cámara no perdió detalle, y lamento que tan valiosa filmación no llegue jamás a Berlín. Después hundimos los botes salvavidas a cañonazos y nos sumergimos.

Cuando volvimos a emerger a la superficie, hacia el atardecer, encontramos en la cubierta el cuerpo de un marinero con las manos aferradas a la barandilla de curiosa manera. El pobre diablo era joven, más bien moreno, y muy apuesto; seguramente se trataba de un italiano o griego y, sin duda, pertenecía a la tripulación. Evidentemente, había buscado refugio en el mismo navío que se había visto obligado a destruir el suyo... una víctima más de esta injusta guerra que los perros ingleses mantienen contra la Patria. Mis hombres registraron sus pertenencias, y descubrieron en el bolsillo de su chaquetón un trozo de marfil de insólita talla que representaba una cabeza juvenil con una corona de laurel. Mi oficial, el alférez de navío Klenze, juzgó que el objeto era de gran antigüedad y enorme valor artístico, así que se lo confiscó a los hombres quedándoselo para él. Ninguno de los dos teníamos la más mínima idea de cómo un objeto semejante podía haber llegado a las manos de un simple marinero.

Al arrojar el cadáver por la borda, acontecieron dos incidentes que causaron gran inquietud entre la marinería. Los ojos del desdichado habían sido cerrados, pero al separar su cuerpo de la barandilla volvieron a abrirse de par en par, y muchos tuvieron la extraña impresión de que miraban directamente, y con aire de burla, a Schmidt y Zimmer, que estaban inclinados sobre el cadáver. El contramaestre Müller, un hombre maduro que habría sido mejor considerado de no haber sido un supersticioso y cochino alsaciano, se excitó tanto ante esta visión que siguió observando el cadáver en el agua, y juró que, tras sumergirse un poco, el cuerpo adoptó una posición de nado y desapareció a toda velocidad bajo las olas con dirección sur. Ni a Klenze ni a mí nos complacieron estas muestras de palurda ignorancia, y amonestamos severamente a los hombres, especialmente a Müller.

Al día siguiente, se creó una situación harto problemática debido a las dolencias de algunos hombres de la tripulación. Resultaba evidente que sufrían cierta tensión nerviosa a causa del prolongado viaje, y todos habían tenido pesadillas. Algunos parecían completamente aturdidos e idiotizados y, tras comprobar personalmente que su enfermedad no era fingida, les eximí de sus obligaciones. El mar estaba algo encrespado, de manera que descendimos a una profundidad en la que el oleaje resultaba menos molesto. Aquí reinaba una relativa calma, a pesar de una misteriosa corriente que fluía hacia el sur y que no fuimos capaces de localizar en nuestras cartas oceanográficas. Los gemidos de los marineros enfermos resultaban decididamente molestos, pero ya que no parecían desmoralizar al resto de la tripulación, evitamos aplicar medidas más drásticas. Nuestro plan consistía en permanecer donde estábamos e interceptar el trasatlántico *Dacia*, tal y como nos habían informado nuestros agentes en Nueva York.

A primera hora de la tarde subimos a la superficie y encontramos la mar menos agitada. Se divisaba el humo de un buque de guerra por el horizonte, pero la distancia a la que nos encontrábamos y nuestra habilidad para sumergirnos evitaron todo peligro. Lo que más nos inquietaba eran las cosas que decía el contramaestre Müller, cada vez más extrañas según se iba acercando la noche. Se hallaba en un estado lamentable y pueril, balbuceaba acerca de unos seres muertos que pasaban por delante de las portillas sumergidas, de cadáveres que le miraban fijamente y que él reconocía a pesar de estar completamente deformados, ya que juraba haberlos visto ahogarse en alguna de nuestras victoriosas acciones germanas. Y también afirmaba que el joven que habíamos encontrado y lanzado luego por la borda era su líder. Esto resultaba demasiado horripilante y anormal, de manera que encadenamos a Müller y le dimos una buena ración de latigazos. A la tripulación no le agradó esta clase de castigo, pero la disciplina era esencial. También nos negamos a aceptar la demanda de una representación de la marinería, encabezada por el tripulante Zimmer, que nos solicitaba tirar al mar la extraña cabeza de marfil tallado.

El 20 de junio, los marineros Bohm y Schmidt, que habían caído enfermos el día anterior, contrajeron una violenta locura. Lamenté que no figurara ningún médico entre nuestros oficiales de complemento, ya que las vidas alemanas son preciosas; pero los constantes delirios de los dos hombres acerca de una espantosa maldición resultaban muy contraproducentes para la disciplina, así que tomamos medidas drásticas. La tripulación aceptó el hecho con cierto resentimiento, pero pareció tranquilizar a Müller, que en adelante no volvió a causarnos problemas. Al atardecer le liberamos y se dedicó a realizar sus tareas habituales en silencio.

La semana siguiente estuvimos todos muy nerviosos, siempre al acecho del *Dacia*. La tensión se incrementó tras la desaparición de Müller y Zimmer, quienes, sin lugar a dudas, se suicidaron a causa de los miedos que parecían atormentarles, aunque nadie les vio saltar por la borda. Casi me alegraba de la ausencia de Müller, pues hasta su mutismo tenía un influjo pernicioso sobre la marinería. Todos parecían ahora inclinados a permanecer en silencio, como si ocultaran un terror secreto. Muchos enfermaron, pero ninguno causó problemas. El alférez de navío Klenze se encontraba muy irritado por la tensión nerviosa, y estallaba por cualquier tontería, como con la cada vez más numerosa bandada de delfines que escoltaba al U-29, o la creciente intensidad de la corriente meridional que no registraban nuestras cartas de navegación.

Al final se hizo evidente que habíamos perdido al *Dacia* por completo. Tales fracasos no son en modo alguno infrecuentes, y casi estábamos más complacidos que decepcionados, ya que ahora se nos ordenaba regresar a Wilhelmshaven[4]. El 28 de junio, al mediodía, nos pusimos rumbo al nordeste y, a pesar de enredarnos cómicamente con la insólita multitud de delfines, pronto nos hallamos en el rumbo correcto.

La explosión que aconteció en la sala de máquinas a las dos de la tarde, nos pilló completamente por sorpresa. No se había observado ninguna anomalía en la maquinaria ni negligencia por parte de los hombres y, sin embargo, el navío se estremeció de punta a punta, e inesperadamente, a consecuencia de una sacudida colosal. El alférez de navío Klenze fue corriendo a la sala de máquinas, y descubrió que el depósito de combustible y casi todos los mecanismos se hallaban destrozados, y que los maquinistas Raabe y Schneider habían muerto de manera instantánea. Nuestra situación era verdaderamente grave, pues, aunque los regeneradores químicos de aire se hallaban intactos y podíamos utilizar los dispositivos de inmersión y emersión, y abrir las escotillas para reabastecernos de aire y recargar las baterías, nos resultaba imposible propulsar ni gobernar el submarino. Todo intento de rescate haciéndonos a la mar con los botes salvavidas significaba ponernos en manos de nuestros enemigos, irracionalmente resentidos con la gran nación alemana; además, desde el último enfrentamiento con el *Victory*, no habíamos conseguido establecer contacto por radio con ninguno de los submarinos de la Armada Imperial.

Desde el momento del accidente hasta el 2 de julio derivamos constantemente hacia el sur, carentes de un plan establecido y sin tropezarnos con ninguna embarcación. Los delfines seguían dando escolta al U-29, circunstancia más que reseñable dada la distancia que habíamos cubierto. En la mañana del 2 de julio avistamos un buque de guerra con la enseña americana, y los hombres se pusieron muy nerviosos y con deseos de rendirse. Al final, el alférez de navío Klenze se vio obligado a pegarle un tiro al marinero Traube, ya que incitaba violentamente a los demás a llevar a cabo esta acción tan antigermánica. Esto aplacó a la tripulación por el momento, y nos sumergimos sin ser detectados.

Al atardecer, una nutrida bandada de aves marinas apareció por el sur, y el océano comenzó a agitarse fatídicamente. Cerramos las escotillas y esperamos los acontecimientos, hasta que comprendimos que debíamos sumergirnos para evitar que el creciente oleaje nos mandase a pique. Cada vez contábamos con menos aire y electricidad, y queríamos evitar el uso innecesario de nuestros escasos recursos mecánicos; pero en este caso no había otra opción. No descendimos mucho, y cuando el mar se calmó algo, unas horas después, decidimos volver a la superficie. Pero entonces surgió otro inconveniente, pues el navío se negaba a responder al rumbo marcado pese a todos los esfuerzos de los mecánicos. Los hombres se asustaron aún más al encontrarse inmovilizados bajo el agua, y algunos empezaron a murmurar de nuevo acerca de la estatuilla de marfil del alférez de navío Klenze, pero la visión de su pistola automática les calmó. Mantuvimos a los pobres diablos tan atareados como pudimos, y les mandamos a reparar las máquinas aun a sabiendas de que era imposible.

Klenze y yo solíamos dormir en turnos diferentes, y fue durante mi turno, sobre las 5 de la mañana del 4 de julio, cuando se declaró un motín generalizado. Los seis cerdos marineros que quedaban, creyendo que estábamos perdidos, estallaron súbitamente en una furia incontrolable por habernos negado a rendirnos al buque de guerra yanqui que avistamos dos días atrás, y se habían entregado a un delirio de maldiciones y destrucción. Aullaban como los animales que eran, y rompían indiscriminadamente muebles y maquinarias, gritando estupideces sobre una maldición que hechizaba la estatuilla de marfil, y acerca de la mirada que les había lanzado el joven y moreno muerto antes de desaparecer nadando. El alférez de navío Klenze parecía petrificado e inoperante, como era de esperar de un renano débil y afeminado. Me deshice a tiros de los seis marineros, ya que era inevitable, y me aseguré de que ninguno quedara con vida.

Arrojamos sus cadáveres por la escotilla doble y nos quedamos solos a bordo del U-29. Klenze parecía muy nervioso y bebía sin cesar. Decidimos mantenernos con vida todo lo posible, gracias a la gran cantidad de víveres de que disponíamos y a la reversa de oxígeno químico, ya que ninguna de estas dos cosas había sufrido daño como consecuencia de los enloquecidos arrebatos de los puercos marineros. Tanto la brújula como los indicadores de profundidad, y otros instrumentos delicados, habían quedado inservibles; de manera que, en adelante, nuestros cálculos consistirían en meras aproximaciones basadas en nuestros relojes, el calendario y la trayectoria aparente de nuestro rumbo, establecida por los objetos que pudiéramos avistar a través de las portillas o desde la torre de mando. Por fortuna, aún disponíamos de bastante carga en las baterías, tanto para el alumbrado interior como para el foco externo. Con frecuencia rastreábamos los alrededores del navío con el haz luminoso, aunque no divisábamos más que delfines nadando paralelamente a nuestro curso. Me sentí científicamente interesado por estos delfines, pues aunque el *delphinus delphis* común es un cetáceo mamífero incapaz de sobrevivir sin aire, pude observar de cerca a uno de estos nadadores durante dos horas, y no vi que mostrara la más mínima intención de ascender a la superficie.

Con el paso del tiempo, Klenze y yo llegamos a la conclusión de que seguíamos siendo arrastrados hacia el sur, a la vez que nos hundíamos cada vez más. Observamos la fauna y flora marina, y leímos mucho sobre el tema en los libros que me había llevado para mis ratos de ocio. No pude menos que registrar, sin embargo, la inferior preparación científica de mi compañero. No gozaba de la típica mentalidad prusiana, y se daba con facilidad a fantasías y especulaciones sin valor alguno. La certeza de nuestro inminente fallecimiento le afectó de una manera harto curiosa, y con frecuencia rezaba arrepentido por los hombres, mujeres y niños que había enviado al fondo del océano, sin tener en cuenta que todo servicio en aras de la patria germana es una noble acción. Al cabo de cierto tiempo, se hizo evidente que estaba desquiciado, y se quedaba horas y horas contemplando la estatuilla de marfil y farfullando fantásticas historias sobre cosas perdidas y olvidadas bajo las aguas. A veces, a modo de experimentos psicológicos, le hacía hablar de todos estos disparates, y escuchaba sus interminables citas poéticas y sus historias de barcos hundidos. Me daba mucha lástima, ya que me disgustaba ver sufrir a un alemán, pero no resultaba una compañía adecuada con quien morir. En cuanto a mí, era un hombre orgulloso, consciente de que la Patria honraría mi memoria y de que mis hijos serían educados para convertirse en hombres como yo.

El 9 de agosto avistamos el fondo oceánico y proyectamos un poderoso haz de luz sobre él. Se trataba de una llanura inmensa y ondulada, cubierta casi por completo de algas, y salpicada de conchas pertenecientes a un pequeño molusco. Aquí y allá se veían objetos viscosos de contornos desconcertantes, cubiertos de algas e incrustados de percebes, que Klenze afirmaba eran antiguos buques hundidos reposando en sus lechos de muerte. Había una cosa que lo desconcertaba especialmente: un vértice de materia sólida, que emergía casi un metro y medio sobre el fondo del océano, de unos setenta centímetros de grosor, con los lados planos y las lisas superficies superiores dibujando un ángulo muy obtuso. Yo dije que se trataba de una punta rocosa que sobresalía del fondo, pero Klenze creyó reconocer figuras talladas en ella. Al rato empezó a temblar, y se alejó de la escena como asustado; sin embargo, no supo darme una explicación del motivo, tan sólo que le abrumaba la vastedad, oscuridad, lejanía, antigüedad y misterio de los abismos oceánicos. Su mente estaba destrozada, pero yo soy un buen alemán en todo momento y no tardé en observar dos cosas: que el U-29 soportaba maravillosamente bien la presión del agua y que los insólitos delfines seguían nadando a nuestro alrededor, a pesar de que nos hallábamos a una profundidad en la que la mayoría de los naturalistas consideran imposible la existencia de organismos superiores. Estaba convencido de que previamente habíamos sobreestimado nuestra profundidad y, sin embargo, es bien cierto que debíamos estar lo bastante hondo como para que estos fenómenos resultaran extraordinarios. La velocidad de la deriva hacia el sur, que yo medía por nuestro discurrir sobre el fondo oceánico, era más o menos la misma que antes había estimado al deslizarnos por los niveles superiores.

A las 3.15 de la tarde del 12 de agosto, el pobre Klenze se volvió completamente loco. Había estado en la torre de mando con el proyector encendido, cuando le vi entrar en el compartimiento de la biblioteca, donde yo me hallaba sentado leyendo, y su cara le traicionó en el acto. Repetiré aquí lo que dijo, haciendo hincapié en las palabras que recalcó: «*¡Él* está llamando! *¡Él* está llamando! ¡Le oigo! ¡Tenemos que ir!*» Mientras hablaba cogió la estatuilla de marfil de encima de la mesa, se la metió en el bolsillo, y me agarró del brazo con la pretensión de llevarme escaleras arriba, hacia la cubierta. Al instante comprendí que su intención era abrir la escotilla y hacer que ambos nos lanzáramos al agua; obsesión caprichosa y suicida que no estaba dispuesto a consentir. Cuando me resistí, intentando calmarle, se puso más violento, y exclamó:

–Vamos ahora... no esperemos más; es mejor arrepentirse y ser perdonado, que plantar cara y ser condenado.

Entonces me decidí a actuar de manera más drástica, y le dije que estaba loco, terriblemente loco. Pero él no se dio por aludido, y gritó en voz alta:

–¡Mejor si estoy loco! ¡Que los dioses se apiaden del hombre que, en su inconsciencia, puede preservarse sano hasta el terrible final! ¡Ven y enloquece conmigo, ahora que *él* aún nos reclama con misericordia!

Esta explosión pareció mitigar la presión en su cerebro, pues a continuación se mostró mucho más dócil, y me pidió que le dejase ir solo si yo no quería acompañarle. Enseguida supe lo que tenía que hacer. Aunque también era alemán, tan sólo se trataba de un plebeyo renano, y ahora se había convertido en un loco potencialmente peligroso. Si accedía a su petición suicida, me libraría al instante de alguien que ya no era mi compañero, sino una amenaza. Le pedí que me entregara la estatuilla de marfil, pero esta demanda provocó en él tal estallido de risa que no volví a insistir. Entonces le pregunté si quería dejar algún recuerdo o un mechón de cabello para su familia en Alemania, en el caso de que yo fuera rescatado, pero de nuevo se echó a reír. Así que, mientras él subía por la escalerilla, yo me aproximé a las palancas y, midiendo los intervalos adecuados de tiempo, accioné el mecanismo que lo enviaría a la muerte. Tras comprobar que ya no se encontraba a bordo del submarino, proyecté el foco luminoso alrededor del agua, con la esperanza de ver por última vez el cuerpo de Klenze, y comprobar si era aplastado por la presión marina, como en teoría tenía que ocurrir, o si por el contrario no le afectaba, igual que sucedía con aquellos extraordinarios delfines. Sin embargo, me fue imposible ver a mi difunto camarada, ya que los delfines se apelotonaban alrededor del submarino y oscurecían la torreta de mando.

Aquella noche me arrepentí de no haber cogido disimuladamente del bolsillo de Klenze la estatuilla de mármol, pues su recuerdo me fascinaba. No podía olvidar la joven y hermosa cabeza con su corona de laurel, aunque no poseo un especial talante artístico. También sentía no tener a nadie con quien conversar. Klenze, aunque no estaba a mi nivel mental, era mejor que nadie. No dormí bien aquella noche, y me preguntaba cuándo llegaría el fin. Desde luego, existían escasas posibilidades de que me rescataran.

Al día siguiente ascendí a la torre de mando e inicié las habituales observaciones con el reflector. Hacia el norte el paisaje resultaba tan monótono como el que contemplamos por primera vez desde que llegamos al fondo marino, pero noté que la deriva del U-29 era menos rápida. Cuando dirigí el haz de luz hacia el sur, noté que la superficie del océano descendía abruptamente y que había unos bloques de piedra curiosamente regulares en ciertos sitios, como si estuvieran colocados en un orden concreto. Al principio, la nave no descendió rápidamente por aquella sima oceánica, de manera que pronto me vi obligado a ajustar el reflector para poder seguir enfocando sus rayos hacia abajo. A causa del brusco movimiento se desconectó un cable, y tardé bastantes minutos en repararlo; pero al fin la luz volvió a salir por el reflector, inundando el valle marino que tenía debajo de mí.

No soy propenso a dejarme llevar por emociones de ningún tipo, pero mi asombro fue enorme al vislumbrar lo que iluminaban sus rayos. Y sin embargo, como sujeto educado en la mejor *kultur* de Prusia, no debí haberme sorprendido, ya que la geología y la tradición nos hablan de grandes trasposiciones en determinadas áreas continentales y oceánicas. Lo que vi fue una vasta y complicada serie de edificios en ruinas, poseedores de una arquitectura magnífica, aunque inclasificable, y en diferentes estados de conservación. La mayoría parecían estar construidos en un mármol que emitía destellos blanquecinos bajo los rayos del reflector, y el trazado general correspondía al de una inmensa ciudad enclavada en el fondo de un estrecho valle, con numerosos templos y villas diseminados por las laderas superiores. Los tejados se habían hundido y las columnas estaban deshechas, pero aún reinaba una atmósfera de vetusto e inmemorial esplendor que nada podía anular.

Enfrentado al fin a la Atlántida, a la que antes había considerado un mito⁵, me sentí el más ávido de los exploradores. Por el fondo del valle había fluido un río en otro tiempo, ya que, al examinar la escena con mayor detenimiento, descubrí las ruinas de unos puentes de piedra y mármol, diques, terrazas y terraplenes que antaño fueron verdes y hermosos. Entusiasmado, llegué a sentirme tan idiota y sentimental como el pobre Klenze, y no me di cuenta hasta más tarde de que la corriente del sur había cesado, dejando que el U-29 bajara lentamente hacia la ciudad sumergida de la misma manera que un aeroplano desciende sobre cualquier ciudad del mundo terrestre. También tardé en percatarme de que la insólita manada de delfines se había esfumado por completo.

Unas dos horas después, la nave se posó en una plaza pavimentada junto a la pared rocosa del valle. Por un lado podía ver la ciudad entera que descendía desde la plaza hasta el viejo lecho del río; por el otro, sorprendentemente cerca, me encontré ante la fachada, en perfecto estado de conservación, de un enorme edificio ricamente ornamentado, que, con toda seguridad, debía ser un templo excavado en la sólida roca. Del arte original de esta obra titánica tan sólo puedo hacer conjeturas. La fachada, de inmensas proporciones, parece sellar una oquedad continua en la piedra, ya que sus ventanales son muchos y ocupan un amplio espacio. En el centro se abre un amplio portón al que se llega a través de una escalinata de portentosos peldaños, y está rodeado de exquisitas figuras en relieve que representan bacanales. En el frente se yerguen unas columnas muy altas y el friso, decoradas ambas con esculturas de indescriptible belleza, y que, evidentemente, personifican escenas pastoriles idealizadas y procesiones de sacerdotes y sacerdotisas portando extraños objetos ceremoniales en adoración a un dios resplandeciente. La calidad artística es de una perfección prodigiosa, de clara influencia helénica, aunque dotado de una extraña personalidad. Difunde una sensación de terrible antigüedad, como si fuera el más remoto antecesor del arte griego. No me cabe duda de que todos los detalles de esa obra exquisita están esculpidos en una ladera de roca virgen de nuestro planeta. Se hace palpable una parte de la pared del valle, aunque me resulta imposible imaginar cómo fue excavado su inmenso interior. Quizá una gruta, o una serie de cavernas, configuraran su núcleo. Ni el tiempo ni la inmersión han sido capaces de deteriorar la prístina magnificencia de este templo terrible –porque sin duda se trata de un templo–, y aun hoy, miles de años después, reposa inmaculado y virgen en la noche interminable y en el silencio del abismo oceánico.

No puedo calcular las horas que pasé observando la ciudad sumergida con sus edificios, arcadas, estatuas y puentes, y el colosal templo rebosante de misterio y hermosura. Aunque sabía que la muerte estaba cerca, me consumía la curiosidad, y proyecté el reflector de un lado en una búsqueda impaciente. El haz de luz me permitía apreciar muchos detalles, pero no llegaba más allá de la puerta del templo tallado en la roca; de manera que apagué el reflector, a sabiendas de que debía preservar las baterías. Los rayos de luz resultaban ahora perceptiblemente más débiles que durante las semanas de navegación a la deriva. Y como acuciado por la futura ausencia de luz, aumentaron mis deseos de explorar aquellos misterios submarinos. ¡Yo, como alemán, tenía que ser el primero en pisar esos caminos olvidados durante eones!

Desempolvé y examiné un traje de buzo de metal articulado, y probé la luz portátil y el regenerador de aire. Aunque tendría problemas a la hora de manipular la doble escotilla solo, pensé que podría salvar todos los obstáculos gracias a mi destreza científica, y que finalmente sería capaz de caminar en persona por aquella ciudad muerta.

El 16 de agosto efectué una salida del U-29, y progresé con dificultad, entre calles fangosas y en ruinas, hacia el antiguo río. No me tropecé con esqueletos ni otros restos humanos, pero recopilé una fortuna arqueológica en esculturas y monedas. No puedo referirme ahora a todo este material, sino para expresar mi espanto ante esta civilización que se encontraba en su mayor apogeo cuando los cavernícolas vagabundeaban por Europa, y el Nilo fluía totalmente desierto hacia el mar. Otros, aleccionados por este manuscrito, y suponiendo que algún día salga a la luz, deberán esclarecer el misterio que yo apenas he podido bosquejar. Regresé al submarino al ver que mis baterías se estaban debilitando, aunque decidido a explorar el templo de roca al día siguiente.

El 17, a pesar de que mis deseos de desentrañar los misterios del templo se habían hecho más acuciantes, me llevé una decepción al descubrir que los materiales necesarios para la recarga de la lámpara habían desaparecido durante el motín de julio de aquellos cerdos. Mi rabia era incontenible; sin embargo, mi sentido común germánico evitó que me aventurara sin las debidas condiciones en un tenebroso recinto que podía ser la antesala de algún monstruo marino indescriptible, o un laberinto de cuyos pasadizos me resultara luego imposible salir. Todo lo que podía hacer era enfocar el reflector del U-29, subir con su ayuda los peldaños del templo y estudiar los relieves exteriores. El haz de luz se colaba por el pórtico en un ángulo ascendente, así que atisbé el interior con la esperanza de descubrir algo; mas fue en vano. Ni tan siquiera se veía el techado; y aunque avancé uno o dos pasos tras reconocer el suelo con un palo, no me atreví a continuar. Es más, por primera vez en toda mi vida experimenté la emoción del miedo. Empezaba a comprender por qué Klenze había llegado a ese estado emocional y, mientras aumentaba la atracción que el templo ejercía sobre mi persona, se iba apoderando de mí un terror ciego y creciente por sus abismos acuáticos. Tras regresar al submarino, apagué las luces y me senté a meditar en las tinieblas. Tenía que ahorrar electricidad para posibles emergencias.

El sábado 18 lo pasé sumido en una oscuridad total, atormentado por pensamientos y recuerdos que amenazaban con doblegar mi voluntad germana. Klenze se había vuelto loco y había perecido antes de que la nave llegara a este siniestro vestigio de un pasado intolerablemente remoto, y me había prevenido para que lo acompañara. ¿Acaso el Destino tan sólo conservaba mi razón intacta con el propósito de arrastrarme a un final más horrible e inimaginable que cualquiera haya podido soñar nunca? Se hacía evidente que mis nervios estaban destrozados, y que tenía que desembarazarme de estas ideas, propias de un hombre débil.

La noche del sábado no pude dormir, y encendí las luces sin importarme lo que pasara después. Resultaba desesperante que la electricidad no fuera a durar lo mismo que las provisiones o el aire. La eutanasia volvió a rondarme la mente, y examiné mi pistola. Cerca del amanecer debí de quedarme dormido con las luces encendidas, pues ayer por la tarde desperté sumido en tinieblas y vi que las baterías se habían agotado. Encendí varias cerillas en rápida sucesión, y me desesperé tristemente de la imprevisión que nos había llevado a gastar las pocas velas que llevábamos.

Después de consumirse la última cerilla que osé encender, permanecí sentado muy quieto en medio de la oscuridad. Mientras pensaba en el fin inevitable, mi cerebro se detuvo en los últimos acontecimientos, y entonces fui consciente de una impresión, hasta ahora oculta, que hubiera hecho estremecer a un hombre más débil y supersticioso. *La cabeza del dios radiante que sobresalía entre las esculturas del templo de roca es idéntica al trocito de marfil tallado que el marinero muerto había tomado del mar y que el pobre Klenze devolvió después.*

Me quedé algo sorprendido ante esta coincidencia, mas no sentí un miedo especial. Sólo el pensamiento inferior se apresura a explicar lo singular y lo complejo mediante el recurso primitivo de lo sobrenatural.

La coincidencia resultaba insólita, pero mis razonamientos eran demasiado íntegros como para relacionar circunstancias que no admiten una
conexión lógica, o asociar de alguna extraña manera los hechos desastrosos que habían llevado al *Victory* a su crítica situación actual. Sintiendo que necesitaba relajarme, tomé un sedante y me aseguré unas
cuantas horas más de sueño. La tensión nerviosa que me embargaba se
vio reflejada en mis pesadillas, ya que me pareció oír gritos de personas
ahogándose, y vislumbrar sus caras muertas apretadas contra el cristal
de las portillas del submarino. Y entre todas esas caras muertas se
encontraba el semblante burlesco y vivo del joven de la estatuilla de
marfil.

Debo ser muy cuidadoso ahora en la manera de exponer mi despertar en el presente día, ya que me siento trastornado y, sin duda, las alu-
cinaciones se mezclan con la realidad. Psicológicamente hablando, mi
caso es de lo más interesante, y me duele no poder ser examinado científicamente por un competente investigador alemán. Nada más abrir
los ojos, lo primero que sentí fue un deseo irresistible por visitar el templo de roca, un deseo que aumentaba a cada momento, pero al que yo
me oponía instintivamente gracias a una sensación de pánico que operaba en sentido contrario. A continuación me llegó una impresión de
luz entre la oscuridad de las baterías descargadas, y me pareció vislumbrar una especie de resplandor fosforescente en el agua que entraba por
la portilla orientada al templo. Esto despertó mi curiosidad, pues no
sabía de ningún organismo de las profundidades abismales que fuera
capaz de emitir semejante luminosidad. Pero antes de que pudiera
investigarlo, me llegó una tercera impresión que, debido a su carácter
irracional, me hizo dudar de la objetividad de todo lo que pudieran
registrar mis sentidos. Se trataba de una ilusión auditiva; una sensación
de sonidos rítmicos y melódicos, como de cánticos salvajes, aunque
hermosos, o una especie de himno coral que provenía del exterior y
traspasaba el casco del U-29, a pesar de que estaba completamente
insonorizado. Convencido de mi antinatural estado psicológico y nervioso, encendí varias cerillas y me administré una fuerte dosis de bromuro sódico, hecho que logró calmarme un poco hasta el punto de

disiparse esa ilusión de sonido. Pero la fosforescencia persistía, y me costó bastante esfuerzo reprimir el impulso infantil que me atraía hacia la portilla para averiguar su procedencia. Resultaba de un realismo terrible, y gracias a su resplandor pronto pude distinguir los objetos familiares que me rodeaban, así como el vaso vacío de bromuro, a pesar de que no me había forjado una impresión visual del sitio donde lo había dejado. Esta última circunstancia me dio que pensar; crucé el recinto y toqué el vaso. Efectivamente, se hallaba en el mismo lugar en el que me había parecido verlo. Ahora sabía a ciencia cierta que la luz era real, o que formaba parte de una alucinación tan fija y consistente que apenas tenía esperanzas de que se desvaneciera; así que abandoné toda resistencia y subí a la torreta de mando con la intención de descubrir la fuente luminosa. ¿Acaso no podría tratarse de otro submarino que me ofreciera una posibilidad de rescate?

Sería conveniente que el lector no diese por cierto todo lo que a continuación sigue, ya que los hechos trascienden las leyes de la naturaleza y son, necesariamente, creaciones subjetivas e irreales de una mente sobreexcitada. Al llegar a la torreta de mando, descubrí que el mar estaba mucho menos luminoso de lo que había previsto. No existía ninguna fosforescencia de origen vegetal o animal, y la ciudad que descendía hacia el río estaba oculta en las tinieblas. Lo que contemplé no resultaba en absoluto espectacular, tampoco grotesco ni aterrador, pero acabó con el último vestigio de confianza en mis razonamientos. *Pues la puerta y los ventanales del templo subacuático esculpido en la colina rocosa se encontraban vívidamente iluminados por un resplandor titilante, como si procediese de los fuegos poderosos de un altar erigido en su más profundo interior.*

Los últimos acontecimientos resultan caóticos. Mientras contemplaba el resplandor sobrenatural que se desbordaba por el pórtico y las ventanas, experimenté las más extrañas visiones, visiones tan extravagantes que ni tan siquiera soy capaz de definir. Imaginé ver cosas dentro del templo, cosas inmóviles y cosas que se movían; y también me pareció escuchar de nuevo el cántico irreal que flotaba a mi alrededor cuando desperté. Y por encima de todo, nacieron en mí pensamientos y miedos que giraban en torno al joven que había salido del mar y la estatuilla de marfil cuya talla era una reproducción exacta de los frisos y columnas del templo que se erguía delante de mí. Pensé en el pobre Klenze, y me pregunté dónde descansaría su cuerpo con aquella estatuilla que había devuelto al mar. Me había advertido de algo, y yo no le hice caso... pero Klenze era un débil renano que se había vuelto loco ante las dificultades que cualquier prusiano puede sobrellevar con facilidad.

El resto es muy simple. El impulso de acceder y explorar el templo se ha convertido ahora en un mandato inexplicable e imperioso al que, finalmente, no puedo negarme. Mi voluntad germánica ya no es capaz de controlar mis actos, y el libre albedrío sólo es posible ahora en cuestiones sin importancia. Semejante locura llevó a la muerte al pobre Klenze, sin escafandra ni protección alguna en el océano; pero yo soy prusiano y hombre con sentido común, y haré uso hasta el fin de la poca voluntad que me queda. Cuando comprendí que estaba condenado a ir, preparé el traje de buzo, la escafandra y el regenerador de aire para que estuvieran disponibles al instante; acto seguido comencé a escribir esta crónica apresurada con la esperanza de que algún día llegue al exterior. Meteré el manuscrito en una botella sellada y lo arrojaré al mar en cuanto abandone el U-29 por última vez.

No tengo miedo, ni tan siquiera de los augurios del loco de Klenze. Lo que he visto no puede ser verdad, y sé que esta locura que afecta mi propia voluntad puede llevarme a la asfixia cuando el aire se agote. La luz del templo es pura imaginación, y moriré tranquilo, como todo buen alemán, en las profundidades tenebrosas y olvidadas. Esa risa demoníaca que escucho mientras escribo tan sólo es un producto de mi debilitado cerebro. Así que me pondré el traje de buzo con sumo cuidado, y subiré con audacia los peldaños que conducen a ese santuario primordial, a ese silencioso misterio de las profundidades insondables y de los tiempos inmemoriales.

HECHOS ACONTECIDOS AL DIFUNTO ARTHUR JERMYN Y A SU FAMILIA[1]

I

La vida es algo horrible, y por debajo de los antecedentes que de ella conocemos asoman indicios demoníacos que a veces la hacen mil veces más horrible. La ciencia, bastante agobiante ya con sus aterradoras revelaciones, será quizá la que extermine en última instancia a nuestra especie humana –si es que somos una especie aparte–, ya que su reserva de horrores inimaginables nunca podrían resistirla los cerebros humanos si la lanzara sobre el mundo[2]. Si supiéramos lo que somos, haríamos lo que hizo sir Arthur Jermyn[3]; Arthur Jermyn se empapó de petróleo y prendió fuego a sus ropas una noche. Nadie recogió sus restos carbonizados en una urna ni levantó un monumento conmemorativo en su honor; pues se encontraron ciertos documentos y cierto *objeto* dentro de una caja, lo cual hizo que los hombres desearan olvidarse de él. Algunos de los que lo conocieron no admiten siquiera que haya existido.

Arthur Jermyn salió al páramo y se prendió fuego después de ver el *objeto* que contenía la caja que le había llegado de África. Fue ese *objeto* y no su extraño aspecto personal lo que le hizo poner fin a su vida. A casi nadie le habría gustado vivir poseyendo los extraños rasgos de Arthur Jermyn, pero él había sido poeta y erudito y no le había importado. Llevaba la erudición en la sangre, pues su bisabuelo, sir Robert Jermyn, Bt.[4], había sido un antropólogo de renombre, en tanto que su tatarabuelo, sir Wade Jermyn, fue uno de los primeros exploradores de la región del Congo y había escrito doctamente sobre sus tribus, sus animales y sus supuestas antigüedades. En efecto, el anciano sir Wade había poseído un fervor intelectual casi rayano en la manía; sus extrañas conjeturas acerca de una prehistórica civilización congoleña de raza blanca le granjearon bastantes burlas cuando fue publicado su libro *Observaciones sobre las diversas partes de África*. En 1765 este intrépido explorador había sido internado en el manicomio de Huntingdon[5].

La locura estaba presente en todos los Jermyn y la gente se alegraba de que no hubiera muchos. La estirpe no se ramificó, y Arthur era el último vástago. De no haberlo sido, nadie sabría decir lo que hubiera hecho cuando llegó el *objeto*. Los Jermyn nunca parecieron completamente normales… les pasaba algo, aunque Arthur era el peor y los viejos retratos de familia de Jermyn House anteriores a la época de sir Wade mostraban rostros bastante bien parecidos. Sin duda alguna, la locura comenzó con sir Wade, cuyas descabelladas historias sobre África eran al mismo tiempo la delicia y el terror de sus escasos amigos. Se adivinaba en su colección de trofeos y especímenes, tan diferentes de los que un hombre normal reuniría y conservaría, y se ponía de manifiesto de manera sorprendente en la reclusión típicamente oriental en que mantenía a su esposa. Ésta, había dicho él, era hija de un comerciante portugués que había conocido en África, al que no le gustaban las costumbres inglesas. Ella le había acompañado, con su hijo de corta edad nacido en África, cuando volvió del segundo y más largo de sus viajes, y se había ido con él en el tercero y último, del que nunca regresó. Nadie la había vuelto a ver de cerca, ni siquiera los criados, pues tenía un carácter violento y raro. Durante su breve estancia en Jermyn House ocupó un ala remota, y sólo la atendía su marido. Sir Wade mostraba, en efecto, una manera muy extraña de ocuparse de su familia; pues cuando regresó a África no permitió que nadie cuidara a su hijo, salvo una odiosa mujer negra procedente de Guinea. A su regreso, después de la muerte de lady Jermyn, él mismo asumió por completo los cuidados del muchacho.

Pero eran las palabras de sir Wade, particularmente cuando estaba borracho, lo que más inducía a sus amigos a considerarle loco. En una época de culto a la razón, como era el siglo XVIII, resultaba poco sensato que un erudito hablara de visiones disparatadas y de extraños paisajes bajo la luna del Congo; de gigantescas murallas y pilares de una ciudad olvidada, derruidos y cubiertos de vegetación, y de húmedos y silenciosos peldaños de piedra que descendían interminablemente a la oscuridad de abismales sótanos que ocultaban tesoros y de inconcebibles catacumbas. Era poco aconsejable sobre todo desvariar acerca de los seres vivos que frecuentaban tales lugares; criaturas híbridas, mitad de la selva, mitad de aquella ciudad de una antigüedad impía… fabulosas criaturas que incluso Plinio habría descrito con escepticismo; seres que podrían haber surgido después de que los grandes simios hubieran invadido la ciudad en vías de extinción con murallas y columnas, sótanos y misteriosas esculturas. Sin embargo, cuando regresó de su último viaje, sir Wade hablaba de tales cosas con un estremecido y extraño fervor, sobre todo después de su tercer vaso en el Knight's Head, jactándose de lo que había encontrado en la selva y de haber vivido entre terribles ruinas que sólo él conocía. Y finalmente había hablado de tal modo de los seres que allí vivían que lo llevaron al manicomio. Mostró muy poco pesar cuando lo encerraron en la celda enrejada de Huntingdon, pues su mente funcionaba de manera extraña. Desde que su hijo comenzó a hacerse mayor le gustaba cada vez menos su casa, hasta que al final parecía temerla. El Knight's Head había sido su centro de operaciones, y cuando lo confinaron expresó una vaga gratitud, como si se sintiera protegido. Tres años después murió.

El hijo de Wade Jermyn, Philip, fue una persona muy rara. A pesar del gran parecido físico con su padre, su aspecto y conducta eran en muchos detalles tan bastos que todo el mundo lo rehuía. Aunque no heredó la locura como algunos temían, era de una crasa estupidez y padecía de vez en cuando breves arrebatos de violencia incontrolable. Era de pequeña estatura, pero sumamente fuerte y de una increíble agilidad. Doce años después de heredar el título se casó con la hija de su guardabosque, de quien se decía que era de origen gitano, pero antes de nacer su hijo se alistó en la armada como simple marinero, colmando la indignación general que sus costumbres y su desigual casamiento habían suscitado. Al terminar la guerra americana[6] se supo que se había embarcado en un buque mercante dedicado al comercio con África, adquiriendo cierta reputación por sus proezas de hombre fuerte y excelente gaviero, pero finalmente desapareció una noche mientras su barco se alejaba de la costa congoleña.

En el hijo de sir Philip Jermyn la ya reconocida particularidad familiar tomó un extraño y fatal sesgo. Alto y bastante apuesto, con una especie de raro encanto oriental a pesar de sus proporciones físicas un tanto singulares, Robert Jermyn empezó como erudito e investigador. Fue el primero en emprender un estudio científico de la considerable colección de reliquias que su abuelo loco había traído de África, y el que hizo famoso el apellido familiar tanto en etnología como en exploración. En 1815 sir Robert se casó con la hija del séptimo vizconde de Brightholme y posteriormente fue bendecido con tres hijos, de los cuales el mayor y el menor nunca fueron vistos en público a causa de sus deformidades físicas y mentales. Apenado por aquellas desgracias familiares, el científico buscó consuelo en el trabajo y llevó a cabo dos prolongadas expediciones al interior de África. En 1849 su segundo hijo, Nevil, una persona extraordinariamente repelente que parecía combinar la hosquedad de Philip Jermyn con la altivez de los Brightholme, se fugó con una vulgar bailarina, aunque fue perdonado cuando regresó al año siguiente. Volvió a Jermyn House viudo y con un niño, Alfred, que un día sería el padre de Arthur Jermyn.

Sus amigos dijeron que fue aquella serie de congojas lo que desquició la mente de sir Robert Jermyn, sin embargo la causa del desastre seguramente fue sólo el folklore africano. El anciano erudito había estado recogiendo leyendas de las tribus onga, próximas al territorio explorado por su abuelo y por él mismo, con la esperanza de explicar de una manera u otra las descabelladas historias de sir Wade acerca de una ciudad perdida, habitada por extrañas criaturas híbridas. Cierta coherencia en los extraños escritos de su antepasado demente sugería que su imaginación podía haber sido estimulada por los mitos nativos. El 19 de octubre de 1852, el explorador Samuel Seaton pasó por Jermyn House llevando un manuscrito de notas recogidas entre los onga, en la creencia de que ciertas leyendas acerca de una antigua ciudad de simios blancos gobernada por un dios blanco podrían resultar valiosas para el etnólogo. Durante su conversación seguramente le proporcionó muchos detalles adicionales, cuya naturaleza nunca se conocerá, ya que repentinamente se desencadenó una horrible serie de tragedias. Cuando sir Robert Jermyn salió de su biblioteca, dejó tras de sí el cadáver de un explorador estrangulado y, antes de que nadie se lo impidiera, había puesto fin a la vida de sus tres hijos: los dos que nadie había visto nunca y el que se había fugado. Nevil Jermyn murió defendiendo con éxito a su hijo de dos años, que al parecer también estaba incluido en el terrible plan asesino del anciano. El propio sir Robert, tras repetidos intentos de suicidio y una obstinada negativa a emitir ningún sonido articulado, murió de apoplejía al segundo año de su confinamiento.

Sir Alfred Jermyn era baronet antes de cumplir cuatro años, pero sus gustos nunca se ajustaron a su título. A los veinte se había unido a un grupo de teatro de variedades, y a los treinta y seis había abandonado a su esposa y a su hijo para seguir a un circo ambulante estadounidense. Su final fue bastante horrible. Entre los animales del espectáculo con el que viajaba había un descomunal gorila macho de color más claro de lo normal; una bestia sorprendentemente dócil que gozaba de gran popularidad entre los artistas. Alfred Jermyn estaba particularmente fascinado por ese gorila, y en muchas ocasiones se miraban el uno al otro durante largo rato a través de los barrotes que se interponían entre ellos. Con el tiempo Jermyn solicitó y obtuvo permiso para amaestrar al animal, asombrando al público y a sus propios compañeros con el resultado obtenido. Una mañana, en Chicago, mientras el gorila y Alfred Jermyn ensayaban un combate de boxeo sumamente ingenioso, el primero asestó un golpe más fuerte de lo normal, lastimando al mismo tiempo el cuerpo y la dignidad del domador aficionado. A los miembros de «El mayor espectáculo del mundo»[7] no les gusta hablar de lo que siguió. No esperaban oír el estridente e inhumano grito que lanzó sir Alfred Jermyn, ni ver cómo éste agarraba con ambas manos a su desmañado antagonista, lo tiraba al suelo de la jaula, y le mordía endiabladamente en su peludo cuello. El gorila se había descuidado, pero no tardó en reaccionar y, antes de que su habitual domador pudiera hacer nada, el cuerpo que había pertenecido a un baronet quedó irreconocible.

II

Arthur Jermyn era hijo de sir Alfred Jermyn y de una cantante de music-hall de origen desconocido. Cuando el marido y padre abandonó a su familia, la madre se llevó al niño a Jermyn House, donde no quedaba nadie para oponerse a su presencia. Tenía algunas nociones acerca de lo que debía ser la dignidad de un noble, y se ocupó de que su hijo recibiese la mejor educación que el escaso dinero de que disponía le podía proporcionar. Los recursos de la familia eran en aquel momento desgraciadamente exiguos, y Jermyn House se había deteriorado de manera lamentable, pero al joven Arthur le encantaba el viejo edificio y todo lo que contenía. No se parecía a ningún otro de sus antepasados, pues era poeta y soñador. Algunas de las familias vecinas que habían oído hablar de la nunca vista esposa portuguesa del anciano sir Wade Jermyn manifestaban que sin duda se notaba su sangre latina; pero la mayoría de la gente se limitaba a mofarse de su sensibilidad ante la belleza, que atribuían a su madre cantante, a la que no aceptaban socialmente. La delicadeza poética de Arthur Jermyn resultaba aún más admirable a causa de su zafio aspecto personal. La mayor parte de los Jermyn había tenido una apariencia sutilmente poco corriente y repelente, pero el caso de Arthur resultaba muy sorprendente. Es difícil decir exactamente a quién se parecía, pero su expresión, su ángulo facial y la longitud de sus brazos producían una sensación de rechazo en los que lo veían por vez primera.

Lo que subsanaba el aspecto de Arthur Jermyn era su inteligencia y su carácter. Superdotado y culto, alcanzó los más altos honores en Oxford y parecía destinado a recuperar la reputación intelectual de su familia. Aunque de temperamento poético más que científico, planeaba continuar el trabajo de sus antepasados en etnología y arqueología africanas, utilizando la realmente maravillosa aunque extraña colección de antigüedades de sir Wade. Su mentalidad imaginativa le llevó muchas veces a pensar en la civilización prehistórica en la que el explorador loco había creído sin reservas, y urdía un relato tras otro acerca de la ignota ciudad en medio de la selva, mencionada en las descabelladas notas y sueltos de aquél. Pues las nebulosas revelaciones acerca de una anónima y desconocida raza híbrida de la selva le producían una peculiar sensación, mezcla de terror y atracción, cuando especulaba sobre la posible base de tales fantasías y trataba de sacar algo en claro de los datos más recientes recogidos por su bisabuelo y Samuel Seaton entre los onga.

En 1911, después de la muerte de su madre, sir Arthur Jermyn decidió proseguir sus investigaciones hasta el final. Vendió parte de sus propiedades para obtener el dinero necesario, organizó una expedición y zarpó con destino al Congo. Tras conseguir de las autoridades belgas un equipo de guías, pasó un año en el territorio de los onga y los kaliri, donde encontró muchos más datos de los que había previsto. Entre los kaliri conoció a un anciano jefe llamado Mwanu, que no sólo poseía una gran memoria, sino un excepcional grado de inteligencia e interés por las antiguas leyendas. Este anciano confirmó todas las historias que Jermyn había oído, añadiendo su propia versión de la ciudad de piedra y de los simios blancos, tal como se la habían contado.

Según Mwanu, la antigua ciudad y las criaturas híbridas habían dejado de existir, aniquiladas por los belicosos n'bangus hacía muchos años. Esta tribu, después de destruir la mayor parte de los edificios y matar a todos los seres vivos, se había llevado la diosa disecada que había sido el objeto de su búsqueda: la diosa-simia blanca que adoraban aquellos seres extraños, y que según las tradiciones congoleñas representaba la efigie de una princesa que había reinado entre ellos. Mwanu no tenía ni idea de lo que podían haber sido exactamente aquellos seres blancos que parecían simios, pero creía que eran los que habían construido la ciudad en ruinas. Jermyn no fue capaz de hacer ninguna conjetura, pero mediante un minucioso interrogatorio logró enterarse de una leyenda muy pintoresca sobre la diosa disecada.

La princesa-simia, se decía, se convirtió en consorte de un gran dios blanco que había llegado del Oeste. Durante mucho tiempo habían reinado juntos en la ciudad, pero cuando tuvieron un hijo se marcharon los tres. Más tarde, el dios y la princesa habían regresado y, cuando ella murió, su divino esposo había momificado su cuerpo y lo había guardado como una reliquia en un enorme edificio de piedra, donde era adorado. Luego se había marchado solo. Al llegar a este punto la leyenda parecía presentar tres variantes. De acuerdo con una de ellas, no ocurrió nada más, salvo que la diosa disecada se convirtió en un símbolo de supremacía para cualquier tribu que lograra poseerla. Ese fue el motivo de que los n'bangus se la llevaran. Una segunda versión hablaba del regreso del dios y de su muerte a los pies de su consagrada esposa. Una tercera hablaba del regreso del hijo, convertido en hombre —o simio, o dios, según el caso—, pero ignorante de su identidad. Sin duda los imaginativos negros habían sacado el máximo partido de cualesquiera que fuesen los sucesos que se ocultaban tras la extravagante leyenda.

Arthur Jermyn no tenía ya ninguna duda sobre la existencia de la ciudad oculta en la selva descrita por el anciano sir Wade; y apenas se sorprendió cuando, a principios de 1912, descubrió lo que quedaba de ella. Aunque debían de haber exagerado su tamaño, las piedras diseminadas que todavía se conservaban demostraban que no se trataba de una simple aldea negra. Lamentablemente no pudo encontrarse ninguna escultura, y lo reducido de la expedición impidió acometer el desbrozo del único pasadizo visible que parecía descender a la red de sótanos que había mencionado sir Wade. Habló de los simios blancos y la diosa disecada con todos los jefes indígenas de la región, pero tuvo que ser un europeo el que ampliara los datos que le había brindado el viejo Mwanu. Monsieur Verhaeren, un agente belga de una factoría del Congo, no sólo creía poder localizar sino también conseguir a la diosa disecada, de la que había oído hablar vagamente, puesto que los otrora poderosos n'bangus eran en aquellos momentos súbditos sumisos del gobierno del rey Alberto[8], y no sería difícil persuadirlos para que se deshicieran de la espantosa deidad que se habían llevado. Por consiguiente, cuando Jermyn zarpó rumbo a Inglaterra albergaba la jubilosa esperanza de que, al cabo de pocos meses, recibiría la inapreciable reliquia etnológica que confirmaría la más descabellada de las historias del padre de su tatarabuelo... es decir, la más descabellada que había oído en toda su vida. Los aldeanos que vivían cerca de Jermyn House tal vez habían oído historias más descabelladas, transmitidas por sus antepasados, que las escuchadas por sir Wade en las mesas del Knight's Head.

Arthur Jermyn esperó pacientemente la ansiada caja que iba a enviarle Monsieur Verhaeren, mientras estudiaba con creciente asiduidad los manuscritos que había dejado su loco antepasado. Empezaba a sentirse cada vez más afín a sir Wade, y se puso a buscar vestigios de su vida privada en Inglaterra, así como de sus hazañas en África. Los relatos orales acerca de su misteriosa y recluida esposa habían sido numerosos. Pero no quedaba ningún vestigio tangible de su estancia en Jermyn House. Jermyn se preguntaba qué circunstancia había provocado o permitido semejante cancelación, y decidió que la locura de su marido debió de ser la causa principal. Recordaba que la madre de su tatarabuela se decía que había sido hija de un comerciante portugués establecido en África. Sin duda su herencia virtual y su conocimiento superficial del Continente Negro le habían llevado a no prestar atención a lo que contaba sir Wade sobre el interior de aquél, algo que un hombre como él no es probable que perdonara. Ella había muerto en África, posiblemente llevada a la fuerza por su marido, decidido a probar lo que le había contado. Pero cuando Jermyn se entregaba a estas reflexiones no podía evitar sonreír por su futilidad, un siglo y medio después de la muerte de sus dos extraños progenitores.

En junio de 1913 llegó una carta de Monsieur Verhaeren, en la que le comunicaba el hallazgo de la diosa disecada. Era, afirmaba el belga, un objeto de lo más extraordinario; un objeto completamente imposible de clasificar para un profano. Que se tratara de un ser humano o de un simio sólo podría determinarlo un científico, y la decisión se vería enormemente dificultada debido a su defectuoso estado de conservación. El paso del tiempo y el clima del Congo no son buenos para las momias, sobre todo cuando el procedimiento empleado es obra de un aficionado, como parecía ser el caso. Alrededor del cuello de la criatura se había encontrado una cadena de oro que soportaba un relicario vacío sobre el que había grabado un escudo de armas; sin duda una dádiva de algún viajero desventurado, que le arrebataron los n'bangus para colgárselo al cuello a la diosa a modo de amuleto. Al comentar el perfil del rostro de la momia, Monsieur Verhaeren sugirió una fantástica comparación; mejor dicho, expresó con humor que no le extrañaría lo mucho que le iba a impresionar a su corresponsal, pero estaba demasiado interesado científicamente para gastar saliva en balde con frivolidades. La diosa disecada, decía en su escrito, llegaría debidamente empaquetada alrededor de un mes después de recibir la carta.

El objeto embalado fue entregado en Jermyn House la tarde del 3 de agosto de 1913, y fue inmediatamente trasladado al amplio aposento que albergaba la colección de especímenes africanos, según fueron ordenados por sir Robert y Arthur. Lo que sucedió a continuación puede deducirse mejor a partir de lo que contaron los criados y de los objetos y documentos examinados posteriormente. De las varias versiones la del anciano Soames, mayordomo de la familia, es la más amplia y coherente. Según aquel hombre digno de confianza, sir Arthur Jermyn echó a todo el mundo de la habitación antes de abrir la caja, aunque el inmediato ruido del martillo y el escoplo indicaba que no demoró la operación. Durante algún tiempo no se oyó nada; cuánto tiempo no podía precisarlo con exactitud Soames; pero desde luego menos de un cuarto de hora después se oyó aquel terrible grito, cuya voz pertenecía sin duda a Jermyn. Inmediatamente después Jermyn salió de la habitación, y corrió frenéticamente hacia la entrada, como si le persiguiese algún espantoso enemigo. La expresión de su rostro, un rostro ya bastante horrible cuando estaba en calma, era indescriptible. Al acercarse a la entrada, pareció acordarse de algo y retrocedió, desapareciendo finalmente por la escalera que conducía al sótano. Los criados se quedaron completamente atónitos, sin dejar de mirar las escaleras, pero su señor no volvió. Lo único que salía del piso inferior era un olor a petróleo. Después del anochecer se oyó un ruido metálico en la puerta que conducía del sótano al patio, y un mozo de cuadra vio a Arthur Jermyn, oliendo a petróleo y refulgente de la cabeza a los pies a causa de dicho fluido, salir a hurtadillas y desaparecer en el negro páramo que rodeaba la casa. A continuación, en una exaltación de supremo horror, todo el mundo presenció el final. Una chispa surgió del páramo, una llama prendió, y una columna de fuego humano se alzó hacia el cielo. La familia de los Jermyn había dejado de existir.

El motivo por el que no se recogieron ni enterraron los restos calcinados de Arthur Jermyn reside en lo que se encontró después, más que nada lo que había en la caja. La diosa disecada constituía una visión nauseabunda, atrofiada y consumida, pero era de fijo un simio blanco momificado de alguna especie desconocida, menos peludo que cualquier otra variedad registrada y muchísimo más próximo al género humano… tanto que resultaba completamente chocante. Una descripción pormenorizada sería bastante desagradable, pero destacaban dos detalles que se deben mencionar, pues encajan de un modo repugnante con ciertas notas de las expediciones por África de sir Wade Jermyn y con las leyendas congoleñas sobre el dios blanco y la princesa-simio. Los dos detalles en cuestión son los siguientes: el escudo de armas grabado en el relicario de oro que la criatura llevaba en el cuello era el escudo de armas de los Jermyn, y la jocosa sugerencia de Monsieur Verhaeren acerca de cierto parecido en relación con el apergaminado rostro se refería con vívido, espantoso y antinatural horror nada menos que al sensible Arthur Jermyn, hijo del tataranieto de sir Wade Jermyn y de su desconocida esposa. Miembros del Royal Anthropological Institute quemaron la momia y arrojaron el relicario a un pozo, y algunos de ellos no admiten que Arthur Jermyn haya existido.

LA CALLE[1]

Hay quien dice que las cosas y los lugares tienen alma, y hay quien dice que no; yo no me atrevería a asegurar ni lo uno ni lo otro, pero os hablaré de la Calle.

Hombres poderosos y honorables forjaron esa Calle, hombres buenos y valientes de nuestra propia sangre, llegados de las Islas Bienaventuradas, al otro lado del mar. Al principio no era más que una senda pisoteada por los aguadores que iban del manantial en el bosque hasta el puñado de casas que se levantaban junto a la playa. Luego, al ir llegando más hombres al creciente grupo de casas en busca de un sitio donde residir, se edificaron chozas en la parte norte, y cabañas de recios troncos de roble y albañilería junto a la zona que da al bosque, pues por ahí les hostigaban los indios con flechas incendiarias. Y pocos años más tarde, los hombres construyeron cabañas en la parte sur de la Calle.

Hombres graves embutidos en sombreros cilíndricos paseaban de arriba abajo por la Calle, armados casi siempre de mosquetes o pistolones. Y con ellos iban sus mujeres ensombreradas y sus circunspectos hijos. Por la noche, estos hombres, esposas e hijos solían sentarse al calor de imponentes chimeneas, y leían y charlaban. Muy simples eran las cosas que leían y sobre las que hablaban, pero les infundían coraje y bondad, y por el día les ayudaban a subyugar los bosques y a cultivar los campos. Y los niños escuchaban y aprendían las leyes y las hazañas de tiempos pasados, y otras cosas sobre la querida Inglaterra que jamás habían visto o que ya no podían recordar.

Hubo una guerra y los indios ya no volvieron a soliviantar la Calle. Los hombres, entregados a su trabajo, prosperaron con rapidez y fueron todo lo felices que podían ser. Y los niños crecieron en la prosperidad, y otras familias llegaron de la Madre Patria para establecerse en la

Calle. Y los hijos de los niños, y los hijos de los recién llegados se hicieron adultos. El pueblo se convirtió en ciudad; y las cabañas, una tras otra, dieron paso a las casas, casas sencillas y hermosas construidas en ladrillo y madera, con peldaños de piedra, barandillas de hierro y tragaluces sobre las puertas. Y no eran endebles aquellas casas, pues fueron levantadas para dar cobijo a muchas generaciones. En su interior había chimeneas esculpidas y gráciles escaleras, muebles hermosos y prácticos, porcelanas de China y cuberterías de plata traídas de la Madre Patria.

Y así, la Calle se alimentó con los sueños de una población joven, y se regocijó al ver que sus moradores ganaban en elegancia y felicidad. Donde en otro tiempo no había más que fuerza y honor, ahora también anidaban el gusto y las ansias de conocimiento. Libros, cuadros y músicas llenaron las casas, y los jóvenes iban a la universidad que se levantaba en la llanura del norte. En lugar de sombreros cónicos y mosquetones, había ahora sombreros de tres picos, espadas pequeñas, lazos y pelucas blancas. Y aparecieron los adoquines sobre los que resonaban los cascos de los caballos de pura sangre y el traqueteo de los carruajes dorados, y aceras de ladrillo con pretiles y postes para atar a las monturas.

Crecían en aquella Calle multitud de árboles: olmos, robles y arces honorables; de tal manera que en verano la atmósfera estaba llena de verdor y del trino de los pájaros. Y detrás de las casas había rosaledas valladas con senderos flanqueados por setos y relojes de sol, donde por la noche brillaban mágicamente la luna y las estrellas entre el perfume de las flores centelleantes de rocío.

Y la Calle siguió soñando, soportando guerras, calamidades y cambios. Una vez vio partir a la mayoría de los jóvenes, y algunos jamás regresaron. Eso fue cuando quitaron la vieja bandera e izaron una nueva llena de barras y estrellas. Pero aunque los hombres hablaban de grandes cambios, la Calle no los notó; y sus gentes seguían siendo las mismas, y charlaban de las viejas cosas familiares con sus viejos y familiares acentos. Y los árboles aún daban cobijo a las aves cantarinas, y por la noche la luna y las estrellas seguían contemplando las flores centelleantes de rocío en las valladas rosaledas.

Con el tiempo desaparecieron de la Calle los tricornios, las espadas y las pelucas. ¡Qué extraños parecían ahora todos aquellos habitantes con sus bastones, sus sombreros de castor de copa alta y su pelo cortado! Otros sonidos llegaron de la distancia: primero, extraños resoplidos y gritos que procedían del río, un kilómetro y medio más abajo, y luego, muchos años después, más gritos, resoplidos y estruendos que provenían de otras direcciones. El aire ya no era tan límpido y sereno como antes, pero el espíritu del lugar no había cambiado. La sangre y el alma de las gentes eran las mismas que las de los hombres que habían forjado la Calle. Tampoco cambió este espíritu cuando abrieron la tierra e introdujeron extraños tubos, ni cuando alzaron unos postes espigados que sostenían misteriosos alambres. Había tanto saber ancestral en la Calle que no era fácil olvidar el pasado.

Después llegaron los malos tiempos, cuando muchos de los que habían conocido la Calle de antiguo dejaron de reconocerla, y otros muchos que no la conocían moraron en ella. Y los que llegaban no se parecían a los que se habían ido, pues sus acentos eran toscos y estridentes, y desagradables sus rostros y expresiones. Sus pensamientos tampoco estaban en consonancia con el espíritu justo y sabio de la Calle, así que la Calle languideció en silencio mientras sus casas declinaban, sus árboles morían uno tras otro y sus rosaledas eran invadidas por la basura y las malas hierbas. Pero un día volvió a sentir un destello de orgullo cuando los jóvenes desfilaron de nuevo, aunque algunos tampoco regresaron. Aquellos jóvenes iban vestidos de azul.

Con el devenir de los años, la suerte de la Calle empeoró. Habían desaparecido todos sus árboles, y las rosaledas habían sido desplazadas por los muros traseros de nuevos edificios, unas construcciones feas y baratas, alineadas en calles paralelas. Sin embargo, las casas resistían, a pesar de los estragos del tiempo, de las tempestades y de la carcoma, pues habían sido levantadas para albergar a muchas generaciones. Otra clase de semblantes llegaron a la Calle: rostros morenos y siniestros, de ojos furtivos y extrañas facciones, cuyos poseedores chapurreaban lenguas exóticas y trazaban signos de caracteres conocidos y desconocidos sobre la mayoría de las ancestrales casas. Las carretillas abarrotaban las cloacas. Un hedor indefinido y sórdido se asentó sobre el lugar, y el antiguo espíritu durmió.

Un día, la Calle experimentó una gran excitación. La guerra y la revolución habían estallado al otro lado del mar; una dinastía se derrumbó, y sus degenerados súbditos se dirigían en tropel, con dudosas intenciones, a la Tierra Occidental. Muchos ocuparon las casas ruinosas que antaño saboreaban el trino de los pájaros y el aroma de las rosas. Entonces, la Tierra Occidental despertó y se unió a la Madre Patria en su titánica lucha por la civilización. En las ciudades volvió a ondear la vieja bandera, junto a la nueva y junto a otra más sencilla de tres colores, aunque igual de gloriosa. Pero no hubo demasiadas enseñas colgando sobre la Calle, pues allí sólo moraban el miedo, el odio y la ignorancia. De nuevo los jóvenes desfilaron, mas no exactamente igual a como lo hicieran aquellos jóvenes de antaño. Algo se había perdido. Y los hijos de los jóvenes de otros tiempos, que en verdad habían marchado vestidos de verde oliva con el mismo espíritu de sus antepasados, partieron de lugares lejanos y no conocían la Calle ni su antiguo espíritu.

Hubo una gran victoria al otro lado de los mares, y la mayoría de los jóvenes regresaron triunfales. Aquellos a los que les había faltado algo, dejaron de echarlo en falta; sin embargo, aún reinaban el miedo, el odio y la ignorancia en la Calle, pues eran muchos los que se habían quedado, y muchos los extranjeros que habían venido de remotos parajes para ocupar las viejas casas. Y los jóvenes que habían regresado no vivieron ya en ellas. La mayoría de los forasteros eran morenos y siniestros, aunque aún era posible descubrir entre ellos algunos rostros similares a los de aquellos que levantaron la Calle y modelaron su espíritu. Similares, y no tan similares, pues sus ojos tenían un brillo extraño y enfermizo, como de codicia, ambición, afán de venganza o celo desmedido. El descontento y la traición anidaban entre unos cuantos malvados que tramaban asestar un golpe mortal a la Tierra Occidental, con el propósito de reinar sobre sus ruinas, como los asesinos habían hecho ya en esos territorios desdichados y gélidos de los que casi todos procedían. Y el corazón de aquel complot estaba en la Calle, cuyas casas ruinosas hervían de agitadores extranjeros y en donde resonaban los ecos de las intrigas y arengas de aquellos que ansiaban la llegada del día señalado para la sangre, el fuego y los crímenes.

La ley discutió mucho acerca de las extrañas maquinaciones que tenían lugar en la Calle, pero poco pudo probar. Con gran diligencia, hombres con placas ocultas frecuentaron con el oído atento lugares como la panadería de Petrovitch, la mísera Escuela Rifkin de Economía Moderna, el Club del Círculo Social y el Café Libertad. Allí se congregaban multitud de individuos siniestros, aunque siempre hablaban con sigilo o en una lengua extranjera. Y aun las viejas casas se mantenían en pie, con su olvidada sabiduría de siglos remotos y más nobles, de colonos robustos y rosales centelleando de rocío bajo la luz de la luna. A veces venía a visitarlas algún poeta o viajero solitario, y trataba de imaginarlas en su perdido esplendor; pero ya no había demasiados poetas o viajeros como aquéllos.

Luego se extendió el rumor de que en aquellas casas se ocultaban los líderes de una extensa banda de terroristas, quienes, en un determinado día, iban a desatar una orgía de sangre para exterminar América y todas las antiguas y nobles tradiciones que la Calle había amado. Los panfletos y los periódicos revoloteaban entre alcantarillas inmundas, panfletos y periódicos impresos en multitud de lenguas y signos escritos, aunque todos por igual traían mensajes que alentaban el crimen y la rebelión. En esos escritos se instaba al populacho a derribar las leyes y virtudes que nuestros padres habían exaltado, con el propósito de aplastar el alma de la vieja América, el alma que nos legaron tras mil quinientos años de libertad, justicia y moderación anglosajona. Se decía que los hombres de tez morena que moraban en la Calle y se reunían en sus arruinados edificios eran los cerebros de una espantosa revolución, y que a una palabra suya millones de bestias descerebradas y estúpidas sacarían sus garras malolientes de los barrios bajos de un millar de ciudades, incendiando, asesinando y destruyéndolo todo hasta arrasar la tierra de nuestros antepasados. Todo esto se decía y se volvía a repetir, y muchos aguardaban con temor el cuarto día de julio, pues los extraños panfletos lo nombraban con frecuencia; sin embargo, no se pudo hacer nada por descubrir a los culpables. Nadie sabía a quién había que arrestar para cortar de raíz la execrable conspiración. Numerosos grupos de policías de chaqueta azul fueron a menudo a registrar las casas ruinosas, pero al final suspendieron las pesquisas, porque también ellos se cansaron de mantener la ley y el orden, y abandonaron la ciudad a su suerte. Entonces aparecieron los hombres uniformados de verde oliva y mosquetes al hombro, de manera que la Calle, en sus mustios sueños, pareció recordar aquellos días lejanos en que la recorrían los hombres de sombreros cilíndricos y mosquetones mientras hacían su ronda entre el manantial del bosque y el grupito de casas junto a la playa. Sin embargo, no fueron capaces de hacer nada para prevenir el cataclismo inminente, ya que los hombres malencarados de tez morena poseían astucia experimentada.

Así, la Calle siguió soñando intranquila, hasta que una noche se congregaron en la panadería de Petrovitch, en la Escuela de Economía Moderna, en el Club del Círculo Social, en el Café Libertad y en otros lugares, vastas hordas de hombres con los ojos dilatados por un espantoso sentimiento de triunfo y expectación. Extrañas proclamas viajaron por hilos ocultos, y también se habló mucho de otros mensajes aún más extraños que seguirían; pero de todo esto apenas se supo nada hasta después, cuando la Tierra Occidental estuvo fuera de peligro. Los hombres de verde oliva no sabían explicar lo que estaba ocurriendo, e ignoraban lo que tenían que hacer, pues los hombres siniestros de tez morena eran muy hábiles en el engaño y la ocultación.

Y sin embargo, aquellos hombres de verde oliva jamás olvidarán esa noche, y hablarán de la Calle de la misma manera que lo hacen con sus nietos; pues a muchos se los mandó allí a la mañana siguiente en una misión completamente distinta de la que habían esperado. Era bien conocido que este nido de anarquía venía de antiguo, y que las casas estaban en ruinas a causa de los estragos del tiempo, de las tempestades y de la carcoma; sin embargo, lo que sucedió aquella noche de verano resultó sorprendente por su extraña uniformidad. Fue, en efecto, un suceso de lo más singular, y, a pesar de todo, extraordinariamente simple. Porque sin previo aviso, en una de esas horas inciertas de la madrugada, todos los estragos del tiempo, de las tempestades y de la carcoma se unieron en una tremebunda culminación; y tras el desmoronamiento final, no quedó nada en pie sobre la Calle excepto dos viejas chimeneas y parte de una pared de ladrillo. Y ninguno de los que allí vivían salieron de entre las ruinas.

Un poeta y un viajero, que acudieron con una multitud enorme a contemplar la escena, contaron luego extrañas historias. El poeta dijo que en las horas que precedieron al amanecer, mientras observaba las sórdidas ruinas a la luz confusa de las farolas, creyó también distinguir por encima de los escombros otro paisaje en el que la luna relucía sobre casas hermosas, olmos, robles y arces venerables. Y el viajero asegura que en vez de la pestilencia habitual se percibía un aroma delicado, como de rosas en plena floración. Pero ¿acaso no son los sueños característica de los poetas y las historias imaginarias inherentes a los viajeros?

Hay quien dice que las cosas y los lugares tienen alma, y hay quien dice que no; yo no me atrevería a asegurar ni lo uno ni lo otro, excepto lo que os he contado acerca de la Calle.

CELEPHAÏS[1]

En un sueño, Kuranes vio la ciudad del valle, y la costa que se extendía más allá, y la cumbre nevada que dominaba el mar, y las galeras de alegres colores que zarpaban del puerto con rumbo a lejanos parajes donde el mar se funde con el cielo. Fue en un sueño también donde recibió el nombre de Kuranes, ya que cuando estaba despierto se le conocía por otro nombre. Quizá resultara natural para él soñar con un nombre nuevo, pues era el último miembro de su familia y se encontraba solo entre millones de indiferentes londinenses, así que no eran muchos los que hablaban con él y le recordaban quién había sido. Había perdido sus tierras y riquezas, y le traían sin cuidado las vidas de las gentes que le rodeaban, ya que prefería soñar y escribir sobre sus sueños. Sus escritos provocaban carcajadas en todos aquellos a quienes se los mostraba, así que, después de un tiempo, se los reservó para sí mismo, y finalmente dejó de escribir. Cuanto más se alejaba del mundo que le rodeaba, más maravillosos se volvían sus sueños; y habría resultado totalmente fútil intentar plasmarlos en una hoja de papel. Kuranes no era un hombre moderno, y tampoco pensaba como los demás escritores. Mientras éstos se esforzaban por despojar de sus vidas todas las envolturas adornadas de mitos y mostrar con fea desnudez la inmunda realidad, Kuranes sólo buscaba la belleza. Cuando no encontraba la manera de revelar la verdad y la experiencia, se sumergía en la fantasía y la ilusión, y la encontraba en su mismísimo umbral, entre los recuerdos brumosos de los cuentos y sueños de la niñez.

Pocas son las personas que conocen las maravillas ocultas en los relatos y visiones de su juventud; pues cuando somos niños escuchamos y soñamos y pensamos en cosas apenas sugeridas; y cuando llegamos a la madurez y tratamos de recordar, nos convertimos en personas torpes y prosaicas, cegadas por el veneno de la vida. Pero algunos nos levantamos en medio de la noche entre insólitas fantasías, colinas y jardines encantados, fuentes que canturrean bajo el sol, acantilados de oro que se yerguen sobre mares susurrantes, llanuras que se extienden al pie de unas ciudades soñolientas de bronce y piedra, y sombrías procesiones de héroes a lomos de enjaezados corceles blancos que cabalgan por los linderos de los bosques más espesos; entonces sabemos que hemos mirado hacia atrás, a las puertas de marfil que se abren a ese mundo de maravilla que un día, antes de alcanzar la sabiduría y la infelicidad, fue nuestro.

Kuranes volvió muy pronto a su viejo mundo de la niñez. Había estado soñando con la casa en donde nació, la enorme casa de piedra cubierta por la hiedra en la que habían vivido tres generaciones de antepasados suyos, y en la que había esperado morir. Brillaba la luna, y Kuranes paseaba con sigilo en medio de la balsámica noche veraniega, atravesaba jardines, descendía terrazas, dejaba atrás los grandes robles del parque y tomaba el largo camino blanco que conducía al pueblo. El pueblo parecía muy viejo, sus bordes estaban carcomidos como la luna cuando empieza a menguar, y Kuranes se preguntó si los picudos tejados de las casitas velaban el sueño o la muerte. Las calles estaban cubiertas de largos tallos herbosos, y los cristales de las ventanas a uno y otro lado estaban hechos añicos o miraban ciegamente. Kuranes no se detuvo, sino que continuó caminando pesadamente como si se sintiera atraído por algo. No se atrevió a desobedecer ese impulso por temor a que se convirtiera en una simple ilusión más como la que rige las urgencias y aspiraciones de la pobre vida real, que no lleva a ningún objetivo concreto. Entonces se sintió atraído hacia una callejuela que se abría en la arteria principal del pueblo y corría hacia los acantilados del canal, y así llegaba al final de todas las cosas... al precipicio, al abismo donde el pueblo y el mundo caían abruptamente en un vacío infinito y sin ecos, donde incluso los cielos brillaban huecos y sin chispa bajo la luna carcomida y las vigilantes estrellas. La fe le instó a seguir avanzando hasta el borde del precipicio y lanzarse al abismo, y allí flotó, flotó mientras descendía, y pasó entre sueños sombríos, inimaginables e informes, entre esferas de tenues resplandores que podían haber sido sueños apenas formados, entre seres alados y burlones que parecían mofarse de los soñadores de todos los mundos. Luego pareció abrirse una grieta en medio de las tinieblas que lo envolvían, y vio la ciudad en el valle, reluciendo en la distancia, muy lejos allá abajo, sobre un fondo de mar y cielo, y una montaña coronada de nieve cerca de la costa.

Kuranes se despertó nada más ver la ciudad; sin embargo, aquella mirada fugaz le bastó para saber que no era otra que Celephaïs, en el valle de Ooth-Nargai, más allá de los Cerros Tanarianos, donde su espíritu había morado toda la eternidad que albergaba una hora de aquel atardecer veraniego, mucho tiempo atrás, cuando había escapado de su niñera y dejado que la cálida brisa marina le arrullara hasta caer dormido mientras contemplaba las nubes desde el acantilado que se erguía junto al pueblo. Había protestado cuando lo encontraron, le despertaron y le llevaron a casa, porque justo en el momento en el que le hicieron volver a la realidad, estaba a punto de embarcar en una galera dorada rumbo a esas regiones seductoras en las que el mar se funde con el cielo. Y también ahora se sintió igualmente irritado al despertar, pues al fin había vuelto a encontrar su ciudad tras cuarenta monótonos años.

Pero tres noches después, Kuranes volvió a Celephaïs. Como antes, primero soñó con el pueblo dormido o muerto, y con el abismo que debía descender flotando en silencio; luego apareció la grieta luminosa y volvió a contemplar los centelleantes minaretes de la ciudadela, y las etéreas galeras ancladas en el puerto azul, y los árboles gingko del Monte Arán meciéndose al compás de la brisa marina. Pero en esta ocasión no fue arrojado del sueño, y descendió con suavidad sobre la ladera herbosa como una criatura alada, hasta que, al fin, sus pies se posaron dulcemente en el césped. En verdad había regresado al valle de Ooth-Nargai y a la espléndida ciudad de Celephaïs.

Kuranes deambuló entre hierbas aromáticas y esplendorosas flores, cruzó el burbujeante Naraxa por el pequeño puente de madera en el que había grabado su nombre tantísimos años atrás, y atravesó la susurrante arboleda que daba paso al gran puente de piedra a la entrada de la ciudad. Todo parecía muy antiguo; pero los muros de mármol no habían perdido su esplendor, ni se habían deslustrado las pulidas estatuas de bronce que se erguían sobre ellos. Y Kuranes supo que no tenía por qué temer que hubieran desaparecido todas las cosas que él conocía; pues incluso los centinelas de las murallas eran los mismos, y seguían tan jóvenes como antaño los recordara. Cuando entró en la ciudad, tras cruzar las puertas de bronce y pisar los empedrados de ónice, los mercaderes y los conductores de camellos le saludaron como si jamás hubiera estado ausente; y lo mismo sucedió en el templo turquesa de Nath-Horthath, donde los sacerdotes tocados con guirnaldas de orquídeas le comunicaron que el tiempo no existe en Ooth-Nargai, tan sólo una juventud perpetua[2]. Entonces Kuranes descendió por la Calle de las Columnas hasta la muralla del mar, y se mezcló con los comerciantes y marineros, y con gentes extrañas que procedían de las regiones en las que el mar se funde con el cielo. Allí permaneció mucho tiempo, contemplando por encima del malecón las resplandecientes ondas del mar que centelleaban bajo un sol desconocido, y las galeras de lejanos parajes que se mecían suavemente sobre el agua. Y miró también el Monte Arán, que se alzaba majestuoso sobre la costa, con sus verdes laderas cubiertas de árboles ondeantes, y con su nívea cumbre rozando los cielos.

Más que nunca deseó Kuranes zarpar en una galera rumbo a esos lejanos lugares de los que tantas historias extrañas había escuchado, y buscó al capitán que en tiempos remotos había accedido a embarcarle. Encontró al hombre, Athib, sentado en el mismo cofre de especias en el que le había encontrado en el pasado; y Athib no parecía tener consciencia del tiempo transcurrido. Luego los dos remaron hasta la galera anclada en el puerto, y Athib dio orden a los galeotes, y zarparon hacia el Mar Cereneriano, que se funde con el cielo. Durante varios días se deslizaron sobre las ondulantes aguas, hasta que al fin llegaron al horizonte, donde el mar se junta con el cielo. Mas no se detuvo aquí la galera, sino que prosiguió flotando dócilmente por el cielo azul, entre jirones de nubes teñidos de rosa. Y muy por debajo de la quilla, Kuranes pudo divisar tierras y ríos insólitos, y ciudades de una belleza insuperable, que se extendían indolentes bajo un sol que parecía que no iba a ponerse nunca. Por fin, Athib le comunicó que el viaje tocaba a su fin, y que pronto accederían al puerto de Serannian, la ciudad de mármol rosa colgada de las nubes, que se yergue sobre la costa etérea donde el viento del oeste sopla hacia el cielo; pero cuando empezaron a hacerse visibles las más altas torres esculpidas de la ciudad, se produjo un sonido en algún lugar del espacio, y Kuranes despertó en su buhardilla de Londres.

Después de aquello, Kuranes buscó en vano durante meses la maravillosa ciudad de Celephaïs y sus galeras celestiales; y aunque sus sueños le llevaron a muchos lugares espléndidos e ignotos, nadie supo decirle cómo encontrar Ooth-Nargai, más allá de los Cerros Tanarianos. Una noche sobrepasó volando unas montañas oscuras donde brillaban débiles y solitarias fogatas de campamento, muy separadas entre sí, y había extrañas manadas de reses peludas cuyos guías portaban tintineantes cencerros; y en la zona más agreste de aquel país montañoso, tan remoto que pocos hombres debían de haberlo visitado, descubrió una especie de murete terriblemente antiguo o calzada empedrada que zigzagueaba entre cordilleras y valles, y que resultaba demasiado gigantesco como para haber sido levantado por manos humanas, y de una longitud tan inconcebible que no se podía ver su principio ni su fin. Más allá del muro, en la gris claridad del alba, arribó a una tierra de exóticos jardines y cerezos; y cuando el sol se alzó en el horizonte, contempló tanta belleza de flores blancas y rojas, de verdes follajes y prados, de claras sendas, manantiales cristalinos, pequeños lagos azules, puentes esculpidos y pagodas de rojos tejados, que por un instante, henchido de felicidad, olvidó Celephaïs. Pero pronto volvió a recordarla al descender por una blanca senda que desembocaba en una pagoda de rojos tejados, y si hubiera intentado preguntar a la gente del lugar, se habría dado cuenta de que allí no había nadie, sólo los pájaros, las abejas y las mariposas. Otra noche, Kuranes subió por una pétrea escalera de caracol, húmeda e interminable, y llegó a la tronera de una torre que se abría sobre una vasta llanura y un río iluminado por la luna llena; y en la ciudad silenciosa que se extendía desde la ribera creyó distinguir algún detalle o característica que ya conocía de antes. Habría descendido y preguntado por el camino de Ooth-Nargai si la temible aurora no hubiese apuntado por un remoto lugar al otro lado del horizonte, revelando la ruina y antigüedad de la urbe, y la ponzoña del río poblado de cañaverales, y la tierra sembrada de muerte, tal y como siempre había estado desde que el rey Kynaratholis volviera de sus conquistas para encontrar la venganza de los dioses.

Y así, Kuranes buscó infructuosamente la ciudad de Celephaïs y las galeras que surcaban los cielos rumbo a Serannian, y mientras tanto contemplaba un sinnúmero de maravillas y, en una ocasión, consiguió escapar milagrosamente del indescriptible gran sacerdote, que oculta su rostro tras una máscara de seda amarilla y vive completamente solo en un prehistórico monasterio de piedra en la gélida y desértica meseta de Leng. Con el devenir del tiempo, su impaciencia creció de tal modo que apenas pudo soportar los tristes intervalos del día, y empezó a consumir drogas con la intención de aumentar sus periodos de sueño. El hachís le ayudó mucho, y en una ocasión le transportó a una zona del espacio en la que no existen las formas y unos gases luminosos estudian los secretos de la existencia[3]. Y un gas violáceo le dijo que esta parte del espacio se hallaba fuera de las fronteras de lo que él llamaba infinito. El gas nunca había oído hablar de planetas u organismos, y definía a Kuranes como una simple existencia del infinito, donde se mezclan materia, energía y gravitación. Kuranes estaba ahora realmente ansioso por volver a la ciudad cubierta de minaretes de Celephaïs, y aumentó su dosis de droga; pero ya apenas le quedaba dinero, y no podía comprar más drogas. Entonces, un día de verano, le echaron de la buhardilla, y vagabundeó sin rumbo por las calles, y cruzó un puente que daba a un lugar en el que las casas resultaban cada vez más vaporosas. Y fue allí donde se cumplieron sus anhelos, donde se topó con un cortejo de caballeros llegados de Celephaïs para trasladarle allí por siempre.

Muy hermosos resultaban estos caballeros a lomos de sus corceles ruanos, e iban envueltos en relucientes armaduras con tabardos en los que habían bordado con hilo de oro extraños blasones. Y eran tan numerosos que Kuranes casi los confundió con un ejército entero; mas el cabecilla le comunicó que habían sido enviados en su honor, pues era él quien había creado Ooth-Nargai en sus sueños, motivo por el cual iba a ser nombrado, ahora y para siempre, su dios supremo. A continuación, entregaron a Kuranes un corcel y le situaron a la cabecera de la comitiva, y todos cabalgaron majestuosamente por las colinas de Surrey, en dirección a la comarca en la que Kuranes, y todos sus antepasados, habían nacido. Era muy extraño, pero mientras cabalgaban parecían viajar en el tiempo; y cada vez que atravesaban un pueblo a la luz del crepúsculo veían a sus moradores y casas como Chaucer y sus antecesores les vieron, y a veces incluso se cruzaban con otros caballeros acompañados de sus respectivos séquitos. Al oscurecer avivaron la marcha, y pronto empezaron a ascender cabalgando como si marcharan sobre el aire. Cuando empezó a clarear, llegaron a un pueblo que Kuranes había conocido lleno de vida durante su niñez, y dormido o muerto en sus sueños. Ahora rebosaba de vida, y los madrugadores aldeanos se inclinaban al paso de los jinetes que, entre el resonar de los cascos, desaparecían calle abajo, tras una rotonda que termina en el abismo de los sueños. Kuranes ya había frecuentado aquel abismo, mas sólo por las noches, y se preguntaba cómo sería bajo la luz del día; así que miró con ansiedad mientras la columna se aproximaba al borde. En cuanto empezaron a galopar cuesta arriba en dirección al precipicio, un resplandor dorado llegó de algún lugar de oriente y nubló toda la escena con sus deslumbrantes rayos. El abismo era un caos hirviente de cerúleo y rosáceo esplendor, y unas voces invisibles cantaban exultantes mientras la corte de caballeros saltaban al vacío y descendían flotando gentilmente entre nubes coloreadas y plateados resplandores. Los jinetes seguían flotando eternamente, y sus corceles pateaban el éter como si galopasen sobre doradas arenas[4]; y entonces, los centelleantes vapores se retiraron dejando al descubierto un fulgor aún más grande: el fulgor de la ciudad de Celephaïs, y más allá sus costas, y el pico nevado que domina el mar, y las galeras de vivos colores que zarpan del puerto con rumbo a tierras lejanas donde el mar se funde con el cielo.

Y Kuranes reinó por siempre en Ooth-Nargai y en todos los países vecinos del sueño, y alternó su corte entre Celephaïs y Serannian, la ciudad colgada en las nubes. Aún reina allí, y reinará feliz para siempre, aunque al pie de los acantilados de Innsmouth las corrientes del canal jugaban burlonas con el cuerpo de un vagabundo que había atravesado el pueblo semidesierto al amanecer; jugaban burlonas, y lo lanzaban contra las rocas, junto a las Trevor Towers invadidas por la hiedra, donde un millonario notablemente obeso y especialmente insolente, dedicado al negocio de la cerveza, disfruta de un entorno comprado a una nobleza extinguida.

DEL MÁS ALLÁ[1]

Terrible, más allá de todo extremo, fue el cambio que tuvo lugar en Crawford Tillinghast[2], mi mejor amigo. No le había visto desde aquel día —dos meses y medio antes— en el que me explicó hacia dónde estaban encaminadas sus investigaciones orgánicas y metafísicas. Entonces respondió a mis temerosas y casi aterrorizadas recomendaciones echándome de su laboratorio y de su casa en un estallido de fanática ira. Luego he sabido que, a partir de ese momento, permaneció la mayor parte del tiempo encerrado en el laboratorio del ático con aquel maldito mecanismo eléctrico, apenas sin comer y prohibiendo la entrada a los criados; jamás habría pensado que ese corto periodo de diez semanas pudiera alterar y desfigurar de tal manera a cualquier criatura humana. No resulta muy agradable ver cómo un hombre robusto adelgaza repentinamente, y aún menos que su piel se ponga grisácea y amarillenta, que se le hundan las cuencas oculares y se llenen de ojeras, a pesar de que emitan un extraño fulgor, que la frente se le llene de arrugas y venas abultadas, y que le tiemblen y se le crispen las manos. Y si a eso se le añade una repugnante falta de aseo, una desidia absoluta a la hora de vestir, una enmarañada y negra cabellera poblada de canas en la base, y una barba descuidada y blanca sobre un rostro antaño siempre bien afeitado, el efecto general resulta escandaloso. Pero ése era el aspecto de Crawford Tillinghast la noche en que llamé a su puerta tras recibir su incoherente mensaje, después de varias semanas de exilio; ése fue el espectro tambaleante que me hizo pasar, con una vela en la mano, mientras me miraba furtivamente por encima del hombro, como si temiera la aparición de unos seres invisibles en el interior de aquella casa vetusta y solitaria que se levantaba en Benevolent Street[3].

Fue un error que Crawford Tillinghast se dedicara al estudio de la ciencia y la filosofía. Esas materias deberían estar reservadas al investigador frío e impersonal, ya que ofrecen dos caminos igualmente trágicos al hombre sensible y de acción: la desesperación si fracasa en sus estudios, y el espanto más inaudito e inimaginable si triunfa. Tillinghast ya había sido víctima del fracaso, de la soledad y la melancolía; pero ahora comprendí, con un terror nauseabundo, que había alcanzado el éxito. Desde luego, se lo había advertido diez semanas antes, cuando me soltó de golpe la historia de lo que creía estar a punto de descubrir. Entonces estaba muy nervioso y excitado, y hablaba a gritos y de forma poco natural, aunque siempre con voz pedante.

–¿Qué sabemos nosotros –había dicho– del mundo y del universo que nos rodea? Nuestros medios para captar información resultan absurdamente escasos, y nuestra noción de los objetos que nos circundan infinitamente estrecha. Sólo vemos las cosas de acuerdo a los órganos con que las percibimos, y nos resulta imposible formarnos una idea de su naturaleza absoluta. Pretendemos abarcar el cosmos complejo e infinito por medio de cinco débiles sentidos, cuando otras existencias dotadas de una serie de sentidos más amplios, poderosos o diferentes, no sólo podrían ver cosas totalmente distintas de las que nosotros percibimos, sino que también serían capaces de estudiar y descubrir mundos enteros llenos de materia, energía y vida que se hallan en contacto con nosotros, aunque resultan inaccesibles a los sentidos de los que actualmente disponemos. Siempre he creído que esos mundos extraños e inalcanzables se encuentran muy cerca de nosotros, *y ahora estoy seguro de haber encontrado un medio para traspasar la barrera.* No bromeo. Dentro de veinticuatro horas, esa máquina que hay cerca de la mesa generará ondas que actuarán sobre ciertos órganos sensoriales que habitan en nuestro interior en un estado rudimentario y de atrofia. Esas ondas nos descubrirán numerosas perspectivas desconocidas para el hombre, algunas de las cuales están completamente ignoradas por todo lo que nosotros consideramos vida orgánica. Contemplaremos lo que hace aullar a los perros durante la noche, y descubriremos por qué los gatos enderezan las orejas atentos después de las doce. Veremos todas esas cosas, y muchas otras que ningún ser vivo ha sido capaz de advertir hasta ahora. Traspasaremos el espacio, el tiempo y las dimensiones, y sin desplazamiento corporal alguno nos asomaremos al borde de la creación[4].

Cuando Tillinghast dijo todas estas cosas, yo protesté acaloradamente, pues le conocía lo suficiente para sentirme más asustado que divertido; pero era un fanático y me hizo salir de su casa. Ahora no se mostraba menos fanático, pero sus deseos de hablar habían vencido a sus resentimientos, y me había escrito imperiosamente con una letra que apenas podía reconocer. Mientras accedía a la morada del amigo tan súbitamente transformado en una especie de gárgola temblorosa, me sentí contagiado por el terror que parecía acechar detrás de las sombras. Las palabras y afirmaciones manifestadas diez semanas antes parecían tomar cuerpo en la oscuridad que se cernía alrededor del círculo de luz de la vela, y me estremecí al escuchar la voz cavernosa y excitada de mi anfitrión. Deseé que los criados estuvieran cerca, y no me agradó que me dijera que lo habían abandonado tres días antes. Resultaba extraño que, cuando menos el viejo Gregory, hubiese dejado a su señor sin habérselo comunicado a un amigo fiel como yo. Fue él quien me mantuvo informado de todo lo relacionado con Tillinghast desde que éste me echara sin contemplaciones de su casa.

Sin embargo, no tardé en subordinar todos mis miedos a la progresiva curiosidad y fascinación que me envolvía. Tan sólo podía hacer conjeturas de por qué Crawford Tillinghast me había hecho llamar, pero no dudaba en absoluto de que tenía algún secreto prodigioso o descubrimiento que compartir. Antaño había censurado sus anormales indagaciones de lo extraordinario, pero ahora que evidentemente había logrado tener éxito, de una u otra manera, casi participaba de su estado de ánimo, aunque el coste de esa victoria parecía en verdad terrible. Fui tras él escaleras arriba en medio de la oscuridad de su caserón, siguiendo la llama vacilante de la vela que sostenía la mano de aquella temblorosa parodia de hombre. Al parecer, la electricidad estaba desconectada, y, al preguntárselo a mi guía, me explicó que era por un motivo concreto.

–Sería demasiado... No me atrevería –siguió murmurando.

Observé especialmente el nuevo hábito que había adquirido de susurrar siempre, ya que jamás solía hablar consigo mismo. Entramos en el laboratorio del ático y contemplé aquel detestable mecanismo eléctrico que relucía con una enfermiza y siniestra luminosidad violeta. Estaba conectado a una potente batería química, aunque no parecía recibir ningún tipo de corriente, porque recordaba que, en su fase experimental, chispeaba y zumbaba al estar en funcionamiento. En respuesta a mi pregunta, Tillinghast murmuró que aquel resplandor perpetuo no era eléctrico en el sentido que yo lo entendía.

A continuación me hizo sentar cerca de la máquina, de manera que quedaba a mi derecha, y conectó un interruptor que se encontraba debajo de una maraña de bombillas. De inmediato comenzaron los acostumbrados chisporroteos, que más tarde se convirtieron en runruneos, hasta que, al fin, tan sólo hubo una especie de zumbido tenue que parecía volver a dar paso al silencio. Entretanto, la luminosidad había aumentado, disminuido otra vez, y adquirido una pálida y extraña coloración (o mezcla de colores) que yo no podría situar ni describir. Tillinghast había estado observándome, y se percató de mi expresión de asombro.

–¿Sabes qué es eso? –susurró–. ¡Son rayos ultravioleta! –ante mi sorpresa, rió entre dientes de una forma extraña–. Tú creías que eran invisibles, y así es... pero *ahora* puedes verlos, al igual que otras muchas cosas invisibles.

»¡Escucha! Las ondas de ese aparato están despertando miles de sentidos aletargados latentes en nosotros; sentidos que hemos heredado durante los evos de evolución que han transcurrido entre el estado de unos simples electrones inconexos hasta su posterior desarrollo en organismos humanos. Yo he visto la *verdad*, y pretendo enseñártela. ¿Te gustaría saber cómo es? Pues te lo diré –aquí Tillinghast se sentó frente a mí, apagó la vela de un soplo y me miró directamente a los ojos–. Los órganos sensoriales de los que dispones, creo que los oídos en primer lugar, captarán muchas de las impresiones, pues se hallan estrechamente conectados con los órganos adormecidos. Luego lo harán otros. ¿Has oído algo acerca de la glándula pineal[5]? Me río de la superficial ciencia endocrinológica, en la que se sustentan los falsos y advenedizos freudianos[6]. Esa glándula es el mayor órgano sensorial... *yo lo he descubierto*. Es como la visión final, y transmite estampas visuales al cerebro. Si eres un sujeto normal, ésa es la manera en la que debes captarlo casi todo... me refiero a captar casi toda la esencia del *más allá*.

Miré la enorme habitación del ático, con su inclinada pared meridional, iluminada apenas por los rayos habitualmente invisibles a los ojos ordinarios. Las esquinas más alejadas se hallaban sumidas en sombras, y toda la estancia había adoptado una brumosa irrealidad que oscurecía su naturaleza e invitaba a la imaginación a ver extraños símbolos y fantasmas. Durante el intervalo que Tillinghast permaneció en silencio, me imaginé en medio de un templo inmenso e increíble dedicado a unos dioses tiempo atrás desaparecidos, un edificio nebuloso de innumerables columnas de piedra negra que se erguían sobre un pavimento de losas húmedas y ascendían a unas alturas vaporosas más allá de mi campo de visión. La estampa resultó muy real durante un rato, pero poco a poco fue dando paso a una representación más terrible: la de la soledad más absoluta y profunda en un espacio infinito carente de sonidos y visiones. Era como un vacío, nada más, y sentí un miedo infantil que me impulsó a sacar del bolsillo trasero del pantalón el revólver que siempre llevo por las noches desde que me asaltaron en East Providence[7]. Luego, de los rincones más apartados, el *sonido* fue cobrando suavemente realidad. Era infinitamente tenue, sutilmente vibrante e inequívocamente musical, pero tenía tal calidad de indescriptible frenesí que su impacto me hizo sentir una delicada tortura por todo mi cuerpo. Experimenté la misma sensación que nos produce el arañazo fortuito sobre un cristal esmerilado. Al mismo tiempo, noté algo parecido a una corriente de aire frío, que pasó junto a mí en dirección a la fuente del distante sonido. Mientras esperaba con la respiración contenida, percibí que, tanto el ruido como la corriente de aire, iban en aumento; esta conjunción de hechos me produjo la extraña sensación de estar atado a unos raíles por los que se acercaba una gigantesca locomotora. Empecé a hablarle a Tillinghast y, al hacerlo, se desvanecieron de inmediato todas esas extrañas sensaciones. De nuevo, tan sólo veía al hombre, la máquina resplandeciente y el nebuloso apartamento. Tillinghast sonrió de una manera repugnante al ver el revólver que yo había sacado casi sin darme cuenta; pero por su expresión supe con total seguridad que él también había visto y oído lo mismo que yo, o, posiblemente, bastante más. Le susurré lo que había sentido, y él me aconsejó que permaneciera lo más quieto y receptivo posible.

–No te muevas –me advirtió–, pues con esos rayos *pueden vernos tan bien como nosotros les vemos.* Ya te he dicho que los criados se fueron, pero no te he explicado *cómo.* Fue por culpa de esa estúpida ama de llaves; encendió las luces de abajo tras haberla advertido de que no lo hiciera, y los cables captaron vibraciones simpáticas. Debió de ser algo espantoso; pude oír los gritos desde aquí, a pesar de todo lo que escuchaba y veía procedente de otra dirección; y más adelante me quedé horrorizado al descubrir los montones de ropa dispersos por toda la casa[8]. Las prendas de la señora Updike estaban junto al recibidor... por eso sé que fue ella la que encendió. Pero mientras no nos movamos estaremos a salvo. Recuerda que nos enfrentamos con un mundo terrible ante el cual estamos prácticamente desamparados... *¡Quédate quieto!*

El impacto combinado de la revelación y de la brusca orden me causó una especie de parálisis y, acosado por el terror, mi cerebro se abrió de nuevo a las emociones que procedían de lo que Tillinghast llamaba el *«más allá».* Me encontraba ahora sumido en un torbellino de sonidos y movimiento, acompañado de confusas visiones que se representaban ante mis ojos. Veía los contornos borrosos de la habitación, pero de algún lugar del espacio parecía brotar una burbujeante columna de nubes o de formas irreconocibles que traspasaban el sólido techo justo un poco a la derecha y por encima de mi cabeza. Luego volví a vislumbrar esa especie de templo, pero esta vez los pilares llegaban hasta un océano aéreo de luz, que emitía un rayo cegador sobre la nebulosa columna que había visto antes. Después, la escena se tornó casi en una especie de calidoscopio; y en esa mezcla de imágenes, sonidos e impresiones sensoriales indefinibles, sentí que estaba a punto de disolverme o de perder, de alguna manera, mi forma sólida. Siempre recordaré un resplandor definitivo. Por un instante, me pareció entrever un pedazo de un extraño cielo nocturno poblado de luminosas y bullentes esferas; y mientras desaparecía, vi que los soles resplandecientes formaban una constelación o galaxia de trazado bien definido, un trazado que se correspondía con el rostro desfigurado de Crawford Tillinghast. Un poco después, sentí que unos seres animados y gigantescos pasaban rozándome, *o caminaban o se deslizaban a través de mi cuerpo supuestamente sólido*; y me dio la sensación de que Tillinghast los observaba como si sus sentidos, mucho mejor adiestrados que los míos, pudieran captarlos visualmente. Recordé lo que había comentado acerca de la glándula pineal, y me pregunté qué estaría viendo con su mirada sobrenatural.

De repente, yo también fui poseído por una especie de visión aumentada. Alrededor y por encima de aquel caos luminoso y sombrío se hizo patente una imagen que, aunque vaga, albergaba ciertos elementos de consistencia y perpetuidad. En realidad, se trataba de algo familiar, ya que su parte insólita se superponía al simple escenario terrestre de la misma manera que una proyección cinematográfica se dibuja sobre el telón pintado de un teatro. Vi el laboratorio del ático, la máquina eléctrica y la deforme figura de Tillinghast enfrente de mí; pero no había ni un solo rincón libre de los acostumbrados objetos materiales, y ninguna fracción de espacio se encontraba vacía. Un sinfín de formas indescriptibles, vivas o no, se entremezclaban en un caos repugnante; y junto a los objetos conocidos había mundos enteros repletos de entidades ignotas y alienígenas. Era como si todas las cosas cotidianas se combinaran con otras totalmente desconocidas, y viceversa. Y sobre todo, entre las entidades vivas pululaban unas monstruosidades enormes, gelatinosas y negras como la tinta que se estremecían flácidas en armonía con las vibraciones procedentes de la máquina. Estaban presentes en repugnante profusión, y, horrorizado, descubrí que se *superponían*, que eran semilíquidas y capaces de interpenetrarse entre ellas y atravesar lo que nosotros consideramos cuerpos sólidos. Estos seres jamás permanecían quietos, sino que parecían flotar alrededor con algún propósito maligno. A veces parecían devorarse mutuamente, precipitándose el atacante sobre la víctima y haciéndola desaparecer de la vista al instante. Con un estremecimiento creí saber qué era lo que había eliminado al desafortunado subalterno, y ya no podía apartar aquellas cosas de mi mente mientras me esforzaba por captar nuevos detalles de este mundo inédito que bulle invisible a nuestro alrededor. Pero Tillinghast me había estado observando y ahora se puso a hablar.

–¿Los ves? ¿Los ves? ¿Ves a esos seres que flotan y aletean en torno a ti, y a través de ti, a cada instante de la vida? ¿Ves las criaturas que atestan lo que los hombres llaman el aire puro y el cielo azul? ¿Acaso no he conseguido romper la barrera, no te he mostrado mundos que ningún otro ser vivo ha logrado contemplar? –oí que gritaba por encima del horripilante caos mientras miraba su rostro descompuesto ofensivamente cerca del mío. Sus ojos eran dos piras de fuego que me observaban con lo que ahora reconozco como un odio infinito. La máquina zumbaba de manera repugnante.

»¿Acaso crees que esos seres tambaleantes fueron los que aniquilaron a los criados? ¡Imbécil, ésos son inofensivos! Y sin embargo, los sirvientes han desaparecido, ¿no es cierto? Intentaste detenerme; me desanimabas cuando necesitaba hasta el más pequeño soplo de aliento; tenías miedo de la verdad cósmica, maldito cobarde; ¡pero ahora estás en mis manos! ¿Qué aniquiló a los criados? ¿Qué les hizo proferir esos gritos espantosos?... No lo sabes, ¿verdad? ¡Pronto lo vas a saber! Mírame; escucha lo que tengo que decirte. ¿En serio piensas que existen cosas tales como el tiempo y la magnitud? ¿Crees que la forma y la materia son algo real? ¡Pues yo te digo que he hollado profundidades que tu raquítico cerebro no puede ni imaginar! He mirado más allá de los confines del infinito y he conjurado a los demonios de las estrellas... He enjaezado a las sombras que cabalgan de mundo en mundo sembrando la muerte y la locura... El espacio me pertenece, ¿lo oyes? Hay cosas que ahora me persiguen, seres que devoran y se disuelven; pero sé cómo evitarlos. Será a ti a quien atrapen, como atraparon a los criados. ¿Tiemblas, querido colega? Te dije que era peligroso moverse. Te he salvado al decirte que permanecieras quieto, te he salvado para que pudieras ver más cosas y para que escucharas lo que tenía que decirte. Si te hubieras movido, ellos habrían caído sobre ti hace tiempo. No temas, no van a hacerte *daño*. Tampoco se lo hicieron a los criados; fue su *visión* lo que hizo gritar a aquellos pobres diablos. Mis mascotas no son demasiado hermosas, pues proceden de lugares cuyos cánones de belleza son... *bastante diferentes*. La desintegración resulta completamente indolora, te lo aseguro; *pero quiero que los veas*. Yo mismo estuve a punto de verlos, pero supe detenerlos a tiempo. ¿No sientes curiosidad? ¡Siempre supe que no eras un verdadero científico! Estás temblando, ¿eh? Temblando de ansiedad por ver los últimos seres que he descubierto. ¿Por qué no te mueves, entonces? ¿Cansado? Bueno, no te preocupes, amigo mío, *porque ya vienen*... ¡Mira! ¡Mira, maldito, mira!... Justo encima de tu hombro izquierdo...

Lo que falta por narrar es muy breve, y quizá os resulte familiar tras las noticias aparecidas en los periódicos. La policía escuchó un disparo procedente de la vieja casa Tillinghast y nos encontró a ambos en su interior: Tillinghast muerto y yo inconsciente. Me arrestaron porque tenía el revólver en la mano, pero me soltaron a las pocas horas, tras descubrir que un ataque de apoplejía había acabado con la vida de Tillinghast, y comprobar que mi disparo se había dirigido contra la nociva maquinaria que ahora reposaba inservible en el suelo del laboratorio. No hablé mucho de todo lo que había visto, ya que tenía miedo de que el forense se mostrara escéptico; pero por las vagas explicaciones que le di, el doctor me aseguró que, sin ninguna duda, había sido hipnotizado por aquel demente criminal y vengativo.

Me gustaría poder creerle. Mis destrozados nervios se calmarían mucho si apartara de mi mente lo que ahora pienso acerca del cielo y el aire que me rodea. Jamás me siento a solas ni a gusto, y a veces, cuando estoy cansado, me asalta una terrible sensación, como si alguien me persiguiera. Lo que me impide creer en el diagnóstico del doctor es un hecho muy simple: que la policía jamás pudo encontrar los cuerpos de los criados cuyas muertes achacan a Crawford Tillinghast.

NYARLATHOTEP[1]

Nyarlathotep... el caos reptante... soy el último... hablaré del vacío audiente...

No recuerdo con claridad cuándo empezó, pero fue hace meses. La tensión general era horrible. A la agitación política y social de la época se sumaba el temor a un espantoso peligro físico, a un peligro tremendo y global; a un peligro que sólo cabía atribuir a los fantasmas de la noche. Recuerdo que la gente andaba con la cara pálida y asustada, y murmuraba advertencias y presagios que nadie osaba repetir o admitir haber oído. Un sentimiento de monstruosa culpa reinaba en la tierra, y de los abismos interestelares llegaban frías corrientes que hacían estremecerse a los hombres en los parajes oscuros y solitarios. Y sobrevino un cambio demoníaco en la sucesión de las estaciones: el calor del otoño se prolongó de manera alarmante, y todos comprendieron que el control del mundo, y quizá del universo, había pasado de fuerzas o dioses conocidos a fuerzas o dioses que nadie conocía.

Fue entonces cuando Nyarlathotep salió de Egipto[2]. Nadie sabía quién era; pero pertenecía a la estirpe nativa, y tenía los rasgos de un faraón. Los *fellahin* se arrodillaron al verle, aunque no sabían por qué. Dijo que había despertado de las tinieblas de veintisiete siglos, y que había oído mensajes de lugares que no eran de este planeta. Y Nyarlathotep recorrió los países de la civilización, cetrino, delgado, siniestro, sin parar de adquirir extraños instrumentos de vidrio y de metal que combinaba en otros más extraños. Hablaba de ciencias —de la electricidad, de la psicología—, y hacía exhibiciones de poder de las que los espectadores salían mudos de asombro, aunque contribuían a difundir su fama[3]. Con un estremecimiento, se recomendaban unos a otros ver a Nyarlathotep. Y allí donde él iba desaparecía el descanso; porque unos alaridos de pesadilla rasgaban las primeras horas de la madrugada. Nunca antes había habido un problema público de esa naturaleza; ahora los hombres de experiencia casi deseaban poder prohibir el sueño de madrugada, a fin de que los gritos de la ciudad turbasen menos la luna pálida y compasiva cuando espejeaba en las aguas verdes que discurrían bajo los puentes, y recortaba ruinosos campanarios contra un cielo enfermo.

Recuerdo cuando Nyarlathotep llegó a mi ciudad: la grande, la vieja, la terrible ciudad de crímenes innúmeros. Mi amigo me había hablado de él, del poder de fascinación y atracción de sus revelaciones, y ardía en deseos de asomarme a sus grandes misterios. Mi amigo decía que eran más horribles y tremendos que mis más febriles lucubraciones; que lo que se proyectaba en una pantalla de la sala oscura auguraba cosas que nadie más que Nyarlathotep se atrevía a profetizar, y que en la explosión de sus destellos se sustraía a los hombres lo que jamás se les había sustraído, pero que sólo se veía en los ojos. Y oí comentar en voz baja que los que conocían a Nyarlathotep tenían visiones que los demás no veían.

Fue en el otoño caluroso cuando, junto con una multitud inquieta, acudí una noche a ver a Nyarlathotep; en medio de la sofocante oscuridad, subí por una escalera interminable hasta la sala abarrotada. Y proyectadas sobre una pantalla, vi siluetas encapuchadas en medio de ruinas, y malignos rostros amarillos atisbando desde detrás de monumentos caídos. Y vi cómo el mundo luchaba contra las tinieblas, contra oleadas de destrucción que venían del espacio último, girando, batiendo, luchando alrededor de un sol cada vez más apagado, cada vez más frío. Entonces, sorprendentemente, empezaron a surgir chispas alrededor de las cabezas de los espectadores, y a ponérseles los cabellos de punta, al tiempo que surgían unas sombras grotescas como no sabría describir y se acuclillaban sobre sus cabezas. Y cuando, más frío y científico que los demás, masculló una tartamudeante protesta sobre «impostura» y «electricidad estática», Nyarlathotep nos expulsó a todos, por la escalera vertiginosa, a las húmedas, sofocantes y desiertas calles en mitad de la noche. Grité que no me daba miedo; que nunca me asustaría; y los demás empezaron a gritar conmigo para desahogarse. Nos juramos unos a otros que la ciudad era exactamente la misma, y que aún estaba viva. Y cuando las luces eléctricas empezaron a desvanecerse, maldijimos a la compañía una y otra vez, y nos reímos de las caras tan raras que poníamos.

Creo que notamos que algo descendía de la luna verdosa, porque cuando empezamos a depender de su luz avanzamos en extrañas formaciones involuntarias; y al parecer sabíamos nuestro destino aunque no nos atrevíamos a pensar en él. Una de las veces miramos el pavimento y vimos las losas sueltas y desplazadas por la yerba, con apenas unas vías de metal oxidado que mostraban por dónde habían circulado tranvías. Y en otro momento vimos un tranvía⁴, solitario, sin ventanillas, deteriorado, y casi caído de costado. Al mirar hacia el horizonte, no vimos la tercera torre junto al río, y observamos que la silueta de la segunda tenía mellada la parte superior. Entonces nos dividimos en dos columnas estrechas, y cada una tomó una dirección distinta. Una desapareció por un estrecho callejón de la izquierda, dejando sólo el eco de un gemido espantoso. La otra, entre risas de locura, enfiló por una entrada de metro invadida de maleza. Mi columna fue sorbida hacia campo abierto, y poco después sentí un frío que no provenía del otoño caluroso, porque al salir al páramo oscuro, vimos a nuestro alrededor el reflejo infernal de la luna en unas nieves malignas, en unas nieves inexplicables, no holladas, abiertas en una dirección, hasta donde había un abismo cuyas paredes relucientes lo hacían más tenebroso. La columna se iba volviendo más estrecha según avanzaba cansina y soñolienta hacia el abismo. Me fui rezagando, porque el surco negro de la nieve iluminada por una claridad verdosa era terrible, y me parecía oír el eco de inquietantes alaridos conforme desaparecían mis compañeros; pero la posibilidad de quedarme atrás era escasa. Como atraído por los que habían desaparecido delante, me desplazaba medio flotando entre gigantescas acumulaciones de nieve, temblando, asustado, hasta que entré en el torbellino ciego de lo inimaginable.

Desquiciadamente consciente, delirando de manera estúpida, como sólo los dioses que fueron podrían saberlo. Una sombra morbosa, sensible, retorciéndose en manos que no son manos, giraba ciegamente dejando atrás lívidas noches de pútrida creación, cadáveres de mundos muertos ulcerados de ciudades, vientos de carroña que barren las pálidas estrellas amortiguando su parpadeo. Y más allá de esos mundos, vagan espectros de monstruosas construcciones: columnas de templos profanos que descansan sobre rocas innominadas bajo el espacio y se alzan vertiginosas hasta el vacío de más allá de las esferas de luz y de las tinieblas. Y traspasando ese cementerio rotante del universo, un batir apagado y enloquecedor de tambores, un delgado y monótono quejido de flautas blasfemas procedente de inconcebibles y oscuras cámaras exteriores al Tiempo; detestables percusiones y tañidos a cuyos sones danzan torpes y absurdos los gigantescos y tenebrosos dioses últimos: gárgolas ciegas, mudas, estúpidas, cuya alma es Nyarlathotep.

LA LÁMINA DE LA CASA[1]

Los que buscan el horror frecuentan lugares apartados y extraños. Para ellos son las catacumbas de Ptolomeo, y los cincelados mausoleos de las regiones de pesadilla. Suben a las torres de ruinosos castillos del Rin a la luz de la luna, y bajan titubeantes por tenebrosas escaleras pobladas de telarañas bajo los sillares diseminados de olvidadas ciudades de Asia. El bosque encantado y la montaña desolada son sus santuarios, y se demoran ante siniestros monolitos de islas deshabitadas. Pero lo que más aprecia el verdadero epicuro de lo terrible, para quien el fin primordial y la justificación de la existencia es un nuevo estremecimiento de horror, son las antiguas y solitarias casas de campo de la Nueva Inglaterra profunda, porque en ellas se combinan la fuerza, la soledad, la ignorancia y lo grotesco para dar origen a la perfección de lo horrendo.

La visión más horrible de todas es la de las pequeñas casas de madera sin pintar, lejos de los caminos transitados, normalmente asentadas en alguna ladera húmeda y herbosa, o recostadas contra algún gigantesco afloramiento de roca. Doscientos o más años llevan ahí, exentas o apoyadas, mientras trepan las vides, y se ensanchan y se extienden los árboles. Ahora casi las oculta un verdor exuberante y anárquico, y jirones de sombra protectora; pero aún miran con asombro sus ventanas de cristales pequeños, como si parpadeasen a causa de un estupor mortal que mantiene alejada la locura oscureciendo el recuerdo de cosas indecibles.

En esas casas han vivido generaciones de gente extraña cuyo aspecto jamás ha visto el mundo. Sus antepasados, llevados por una creencia lúgubre y fanática que los exiliaba de sus semejantes, buscaron parajes remotos donde vivir libremente. Allí los vástagos de una raza conquistadora prosperaron sin imposiciones sociales, pero sometidos con espantosa esclavitud a los lúgubres fantasmas de sus propios cerebros. Divorciados de la luz de la civilización, la fuerza de estos puritanos adoptó canales singulares; y debido a su aislamiento y a su morbosa autorrepresión y lucha por la vida con la Naturaleza despiadada, emergieron en ellos larvados caracteres de las profundidades prehistóricas de su fría herencia nórdica. Acosada por las necesidades materiales y por su austera filosofía, esta sociedad no fue bella en sus pecados. Sujetos sus miembros al error como el resto de los mortales, su código rígido les hizo buscar donde esconderse por encima de todo lo demás, con lo que para ellos contó cada vez menos el gusto por lo que ocultaban. Sólo las casas del interior de los bosques, calladas, soñolientas, contemplativas, saben lo que han albergado desde los tiempos primitivos; pero no son locuaces, no quieren sacudirse la somnolencia que las ayuda a olvidar. A veces uno piensa que sería una obra de misericordia derribarlas, porque sin duda sueñan a menudo.

A uno de estos edificios deteriorados por el tiempo me empujó, una tarde de noviembre de 1896, una lluvia tan fría y copiosa que hacía preferible cualquier cobijo a la intemperie. Llevaba un tiempo viajando entre gente del valle del Miskatonic[2] en busca de cierta información genealógica; y dado lo remoto, tortuoso y problemático de mi recorrido, había decidido utilizar una bicicleta[3] pese a lo avanzado de la estación. Ahora, en un camino evidentemente abandonado que había escogido como el atajo más corto a Arkham[4], y sorprendido por la tormenta en un punto alejado de toda población, no veía ante mí otro refugio que el viejo y feo edificio de madera cuyas legañosas ventanas parpadeaban entre dos enormes olmos pelados, al pie de un cerro rocoso. Alejada de lo que quedaba del camino, esta casa me causó una impresión desfavorable desde el mismo instante en que la divisé. Una casa sana y honesta no mira al viajero de esa manera ceñuda y obsesiva; y en mis investigaciones genealógicas había topado con leyendas de un siglo atrás que me prevenían contra moradas de esta clase. Sin embargo, la furia de los elementos era tal que deseché mis escrúpulos, y decidí pedalear cuesta arriba, en la yerba, hasta la puerta cerrada, a la vez invitadora y reservada.

No sé por qué había dado por sentado que era una casa abandonada, aunque conforme me acercaba no me parecía tan seguro; porque aunque los senderos estaban invadidos de maleza, conservaban demasiado bien el carácter de tales para creer que su abandono fuera total. Así que en vez de empujar la puerta, llamé; y al hacerlo sentí una agitación que no pude explicarme. Mientras aguardaba en la piedra tosca y musgosa que hacía de umbral, eché una ojeada a las ventanas vecinas y a los cristales del montante encima de mí, y observé que aunque viejos, tableteantes, y casi opacos debido a la suciedad, no estaban rotos. Así que debía de estar habitada aún, a pesar de su aislamiento y su abandono general; conque, tras repetir la llamada, probé a girar el herrumbroso pomo de la puerta, y descubrí que no estaba cerrada. Dentro había un pequeño vestíbulo en el que el yeso se desprendía de las paredes, y del interior llegaba un olor débil aunque particularmente detestable. Entré, empujando la bicicleta, y cerré. Ante mí subía una estrecha escalera flanqueada por una puerta pequeña que sin duda conducía al sótano, mientras que a derecha e izquierda había puertas cerradas que daban a habitaciones de la planta baja.

Apoyé la bicicleta contra la pared, abrí la puerta de la izquierda, y crucé a una pequeña cámara de techo bajo, mal iluminada por dos ventanas polvorientas, y amueblada de la manera más elemental y primitiva que cabe imaginar. Parecía una especie de cuarto de estar, porque tenía una mesa y varias sillas, y una enorme chimenea sobre cuyo manto marcaba el tiempo un reloj antiguo. Libros y papeles había muy pocos, y en la oscuridad reinante no conseguí discernir bien sus títulos. Lo que me interesaba era el ambiente arcaico que se notaba en cada detalle. Había encontrado en la mayoría de las casas de esta región abundantes reliquias del pasado, pero aquí la antigüedad era total; porque no descubrí un solo objeto de fecha claramente posterior a la revolución. De haber sido el mobiliario algo menos modesto, el lugar habría sido el paraíso de un coleccionista.

Mientras examinaba este aposento pintoresco, sentí que me aumentaba la aversión que al principio me inspiró el desolado aspecto exterior de la casa. No podía determinar qué era exactamente lo que temía o me producía rechazo; pero había algo en su ambiente que parecía provenir de una época impía, un no sé qué de tosquedad desagradable, de secretos que debieran olvidarse. No tenía ganas de sentarme, y me puse a deambular y a examinar los diversos objetos que había. El primero que me llamó la atención fue un libro de tamaño medio que había sobre la mesa y presentaba un aspecto tan antediluviano que me produjo asombro verlo fuera de un museo o de una biblioteca. Estaba encuadernado en piel, con guarniciones de metal, y se hallaba en excelente estado de conservación, pese al hecho insólito de encontrarlo en una casa tan modesta. Al abrirlo por la portada mi asombro fue aún mayor, porque la rareza resultó ser nada menos que la descripción de la región del Congo, de Pigafetta, escrita en latín, con las notas del marinero López, e impreso en Fráncfort en 1598[5]. Había oído hablar a menudo de esta obra, con las curiosas ilustraciones de los hermanos De Bry; de ahí que, absorto mientras pasaba las páginas que tenía delante, me olvidé por unos momentos de mi desasosiego. Los grabados eran interesantes de veras, todos ellos fruto de la imaginación y de descripciones fantásticas; y representaban a los indígenas con piel blanca y rasgos caucásicos[6]; y no habría cerrado el libro enseguida, si no llega a ser por un detalle trivial que alteró mis cansados nervios y despertó mi inquietud: me irritaba la persistencia con que el libro tendía a abrirse por la lámina XII, que representaba con espantoso detalle una carnicería de caníbales anziques. Me dio vergüenza mi pusilanimidad ante algo tan intrascendente; pero el caso es que el dibujo me turbaba, sobre todo en relación con algunos pasajes adyacentes que describían la gastronomía anzique.

Me había acercado a un estante contiguo y estaba examinando su exiguo contenido literario –una Biblia del siglo XVIII, un *Pilgrim's Progress* de periodo parecido, ilustrado con grotescas xilografías e impreso por el editor de almanaques Isaiah Thomas, el volumen carcomido del *Magnalia Christi Americana* de Cotton Mather[7], y unos pocos libros más igualmente vetustos–, cuando atrajo mi atención el ruido inequívoco de unos pasos en el cuarto de arriba. Al principio, sobresaltado, ya que nadie había contestado a mis recientes llamadas a la puerta, concluí que el que andaba arriba se habría despertado de un sueño profundo; y escuché con menos sorpresa cuando las pisadas sonaron en la crujiente escalera. Eran pasos pesados, aunque había en ellos una extraña cautela, calidad que se me hacía más alarmante por su misma pesadez. Cuando entré había cerrado la puerta. Ahora, tras un momento de silencio durante el cual el que bajaba había debido de detenerse a examinar la bicicleta de la entrada, oí manotear en el picaporte, y vi cómo se abría la puerta de cuarterones.

En el vano surgió un individuo de aspecto tan singular que habría soltado un grito de no habérmelo impedido la educación. Viejo, con la barba blanca, y harapiento, mi anfitrión mostraba un semblante y un físico que inspiraban a la vez asombro y respeto. Su estatura no debía de sobrepasar los seis pies; y a pesar de un aire general de vejez y pobreza, era fuerte y robusto en proporción. Su rostro, casi oculto por una barba larga que le crecía desde la parte superior de las mejillas, parecía anormalmente rubicundo y menos arrugado de lo que cabía esperar, mientras que sobre su frente alta caía una asombrosa abundancia de cabello blanco que los años apenas habían debilitado. Sus ojos azules, aunque algo sanguinolentos, parecían inexplicablemente agudos y encendidos. De no haber sido por su horrible desaliño, habría ofrecido un aspecto tan distinguido como impresionante. Este desaliño, empero, le hacía repugnante a pesar de su rostro y su figura. Apenas sabría decir qué componía su indumentaria, ya que no parecía sino una acumulación de harapos en lo alto de un par de gruesas botas. En cuanto a su falta de limpieza, superaba toda descripción.

El aspecto de este hombre, y el temor instintivo que inspiraba, despertaron en mí cierta aversión; así que casi me estremecí, debido a la sorpresa y a una sensación de extraña incongruencia, cuando me invitó a sentarme con un gesto, y me saludó con una voz débil, tenue, llena de servil respeto y obsequiosa hospitalidad. Su lenguaje era sumamente curioso, una especie de cerrado dialecto yanqui que yo creía extinguido hacía tiempo; y pude seguirlo con atención cuando el viejo se sentó frente a mí y empezó a hablar.

–Le ha cogido la lluvia, ¿eh? –dijo a modo de saludo–. Me alegro que estuviera cerca de la casa y que haya tenido la sensatez de venir. Yo estaba dormido; si no, le habría oído... No soy ya tan joven como antes, y necesito descabezar más de un sueño al día. ¿Va muy lejos? Hace mucho que no veo gente por este camino, desde que quitaron la diligencia de Arkham.

Le contesté que me dirigía a Arkham, y me excusé por haber entrado bruscamente en su casa, tras lo cual prosiguió:

—Me alegro de verle, señor; escasean las caras nuevas por aquí, y estos días no he tenido mucho de qué alegrarme. Imagino que viene de Boston, ¿no? Yo nunca he estado allí, pero enseguida calo al que es de ciudad cuando lo tengo delante... En esta comarca tuvimos un maestro en el ochenta y cuatro, pero se fue de repente y no lo hemos vuelto a ver desde entonces —aquí el anciano se interrumpió con una risa contenida, y no dio ninguna explicación cuando le pregunté al respecto. Al parecer se encontraba rebosante de buen humor, aunque dotado de esas excentricidades que eran de sospechar por su atuendo. Durante un rato siguió divagando con casi febril afabilidad, hasta que se me ocurrió preguntarle cómo había conseguido un libro tan raro como el *Regnum Congo* de Pigafetta. No se me había ido aún la sorpresa de este volumen, y vacilé un poco antes de aludir a él; pero la curiosidad pudo más que todos los vagos temores que se me habían ido acumulando desde que vi la casa por primera vez. Para mi alivio, la pregunta no pareció producirle ningún embarazo; porque contestó espontáneamente y con locuacidad.

»Ah, ¿ese libro de África? Me lo cambió en el sesenta y ocho el capitán Ebenezer Holt, que murió en la guerra —algo en el nombre de Ebenezer Holt me hizo alzar los ojos vivamente. Había tropezado con ese nombre en mis indagaciones genealógicas, aunque no en los archivos de la revolución. Me pregunté si mi anfitrión podría ayudarme en el trabajo que tenía entre manos, y decidí preguntarle más adelante. Prosiguió:

»Ebenezer fue un mercader de Salem durante años, y se hacía con toda clase de cosas raras que veía en cada puerto. Lo trajo de Londres, creo; solía gustarle comprar en las tiendas. Yo estuve una vez en su casa, en el cerro, a venderle caballos; entonces vi el libro. Me gustaron las láminas, así que me lo cedió en un cambio. Es un libro raro... Espere que me ponga los lentes —el viejo hurgó entre sus harapos, y sacó unas gafas sucias, asombrosamente antiguas, con cristales octogonales y pinza de acero. Se las puso, alargó la mano al volumen de la mesa y se puso a hojear amorosamente.

»Ebenezer entendía un poco esto... es latín; pero yo no. Pedí a dos o tres maestros que me leyeran un poco, y al pastor Clark, que dicen que se ahogó en la charca... ¿entiende usted algo de lo que pone? —le dije que sí, y le traduje un párrafo del principio. Si me equivoqué, él no parecía lo bastante ducho para corregirme, porque se mostró puerilmente complacido con mi versión inglesa. Su proximidad se me estaba haciendo bastante desagradable, aunque no veía la forma de escabullirme sin que pareciese una descortesía. Me hacía gracia la afición pueril de este viejo ignorante por las ilustraciones de un libro que no sabía leer, y me pregunté si habría leído los pocos libros en inglés que adornaban el cuarto. Esta revelación de simplicidad me disipó en gran medida el vago recelo que había sentido, y sonreí mientras mi anfitrión continuaba:

»Es curioso cómo le hacen pensar a uno las láminas. Mire ésta de aquí, del principio. ¿Ha visto alguna vez árboles de esa clase, agitando sus grandes hojas arriba y abajo? Y los hombres (no pueden ser negros), superan todo lo demás. Son más como indios, diría yo, por mucho que estén en África. Algunas criaturas de éstas parecen monos, o mitad monos mitad hombres, pero en mi vida había visto nada igual —aquí señaló un ser fabuloso, producto de la imaginación del artista, que podría describirse como una especie de dragón con cabeza de caimán.

»Pero voy a enseñarle la mejor; está por aquí, por el centro —la voz del viejo se volvió algo más recia, y sus ojos adquirieron un brillo más vivo; y sus manos vacilantes, aparentemente torpes, cumplieron con suficiencia su misión. El libro se abrió casi espontáneamente por la repugnante lámina doce, que representaba una carnicería de caníbales anziques, como si dicha página hubiera sido consultada a menudo. Me volvió el desasosiego, aunque no lo exterioricé. Lo realmente singular era que el artista había representado a los africanos como hombres blancos: los miembros y cuartos que colgaban de las paredes de la tienda estaban lívidos, mientras que el carnicero con el hacha resultaba espantosamente incongruente. Sin embargo, a mi anfitrión parecía gustarle la escena tanto como me desagradaba a mí.

»¿Qué le parece? ¿A que nunca ha visto nada parecido por ahí? Yo apenas la vi le dije a Eb Holt: "¡Esto encandila y hace hervir la sangre!" Cuando leo lo que ponen las *Escreturas* sobre matanzas como la de los *midianitas*, me pongo a pensar en cosas así, pero sobre ellas no tengo ninguna lámina. Aquí se ve todo lo que para uno es... imagino que pecado; pero ¿acaso no venimos al mundo en pecado y vivimos en él? Me quedo embelesado cada vez que me pongo a mirar al compadre que están troceando... no puedo dejar de mirarlo... ¿Ve dónde el carnicero le ha cortado las piernas? Y la cabeza está aquí en el banco, con un brazo al lado, y el otro brazo en el suelo al pie del tajo.

Mientras mascullaba con espantoso arrobamiento, su rostro peludo y con lentes adquirió una expresión indescriptible; pero su voz se fue apagando en vez de aumentar. Me es difícil consignar mis propias emociones. De pronto me asaltó con toda intensidad el vago terror que había experimentado antes, y sentí una infinita repugnancia hacia el ser decrépito y detestable que tenía tan cerca. Su demencia, o su parcial perversión, parecía evidente. Casi susurraba ahora, en un tono ronco más terrible que los gritos; y yo temblaba mientras escuchaba.

–Como digo, es curioso cómo las láminas hacen pensar. Me refiero, joven señor, a ésta de aquí. Desde que Eb me cambió el libro lo he hojeado montones de veces; mayormente los domingos, después de oír tronar al pastor Clark con su gran peluca. Una vez me vino la idea de hacer yo algo divertido... Vamos, joven señor, no se alarme; lo único que hice fue sacrificar las ovejas para el mercado siguiendo la lámina; sacrificar ovejas se me hizo más divertido con ella delante... –la voz del viejo se volvió ahora muy baja, y a veces tan débil que a duras penas entendía lo que decía. Estaba oyendo la lluvia, y el tableteo de las ventanas de pequeños cristales manchados; y notaba cómo se acercaban unos truenos totalmente insólitos en esta época del año. Una de las veces un trueno tremendo sacudió la casa hasta los cimientos; sin embargo, el viejo no pareció advertirlo.

»Le encontré bastante más gracia a sacrificar ovejas... Aunque, la verdad, no la *suficiente*. Es curioso cómo se apodera de uno el deseo de más. Por lo que más quiera, muchacho, no se lo cuente a nadie. Pero le juro por Dios que esa lámina empezó a despertarme *hambre de vituallas que no podía criar ni comprar*... Pero serénese, hombre. ¿Qué le pasa? Yo no hice nada; sólo me preguntaba qué pasaría si... Bueno, dicen que comer carne hace carne y sangre, y que le da vida a uno; así que me preguntaba si no daría más vida si fuera *más igual*... –pero no pudo seguir. Su interrupción no la causó mi estremecimiento, ni el aumento de la tormenta, en medio de cuya furia abrí los ojos, poco después, frente a una humeante soledad de ruinas ennegrecidas. La ocasionó algo muy simple, aunque insólito, que ocurrió.

El libro se hallaba abierto entre nosotros con la repugnante lámina mirando hacia arriba. A la vez que el viejo pronunciaba las palabras *«más igual»* se oyó el impacto de una gota que dio en el papel amarillento del volumen abierto. Pensé que era de lluvia, de una gotera del techo; pero la lluvia no es roja. En la carnicería de caníbales anziques brilló gráficamente una pequeña salpicadura de color rojo que recalcaba el horror del grabado. La vio el anciano, y dejó de murmurar antes incluso de que mi expresión de espanto le obligara a ello; la vio, y alzó vivamente los ojos hacia la habitación que había abandonado una hora antes. Seguí su mirada, y descubrí justo encima de nosotros, en el yeso semidesprendido del techo, una gran mancha carmesí de forma irregular que se iba extendiendo mientras mirábamos. No grité ni hice ningún movimiento; simplemente cerré los ojos. Un instante después cayó el más descomunal de los rayos, destruyendo aquella casa maldita de indecibles secretos y trayéndome el olvido que me salvó la razón.

EX OBLIVIONE[1]

Cuando me llegaron los últimos días, y las feas trivialidades de la vida me hundieron en la locura como esas gotas de agua que el torturador deja caer sin cesar sobre un punto del cuerpo de su víctima, dormir se convirtió para mí en un refugio luminoso. En mis sueños encontré un poco de la belleza que había buscado en vano durante la vida, y pude vagar por viejos jardines y bosques encantados.

Una vez en que el viento era suave y fragante oí la llamada del sur, y navegué interminable y lánguidamente bajo extrañas estrellas.

Otra vez en que caía mansa la lluvia navegué tierra adentro por un río sin sol, hasta que llegué a un mundo de crepúsculo púrpura, emparrados iridiscentes, y rosas imperecederas.

Y otra anduve por un valle dorado que conducía a umbríos bosquecillos y ruinas, y terminaba en un enorme muro verde con parras antiguas, y un pequeño acceso con puerta de bronce.

Muchas veces recorrí ese valle; y cada vez me demoraba más en él, en una media luz espectral donde los árboles gigantescos se retorcían grotescamente, y el suelo gris se extendía húmedo de tronco a tronco, dejando al descubierto sillares de templos enterrados. Y siempre la meta de mis quimeras era el muro cubierto de vid y la puerta de bronce.

Algún tiempo después, a medida que los días vigiles se iban haciendo menos soportables por monótonos y grises, vagué a menudo en hipnótica paz por el valle y por los umbríos bosquecillos; y me preguntaba cómo podría adoptar estos parajes como morada eterna, de manera que nunca más tuviese que volver a un mundo insulso y falto de interés y de colores nuevos. Y al mirar la pequeña puerta del muro poderoso, me di cuenta de que al otro lado se extendía una región de ensueño de la que, una vez que se entrara, no habría regreso.

Así que por las noches, en sueños, trataba de encontrar el cerrojo de la cancela del templo cubierto de hiedra, aunque estaba muy oculto. Y me decía que el reino del otro lado del muro no sólo era más duradero, sino también más hermoso y radiante.

Más tarde, una noche, descubrí en la ciudad onírica de Zakarion un papiro amarillento repleto de pensamientos de los sabios que habitaban desde antiguo en esa ciudad, y eran demasiado sabios para haber nacido en el mundo vigil. En él había escritas muchas cosas sobre el mundo de los sueños, entre ellas el saber sobre un valle dorado y un bosquecillo sagrado con templos, y un gran muro con una abertura cerrada por una pequeña puerta de bronce. Cuando fui consciente de esto, comprendí que se refería a los escenarios que había frecuentado; así que me enfrasqué en la lectura del papiro amarillento.

Algunos de estos sabios soñados hablaban con deslumbramiento de las maravillas del otro lado de la puerta sin retorno, si bien otros lo hacían con horror y decepción. No sabía qué creer; aunque anhelaba cada vez más entrar definitivamente en el país desconocido; porque la duda y el misterio son el más irresistible de los señuelos, y ningún nuevo horror puede ser más terrible que la tortura diaria de la vulgaridad. Así que cuando supe de una droga que abría la cancela y permitía cruzar adentro, decidí tomarla tan pronto despertase.

Anoche la tomé y, en su sueño, recorrí flotando el valle y los bosquecillos umbríos; y al llegar esta vez al muro antiguo, vi que la pequeña puerta de bronce estaba entornada. Del otro lado llegaba un resplandor que iluminaba espectralmente los árboles gigantescos y retorcidos y las cubiertas de los templos sepultados; y seguí desplazándome musicalmente, expectante de las glorias del país del que nunca volvería.

Pero en cuanto la puerta se abrió más, y el embrujo de la droga y el sueño me empujaron por ella, supe que todas las glorias y visiones habían terminado; porque en ese nuevo reino no había ni tierra ni mar, sino sólo el blanco vacío del espacio ilimitado y desierto. Así, más dichoso de lo que nunca había osado esperar, me disolví nuevamente en esa infinitud original de olvido cristalino de la que el demonio Vida me había sacado por una hora breve y desolada.

LA CIUDAD SIN NOMBRE[1]

Cuando me aproximaba a la ciudad sin nombre comprendí que estaba maldita. Atravesaba un valle agostado y atroz iluminado por la luna, y en lontananza la vi sobresalir asombrosamente por encima de las arenas como puede sobresalir parte de un cadáver mal enterrado. Las piedras desgastadas por el paso del tiempo de aquella vetusta superviviente del diluvio, aquella bisabuela de la más antigua pirámide, daban miedo; y un aura imperceptible me repelía y me ordenaba dar marcha atrás ante aquellos ancestrales y siniestros secretos que ningún hombre debería ver, ni nadie se había atrevido a visitar.

Perdida en el desierto de Arabia yace la ciudad sin nombre, desmoronada y desarticulada, casi cubiertas sus bajas murallas por las arenas de innumerables siglos. Así debía de haber estado antes de que se pusieran las primeras piedras de Menfis, y cuando los ladrillos de Babilonia todavía no se habían cocido. No hay ninguna leyenda tan antigua que la nombre o recuerde que alguna vez tuvo vida; pero se habla de ella en voz baja alrededor de los fuegos de campamento y las abuelas murmuran acerca de ella en las tiendas de los jeques, de suerte que todas las tribus la rehúyen sin saber del todo por qué. Fue con ese lugar con el que soñó el poeta loco Abdul Alhazred[2] la noche antes de entonar su inexplicable pareado:

«Que no está muerto lo que puede yacer eternamente
y en los eones venideros hasta la muerte puede morir».

Aunque yo debía haber sabido que los árabes tenían buenas razones para rehuir la ciudad sin nombre, la ciudad de la que se habla en extrañas narraciones pero que ningún hombre vivo ha visto, las desafié y me interné con mi camello en el desierto inexplorado. Sólo yo la he visto, y por eso ningún otro rostro tiene unas arrugas tan horrorosas como las que el miedo ha marcado en el mío; por eso ningún otro hombre se estremece de una forma tan horrible cuando el viento nocturno golpetea las ventanas. Cuando tropecé con ella en la espectral quietud de un sueño interminable, me miró escalofriada por los rayos de una luna fría en medio del calor del desierto. Y cuando le devolví la mirada, olvidé mi júbilo por haberla encontrado, y me quedé inmóvil con mi camello a esperar que amaneciera.

Esperé durante horas, hasta que el cielo se puso gris por el este y las estrellas se apagaron, y el gris se convirtió en un resplandor rosado ribeteado de oro. Oí un gemido y vi que una tormenta de arena se levantaba entre las viejas piedras, aunque el cielo estaba claro y las vastas extensiones del desierto en calma. Entonces, de pronto, por encima del lejano horizonte del desierto surgió el limbo abrasador del sol, visto a través de la minúscula tormenta de arena que ya amainaba, y en mi estado febril me imaginé que de alguna remota profundidad venía un estruendo de música metálica que saludaba al llameante disco, como Memnón lo saluda desde las riberas del Nilo[3]. Me zumbaban los oídos y me bullía la imaginación mientras conducía lentamente mi camello a través de la arena hasta aquel lugar de piedra jamás mencionado; aquel lugar demasiado antiguo para que lo recordaran en Egipto o Meroé[4]; aquel lugar que, de todos los hombres que han vivido, sólo yo había visto.

Vagué de un lado a otro por entre los informes cimientos de casas y palacios, y no encontré ni una escultura o inscripción que hablase de aquellos hombres, si es que fueron hombres los que edificaron la ciudad y moraron en ella hacía tanto tiempo. La antigüedad de aquel lugar era malsana, y yo ansiaba encontrar algún rastro o artefacto que demostrara que la ciudad fue creada, en efecto, por seres humanos. Había ciertas *proporciones* y *dimensiones* en las ruinas que no me gustaban nada. Llevaba conmigo muchas herramientas y cavé bastante en el interior de los muros de los arrasados edificios; pero el progreso era lento y no descubrí nada significativo. Cuando la noche y la luna retornaron sentí un viento helado que me trajo un nuevo temor, de modo que no me atreví a permanecer en la ciudad. Y cuando salía fuera de los viejos muros para pasar la noche, una pequeña y susurrante tormenta de arena se formó detrás de mí, soplando por encima de las piedras grises aunque brillaba la luna y la mayor parte del desierto estaba en calma.

Me desperté justo al amanecer de todo un desfile de horribles pesadillas, y los oídos me zumbaban como por efecto de algún estruendo metálico. Vi asomar el rojizo sol a través de las últimas ráfagas de una pequeña tormenta de arena que se cernía sobre la ciudad sin nombre, y celebré la quietud del resto del paisaje. Me aventuré de nuevo a introducirme en aquellas inquietantes ruinas que abultaban bajo la arena como un ogro bajo una colcha, y una vez más busqué inútilmente reliquias de la raza olvidada. A mediodía descansé, y por la tarde dediqué mucho tiempo a localizar los muros y las calles del pasado, y los perfiles de los edificios casi desaparecidos. Vi que la ciudad había sido poderosa, en efecto, y me pregunté cuáles podían haber sido los orígenes de su grandeza. Me imaginé todo el esplendor de una época tan remota que ni Caldea podría haber recordado, y pensé en Sarnath la Predestinada, que estaba en el país de Mnar cuando la humanidad todavía era joven, y en Ib, que fue esculpida en piedra gris antes de que existiera el género humano.

De repente llegué a un lugar donde la roca firme se alzaba completamente de la arena y formaba un pequeño precipicio; y allí vi con alegría lo que parecía prometer más vestigios de aquel pueblo antediluviano. Talladas de forma rudimentaria en el frente del precipicio aparecían las inconfundibles fachadas de varios edificios de roca o templos, pequeños y achaparrados, cuyos interiores conservaban quizá muchos secretos de épocas incalculablemente remotas, aunque las tormentas de arena hacía mucho tiempo que habían borrado cualquier talla que pudiera haber habido en el exterior.

Todas las oscuras aberturas cercanas a mí eran muy bajas y estaban obstruidas por la arena, pero despejé una de ellas con mi pala y me metí a gatas, llevando una antorcha para que me revelase cualquier misterio que pudiera contener. Cuando estuve dentro, comprobé que la caverna era en efecto un templo, y observé evidentes rastros de la raza que había vivido y rendido culto antes de que el desierto fuera desierto. No faltaban altares primitivos, pilares y nichos, todos curiosamente bajos; y aunque no vi esculturas ni frescos, había muchas piedras raras, obviamente labradas en forma de símbolos por medios artificiales. Era muy extraña la poca altura de la cámara cincelada, pues apenas podía mantenerme derecho más que de rodillas; pero el recinto era tan grande que mi antorcha no podía iluminarlo por completo de una vez. Me estremecí de un modo extraño en algunos de los rincones más alejados, pues ciertos altares y lápidas sugerían ritos olvidados de una índole terrible, repugnante e inexplicable, que hizo que me preguntase qué clase de hombres pudo haber construido y frecuentado semejante templo. Cuando hube visto todo lo que contenía aquel lugar, salí de nuevo a gatas, ávido por descubrir lo que los demás templos pudieran depararme. La noche se había echado encima, pero las cosas tangibles que había visto hacían que mi curiosidad fuese más fuerte que el miedo, de modo que no huí de las largas sombras arrojadas por la luna que tanto me habían intimidado la primera vez que vi la ciudad sin nombre. A la luz del crepúsculo despejé otra abertura y con una nueva antorcha me metí a gatas, hallando más piedras y símbolos imprecisos, aunque nada más definitivo que lo que contenía el otro templo. La sala era igual de baja, aunque mucho menos amplia, y terminaba en un pasadizo muy estrecho, atestado de recónditas y enigmáticas hornacinas. Cuando estaba curioseando por entre aquellas hornacinas, el ruido del viento y el que hacía mi camello en el exterior rompió la quietud y me hizo salir para ver qué había asustado al animal.

La luna brillaba con viveza sobre aquellas ruinas primitivas, iluminando una densa nube de arena que parecía impulsada por un viento fuerte pero menguante procedente de algún punto a lo largo del precipicio que tenía ante mí. Me di cuenta de que era aquel viento helado y arenoso lo que había trastornado al camello y, cuando iba a llevarlo a un lugar más protegido, levanté la vista por casualidad y vi que no soplaba ningún viento encima del precipicio. Aquello me dejó estupefacto y me hizo sentir miedo de nuevo, pero inmediatamente recordé los repentinos vientos locales que había visto y oído antes al amanecer y a la caída de la tarde, y juzgué que era algo normal. Decidí que procedía de alguna grieta en la roca que conducía a alguna cueva, y observé las arenas revueltas para localizar su origen. Pronto comprendí que provenía del orificio negro de un templo mucho más al sur de donde yo me encontraba, casi fuera del alcance de la vista. Anduve con dificultad hacia el templo en contra de la sofocante nube de arena, y al acercarme me pareció más grande que el resto y que su entrada estaba mucho menos atascada de arena apelmazada. Habría entrado de no ser porque la terrible fuerza de aquel viento glacial casi apagó mi antorcha. Salía a raudales por aquella sombría puerta, susurrando misteriosamente mientras agitaba la arena y la esparcía por entre aquellas fantásticas ruinas. Pronto empezó a debilitarse y la arena se fue apaciguando hasta que por fin de nuevo quedó todo en calma; mas una presencia parecía acechar entre las espectrales piedras de la ciudad y, cuando miré a la luna, me pareció que temblaba como si se reflejase en unas aguas agitadas. Estaba más asustado de lo que podía explicarme, pero no lo suficiente como para embotar mi ansia de portentos; de modo que en cuanto el viento desapareció pasé al interior de la oscura cámara de donde había surgido.

Aquel templo, como me había imaginado desde el exterior, era más grande que ninguno de los que había visitado antes; y probablemente era una caverna natural, ya que soportaba vientos procedentes de alguna zona más alejada. Allí pude ponerme completamente de pie, pero vi que las piedras y los altares eran tan bajos como los de los demás templos. En los muros y en el techo contemplé por primera vez algún vestigio del arte pictórico de aquella raza antigua, unos curiosos regueros ondulados de pintura que casi se habían descolorido o desmenuzado; y en dos de los altares vi con creciente excitación un laberinto de relieves curvilíneos muy bien labrados. Mientras sostenía mi antorcha en alto, me pareció que la forma del techo era demasiado regular para ser natural, y me pregunté qué tallistas prehistóricos habrían sido los primeros en trabajar en aquel lugar. Su destreza técnica debió de haber sido enorme.

Luego, una llamarada más brillante de la caprichosa llama me reveló lo que había estado buscando, la abertura a aquellos abismos más remotos de donde había soplado el imprevisto viento; y me sentí desfallecer cuando vi que se trataba de una puerta pequeña y sin ninguna duda *artificial* cincelada en la sólida roca. Metí mi antorcha en su interior y vi un túnel negro de techo abovedado y bajo por encima de un tosco tramo descendente de escalones muy pequeños, numerosos y empinados. Siempre veré en mis sueños aquellos escalones, pues llegué a saber lo que significaban. En aquellos momentos apenas sabía si llamarlos escalones o simples puntos de apoyo en una pendiente escarpada. Me daban vueltas en la cabeza pensamientos insensatos, y las palabras y advertencias de los profetas árabes parecían flotar a través del desierto desde las tierras que los hombres conocen hasta aquella ciudad perdida que no se atreven a conocer. Pero sólo vacilé un instante antes de atravesar el umbral y comenzar a bajar cautelosamente por aquel empinado pasadizo, con los pies por delante, como por una escala.

Sólo en las terribles fantasías producidas por las drogas o el delirio es posible que algún otro hombre haya hecho un descenso como el que yo hice. El estrecho pasadizo bajaba interminablemente como un espantoso pozo encantado, y la antorcha que yo sostenía por encima de mi cabeza no podía iluminar las desconocidas profundidades hacia las que me arrastraba. Perdí la noción del tiempo y olvidé consultar mi reloj, aunque me asusté al pensar en la distancia que debía de estar recorriendo. Había cambios de dirección y de inclinación, y en una ocasión llegué a un pasadizo largo, bajo y llano, donde tuve que deslizarme por el suelo rocoso con los pies por delante, sosteniendo la antorcha alejada de la cabeza cuanto me permitía la longitud del brazo. El lugar no tenía altura suficiente para arrodillarse. Después había más escalones empinados, y seguí bajando a gatas interminablemente cuando mi vacilante antorcha se apagó. Creo que en aquel momento no me di cuenta, pues cuando reparé en ello todavía la sostenía en alto por encima de mi cabeza como si estuviera encendida. Me había trastornado por completo aquella inclinación mía por lo extraño y lo desconocido que me había convertido en un nómada en la tierra y un asiduo de lugares lejanos, antiguos y prohibidos.

En la oscuridad me pasaron por la cabeza fragmentos de mi apreciado tesoro de conocimientos demoníacos: frases del árabe loco Alhazred, párrafos de las pesadillas apócrifas de Damascio[5] y frases infames de la delirante *Image du Monde* de Gauthier de Metz[6]. Repetí curiosos extractos y murmuré algo sobre Afrasiab y los demonios que bajaron flotando con él por el Oxus[7]; y más tarde salmodié una y otra vez una frase de uno de los cuentos de Lord Dunsany: «La negrura sin reverberación del abismo»[8]. En cierta ocasión en que el descenso llegó a ser increíblemente empinado recité con voz cantarina algo de Thomas Moore hasta que tuve miedo de seguir haciéndolo:

Un depósito de tinieblas, negro
como los calderos de las brujas llenos
de drogas lunares en eclipse destiladas.
Al inclinarme a mirar si el pie podía pasar
a través de aquella sima, vi, allá abajo,
hasta donde la vista podía explorar,
paredes negras como el azabache y pulidas como el cristal,
que parecían recién barnizadas
con la negra brea que el Mar de la Muerte
arroja a sus viscosas orillas[9].

El tiempo había dejado realmente de existir cuando mis pies tocaron de nuevo un suelo plano, y me vi en un lugar ligeramente más alto que las salas de los dos templos más pequeños que ahora quedaban por encima de mí a una distancia tan incalculable. No podía ponerme de pie, pero sí arrodillarme y mantenerme erguido, y me arrastré con cautela de un lado a otro completamente al azar. Enseguida me di cuenta de que me encontraba en un estrecho corredor cuyas paredes estaban cubiertas de vitrinas de madera con el frente de cristal. Al encontrar en aquel lugar paleozoico y abismal cosas tales como madera pulimentada y vidrio me estremecí por las posibles implicaciones. Las vitrinas estaban alineadas, al parecer, a ambos lados del corredor a intervalos regulares y eran oblongas y horizontales, horriblemente parecidas a ataúdes por su forma y tamaño. Cuando intenté mover dos o tres para examinarlas posteriormente, comprobé que estaban firmemente sujetas.

Me figuré que el corredor era largo, de modo que seguí adelante rápidamente, a trancas y barrancas, en una carrera progresiva que habría parecido horrible si alguien me hubiera observado en la oscuridad; de vez en cuando cruzaba de un lado a otro para tantear mi entorno y asegurarme de que las paredes y las filas de vitrinas todavía se prolongaban. El hombre está tan acostumbrado a pensar visualmente que casi me olvidé de la oscuridad y me imaginé el interminable corredor monótonamente cubierto en su parte baja de madera y cristal como si lo viera.

No sabría decir exactamente cuándo se fundió mi imaginación con la visión real, pero surgió un resplandor gradual delante de mí, y de repente me di cuenta de que veía los borrosos contornos del corredor y de las vitrinas, puestos de manifiesto por alguna desconocida fosforescencia subterránea. Por un momento todo fue exactamente como yo lo había imaginado, pues el resplandor era muy débil; pero cuando maquinalmente seguí avanzando a trompicones hacia la luz más fuerte me di cuenta de que mi imaginación se había quedado corta. Aquel pasillo no era una tosca reliquia como los templos de la ciudad de arriba, sino un monumento de un arte de lo más magnífico y exótico. Espléndidos y vigorosos dibujos y pinturas, osadamente fantásticos, formaban una ininterrumpida combinación de decoración mural cuyas líneas y colores sería imposible describir. Las vitrinas eran de una extraña madera dorada, con frentes de exquisito cristal, y contenían los cuerpos momificados de unas criaturas cuyas formas grotescas superaban los más caóticos sueños humanos.

Es imposible dar una idea de tales monstruosidades. Eran de la clase de los reptiles, y sus rasgos corporales unas veces hacían pensar en los cocodrilos y otras en las focas, pero más frecuentemente en seres de los que ni los naturalistas ni los paleontólogos jamás han sabido. Eran aproximadamente del tamaño de un hombre bajo y sus patas delanteras estaban provistas de unos pies delicados y al parecer flexibles, curiosamente parecidos a las manos y los dedos humanos. Pero lo más extraño de todo eran sus cabezas, cuyo contorno infringía todos los principios biológicos conocidos. No hay nada a lo que aquellas criaturas pudieran compararse convenientemente… por un momento pensé en compararlas con seres tan diversos como el gato, el perro de presa, el sátiro de la mitología y la especie humana. Ni el mismo Júpiter tenía una frente tan colosal y protuberante, y sin embargo los cuernos, la falta de nariz y la mandíbula como de caimán colocaban a aquellas criaturas al margen de todas las categorías establecidas. Por un momento dudé de la realidad de aquellas momias y casi llegué a imaginarme que eran ídolos artificiales; pero enseguida decidí que se trataban, en efecto, de algunas especies paleógenas que habían vivido cuando la ciudad sin nombre todavía existía. Para rematar su aspecto grotesco, la mayor parte de ellas iban suntuosamente vestidas con los más costosos tejidos y profusamente cargadas de adornos de oro, joyas y desconocidos metales relucientes.

La importancia de aquellas criaturas reptantes debió de haber sido considerable, pues ocupaban un lugar preferente entre los descabellados motivos de los frescos que cubrían las paredes y el techo. Con incomparable destreza el artista las había dibujado en su propio mundo, en el cual tenían ciudades y parques adaptados a sus dimensiones; y no pude por menos de pensar que su historia representada era alegórica, mostrando quizá el progreso de la raza que les rendía culto. Aquellas criaturas, me dije, debieron de ser para los habitantes de la ciudad sin nombre lo que la loba para Roma, o algún animal totémico para una tribu de indios.

Según ese punto de vista, creí poder descubrir en líneas generales la epopeya de la ciudad sin nombre, la historia de una poderosa metrópoli costera que gobernó el mundo antes de que África surgiera de las olas, y de sus forcejeos cuando el mar se fue retirando y el desierto invadió poco a poco el fértil valle que la sostenía. Me imaginé sus guerras y sus triunfos, sus apuros y sus derrotas, y después su terrible combate contra el desierto cuando millares de sus habitantes –aquí representados alegóricamente como grotescos reptiles– se vieron obligados a abrirse camino hacia las profundidades, excavando las rocas de un modo maravilloso, hasta llegar a otro mundo del que les habían hablado sus profetas. Todo era intensamente misterioso y realista, y sin duda alguna estaba relacionado con el impresionante descenso que yo acababa de hacer. Incluso reconocí los pasadizos.

Mientras avanzaba lentamente por el corredor hacia la luz más brillante, vi escenas posteriores de la epopeya pintada: la despedida de la raza que había morado en la ciudad sin nombre y el valle circundante durante diez millones de años; la raza a cuyas gentes les horrorizó abandonar los escenarios que sus cuerpos habían conocido durante tanto tiempo, donde se habían establecido como nómadas cuando la tierra era joven, tallando en la roca virgen aquellos santuarios primitivos en los que nunca dejaron de practicar su culto. Cuando la luz mejoró examiné las pinturas más detenidamente y, recordando que los extraños reptiles debían de representar a los hombres desconocidos, cavilé sobre las costumbres de la ciudad sin nombre. Había muchas cosas raras e inexplicables. Aquella civilización, que incluía un alfabeto escrito, había alcanzado al parecer un grado superior al de las civilizaciones enormemente posteriores de Egipto y Caldea, aunque se advertían curiosas omisiones. No pude encontrar, por ejemplo, ninguna pintura que representara muertes o costumbres funerarias, salvo las relacionadas con guerras, violencia y plagas; y me asombró la reserva que mostraban acerca de la muerte natural. Era como si hubiesen promovido un ideal de inmortalidad como una prometedora ilusión.

Todavía más cerca del final del pasadizo había escenas pintadas de lo más pintoresco y extravagante: panorámicas de la ciudad sin nombre que contrastaban por su abandono y su creciente ruina, y del extraño nuevo reino o paraíso hacia el cual la raza se había abierto camino excavando a través de la piedra. En aquellas vistas la ciudad y el valle desierto eran siempre mostrados a la luz de la luna, con un nimbo dorado planeando sobre los muros derrumbados y revelando a medias la espléndida perfección de tiempos pasados, expuestos por el artista espectralmente y de manera esquiva. Las escenas paradisíacas eran casi demasiado extravagantes para ser creíbles, representando un mundo oculto donde siempre era de día, lleno de ciudades espléndidas y etéreos cerros y valles. Al final de todo me pareció ver signos de anticlímax artístico. Las pinturas eran menos diestras y mucho más caprichosas incluso que las de las más descabelladas escenas anteriores. Parecían indicar una lenta decadencia de la antigua raza, unida a una creciente ferocidad hacia el mundo exterior del cual les había expulsado el desierto. Los cuerpos de aquellas gentes –siempre representados por los reptiles sagrados– parecían ir consumiéndose poco a poco, aunque su espíritu, que mostraban planeando sobre las ruinas a la luz de la luna, aumentaba en proporción. Sacerdotes demacrados, visualizados como reptiles con aparatosos ropajes, maldecían el aire de la superficie y a todos los que lo respiraban; y una terrible escena final mostraba a un hombre de aspecto primitivo, quizá un pionero de la antigua Irem, la Ciudad de las Columnas[10], despedazado por los miembros de la raza más antigua. Recordé cómo temían los árabes a la ciudad sin nombre, y me alegré de que más allá de aquel lugar las paredes y el techo estuviesen desnudas.

Mientras contemplaba el desfile histórico desplegado en el mural, me había acercado mucho al final de aquel corredor de techo bajo y me di cuenta de que terminaba en una gran puerta a través de la cual llegaba la fosforescencia luminosa. Me acerqué sigilosamente a ella y, asombrado en grado sumo, lancé un grito al ver lo que había al otro lado; pues en lugar de otras cámaras más iluminadas sólo había un vacío ilimitado de resplandor uniforme, como es de suponer que cuando se mira desde la cumbre del monte Everest se contempla un mar de niebla iluminado por el sol. Detrás de mí había un pasadizo tan estrecho que dentro de él no podía ponerme de pie; delante, tenía una infinidad de refulgencia subterránea.

Desde el pasadizo descendía hacia el abismo un empinado tramo de escaleras –pequeños y numerosos peldaños como los de los oscuros pasadizos que había recorrido–, pero unos cuantos pies más abajo los vapores resplandecientes lo ocultaban todo. En la pared izquierda del pasadizo se abría de par en par una imponente puerta de bronce, increíblemente gruesa y decorada con fantásticos bajorrelieves, que si se cerraba podía aislar todo aquel mundo interior de luz de los sótanos y pasillos en la roca. Miré los escalones y de momento no me atreví a bajar. Traté de cerrar la puerta de bronce pero no pude moverla. Entonces me dejé caer boca abajo, con la mente inflamada por ingentes reflexiones que ni siquiera mi agotamiento mortal podía desterrar.

Mientras estaba tumbado, inmóvil y con los ojos cerrados, con libertad para reflexionar, me vinieron a la memoria con un significado nuevo y terrible muchos detalles de los frescos en los que apenas me había fijado: escenas que representaban la ciudad sin nombre en su apogeo, la vegetación del valle que la rodeaba, y las tierras lejanas con las que comerciaban sus mercaderes. La alegoría de las criaturas reptantes me desconcertaba por su importancia global, y me sorprendía que hubiese sido tan estrictamente aceptada en una historia pictórica de tal importancia. En los frescos la ciudad sin nombre aparecía con unas proporciones adecuadas a los reptiles. Me preguntaba cuáles habrían sido sus verdaderas proporciones y su auténtica grandeza, y reflexioné unos instantes sobre ciertas singularidades que había observado en las ruinas. Recordé con curiosidad la poca altura de los primitivos templos y del corredor subterráneo, que sin duda fueron excavados así por deferencia a las deidades reptilianas que allí se honraban, aunque forzosamente sus adoradores no tendrían más remedio que reptar. Quizá los mismos ritos exigían arrastrarse como los reptiles para imitar a dichas criaturas. Sin embargo, ninguna teoría religiosa podía explicar fácilmente por qué el pasadizo horizontal en aquel espeluznante descenso tenía que ser tan bajo como los templos… o más bajo, pues uno ni siquiera podía arrodillarse en él. Mientras pensaba en aquellas criaturas reptantes, cuyos horribles cuerpos momificados tenía tan cerca de mí, sentí una nueva punzada de temor. Las asociaciones de la mente son curiosas: me horrorizó la idea de que, a excepción del pobre hombre primitivo despedazado en la última pintura, la mía era la única figura humana en medio de aquellas numerosas reliquias y símbolos de vida primordial.

Pero como siempre me ocurre en mi extraña y errante existencia, el asombro pronto ahuyentó al miedo; pues el abismo luminoso y cuanto pudiera contener planteaban un problema digno del más grande explorador. No me cabía la menor duda de que bajo aquel tramo de escalones particularmente pequeños yacía un mundo misterioso, y esperaba encontrar allí los vestigios humanos que las pinturas del corredor no me habían logrado ofrecer. Los frescos describían increíbles ciudades, cerros y valles de aquel dominio inferior, y mi imaginación le daba vueltas a las magníficas y colosales ruinas que me aguardaban.

Mis temores, a decir verdad, se relacionaban más con el pasado que con el futuro. Ni siquiera el horror físico de mi situación en aquel estrecho corredor de reptiles muertos y frescos antediluvianos, a muchas millas por debajo del mundo que yo conocía y enfrentado a otro mundo de misteriosas luces y nieblas, podía igualar al pavor letal que sentía ante la abismal antigüedad de aquel escenario y de su personificación. Una antigüedad tan enorme que la medición era su punto flaco parecía mirar de soslayo desde las piedras primordiales y los templos excavados en la roca de la ciudad sin nombre, mientras que los más recientes de los asombrosos mapas representados en los frescos mostraban océanos y continentes que el hombre ha olvidado, y en ellos sólo de cuando en cuando aparecía algún perfil vagamente familiar. Lo que pudo haber sucedido en los eones geológicos desde que se interrumpieron las pinturas y la aborrecible raza sucumbió con resentimiento a la decadencia, era algo que ningún hombre podría decir. En tiempos la vida había rebosado en aquellas cavernas y en la luminosa región que había más allá; ahora sólo quedaba yo con aquellas pintorescas reliquias, y temblaba al pensar en los incontables siglos durante los cuales tales reliquias habían mantenido una vigilia silenciosa y solitaria.

De repente tuve otro acceso de aquel miedo agudo que a ratos se había apoderado de mí desde que vi por primera vez el terrible valle y la ciudad sin nombre bajo aquella luna fría, y a pesar de mi agotamiento me di cuenta de que trataba frenéticamente de sentarme y de mirar hacia atrás en dirección al corredor negro que conducía a los túneles que subían al mundo exterior. Tenía una sensación parecida a la que me había hecho huir de la ciudad sin nombre la noche anterior, y era tan inexplicable como acuciante. Sin embargo, al cabo de unos instantes tuve un sobresalto todavía mayor en forma de ruido inequívoco... el primero que había roto el silencio absoluto de aquellas profundidades sepulcrales. Era un gemido profundo pero débil, como de una lejana multitud de espíritus condenados, y venía de la dirección hacia donde yo miraba. Rápidamente aumentó de volumen, hasta que pronto resonó terriblemente a través del pasadizo bajo, y al mismo tiempo noté la presencia de una corriente de aire frío, cada vez mayor, que provenía igualmente de los túneles y de la ciudad de arriba. El contacto de aquel aire pareció devolverme el equilibrio, pues inmediatamente recordé las repentinas ráfagas que se habían levantado en torno a la boca del abismo a cada puesta o salida del sol, una de las cuales me sirvió para descubrir los túneles ocultos. Miré mi reloj y vi que estaba a punto de amanecer, de modo que me preparé para resistir el vendaval que descendía rápidamente a su caverna, tal como se había precipitado a ascender al anochecer. Mis temores disminuyeron de nuevo, ya que un fenómeno natural tiende a disipar las elucubraciones sobre lo desconocido.

El ululante y quejumbroso viento nocturno entraba cada vez más abundantemente en aquel abismo en las entrañas de la tierra. Me volví a tender boca abajo y me agarré sin éxito al suelo por miedo a ser completamente barrido a través de la puerta abierta hacia el interior de aquel abismo fosforescente. No me esperaba tal violencia y, cuando me di cuenta de que realmente me estaba deslizando hacia el abismo, me asaltaron mil nuevos terrores aprensivos e imaginarios. La malignidad de aquella ráfaga despertó en mí increíbles fantasías; una vez más me comparé estremecedoramente con la única figura humana de aquel horroroso corredor, el hombre despedazado por aquella raza anónima, ya que los diabólicos zarpazos de aquellas turbulentas corrientes parecían atenerse a una furia vindicativa todavía más acusada porque era en gran parte impotente. Creo que grité frenéticamente cuando me acercaba al final –casi había enloquecido–, pero si lo hice mis gritos se perdieron en medio de aquella infernal babel de rugientes vientos espectrales. Intenté arrastrarme de nuevo en dirección contraria a la de aquel invisible torrente asesino, pero ni siquiera podía sostenerme mientras era empujado lenta e inexorablemente hacia el mundo desconocido. Finalmente debí perder del todo la razón, pues me puse a farfullar una y otra vez aquel pareado inexplicable del árabe loco Alhazred, que soñó con la ciudad sin nombre:

«Que no está muerto lo que puede yacer eternamente
y en los eones venideros hasta la muerte puede morir».

Sólo los severos e inquietantes dioses del desierto saben lo que realmente sucedió… qué forcejeos indescriptibles y rebatiñas en la oscuridad tuve que soportar, o qué Abaddón[11] me guió de vuelta a la vida, donde siempre recordaré y me estremeceré con el viento nocturno hasta que el olvido –o algo peor– me reclame. Lo que vi era monstruoso, contra natura, colosal… mucho más allá de todo cuanto el hombre puede concebir y creer, excepto en las silenciosas y detestables horas crepusculares en que uno no puede dormir.

He dicho que la violencia de la impetuosa ráfaga era infernal –cacodemoníaca[12]– y que sus voces eran horrendas por la depravación acumulada a lo largo de eternidades de desolación. Al cabo de un rato aquellas voces, aunque seguían sonando caóticas delante de mí, a mi palpitante cerebro le pareció que detrás de mí adoptaban una forma articulada; y allá abajo en aquella tumba de antigüedades muertas desde hacía innumerables eones, a varias leguas por debajo del mundo diurno de los hombres, escuché las espantosas blasfemias y los gruñidos de demonios de extrañas lenguas. Y al volverme vi, perfilado contra el éter luminoso del abismo, lo que no podía verse en la penumbra del corredor: una horda de impetuosos demonios de pesadilla, retorcidos por el odio, grotescamente vestidos de punta en blanco, semitransparentes, de una raza que nadie podría confundir: los reptiles que se arrastraban de la ciudad sin nombre.

Y cuando el viento amainó me sumí en la oscuridad poblada de gules de las entrañas de la tierra; ya que detrás de la última de aquellas criaturas la gran puerta de bronce se cerró de golpe con un estruendo ensordecedor de música metálica cuyos ecos se elevaron hasta el lejano mundo de arriba para saludar al sol naciente, como lo saluda Memnón desde las riberas del Nilo.

LA BÚSQUEDA DE IRANON[1]

Por la ciudad de granito de Teloth vagaba el joven, coronado de pámpanas, el pelo amarillo brillándole por la mirra, y con la túnica de color púrpura desgarrada por las zarzas del monte Sidrak, que está situado al otro lado del antiguo puente de piedra. Los hombres de Teloth, que viven en casas cuadradas, son sombríos y austeros, y le preguntaron al forastero, frunciendo el ceño, de dónde había venido y cuál era su nombre y destino. A lo que el joven contestó:

—Soy Iranon y procedo de Aira, una ciudad lejana de la que sólo me acuerdo vagamente pero que trato de encontrar de nuevo. Canto canciones que aprendí en aquella lejana ciudad, y mi oficio consiste en crear belleza con las cosas que recuerdo de mi infancia. Mi prosperidad estriba en unos pocos recuerdos, ilusiones y esperanzas, que canto en los jardines cuando la luna es benigna y el viento de poniente agita los pimpollos de loto.

Cuando los hombres de Teloth escucharon tales cosas cuchichearon entre ellos, pues aunque en la ciudad de granito no se oyen risas ni canciones, los hombres austeros a veces miran en primavera hacia los cerros Karthianos y piensan en los laúdes de la lejana Oonai, de la que han hablado los viajeros. Y con esa intención, invitaron a quedarse al forastero y le pidieron que cantara en la plaza delante de la Torre de Mlin, aunque no les gustaba el color de su andrajosa túnica, ni la mirra de sus cabellos, ni su guirnalda de pámpanas, ni el timbre juvenil de su melodiosa voz. Iranon cantó por la tarde y, mientras lo hacía, un anciano rezó y un ciego afirmó ver una aureola sobre la cabeza del cantor. Pero la mayor parte de los hombres de Teloth bostezaron, y unos se rieron y otros se fueron a dormir; pues Iranon no les decía nada útil, sólo cantaba acerca de sus recuerdos, sus sueños y sus esperanzas.

—Me acuerdo del crepúsculo, de la luna, de las dulces canciones, y de la ventana donde me acunaban para que me durmiera. Y al otro lado de la ventana estaba la calle de la que llegaban luces brillantes, y donde las sombras danzaban sobre casas de mármol. Recuerdo el cuadrángulo de luz que la luna proyectaba en el suelo, que no era como el de cualquier otra luz, y las visiones que danzaban en los rayos de luna cuando mi madre me cantaba. Y también me acuerdo del sol de la mañana brillando en verano por encima de los cerros multicolores, y de la fragancia de las flores que traía el viento del sur, que hacía murmurar a los árboles.

»¡Oh, Aira, ciudad de mármol y berilo, cuántas son tus bellezas! ¡Cuánto me encantaban las cálidas y fragantes arboledas del otro lado del hialino Nithra, y las cascadas del pequeño Kra que fluía por el verde valle! En aquellas arboledas y en aquel valle los niños se entrelazaban guirnaldas unos a otros, y al atardecer yo soñaba extraños sueños bajo los árboles-yath de la montaña mientras veía debajo de mí las luces de la ciudad, y el sinuoso Nithra reflejando una tira de estrellas.

»Y en la ciudad había palacios de mármol jaspeado y teñido, con cúpulas doradas y pinturas murales, y verdes jardines con estanques cerúleos y fuentes cristalinas. Muchas veces jugué en aquellos jardines y vadeé sus estanques, y me tumbé entre las pálidas flores bajo los árboles y soñé. Y a veces al ponerse el sol subí la empinada calle hasta la explanada de la ciudadela, y recorrí con la mirada Aira, la mágica ciudad de mármol y berilo, espléndida con su manto de luces refulgentes.

»Hace mucho tiempo que te echo de menos, Aira, pues era muy joven cuando nos exiliamos; pero mi padre era tu rey y yo volveré de nuevo a ti, pues así lo ha decretado el destino. Te he buscado por los siete países y algún día reinaré sobre tus arboledas y jardines, tus calles y palacios, y cantaré a los hombres que sabrán de lo que canto, y no se reirán ni me rechazarán. Puesto que soy Iranon, el que fuera príncipe de Aira.

Aquella noche los hombres de Teloth alojaron al forastero en un establo, y por la mañana fue a verlo un arconte[2] y le dijo que buscara el taller de Athok, el zapatero remendón, para ser su aprendiz.

—Pero yo soy Iranon, el que canta canciones —dijo él—, y no estoy hecho para el oficio de zapatero remendón.

—En Teloth todos han de trabajar duro —replicó el arconte—, pues ésa es la ley.

Entonces dijo Iranon:

—¿Por qué tenéis que trabajar duro?, ¿es que no podéis vivir y ser felices? Si trabajáis duro sólo para poder seguir haciéndolo todavía más, ¿cuándo hallaréis la felicidad? ¿Trabajáis duro para vivir, cuando la vida está hecha de belleza y de canciones? Y si no permitís que haya cantores entre vosotros, ¿cómo darán fruto vuestros esfuerzos? El trabajo duro sin canciones es como un fastidioso viaje sin fin. ¿No sería más grata la muerte?

Pero el arconte era una persona huraña y no le comprendió, así que reprendió al forastero.

—Eres un joven raro y no me gusta tu cara ni tu voz. Las palabras que dijiste son blasfemas, ya que los dioses de Teloth han dicho que trabajar duro es bueno. Nuestros dioses nos han prometido un remanso de luz después de la muerte, en el que podremos descansar por toda la eternidad, y una frialdad cristalina en la que nadie turbará su mente con pensamientos ni sus ojos con belleza. Ve, pues, a Athok el zapatero remendón, o sal de la ciudad al atardecer. Aquí todos debemos ser útiles, y cantar es un disparate.

De modo que Iranon salió del establo y recorrió las estrechas calles de piedra entre las sombrías casas cuadradas de granito, buscando algo verde en aquel ambiente primaveral. Pero en Teloth no había nada verde, ya que todo era de piedra. Los hombres lo miraban con el ceño fruncido, pero junto al dique de piedra a lo largo del cual discurría mansamente el río Zuro, un niño de ojos tristes estaba sentado contemplando las aguas para columbrar las verdes ramas en flor que la corriente arrastraba desde los cerros. Y el muchacho le dijo:

—¿No eres tú, en efecto, aquel que, según dicen los arcontes, busca una lejana ciudad de un país hermoso? Yo soy Romnod y he sido engendrado por una familia de Teloth, pero no soy tan viejo como esta ciudad de granito y añoro a diario las cálidas arboledas y las lejanas tierras de belleza y canciones. Más allá de los cerros Karthianos se encuentra Oonai, la ciudad de los laúdes y el baile, de la que los hombres cuchichean y dicen que es al mismo tiempo preciosa y terrible. Allí quisiera ir si fuese lo bastante viejo para encontrar el camino, y allí deberías ir tú si quieres cantar y tener gente que te escuche. Abandonemos la ciudad de Teloth y recorramos juntos los cerros primaverales. Tú me enseñarás el camino y yo prestaré atención a tus canciones al anochecer cuando las estrellas una a una hacen soñar a los visionarios. Y por ventura puede ser que Oonai, la ciudad de los laúdes y el baile, sea incluso la hermosa Aira que buscas, pues se dice que no has visto Aira desde los viejos tiempos, y a menudo los nombres cambian. Vayamos a Oonai, ¡oh Iranon de dorados cabellos!, donde los hombres conocen nuestras añoranzas y nos recibirán como hermanos, y nunca se reirán ni fruncirán el ceño por lo que digamos.

E Iranon respondió:

—Lo que tú digas, pequeño; si alguien de esta ciudad de piedra añora la belleza debe buscarla en las montañas y aún más allá, y no te dejaré aquí languideciendo junto al manso Zuro. Pero no creas que el deleite y la comprensión habitan al otro lado de los cerros Karthianos, ni en ningún lugar que puedas encontrar en un día, o un año, o un lustro. Mira: cuando yo era pequeño como tú vivía en el valle de Narthos, junto al gélido Xari, donde nadie quería escuchar mis sueños; y me dije a mí mismo que cuando fuera mayor me iría a Sinara, en la ladera sur, y cantaría para los sonrientes camelleros de la plaza del mercado. Pero cuando fui a Sinara encontré a los camelleros completamente ebrios y procaces, y vi que sus canciones no eran como las mías, de modo que bajé en barcaza por el Xari hasta Jaren, la de las murallas de ónice. Y en Jaren los soldados se rieron de mí y me echaron, de modo que recorrí muchas otras ciudades. He visto Stethelos, que se encuentra más abajo de la gran catarata, y he contemplado la marisma donde una vez estuvo Sarnath. He estado en Thraa, en Ilarnek, y en Kadatheron junto al sinuoso río Ai[3], y he vivido mucho tiempo en Olathoë, en el país de Lomar[4]. Pero aunque a veces he tenido oyentes, siempre han sido escasos, y sé que sólo me recibirán en Aira, la ciudad de mármol y berilo donde mi padre gobernó una vez como rey. Así que buscaremos Aira, aunque estaría bien que visitáramos la lejana y bendita Oonai de los laúdes, al otro lado de los cerros Karthianos, que pudiera ser en efecto Aira, aunque no lo creo. La belleza de Aira es inimaginable, y nadie puede hablar de ella sin extasiarse mientras que de Oonai los camelleros cuchichean recelosamente.

Al ponerse el sol Iranon y el pequeño Romnod se fueron de Teloth, y durante mucho tiempo vagaron por las verdes colinas y los frescos bosques. El camino era escabroso y recóndito, y les parecía que nunca iban a llegar a Oonai, la ciudad de los laúdes y el baile; pero al anochecer, mientras salían las estrellas, Iranon cantó a Aira y a sus bellezas, y Romnod le escuchó, de modo que ambos fueron felices en cierto modo. Comieron frutas y bayas rojas en abundancia, y no se dieron cuenta del paso del tiempo, aunque debieron pasar muchos años. El pequeño Romnod creció y su voz chillona se tornó grave, aunque Iranon era siempre el mismo y seguía engalanando sus cabellos dorados con pámpanas y fragantes resinas de los bosques. De modo que llegó un día en que Romnod pareció mayor que Iranon, aunque era muy pequeño cuando éste lo encontró esperando en Teloth las verdes ramas en flor junto al dique de piedra que encauzaba las mansas aguas del Zuro.

Entonces, una noche de luna llena los viajeros llegaron a la cumbre de una montaña y contemplaron a sus pies las miríadas de luces de Oonai. Los campesinos les habían dicho que estaban cerca, e Iranon se dio cuenta de que aquélla no era su ciudad natal de Aira. Las luces de Oonai no eran como las de Aira; pues eran fuertes y deslumbrantes, mientras que las de Aira brillaban tan tenue y mágicamente como el claro de luna en el suelo, junto a la ventana donde la madre de Iranon lo acunó antaño con sus canciones. Pero Oonai era una ciudad de laúdes y baile, de modo que Iranon y Romnod descendieron la empinada cuesta pensando encontrar personas a quienes sus canciones y ensueños pudieran agradar. Y cuando entraron en la ciudad hallaron juerguistas con guirnaldas de rosas, que iban de casa en casa y se asomaban a ventanas y balcones, escuchando las canciones de Iranon, y arrojándole flores y aplaudiéndolo cuando terminaba. Entonces, por un momento, Iranon creyó haber encontrado a quienes pensaban y sentían como él, aunque la ciudad no era ni la centésima parte de hermosa que Aira.

Cuando empezó a alborear, Iranon miró a su alrededor con consternación, pues las cúpulas de Oonai no eran doradas a la luz del sol, sino grises y sombrías. Y los habitantes de Oonai estaban pálidos por el jolgorio y aturdidos por el vino, a diferencia de los radiantes habitantes de Aira. Pero ya que la gente le había arrojado flores y había aclamado sus canciones, Iranon se quedó, y con él Romnod, a quien le gustó el jolgorio de la ciudad y se puso rosas y mirto en su cabello negro. Iranon cantó muchas veces por las noches para los juerguistas, pero iba como siempre, coronado tan sólo con pámpanas de las montañas, y seguía recordando las calles de mármol de Aira y el hialino Nithra. Cantó en las salas del monarca pintadas al fresco, sobre un estrado de cristal que se alzaba sobre un suelo que era un espejo, y mientras cantaba evocaba imágenes a sus oyentes hasta que el suelo pareció reflejar unos seres antiguos, hermosos y semiolvidados en lugar de los comensales enrojecidos por el vino que le arrojaban rosas. Y el rey le rogó que guardase su púrpura hecha jirones y lo vistió de raso y tisú de oro, con anillos de verde jade y brazaletes de marfil coloreado, y lo alojó en un aposento dorado cubierto de tapices con una cama de madera bellamente tallada, con doseles y colchas de seda con flores bordadas. Así vivió Iranon en Oonai, la ciudad de los laúdes y el baile.

No se sabe cuánto tiempo se quedó Iranon en Oonai, pero un día el rey llevó al palacio unos bailarines del desierto liranio que daban vueltas sobre sí mismos frenéticamente y unos flautistas orientales de tez morena procedentes de Drinen, y después de aquello los juerguistas ya no arrojaron tantas flores a Iranon como a los bailarines y a los flautistas. Y día a día aquel Romnod que había sido niño en Teloth, la ciudad de granito, se hacía más tosco y estaba más enrojecido por el vino hasta el punto de que cada vez soñaba menos y escuchaba con menos satisfacción las canciones de Iranon. Pero aunque Iranon estaba triste no dejaba de cantar, y al atardecer volvía a contar sus ensueños sobre Aira, la ciudad de mármol y berilo. Entonces, una noche, el enrojecido y cebado Romnod resopló entre las soporíficas sedas del lecho sobre el que se reclinaba para comer y murió retorciéndose, mientras Iranon, pálido y delgado, cantaba para sí en un apartado rincón. Y cuando Iranon hubo llorado sobre la tumba de Romnod, y la hubo cubierto de verdes ramas en flor, como las que solían gustarle a Romnod, dejó a un lado sus sedas y sus dijes y, olvidado de todos, se fue de Oonai, la ciudad de los laúdes y el baile, vestido sólo con la púrpura andrajosa con la que había llegado y enguirnaldado con nuevas pámpanas de las montañas.

Iranon deambuló en dirección a poniente, buscando todavía su tierra natal y gentes que pudieran entender y apreciar sus canciones y sus ensueños. En todas las ciudades de Cydathria y en las tierras más allá del desierto Bnazico[5], niños de rostros alegres se reían de sus viejas canciones y de su túnica de púrpura hecha jirones; pero Iranon se mantenía joven y llevaba guirnaldas sobre su dorada cabeza mientras cantaba a Aira, delicia del pasado y esperanza del futuro.

Así llegó una noche a la miserable choza de un viejo pastor, encorvado y sucio, que guardaba su reducido rebaño en una ladera llena de piedras encima de un pantano de arenas movedizas. Iranon habló a este hombre como a tantos otros:

—¿Sabrías decirme dónde puedo encontrar Aira, la ciudad de mármol y berilo, por donde corre el hialino Nythra y en la que las cascadas del diminuto Kra cantan entre valles verdes y colinas pobladas de árboles-yath?

Y el pastor, al oírle, se quedó mirando a Iranon un buen rato de una manera extraña, como si recordara algo muy lejano en el tiempo, y tomó nota de cada rasgo del rostro del forastero, y de su cabello dorado, y de su corona de pámpanas. Mas era muy viejo y negó con la cabeza mientras respondía:

—Oh forastero, he oído desde luego el nombre de Aira, y los otros nombres que has mencionado, pero su recuerdo me llega de lejos después de muchos años de olvido. Los oí en mi juventud de labios de un compañero de juegos, hijo de un mendigo muy dado a extraños ensueños, que urdía largas historias sobre la luna y las flores y el viento de poniente. Solíamos mofarnos de él, ya que le conocíamos desde su cuna aunque él creía ser hijo de un rey. Era atractivo, como tú, pero un poco chiflado y lleno de ideas extrañas; siendo pequeño se escapó en busca de quienes pudieran escuchar con agrado sus canciones y sus ensueños. ¡Cuántas veces me cantó sobre países que nunca existieron, y cosas que nunca existirán! De Aira me habló mucho; de Aira y del río Nithra, y de las cascadas del diminuto Kra. Siempre decía que vivió allí hacía tiempo como príncipe, aunque aquí todos lo conocíamos desde su cuna. Ni existió la ciudad de mármol de Aira, ni quienes pudieran deleitarse con extrañas canciones, salvo en los sueños de mi antiguo compañero de juegos Iranon, que nos ha dejado.

Y a la luz del crepúsculo, cuando las estrellas salieron una a una y la luna derramó sobre el pantano un resplandor como el que un niño ve estremecerse en el suelo cuando lo acunan por la noche para que se duerma, un hombre muy viejo vestido de púrpura hecha jirones y coronado de pámpanas marchitas se adentró en las letales arenas movedizas mirando fijamente hacia delante como si contemplara las doradas cúpulas de una hermosa ciudad donde los sueños son comprendidos. Aquella noche el viejo mundo perdió un poco de juventud y belleza.

LA CIÉNAGA-LUNA[1]

Denys Barry se ha esfumado a algún otro sitio, a alguna remota y espantosa región que desconozco. Estuve con él la última noche que pasó entre nosotros, y escuché sus gritos cuando salió a su encuentro aquella criatura; pero ni los campesinos ni la policía del condado de Meath[2] pudieron encontrarlo nunca, ni a él ni a los demás, aunque los buscaron durante mucho tiempo y se alejaron bastante. Y ahora me estremezco cuando oigo croar a las ranas en las ciénagas.

Conocí muy bien a Denys Barry en Estados Unidos, donde se había hecho rico, y le felicité cuando volvió a comprar el viejo castillo junto al cenagal en la tranquila aldea de Kilderry. De allí procedía su padre, y era allí donde quería disfrutar de su riqueza, entre paisajes ancestrales. En otros tiempos los de su estirpe habían gobernado en Kilderry y habían edificado y habitado el castillo; pero aquellos tiempos quedaban muy lejanos, así que durante generaciones el castillo había estado vacío y en ruinas. Después de volver a Irlanda, Barry me escribió a menudo, contándome cómo, bajo su supervisión, el triste castillo recobraba su antiguo esplendor, reconstruyéndose una torre tras otra, cómo la hiedra trepaba lentamente por sus restauradas murallas como había trepado hacía muchos siglos, y cómo los campesinos lo bendecían por restaurar los viejos tiempos con su oro procedente de ultramar. Pero con el tiempo surgieron los problemas, y los campesinos dejaron de bendecirlo y en su lugar huyeron como de un desastre. Y entonces me envió una carta pidiéndome que fuera a visitarlo, pues se encontraba solo en el castillo, sin nadie con quien hablar salvo los nuevos criados y los braceros que se había traído del norte.

El cenagal era la causa de todos aquellos problemas, como me contó Barry la noche de mi llegada al castillo. Había llegado a Kilderry un atardecer veraniego, cuando el oro del cielo iluminaba el verde de los cerros y las arboledas y el azul del cenagal, donde en un lejano islote brillaban espectralmente unas extrañas ruinas antiguas. El crepúsculo era muy hermoso, pero los campesinos de Ballylough me habían prevenido contra él y me dijeron que Kilderry se había convertido en un lugar maldito, de modo que casi me estremecí al ver los altos torreones del castillo como ascuas de oro. El automóvil de Barry había ido a recogerme a la estación de Ballylough, ya que Kilderry queda lejos del ferrocarril. Los aldeanos habían rehuido al coche y a su conductor, que era del norte, pero cuando vieron que me dirigía a Kilderry palidecieron y me susurraron algo. Y aquella noche, después de nuestro reencuentro, Barry me contó por qué.

Los campesinos se habían esfumado de Kilderry porque Denys Barry iba a desecar la gran ciénaga. A pesar de su amor por Irlanda, su estancia en Estados Unidos no había dejado de afectarle, y lamentaba que se desaprovechara un magnífico espacio en el que se podía extraer turba y empezar a cultivar la tierra. Las leyendas y supersticiones de Kilderry no lograron hacerle cambiar de parecer, y se rió cuando los aldeanos primero rehusaron ayudarle y después, al verlo decidido, lo maldijeron y se marcharon a Ballylough con sus escasas pertenencias. En su lugar mandó llamar braceros traídos del norte y cuando los criados le abandonaron los reemplazó igualmente. Pero se sentía solo entre tantos forasteros, de modo que me pidió que fuera a verlo.

Cuando me enteré de los temores que habían inducido a aquella gente a abandonar Kilderry, me reí tan estrepitosamente como se había reído mi amigo, ya que esos temores eran de lo más impreciso, descabellado y absurdo. Tenían que ver con alguna extravagante leyenda de la ciénaga, y con un siniestro espíritu guardián que habitaba las extrañas ruinas antiguas del lejano islote que yo había visto a la caída de la tarde. Se contaban historias de luces que danzaban en la oscuridad cuando no había luna y de vientos gélidos que soplaban en las noches cálidas; de espectros vestidos de blanco que se cernían sobre las aguas, y de una supuesta ciudad de piedra que había bajo la superficie en lo más profundo de la ciénaga. Pero entre todas aquellas extrañas fantasías, la única que se repetía unánimemente se refería a la maldición que le aguardaba a quien se atreviera a tocar o desecar aquel inmenso cenagal rojizo. Había secretos, decían los campesinos, que no debían desvelarse; secretos que habían permanecido ocultos desde que la peste alcanzó a los hijos de Partholon[3] en los fabulosos años de la prehistoria. En el *Libro de los invasores*[4] se cuenta que todos esos hijos de los griegos fueron enterrados en Tallaght, pero los viejos de Kilderry hablaban de una ciudad que estaba protegida por su patrona la diosa-luna, de suerte que sólo los cerros boscosos la ocultaron cuando los hombres de Nemed[5] llegaron de Escitia en sus treinta barcos.

Tales eran los infundados cuentos que habían llevado a los aldeanos a abandonar Kilderry y, al enterarme, no me sorprendió que Denys Barry se hubiera negado a prestarles atención. Sin embargo, como le interesaban mucho las antigüedades, me propuso explorar a fondo la ciénaga en cuanto la hubiesen desecado. Él había visitado a menudo las ruinas blancas del islote, pero aunque parecía evidente que eran muy antiguas y su perfil guardaba muy poca relación con la mayoría de las ruinas irlandesas, se encontraban demasiado derruidas para deducir en qué época tuvo lugar su esplendor. Ya estaban a punto de comenzar los trabajos de desecación y los braceros traídos del norte no tardarían en despojar a la ciénaga prohibida de su musgo verde y su brezo rojo, y en suprimir los diminutos arroyuelos pavimentados de conchas y las tranquilas charcas azules bordeadas de juncos.

Después de que Barry me hubo contado todo aquello me sentí muy somnoliento, pues el viaje había sido agotador y mi anfitrión había estado hablando hasta bien avanzada la noche. Un sirviente me mostró mi habitación, que estaba en una torre lejana con vistas a la aldea, a la llanura que se extendía a orillas de la ciénaga y a la propia ciénaga; de manera que podía ver desde mi ventana, a la luz de la luna, los silenciosos tejados de las casas de las que habían huido los campesinos, las cuales acogían ahora a los braceros traídos del norte, y también la iglesia parroquial con su antiguo chapitel, y allá a lo lejos, al otro lado de la inquietante ciénaga, las remotas ruinas antiguas del islote con su espectral brillo blanquecino. Justo cuando acababa de dormirme creí oír a lo lejos unos sonidos apenas perceptibles; unos sonidos atronadores y medio musicales que me provocaron una extraña excitación que alteró mis sueños. Pero cuando me desperté la mañana siguiente me pareció que todo había sido un sueño, pues las visiones que había tenido resultaban más asombrosas que cualquiera de aquellos atronadores sonidos de flautas que creí oír la noche anterior. Influido por las leyendas que Barry me había contado, mi mente había vagado en sueños por una impresionante ciudad situada en un valle verde, cuyas calles y estatuas de mármol, villas y templos, tallas e inscripciones evocaban con ciertos matices el esplendor de Grecia. Cuando le conté ese sueño a Barry, nos echamos a reír ambos; pero yo me reí más estrepitosamente, porque a él le desconcertaba el extraño proceder de sus braceros traídos del norte. Por sexta vez se habían quedado dormidos, y cuando se despertaron, muy lentamente y aturdidos, se comportaban como si no hubieran descansado, a pesar de que era sabido que se habían acostado temprano la noche anterior.

Aquella mañana y aquella tarde deambulé a solas por el pueblo dorado por el sol y hablé de vez en cuando con los ociosos labriegos, ya que Barry estaba ocupado en los planos definitivos para comenzar su trabajo de desecación. Los braceros no estaban tan contentos como era de esperar, pues la mayor parte de ellos parecían inquietos a causa de algún sueño que habían tenido, que en vano trataban de recordar. Les conté el mío, pero no se mostraron interesados hasta que les hablé de los extraños sonidos que creí haber oído. Entonces me miraron de forma rara y dijeron que ellos también creían recordar sonidos extraños.

Por la noche Barry cenó conmigo y me hizo saber que al cabo de dos días empezaría la desecación. Me alegré, pues aunque no me gustaba ver desaparecer el musgo y el brezo y los pequeños arroyuelos y los lagos, sentía un creciente deseo de conocer los antiguos secretos que la gruesa capa de turba pudiera ocultar. Y aquella noche mis sueños de sonidos de flautas y de peristilos de mármol tuvieron un inesperado e inquietante final, ya que vi descender sobre la ciudad del valle una pestilencia, y luego una tremenda avalancha de laderas boscosas que cubrió los cadáveres de las calles y sólo dejó sin enterrar el templo de Ártemis en lo alto de un pico, donde Cleis[6], la anciana sacerdotisa lunar, yacía fría y silenciosa con una corona de marfil sobre sus sienes plateadas.

He dicho que desperté de repente y alarmado. Durante un buen rato no fui capaz de determinar si me encontraba despierto o dormido, pues el estridente sonido de las flautas resonaba todavía en mis oídos; pero cuando vi en el suelo el gélido resplandor lunar y la silueta de una ventana gótica enrejada, decidí que debía de estar despierto y en el castillo de Kilderry. Entonces oí dar las dos en un reloj de algún lejano rellano más abajo y comprendí que estaba despierto. Pero todavía me llegaba desde lejos el monótono sonido de flautas; aires frenéticos, extraños, que me hicieron pensar en alguna danza de faunos en el remoto Ménalo[7]. No me dejaban dormir y, dominado por la impaciencia, me levanté de un salto y me puse a dar vueltas por la habitación. Por mera casualidad me dirigí a la ventana que daba al norte y contemplé la silenciosa aldea y la llanura que bordea la ciénaga. No tenía ganas de mirar al exterior, porque quería dormir; pero las flautas me atormentaban y tenía que hacer o mirar algo. ¿Cómo podía sospechar lo que estaba a punto de contemplar?

Allá abajo, a la luz que la luna derramaba sobre la extensa llanura, tenía lugar un espectáculo que ningún mortal que lo hubiera presenciado podría nunca olvidar. Al son de unas flautas de caña que resonaban por la ciénaga, se deslizaba silenciosa y misteriosamente una multitud entremezclada de figuras tambaleantes, que daban vueltas con el mismo deleite con que los sicilianos debían de bailar en honor a Deméter en los viejos tiempos, bajo la luna de la cosecha, junto a Cíane[8]. La amplia llanura, el dorado claro de luna, las imprecisas figuras en movimiento y, sobre todo, el estridente y monótono sonido de las flautas, producían un efecto que casi me paralizó; no obstante, a pesar de mi temor me di cuenta de que la mitad de aquellos incansables y maquinales bailarines eran los labriegos que yo había creído que estaban dormidos, mientras que la otra mitad eran extraños seres etéreos, de color blanco y género indeterminado, aunque hacían pensar en pálidas y melancólicas náyades de las fuentes encantadas de la ciénaga. No sé cuánto tiempo estuve contemplando aquella visión desde la ventana del solitario torreón antes de caer súbitamente en un apacible desvanecimiento del que me despertó el sol de la mañana, ya muy alto.

Mi primer impulso al despertar fue comunicar a Denys Barry todos mis temores y observaciones, pero en cuanto vi la radiante luz del sol a través de la enrejada ventana que daba al este me convencí de que lo que creía haber visto no era real. Soy propenso a las más extrañas fantasmagorías, aunque no lo bastante débil como para creérmelas; de modo que en aquella ocasión me contenté con preguntar a los labriegos, que durmieron hasta muy tarde y no recordaban nada de la noche anterior salvo vagos sueños de sonidos estridentes. Aquella cuestión del espectral sonido de flautas me agobiaba mucho y me pregunté si los grillos del otoño habrían llegado antes de tiempo para turbar las noches e inquietar las visiones de los hombres. Aquel mismo día, un poco más tarde, observé a Barry en la biblioteca estudiando minuciosamente sus planos para la gran obra que iba a comenzar al día siguiente, y por primera vez sentí una pizca del mismo miedo que había ahuyentado a los campesinos. Por alguna desconocida razón me horrorizaba la idea de turbar la antigua ciénaga y sus sombríos secretos, y me imaginé terribles visiones que yacían bajo la negrura de las ilimitadas profundidades de la secular turba. Me parecía poco juicioso que tales secretos se sacasen a la luz y comencé a buscar una excusa para abandonar el castillo y la aldea. Llegué hasta hablarle de pasada a Barry sobre el asunto, pero no me atreví a continuar cuando soltó una de sus resonantes carcajadas. Así que estaba callado cuando el sol se puso con todo su fulgor por encima de los lejanos cerros y Kilderry resplandeció con un destello rojo y oro que parecía un presagio.

Nunca sabré con certeza si los sucesos de aquella noche ocurrieron en realidad o fueron una ilusión. Por supuesto sobrepasan a todo cuanto podamos imaginar en relación a la naturaleza y el universo; sin embargo no me es posible explicar de una manera normal las desapariciones de las que todos fuimos informados después de que aquello terminase. Me recogí temprano y lleno de pavor, y durante mucho tiempo no pude dormir en aquel misterioso silencio de la torre. Había mucha oscuridad, pues aunque el cielo estaba despejado, la luna estaba bastante menguada y no saldría hasta la madrugada. Mientras estaba allí tumbado, pensé en Denys Barry y en lo que podía acontecer en aquella ciénaga cuando llegara el nuevo día, y de improviso experimenté un frenético impulso de salir precipitadamente al exterior, coger el coche de Barry y conducir enloquecido hacia Ballylough, para abandonar aquellas tierras amenazadas. Pero antes de que mis temores pudieran materializarse en acciones, me había dormido y contemplé en sueños la ciudad del valle, fría y muerta bajo un horrendo sudario espectral.

Seguramente fue el estridente sonido de flautas lo que me despertó, aunque no fue eso lo primero que noté al abrir los ojos. Estaba tumbado de espaldas a la ventana orientada al este, desde la que se divisaba la ciénaga y por donde saldría la luna menguante, y por tanto esperaba ver luz reflejada en la pared de enfrente; pero lo que nunca hubiera esperado ver fue lo que apareció. La luz, en efecto, brillaba en los cristales de enfrente, pero no era la clase de luz que da la luna. Se trataba de un tremendo y penetrante rayo de fulgor rojizo que entraba a raudales por la ventana gótica, y todo el aposento brillaba envuelto en un resplandor intenso y sobrenatural. Mi primera reacción fue atípica dada la situación, pues sólo en los cuentos el hombre hace lo previsto y actúa de manera dramática. En lugar de mirar hacia la ciénaga para descubrir el origen de aquella nueva luz, aparté los ojos de la ventana, presa de un miedo cerval, y me vestí torpemente con la vaga idea de huir. Recuerdo que cogí mi revólver y mi sombrero, pero antes de que pudiera darme cuenta había perdido ambos sin disparar el uno ni ponerme el otro. Al cabo de un rato, la fascinación del resplandor rojo superó a mi miedo y me deslicé sigilosamente hasta la ventana que daba al este y miré por ella mientras el incesante y enloquecedor sonido de flautas gemía y reverberaba a través del castillo y por toda la aldea.

Sobre la ciénaga caía un diluvio de resplandeciente luz, escarlata y siniestra, que salía a borbotones de las extrañas ruinas antiguas del lejano islote. No puedo describir el aspecto de aquellas ruinas... debía de estar loco, ya que parecían alzarse majestuosas e inalterables, espléndidas y rodeadas de columnas, y el reflejo de las llamas sobre el mármol de su entablamento horadaba el cielo como la cúspide de un templo en la cima de una montaña. Las flautas chirriaron y los tambores empezaron a redoblar, y mientras observaba con asombro y terror creí ver amenazadoras formas saltarinas que se recortaban grotescamente contra aquella visión de mármol refulgente. El efecto era titánico –completamente inimaginable– y podría haber estado mirando indefinidamente de no ser porque el sonido de flautas parecía aumentar en intensidad a mi izquierda. Temblando a causa del terror, mezclado de forma extraña con el éxtasis, crucé la sala circular hacia la ventana orientada al norte, desde la que podía verse la aldea y el llano que se extendía al borde de la ciénaga. Allí mis ojos se dilataron de nuevo ante un disparatado prodigio todavía mayor, como si no acabase de dar la espalda a una escena completamente al margen de la naturaleza, ya que por la llanura espectralmente iluminada de rojo desfilaba una procesión de criaturas como no había visto nunca salvo en pesadillas.

Medio deslizándose, medio flotando en el aire, los espectros vestidos de blanco de la ciénaga se retiraban lentamente hacia las aguas tranquilas y las ruinas de la isla en fantásticas formaciones que sugerían alguna antigua y solemne danza ceremonial. Agitando sus brazos translúcidos al son de los detestables sonidos de aquellas flautas invisibles, hacían señas con extraño ritmo a una multitud de tambaleantes labriegos que les seguían insensatamente como un perro, a ciegas y a trompicones, como arrastrados por una torpe aunque irresistible voluntad demoníaca. Cuando las náyades se acercaban a la ciénaga sin desviarse de su rumbo, una nueva fila de rezagados, que zigzagueaban y daban traspiés como borrachos, salió del castillo por alguna puerta alejada de mi ventana, atravesó a tientas el patio y la parte intermedia de la aldea, y se unió a la tambaleante columna de braceros que recorría la llanura. A pesar de la distancia, enseguida me di cuenta de que eran los criados traídos del norte, pues reconocí la fea y voluminosa figura del cocinero, cuya misma absurdidad llegaba a ser indeciblemente trágica. Las flautas silbaban terriblemente y volví a oír el redoble de tambores procedente de las ruinas de la isla. Entonces, de manera silenciosa y con garbo, las náyades llegaron al agua y desaparecieron una tras otra en la prehistórica ciénaga, mientras la fila de seguidores, sin disminuir su velocidad, chapoteó torpemente tras ellas y se desvaneció en un diminuto torbellino de desagradables burbujas que apenas pude ver con aquella luz escarlata. Y cuando el último rezagado, el patético y obeso cocinero, se hundió pesadamente en el tétrico estanque y desapareció de la vista, las flautas y los tambores enmudecieron, y los cegadores rayos procedentes de las ruinas se esfumaron al instante, dejando la aldea maldita vacía y desolada bajo los pálidos destellos de la luna, que acababa de salir.

Mi estado era de un caos indescriptible. No sabiendo si estaba loco o cuerdo, dormido o despierto, me salvé únicamente gracias a un compasivo adormecimiento. Creo que hice cosas tan ridículas como rezar a Ártemis, Latona, Deméter, Perséfone y Plutón. Todo lo que recordaba de los estudios clásicos de mi juventud me vino a los labios mientras el horror de la situación despertaba mis supersticiones más profundas. Tenía la impresión de haber presenciado la muerte de toda una aldea y sabía que estaba solo en el castillo con Denys Barry, cuya osadía había desencadenado una fatalidad. Al pensar en él me embargaron nuevos terrores y caí al suelo; aunque no llegué a desmayarme, quedé físicamente incapacitado. Entonces sentí la helada ráfaga procedente de la ventana que daba al este, por donde había visto salir la luna, y comencé a oír los gritos abajo en el castillo. Aquellos gritos no tardaron en alcanzar una magnitud y un timbre que me sería imposible describir: cuando pienso en ellos creo desfallecer. Lo único que puedo decir es que provenían de alguien a quien yo había tenido por amigo.

En algún momento de aquel espantoso intervalo, el viento frío y los gritos debieron hacerme levantar, ya que mi siguiente impresión es la de una enloquecida carrera por habitaciones y corredores oscuros hasta salir al patio, que atravesé para internarme en la espantosa noche. Me encontraron al alba vagando sin sentido por los alrededores de Ballylough, pero lo que me desquició por completo no fue ninguno de los terrores vistos u oídos antes. Lo que mascullaba cuando salí lentamente de las sombras se refería a un par de fantásticos incidentes acaecidos durante mi huida; incidentes sin ninguna importancia, pero que no dejan de atormentarme cuando me encuentro solo en ciertos lugares pantanosos o a la luz de la luna.

Mientras huía de aquel castillo maldito bordeando la ciénaga, escuché un nuevo sonido; un sonido corriente, aunque diferente a los que había oído en Kilderry. Las aguas estancadas, hasta hacía poco bastante desprovistas de vida animal, de pronto rebosaban de hordas de enormes ranas babosas que no dejaban de croar estridentemente en unos tonos que aunque parezca extraño no se correspondían con su tamaño. Brillaban, hinchadas y verdes, bajo los rayos de luna, y parecían mirar fijamente a la fuente de luz. Seguí la mirada de una rana muy gorda y fea, y vi la segunda de las cosas que me hizo perder el juicio.

Me pareció vislumbrar un rayo de luz de débil y trémulo resplandor que se extendía directamente desde las extrañas ruinas antiguas del lejano islote hasta la luna menguante y que no se reflejaba en las aguas de la ciénaga. Y mi febril imaginación se figuró que por aquel pálido sendero ascendía una tenue sombra que se contorsionaba lentamente; una sombra imprecisa y retorcida que se debatía como si fuese arrastrada por invisibles demonios. Enloquecido como estaba, a aquella espantosa sombra le encontré un monstruoso parecido: una caricatura nauseabunda e increíble, una efigie blasfema del que había sido Denys Barry.

EL EXTRAÑO[1]

Esa noche soñó el barón mucha aflicción;
y en sueños sus huéspedes guerreros fueron
largamente visitados por sombras de brujos
y demonios y gusanos de la tumba.

Keats[2]

Desdichado aquel cuyos recuerdos de niñez sólo le traen miedo y tristeza. Desventurado aquel que sólo evoca horas solitarias en cámaras inmensas y oscuras de pardos cortinajes e hileras interminables de libros vetustos, o vigilias sobrecogidas en sombrías espesuras de árboles gigantescos, cubiertos de enredaderas, cuyas ramas retorcidas se mecen en silencio muy arriba. Ésa es la suerte que los dioses me asignaron a mí; a mí: el ofuscado, el frustrado, el quebrantado, el vacío. Y sin embargo, me siento extrañamente satisfecho, y me aferro desesperadamente a esos recuerdos secos cuando mi cerebro a veces amenaza con llegar hasta *lo otro*.

No sé dónde nací, salvo que el castillo era infinitamente viejo e infinitamente horrible, lleno de corredores oscuros, con unos techos altos en los que el ojo sólo distinguía sombras y telarañas. Los sillares de las galerías ruinosas estaban siempre espantosamente húmedos, y en todas partes reinaba un olor abominable, como a generaciones de cadáveres amontonados. Nunca había luz, de manera que a veces encendía velas y las miraba largamente como descanso; afuera tampoco había sol, porque los árboles llegaban mucho más arriba que la torre accesible más alta. Una torre negra había que sobrepasaba los árboles y llegaba al desconocido cielo exterior, pero tenía una parte derruida y no era posible subir salvo mediante una casi imposible escalada por su pared vertical, piedra a piedra.

He debido de vivir años en este lugar, aunque no puedo calcular cuántos. Sin duda hubo quienes atendieron mis necesidades, aunque no tengo memoria de nadie aparte de mí mismo, ni de otros seres que las ratas sigilosas y los murciélagos y las arañas. Creo que quienes cuidaron de mí debieron de ser asombrosamente viejos, porque mi primera noción de una persona viva era como yo, aunque contrahecha, consumida, y deteriorada como el castillo. Para mí no había nada grotesco en los huesos y esqueletos que cubrían algunas criptas de piedra hundidas en los cimientos. Esas cosas las tenía fantásticamente asociadas a la vida diaria, y las consideraba más naturales que las representaciones en color de seres vivos que encontraba en muchos de aquellos libros mohosos. En tales libros aprendí lo que sé. Ningún profesor me exhortó o me guió, y no recuerdo haber oído una sola voz humana en todos esos años; ni siquiera la mía; porque aunque había leído sobre el habla, jamás se me ocurrió probar a hacerlo yo mismo. Tampoco sobre mi aspecto me había formado una idea, porque no había espejos en el castillo, e instintivamente me consideraba semejante a las figuras juveniles que veía dibujadas o pintadas en los libros. Tenía sensación de juventud porque guardaba muy pocos recuerdos.

Fuera, al otro lado del foso pútrido, y bajo los árboles mudos y oscuros, me tumbaba a menudo a soñar durante horas sobre lo que leía en los libros; y, anhelante, me representaba a mí mismo en medio de alegres multitudes en el mundo soleado de más allá del bosque interminable. Una vez intenté escapar, pero conforme me alejaba del castillo, las sombras del bosque se hacían más densas y el aire se cargaba más de solapado temor; al extremo de que regresé corriendo frenéticamente, no fuera a perderme en un laberinto de silencio tenebroso.

Así, durante interminables crepúsculos, soñaba y esperaba, aunque no sabía qué. Luego, en la sombría soledad, mis ansias de luz aumentaron a tal punto que ya no tenía sosiego, y alzaba las manos suplicantes hacia la torre negra y ruinosa que sobrepasaba el bosque y llegaba al cielo desconocido. Y finalmente resolví escalar esa torre, aun a riesgo de caer, ya que era preferible contemplar el cielo y perecer, a vivir sin haber visto el día jamás.

En el húmedo crepúsculo, subí los viejos y gastados peldaños de piedra hasta que llegué al nivel donde terminaban, y desde allí continué, agarrándome peligrosamente a pequeños asideros que conducían arriba. Espantoso y terrible era aquel cilindro de piedra de peldaños perdidos; negro, ruinoso y siniestro, con multitud de asustados murciélagos de alas silenciosas. Pero más espantosa y terrible era la lentitud con que progresaba; porque por mucho que subía, no disminuía la oscuridad de arriba, y un frío distinto, como de moho espectral y venerable, me asaltaba. Me estremecía al preguntarme por qué no llegaba a la luz, y habría mirado hacia abajo de haberme atrevido. Supuse que la noche se me había echado encima de repente, y tanteé en vano con una mano libre, buscando el alféizar de alguna ventana donde poder asomarme, y tratar de calcular la altura a la que había llegado.

De pronto, después de una interminable y pavorosa ascensión a ciegas por este precipicio cóncavo y desesperado, noté que mi cabeza tocaba algo sólido; y comprendí que había llegado al techo o a alguna clase de piso. Alcé a oscuras la mano libre, probé a empujar el obstáculo, pero noté que era de piedra e inamovible. Entonces di una vuelta peligrosísima alrededor de la torre, agarrándome a los salientes que brindaba la resbaladiza pared; hasta que, probando con la mano, descubrí finalmente que la barrera cedía; y me aupé otra vez, empujando la losa o trampa con la cabeza mientras usaba las manos para este ascenso terrible. No asomó ninguna claridad arriba, y al levantar más las manos supe que mi ascensión había terminado de momento, puesto que la losa era la trampa de una abertura que daba a un plano enlosado de circunferencia más grande que el inferior: sin duda el piso de alguna amplia cámara. Salí a gatas por ella, tratando de que la pesada losa no cayese otra vez en su sitio; pero no lo conseguí. Y tumbado exhausto en el suelo de piedra, escuché los ecos sobrecogedores que despertaron su caída; pero esperaba poder levantarla cuando fuera necesario.

Juzgando que ahora me encontraba a una altura prodigiosa, muchísimo más arriba que las odiosas ramas del bosque, me levanté como pude del suelo y empecé a palpar alrededor en busca de alguna ventana desde la que poder contemplar por primera vez el firmamento y la luna y las estrellas, de cuya existencia tenía noticia por los libros. Pero me sentí defraudado en una y otra dirección, ya que lo único que encontré fueron extensas estanterías de mármol ocupadas por cajas alargadas de inquietante tamaño. Cada vez le daba más vueltas, y me preguntaba qué viejos secretos reposarían en este altísimo aposento, aislado del castillo de abajo durante siglos. Entonces, inesperadamente, mis manos tropezaron con una entrada, cerrada por una hoja de piedra con extrañas y toscas cinceladuras. Probé a abrirla, pero la encontré trabada; no obstante, con un esfuerzo supremo, vencí toda resistencia y conseguí hacerla girar hacia dentro. Y al hacerlo me embargó el más puro éxtasis que jamás había conocido: porque brillando plácidamente a través de una ornada reja de hierro, y bajo un corto pasadizo de piedra con peldaños que subían desde la abertura que acababa de encontrar, vi la radiante luna llena, que hasta ahora sólo había contemplado en sueños y en vagas visiones que no me atrevo a llamar recuerdos.

Imaginando que ahora había alcanzado el pináculo mismo del castillo, me apresuré a subir por los pocos peldaños que ascendían desde la puerta; pero el súbito ocultamiento de la luna tras una nube me hizo tropezar, y tuve que seguir despacio a tientas. Aún había mucha oscuridad cuando llegué a la reja, que empujé con cuidado y comprobé que cedía, aunque no la abrí por temor a caer desde la altura a la que había subido. Entonces salió la luna.

La conmoción más demoníaca es la de lo abismalmente inesperado, la de lo grotescamente increíble. Nada de cuanto había sufrido podía compararse en terror a lo que ahora vi, a las insólitas maravillas que comportaba la visión. En sí era tan simple como pasmosa, porque se reducía a lo siguiente: en vez de un panorama de copas de árboles visto desde una altura de vértigo, a mi alrededor se extendía, al nivel de la cancela, nada menos que el *suelo firme* y plano sembrado de losas y columnas de mármol, a la sombra de una antigua iglesia de piedra cuyo ruinoso campanario brillaba espectralmente a la luz de la luna.

Medio inconsciente, abrí la reja y salí tambaleante al blanco sendero de grava que se alejaba en dos direcciones. Mi cerebro, aunque sumido en el caos y la estupefacción, aún albergaba unas ansias frenéticas de luz; y ni siquiera el milagro fantástico que acababa de acontecer fue capaz de detener mi marcha. No sabía ni me importaba si esta experiencia era delirio, magia o ensueño; pero estaba determinado a contemplar la luz y la alegría a toda costa. No sabía quién o qué era yo, ni qué significaba lo que veía a mi alrededor; aunque mientras avanzaba tropezando, me iba llegando a la conciencia una especie de memoria latente y espantosa que hacía que mis pasos no fuesen del todo fortuitos. Pasé bajo un arco, salí de esta región de losas y columnas, y continué a campo abierto, unas veces por el camino visible, otras dejándolo extrañamente para cruzar un prado en el que sólo algún vestigio ocasional revelaba la existencia de una calzada antigua y olvidada.

Más de dos horas debieron de transcurrir hasta que llegué a lo que parecía ser mi meta, un venerable castillo cubierto de hiedra en un parque poblado de árboles que me resultaba asombrosamente familiar y a la vez desconcertantemente extraño. Vi que tenía el foso cegado, y derruidas algunas torres que yo conocía bien, mientras que había alas nuevas que confundían al observador. Pero en lo que reparé con especial interés y deleite fue en las ventanas abiertas y rebosantes de luz, de las que salía un bullicio de animadísima fiesta. Me acerqué a mirar por una de ellas y vi gente vestida de una manera realmente singular; se divertían y hablaban con animación. Nunca había oído la voz humana hasta ahora, y sólo podía hacerme una vaga idea de lo que decían. Algunas caras me despertaban recuerdos increíblemente remotos; otras me eran totalmente extrañas.

Acto seguido entré por la ventana baja al salón deslumbrante, y al hacerlo pasé de mi instante luminoso de esperanza a la más negra y desesperada comprensión. La pesadilla iba a suceder con rapidez; porque tan pronto como entré yo se produjo uno de los espectáculos más terribles que habría podido imaginar. Apenas traspuse el alféizar, se desató entre los reunidos un miedo súbito e intenso que contrajo los rostros y arrancó los gritos más horribles de todas las gargantas. La desbandada fue general; y en medio del desconcierto y el pánico, algunas personas se desvanecieron, y sus despavoridos compañeros cargaron con ellas. Muchos se taparon los ojos con las manos y echaron a correr a ciegas tratando de huir, derribando muebles y chocando contra las paredes antes de dar con una de las múltiples puertas.

Los gritos eran espantosos; y cuando me quedé solo y ofuscado en el salón lleno de luz, escuchando las voces que se alejaban, me estremecí al pensar qué podía estar acechando invisible junto a mí. A primera vista la estancia parecía desierta; pero al dirigirme a una de las alcobas me pareció advertir en ella una presencia, un atisbo de movimiento al otro lado del marco dorado que comunicaba con otra habitación parecida. Al acercarme al arco empecé a distinguir con algo más de claridad dicha presencia; y entonces, con el primero y último sonido que he proferido jamás –un aullido horrible que me produjo casi tanta repugnancia como su inmunda causa–, contemplé de lleno, con una nitidez espantosa, la indescriptible, la abominable monstruosidad que con su sola aparición había convertido una alegre concurrencia en una manada despavorida.

No me es posible dar siquiera una idea remota de su aspecto, porque era un compuesto de todo lo impuro, horrendo, indeseable y anormal. Era la sombra macabra de la corrupción y la desolación, la imagen pútrida y goteante de inmunda revelación; la apariencia tremenda de lo que la tierra misericordiosa debería mantener eternamente oculto. Dios sabe que no era –o ya no era– de este mundo; aunque para mi horror veía en su figura consumida, en la que se marcaban los huesos, un remedo repulsivo de figura humana, y en su indumentaria mohosa y desintegrada, un matiz indescriptible que me estremecía aún más.

Me sentía casi paralizado, aunque no tanto como para no hacer un débil intento de huida, una torpe retirada que no consiguió romper la fascinación en que me tenía el monstruo sin nombre y sin voz. Mis ojos, dominados por los orbes vidriosos que los miraban odiosamente, se negaban a cerrarse; aunque se me habían enturbiado misericordiosamente, y distinguía de manera muy borrosa a la terrible criatura tras la primera impresión. Quise levantar la mano para no verla, pero tan embotados tenía los nervios que el brazo no obedeció del todo a mi deseo. El intento, sin embargo, bastó para hacerme perder el equilibrio, de manera que tuve que dar unos pasos adelante para no caerme. Y al hacerlo, de repente, me di cuenta con angustia de la proximidad de la carroña, cuya respiración horrenda y cavernosa casi imaginé oír. Medio loco, fui capaz no obstante de alargar la mano para detener a la fétida aparición que tan cerca tenía, cuando en ese segundo de cósmica pesadilla e infernal casualidad *mis dedos tocaron la zarpa putrefacta que el monstruo extendía bajo el arco dorado.*

No grité, pero los espíritus necrófagos que viajan con el viento nocturno gritaron por mí cuando en ese segundo impactó en mi conciencia una simple y fugaz avalancha de memoria anonadadora. En ese segundo comprendí lo que había ocurrido; recordé más allá del castillo y de los árboles espantosos, y reconocí el cambiado edificio en el que estaba ahora; reconocí –lo más terrible de todo– la espantosa abominación que ahora me miraba con sorna mientras yo apartaba mis dedos de los suyos.

Pero en el cosmos hay bálsamo igual que hay aflicción, y ese bálsamo se llama nepente[3]. En el supremo horror de ese segundo olvidé qué me había horrorizado, y el borbotón de negros recuerdos se desvaneció en un caos de imágenes refractadas. En un sueño, huí de aquella fábrica encantada y maldita, y corrí veloz y en silencio a la luz de la luna. Al llegar al lugar de las lápidas de mármol y bajar los escalones, encontré la trampa imposible de mover; pero no lo sentí, porque odiaba el antiguo castillo y los árboles. Ahora cabalgo en el viento nocturno con los espíritus necrófagos, burlescos y amistosos, y juego durante el día entre las catacumbas de Nefrén-Ka[4], en el valle sellado e ignoto de Hadoth, junto al Nilo. Sé que no hay luz para mí, salvo la que derrama la luna sobre las tumbas rocosas de Neb, ni ninguna alegría salvo los festines nefandos de Nitocris[5], bajo la Gran Pirámide; sin embargo, inmerso en este nuevo desenfreno y esta nueva libertad, casi agradezco la amargura del extrañamiento.

Porque aunque el nepente me ha calmado, sé que soy un extraño; un intruso en este siglo y entre los que aún son hombres. Lo sé desde el momento en que alargué los dedos hacia la abominación del interior del gran marco dorado, tendí los dedos, y toqué la fría y tersa superficie de cristal azogado.

LOS OTROS DIOSES[1]

En la cima del pico más alto del mundo moran los dioses de la tierra, y no soportan que ningún hombre diga que ha conseguido contemplarlos. Antaño habitaron en cumbres más bajas; pero los hombres de las llanuras siempre escalaban las laderas rocosas y níveas, empujando a los dioses hacia montañas cada vez más altas, hasta que ahora sólo les queda la última. Cuando abandonaron sus picos ancestrales se llevaron consigo sus propios signos; excepto una vez que, según se dice, dejaron una imagen esculpida en la cara del monte que llaman Ngranek.

Pero ahora se han refugiado en la ignota Kadath, en las inmensidades heladas que los hombres jamás han hollado, y se han vuelto ariscos, pues ya no les quedan más cumbres a las que poder retirarse si los hombres llegaran. Se han vuelto ariscos, y si en otro tiempo soportaron que los hombres les desplazaran, ahora les han prohibido acercarse, y, si lo hacen, les impiden regresar. Es mejor para los hombres que no sepan dónde se halla Kadath, en las inmensidades heladas, de lo contrario intentarían escalarla en su imprudencia.

A veces, cuando los dioses de la tierra sienten añoranza de su antiguo hogar, visitan en las noches calmas las cumbres donde antaño moraron, y lloran en silencio tratando de repetir los viejos juegos sobre las reconocibles laderas. Los hombres han sentido las lágrimas de los dioses sobre el níveo Thurai, aunque pensaron que tan sólo era lluvia; y han escuchado sus lamentos en los quejumbrosos vientos matinales de Lerion. Los dioses suelen viajar en embarcaciones de nubes, y los campesinos sabios tienen leyendas que les advierten de acercarse a determinadas cumbres altivas si es de noche y está nublado, pues los dioses ya no son tan indulgentes como antaño.

En Ulthar, más allá del río Skai, vivía una vez un anciano que anhelaba contemplar a los dioses de la tierra; era un hombre profundamente versado en los siete libros crípticos de Hsan[2], y conocía los *Manuscritos Pnakóticos* de la distante y gélida Lomar[3]. Se llamaba Barzai el Sabio, y los aldeanos cuentan cómo subió a lo alto de una montaña la noche del extraño eclipse.

Barzai sabía tantas cosas sobre los dioses que podía enumerar sus idas y venidas, y presentía tantos de sus secretos que se le consideraba casi un semidiós. Fue él quien aconsejó prudentemente a los gobernantes de Ulthar cuando aprobaron la famosa ley en contra de las matanzas de gatos, y el primero que informó al joven sacerdote Atal[4] del lugar al que van los gatos negros en la medianoche de la víspera de san Juan. Barzai estaba cultivado en la ciencia de los dioses de la tierra, y le habían entrado deseos de contemplar sus rostros. Pensaba que su profundo y secreto conocimiento de los dioses podría preservarle de la ira de éstos, y resolvió subir a la alta y escarpada cima del rocoso Hatheg-Kla una noche en la que sabía que los dioses estarían allí.

Hatheg-Kla se yergue en la lejanía del pétreo desierto que hay más allá de Hatheg[5], del cual recibe su nombre, y trepa como una estatua de piedra en medio de un templo silencioso. Las nieblas siempre juegan melancólicas alrededor de su cima, ya que estas brumas no son más que los recuerdos de los dioses, y los dioses amaban Hatheg-Kla cuando vivían en él en los viejos días. Con frecuencia los dioses de la tierra visitan Hatheg-Kla en sus barcos de nubes, arrojando pálidos vapores sobre los riscos mientras bailan nostálgicos en lo alto bajo la luz de la luna. Los habitantes de Hatheg dicen que es una locura escalar la montaña a cualquier hora, y que resultaría mortal hacerlo por la noche, cuando los pálidos vapores ocultan la cima y la luna; pero Barzai no les hizo caso, y llegó a la vecina Ulthar acompañado del joven sacerdote Atal, que era su discípulo. Atal era tan sólo el hijo de un simple posadero, y a veces tenía miedo; pero el padre de Barzai había morado siempre en un viejo castillo, de manera que no compartía las supersticiones de los demás, y se reía de los miedos de los campesinos.

Barzai y Atal salieron de Hatheg hacia el pétreo desierto, a pesar de los ruegos de los aldeanos, y hablaban de los dioses de la tierra por las noches, al calor del fuego del campamento. Viajaron durante muchos días, hasta que divisaron en la lejanía el altísimo Hatheg-Kla envuelto en sus tétricas brumas. El decimotercer día llegaron al pie de la montaña solitaria, y Atal confesó sus temores. Pero Barzai era viejo, sabio y no conocía el miedo, así que se subió en cabeza valientemente por la ladera que ningún hombre había escalado desde los tiempos de Sansu, de quien se habla con temor en los mohosos *Manuscritos Pnakóticos*.

El camino era pedregoso y resultaba muy aventurado a causa de los precipicios, grietas y desprendimientos de rocas. Luego se volvió frío y nivoso, y Barzai y Atal resbalaban y caían a menudo mientras se abrían paso y avanzaban ayudados de bastones y hachas. Por fin el aire se hizo menos denso, el cielo cambió de color y a los escaladores les resultaba difícil respirar; pero siguieron subiendo más y más alto, fascinados ante lo extraño del paisaje y emocionados al pensar en lo que podría suceder una vez llegados a la cumbre, cuando saliera la luna y las pálidas brumas se extendieran por los alrededores. Durante tres días ascendieron cada vez más y más y más alto, en busca del techo del mundo; luego acamparon en espera de que las nubes cubrieran la luna.

Ninguna nube apareció durante cuatro noches, y la luna arrojaba su fría luz sobre las tétricas nieblas que se extendían alrededor de la silenciosa cumbre. Y entonces, la quinta noche, bajo la luna llena, Barzai descubrió un amontonamiento de densas nubes en el lejano norte, y permaneció despierto con Atal para observar cómo se acercaban. Era un manto espeso y majestuoso que navegaba con deliberada lentitud; rodeó el pico muy por encima de los observadores, y ocultó la luna y la cresta de la montaña. Durante una larga hora estuvieron ambos mirando, mientras las brumas se arremolinaban y el manto de nubes se hacía más denso e inquieto. Barzai estaba versado en la ciencia de los dioses de la tierra, y prestaba mucha atención a cualquier sonido, pero Atal tan sólo sentía el frío de los vapores y el miedo nocturno, y se encontraba completamente aterrado. Y cuando Barzai comenzó a subir aún más y le hizo señas para que le siguiera, Atal tardó mucho en ir tras él.

Tan densas eran las brumas que la marcha resultaba muy dificultosa, y aunque Atal se decidió al fin a seguirle, apenas podía distinguir la figura gris de Barzai sobre la nebulosa ladera iluminada por la vaporosa luz de la luna. Barzai se había adelantado mucho, y a pesar de su edad parecía subir con mayor destreza que Atal, sin miedo a la pendiente que empezaba a resultar demasiado escarpada, excepto para un hombre fuerte e intrépido, y sin pararse ante las negras y anchas gargantas que Atal apenas podía sortear. Y de esta manera escalaron locamente entre rocas y precipicios, resbalando y tropezando, sobrecogidos a veces por la vastedad y el terrible silencio de las crestas solitarias y gélidas y de las mudas pendientes de granito.

De repente, Atal perdió de vista a Barzai, que acababa de sortear un tremendo farallón rocoso que parecía sobresalir y cortar el camino a cualquier escalador que no estuviera inspirado por los dioses de la tierra. Atal se encontraba muy abajo, pensando qué haría cuando llegara a aquel punto, y entonces se percató con curiosidad de que la luz había aumentado, como si la cumbre despejada y el lugar al claro de luna en el que se reunían los dioses estuvieran muy cerca. Y mientras gateaba hacia el farallón rocoso y el cielo iluminado, experimentó los más atroces miedos de toda su vida. Acto seguido, a través de las nieblas de arriba, escuchó la voz de Barzai que gritaba salvajemente lleno de júbilo:

–¡He oído a los dioses! ¡He oído a los dioses de la tierra cantando gozosos en el Hatheg-Kla! ¡Barzai el Profeta conoce las voces de los dioses de la tierra! ¡Las brumas son tenues y la luna brillante, y hoy contemplaré a los dioses danzar frenéticamente sobre el Hatheg-Kla, la montaña que amaron en su juventud! ¡La sabiduría de Barzai le ha hecho aún más poderoso que los propios dioses de la tierra, y sus hechizos y barreras no pueden nada contra su voluntad; Barzai contemplará a los dioses de la tierra, a los dioses orgullosos, a los dioses secretos, a los dioses de la tierra que detestan ser observados por los hombres!

Atal no podía escuchar las voces que Barzai aseguraba oír, pero ahora había llegado cerca de la cornisa y buscaba un paso. Entonces oyó la voz de Barzai que se había hecho más sonora y estridente:

—Las nieblas son muy tenues y la luna arroja sombras sobre los acantilados; las voces de los dioses de la tierra son fuertes y violentas, pues temen la llegada de Barzai el Sabio, que es más grande que ellos... La luz de la luna se estremece, y los dioses de la tierra danzan frente a ella; veré sus sombras agitándose y aullando bajo el resplandor de la luna... La luz se debilita y los dioses tienen miedo...

Mientras Barzai gritaba estas cosas, Atal notó un cambio espectral en la atmósfera, como si las leyes naturales cedieran ante otras leyes más poderosas; y aunque el sendero era más empinado que nunca, el ascenso resultaba pavorosamente sencillo, y el farallón rocoso apenas fue un obstáculo cuando llegó ante él y trepó por su lado convexo. El resplandor de la luna se había desvanecido misteriosamente, y mientras Atal se adentraba en las brumas de arriba, escuchó a Barzai el Sabio aullando en las sombras:

—La luna está oscura y los dioses danzan en la noche; hay pavor en el cielo, pues se ha producido un eclipse lunar que ni los libros humanos ni los dioses de la tierra han sido capaces de predecir... Hay una magia desconocida en el Hatheg-Kla, pues los aullidos de los dioses asustados se han convertido en carcajadas, y las laderas cubiertas de hielo se alzan interminables hacia los negros cielos en los que ahora me sumerjo... ¡Eh! ¡Eh! ¡Por fin! *¡Bajo la tenue luz puedo contemplar a los dioses de la tierra!*

Y entonces Atal, subiendo vertiginosamente entre abismos inconcebibles, captó en la oscuridad una risa espantosa, entremezclada con unos gritos tan terribles que nadie sería capaz de escuchar excepto en el Fleguetonte de indescriptibles pesadillas; un grito en el que resonaba todo el horror y la angustia de una vida angustiada comprimida en un instante atroz:

—¡Los *otros* dioses! ¡Los *otros* dioses! ¡Los dioses de los infiernos exteriores que custodian a los débiles dioses de la tierra!... ¡Aparta los ojos!... ¡Retrocede!... ¡No mires!... ¡No mires!... La venganza de las profundidades infinitas... Ese maldito, ese condenado abismo... ¡Dioses misericordiosos de la tierra, *estoy cayendo dentro del cielo!*

Y mientras Atal cerraba los ojos, se tapaba los oídos y trataba de descender luchando contra el poder terrible que lo atraía desde las desconocidas alturas, siguió resonando en el Hatheg-Kla el tronar terrorífico de la tormenta que había despertado a los sencillos campesinos de los llanos y a los honrados habitantes de Hatheg, Nig y Ulthar, haciendo que se pusieran a observar, a través del manto de nubes, aquel extraño eclipse lunar que ningún libro había sido capaz de predecir. Y cuando la luna volvió a aparecer de nuevo, Atal se encontraba a salvo entre las nieves inferiores de la montaña, lejos de la vista de los dioses de la tierra, o de los *otros* dioses.

Ahora se dice en los enmohecidos *Manuscritos Pnakóticos* que Sansu no vio más hielos y rocas mudas cuando escaló el Hatheg-Kla en la juventud del mundo. Pero cuando los hombres de Ulthar, Nir y Hatheg vencieron sus temores y escalaron aquella cumbre encantada bajo la luz del día en busca de Barzai el Sabio, descubrieron en la roca desnuda de la cima un extraño y ciclópeo símbolo de cincuenta codos de ancho, como si la roca hubiera sido hendida por un titánico cincel. Y el símbolo resultaba idéntico al que los sabios habían descubierto en esas terroríficas páginas de los *Manuscritos Pnakóticos* demasiado antiguas para poder leerse. Eso encontraron.

Jamás localizaron a Barzai el Sabio, ni lograron convencer al santo sacerdote Atal para que rogara por el descanso de su alma. Y aún hoy, los habitantes de Ulthar, Nir y Hatheg temen los eclipses, y rezan por las noches, cuando las pálidas brumas envuelven la cumbre de la montaña y la luna. Y por encima de los vapores del Hatheg-Kla, los dioses danzan a veces con melancolía, pues saben que ya no corren peligro, y adoran viajar desde la desconocida Kadath en sus embarcaciones de nubes y jugar como en los viejos tiempos, como hacían cuando la tierra era nueva y los hombres no se aventuraban en las regiones inaccesibles.

LA MÚSICA DE ERICH ZANN [1]

He examinado planos de la ciudad con el mayor cuidado, pero no he vuelto a encontrar la Rue d'Auseil. No todos los planos eran modernos, pues sé que los nombres cambian. Al contrario, he hurgado a fondo en la historia local y he explorado personalmente todos los rincones de la ciudad, cualquiera que fuera su nombre, que pudieran tener relación con la calle que yo conocí como Rue d'Auseil[2]. Pero, a pesar de todos mis esfuerzos, tengo que reconocer el humillante hecho de que no puedo encontrar la casa, ni la calle, ni siquiera el lugar donde, durante los últimos meses de mi depauperada vida como estudiante de metafísica en la universidad, escuché la música de Erich Zann.

No me extraña que me falle la memoria; pues mi salud, tanto física como mental, estaba seriamente trastornada durante la época en que residí en la Rue d'Auseil, y recuerdo que nunca llevé allí a ninguna de mis escasas amistades. Pero que no pueda volver a encontrar el lugar resulta extraño y al mismo tiempo desconcertante, pues se hallaba a menos de media hora de camino de la universidad, y se distinguía por ciertas particularidades que difícilmente podría olvidar cualquiera que hubiese estado allí. Nunca he conocido a nadie que haya visto la Rue d'Auseil.

La Rue d'Auseil se encontraba al otro lado de un río sombrío, bordeado de empinados almacenes de ladrillo con ventanas opacas, y atravesado por un pesado puente de piedra negruzca. El curso de aquel río estaba siempre sombreado, como si el humo de las fábricas cercanas tapara permanentemente el sol. Sus aguas, asimismo, despedían un horrible hedor que nunca había olido en ninguna otra parte, y que algún día podría ayudarme a encontrarlo, ya que tendría que reconocerlo inmediatamente. Al otro lado del puente había una serie de estrechas calles adoquinadas y con raíles; y después venía la cuesta, suave al principio, pero ya increíblemente empinada al llegar a la Rue d'Auseil.

Nunca he visto una calle tan estrecha y empinada como la Rue d'Auseil. Cerrada al tráfico, era casi un precipicio, formado en ciertos lugares por tramos de escaleras que terminaban en lo alto en una tapia elevada y cubierta de hiedra[3]. El pavimento era irregular: unas veces bloques de piedra, otras adoquines, y en ocasiones simple tierra en la que se esforzaba por abrirse camino una vegetación verde-grisácea. Las casas eran altas y de tejados puntiagudos, increíblemente viejas e inclinadas de manera peligrosa hacia delante, hacia detrás y a un lado. Alguna que otra vez un par de casas con las fachadas enfrentadas, ambas inclinadas hacia delante, casi llegaban a juntarse a través de la calle, como un arco; y ciertamente casi impedían que la luz llegara al suelo que había debajo. Entre las casas de uno y otro lado de la calle había unos cuantos puentes suspendidos.

Los habitantes de esta calle me causaban una peculiar impresión. Al principio pensé que se debía a que eran silenciosos y reservados; pero más tarde decidí que el motivo estribaba en que todos eran muy viejos. No sé cómo llegué a vivir en una calle así, pero no era yo mismo cuando me mudé allí. Había vivido en muchos lugares miserables, siempre desahuciado por falta de dinero, hasta que por fin descubrí aquella casa en ruinas de la Rue d'Auseil, regentada por el paralítico Blandot. Era la tercera casa a partir del final de la calle, y con mucho la más alta de todas.

Mi habitación estaba en el quinto piso; era la única habitada, ya que la casa estaba casi vacía. La noche de mi llegada oí una extraña música proveniente de la puntiaguda buhardilla de arriba, y al día siguiente pregunté por ella al viejo Blandot. Me contestó que se trataba de un viejo violero[4] alemán, un extraño mudo que firmaba como Erich Zann, y que tocaba por las tardes en la orquesta de un teatrucho; y añadió que el deseo de Zann de tocar por la noche, a la vuelta del teatro, era el motivo por el que había elegido aquella elevada y aislada buhardilla, cuya ventana de gablete era el único lugar de la calle desde donde se podía echar un vistazo al final del muro en declive y al panorama del otro lado.

A partir de entonces escuché a Zann todas las noches y, aunque me mantenía despierto, me obsesionaba lo extraño de su música. A pesar de saber muy poco de aquel arte, estaba convencido de que ninguna de sus armonías tenía nada que ver con la música que había escuchado antes; y llegué a la conclusión de que era un compositor de un talento sumamente original. Cuanto más la escuchaba, más me fascinaba aquella música, hasta que al cabo de una semana decidí conocer a aquel anciano.

Una noche, cuando volvía de su trabajo, le salí al paso en el vestíbulo y le dije que me gustaría conocerlo y estar con él cuando tocaba. Era de baja estatura, delgado, encorvado, de ropas raídas, ojos azules, rostro grotesco como el de un sátiro y casi calvo; y al escuchar mis primeras palabras pareció enfadarse y asustarse. Sin embargo, mi talante abiertamente amistoso acabó por aplacarlo; a regañadientes me hizo señas para que subiera tras él las oscuras, crujientes y desvencijadas escaleras del ático. Su habitación, una de las dos que había en aquella buhardilla de techo inclinado, estaba orientada al oeste, hacia la alta tapia que formaba el extremo superior de la calle. Era de gran tamaño y parecía todavía mayor debido a lo vacía que estaba y a su extraordinario abandono. El único mobiliario que tenía era un pequeño armazón de cama de hierro, un sórdido lavabo, una mesa pequeña, una gran estantería para libros, un atril de hierro y tres anticuadas sillas. Las partituras se apilaban en desorden por el suelo. Las paredes eran simples tablas, que probablemente nunca habían sido enlucidas; mientras que la abundancia de polvo y telarañas hacía que el lugar pareciese más abandonado que habitado. Sin duda, el universo estético de Erich Zann residía en algún lejano cosmos de su imaginación.

Indicándome con la mano que me sentara, aquel hombre mudo cerró la puerta, echó el gran pestillo de madera y encendió una vela para incrementar la luz de la que había traído consigo. Luego sacó la viola de su apolillada funda y, tomándola en sus manos, se sentó en la menos incómoda de las sillas. No empleó el atril, pero sin darme ninguna opción, tocando de memoria, me deleitó durante más de una hora con compases que nunca había oído antes; compases que debían ser de su propia creación. Describirlos con exactitud es imposible para alguien no versado en música. Se trataba de una especie de fuga, con pasajes recurrentes de una calidad de lo más fascinante, pero para mí lo más notable era la ausencia de cualquiera de las extrañas notas que había oído por casualidad desde mi habitación en otras ocasiones.

Me acordaba muy bien de aquellas notas obsesivas, pues a menudo las había tarareado y silbado para mí mismo con escasa fidelidad: de modo que, cuando por fin el músico dejó a un lado su arco, le pregunté si querría interpretar alguna de ellas. Nada más iniciar mi petición, aquel arrugado rostro de sátiro perdió la aburrida placidez que se había apoderado de él durante la interpretación, y pareció mostrar la misma mezcla curiosa de ira y temor que ya había notado la primera vez que abordé al anciano. Por un momento estuve dispuesto a recurrir a la persuasión, haciendo bastante poco caso de los antojos propios de la senilidad; e incluso intenté espolear el extraño humor de mi anfitrión silbando algunos de los compases que había escuchado la noche anterior. Pero no insistí más que un momento; pues cuando el músico mudo reconoció la tonada que yo había silbado, su rostro se torció de repente adquiriendo una expresión completamente imposible de analizar, y alargó su larga, fría y huesuda mano derecha para hacerme callar y silenciar mi burdo remedo. Y al hacerlo dio otra muestra de excentricidad lanzando una mirada asustada a la solitaria ventana con cortinas, como si temiera la llegada de un intruso... una mirada doblemente absurda, ya que la buhardilla estaba muy por encima de los tejados adyacentes, por lo que era prácticamente inaccesible, siendo, tal como me había dicho el portero, el único lugar de aquella empinada calle desde el que podía verse la cumbre por encima del muro.

La mirada del viejo me hizo recordar el comentario de Blandot y, no sin cierta volubilidad, sentí el deseo de asomarme a contemplar el vasto y vertiginoso panorama de tejados a la luz de la luna, y las luces de la ciudad al otro lado de la cima de la colina, que, de entre todos los moradores de la Rue d'Auseil, sólo aquel malhumorado músico podía ver. Me trasladé a la ventana y ya iba a descorrer las indescriptibles cortinas cuando, con una furia fruto de un miedo todavía mayor que el de antes, el mudo huésped estaba otra vez junto a mí, esta vez señalándome la puerta con la cabeza mientras trataba de arrastrarme hacia ella con ambas manos. Completamente indignado con mi anfitrión, le ordené que me soltara, y le dije que me iría inmediatamente. Al verme indignado y ofendido, su propia furia pareció apaciguarse y aflojó su apretón. Volvió a agarrarme, esta vez de un modo amistoso, y me obligó a sentarme en una silla; entonces, con gesto pensativo, fue hasta la abarrotada mesa y allí escribió algunas palabras a lápiz en el francés forzado propio de un extranjero.

La nota que finalmente me alargó constituía una petición de tolerancia y perdón. Zann decía ser viejo y solitario, y estar afligido por extraños miedos y trastornos nerviosos relacionados con su música, y con otras cosas. Le había encantado que yo escuchara su música, y le gustaría que volviese y no hiciera caso de sus excentricidades. Pero no podía tocar para otros sus extrañas armonías, ni podía soportar oírselas a otros; tampoco podía soportar que nadie tocase nada en su habitación. Hasta nuestra conversación en el vestíbulo, no había sabido que podía oírle tocar desde mi habitación, y me rogaba que me pusiera de acuerdo con Blandot para instalarme en una habitación más baja, desde la que no pudiera escucharle de noche. Él, afirmaba, costearía la diferencia en el precio del alquiler.

Mientras trataba de descifrar su execrable francés, me sentí más indulgente hacia aquel anciano. Era víctima de padecimientos físicos y nerviosos, como yo; y mis estudios de metafísica me habían enseñado a ser benevolente. En medio de aquel silencio se oyó un ligero ruido en la ventana –el postigo debió de haber golpeteado a causa del viento nocturno–, y por alguna razón me sobresalté casi tan violentamente como Erich Zann hizo antes. De modo que, cuando acabé de leer, le estreché la mano y me marché tan amigo como al principio. Al día siguiente, Blandot me dio una habitación más cara en el tercer piso, entre los aposentos de un viejo prestamista y la habitación de un respetable tapicero. En el cuarto piso no vivía nadie.

No tardé en descubrir que el entusiasmo de Zann por mi compañía no era tan grande como parecía cuando me convenció para que me mudase del quinto piso. Nunca me pedía que le fuera a ver y, cuando yo lo visitaba, parecía incómodo y tocaba con desgana. Eso ocurría siempre de noche... durante el día dormía y no dejaba entrar a nadie. Mi aprecio por él no aumentó, pero la habitación del ático y la extraña música parecían ejercer una rara fascinación sobre mí. Sentía un curioso deseo de asomarme a aquella ventana y ver qué había por encima del muro y por debajo de la invisible ladera, en los relucientes tejados y chapiteles que debían extenderse más allá. Una vez subí a la buhardilla en horas de teatro, cuando Zann se encontraba fuera, pero la puerta estaba cerrada con llave.

Lo que sí conseguí fue escuchar subrepticiamente las interpretaciones nocturnas de aquel viejo mudo. Al principio subía de puntillas hasta mi antigua habitación del quinto piso, luego me atreví incluso a ascender por el último y crujiente tramo de escaleras hasta la puntiaguda buhardilla. Allí, en el angosto pasillo, al otro lado de la puerta cerrada con pestillo y con el ojo de la cerradura tapado, escuchaba a menudo sonidos que me llenaban de un temor indefinible... un temor de vagos prodigios e inquietantes misterios. No es que los sonidos fuesen espantosos, pues no lo eran; sino que contenían vibraciones que no evocaban nada que fuera de este mundo y que, en ciertos momentos, asumían una calidad sinfónica que apenas podía concebir que fuese producto de un solo músico. Sin duda alguna, Erich Zann era un genio de unas portentosas facultades. A medida que pasaban las semanas, la interpretación se volvió más frenética, mientras el viejo músico fue adquiriendo un aspecto cada vez más demacrado y sospechoso, que daba pena ver. Se negaba a recibirme a cualquier hora y me rehuía cada vez que nos encontrábamos en las escaleras.

Entonces una noche, mientras escuchaba al pie de la puerta, oí cómo la chirriante viola estallaba en una caótica babel de sonidos; un pandemónium que me habría hecho dudar de mi propia y desconcertante cordura, de no haberme llegado desde el otro lado de aquella puerta atrancada una patética prueba de que el horror era auténtico... un grito espantoso, inarticulado, que sólo un mudo puede proferir, y que sólo se lanza en momentos del más terrible miedo o angustia.

Golpeé la puerta repetidas veces, pero no obtuve respuesta. Después esperé en el oscuro pasillo, temblando de frío y miedo, hasta oír los débiles esfuerzos del pobre músico por levantarse del suelo con ayuda de una silla. Creyendo que acababa de recobrarse de un síncope, reanudé los golpes al mismo tiempo que gritaba mi nombre para tranquilizarlo. Escuché cómo Zann iba hacia la ventana dando traspiés y cerraba las hojas y el postigo; después fue a trompicones hasta la puerta y la abrió titubeante para dejarme entrar. Esta vez su alegría al tenerme a su lado fue real, pues su rostro desencajado resplandecía de alivio mientras se agarraba a mi chaqueta como un niño a las faldas de su madre.

Temblando de forma patética, el viejo me obligó a sentar en una silla, mientras él se dejaba caer en otra, junto a la que estaban tirados por el suelo de manera despreocupada su viola y su arco. Permaneció algún tiempo inmóvil, moviendo la cabeza de forma extraña, pero dando la paradójica impresión de estar escuchando con tanto interés como temor. Posteriormente pareció quedar satisfecho y, pasando a una silla junto a la mesa, escribió una breve nota, me la entregó y volvió a la mesa, donde se puso a escribir rápida e incesantemente. En la nota me suplicaba que, por compasión hacia él y para satisfacer mi curiosidad, no me moviese de donde estaba mientras él preparaba un informe completo en alemán de todos los prodigios y terrores que le habían acosado. Esperé, mientras el lápiz del mudo corría sobre el papel.

Fue quizá una hora más tarde, mientras todavía esperaba y las hojas que el viejo músico escribía febrilmente seguían apilándose, cuando vi sobresaltarse a Zann como si se hubiera llevado una horrible impresión. Indudablemente miraba la ventana con la cortina echada y escuchaba estremecido. Entonces me pareció oír un sonido; aunque no era nada horrible, sino que más bien se trataba de una nota musical sumamente baja e infinitamente lejana, como si procediese de algún intérprete que se hallase en una de las casas cercanas, o en alguna vivienda del otro lado del muro elevado por encima del cual nunca había podido mirar. En todo caso el efecto que le produjo a Zann fue terrible, ya que, dejando caer el lápiz, se levantó de repente, echó mano de la viola y comenzó a romper el silencio de la noche con la más frenética interpretación que había oído salir de su arco, salvo cuando escuché junto a la puerta atrancada.

Sería inútil tratar de describir lo que tocó Erich Zann aquella espantosa noche. Resultaba más horrible que todo lo que había escuchado hasta entonces, porque podía ver la expresión de su rostro, y me daba cuenta de que esta vez el motivo era el miedo más absoluto. Intentaba hacer ruido para protegerse contra algo o ahogar algún ruido... el qué, no podía imaginarlo, aunque me pareció que debía ser impresionante. La ejecución era cada vez más fantástica, delirante e histérica, aunque manteniendo hasta el fin las cualidades de supremo genio que, como yo bien sabía, poseía aquel extraño anciano. Reconocí la tonada: se trataba de una salvaje danza húngara, popular en los teatros, y por un momento pensé que era la primera vez que oía a Zann interpretar la obra de otro compositor.

Cada vez más fuerte, y más atronador, el chillido y el gimoteo de aquella viola desesperada no dejaba de aumentar. El músico estaba empapado en un extraño sudor y se contorsionaba como un mono, sin dejar de mirar frenéticamente a la ventana con la cortina echada. En sus frenéticos acordes casi podía ver quiméricos sátiros y bacantes que bailaban y daban vueltas enloquecidos a través de borboteantes abismos de nubes, humo y relámpagos. Y entonces creí escuchar una nota más aguda y sostenida que no procedía de la viola; una nota suave, pausada, intencionada, burlona, que llegaba de muy lejos en dirección oeste.

A estas alturas un rugiente viento nocturno que se había levantado en el exterior comenzó a sacudir el postigo, como en respuesta a la desenfrenada música que se interpretaba en el interior. La chillona viola de Zann se superó a sí misma, emitiendo sonidos que nunca creí que pudiera emitir una viola. El viento sacudió todavía más fuerte el postigo, que se soltó y comenzó a golpear la ventana. Entonces el cristal se hizo añicos como consecuencia de los continuos impactos y el viento helado se precipitó en el interior, haciendo chisporrotear las velas y crujir los folios de papel que había sobre la mesa en los que Zann había empezado a transcribir su horrible secreto. Miré a Zann y vi que no se daba cuenta de nada. Sus ojos estaban desorbitados, vidriosos, ciegos, y la frenética interpretación se había convertido en una irreconocible orgía al azar, mecánica, que ninguna pluma podría siquiera insinuar.

Una repentina ráfaga, más fuerte que las demás, alcanzó al manuscrito y se lo llevó hacia la ventana. Desesperado, perseguí las hojas que volaban por la habitación, pero antes de que pudiera llegar a los cristales rotos, habían desaparecido. Entonces recordé mi antiguo deseo de mirar por aquella ventana, la única en toda la Rue d'Auseil desde la que se podía contemplar la ladera al otro lado del muro y la ciudad que se extendía debajo. Estaba muy oscuro, pero las luces de la ciudad siempre estaban encendidas, y esperaba poder verlas entre la lluvia y el viento. Pero cuando miré desde aquella ventana, la más alta de la buhardilla, mientras las velas chisporroteaban y la insensata viola aullaba al compás del viento nocturno, no vi que se extendiera a mis pies ninguna ciudad, ni que brillaran luces acogedoras en calles que pudiera recordar, sino sólo la oscuridad del espacio ilimitado; un inimaginable espacio rebosante de movimiento y de música, que no se parecía nada a ningún otro de este mundo. Y mientras permanecía allí, mirando aterrorizado, el viento apagó las velas en aquella antigua buhardilla puntiaguda, dejándome en una drástica e impenetrable oscuridad, no teniendo ante mí más que caos y pandemónium, y a mis espaldas la demoníaca locura de aquella viola que aullaba en la noche.

Retrocedí tambaleándome en la oscuridad, sin medios para encender ninguna luz, chocando con la mesa, volcando una silla y finalmente abriéndome paso a tientas hacia el lugar donde, en medio de la oscuridad, sonaba aquella aterradora música. Debía intentar al menos salvarme y salvar a Erich Zann, cualesquiera que fuesen los poderes a los que tuviera que enfrentarme. En cierta ocasión creí que me rozaba algo frío y grité, pero mi grito no pudo oírse debido a aquella horrible viola. De pronto, en plena oscuridad, me golpeó aquel arco que no dejaba de rascar terriblemente, y supe que estaba junto al músico. Buscando a tientas, toqué el respaldo de la silla de Zann, y luego encontré y sacudí su hombro con el fin de hacerle volver en sí.

No respondió, y la viola seguía chirriando sin disminuir el ritmo.

Puse la mano sobre su cabeza, cuyo mecánico balanceo pude detener, y le grité en el oído que debíamos huir de las desconocidas criaturas de la noche. Pero ni me respondió ni redujo el frenesí de su indecible música, mientras por toda la buhardilla extrañas corrientes de aire parecían danzar en la oscuridad en medio de aquella babel. Cuando mi mano tocó su oreja me estremecí, aunque sin saber por qué... no lo supe hasta que palpé su rostro inmóvil; aquel rostro helado, rígido, sin respiración, cuyos vidriosos ojos se le salían de las órbitas buscando inútilmente el vacío. Y entonces, por alguna especie de milagro, encontré la puerta y el largo cerrojo de madera, y huí precipitadamente como un loco de aquella criatura de ojos vidriosos que habitaba en la oscuridad, y del macabro aullido de aquella maldita viola cuya furia aumentó en el mismo momento en que yo me escapaba.

Saltando, flotando, volando, bajé aquellas interminables escaleras y atravesé la casa a oscuras; salí corriendo a ciegas a la estrecha, empinada y antigua calle, llena de escalones y casas ruinosas; bajé ruidosamente las escaleras y corrí estrepitosamente sobre adoquines hacia las calles bajas y el pútrido río ahocinado; crucé jadeante el gran puente oscuro en dirección a las calles y bulevares más amplios y salubres que conocemos; todas aquellas terribles impresiones todavía persisten en mi memoria. Y recuerdo que no hacía viento y que la luna había salido, y que todas las luces de la ciudad centelleaban.

A pesar de todas mis pesquisas y averiguaciones, nunca he podido encontrar la Rue d'Auseil. Pero tampoco lo siento del todo, ni esto ni la pérdida en abismos inimaginables de las hojas de letra apretada que eran lo único que podría haber explicado la música de Erich Zann.

HERBERT WEST, REANIMADOR[1]

I. Desde la oscuridad

De Herbert West, que fue mi amigo en la universidad y posteriormente, no puedo hablar sino con extremo terror. Terror que no se debe completamente a la siniestra manera en la que desapareció recientemente, sino que fue engendrado por la naturaleza intrínseca de su trabajo en vida, y que adquirió por primera vez su posterior gravedad hará más de diecisiete años, cuando estábamos en el tercer curso de carrera en la Facultad de Medicina de la Universidad de Miskatonic, en Arkham. Mientras coincidió conmigo, lo prodigioso y diabólico de sus experimentos me mantuvieron totalmente fascinado, y me convertí en su más íntimo compañero. Ahora que ya no existe y el embrujo se ha roto, mi miedo es aún mayor. Los recuerdos y las posibilidades siempre resultan más terroríficos que la propia realidad.

El primer incidente espantoso durante nuestra amistad supuso la mayor impresión que jamás había experimentado hasta entonces, y me resulta muy difícil tenerlo que relatar. Como ya he anotado, sucedió mientras nos encontrábamos en la Facultad de Medicina, donde West había adquirido fama a causa de sus absurdas teorías sobre la naturaleza de la muerte y la posibilidad de vencerla con medios artificiales. Sus puntos de vista, que eran ampliamente ridiculizados por el profesorado y los compañeros de estudios, giraban en torno a la naturaleza esencialmente materialista de la vida, y a los procedimientos para influir en la maquinaria orgánica del ser humano mediante una calculada acción química que entraría en liza tras el fallo de los procesos naturales. Durante sus experimentos con varias criaturas vivientes había matado y ensayado con un número ingente de conejos, cobayas, gatos, perros y monos, llegando a convertirse en el personaje más molesto de la Facultad. En varias ocasiones había conseguido obtener signos de vida en animales supuestamente muertos –generalmente, violentos signos de vida–, pero pronto se dio cuenta de que la perfección de su método, de ser efectivamente posible, le requeriría sin género de dudas la dedicación de toda una vida a sus investigaciones. Del mismo modo, vio con total claridad que, puesto que una misma solución no actuaba de igual manera aplicada a distintas especies orgánicas, necesitaría ejemplares humanos para conseguir resultados futuros y progresos más especializados. Fue entonces cuando entró por primera vez en conflicto con las autoridades académicas, y le fue prohibido llevar a cabo sus experimentos por el mismísimo decano de la Facultad de Medicina, el letrado y bondadoso doctor Allan Halsey, cuyo trabajo en pro de los enfermos es recordado por todos los antiguos vecinos de Arkham.

Siempre he sido excepcionalmente tolerante con las investigaciones de West, y con frecuencia ambos discutíamos acerca de sus teorías, cuyas ramificaciones y corolarios eran casi infinitos. Sosteniendo, al igual que Haeckel[2], que toda clase de vida se basa en procesos químicos y físicos, y que la llamada «alma» es tan sólo un mito, mi amigo creía que la reanimación artificial de la muerte podía depender meramente del estado de los tejidos; y que, a menos que la descomposición ya hubiese empezado a actuar, cualquier cuerpo completamente dotado de órganos era susceptible, gracias al tratamiento adecuado, de recuperar ese peculiar estado llamado vida. West afirmaba sin ningún género de dudas que la vida física e intelectual podría ser dañada por el más leve deterioro de las células sensitivas del cerebro, aun cuando éste fuera afectado durante un breve periodo de muerte. Al comienzo, sus esperanzas se centraban en encontrar un reactivo capaz de restituir la vitalidad antes de que se produjera la verdadera muerte, y sólo sus repetidos fracasos en los experimentos con animales le habían convencido de que los condicionantes artificiales y naturales resultaban incompatibles. Entonces se procuró ejemplares extremadamente recientes y les inyectó sus preparados en la sangre inmediatamente después de la extinción de la vida. Este hecho hizo que los profesores se mostraran tremendamente escépticos, pues pensaban que en ningún momento se había producido una muerte real. No se pararon a considerar los hechos de una manera más rigurosa y razonable.

No mucho después de que los académicos le prohibiesen seguir adelante con su trabajo, West me confesó su propósito de hacerse con ejemplares frescos de una manera u otra, y de continuar en secreto con sus experimentos, ya que no podía hacerlo abiertamente. Escuchar sus juicios y planes para conseguirlos resultaba bastante espantoso, ya que en la Facultad jamás nos habíamos visto obligados a procurarnos nuestros propios ejemplares para las prácticas de anatomía. Cuando el depósito de cadáveres se hallaba agotado, dos negros de la vecindad se encargaban del asunto, y jamás se les hacía ninguna clase de preguntas[3]. West era por entonces un joven delgado y menudo, con gafas, facciones delicadas, pelo rubio, ojos azul pálido y voz suave, y resultaba grotesco oírle hablar de las buenas perspectivas del Cementerio Cristiano y de la fosa común. Finalmente nos decidimos por esta última, ya que prácticamente todos los cuerpos enterrados en el Cementerio Cristiano estaban embalsamados; lo cual, evidentemente, era perjudicial para las aspiraciones de West.

Por aquel entonces yo era su activo y ferviente auxiliar, y le ayudaba en todas sus componendas, no sólo en las que tenían que ver con el abastecimiento de cadáveres, sino también en las concernientes al lugar adecuado para nuestros repugnantes planes. Fue a mí a quien se le ocurrió pensar en la granja deshabitada de Chapman, al otro lado de Meadow Hill, donde habilitamos una estancia en la planta baja como sala de operaciones y otra como laboratorio, ambas ocultas tras gruesos cortinones, a fin de que nuestras actividades nocturnas pasaran inadvertidas. El lugar estaba alejado de cualquier vía de paso, y no había casas vecinas a la vista; sin embargo, debíamos extremar las precauciones, ya que los rumores sobre extrañas luces, que podrían ser descubiertas por algún merodeador nocturno, resultarían desastrosos para nuestra empresa. Nos habíamos puesto de acuerdo para decir que el habitáculo era un simple laboratorio químico si llegábamos a ser descubiertos. Poco a poco fuimos equipando nuestra infausta guarida científica con materiales adquiridos en Boston o robados inadvertidamente de la Facultad –materiales cuidadosamente camuflados de manera que resultaran irreconocibles, salvo para un ojo experto–, y también nos hicimos con picos y palas para los numerosos enterramientos que nos veríamos obligados a llevar a cabo en el sótano. En la Facultad utilizábamos un incinerador, pero ese aparato resultaba demasiado costoso para un laboratorio clandestino como el nuestro. Los cuerpos siempre eran un engorro... incluso los diminutos cadáveres de cobaya de los experimentos secretos que West llevaba a cabo en el cuarto de la pensión donde residía.

Acechábamos las noticias locales sobre defunciones como vampiros, ya que nuestros especímenes requerían determinadas cualidades. Lo que queríamos eran cuerpos enterrados poco después del fallecimiento y sin ningún tipo de preservación artificial; preferiblemente libres de malformaciones morbosas y, por supuesto, con todos sus órganos presentes. Las víctimas de accidentes eran nuestra mayor esperanza. Durante muchas semanas no conseguimos ningún ejemplar adecuado, aunque hablábamos con las autoridades del depósito y del hospital, fingiendo representar los intereses de la Facultad, con tanta frecuencia como nos podíamos permitir sin llegar a despertar sospechas. Advertimos que la Universidad siempre tenía preferencia, de manera que seguramente no nos quedaría más remedio que permanecer en Arkham durante las vacaciones, en las que tan sólo se impartían unos cuantos cursillos de verano. Sin embargo, al final nos sonrió la suerte, ya que un día nos enteramos de un sujeto casi ideal que iban a enterrar en la fosa común: un musculoso y joven obrero que se acababa de ahogar el día anterior en Sumner's Pond, y al cual se había dado sepultura sin dilación ni embalsamar por cuenta del erario público. Aquella tarde descubrimos la tumba reciente, y decidimos empezar el trabajo justo después de la medianoche.

Fue una tarea repugnante la que acometimos en las oscuras horas de la madrugada, a pesar de que en aquella época aún carecíamos de ese pavor característico a los cementerios que despertó con experiencias posteriores. Íbamos provistos de palas y lámparas de petróleo, pues aunque por entonces ya existían las linternas eléctricas, no resultaban tan satisfactorias como esos artilugios de tungsteno de hoy en día. El proceso de exhumación fue lento y sórdido –podría haber resultado grotescamente poético si hubiéramos sido artistas en vez de científicos–, y nos alegramos mucho cuando nuestras palas chocaron con la madera. Cuando la caja de pino fue completamente despejada, West se deslizó al fondo y quitó la tapa, sacando el contenido y dejándolo apoyado. Me incliné, lo agarré y entre ambos lo sacamos de la fosa; luego nos afanamos para dejarlo todo tal cual estaba en un principio. El asunto nos había puesto bastante nerviosos; sobre todo el cuerpo rígido y la cara inexpresiva de nuestro primer trofeo, pero nos las arreglamos bien para borrar todas las huellas de nuestra visita. Cuando aplanamos la última paletada de tierra, metimos el espécimen en un saco de lona y emprendimos el regreso hacia la casa del viejo Chapman, al otro lado de Meadow Hill.

Sobre la improvisada mesa de disección de la vieja granja, bajo la luz de una potente lámpara de acetileno, el ejemplar no ofrecía un aspecto demasiado espectral. Se había tratado de un joven musculoso y, al parecer, poco imaginativo, de clase plebeya y saludable –constitución ancha, ojos grises y cabellos oscuros–; un animal sano, sin complicaciones psicológicas, y seguramente con unos procesos vitales de lo más simples y saludables. Con los ojos cerrados parecía más bien estar dormido que muerto, pero las pruebas expertas a las que le sometió mi amigo pronto disiparon toda duda al respecto. Por fin habíamos conseguido lo que West siempre había anhelado: un cuerpo ideal y listo para ser sometido a la solución preparada de acuerdo a los cálculos y teorías más minuciosos para su uso en un organismo humano. Estábamos muy nerviosos. Sabíamos que apenas existían posibilidades de lograr un éxito completo, y nos resultaba imposible dejar de sentir un miedo horroroso a los grotescos efectos de una reanimación parcial. Nos sentíamos especialmente temerosos con las secuelas mentales e impulsivas de la criatura, ya que podría haber sufrido algún tipo de deterioro en las delicadas células cerebrales justo después de producirse la muerte. Por lo que a mí respecta, aún conservaba ciertas ideas curiosas acerca del concepto tradicional del «alma» humana, y sentía algo de temor ante los secretos que podría atesorar alguien que ha regresado del más allá. Me preguntaba qué visiones podría haber contemplado este plácido joven en las esferas inaccesibles, y lo que nos contaría si recuperaba plenamente la vida. Pero mi curiosidad no era excesiva, ya que compartía casi en su totalidad el materialismo de mi amigo. Se mostró más tranquilo que yo mientras inyectaba una buena dosis de su fluido en una de las venas del brazo del cadáver, y también después de vendar el pinchazo sin dilación.

La espera fue tétrica, pero West jamás perdió el control. Con frecuencia aplicaba su estetoscopio al espécimen, y soportaba con filosofía los resultados negativos. Al cabo de unos tres cuartos de hora, en los que no hubo ninguna señal de vida, declaró decepcionado que la solución era inadecuada; pero decidió aprovechar al máximo esta oportunidad e intentar una modificación en la fórmula antes de deshacerse de su macabro trofeo. Aquella tarde habíamos cavado una fosa en el sótano, y debíamos llenarla antes de la aurora; ya que, a pesar de haber puesto un candado en la puerta, no deseábamos correr ni el más mínimo riesgo de que se produjera un grotesco descubrimiento. Además, el cuerpo ya no estaría lo suficientemente fresco para la noche siguiente. De manera que llevamos la solitaria lámpara de acetileno a la habitación contigua, dejamos a nuestro silencioso huésped a oscuras sobre la losa y empleamos todas nuestras energías en la preparación de un nuevo fluido, en cuya fórmula, peso y medidas West se entregó con una intensidad casi fanática.

El terrible suceso llegó de manera repentina y totalmente inesperada. Yo estaba vertiendo algo de un tubo de ensayo a otro, y West se hallaba ocupado con la lámpara de alcohol, que hacía las veces de mechero Bunsen en esta edificación sin gas, cuando de la oscura habitación contigua brotó la más atroz y demoníaca sucesión de gritos que jamás habíamos escuchado. No habría resultado más espantoso este caos de aullidos infernales si el abismo se hubiera abierto para dejar escapar la agonía de los condenados, ya que en esa cacofonía inconcebible se concentraba todo el horror supremo y la desesperación de la naturaleza animada. No podía tratarse de algo humano –los hombres no son capaces de proferir semejante griterío–, y sin pensar en la tarea que estábamos realizando, ni en la posibilidad de ser descubiertos, los dos nos precipitamos por la ventana más cercana como animales heridos, derribando los tubos de ensayo, la lámpara y los crisoles, y corriendo alocadamente bajo el abismo estrellado de la noche rural. Creo que nosotros también gritábamos mientras avanzábamos a trompicones en dirección a la ciudad; pero al llegar al extrarradio adoptamos unas maneras más circunspectas... lo justo para hacernos pasar por un par de juerguistas nocturnos que regresan a casa después de una fiesta.

No nos separamos, sino que nos las arreglamos para llegar hasta la habitación de West, donde estuvimos hablando entre susurros, con la luz de gas encendida, hasta el amanecer. Por entonces ya nos habíamos calmado un poco a base de repetirnos teorías racionales y nuevos planes de investigación, de manera que pudimos dormir durante el día, en vez de asistir a las clases. Pero esa misma tarde aparecieron dos noticias en el periódico, sin aparente relación entre ellas, que nos quitaron por completo el sueño. La vieja casa deshabitada de Chapman había ardido inexplicablemente, quedando reducida a un amorfo montón de cenizas; eso pudimos asimilarlo, ya que habíamos derribado la lámpara[4]. La otra noticia trataba sobre el intento de exhumación de una sepultura en la fosa común, como si alguien hubiera estado hurgando en la tierra vanamente y sin las herramientas adecuadas. Esto nos resultaba incomprensible, ya que habíamos allanado la tierra húmeda con sumo cuidado.

Y durante diecisiete años, West estuvo mirando con frecuencia por encima de su hombro, y quejándose de oír unos pasos sigilosos tras él. Ahora ha desaparecido.

II. El demonio de la plaga

Jamás olvidaré aquel espantoso verano de hace dieciséis años, en el que, como un pernicioso *ifrit* surgido de las moradas de Iblís[5], el tifus se propagó inadvertidamente por toda Arkham. A causa de este azote satánico muchos recuerdan el año, pues el terror más absoluto se propagó con sus alas membranosas sobre los ataúdes de los sepulcros del Cementerio Cristiano; y sin embargo, para mí, hay un horror aún más grande asociado a aquel tiempo: un horror que sólo yo conozco, ahora que Herbest West ha desaparecido.

West y yo estábamos ocupados en nuestras tesis del postgraduado durante el curso de verano de la Facultad de Medicina de la Universidad de Miskatonic, y mi amigo había adquirido una enorme notoriedad a causa de sus experimentos encaminados a la reanimación de los muertos. Tras la matanza científica de incontables animalillos, la estrafalaria labor había sido expresamente prohibida por orden de nuestro escéptico decano, el doctor Allan Halsey; aunque West había seguido realizando ciertas pruebas secretas en el lúgubre cuarto de la pensión donde residía, y en una terrible e inolvidable ocasión se había hecho con un cuerpo humano que había sustraído de la fosa común, llevándolo a una granja deshabitada más allá de Meadow Hill.

Yo estuve a su lado en aquel detestable evento, y vi cómo inyectaba en las venas exangües el elixir que, según su criterio, restituiría de alguna manera al cadáver sus procesos físicos y químicos. El suceso había terminado de una manera terrible –en un delirio de horror que, con el tiempo, llegamos a atribuir a nuestros nervios sobreexcitados–, y West ya no había sido capaz de quitarse de encima la enloquecedora sensación de estar maldito y ser objeto de persecución. El cadáver no estaba lo suficientemente fresco; era obvio que, para conseguir restablecer las adecuadas condiciones mentales, el cuerpo tenía que ser verdaderamente reciente; además, el incendio de la vieja casa hizo que no pudiéramos enterrar los despojos. Habría sido preferible tener la seguridad de que estaban bajo tierra.

Después de aquella experiencia, West abandonó sus investigaciones durante un tiempo; pero poco a poco fue retornando su celo de científico nato, y de nuevo volvió a entrar en discordia con el profesorado de la Facultad, rogándoles que le dejaran utilizar la sala de disecciones y los especímenes humanos recientes para su trabajo, un trabajo que él consideraba de la mayor importancia. Sin embargo, todas sus súplicas fueron en vano, ya que la decisión del doctor Halsey fue inflexible; el resto del profesorado apoyó sin ambages el veredicto de su superior. En la teoría radical de la reanimación tan sólo veían las extravagancias inmaduras de un joven entusiasmado, cuya delgada figura, rubios cabellos, ojos azules con anteojos y voz suave no dejaban entrever la fuerza sobrenatural –casi diabólica– de la fría mentalidad que albergaba dentro. Ahora puedo verle tal y como él era por entonces... y me estremezco. Su rostro se hizo más serio, pero no envejeció. Y ahora el Manicomio Sefton carga con la responsabilidad, y West ha desaparecido.

West chocó desagradablemente con el doctor Halsey casi al final de nuestro último curso de carrera, y ambos se vieron envueltos en una disputa que le desprestigió más a él que al venerable decano en términos de cortesía. Sentía que se le estaba negando de una forma irracional e innecesaria la realización de una labor suprema, una labor que, sin lugar a dudas, podría realizarla por sus propios medios en los años venideros, pero que ansiaba comenzar mientras aún pudiera disponer de las facilidades excepcionales que le reportaba la Facultad. El hecho de que los académicos más conservadores ignoraran los singulares resultados obtenidos en animales, y se empeñaran en negar la posibilidad de la teoría de la reanimación, resultaba absolutamente indignante y prácticamente incomprensible para un joven del temperamento lógico de West. Sólo una mayor madurez podría haberle ayudado a entender las crónicas limitaciones mentales en la relación «doctor-profesor», típico producto de generaciones de patético puritanismo: personajes amables, concienzudos, y a veces gentiles y amigables, pero siempre estrechos de miras, intolerantes, esclavos de las costumbres y faltos de perspectiva. El tiempo suele ser más caritativo para con estas personalidades incompletas aunque de alma grande, cuyo peor defecto es, en realidad, la timidez, y que reciben finalmente el castigo del ridículo general por sus pecados intelectuales: su ptolemismo, su calvinismo, su antidarwinismo, su antinietzschianismo, y por toda clase de sabbatarinanismo y demás legislaciones suntuarias. West, aún joven a pesar de sus extraordinarios conocimientos científicos, tenía escasa paciencia con el bueno del doctor Halsey y sus eruditos colegas, y alimentaba un rencor cada vez más grande, parejo al deseo de demostrar la veracidad de sus teorías a aquellos engreídos obtusos de una forma grandilocuente y dramática. Como la mayoría de los jóvenes, se entregaba a retorcidos delirios de venganza, de triunfo y magnánima indulgencia final.

Y entonces surgió el azote letal y sarcástico de las cavernas de pesadilla del Tártaro. West y yo nos acabábamos de graduar cuando todo empezó, aunque seguíamos en la Facultad, realizando un trabajo extra en los cursillos de verano; de manera que aún estábamos en Arkham cuando estalló con demoníaca furia por toda la ciudad. Aunque todavía no éramos médicos graduados, poseíamos nuestras respectivas titulaciones, y se nos requirió urgentemente para incorporarnos al servicio público debido al número creciente de afectados. La epidemia estaba fuera de control, y el número de defunciones era demasiado alto para que las empresas de pompas fúnebres pudieran hacerse cargo de todas. Los entierros se sucedían uno tras otro, sin tiempo para embalsamar los cuerpos, e incluso el Cementerio Cristiano estaba repleto de ataúdes. Este hecho no le pasó desapercibido a West, que pensaba con frecuencia en la ironía de la situación; ¡tantos ejemplares frescos y sin poder usar ninguno para sus prácticas! Estábamos saturados de trabajo, y la terrible tensión nerviosa y mental sumía a mi amigo en mórbidas reflexiones.

Pero los diplomáticos enemigos de West no se hallaban menos ocupados con la agobiante tarea. La Facultad había cerrado, y todos los doctores del departamento de medicina estaban ayudando a vencer la plaga de tifus. En particular, el doctor Halsey se había distinguido por su abnegación en el trabajo, dedicando todas sus enormes habilidades, con sincera y honda energía, a los casos que los demás evitaban por el peligro que representaban o por estar fuera de toda esperanza. Antes de terminar el primer mes, el valeroso decano se había convertido en un héroe popular, aunque él parecía no ser consciente de su notoriedad, y luchaba para evitar su propio desmoronamiento físico y mental. West no podía dejar de admirar la fortaleza de su enemigo, y precisamente por esto estaba más decidido que nunca a demostrarle la veracidad de sus increíbles teorías. Una noche, aprovechando la desorganización que existía entre los cometidos de la Facultad y las normas sanitarias municipales, se las arregló para introducir subrepticiamente en la sala de disecciones el cuerpo de un fallecido reciente, y le inyectó en mi presencia una dosis de su fluido modificado. El cadáver abrió los ojos, pero tan sólo se limitó a fijarlos en el techo con una mirada petrificada llena de horror, antes de caer en una inmovilidad absoluta de la que nada pudo sacarle. West dijo que no era lo suficientemente fresco; el cálido ambiente veraniego no favorece la conservación de los cuerpos. Aquella vez estuvimos a punto de ser descubiertos antes de incinerar el cadáver, y West empezó a tener dudas sobre la conveniencia de volver a utilizar indebidamente las instalaciones de la Facultad.

El punto álgido de la epidemia tuvo lugar en agosto. West y yo estuvimos a punto de morir, y el propio doctor Halsey falleció el 14 del mismo mes. Todos los estudiantes acudieron a su apresurado sepelio que tuvo lugar el día 15, y compraron una impresionante corona funeraria, aunque fue casi engullida por los testimonios de admiración que enviaron los ciudadanos nobles de Arkham y la propia municipalidad. Se trató casi de un acontecimiento público, ya que el decano se había convertido en un benefactor de la ciudad. Tras el sepelio, nos quedamos bastante deprimidos, y pasamos la tarde en el bar de la Commercial House, donde West, aún afectado por el fallecimiento de su mayor adversario, nos hizo temblar a todos con una charla sobre sus infames teorías. Casi todos los estudiantes se fueron a casa, o se concentraron en sus diversas obligaciones; pero West me convenció para que le ayudara a «sacar partido de la noche». La patrona de West nos vio llegar a su habitación hacia las dos de la madrugada, cargando con una tercera persona entre los dos, y le comentó a su marido que, con toda seguridad, habíamos cenado y bebido a base de bien.

En apariencia, la avinagrada patrona tenía razón, pues hacia las tres de la madrugada todo el edificio se despertó a causa de los gritos que salían de la habitación de West; y cuando forzaron la puerta nos encontraron inconscientes a ambos, tendidos sobre la alfombra manchada de sangre, golpeados, magullados y doloridos, con pedazos de frascos e instrumentos rotos esparcidos a nuestro alrededor. Tan sólo una ventana abierta daba cuenta del camino que había tomado nuestro salteador, y muchos se preguntaron cómo se las habría apañado después del tremendo salto que tuvo que dar desde un segundo piso hasta el césped de abajo. Descubrieron algunas prendas extrañas en la habitación, pero cuando West volvió en sí les explicó que no pertenecían al desconocido, sino que se trataba de unas muestras recogidas para su posterior análisis bacteriológico en el transcurso de sus investigaciones sobre la transmisión de enfermedades contagiosas. Les ordenó que las incineraran lo antes posible en la espaciosa chimenea. Dijimos a la policía que ninguno de los dos conocíamos la identidad de nuestro acompañante. Se trataba, declaró un nervioso West, de un simpático forastero con el que nos habíamos topado en un bar de las afueras de la ciudad que no recordábamos. Todos juntos habíamos pasado una alegre velada, y ni West ni yo queríamos denunciar a nuestro agresivo compañero.

Aquella misma noche fuimos testigos del segundo horror que se adueñó de Arkham, un horror que, desde mi punto de vista, eclipsaba al de la misma epidemia. El Cementerio Cristiano se convirtió en el escenario de un espeluznante asesinato: un vigilante fue muerto a zarpazos de una manera tan espantosa que resulta imposible de describir, e incluso se llegó a poner en duda la autoría humana del crimen. La víctima había sido vista con vida bastante después de la medianoche, aunque hasta el amanecer no se descubrió el infame crimen. Se interrogó al administrador de un circo instalado en la vecina ciudad de Bolton, pero éste juró que ninguna de sus bestias había escapado de la jaula en toda la noche. Los que encontraron el cuerpo observaron un rastro de sangre que conducía a un sepulcro reciente en cuyo cemento se podía ver un charco rojo, justo delante de la entrada. Otro rastro más tenue se dirigía hacia los bosques, aunque pronto se le perdía la pista.

A la siguiente noche, los diablos danzaron sobre los tejados de Arkham, y una locura sobrenatural aulló con el viento. Una maldición andaba suelta por la enfebrecida ciudad, y para muchos se trataba de algo aún peor que la propia plaga, y otros murmuraban que era la materialización del mismísimo demonio de la enfermedad. Ocho casas fueron asaltadas por un ser innombrable que sembró la muerte roja a su paso... dejando tras de sí un saldo de diecisiete cuerpos asesinados a manos de un monstruo sádico y silencioso. Algunas personas que pudieron distinguirle en la oscuridad declararon que era como un mono blanco y deforme, o una especie de diablo antropomorfo. No había dejado ningún cuerpo completo tras de sí, ya que a veces había tenido hambre. El número total de sus víctimas ascendía a catorce; las otras tres se encontraron en casas infectadas a las que la muerte por la enfermedad ya había sorprendido.

Durante la tercera noche, grupos desesperados de ciudadanos, dirigidos por la policía, lograron capturarle en una casa de Crane Street, cerca del campus de la Universidad de Miskatonic. Habían organizado la batida con sumo cuidado, manteniéndose en contacto mediante emisoras voluntarias de teléfonos; y cuando alguien del distrito de la universidad informó que había oído a alguien arañando sobre una ventana cerrada, la tela de araña se desplegó con toda rapidez. Gracias a la alarma general y a todas las precauciones que se tomaron, no hubo más que otras dos víctimas, y la captura se efectuó sin mayores incidencias. La criatura fue finalmente abatida por una bala, aunque ésta no acabó con su vida, y trasladada al hospital municipal, en medio del furor y el odio populares.

Pues el ser había sido un hombre. Este hecho quedó patente, a pesar de sus ojos nauseabundos, su simiesco mutismo y su diabólica brutalidad. Le vendaron la herida y le encerraron en el asilo de Sefton, donde permaneció golpeándose la cabeza contra las paredes acolchadas de su celda durante dieciséis años, hasta un reciente accidente, a causa del cual pudo escapar en circunstancias que a nadie le gusta mencionar. Lo que más repugnó a los captores de Arkham fue que, tras limpiar la cara del monstruo, observaron en ella una semejanza increíble y ridícula con la de un venerable y sabio mártir al que habían dado sepultura tres días antes: el difunto doctor Allan Halsey, benefactor público y decano de la Facultad de Medicina de la Universidad de Miskatonic.

Para el desaparecido Herbert West y para mí la repugnancia y el horror fueron indescriptibles. Aún me estremezco ahora cuando pienso en todo ello, me estremezco aún más que aquella mañana en la que West murmuró por entre sus vendajes:

—¡Maldición, no estaba *lo bastante* fresco!

III. Seis disparos a la luz de la luna

No es muy normal descargar las seis balas de un revólver a toda velocidad cuando seguramente con una habría sido suficiente, pero en la vida de Herbert West había muchas cosas que no eran en absoluto normales. No es habitual, por ejemplo, que un joven médico recién salido de la universidad se vea obligado a ocultar los motivos que le impulsan a escoger su lugar de residencia y consulta; y sin embargo, ese fue el caso de Herbert West. Cuando ambos obtuvimos el graduado en la Facultad de Medicina de la Universidad de Miskatonic, y tratamos de mitigar nuestras penurias económicas estableciéndonos como doctores de medicina general, adoptamos muchas precauciones para ocultar que habíamos elegido nuestra casa por su aislamiento y por encontrarse muy cerca del cementerio de los pobres.

Un deseo de soledad como éste siempre suele estar justificado; y tal era nuestro caso, ya que el trabajo de nuestras vidas resultaba claramente impopular. De cara al exterior, tan sólo éramos un par de médicos; pero por debajo de esa apariencia existían unos objetivos de una importancia mucho mayor y terrible, ya que la esencia de la vida de Herbert West consistía en la búsqueda de las regiones desconocidas que se abren más allá de la negrura y lo prohibido, en las cuales esperaba desentrañar el secreto de la vida y devolver la animación perpetua al frío barro de la fosa. Semejantes objetivos demandan extraños materiales, entre ellos, cadáveres humanos en buen estado de conservación; y para mantenerse bien abastecido de estos ingredientes imprescindibles, uno debe vivir discretamente y no muy lejos de un lugar de enterramientos anónimos.

West y yo nos habíamos conocido en la universidad, y fui el único que simpatizó con sus terroríficos experimentos. Con el tiempo me convertí en su inseparable ayudante, y ahora que habíamos terminado los estudios universitarios teníamos que seguir unidos. No resultaba sencillo que dos médicos encontraran una salida juntos; pero, al fin, y gracias a las recomendaciones de la Universidad, conseguimos una consulta en Bolton, un pueblo industrial próximo a Arkham donde estaba localizada la Facultad[6]. Las Fábricas Textiles de Bolton eran las más importantes del valle del Miskatonic, y sus políglotas empleados no resultaban demasiado gratos a los médicos locales. Elegimos nuestra residencia con el mayor cuidado, estableciéndonos finalmente en un edificio ruinoso casi al final de Pond Street, a cinco portales de nuestro vecino más próximo, y separada del cementerio común tan sólo por una estrecha franja de tierra boscosa que se extiende al norte. La distancia resultaba mayor de lo que habríamos deseado, pero no pudimos encontrar una morada más cercana sin tener que instalarnos al otro lado del prado, muy lejos ya de la zona industrial. Sin embargo, no estábamos demasiado insatisfechos, ya que apenas había inquilinos entre nosotros y nuestra fuente de suministros. El paseo resultaba un poco largo, pero podíamos acarrear nuestros silenciosos ejemplares sin ser molestados.

Nuestro trabajo fue sorprendentemente abundante desde el mismísimo principio... lo bastante abundante como para satisfacer a la mayoría de los médicos más jóvenes, y demasiado abundante como para no resultar aburrido y pesado a dos estudiosos cuyo verdadero interés se hallaba en otro sitio. Los empleados de las fábricas eran de inclinaciones más bien turbulentas, y además de sus múltiples necesidades de asistencia médica, también nos mantenían muy ocupados con sus frecuentes peleas a golpes y navajazos. Pero lo que verdaderamente acaparaba nuestro interés era el laboratorio secreto instalado en el sótano, con su enorme mesa de operaciones iluminada por focos eléctricos, donde, a primeras horas de la madrugada, solíamos inyectar las diferentes soluciones de West en las venas de los desechos que sustraíamos del cementerio común. West estaba experimentando ansiosamente con la esperanza de descubrir algo que pusiera de nuevo en marcha las constantes vitales de los hombres, tras haber sido éstas interrumpidas por eso que llamamos muerte; pero se había topado con los más espectrales obstáculos. La solución tenía que ser diferente según el sujeto a intervenir; lo que era adecuado a los conejillos de Indias no valía para los seres humanos, y cada espécimen requería notables modificaciones.

Los cuerpos tenían que ser extremadamente frescos, pues la más mínima descomposición del tejido cerebral hacía inviable una perfecta reanimación. En realidad, el mayor problema consistía en conseguir ejemplares lo suficientemente frescos... West ya había tenido terribles experiencias durante sus investigaciones secretas en la Universidad con cadáveres de dudosa calidad. Los resultados de una reanimación parcial o imperfecta resultaban infinitamente más espantosos que los fracasos absolutos, y ambos conservábamos terroríficos recuerdos de los del primer tipo. Desde nuestra primera intervención diabólica en la granja abandonada de Meadow Hill, en Arkham, sentíamos una especie de secreta amenaza; y West, en apariencia un científico frío, tranquilo, rubio y de ojos azules, con frecuencia confesaba sentir, sobrecogido, que era objeto de una furtiva persecución. Tenía la sensación de que le seguían, una ilusión psicológica producida por sus trastornados nervios, y sustentada en el hecho innegablemente perturbador de que al menos uno de los especímenes que habíamos conseguido reanimar seguía aún con vida: un espantoso y carnívoro ser encerrado en una celda acolchada de Sefton. Y también había otro –el primero–, cuya suerte jamás llegamos a conocer.

Tuvimos mucha suerte con los ejemplares de Bolton; bastante más que con los de Arkham. Aún no había transcurrido una semana desde que nos habíamos instalado, cuando conseguimos hacernos con la víctima de un accidente la misma noche de su entierro, y logramos que abriera los ojos con una asombrosa expresión de lucidez antes de que la fórmula fallara. Había perdido un brazo... Si no le hubieran faltado partes al cuerpo, quizá nuestra suerte habría sido distinta. Desde entonces, y hasta el siguiente mes de enero, realizamos tres ensayos más: uno terminó en un absoluto fracaso; en otro conseguimos un claro movimiento muscular; y el tercero resultó estremecedor, ya que se irguió por sí solo y emitió un sonido gutural. Luego sobrevino un periodo de mala suerte; decayó el número de enterramientos, y los pocos que hubo eran de ejemplares demasiado enfermos o incompletos para nuestras necesidades. Seguíamos la pista de todas las defunciones que se producían y de sus circunstancias personales con un cuidado sistemático.

Una noche de marzo, sin embargo, conseguimos de forma totalmente inesperada un ejemplar que no procedía del cementerio común. El puritanismo imperante en Bolton prohibía la práctica del boxeo... hecho que dejaba sus lógicas consecuencias. Los combates clandestinos y mal arbitrados entre los obreros de las fábricas eran cosa corriente, y en ocasiones se traía de fuera a algún profesional de escasa entidad. Esa noche de finales del invierno se produjo un combate de semejantes características; y, evidentemente, sus consecuencias fueron desastrosas, ya que vinieron a buscarnos dos polacos aterrorizados, rogándonos entre murmullos incoherentes que atendiésemos un caso muy secreto y desesperado. Les seguimos hasta un cobertizo abandonado, donde aún quedaban los rezagados de una muchedumbre de atemorizados extranjeros que observaban un cuerpo negro y silencioso que yacía en el suelo.

En el combate se había enfrentado Kid O'Brien –un joven sin experiencia, y ahora tembloroso, con una nariz ganchuda muy poco irlandesa– contra Buck Robinson, «El Renegrido de Harlem». El negro había caído noqueado y, tras el breve examen que le practicamos, nos dimos cuenta de que ya no se iba a levantar nunca más. Se trataba de un ser repugnante, con pinta de gorila, unos brazos inusitadamente largos a los que no podía evitar referirme como las patas delanteras, y un rostro que conjuraba en la mente los innombrables secretos del Congo y el tam-tam de los tambores bajo una luna fantasmagórica. El cuerpo debió tener aún peor aspecto en vida, pero el mundo atesora muchas cosas horrendas. El miedo se había adueñado del lastimoso gentío, ya que nadie sabía de qué manera podría actuar la ley en su contra si aquel asunto llegara a conocerse; pero todos se sintieron muy agradecidos cuando West, a pesar de mis involuntarios temblores, se ofreció a desembarazarse del cuerpo en secreto... para un propósito que yo conocía demasiado bien.

La luna brillaba resplandeciente sobre un paisaje carente de nieve, pero vestimos al cadáver y lo llevamos a casa entre ambos, atravesando calles y campos desiertos, justo de la misma manera que transportamos un bulto similar aquella terrible noche en Arkham. Nos acercamos a la casa por el prado de atrás, metimos el ejemplar por la puerta trasera, lo bajamos por la escalera del sótano y lo preparamos para los habituales experimentos. Teníamos un miedo absurdo a la policía, aunque habíamos planeado nuestro recorrido para evitar la ronda del solitario guardia de aquel barrio.

El resultado fue enojosamente decepcionante. A pesar de su repugnante aspecto, el ejemplar permaneció completamente indiferente a todas las soluciones que le inyectamos en su negro brazo; soluciones que, por otro lado, habían sido formuladas de acuerdo a las experiencias con sujetos blancos. De modo que, como la aurora se aproximaba peligrosamente, hicimos lo mismo que con los demás: arrastramos el cuerpo por el prado hasta la zona boscosa colindante con el cementerio común, y lo enterramos allí, en la mejor fosa que la tierra helada nos permitió excavar. La tumba no era demasiado profunda, pero resultaba tan adecuada como la del anterior experimento, aquel que se había erguido y lanzado un grito gutural. A la luz de las trémulas linternas la cubrimos cuidadosamente con ramas y hojas secas, convencidos de que la policía jamás la encontraría en un bosque tan denso y tenebroso.

Al día siguiente comencé a inquietarme cada vez más con la policía, ya que un paciente nos contó que había rumores sobre la celebración de un combate clandestino en el que se había producido una muerte. West tenía otro motivo de preocupación, ya que le habían llamado por la tarde para un caso que terminó de modo amenazador. Una mujer italiana se había puesto histérica por la desaparición de su hijo –un chiquillo de cinco años que se había extraviado por la mañana y no había regresado a la hora de la cena–, y presentaba síntomas muy alarmantes debido a que padecía del corazón. Se trataba de una histeria bastante estúpida, ya que el muchacho se había escapado antes con frecuencia, pero los campesinos italianos son extraordinariamente supersticiosos, y aquella mujer parecía tan abrumada por los presentimientos como por los hechos. Hacia las siete de la tarde, la mujer falleció, y su frenético marido armó un escándalo espantoso intentando matar a West, a quien acusaba con vehemencia de no haber salvado a su esposa. Sus compañeros le habían sujetado cuando esgrimió una navaja delante de West, pero éste pudo marcharse entre gritos inhumanos, maldiciones y juramentos de venganza. En su último dolor, el sujeto parecía haberse olvidado de su hijo, que aún no había regresado, a pesar de que ya era noche cerrada. Se habló de buscarle en los bosques, pero la mayoría de los amigos de la familia ya estaban demasiado ocupados con la fallecida y su vociferante marido. En cualquier caso, la tensión nerviosa a la que West se había visto sometido debió ser tremenda. Las preocupaciones por la policía y el italiano enloquecido pesaban sobre él de manera espantosa.

Nos retiramos a dormir sobre las once de la noche, pero yo no pude conciliar el sueño. Bolton contaba con un cuerpo de policía asombrosamente eficiente para tratarse de una pequeña localidad, y yo no podía dejar de preocuparme por el escándalo que se armaría si llegaban a descubrirse los acontecimientos de la noche anterior. Significaría el fin de nuestros experimentos en la ciudad... y quizá la cárcel para los dos. No me agradaban todos esos rumores sobre un combate clandestino. Cuando en el reloj sonaron tres campanadas, la luz de la luna brilló en mis ojos, pero yo me di la vuelta sin levantarme a bajar la persiana. Entonces se escuchó un enérgico golpeteo sobre la puerta trasera.

Me quedé quieto y algo aturdido, pero al rato oí a West llamando a mi puerta. Estaba en bata y zapatillas, y llevaba un revólver y una linterna eléctrica en las manos. Por el revólver me di cuenta de que pensaba más en el italiano enloquecido que en la policía.

—Será mejor que vayamos los dos —susurró—. Sería inadecuado no contestar; podría tratarse de un enfermo... seguro que esos idiotas suelen llamar a la puerta de atrás.

Así que los dos bajamos de puntillas por la escalera, con un temor en parte justificado, y en parte producido por el ambiente fantasmagórico de las primeras horas de la madrugada. El golpeteo continuaba, e incluso había subido de tono. Cuando llegamos a la puerta, descorrí con cautela el cerrojo y la abrí de par en par; y cuando la luz de la luna delineó la figura que se erguía delante de nosotros, West hizo algo muy extraño. A pesar del peligro evidente de alertar y atraer sobre nuestras cabezas la temida investigación policial —hecho que, felizmente, no se produjo debido al relativo aislamiento de nuestra residencia—, mi amigo, repentina, nerviosa e innecesariamente, vació el cargador de seis balas de su revólver sobre el visitante nocturno.

Pero aquel extraño no resultó ser el italiano, ni tampoco un policía. Recortándose de manera espantosa contra la luna espectral, se erguía un ser gigantesco y contrahecho, tan sólo comparable al de las peores pesadillas... una aparición de ojos vidriosos, tan negra como la tinta, que casi se mantenía a cuatro patas, cubierta de lodo, hojas y ramas, embadurnada de sangre coagulada, y que mostraba entre sus brillantes dientes un objeto cilíndrico, terrible, blanco como la nieve, el cual estaba rematado en una mano infantil.

IV. El aullido del muerto

El aullido de un muerto fue lo que me ayudó a forjar aquel intenso horror hacia el doctor Herbert West, horror que ensombreció los últimos años de nuestra sociedad. Es normal que un grito semejante, salido de la garganta de un cadáver, produzca espanto, ya que no se trata de una experiencia placentera ni ordinaria; pero yo estaba habituado a tales acontecimientos, y lo que realmente me afectó en aquella ocasión fue cierta circunstancia especial. Como ya he dejado caer, no fue el muerto en sí mismo lo que me hizo sentir pavor.

Herbert West, de quien yo era socio y asistente, poseía intereses científicos muy alejados de la rutina habitual de un médico de pueblo. Por eso, cuando abrió su consulta en Bolton, había elegido una casa aislada cerca del cementerio común. Dicho de manera breve y concisa, el único y obsesionante interés de West consistía en el estudio secreto de los fenómenos de la vida y del fin de ésta, encaminados a la reanimación de los muertos gracias a la administración inyectada de ciertas soluciones estimulantes. Para llevar a cabo estos macabros experimentos era necesario estar constantemente abastecido de cuerpos humanos recientemente fallecidos; tenían que ser ejemplares muy frescos, ya que la más mínima descomposición daña irremediablemente la estructura del cerebro; y también tenían que ser ejemplares humanos porque descubrimos que la solución debía adecuarse a los diferentes tipos de organismos. Matamos gran cantidad de conejos y cobayas para experimentar con ellos, pero estos ensayos no nos condujeron a ningún sitio. West jamás había conseguido un éxito rotundo porque nunca había podido disponer de un cadáver lo suficientemente fresco. Lo que realmente necesitaba eran cuerpos cuyas constantes vitales hubieran cesado muy poco antes; cuerpos con todas las células intactas y capaces de recibir de nuevo el impulso hacia esa modalidad de animación que llamamos vida[7]. Había esperanzas de que esta segunda vida artificial pudiera llegar a ser perpetua gracias a la administración repetitiva de las inyecciones, pero también habíamos aprendido que la vida natural y ordinaria no respondía al tratamiento. Para conseguir una animación artificial, la vida ordinaria tenía que estar extinguida... los especímenes debían ser muy frescos, pero estar positivamente muertos.

La fantasmagórica investigación había comenzado cuando West y yo éramos simples estudiantes de la Facultad de Medicina de la Universidad de Miskatonic, en Arkham, y estábamos profundamente convencidos desde el principio de la naturaleza totalmente mecanicista de la vida. Habían pasado siete años desde entonces, pero West parecía no haber envejecido ni un solo día: era bajo, rubio, siempre bien afeitado, de voz suave y con gafas, y sólo algún destello casual en sus fríos ojos azules delataba el despiadado y creciente fanatismo que asomaba bajo la presión de sus terribles investigaciones. Nuestras experiencias habían resultado a menudo aterradoras en extremo, y siempre como consecuencia de una reanimación defectuosa, cuando los grumos de lodo del cementerio se han galvanizado en unos movimientos morbosos, antinaturales y ciegos a resultas de las diversas modificaciones llevadas a cabo en la solución vital.

Uno de los ejemplares había lanzado un grito turbador; otro se había erguido violentamente, golpeándonos hasta dejarnos inconscientes, huyendo luego enloquecido antes de que consiguieran atraparle y encerrarle tras los barrotes del asilo; otro más, una grotesca monstruosidad africana, había escapado de su poco profunda fosa y cometido una bestialidad... West se vio obligado a disparar sobre aquella cosa. No podíamos conseguir cadáveres lo suficientemente frescos como para que mostrasen alguna traza de inteligencia tras ser reanimados, de manera que, ineludiblemente, habíamos creado horrores innombrables. Resultaba inquietante pensar que una, posiblemente dos, de nuestras monstruosidades aún seguían vivas; pensamiento que estuvo angustiándonos de una manera imprecisa, hasta que al fin West desapareció en espantosas circunstancias. Pero en el momento del aullido en el laboratorio del sótano de aquel apartado caserío de Bolton, nuestros temores se subordinaban a la ansiedad por conseguir especímenes realmente frescos. West se mostraba más ávido que yo, de manera que a mí me parecía que estudiaba los cuerpos de cualquier persona viva con cierta codicia.

El mes de julio de 1910 empezó a mejorar la mala suerte que habíamos tenido con la adquisición de nuevos ejemplares. Yo había estado ausente largo tiempo, durante una visita familiar en Illinois, y a mi regreso encontré a West en un estado de singular euforia. Me dijo muy excitado que había resuelto, casi con toda seguridad, el problema del abastecimiento de cuerpos frescos abordando el asunto desde una perspectiva totalmente nueva: el de la conservación artificial. Yo sabía que había estado trabajando en una fórmula de embalsamado inédita y totalmente original, y no me sorprendió que hubiera tenido éxito; pero hasta que no me explicó todos los detalles, me sentí bastante confuso por cómo podría ayudarnos eso en nuestras investigaciones, ya que el inaceptable deterioro de los cuerpos se producía siempre por culpa del tiempo que transcurría antes de que pudiéramos hacernos con ellos. Pero West, ahora me doy cuenta, ya había pensado en ello; formuló un compuesto embalsamador con vistas a un uso posterior y no inmediato, por si el destino le ponía en las manos un cuerpo muy reciente y aún sin enterrar, como ya había sucedido unos años antes con el negro muerto en el combate clandestino celebrado en Bolton. Y el destino por fin se mostró amable con nosotros, de manera que, en esta ocasión, conseguimos tener en el laboratorio secreto del sótano un cadáver cuya descomposición no podía haber tenido tiempo de empezar a actuar.

West no se atrevía a aventurar lo que sucedería en el momento de la reanimación, ni si conseguiríamos una recuperación completa de su capacidad mental. El experimento marcaría un hito en nuestros estudios, por lo que conservó este nuevo cadáver hasta mi regreso, con la finalidad de que ambos compartiéramos el resultado de la manera habitual.

West me relató cómo había conseguido el ejemplar. Se trataba de un hombre vigoroso, un extranjero muy correctamente vestido que acababa de bajar del tren con la intención de tramitar algún tipo de operación comercial en las Fábricas Textiles de Bolton. La caminata a través de la ciudad era bastante larga y, al detenerse en nuestra casa para preguntar por la dirección de las fábricas, había sufrido un paro cardíaco. Se negó a tomar un estimulante, y acto seguido cayó súbitamente muerto. Su cuerpo, como era de esperar, le vino a West como llovido del cielo. En su breve conversación con el forastero, éste le había explicado que no conocía a nadie en Bolton, y un posterior registro de sus bolsillos reveló que se trataba de un tal Robert Leavitt, de St. Louis, y que, al parecer, no tenía familia que pudiera interesarse por su desaparición. Aunque no pudiéramos reanimarle, nadie se enteraría de nuestros experimentos. Solíamos enterrar los restos en una densa franja de bosque que había entre nuestra casa y el cementerio común. Si, por el contrario, conseguíamos devolverle a la vida, lograríamos una fama perpetua y brillante. Así que West había inyectado sin demora en la muñeca del cadáver la fórmula que le conservaría fresco hasta mi llegada. El hecho de que el cuerpo pudiera albergar un corazón débil, que a mi modo de ver pondría en peligro el éxito de nuestro experimento, no parecía inquietar demasiado a West. Esperaba que al fin conseguiría aquello que siempre le había rehuido: el despertar de una chispa de consciencia y, quizá, la reanimación de una criatura viva y normal.

De modo que la noche del 18 de julio de 1910, Herbert West y yo nos encontrábamos en el laboratorio del sótano y contemplábamos una figura silenciosa y pálida bajo la luz resplandeciente de la lámpara de operaciones. El fluido embalsamador había actuado extraordinariamente bien, pues al estudiar fascinado el cuerpo robusto que había permanecido dos semanas sin aparentes signos de rigidez, me vi impulsado a pedir a West que me asegurara que el sujeto estaba en verdad muerto. Enseguida afirmó que así era, recordándome que jamás usábamos el fluido reanimador sin antes pasar una serie de minuciosas pruebas para confirmar la muerte real del cuerpo, ya que, si conservara algún vestigio de vitalidad, la fórmula no surtiría ningún efecto. Mientras West se afanaba con los preparativos, yo me sentía anonadado ante la enorme complejidad del nuevo experimento, una complejidad tan formidable que se negó a confiar en otras manos que no fueran las suyas. Tras prohibirme tocar el cuerpo, inyectó en primer lugar una droga en su muñeca, justo al lado del punto donde antes le había administrado el fluido embalsamador. Me dijo que aquella sustancia neutralizaría el compuesto preservativo y liberaría el sistema de modo que adquiriese una relajación normal; así la solución reanimadora podría actuar libremente tras ser inyectada. Muy poco después, al observar ciertos cambios y un débil temblor que parecía afectar a los miembros sin vida del cadáver, West tapó violentamente el rostro contraído con una especie de almohada, y no la retiró hasta que el cuerpo quedó completamente inmóvil y listo para nuestro intento de reanimación. El pálido entusiasta se dedicó entonces a realizar ciertas pruebas superficiales y últimas para confirmar la ausencia total de vida, y, tras quedar satisfecho, inyectó en el brazo izquierdo del cadáver una dosis cuidadosamente calculada del elixir vital, que había preparado por la tarde con un esmero aún mayor del que solíamos tener en nuestros días de universidad, cuando nuestras hazañas eran nuevas y precarias. Soy incapaz de describir la salvaje, tremenda ansiedad con la que aguardamos el resultado de nuestros experimentos en un ejemplar auténticamente fresco, el primero del que en verdad podíamos esperar que abriera sus labios y nos contara, quizá, en un lenguaje racional, lo que había visto al otro lado del insondable abismo.

West era un materialista, no creía en el alma e imputaba cualquier función de la conciencia a un simple fenómeno corporal; por lo tanto, no esperaba ninguna revelación sobre los terribles secretos que acechan en los abismos y grutas más allá de los límites de la muerte. Yo no estaba en total desacuerdo con sus teorías, pero aún conservaba ciertos retazos, vagos e intuitivos, de la primitiva fe de mis ancestros; de manera que no podía dejar de observar el cadáver sin un terrible sentimiento de expectación y temor. Además... no podía alejar de mis recuerdos aquel grito inhumano y espantoso que habíamos escuchado la noche de nuestro primer experimento en la granja deshabitada de Arkham.

Apenas había pasado el tiempo, cuando me percaté de que el ensayo no iba a resultar un fracaso total. Una débil coloración asomó en las mejillas, que estaban antes tan blancas como la tiza, y pronto se extendió bajo la incipiente barba, curiosamente extensa y de color arenoso. West, que estaba tomando el pulso al cadáver con su mano izquierda, asintió repentinamente de forma reveladora, y, casi al mismo tiempo, el espejo que habíamos acercado a la boca del sujeto se llenó de vaho. Acto seguido, se produjeron una serie de movimientos espasmódicos, seguidos de una audible inhalación y un movimiento manifiesto en el pecho. Observé los párpados cerrados, y me pareció percibir un estremecimiento. Y entonces se abrieron, mostrando unos ojos grises, serenos y vivos, pero en los que aún no se reflejaba ninguna clase de intelecto, ni siquiera curiosidad.

En un arrebato de curiosidad, susurré varias preguntas sobre la oreja cada vez más colorada, preguntas acerca de otros mundos cuyo recuerdo aún podría estar fresco. Era el espanto lo que las extraía de mi mente, pero no pude evitar hacer una última, la cual repetí: «¿Dónde has estado?» Aún no sé si me contestó o no lo hizo, ya que ningún sonido salió de aquella boca tan bien formada; pero lo que sí recuerdo es que, justo en ese preciso instante, creí firmemente que sus finos labios se habían movido en silencio, formando una sucesión de sílabas que yo habría traducido como «sólo ahora», si esta frase hubiera tenido algún sentido o correspondencia con lo que le estaba preguntando. En ese momento, como digo, me sentí completamente seguro de que habíamos alcanzado nuestro gran objetivo y que, por primera vez, un cuerpo reanimado había sido capaz de pronunciar varias palabras movido por el impulso de la razón. Un rato después ya no hubo duda de nuestra victoria, ninguna duda de que la solución había cumplido verdaderamente con su cometido, al menos de manera temporal, y que había conseguido devolver al muerto una vida racional y articulada. Pero con ese triunfo me invadió también el más grande de los horrores... no porque el ser hubiera hablado, sino por todo lo que habíamos presenciado, y por el hombre con el cual estaba unido mi futuro profesional.

Aquel cadáver tan sumamente fresco, cobrando al fin plena consciencia de una forma aterradora, con los ojos dilatados por el recuerdo de su última escena en la tierra, estiró frenéticamente sus manos como si luchara a vida o muerte con el aire que le rodeaba, y, de repente, se desplomó definitivamente en una segunda disolución de la que ya no habría retorno, lanzando un último grito que resonará eternamente en mi atormentado cerebro:

–¡Socorro! ¡Aparta, aparta maldito demonio con pelo de estopa... aparta esa condenada aguja!

V. El horror de las sombras

Muchos hombres han contado cosas espantosas, que no figuran en letra impresa, acerca de lo que aconteció en los campos de batalla durante la Gran Guerra. Algunos de estos sucesos me han hecho palidecer, otros me han producido una náusea indescriptible, y aun otros más consiguieron hacerme estremecer y mirar a mi espalda en medio de la oscuridad; pero creo que soy capaz de relatar la peor de todas estas experiencias: el espantoso, sobrenatural e increíble horror de las sombras.

En 1915 yo servía como médico, con el grado de teniente, en un regimiento canadiense destinado en Flandes, uno de los numerosos norteamericanos que se adelantaron al propio gobierno en la gigantesca contienda. No había ingresado en el ejército por propia iniciativa, sino a resultas del alistamiento del hombre de quien yo era su imprescindible ayudante: el famoso cirujano de Boston, doctor Herbert West. El doctor West siempre había estado ávido de prestar servicio como cirujano en una gran guerra y, cuando la ocasión se presentó, me llevó consigo aun en contra de mi voluntad. Existían bastantes motivos por los que yo me habría alegrado de que la guerra nos separase, motivos por los que cada vez encontraba más irritante la práctica de la medicina y la compañía de West; pero cuando se marchó a Ottawa, y consiguió una plaza de comandante médico gracias a las influencias de un colega suyo, fui incapaz de resistir la persuasiva insistencia de un hombre determinado a que yo le acompañase como su ayudante habitual.

Al decir que el doctor West estaba ávido de servir en combate, no me refiero a que fuera un amante de la guerra o a que anhelara salvar la civilización. Siempre había sido un hombre de frío y calculado intelecto, flaco, rubio, de ojos azules y con gafas; creo que siempre se mofaba en secreto de mis ocasionales arrebatos marciales y de mis censuras a una estúpida neutralidad[8]. Y sin embargo, había algo en la asediada Flandes que él codiciaba; y para conseguirlo adoptó una apariencia militar. No deseaba lo mismo que anhelan las personas corrientes, sino algo relacionado con una determinada rama de la ciencia médica que él había elegido practicar clandestinamente, y en la cual había conseguido unos resultados asombrosos y, a veces, terroríficos. Se trataba, en suma, de tener acceso a una abundante provisión de cuerpos recientemente fallecidos y en cualquier estado de descuartizamiento.

Herbert West necesitaba cadáveres frescos porque el trabajo de su vida consistía en la reanimación de los muertos. Este trabajo no era sospechado por la distinguida clientela que había hecho crecer tan rápidamente su fama tras su llegada a Boston, pero era de sobra conocido por mí, que había sido su amigo más íntimo, y único ayudante, desde los viejos tiempos en la Facultad de Medicina de la Universidad de Miskatonic, en Arkham. Fue en aquellos días de universidad cuando inició sus terribles experimentos; con pequeños animales al principio, y después con cadáveres humanos obtenidos de una manera espantosa. Disponía de una solución que inyectaba en las venas de los seres muertos, y si eran lo suficientemente frescos respondían de extrañas maneras. Le había costado mucho descubrir la fórmula adecuada, ya que cada tipo de organismo necesitaba un determinado estímulo que se adaptara a su ser. El terror le dominaba cuando reflexionaba sobre sus fracasos parciales: cosas innombrables, que habían sido reanimadas gracias a fórmulas imperfectas o cuando su cuerpo no era lo suficientemente fresco. Cierta cantidad de estos fiascos habían seguido con vida –uno de ellos estaba internado en un manicomio y el resto había desaparecido–, y cuando pensaba en los riesgos posibles, aunque improbables, se echaba a temblar por debajo de su aparente manto de imperturbabilidad.

West se había dado cuenta pronto de que el requisito primordial para el uso adecuado de los ejemplares era que éstos fueran lo más frescos posible, de manera que había optado por el espantoso y denigrante procedimiento de robar cadáveres. En la facultad, y durante nuestros primeros experimentos juntos en la ciudad industrial de Bolton, mi actitud hacia él había sido siempre de profunda admiración; pero a medida que sus métodos se iban haciendo cada vez más atrevidos, un terror incierto se fue apoderando de mí. No me gustaba la forma en que observaba a los sujetos vivos y sanos; y entonces tuvo lugar aquel experimento de pesadilla en el laboratorio del sótano, cuando descubrí que cierto ejemplar aún estaba vivo cuando West se hizo con él. Aquélla fue la primera vez que pudo devolver la capacidad de pensar racionalmente a un cadáver; y este triunfo, obtenido a tan horrible precio, le había insensibilizado por completo.

De sus métodos en los siguientes cinco años prefiero no hablar. Me vi impelido a seguir a su lado por puro miedo, y presencié actos que la lengua humana sería incapaz de repetir. Poco a poco llegué a darme cuenta de que el propio Herbert West era más horrible que todo lo que hacía... fue entonces cuando descubrí que su anterior celo científico por prolongar la vida había degenerado sutilmente en una simple curiosidad morbosa y devoradora, y en un secreto entusiasmo por la contemplación de la muerte. Sus intereses se convirtieron en una adicción infernal y perversa por todo lo repugnante, anormal y diabólico; se deleitaba tranquilamente en las monstruosidades artificiales que matarían de repugnancia y terror a cualquier persona en sus cabales; detrás de su apariencia de intelectualidad, se convirtió en un maniático Baudelaire del experimento médico, en un lánguido Heliogábalo de las tumbas.

Enfrentaba los peligros con estoicismo; llevaba a cabo sus crímenes sin inmutarse. Creo que el momento álgido se produjo al verificar que, efectivamente, podía reanimar una vida intelectual, y buscó nuevos mundos que conquistar experimentando con la reanimación de fragmentos seccionados de los cadáveres. Tenía ideas extravagantes y originales sobre las propiedades individuales de la materia viva que subsiste en las células orgánicas y en los tejidos nerviosos separados de sus naturales sistemas psíquicos, y había obtenido ciertos resultados preliminares y espantosos con varios tejidos imperecederos, alimentados artificialmente a partir de los huevos a medio incubar de un indescriptible reptil tropical. Había dos supuestos biológicos que anhelaba verificar con gran ansiedad: en primer lugar, si podía existir algún tipo de consciencia o actividad racional en ausencia del cerebro; y en segundo, si había alguna clase de relación etérea e intangible, distinta a la de las células materiales, que pudiera acoplar las partes quirúrgicamente separadas que previamente habían constituido un solo organismo vivo. Todo este trabajo de investigación requería un prodigioso suministro de carne humana fresca y recientemente fallecida... y por eso Herbert West intervino en la Gran Guerra.

El incalificable, fantasmagórico suceso tuvo lugar una medianoche de finales de marzo de 1915, en un hospital de campaña tras las líneas de St. Eloi[9]. Incluso hoy en día me pregunto si no se trató más que de un sueño o delirio demoníaco. West poseía un laboratorio privado en el lado este del granero que se le había asignado temporalmente, bajo el pretexto de poner en práctica un método totalmente nuevo y radical para el tratamiento de los casos de mutilación más desesperados. Allí trabajaba como un carnicero en medio de su sangrienta mercadería... Jamás pude acostumbrarme a la ligereza con la que manejaba y clasificaba determinados materiales. A veces realizaba maravillosas operaciones de cirugía con los soldados; pero sus principales gozos eran de un carácter menos público y filantrópico, y se vio obligado a dar numerosas explicaciones acerca de los ruidos que resultaban extraños incluso en medio de aquella babel de condenados. Entre todos esos sonidos no eran infrecuentes las detonaciones de disparos... algo bastante usual en un campo de batalla, pero ciertamente extraño dentro de un hospital. Los especímenes reanimados por el doctor West no reunían las condiciones necesarias para aguantar una existencia prolongada o ser el objeto de una amplia audiencia. Además del tejido humano, West empleaba gran cantidad de tegumentos embrionarios de reptiles que él cultivaba con singulares resultados. Daban mejor resultado para mantener con vida los fragmentos sin órganos que el material humano, y en eso consistía entonces la principal actividad de mi amigo. En un oscuro rincón del laboratorio, sobre un curioso mechero de incubación, guardaba un enorme barril tapado, repleto de esa materia celular de reptiles, que se multiplicaba y reproducía de manera burbujeante y espantosa.

La noche de la que hablo teníamos un ejemplar reciente y espléndido: un sujeto de gran potencial físico y de tan elevada inteligencia que nos garantizaba un sistema nervioso lo suficientemente receptivo. Resultaba más que irónico, ya que se trataba del oficial que había ayudado a West a conseguir su ansiado destino, y que ahora tenía que haber sido nuestro socio. Es más, con anterioridad había estudiado en secreto la teoría de la reanimación bajo la tutela del propio West. El comandante sir Eric Moreland Clapham-Lee, D.S.O.[10], era el cirujano más importante de nuestra división, y había sido trasladado apresuradamente al sector de St. Eloi cuando llegaron noticias al cuartel general de un recrudecimiento de la lucha. Inició el viaje en un aeroplano pilotado por el intrépido teniente Ronald Hill, siendo derribado nada más alcanzar su punto de destino. La caída fue terrorífica y espectacular, y Hill quedó completamente irreconocible; sin embargo, el accidente seccionó casi por completo la cabeza del gran cirujano, pero el resto del cuerpo permaneció intacto. West se apoderó con avidez de aquel despojo inerte que una vez había sido su amigo y compañero de estudios; me estremecí cuando finalmente separó la cabeza del tronco y la depositó en el diabólico barril repleto del pulposo tejido de los reptiles con la intención de conservarla para futuros experimentos, y después siguió manipulando el cuerpo decapitado sobre la mesa de operaciones. Le inyectó sangre nueva, unió ciertas venas, arterias y nervios del cuello sin cabeza, y cosió la repugnante abertura a base de injertos de piel procedentes de un espécimen sin identificar que había llevado uniforme de oficial. Conocía sus pretensiones: la verificación de que este cuerpo altamente organizado podría exhibir, aun decapitado, alguna señal de la vida mental que había distinguido a sir Eric Moreland Clapham-Lee. Antiguo estudiante de la reanimación, a aquel tronco silencioso se le requería ahora para servir como repugnante demostración.

Aún puedo ver a Herbert West bajo la siniestra luz eléctrica, inyectando la solución reanimadora en el brazo del cuerpo decapitado. Me siento incapaz de describir la escena... me desmayaría si lo intentara, pues la locura pululaba en aquella habitación repleta de horribles objetos clasificados, con el suelo resbaladizo a causa de la sangre y de otros despojos no tan humanos que formaban un barrillo cuyo espesor llegaba a la altura de los tobillos, y con aquellas anormalidades reptiles y espantosas que bullían, burbujeaban y se agitaban sobre el espectro parpadeante de una llama verde-azulada en un lejano rincón cubierto de negras sombras.

El espécimen, como West observó en repetidas ocasiones, poseía un espléndido sistema nervioso. Esperaba mucho de él; y, cuando empezaron a aparecer algunos signos de movimientos espasmódicos, pude observar un interés febril en el rostro de West. Creo que estaba listo para ver la prueba de su cada vez más sólida convicción de que la conciencia, la razón y la personalidad podían existir con independencia del cerebro... de que el hombre no posee un espíritu conectivo, sino que es una simple máquina nerviosa, y que cada órgano se completa más o menos por sí solo. En una demostración triunfal, West estaba a punto de relegar el misterio de la vida a la simple categoría del mito. El cuerpo se estremecía ahora con más vigor y, bajo nuestros ávidos ojos, comenzó a palpitar de una manera espantosa. Agitó los brazos compulsivamente, alzó las piernas y varios músculos se contrajeron en una repugnante especie de torsión. Entonces, aquella cosa sin cabeza estiró los brazos en un gesto de inequívoca desesperación... una desesperación que mostraba inteligencia, la suficiente como para demostrar todas las teorías de Herbert West. En realidad, los nervios rememoraban el último acto en vida del hombre: el forcejeo por liberarse del avión que se iba a estrellar.

Jamás sabré a ciencia cierta lo que sucedió a continuación. Podría haberse tratado de una simple alucinación provocada por la conmoción que sufrí ante la repentina y completa destrucción del edificio bajo un infierno de fuego alemán... ¿y quién podría probar lo contrario, teniendo en cuenta que West y yo fuimos los únicos supervivientes? West prefería pensar que fue así antes de su reciente desaparición, pero a veces no podía, ya que resultaba muy extraño que ambos hubiéramos tenido la misma alucinación. El terrible suceso fue, en realidad, muy simple, y sólo destacaba por sus implicaciones.

El cuerpo de la mesa se alzó con un movimiento ciego y terrorífico, y escuchamos un sonido. No me atrevo a afirmar que se tratara de una voz, pues fue demasiado espantoso. Y sin embargo, su acento no fue lo más horrible de todo. Ni tampoco lo que dijo, ya que tan sólo gritó: «¡Salta, Ronald, por Dios, salta!» Lo más espantoso fue su origen.

Porque procedía del gran barril cubierto que descansaba en aquel espeluznante rincón rodeado de negras sombras.

VI. Las legiones de la tumba

Cuando el doctor Herbert West desapareció, hace ahora un año, la policía de Boston me interrogó minuciosamente. Sospechaban que ocultaba cosas, o, incluso, algo peor; pero no podía confesarles la verdad porque no me habrían creído. En realidad, ya sabían que West había estado implicado en ciertas actividades que estaban fuera de lugar para el común de los mortales; ya que sus terribles experimentos sobre la reanimación de cadáveres habían sido demasiado numerosos como para poder mantenerlos en total secreto; pero la escalofriante catástrofe final albergaba tantos elementos de una demoníaca fantasía que incluso yo mismo tuve dudas de lo que en realidad había visto.

Yo era el amigo más íntimo de West y su único ayudante de confianza. Nos habíamos conocido tiempo atrás, en la Facultad de Medicina, y desde el principio había compartido sus terribles investigaciones. Había intentado refinar pacientemente una fórmula perfecta que, inyectada en las venas de un hombre recientemente fallecido, le haría retornar a la vida; una tarea que demandaba una abundante provisión de cadáveres frescos y, por lo tanto, la práctica de las más espantosas actividades. Pero aún más impactantes eran los resultados de algunos de sus experimentos: truculentas masas de carne que había estado muerta, pero a las que West devolvía una animación ciega, demente y nauseabunda. Éstos eran los resultados habituales; ya que si queríamos despertar la mente era absolutamente necesario que los cuerpos fueran lo más frescos posible para que la descomposición no hubiera llegado a afectar a las delicadas células cerebrales.

Esta necesidad de cadáveres muy frescos supuso la ruina moral de West. Resultaba difícil conseguirlos, y un pavoroso día se había apropiado de un ejemplar cuando aún estaba vivo y en todo su esplendor. Un breve forcejeo, una aguja y un poderoso alcaloide habían transformado el cuerpo en un cadáver muy fresco, y el experimento había tenido éxito durante un memorable, aunque transitorio, momento; pero West superó la prueba con el alma seca y endurecida, y una mirada gélida que a veces observaba con fría y calculada valoración a los hombres que mostraban un cerebro especialmente sensible y un físico especialmente vigoroso. Hacia el final, West llegó a causarme verdadero pavor, ya que empezaba a mirarme de la misma manera. La gente no parecía darse cuenta de sus miradas, aunque sí notaban mi miedo; y tras su desaparición se basaron en este hecho para propalar absurdas sospechas.

En realidad, West tenía más miedo que yo, pues sus abominables ocupaciones le hacían llevar una vida furtiva y preñada de sombras. En cierta manera, le atemorizaba la policía, pero a veces su malestar era más hondo y vaporoso, y tenía mucho que ver con ciertas criaturas inclasificables a las que había administrado una vida morbosa, y en las que no había visto extinguirse dicha vida. Generalmente concluía sus experimentos con el revólver; pero algunas veces no había sido lo suficientemente rápido. Estaba aquel primer espécimen en cuya tumba saqueada se habían encontrado después rastros de arañazos. Y también el cadáver del profesor de Arkham que había cometido actos de canibalismo antes de ser capturado y encerrado de forma anónima en una celda del manicomio de Sefton, donde pasó dieciséis años golpeándose la cabeza contra las paredes. La mayoría de los demás posibles supervivientes eran criaturas de las que resulta muy difícil hablar, ya que en los últimos años, el celo científico de West había degenerado en una especie de obsesión insana y fantasmagórica, y había consagrado su portentosa destreza a revitalizar cuerpos no completamente humanos, sino simples despojos aislados, o partes unidas a una materia orgánica de procedencia animal. Hacia la época de su desaparición, se había convertido en algo diabólicamente nauseabundo; muchos de sus experimentos no deberían ser detallados en letra impresa. La Gran Guerra, en la que ambos servimos de cirujanos, había intensificado esta peculiaridad de West.

Al decir que el temor de West por sus especímenes era vaporoso, tengo particularmente en cuenta la complejidad de su naturaleza. En cierta manera, esto se debía al simple hecho de saber que aún permanecían con vida varios de aquellos monstruos innombrables, pero también al temor que le causaba el daño corporal que podrían inflingirle en determinadas circunstancias. La desaparición de aquellas criaturas no hizo más que aumentar el horror de la situación: West sólo conocía el paradero de uno de ellos, el del lastimoso espécimen del manicomio. Pero también había un miedo más sutil: una sensación en verdad fantasmagórica, propiciada por un extraño experimento que realizó en el ejército canadiense en 1915. En medio de una sangrienta batalla, West había conseguido reanimar al comandante Eric Moreland Clapham-Lee, D.S.O., un colega médico que conocía sus experimentos, y que podría haberlos reproducido. Seccionó por completo su cabeza, con la intención de investigar las posibilidades de vida inteligente en el tronco. Justo en el momento en el que el edificio fue barrido por un obús alemán, nuestro experimento tuvo éxito. El tronco se había movido de manera consciente; y, por increíble que parezca, ambos tuvimos la enfermiza seguridad de que unos sonidos articulados brotaron de la cabeza seccionada que yacía en un tenebroso rincón del laboratorio. En cierta manera, la caída del obús fue un acto de misericordia; pero West jamás llegó a estar seguro, como habría deseado, de que sólo nosotros fuéramos los únicos supervivientes. A partir de entonces, solía hacer estremecedoras conjeturas sobre las acciones potenciales que podría llevar a cabo un médico decapitado con el poder de reanimar a los muertos.

La última morada de West fue una residencia muy elegante y venerable que dominaba uno de los cementerios más antiguos de Boston. Había escogido aquel lugar por razones puramente simbólicas y fantásticas, ya que la mayoría de los enterramientos databan del periodo colonial y, por lo tanto, resultaban de escaso valor para un científico que necesitaba cuerpos extremadamente frescos. El laboratorio, instalado en el subsótano, había sido construido en secreto por emigrantes, y guardaba un enorme incinerador para la total y discreta eliminación de los cadáveres, despojos o fragmentos sintéticos que sobraban tras los morbosos experimentos e impías diversiones del dueño. Durante la excavación de este subsótano, los obreros se habían topado con ciertos restos de una construcción extraordinariamente antigua, que sin duda conectaba con el viejo camposanto, aunque era demasiado profunda para que desembocara en algún sepulcro conocido. Tras numerosos cálculos, West determinó que existía alguna cámara secreta debajo del mausoleo de los Averill, en donde se había celebrado el último enterramiento en 1768. Me encontraba con él cuando estudió las paredes rezumantes y nitrosas que habían dejado al descubierto las palas y picos de los obreros, y estaba preparado para el fantasmagórico escalofrío que nos esperaba una vez desveláramos los seculares secretos de la tumba; pero por primera vez, la recién adquirida timidez de West se impuso a su habitual curiosidad, y traicionó su degenerado ímpetu ordenando a los albañiles que dejaran la obra intacta y la taparan con yeso. Y así permaneció hasta aquella última noche infernal, como una pared más del laboratorio secreto. Hablo de la decadencia de West, pero también debo añadir que se trataba de algo puramente mental e intangible.

Exteriormente siguió siendo el mismo de siempre hasta el fin: un hombre frío y tranquilo, delgado, rubio, con gafas, ojos azules y un aspecto juvenil que los años y los terrores sufridos no habían conseguido cambiar. Parecía calmado incluso cuando pensaba en aquella tumba llena de arañazos y no podía evitar una mirada por encima del hombro, incluso también cuando se acordaba de aquella criatura carnívora que mordía y golpeaba los barrotes de Sefton.

El fin de Herbert West se inició una tarde mientras nos encontrábamos en nuestro despacho compartido y alternaba su mirada entre el periódico y yo. Un extraño titular había llamado su atención desde las arrugadas páginas, y una zarpa titánica pareció surgir de dieciséis años atrás para hundirse en él. Un suceso increíble y espantoso había ocurrido en el Asilo Sefton, a setenta kilómetros de distancia de donde nos encontrábamos, algo que había sorprendido al vecindario y desconcertado a la policía. A primeras horas de la madrugada, un grupo de hombres silenciosos se había introducido en el patio de la institución y su líder había despertado a los celadores. Se trataba de una amenazadora figura militar que hablaba sin mover los labios y cuya voz de ventrílocuo parecía estar conectada a una enorme maleta negra que llevaba consigo. Su rostro inexpresivo era tan apuesto que rozaba la belleza más radiante, aunque el director se llevó un buen susto cuando la luz del vestíbulo le dio de lleno, pues en realidad se trataba de un rostro de cera con ojos de cristal pintado. Aquel hombre debió tener un espantoso accidente. Otro sujeto más alto guiaba sus pasos, un gigantón repugnante cuya cara azulada parecía medio devorada por alguna enfermedad desconocida. El que hablaba solicitó la custodia del monstruo caníbal trasladado de Arkham dieciséis años antes; y al serle denegada, hizo una señal que derivó en un espantoso desorden. Aquellos seres diabólicos golpearon, patearon y mordieron a todos los celadores que no consiguieron huir, matando a cuatro de ellos antes de poder liberar al monstruo. Estas víctimas, que podían rememorar los acontecimientos sin histerismos, juraban que las criaturas habían actuado con ademanes más parecidos a los de los autómatas que a los de los hombres, y que en todo momento estaban guiados por el líder con la cabeza de cera. Cuando al fin recibieron ayuda, ya no quedaba ningún rastro de los hombres ni del demente que habían venido a buscar.

Desde el momento en que leyó esta noticia hasta la medianoche, West permaneció prácticamente paralizado. A las doce sonó el timbre de la puerta y se sobresaltó aterrorizado. Todos los sirvientes dormían en el ático, así que yo mismo fui a atender la llamada. Como ya he contado a la policía, no había ningún vehículo en la calle, tan sólo un grupo de estrambóticas figuras con un enorme maletín cuadrado que depositaron en la entrada, después de que uno de aquellos personajes gruñera, con una voz totalmente inhumana: «Correo Urgente... Franqueo pagado». Se alejaron de la casa con pasos tambaleantes, y mientras les veía irse tuve la extraña certidumbre de que se dirigían al antiguo cementerio que lindaba con la parte trasera de la casa. Cuando cerré la puerta tras ellos, West se precipitó escaleras abajo y miró el maletín. Medía unos sesenta centímetros de ancho, y llevaba el nombre correcto de West con su dirección actual. También venía el remitente: «Eric Moreland Clapham-Lee, St. Eloi, Flandes». Seis años atrás, en Flandes, un hospital bombardeado se había desplomado sobre el tronco sin cabeza del reanimado doctor Clapham-Lee, y también sobre la propia cabeza que –quizá– había llegado a proferir algunos sonidos articulados.

West apenas se excitó entonces. Su estado era aún más espantoso. Enseguida dijo: «Es el fin... pero antes incineremos esta... cosa». Bajamos el maletín al laboratorio, escuchando con atención. No recuerdo muchos de los detalles –pueden hacerse cargo de mi estado mental–, pero es una mentira atroz afirmar que fue a Herbert West a quien metí en el incinerador. Entre los dos echamos dentro el maletín sin abrir, cerramos la puerta y conectamos la corriente. Y después de todo, ningún sonido brotó de su interior.

West fue el primero en observar que el yeso se desprendía de una zona de la pared que daba a la albañilería del antiguo mausoleo que habíamos sellado. Estuve a punto de huir corriendo, pero él me detuvo. Entonces vi una pequeña y negra abertura, sentí una diabólica ráfaga de viento helado y olfateé el hedor de las entrañas mortuorias de una tierra putrefacta. No se produjo ningún sonido; pero en ese preciso instante se fue la luz eléctrica, y vi una horda de seres silenciosos, recortándose contra las fosforescencias del mundo interior, que avanzaban a trompicones y parecían el fruto de la demencia... o de algo aún peor. Sus contornos eran humanos, semihumanos, parcialmente humanos y completamente inhumanos... se trataba de una horda grotescamente heterogénea. Retiraban las piedras de la pared centenaria una a una y en silencio. Y entonces, cuando la brecha fue lo suficientemente ancha, penetraron en el laboratorio en fila de a uno, dirigidos por una criatura espigada que lucía una hermosa cabeza de cera. Una especie de monstruosidad con ojos enloquecidos que iba detrás del líder agarró a Herbert West. Éste no se resistió ni emitió sonido alguno. Luego se abalanzaron todos sobre él y lo despedazaron ante mis ojos, llevando consigo los despojos al interior de aquella cripta subterránea repleta de abominaciones espantosas. El líder de la cabeza de cera, que vestía un uniforme militar de oficial canadiense, portaba la cabeza de West. Mientras desaparecía vi que los ojos azules que asomaban por detrás de sus gafas relucían aterradoramente, mostrando por primera vez una visible y frenética emoción.

Los criados me hallaron desmayado a la mañana siguiente. West se había ido. El incinerador tan sólo contenía unas cenizas inidentificables. Los inspectores me acosaron a preguntas; pero ¿qué puedo decir? Jamás relacionarán la tragedia de Sefton con West; ni con ella, ni con los hombres del maletín, cuya existencia niegan. Les conté lo del mausoleo, y ellos me mostraron el yeso intacto de la pared y se echaron a reír. Así que ya no les dije nada más. Sospechan que soy un demente o un asesino... seguramente estoy loco. Pero podría no estarlo si aquellas condenadas legiones de la tumba no hubieran sido tan silenciosas.

HIPNO[1]

Acerca del sueño, aventura siniestra de todas las noches, puede decirse que los hombres se acuestan a diario con una audacia que resultaría incomprensible si no supiéramos que es el resultado de la ignorancia del peligro.

Baudelaire[2]

Que los dioses misericordiosos, si es que realmente existen, custodien esas horas durante las cuales ni la fuerza de voluntad ni las drogas que el ingenio humano ha concebido pueden mantenerme alejado del abismo del sueño. La muerte es misericordiosa, pues de allí no hay retorno; pero quien regresa de las más profundas estancias de la noche, lleno de zozobra y conocimiento, nunca más descansa en paz. Loco tenía que estar para sumergirme con aquel reprobable frenesí en los misterios que ningún hombre ha intentado penetrar; fuese un loco o un dios... mi único amigo fue *el* que me llevó y me precedió, y quien al final padeció terrores que pueden acabar siendo míos.

Recuerdo que nos conocimos en una estación de ferrocarril, en la que él era el centro de una pandilla de vulgares curiosos. Estaba inconsciente, atacado por una especie de convulsión que proporcionaba una extraña rigidez a su esbelto cuerpo vestido de negro. Creo que entonces tendría unos cuarenta años, ya que había profundas arrugas en su rostro, macilento y con las mejillas hundidas, aunque ovalado y verdaderamente *atractivo;* y vetas grisáceas en su cabello espeso y ondulado, y en su larga barbita que en otro tiempo fue más negra que el ala de un cuervo. Su frente era blanca como el mármol de Pentélico, y de una altura y una anchura casi divinas. Me dije a mí mismo, con todo el ardor de un escultor, que aquel hombre era la efigie de un fauno de la antigua Hélade[3], extraída de las ruinas de algún templo y reanimada de algún modo en nuestra agobiante época para que sintiera el frío y la devastadora influencia del paso del tiempo. Y cuando abrió sus inmensos ojos negros, hundidos y extremadamente luminosos, supe que a partir de entonces sería mi único amigo –el único amigo de quien nunca había tenido un amigo antes–, pues comprendí que tales ojos debían haber visto con todo detalle la grandeza y el terror de regiones que estaban más allá del conocimiento y la realidad normales; regiones que yo había acariciado en mis fantasías, pero que busqué en vano[4]. De modo que ahuyenté a la muchedumbre y le invité a venir a mi casa para ser mi maestro y guía en los misterios insondables; y él asintió sin mediar palabra. Luego descubriría que su voz era música... una música de profundas violas y de esferas cristalinas. Solíamos hablar de noche, y también de día, mientras yo cincelaba bustos de él y tallaba diminutas cabezas de marfil para inmortalizar sus diferentes expresiones.

Es imposible hablar de nuestras preocupaciones, ya que tenían muy poca relación con nada del mundo tal como lo conciben los hombres. Se referían a ese universo más vasto y más horroroso de imprecisa entidad y conciencia que subyace profundamente tras la materia, el tiempo y el espacio, y cuya existencia tan sólo imaginamos en ciertos sueños... esos extraños sueños que están más allá de los sueños que los hombres normales nunca tienen y los imaginativos sólo una o dos veces en toda su vida. El cosmos que conocemos mientras estamos despiertos, nacido de ese universo como una pompa de jabón surge de la pajilla de un bromista, únicamente lo roza lo mismo que la pompa de jabón puede volver a su sardónico origen cuando la vuelve a sorber el bromista por puro capricho. Los eruditos se imaginan algo, aunque lo ignoran casi todo. Los sabios han interpretado los sueños y los dioses se han reído[5]. Un hombre de ojos orientales ha dicho que el tiempo y el espacio son relativos, y la gente se ha reído. Pero incluso este hombre de ojos orientales no ha hecho más que conjeturar[6]. Yo había deseado e intentado hacer algo más que conjeturar; y mi amigo lo había intentado y en parte lo consiguió. Así que lo intentamos juntos y, mediante drogas exóticas, acariciamos sueños terribles y prohibidos en el estudio de la torre de mi vieja casa solariega en el vetusto Kent.

Entre las congojas de aquellos días que siguieron destacaría el principal de los tormentos: la incapacidad de expresarme. Jamás podré explicar lo que aprendí y vi durante aquellas horas de impías exploraciones... por falta de símbolos o matices en cualquier idioma. Digo esto porque, de principio a fin, nuestros descubrimientos únicamente compartían la clase de *sensaciones;* sensaciones que no tenían correlación con ninguna impresión que el sistema nervioso de un ser humano normal es capaz de recibir. Eran sensaciones, dentro de las cuales había sin embargo increíbles factores temporales y espaciales... cosas que, en el fondo, carecen de existencia precisa y definida. Los términos que mejor pueden dar a entender el carácter general de nuestras experiencias son *zambullidas* o *subidas vertiginosas;* pues en cada periodo de revelación, una parte de nuestras mentes se escapaba descaradamente de todo cuanto es real y presente, y se abalanzaba etéreamente hacia espeluznantes, oscuros y aterradores abismos, y de vez en cuando *echaba por tierra* algunos obstáculos bien definidos y típicos, que sólo podrían describirse como viscosas y burdas nubes de vapores. Aquellos negros e incorpóreos vuelos unas veces los hacíamos cada uno por su cuenta, y otras veces juntos. Cuando los hacíamos juntos, mi amigo me sacaba siempre mucha ventaja; yo podía notar su presencia a pesar de la ausencia de forma, gracias a una especie de memoria gráfica por la que su rostro se me aparecía, dorado por una extraña luz y espantoso en su inquietante belleza, sus mejillas anómalamente juveniles, sus ojos ardientes, su frente olímpica, su pelo oscuro y su barba crecida.

No registramos el paso del tiempo, ya que éste se había convertido para nosotros en la más simple de las ilusiones. Sólo sé que en todo aquello debía estar implicado algo muy singular, ya que al final llegamos a maravillarnos de no envejecer. Nuestra conversación era impía y siempre terriblemente ambiciosa... ningún dios ni demonio podía haber aspirado a descubrimientos y conquistas como los que nosotros planeábamos en voz baja. Me estremezco al mencionarlo, y no me atrevo a ser más explícito; aunque diré que en cierta ocasión mi amigo formuló por escrito un deseo que no se atrevía a expresar con palabras, y que me hizo quemar el papel y asomarme espantado a la ventana para ver el cielo estrellado de la noche. Quiero insinuar –sólo insinuar– que él tenía proyectos que implicaban el gobierno del universo conocido y aún más; proyectos por los cuales la tierra y las estrellas se moverían a sus órdenes, y los destinos de todos los seres vivos estarían en sus manos. Afirmo –juro– que yo no participé de aquellas extremadas aspiraciones. Cualquier cosa que mi amigo pueda haber dicho o escrito en sentido contrario debe de ser una equivocación, ya que no soy lo bastante fuerte para exponerme a esa indecible guerra en esferas innombrables, única forma de alcanzar el éxito.

Hubo una noche en que los vientos de los espacios desconocidos nos hicieron girar de manera irresistible hacia los ilimitados vacíos que hay más allá de todo pensamiento y entidad. Afluyeron en tropel sobre nosotros percepciones del tipo más exasperantemente difícil de transmitir; percepciones de infinitud que en aquel momento nos convulsionó de júbilo, pero que en parte he olvidado, y en parte me siento incapaz de exponer a los demás. Derribamos viscosos obstáculos en rápida sucesión, y al final sentí que habíamos sido transportados a zonas más remotas de cuantas habíamos conocido previamente. Mi amigo iba muy por delante cuando nos lanzamos a aquel impresionante océano de éter virgen, y pude ver el siniestro júbilo en su flotante, luminoso y demasiado juvenil rostro-recuerdo. De repente, aquel rostro se tornó borroso y desapareció rápidamente, y enseguida me vi proyectado contra un obstáculo que no pude atravesar. Era como los otros, aunque incalculablemente más denso; una masa húmeda y pegajosa, si tales términos pueden aplicarse a cualidades análogas en una esfera no material.

Me pareció que me había detenido una barrera que mi amigo y guía había logrado traspasar. Esforzándome de nuevo finalicé mi sueño inducido por las drogas, y cuando abrí los ojos me encontré en el estudio de la torre, en cuyo rincón opuesto estaba recostado mi compañero de sueños, pálido y todavía inconsciente, extrañamente demacrado y desmesuradamente bello, mientras la luna derramaba una luz verde y oro sobre sus marmóreas facciones. Entonces, tras un breve intervalo, la figura del rincón se movió y que el cielo misericordioso no permita que llegue a ver u oír otra escena como la que tuvo lugar frente a mí. No puedo decir cómo chillaba, ni qué visiones de infiernos invisitables relampaguearon por un segundo en aquellos ojos negros enloquecidos por el miedo. Sólo puedo decir que perdí el conocimiento y no me desperté hasta que él mismo se recobró y en un arrebato me sacudió para que alguien lo mantuviera apartado del horror y la desolación.

Aquél fue el final de nuestras voluntarias incursiones en las cavernas del sueño. Atemorizado, estremecido y presintiendo lo peor, mi amigo, que ya había traspasado la barrera, me advirtió que no debíamos aventurarnos de nuevo en aquellas regiones. No se atrevió a contarme lo que había visto; pero, dando muestras de gran sensatez, dijo que debíamos dormir lo menos posible, recurriendo si era necesario a las drogas para mantenernos despiertos. Pronto comprendí que tenía razón por el inefable miedo en que me sumía cada vez que perdía el conocimiento. Después de cada breve e inevitable periodo de sueño me sentía más viejo, mientras mi amigo envejecía con una rapidez casi chocante. Es horrible ver formarse las arrugas y encanecer los cabellos casi delante de los propios ojos. Nuestra forma de vida se alteró completamente. Antes un solitario, que yo sepa –jamás salió de sus labios ni su verdadero nombre ni su origen–, mi amigo llegó a sentir un frenético temor a la soledad. No podía estar solo de noche, ni era suficiente para tranquilizarlo la compañía de unas pocas personas. Sólo obtenía alivio en las juergas más concurridas y tumultuosas; de modo que había pocas reuniones de gente joven y alegre que nos fueran ajenas. Nuestro aspecto y edad parecían provocar en la mayoría de los casos un ridículo que me contrariaba profundamente, pero que mi amigo lo consideraba un mal menor que la soledad. Sobre todo tenía miedo de encontrarse a solas fuera de casa cuando brillaban las estrellas, y si se veía forzado a ello, a menudo miraba furtivamente el cielo como si lo persiguiera algún ser monstruoso que habitara allí. No siempre miraba al mismo lugar del cielo... parecía mirar cada vez a lugares distintos. En las noches de primavera miraba a un punto bajo al nordeste. En verano lo hacía casi por encima de su cabeza. En otoño al noroeste. En invierno al este, sobre todo de madrugada. Las noches de pleno invierno parecían horrorizarle menos. Sólo al cabo de dos años relacioné aquel temor con algo en particular; pero luego empecé a darme cuenta de que debía buscar un punto concreto de la bóveda celeste, cuya posición en las diferentes estaciones se correspondía con la dirección de su mirada... un punto que señalaba, más o menos, la constelación Corona Boreal[7].

Para entonces teníamos un estudio en Londres, y no nos separábamos nunca, aunque jamás hablábamos de los días en que habíamos tratado de sondear los misterios del mundo irreal. Estábamos envejecidos y debilitados a causa de las drogas, las disipaciones y el agotamiento nervioso; y la barba y el pelo cada vez más escaso de mi amigo se habían vuelto blancos como la nieve. Nuestra liberación de la necesidad de dormir resultaba sorprendente, ya que raramente sucumbíamos más de una o dos horas a aquel fantasma que se había convertido ya en una amenaza tan espantosa. Entonces llegó un enero de niebla y lluvia, en que el dinero escaseaba y era difícil comprar drogas. Ya había vendido todas mis estatuas y cabezas de marfil, y carecía de medios para conseguir más materia prima, o, de haberlos tenido, de energía para modelar otras. Sufríamos terriblemente, y cierta noche mi amigo cayó en un profundo sueño del que no logré despertarlo. Todavía puedo recordar la escena... el desolado estudio de la buhardilla, oscuro como boca de lobo, bajo el alero donde la lluvia caía con fuerza; el tictac de nuestro solitario reloj de pared; el imaginario ruido acompasado de nuestros relojes de pulsera descansando sobre el tocador; el chirriar de alguna contraventana que se bamboleaba en algún lugar remoto de la casa; ciertos ruidos lejanos de la ciudad, amortiguados por la niebla y la distancia; y lo peor de todo, la profunda, persistente, siniestra respiración de mi amigo, tendido en el sofá... una acompasada respiración que parecía medir los supernos momentos de miedo y angustia de su espíritu que vagaba por esferas prohibidas, inimaginables y terriblemente remotas.

La tensión de mi vigilia llegó a ser opresiva, y una extraña serie de impresiones y asociaciones triviales se agolparon en mi casi trastornada mente. Oí dar la hora a un reloj –no los nuestros, porque no daban la hora– y mi morbosa fantasía encontró en eso un nuevo punto de partida para fútiles divagaciones. Relojes... tiempo... espacio... infinitud, y luego mi imaginación volvía al mismo escenario mientras pensaba que aun así, más allá del tejado y la niebla y la lluvia y la atmósfera, la Corona Boreal se elevaba por el nordeste. La Corona Boreal, a la que tanto parecía temer mi amigo, y cuyo titilante semicírculo de estrellas, aunque invisible, debía estar brillando a través de inconmensurables abismos de éter. De repente, mis oídos muy sensibilizados por la fiebre parecieron detectar un componente nuevo y completamente distinto en aquella confusa mescolanza de sonidos magnificados por las drogas... un gemido débil y terriblemente insistente que llegaba de muy lejos, zumbando, vociferando, burlándose, llamando, desde el *nordeste*.

Pero no fue aquel lejano gemido el que me privó de mis facultades e imprimió en mi alma tal sello de horror que quizá nunca lograré quitarme de encima; ni el que provocó los alaridos y las convulsiones que llevaron a los inquilinos y a la policía a derribar la puerta. No fue lo que *oí,* sino lo que *vi;* pues en aquella habitación oscura, cerrada con llave, con los postigos puestos y las cortinas echadas, apareció en el fosco rincón nordeste un rayo de horrible luz roja dorada... un rayo que no iba acompañado de resplandor alguno que disipara la oscuridad, sino que sólo incidía sobre la recostada cabeza del inquieto durmiente, haciendo resaltar en horrible réplica el luminoso y extrañamente juvenil rostro-recuerdo tal como yo lo había conocido en los sueños de distancias abismales y tiempo sin trabas, cuando mi amigo traspasó la barrera y se adentró en aquellas secretas, más recónditas y prohibidas cavernas de pesadilla.

Y mientras lo miraba, advertí que levantaba la cabeza, con los ojos negros, llorosos y profundamente hundidos, desorbitados por el terror, y sus delgados e imprecisos labios se abrieron para proferir un grito demasiado espantoso para expresarlo con palabras. Aquel rostro horroroso y rígido, que brillaba incorpóreo, radiante y rejuvenecido en la oscuridad, reflejaba un terror más puro, ingente y enloquecedor del que todo el resto del cielo y de la tierra me haya mostrado nunca. No hubo ninguna palabra en medio de aquel lejano sonido que se acercaba cada vez más; pero mientras seguía la enloquecida mirada del rostro-recuerdo a lo largo de aquel maldito rayo de luz hasta su origen, de donde asimismo procedía el gemido, también vi por un momento lo que él veía y, con los oídos zumbándome, me dio un ataque de epilepsia y me puse a gritar, lo que atrajo a los porteros y a la policía. Nunca supe explicar, por más que lo intenté, qué fue exactamente lo que vi; ni tampoco supo hacerlo aquel rostro inmóvil, ya que, aunque debió haber visto más que yo, nunca volverá a hablar. Pero siempre estaré en guardia contra el burlón y hambriento Hipno[8], y contra las locas ambiciones del saber y la filosofía.

No se sabe con certeza lo que sucedió, ya que no sólo mi propia mente quedó trastornada por aquel extraño y espantoso ser, sino que también otras se echaron a perder a causa de un olvido que no puede significar más que locura. Dicen, no sé por qué, que nunca tuve un amigo; que el arte, la filosofía y la demencia habían colmado siempre mi trágica vida. Los inquilinos y la policía me tranquilizaron aquella noche, y el médico me dio algo para calmarme, pero nadie se percató del suceso de pesadilla que había ocurrido. Mi afligido amigo no los movió a compasión, pero lo que encontraron en el sofá del estudio hizo que me alabaran de una forma que me puso enfermo; y ahora gozo de una fama que desprecio con desesperación mientras me siento durante horas, calvo, con la barba gris, consumido, paralizado, enloquecido por la droga y destrozado, a adorar y rezar al objeto que encontraron.

Pues niegan que vendiese la última de mis estatuas, y señalan extasiados lo que el brillante rayo de luz dejó helado, petrificado e incapacitado para expresarse. Es cuanto queda de mi amigo; el amigo que me condujo a la locura y la destrucción; una cabeza divina, de un mármol que sólo la vieja Hélade podría haber proporcionado, de un joven, con esa juventud que no depende del tiempo, y con un bello rostro barbado, labios curvados y sonrientes, frente olímpica y espesos mechones ondulados coronados de amapolas. Dicen que ese obsesionante rostro-recuerdo está modelado a mi imagen, cuando tenía veinticinco años; pero en la base de mármol hay un solo nombre grabado en caracteres áticos: ΎΠΝΟΣ.

LO QUE TRAE LA LUNA[1]

Odio la luna —me asusta— porque cuando a veces ilumina ciertos escenarios familiares y queridos los vuelve horrendos y extraños.

Fue en el verano espectral cuando la luna iluminó el viejo jardín por el que vagaba; el verano espectral de flores narcóticas y húmedos mares de follaje que traen sueños insensatos y multicolores. Y mientras caminaba junto al riachuelo de aguas cristalinas y someras, vi cómo se alzaban extraños rizos bañados de luz amarilla, como si sus plácidas aguas fuesen atraídas irresistiblemente hacia océanos extraños que no están en el mundo. Silenciosas y centelleantes, plateadas y siniestras, aquellas aguas malditas por la luna discurrían no sé hacia dónde, mientras en las orillas enramadas las blancas flores de loto se agitaban una tras otra en el aire hipnótico y nocturno, caían desesperadamente en la corriente, y se perdían girando en los remolinos bajo el arco tallado del puente, al tiempo que miraban hacia atrás con la siniestra resignación de unas fuerzas sosegadas y muertas.

Y mientras corría por la orilla, pisando flores dormidas con pies indiferentes, enloquecido de miedo a seres desconocidos y al señuelo de los rostros muertos, vi que el jardín no tenía fin bajo esa luna; porque donde de día estaban las paredes, ahora sólo se desplegaban perspectivas de árboles y senderos, flores y arbustos, ídolos de piedra y pagodas, y curvas del riachuelo espejeante de luz amarillenta que se alejaba entre herbosas orillas y pasaba bajo grotescos puentes de mármol. Y los labios de los rostros-lotos muertos murmuraban tristemente, y me ordenaban que siguiera, y mis pasos no se detenían, hasta que el riachuelo se convertía en río y desembocaba entre marismas de cañas cimbreantes y playas de reluciente arena en la orilla de un mar inmenso y sin nombre.

Sobre ese mar brillaba la luna odiosa, y por encima de sus olas mudas flotaban perfumes misteriosos. Y cuando vi desaparecer en él los rostros-lotos, deseé tener una red con que poder pescarlos y conocer de ellos los secretos que la luna había comunicado a la noche. Pero cuando la luna llegó a poniente y la marea callada se retiró de la tétrica orilla vi, a esa luz, antiguos campanarios que las olas casi habían descubierto, y blancas columnas cubiertas con guirnaldas de algas. Y sabedor de que los muertos habían llegado a este lugar hundido, me estremecí y no quise volver a hablar con los rostros-lotos.

Sin embargo, cuando vi a lo lejos, en el mar, descender del cielo un cóndor negro en busca de descanso en un escollo enorme, habría querido preguntarle sobre aquellos a los que yo había conocido cuando estaban vivos. Eso le habría preguntado de no haber estado tan lejos; pero se le veía lejísimos, y desapareció de mi vista cuando llegó cerca de aquel escollo gigantesco.

Así que seguí mirando cómo se retiraba la marea, con la luna cada vez más baja, y viendo asomar los campanarios, las torres y los tejados de aquella ciudad muerta y mojada. Y mientras miraba, mi olfato trató de cerrarse al hedor de los muertos del mundo, que estaba anulando el perfume; porque verdaderamente, en este lugar olvidado e imposible de situar se había acumulado la carne de todos los cementerios para que los hinchados gusanos marinos la royesen y se saciasen en ella.

La malévola luna se hallaba ahora muy baja, encima de estos horrores, pero los gusanos hinchados del mar no necesitaban de la luna para alimentarse. Y mientras observaba el movimiento ondulante que delataba las contorsiones de los gusanos, sentí un frío nuevo que venía de lejos, de donde el cóndor había volado; porque mi carne acababa de percibir un horror antes de que mis ojos lo vieran.

Y no me había temblado la carne sin motivo; porque al alzar la mirada descubrí que la marea estaba muy baja, y había dejado a la vista gran parte del vasto escollo cuyo borde había divisado. Y cuando me di cuenta de que este escollo no era sino la corona de basalto de una imagen tremenda cuya monstruosa frente brillaba ahora a la luz desvaída de la luna, y cuyas viles pezuñas piafaban sin duda en el légamo infernal millas abajo, grité y grité de terror ante la posibilidad de que el rostro oculto emergiese del agua y clavase sus ojos en mí después, tras escabullirse aquella luna burlona y falaz.

Y para escapar de este ser implacable me sumergí decidido y de buen grado en los bajíos hediondos donde en medio de muros cubiertos de algas y de calles sumergidas se dan un festín los hinchados gusanos marinos con los muertos del mundo.

AZATHOTH[1]

Cuando el mundo alcanzó su madurez, y la magia abandonó la mente de los hombres; cuando las grises ciudades alzaron hacia los cielos contaminados sus torres altas, feas y blasfemas, bajo cuyas sombras nadie podía soñar con el sol o los prados floridos de la primavera; cuando el conocimiento despojó a la tierra de su manto de belleza, y los poetas ya sólo entonaban cánticos a retorcidos fantasmas vislumbrados con una mirada ciega y oculta; cuando todas estas cosas se convirtieron en pasado, y los anhelos de la niñez se desvanecieron para siempre, existió un hombre que viajó más allá de la vida en busca de los lugares a los que habían huido los sueños del mundo.

Poco se ha escrito sobre la procedencia y el nombre de aquel personaje, ya que ambas cosas pertenecían al mundo de la vigilia, aunque se rumorea que eran sombrías. Baste saber que vivía en una ciudad de altos muros donde reinaba un crepúsculo estéril, y que todo el día trabajaba sin descanso entre la sombra y la agitación, y que regresaba a casa por las noches y se encerraba en una habitación cuya única ventana miraba no a los campos y arboledas, sino a un patio sombrío donde asomaban otras ventanas en melancólica desesperación. Desde aquel marco tan sólo se podían divisar más ventanas y paredes, excepto algunas veces, cuando se estiraba hacia fuera y podía distinguir el vagabundear de las diminutas estrellas. Y como la simple y repetida contemplación de un paisaje tan sólo compuesto por ventanas y paredes puede enloquecer al hombre que sueña y lee mucho, el morador de aquella habitación solía asomarse noche tras noche y forzar la vista hacia lo alto para vislumbrar algún atisbo de las cosas que hay más allá del mundo de la vigilia y de la suciedad de las espigadas ciudades. Con el paso de los años empezó a llamar por sus nombres a las pausadas estrellas, y a seguirlas con la imaginación cuando, lánguidamente, se perdían de vista; hasta que al fin, su visión se abrió a muchos paisajes secretos cuya existencia no era sospechada por los simples mortales. Y una noche se extendió un puente sobre el abismo, y los embrujados cielos del ensueño se deslizaron hacia la ventana del solitario observador hasta fundirse con el aire enrarecido de la estancia y hacerle cómplice de su fabulosa magia.

La habitación se inundó con las ráfagas salvajes de una noche violeta y reluciente de partículas de oro; remolinos de polvo y fuego surgían de los espacios últimos, cargados de aromáticos perfumes de más allá de los mundos. Allí se derramaron océanos hipnóticos, iluminados por soles que el ojo humano jamás ha contemplado, meciendo entre sus olas curiosos delfines y ninfas marinas de profundidades olvidadas. Una infinitud silenciosa se arremolinó en torno al soñador, y lo alzó sin rozar tan siquiera el cuerpo que estaba asomado rígidamente en la solitaria ventana; y durante días y más días, que los calendarios humanos no pueden contar, las mareas de las lejanas esferas lo transportaron suavemente al encuentro de los sueños que tanto había anhelado; los mismos sueños que los hombres habían perdido. Y en el devenir de muchos ciclos le dejaron soñar tiernamente bajo el amanecer de una playa verde, una playa verdosa rebosante del aroma de las flores de loto y de los rojos camalotes.

EL SABUESO[1]

I

En mis torturados oídos suena sin cesar una pesadilla de aleteos y convulsiones, y un aullido lejano y apenas perceptible, como de algún sabueso gigantesco[2]. No se trata de un sueño –y tampoco, me temo, de la demencia–, pues han sucedido demasiadas cosas como para poder refugiarme en estas dudas piadosas. St. John[3] es ahora un cadáver descuartizado; sólo yo sé por qué, y por eso estoy a punto de saltarme la tapa de los sesos, por temor a acabar de la misma forma. Abajo, entre corredores sombríos e ilimitados de ultraterrena fantasía, se arrastra la negra e informe Némesis que me incita al suicidio.

¡Que el cielo me perdone la locura y la morbosidad que nos empujó a ambos a tan monstruoso destino! Aburridos de la monotonía de un mundo prosaico, donde incluso los goces de la aventura y la ensoñación se acaban pronto, St. John y yo habíamos seguido con entusiasmo todos los movimientos estéticos e intelectuales que prometían alivio a nuestro devastador hastío. En su momento hicimos nuestros los enigmas de los simbolistas y el éxtasis de los prerrafaelistas, pero enseguida las nuevas modas perdían toda su divertida novedad y atractivo. Sólo la sombría filosofía de los decadentes continuó atrayéndonos, y sólo la encontramos poderosa incrementando gradualmente la hondura y perversidad de nuestras penetraciones. Baudelaire y Huysmans[4] pronto perdieron todo su encanto, hasta que al fin sólo nos quedaron los estímulos más directos producidos por experiencias o aventuras antinaturales. Esta necesidad extrema de emociones fuertes fue la que nos llevó a emprender aquella trayectoria detestable que, incluso en mi presente estado de pavor, rememoro con vergüenza y timidez... esa atrocidad desmedida y espantosa que es la abominable práctica del saqueo de tumbas.

No puedo revelar los detalles de nuestras espeluznantes excursiones, ni catalogar, aunque fuera parcialmente, los más horribles trofeos que adornan el inclasificable museo que reunimos en la enorme mansión de piedra donde ambos residíamos, solos y sin servidumbre. Nuestro museo era un lugar blasfemo e inconcebible en el que, con el placer satánico de un coleccionista neurótico, habíamos ido atesorando un universo de horror y decadencia que excitaba nuestra hastiada sensibilidad. Se trataba de un recinto secreto excavado en las profundidades de la casa, donde gigantescos demonios alados de ónice y basalto vomitaban de sus enormes fauces abiertas una extraña luz verde anaranjada, con unos tubos neumáticos que se contorsionaban en una danza mortal y caleidoscópica entre las filas de seres esqueléticos que, cogidos de la mano, estaban entretejidos en los monumentales y negros tapices. Por aquellos tubos manaban, cuando así lo deseábamos, los aromas que más se adecuaran a nuestro estado de ánimo: el lánguido perfume de los lirios funerarios, a veces; otras, la hipnótica fragancia del incienso que flota en imaginados santuarios orientales dignos de un rey fallecido; y otras más —¡cómo tiemblo al recordarlo!—, el hedor repugnante y embriagador de las tumbas saqueadas.

Alrededor de los muros de esta cámara nauseabunda se alineaban los féretros de antiguas momias alternados con otros de cuerpos recientes y con aspecto de estar casi vivos, perfectamente disecados y tratados por el arte de la taxidermia, y lápidas usurpadas de los cementerios más viejos del mundo. Unos nichos diseminados por ciertos sitios mostraban calaveras de toda índole y cabezas en distintos grados de descomposición. Allí podían encontrarse los cráneos podridos y pelados de los más famosos nobles, así como las frescas y radiantes cabezas doradas de niños recién enterrados. También había estatuas y pinturas, algunas ejecutadas por St. John y yo mismo, y todas eran de temas demoníacos. Una carpeta sellada, encuadernada en piel humana, contenía ciertos dibujos desconocidos e innominables[5] que se rumoreaba habían sido obra de Goya, aunque éste jamás se había atrevido a reconocerlos. Había unos nauseabundos instrumentos musicales de cuerda, latón y madera, con los que St. John y yo a veces producíamos disonancias de exquisita morbosidad y espeluznantes cacofonías; mientras que en una multitud de vitrinas talladas en ébano descansaba la más increíble e inimaginable variedad de trofeos sepulcrales jamás acaparados por la locura y perversidad humana. Y es de este botín en particular de lo que no debo hablar... ¡Gracias a Dios tuve el valor de destruirlo mucho antes de pensar en destruirme a mí mismo!

Las excursiones de rapiña en las que nos hicimos con nuestros abominables tesoros fueron siempre un acontecimiento artísticamente memorable. No éramos vulgares saqueadores, y tan sólo actuábamos bajo ciertos estados de ánimo, paisaje, ambiente, climatología, época del año y fase lunar. Aquellos pasatiempos resultaban para nosotros la forma más exquisita de expresión estética, y poníamos en cada detalle un fastidioso cuidado técnico. Una hora inapropiada, un efecto de luz discordante, o la torpe manipulación de una tierra demasiado húmeda, podían dar al traste con la consiguiente sensación de estático arrobamiento que seguía a la exhumación de ciertos secretos ominosos y burlescos extraídos de la tierra. Nuestra búsqueda de nuevos escenarios y punzantes sensaciones resultaba febril e insaciable... St. John siempre fue el líder, y también era él quien iba delante cuando llegamos a aquel lugar despreciable y maldito que nos acarreó una espantosa e inevitable condenación.

Pero ¿por qué maligna fatalidad fuimos atraídos a aquel terrorífico cementerio holandés[6]? Creo que fueron los sombríos rumores y leyendas, los relatos acerca de alguien que había sido enterrado cinco siglos antes, y que en sus tiempos también había sido un profanador que había robado un poderoso objeto de una sepultura muy rica. Aún puedo recordar las imágenes de aquellos momentos finales... la lánguida luna otoñal que iluminaba las tumbas, proyectando sombras largas y terribles; los árboles grotescos que se inclinaban lúgubres hasta rozar la hierba descuidada y las carcomidas losas; las vastas legiones de murciélagos colosales que se recortaban volando contra la luz de la luna; la vetusta iglesia cubierta de hiedra que apuntaba un dedo enorme y espectral hacia los cielos desvaídos; los insectos fosforescentes que danzaban como fuegos fatuos sobre los tejos, en un lejano rincón; el hedor a moho, a plantas putrefactas y a otras cosas menos clasificables que se entremezclaba débilmente con la brisa nocturna procedente de los distantes mares y pantanos; y lo peor de todo, los débiles y profundos aullidos de una especie de sabueso gigantesco que no podíamos ver ni situar. Nos estremecimos al escuchar aquel gruñido y recordar las historias de los campesinos, pues aquel a quien buscábamos había sido encontrado en este mismo lugar varios siglos antes, mordido y descuartizado por los colmillos y garras de una bestia innombrable.

Recuerdo cómo excavamos la tumba del profanador con nuestras palas, y cómo nos estremecíamos ante nuestra propia imagen, el sepulcro, la lánguida y vigilante luna, las sombras terribles, los grotescos árboles, los titánicos murciélagos, la vetusta iglesia, los inquietos fuegos fatuos, los fétidos hedores, el suave gemido de la brisa nocturna, y el extraño, casi inaudible e indeterminado ladrido, de cuya existencia real apenas podíamos estar seguros. Entonces tropezamos con una sustancia más dura que la tierra húmeda, y descubrimos una caja oblonga y podrida, encostrada por los sedimentos minerales de una tierra largamente imperturbada. Era muy resistente y gruesa, pero tan vieja que al fin pudimos abrirla haciendo palanca y deleitar nuestros ojos con su contenido.

Era mucho –sorprendentemente mucho– lo que quedó de aquella cosa, a pesar de los quinientos años transcurridos. El esqueleto, aunque deformado en parte por las fauces de la bestia que lo había matado, se conservaba unido con sorprendente firmeza, y nos deleitamos ante la contemplación de la blanca y limpia calavera, y de sus largos y recios dientes, y de sus vacías cuencas oculares que antaño habían brillado con la misma demencia con la que ahora brillaban las nuestras. En el ataúd había un amuleto de un curioso y exótico diseño, que en apariencia había estado enrollado alrededor del cuello del difunto. Se trataba de una figura convencional que representaba a un sabueso alado y en cuclillas, o a una especie de esfinge con rostro semicanino, y estaba exquisitamente tallado, al gusto del antiguo arte oriental, en una pequeña pieza de jade verde. La expresión de sus facciones era en extremo repugnante, y hablaba a un mismo tiempo de muerte, bestialidad y malevolencia. Alrededor de la base había una inscripción en caracteres que ni St. John ni yo pudimos identificar; y debajo, como si fuera la firma del artesano, había tallada una grotesca y formidable calavera.

Nada más descubrir el amuleto supimos que tenía que ser nuestro, que aquel simple tesoro era el lógico botín por la profanación del arcaico sepulcro. Y aunque su diseño fuera insólito, ansiábamos poseerlo; pero cuando lo estudiamos con mayor detenimiento descubrimos que no nos era del todo extraño. En verdad se trataba de un objeto extraordinario, desconocido para el arte y la literatura a la que están habituados los estudiosos equilibrados y sensatos; pero nosotros lo reconocimos como la criatura a la que alude el árabe loco Abdul Alhazred en el prohibido *Necronomicon*[7]: el espantoso signo espiritual del culto a los devoradores de cadáveres de la inaccesible Leng, en el Asia Central. Demasiado bien conocíamos los siniestros rasgos descritos por el viejo demonólogo árabe; rasgos que, según sus propios comentarios, fueron copiados de una sombría y sobrenatural manifestación de las almas de quienes turbaron y royeron a la muerte.

Nos apoderamos del objeto de jade verde, echamos una última mirada al rostro lívido y cavernoso de su dueño y cubrimos la sepultura, dejándola como al principio. Mientras nos alejábamos precipitadamente del abominable lugar, con el amuleto robado en el bolsillo de St. John, vimos que los murciélagos descendían en bandada sobre la tierra que acabábamos de profanar, como si buscaran algo impuro y maldito con lo que alimentarse. Pero la luz de la luna era débil y lánguida, y no pudimos estar seguros.

II

Menos de una semana después de nuestro regreso a Inglaterra, empezaron a suceder varios hechos extraños. Vivíamos como reclusos, solos, sin amigos ni sirvientes, confinados en unas pocas habitaciones de una antigua mansión solariega levantada sobre un páramo inhóspito y desolado; de manera que raras veces nuestra puerta era turbada por la llamada de un visitante. Y sin embargo, ahora empezó a trastornarnos lo que parecía una especie de manoteos torpes y bastante frecuentes que se oían por las noches, y no sólo en las puertas sino también en las ventanas, tanto en las de arriba como en las de abajo. Una de las veces, creímos ver un cuerpo grande y opaco que oscurecía la ventana de la biblioteca por la que penetraba la luz de la luna, y otra nos dio la sensación de haber escuchado un zumbido o aleteo no muy lejos de esa misma ventana. En ambas ocasiones, nuestras pesquisas no dieron resultado, y empezamos a achacar todos estos acontecimientos a nuestra imaginación, a esa misma imaginación angustiosa que aún prolongaba en nuestros oídos aquel lejano y débil aullido que creíamos haber escuchado en el cementerio holandés. El amuleto de jade descansaba ahora en un nicho de nuestro museo, y a veces encendíamos unas velas que desprendían extrañas fragancias frente a él. Leímos mucho acerca de sus propiedades en el *Necronomicon* de Alhazred, y supimos de las relaciones existentes entre las almas de los devoradores de cadáveres y los objetos que las representaban; y lo que leímos nos llenó de intranquilidad. Entonces llegó el horror.

La noche del 24 de septiembre de 19... oí un golpe en la puerta de mi habitación. Pensando que era St. John, le dije que entrara, pero la única contestación que obtuve fue una carcajada estridente. No había nadie en el pasillo. Cuando desperté a St. John de su sueño, manifestó que no sabía absolutamente nada del asunto, y empezó a asustarse tanto como yo. Fue aquella noche cuando los lánguidos y lejanos ladridos del páramo se convirtieron para nosotros en una realidad auténtica y pavorosa. Cuatro días después, mientras nos encontrábamos en nuestro oculto museo, percibimos un rasguear apagado y cauteloso sobre la puerta que conducía a la escalera secreta de la biblioteca. Nuestra alarma se vio ahora dividida, ya que a nuestro miedo a lo desconocido, se superponía también el temor que siempre habíamos tenido a que se descubriese nuestra espeluznante colección. Apagamos todas las luces, nos acercamos a la puerta y la abrimos de golpe; en ese mismo instante sentimos una incomprensible ráfaga de viento, y escuchamos una extraña mezcla de susurros, risitas y parloteos que parecían perderse en la lejanía. No nos atrevimos a determinar si estábamos locos, si soñábamos o si habíamos perdido el juicio. Tan sólo nos percatamos, con la más sombría inquietud, de que aquella cháchara aparentemente incorpórea había sido pronunciada, sin ningún género de dudas, en *holandés*.

Desde entonces, vivimos sumidos en un horror y en una fascinación que se fueron incrementando con el paso de los días. En general, nos aferrábamos a la teoría de que ambos nos estábamos volviendo locos a causa de nuestra vida repleta de emociones antinaturales, pero a veces nos complacía pensar de una manera más dramática, y nos considerábamos las víctimas de una maldición terrible y estremecedora. Las manifestaciones sobrenaturales se producían ahora con demasiada frecuencia como para poderlas enumerar. Nuestra solitaria mansión parecía bullir con la presencia de una criatura maligna cuya naturaleza no nos resultaba posible determinar, y todas las noches escuchábamos aquellos ladridos diabólicos viajando sobre las brisas del páramo, unos ladridos que cada vez sonaban más fuerte. El 29 de octubre descubrimos una serie de huellas indescriptibles sobre la tierra blanda que había debajo de la ventana de la biblioteca. Resultaban tan desconcertantes como las hordas de enormes murciélagos que habían invadido la vieja mansión solariega en un número insólito y cada vez mayor.

El horror llegó a su cenit la noche del 18 de noviembre, cuando St. John fue atacado, mientras al anochecer caminaba de regreso a casa desde la lejana estación de ferrocarril, y descuartizado por una espantosa bestia carnívora. Sus gritos alcanzaron la casa, y pude llegar corriendo al lugar de los hechos con el tiempo justo para escuchar el batir de unas alas y ver la silueta de una criatura imprecisa y oscura que se recortaba contra la luna creciente. Mi amigo agonizaba cuando me dirigí a él, y no pudo emitir una respuesta coherente. Todo lo que hizo fue susurrar: «El amuleto... el maldito amuleto...» Acto seguido expiró, convertido en un amasijo inerte de carne descuartizada.

Le enterré a la noche siguiente en uno de nuestros descuidados jardines, y entoné sobre su tumba uno de los rituales diabólicos con los que tanto había disfrutado en vida. Y cuando pronunciaba el último párrafo infernal, escuché a lo lejos, sobre el páramo, los lánguidos aullidos de un gigantesco sabueso. La luna estaba alta en el cielo, pero no me atreví a mirarla. Y cuando vi una sombra imprecisa y enorme que saltaba de montículo en montículo sobre el páramo débilmente iluminado, cerré los ojos y me tiré al suelo boca abajo. Al levantarme temblando, sin saber cuánto tiempo había transcurrido, me dirigí a trompicones hacia la casa e hice una serie de espeluznantes reverencias ante el entronizado amuleto de jade verde.

Aterrorizado ante la idea de vivir completamente solo en la vetusta mansión del páramo, me trasladé a Londres al día siguiente, llevándome el amuleto, y tras quemar y enterrar el resto de la impía colección del museo. Pero a la tercera noche volví a escuchar los ladridos, y antes de que pasara una semana sentí que unos ojos extraños me observaban en cuanto oscurecía. Un atardecer, mientras paseaba por el Muelle Victoria respirando un poco de aire fresco, vi una sombra negra que oscurecía una de las luces de las farolas que se reflejaban en el agua. Sentí una ráfaga de viento más fuerte que la habitual brisa nocturna, y supe que lo que le había sucedido a St. John iba a sucederme también a mí.

Al día siguiente envolví cuidadosamente el amuleto de jade verde y zarpé hacia Holanda. No sabía a ciencia cierta si conseguiría el perdón restituyendo aquel objeto a su dormido y silencioso propietario, pero sentía que debía actuar de una manera lógica y consecuente. Qué era el sabueso, y por qué me perseguía, eran cuestiones que aún no podía precisar; pero fue en aquel vetusto cementerio donde oí los ladridos por primera vez, y todos los acontecimientos sucesivos, incluidas las últimas palabras de St. John, me habían servido para relacionar la maldición con el robo del amuleto. Por lo tanto, me hundí en el más profundo abismo de la desesperación cuando, en la posada de Rotterdam, descubrí que los ladrones me habían despojado de mi único medio de salvación.

Los ladridos sonaron muy fuerte aquella noche, y a la mañana siguiente me enteré de que en el barrio más sórdido de la ciudad había tenido lugar un espeluznante homicidio. La chusma estaba aterrorizada, ya que sobre una de las miserables casas de vecinos se había abatido una muerte roja[8] que superaba cualquiera de los crímenes anteriores que se habían cometido en el vecindario. En una sórdida guarida de ladrones, una familia entera había sido descuartizada por una bestia desconocida que huyó sin dejar rastro, y los que vivían cerca del lugar habían oído durante toda la noche, y por encima del griterío habitual de los borrachos, unos ladridos lánguidos, guturales y pertinaces, como de un sabueso gigantesco.

Así que por fin me encontré de nuevo en el malsano cementerio donde una pálida luna invernal dibujaba unas sombras pavorosas, y los árboles desnudos se inclinaban hoscamente para rozar la hierba escarchada y las decrépitas sepulturas, y la iglesia cubierta de hiedra apuntaba su dedo sarcástico hacia un cielo hostil, y el viento nocturno gemía locamente sobre los pantanos helados y los gélidos océanos. Los ladridos sonaban entonces muy débiles, y cesaron por completo cuando me acerqué a la antigua sepultura que anteriormente había profanado y espanté a la extrañamente numerosa horda de murciélagos que habían estado revoloteando sobre ella.

No sé por qué fui hasta allí, sino para rezar y farfullar súplicas descabelladas, y para pedir perdón a la cosa lívida y silenciosa que reposaba en su interior; pero, fueran cuales fueran mis intenciones, ataqué la tierra medio helada con una desesperación que en parte era propia y en parte estaba provocada por una fuerza superior totalmente ajena a mí. La excavación resultó mucho más sencilla de lo que había esperado, aunque en un determinado momento fui interrumpido por un curioso acontecimiento: un buitre escuálido que descendió precipitadamente del frío cielo y se puso a picotear con frenesí la tierra de la sepultura hasta que lo maté golpeándolo con la pala[9]. Por fin me topé con la caja oblonga y carcomida, y retiré la nitrosa cubierta. Ése fue el último acto consciente que realicé a partir de entonces.

Porque acurrucado en el interior de aquel ataúd centenario, rodeado de un abigarrado séquito de enormes, nervudos y dormidos murciélagos, yacía el huesudo ser al que mi amigo y yo habíamos robado; y no se encontraba limpio y plácido como lo habíamos visto la primera vez, sino cubierto de costras de sangre y espeluznantes jirones de carne y pelos, y me miraba pleno de consciencia desde sus órbitas fosforescentes, con sus afiladas y sanguinolentas fauces entreabiertas en una sonrisa que se mofaba de mi segura condenación. Y cuando de aquella boca sonriente surgió un aullido profundo y sardónico, como el de un gigantesco sabueso, y vi que en su zarpa sangrienta y roñosa sujetaba el maldito amuleto perdido de jade verde, me puse a gritar y eché a correr como un idiota, y mis gritos pronto se disolvieron en histéricas carcajadas.

La demencia cabalga sobre el viento de las estrellas... sus garras y colmillos se afilan en los cadáveres centenarios... una muerte goteante se sienta a horcajadas sobre una bacanal de murciélagos que se alzan de las negras ruinas nocturnas de los soterrados templos de Belial[10]... Y ahora, mientras los ladridos de esa monstruosidad descarnada se hacen cada vez más fuertes, y los furtivos revoloteos de esas malditas bestias aladas se cierran en torno a mí, me valdré de mi revólver para obtener el olvido, que es mi único refugio para escapar de lo innominado y de lo innominable.

EL MIEDO QUE ACECHA[1]

I. La sombra en la chimenea

Los truenos retumbaban en el aire la noche que fui a la mansión abandonada, en la cima de la Montaña de la Tempestad, a la búsqueda del miedo que acecha. No iba solo, pues la temeridad no se mezclaba entonces con ese amor a lo grotesco y lo espeluznante que ha hecho de mi existencia una sucesión de exploraciones en busca de los extraños horrores que moran en la literatura y en la vida. Estaba acompañado por dos hombres fieles y atléticos a quienes había mandado llamar cuando llegó el momento; hombres que desde hacía mucho tiempo habían estado ligados a mis horripilantes exploraciones a causa de sus singulares aptitudes.

Partimos en secreto del pueblo para evitar a los reporteros que aún quedaban, después del espantoso suceso del mes anterior: la muerte de pesadilla que se arrastra con sigilo. Más adelante, pensé, podrían ayudarme; pero en ese momento no los quería cerca. Ojalá Dios me hubiera impulsado a dejarles compartir mi búsqueda, ojalá no hubiera tenido que soportar aquel secreto durante tanto tiempo, soportarlo solo y en silencio por temor a que el mundo me creyese loco, o a que todos se volvieran locos ante las diabólicas implicaciones del caso. Ahora que estoy decidido a contarlo todo, no sea que me vuelva un demente de tanto pensar en ello, desearía no haberlo ocultado jamás. Porque yo, y solamente yo, conozco la clase de horror que acecha en aquella solitaria y espectral montaña.

En un pequeño automóvil recorrimos los kilómetros de primitivos bosques que nos separaban de la selvática ladera. El campo tenía un aspecto más tétrico de lo habitual mientras lo contemplábamos en mitad de la noche y sin las acostumbradas hordas de periodistas, de manera que con frecuencia nos sentíamos tentados de utilizar las lámparas de acetileno, a pesar de que podíamos llamar la atención. No resultaba un paisaje muy agradable una vez oscurecido, y creo que también habría notado su morbosidad aunque ignorara el horror que allí acechaba. No había animales salvajes; el instinto les avisa de una muerte cercana. Los viejos árboles heridos por los rayos parecían anormalmente largos y retorcidos, y el resto de la vegetación presentaba un aspecto demasiado denso y enfermizo, mientras que unos extraños montículos y túmulos que sobresalían de la tierra herbosa y salpicada de fulguritas[2] me hacían pensar en serpientes y cráneos humanos de proporciones gigantescas.

El horror había estado merodeando en la Montaña de la Tempestad durante más de un siglo. Así lo supe por las noticias que aparecieron en los periódicos acerca de la catástrofe que había dado a conocer por primera vez al mundo esta desolada región. Se trata de una solitaria y distante elevación situada en esa zona de los Catskills[3] donde, en otro tiempo, la civilización holandesa había penetrado apenas y de forma efímera, dejando tras de sí unas cuantas mansiones decadentes y una degenerada población de colonos que fundaron míseras aldeas en algunas laderas desoladas. Las personas razonables casi nunca visitaban aquella región, hasta que se creó la policía estatal, pero aun hoy en día son pocos los agentes encargados de patrullarla. El horror, sin embargo, goza de una antigua tradición en todos los pueblos del vecindario, y sigue siendo el principal tema de conversación entre los pobres mestizos que a veces abandonan los valles para intercambiar sus cestos artesanales por los artículos de primera necesidad a los que no tienen acceso, ya que no pueden cazar, ni criar ganado ni cultivar la tierra.

El miedo que acecha moraba en la cerrada y desierta mansión Martense[4], situada en lo alto de la elevada, aunque gradual, cuesta cuya propensión a las tormentas le valió el nombre de Montaña de la Tempestad. Durante un centenar de años, la vetusta casa de piedra rodeada de bosquecillos había sido tema de historias increíblemente extraordinarias y horripilantemente monstruosas; historias sobre una muerte silenciosa, traicionera, colosal, que salía a la luz todos los veranos. Con llorosa insistencia, los vecinos contaban historias sobre un demonio que atrapaba a los caminantes solitarios después del anochecer, llevándoselos consigo o abandonándolos en un espeluznante estado, descuartizados y medio comidos, mientras que otras veces murmuraban acerca de unos rastros de sangre que conducían a la lejana mansión. Algunos decían que los truenos invocaban al miedo que acecha, y otros aseguraban que el trueno era su voz.

Lejos de aquella región provinciana, nadie creía en esas patrañas contradictorias y diversas, con sus descripciones incoherentes y extravagantes sobre un demonio apenas visto; y sin embargo, ningún granjero ni aldeano dudaba de que la mansión Martense estaba hechizada por un ser diabólico. La historia local impedía semejante duda, aunque jamás se encontró evidencia alguna de maldad por los investigadores que habían visitado el edificio después de escuchar algunas de las más espeluznantes historias de los pobladores. Las viejas murmuraban extrañas fábulas sobre el espectro Martense, fábulas que también hacían referencia a la propia familia Martense, a su insólita y hereditaria diferenciación de los ojos, a sus monstruosos y antiguos anales, y al crimen que había ocasionado su maldición.

El terror que me había hecho aparecer en escena fue una repentina y portentosa confirmación de las más atroces leyendas de los montañeses. Una noche de verano, tras una tormenta de una violencia sin precedente, la comarca se despertó por una desbandada de colonos que ningún hecho ficticio podría haber originado. La mísera horda de nativos gritaba y gemía, musitando acerca del horror innombrable que había caído sobre ellos, y nadie lo puso en duda. No lo habían visto, pero escucharon tales alaridos en una de las aldeas que se dieron cuenta de que la muerte reptante había llegado.

Por la mañana, los ciudadanos y la policía estatal siguieron a los aterrorizados montañeses hasta el lugar al que, según ellos, la muerte había llegado. Y desde luego, la muerte estaba allí. El terreno sobre el que se asentaba una de las aldeas de los colonos se había hundido a causa del impacto de un rayo, destruyendo varias chozas malolientes; pero a este daño material lo superaba una devastación humana que lo volvía insignificante. De los cerca de setenta y cinco nativos que habían habitado el lugar, no encontraron ni un solo sujeto con vida. El devastado terreno estaba cubierto de sangre y despojos humanos que revelaban con demasiada franqueza los estragos causados por unas garras y colmillos diabólicos; sin embargo, no había ningún rastro visible que se alejara del lugar de la carnicería. Todos coincidieron enseguida en afirmar que aquello había sido causado por alguna bestia sanguinaria, y a nadie se le ocurrió mencionar que unas muertes tan espantosas pudieran estar relacionadas con los sórdidos crímenes que suelen tener lugar en las comunidades decadentes. Esta última sospecha volvió a salir a flote cuando descubrieron que entre las víctimas faltaban veinticinco aldeanos de la localidad, y aun así resultaba difícil explicar la matanza de los otros cincuenta. Pero todo quedó en que, una noche de verano, había caído un rayo de los cielos y sembrado de muerte la aldea, dejando un rastro de cuerpos horriblemente mutilados, mordidos y desgarrados.

Los aterrorizados aldeanos enseguida relacionaron aquel horror con la encantada mansión Martense, aunque el pueblo se encontraba a más de cinco kilómetros de distancia. La policía se mostró aún más escéptica; incluyó la mansión en sus investigaciones de una manera rutinaria, y la descartaron por completo cuando verificaron que se hallaba desierta. Las gentes del campo y de los pueblos, sin embargo, registraron el lugar con sumo cuidado, revolviendo todo lo que encontraron en la casa, sondeando los pozos y estanques, registrando la maleza y dando batidas por los bosques cercanos. Todo fue inútil; la muerte no había dejado otro rastro que el de la propia destrucción.

Al segundo día de investigación, la noticia apareció ampliamente comentada en los periódicos, y los reporteros invadieron la Montaña de la Tempestad. La describieron con gran detalle, e incluían numerosas entrevistas que corroboraban las historias de miedo que contaban las viejas del lugar. Al principio seguí los acontecimientos sin mucho entusiasmo, pues soy un experto en este tipo de cosas; pero, transcurrida una semana, percibí una atmósfera que me causó una extraña conmoción; así que el 5 de agosto de 1921 me registré entre los periodistas que abarrotaban el hotel de Lefferts Corners, el pueblo más cercano a la Montaña de la Tempestad y conocido cuartel general de los investigadores. Tres semanas después, la marcha de los periodistas me dejó vía libre para iniciar una espeluznante exploración basada en los minuciosos interrogatorios y pesquisas topográficas que había ido recopilando entretanto.

Así que esa noche veraniega, mientras resonaban los truenos lejanos, dejé el silencioso automóvil y empecé a caminar junto a mis dos compañeros armados hacia los últimos montículos que coronaban la Montaña de la Tempestad, enfocando los rayos de la linterna eléctrica sobre los muros espectrales y grises que empezaban a surgir entre robles gigantescos. En aquella morbosa soledad nocturna, bajo la tétrica luz de la linterna, el inmenso y rectangular edificio mostraba oscuros signos de terror que el día no llegaba a revelar; sin embargo, no vacilé ni un momento, ya que había venido con la irrevocable decisión de comprobar cierta hipótesis. Pensaba que los truenos hacían salir de algún espeluznante lugar secreto al demonio de la muerte; y tanto si aquel diablo era una entidad sólida o una pestilencia vaporosa, yo pretendía verlo.

Con anterioridad había explorado a fondo las ruinas, de manera que había decidido que el mejor punto de observación era la vieja habitación de Jan Martense, cuyo asesinato tenía una gran importancia en las leyendas locales. Sentía veladamente que el aposento de esta antigua víctima sería el lugar más adecuado para mis planes. La habitación, que medía unos siete metros de lado a lado, estaba adornada, al igual que las demás estancias, con restos de viejos muebles. Se hallaba en el segundo piso, en la esquina sureste de la mansión, y disponía de un enorme ventanal que miraba al este y de una estrecha ventana que daba al sur, ambas desprovistas de cristales y postigos. Enfrente del ventanal había una monumental chimenea holandesa con azulejos pintados que representaban al hijo pródigo, y en el lado opuesto a la ventana estrecha descansaba una espaciosa cama adosada a la pared.

Mientras el fragor sordo de los truenos subía en intensidad, estudié los detalles de mi plan. Primero até tres escalerillas de cuerda que había traído conmigo en el alféizar de la ventana grande, una junto a la otra.

Sabía que su largo era suficiente y que caían en un lugar apropiado entre la hierba, ya que las había probado antes. Luego, entre los tres, trajimos a rastras el armazón de una cama de otro dormitorio, y lo pusimos al lado de la ventana. Lo llenamos de ramas de abeto y dos de nosotros, con las automáticas listas, nos echamos a descansar mientras que un tercero se encargaba de la vigilancia. El demonio podía venir de cualquier parte, y de esta forma disponíamos de una vía de escape. Si surgía del interior de la casa, escaparíamos por las escalerillas del ventanal; si venía del exterior, podíamos salir por la puerta y las escaleras. No se nos ocurrió pensar, teniendo en cuenta los anteriores sucesos, que podría perseguirnos durante mucho rato, en el peor de los casos.

Transcurrió mi turno de guardia, de doce de la noche a una de la madrugada, y, a pesar de la desprotegida ventana, y de los truenos y relámpagos cada vez más próximos, me sentí extrañamente adormilado. Estaba incorporado entre mis dos compañeros: George Bennet yacía en el lado de la ventana y William Tobey en el de la chimenea. Bennet estaba dormido, dominado por la misma insólita somnolencia que había hecho presa en mí, de manera que pensé en Tobey para la siguiente guardia, a pesar de que cabeceaba. Resultaba curiosa la intensidad con la que yo vigilaba la chimenea.

La creciente tormenta debía de haber afectado mis sueños, ya que durante el breve instante en el que caí dormido tuve unas visiones apocalípticas. En una ocasión me desperté a medias, seguramente a causa de que el hombre que dormía junto a la ventana había estirado un brazo sobre mi pecho. No me encontraba lo bastante despierto como para comprobar si Tobey cumplía con su turno de guardia, pero sentí cierta angustia a este respecto. Nunca antes había experimentado tanta inquietud ante la presencia del mal. Después, debí de quedarme dormido de nuevo, pues mi mente pareció salir de un caos fantasmal cuando la noche se llenó de espanto, y de unos gritos que superaban todas mis experiencias y delirios anteriores.

En aquel chillido se aunaban los miedos más profundos del alma y la agonía humana, que pugnaban desesperada y estúpidamente por desgarrar las puertas de ébano del olvido. Desperté en medio de una demencia roja y de una burla diabólica, mientras aquella angustia cristalina y fóbica se retiraba y repercutía en imágenes cada vez más lejanas e inconcebibles. No había luz, pero me di cuenta, por el vacío que sentí a mi derecha, de que Tobey se había ido, sólo Dios sabía adónde. Sobre mi pecho aún descansaba el pesado brazo del que dormía a mi izquierda.

Luego se produjo un devastador relámpago que sacudió toda la montaña, iluminó los rincones más tenebrosos de la vetusta arboleda, y desgajó el árbol más añoso y retorcido. Bajo el diabólico resplandor del monstruoso rayo, el durmiente se incorporó de súbito, mientras la brillantez que entraba por la ventana proyectó claramente su sombra sobre la chimenea, de la que no podía apartar mis ojos. Me es totalmente incomprensible seguir sano y con vida. No puedo entenderlo, porque la sombra de la chimenea no correspondía con la de George Bennett, o con la de cualquier otro ser humano, sino con la de una blasfema anormalidad surgida de los abismos más profundos del infierno; una abominación sin forma y sin nombre que ningún cerebro podría captar por completo, ni ninguna pluma describir siquiera parcialmente. Un segundo después, me hallaba solo en la execrable mansión, tembloroso y tartamudeante. George Bennett y William Tobey habían desaparecido sin dejar rastro, ni siquiera de lucha. Jamás volvió a saberse de ellos.

II. Un transeúnte en la tormenta

Después de aquella terrible experiencia en la mansión rodeada de bosques, tuve que pasar varios días de reposo en la habitación del hotel de Lefferts Corners a causa del agotamiento y los nervios. No recuerdo con exactitud cómo me las arreglé para llegar al automóvil, arrancarlo y regresar al pueblo sin ser visto, pues no conservo ninguna imagen nítida, excepto la de unos árboles de brazos titánicos, el resplandor diabólico de los relámpagos, y unas sombras carontianas que remoloneaban y se desperdigaban entre los montículos y por toda la región.

Mientras temblaba y meditaba sobre lo que proyectaba aquella sombra enloquecedora, comprendí que al fin me había entrometido en uno de los espantos supremos de la tierra, uno de esos tumores innombrables de los abismos exteriores, cuyos débiles y demoníacos arañazos nos llegan a veces de los rincones más remotos del espacio, aunque nuestra limitada visión nos hace misericordiosamente inmunes a ellos. Apenas me atrevía a analizar o identificar la sombra que había visto. Algo se había interpuesto aquella noche entre la ventana y yo, y me echaba a temblar cada vez que no podía reprimir el impulso de clasificarlo. Si tan sólo hubiera gruñido, aullado o reído entre dientes... eso habría mitigado mi pánico abismal. Pero permaneció en el más absoluto silencio. Había dejado pesadamente sobre mi pecho un brazo, o alguna especie de extremidad anterior... Evidentemente, se trataba de algo orgánico, o que antes lo había sido... Jan Martense, cuyo aposento yo había invadido, estaba enterrado en el cementerio que se levantaba cerca de la mansión... Debía encontrar a Bennett y Tobey, si aún vivían... ¿Por qué se los había llevado y me había dejado a mí para el final?... El sopor es tan opresivo, y los sueños tan espantosos...

Al poco tiempo, comprendí que tenía que contar a alguien todo lo sucedido o, de lo contrario, me derrumbaría por completo. Ya me había decidido a no abandonar aquella búsqueda del miedo que acecha, pues, en mi estúpida ignorancia, pensé que toda aquella incertidumbre era peor que el pleno conocimiento de los hechos, por muy terribles que éstos pudieran ser. De manera que establecí mentalmente el mejor camino a seguir, a quién escoger para ponerle al corriente de mis confidencias, y cómo desenmascarar al ser que había aniquilado a dos hombres y proyectado en la chimenea una sombra de pesadilla.

Mis principales amistades en Lefferts Corners se encontraban entre los cordiales periodistas que aún permanecían en el hotel recogiendo los últimos ecos de la tragedia. Decidí escoger un compañero de entre todos ellos, y cuanto más pensaba en ello más me inclinaba por Arthur Munroe, un hombre moreno y delgado, de unos treinta y cinco años de edad, cuya educación, gustos, inteligencia y temperamento parecían distinguirle como un sujeto que no se dejaba llevar por las experiencias e ideas convencionales.

Una tarde de principios de septiembre, Arthur Munroe[5] escuchó mi historia. Desde el principio vi que se mostraba receptivo y comprensivo, y, cuando hube acabado, analizó y discutió los hechos con gran habilidad y sensatez. Además, sus consejos fueron eminentemente prácticos, ya que me aconsejó que aplazáramos nuestras futuras operaciones en la mansión Martense hasta haber conseguido más datos históricos y geográficos. A iniciativa suya, recorrimos la región en busca de testimonios sobre la terrible familia Martense, y descubrimos a un sujeto que poseía un antiguo diario extraordinariamente aclaratorio. También tuvimos largas charlas con los montañeses mestizos que no habían huido del terror y la confusión a otros valles más remotos, y planeamos ejecutar nuestra empresa final –el examen exhaustivo y concluyente de la mansión a la luz de su historia detallada– con la misma definición y exhaustividad con la que habíamos estudiado los hechos asociados a las distintas tragedias de las leyendas locales.

Los resultados de estas indagaciones no fueron demasiado aclaratorios al principio, aunque, tras su clasificación, parecían mostrar una tendencia bastante significativa: digamos que el número de horrores denunciados resultaba con mucho más elevado en zonas relativamente próximas a la casa, o conectadas con ella por bosques tenebrosamente espesos. Bien es cierto que había excepciones; en efecto, el horror que había captado la atención del mundo se había producido en una región desarbolada, e igual de distante de la mansión como de cualquier bosque que conectara con ella.

En cuanto a la naturaleza y apariencia del miedo que acecha, nada pudimos averiguar de los aterrorizados y estúpidos moradores de chozas. Lo mismo decían que se trataba de una serpiente como de un gigante, un diablo de la tormenta, un murciélago, un buitre o un árbol andante. Sin embargo, los dos creímos suficientemente justificado asumir que se trataba de un organismo vivo altamente susceptible a las tormentas eléctricas; y, aunque algunos de los relatos sugerían la existencia de alas, pensamos que su aversión por los espacios abiertos hacía más probable que se desplazase por vía terrestre. Lo único verdaderamente incompatible con esta última teoría era la rapidez con la que debía moverse aquella criatura para poder llegar a ejecutar todas las barbaridades que se le atribuían.

Cuando conocimos con mayor profundidad a los aldeanos, descubrimos que eran insólitamente agradables en muchos aspectos. Eran simples animales que descendían lentamente en la escala evolutiva a causa de un parentesco decadente y de un aislamiento embrutecedor. Temían a los forasteros, pero se iban acostumbrando poco a poco a ellos; y al final nos ayudaron extraordinariamente cuando talamos todos los matorrales y derribamos todos los tabiques de la mansión en nuestra búsqueda del miedo que acecha. Cuando les pedimos que nos ayudaran a buscar a Bennett y Tobey, se mostraron sinceramente afligidos, ya que querían ayudarnos, a pesar de estar convencidos de que ambas víctimas habían abandonado este mundo tan completamente como sus propios vecinos desaparecidos. Ya sabíamos que habían asesinado a un gran número de aldeanos, y que los animales salvajes habían sido exterminados mucho tiempo atrás; y por eso esperábamos con temor que pudieran ocurrir nuevas tragedias.

A mediados de octubre nos sentimos pasmados por nuestra falta de progresos. Debido a las noches en calma no se produjo ninguna agresión demoníaca, y la absoluta carencia de resultados en nuestras exploraciones de la casa y el campo casi nos empujó a imputar el miedo que acecha a un proceso inmaterial. Temíamos que llegara el frío y nos obligara a detener nuestras investigaciones, ya que todos coincidían en afirmar que aquel diablo no solía actuar en invierno. De manera que nos embargaba una especie de prisa y desesperación cuando emprendimos la última exploración diurna a la aldea arrasada por el miedo que acecha, una aldea que se encontraba ahora deshabitada a causa del pavor de los campesinos.

La desdichada aldea jamás había tenido nombre; llevaba largo tiempo enclavada en una hondonada sin árboles, aunque protegida por dos elevaciones cuyos nombres respectivos eran Montaña del Cono y Colina del Arce. Se hallaba más cerca de la Colina del Arce que de la

Montaña del Cono, y algunas de las humildes moradas eran simples cuevas excavadas en la ladera del primer promontorio. Geográficamente, se encontraba a unos tres kilómetros y medio al noroeste de la base de la Montaña de la Tempestad, y a cinco de la mansión rodeada de robles. El espacio que separaba la mansión de las primeras casas de la aldea era campo abierto, una llanura sin accidentes geográficos, exceptuando los sinuosos montículos, y poblada de una vegetación de hierba rala y matojos dispersos. Considerando semejante topografía, decidimos que el demonio debió llegar por la Montaña del Cono, cuya boscosa prolongación discurría a poca distancia de la estribación más occidental de la Montaña de la Tempestad. Atribuimos sin género de dudas aquella elevación del terreno a un corrimiento de tierras desde la Colina del Arce, en cuya ladera destacaba un enorme y solitario árbol, que parecía haber sido hendido por el rayo que había convocado al diablo.

Tras inspeccionar palmo a palmo, y por vigésima vez, cada pulgada de la aldea, Arthur Munroe y yo experimentamos cierta desmoralización mezclada con nuevos y vagos temores. Era en verdad extraño, a pesar de que lo insólito y lo sobrenatural se hallaban al alcance de la mano, tropezar con un escenario totalmente desprovisto de huellas, a pesar de los terribles sucesos que habían tenido lugar; y nos movíamos bajo un cielo cada vez más plomizo y oscuro, con esa trágica impresión de desconcierto que resulta de la combinación de un sentimiento de futilidad y de la necesidad de hacer algo. Lo investigábamos todo con sumo cuidado; volvimos a revisar todas y cada una de las casas, inspeccionamos de nuevo las viviendas subterráneas en busca de cuerpos, recorrimos las laderas montañosas còn la esperanza de encontrar nuevas grutas o guaridas, pero todo fue inútil. Y sin embargo, como ya he dicho antes, sentíamos en torno a nosotros una especie de terror nuevo e indeterminado, como si unos grifos gigantescos y alados nos acecharan invisibles desde los picos de las montañas, y nos espiaran con ojos destructivos desde los abismos transcósmicos.

Según fue avanzando la tarde, se hizo más difícil distinguir las cosas; y oímos el retumbar de una tormenta que se estaba desatando alrededor de la Montaña de la Tempestad. Aquellos sonidos en semejante lugar nos animaron bastante, aunque no tanto como si se hubieran producido por la noche. De esta forma, ansiamos desesperadamente que la tormenta perdurara hasta bien entrada la noche; y con esa esperanza abandonamos la búsqueda sin rumbo que llevábamos a cabo en la ladera montañosa y nos acercamos a la aldea más próxima con la intención de reclutar un grupo de colonos para que nos ayudaran en nuestra investigación. A pesar de su timidez, algunos de los más jóvenes se sintieron lo suficientemente confiados por nuestro protectivo liderazgo como para prometernos su ayuda.

Pero apenas nos habíamos dado la vuelta, cuando empezó a caer una cortina de agua tan intensa y torrencial que nos vimos obligados a buscar refugio. La tremenda, casi nocturna oscuridad del cielo nos hacía tropezar lamentablemente, pero guiados por los continuos relámpagos y por nuestro preciso conocimiento del terreno, enseguida llegamos a la cabaña menos porosa del lugar: una mezcla heterogénea de troncos y tablas, cuya puerta, aún en uso, y diminuta ventana miraban hacia la Colina del Arce. Atrancamos la puerta para protegernos de la furia del viento y la lluvia, y colocamos en su sitio el postigo de la ventana que nuestras frecuentes inspecciones nos habían enseñado dónde encontrar. Resultaba deprimente estar allí sentados, sobre unos cajones desvencijados en medio de la más absoluta oscuridad, pero encendimos las pipas y nos alumbramos a ratos con nuestras linternas de bolsillo. De cuando en cuando podíamos ver el resplandor de los relámpagos a través de las grietas de las paredes; la tarde era tan increíblemente oscura que cada destello resultaba extremadamente vivo.

Esta tormentosa vigilia me recordó con espanto a la terrible noche que pasé en la Montaña de la Tempestad. Mi mente volvió a hurgar en aquel insólito interrogante que con frecuencia volvía a plantearme desde entonces; y de nuevo me pregunté por qué el demonio, tras acercarse a los tres hombres que vigilábamos desde la ventana o el interior, había elegido a los dos que estaban en los extremos, dejando al del centro para el final, justo antes de que una titánica bola de fuego lo ahuyentara del lugar. ¿Por qué no había acabado con sus víctimas en un orden natural, siendo yo el segundo, viniera de la dirección que viniera?

¿Con qué clase de enormes tentáculos se hizo con ellos? ¿Acaso sabía que yo era su líder y decidió reservarme un destino peor que el de mis compañeros?

En medio de todos estos pensamientos, como para intensificar su dramatismo, cayó cerca de nosotros un terrorífico rayo, seguido al instante por el retumbar de un corrimiento de tierras. En ese mismo momento, se levantó un viento furibundo que ululaba de una manera creciente y diabólica. Tuvimos la seguridad de que el solitario árbol de la Colina del Arce había sido alcanzado nuevamente por el rayo, y Munroe se incorporó del cajón en el que estaba sentado y se acercó a la diminuta ventana para verificar este hecho. Nada más quitar el postigo, el viento y la lluvia penetraron aullando de forma ensordecedora, y no pude escuchar lo que decía; así que esperé mientras él se asomaba intentando abarcar el pandemónium de la naturaleza.

Poco a poco, la menguante intensidad del viento y la dispersión de la insólita oscuridad nos hizo ver que la tormenta estaba alejándose. Yo había esperado que durase hasta la noche, cosa que nos habría ayudado bastante en nuestras investigaciones, pero un furtivo rayo de sol penetró por una rendija que había justo detrás de mí y disipó todas mis esperanzas. Le dije a Munroe que sería mejor dejar entrar un poco de luz, aunque cayeran más chaparrones, y desatranqué la puerta y la abrí. El terreno se había convertido en una extraña mezcla de charcos y barro, y por todas partes se veían nuevos y pequeños montículos producidos por el reciente corrimiento de tierras; pero no descubrí nada que justificara el interés que mantenía a mi compañero asomado a la ventana sin decir absolutamente nada. Me acerqué hasta él y le toqué en el hombro; pero no se inmutó. Entonces, mientras le sacudía en plan de broma y le volvía hacia mí, sentí los zarcillos estranguladores de un horror enfermizo cuyas raíces se hundían en pasados insondables y en los abismos sin fondo de la noche que se estremece más allá del tiempo.

Pues Arthur Munroe estaba muerto. Y en lo que quedaba de su mordisqueada y abierta cabeza ya no había cara.

III. Lo que significaba el resplandor rojizo

En la tormentosa noche del 8 de noviembre de 1921, con una linterna que proyectaba sombras grotescas, me vi cavando en solitario, como un estúpido, en la tumba de Jan Martense. Había empezado por la tarde, ya que se estaba formando una tormenta, y ahora que estaba oscuro y la tormenta acababa de desatarse sobre la demoníaca espesura, me sentí feliz.

Creo que mi mente estaba algo desquiciada por los acontecimientos del 5 de agosto, la sombra diabólica de la mansión, los nervios y el desencanto generalizados, y lo sucedido en la choza durante la tormenta de octubre. Después de aquello, tuve que cavar una fosa para alguien cuya muerte no acababa de comprender. Sabía que los demás tampoco la entenderían, de modo que les dejé que creyeran que Arthur Munroe se había esfumado. Lo buscaron, mas no encontraron nada. Seguramente los aldeanos lo habrían entendido, pero no me atreví a atemorizarles aún más. Incluso yo mismo me sentía extrañamente insensible. El impacto emocional recibido en la mansión había afectado de alguna forma a mi cerebro, y tan sólo era capaz de pensar en la búsqueda de un horror que ahora había alcanzado unas proporciones catastróficas en mi imaginación; una búsqueda que el destino de Arthur Munroe me obligaba a llevar en secreto y a solas.

Simplemente el escenario de mis excavaciones habría bastado para destrozar los nervios de cualquier persona normal. Unos árboles amenazadores y primigenios, vetustos, de impías proporciones y formas grotescas me acechaban desde lo alto como pilares de algún infernal templo druida, amortiguando el retumbar de los truenos, silenciando el aullido del viento y apenas dejando pasar la lluvia. Más allá de los retorcidos troncos del fondo, alumbrados por el resplandor difuso de los relámpagos, se alzaban las piedras chorreantes y cubiertas de hiedra de la solitaria mansión, mientras que algo más cerca estaba el abandonado jardín holandés, cuyas avenidas y arriates se hallaban invadidos por una vegetación blancuzca, fungosa, hedionda y sobrealimentada que jamás había visto la luz plena del sol. Y aún más cerca se encontraba el cementerio, donde unos árboles deformes agitaban sus ramas enfermizas, mientras sus raíces desplazaban las losas sacrílegas y absorbían el veneno de lo que yacía debajo. Aquí y allá, bajo una alfombra de hojas pardas que se pudrían y supuraban en la oscuridad del bosque antediluviano, podía distinguir las siniestras siluetas de esos montículos achatados que caracterizaban aquella región castigada por los rayos.

La historia me había llevado a esta arcaica sepultura. Pues la historia, en realidad, era lo único que me quedaba después de que todo hubiera concluido en un satanismo grotesco. Ahora estaba persuadido de que el miedo que acecha no era algo material, sino un espectro con colmillos de lobo que cabalgaba en el rayo nocturno. Y creía, por las numerosas tradiciones locales que Arthur Munroe y yo habíamos descubierto en nuestras investigaciones, que se trataba del fantasma de Jan Martense, muerto en 1762. Y por ese motivo me hallaba ahora cavando su tumba como un verdadero idiota.

La mansión Martense fue levantada en 1670 por Gerrit Martense, un rico comerciante de Nueva Ámsterdam a quien desagradaba el cambio de orden bajo el gobierno británico, y había construido aquel magnífico edificio en la cima de una remota elevación boscosa, cuya singularidad y desolación le complacían. El único inconveniente serio que encontró en el lugar fueron sus frecuentes tormentas veraniegas. Tras elegir la colina y levantar la mansión, *mynheer*[6] Martense atribuyó las frecuentes perturbaciones naturales a las peculiaridades propias de aquel año; pero con el tiempo se dio cuenta de que el lugar era especialmente sensible a tales fenómenos. Por fin, viendo que estas tormentas le dañaban la cabeza, se hizo acondicionar el sótano para poder sobrellevar los más violentos pandemónium.

De los descendientes de Gerrit Martense se sabe aún menos que de él mismo, ya que todos fueron educados en el odio a la civilización inglesa, y se les enseñó a rehuir a los colonialistas que la aceptaban. Sus existencias fueron extremadamente solitarias, y la gente decía que su aislamiento les había hecho torpes de palabra y entendimiento. Al parecer, todos poseían un rasgo peculiar y hereditario en la disimilitud de los ojos, pues generalmente uno era azul y el otro castaño. Sus relaciones sociales se fueron haciendo cada vez más escasas, hasta que al fin terminaron contrayendo matrimonio con la numerosa clase servil que trabajaba en sus tierras. Muchas de las familias resultantes degeneraron, se trasladaron al valle y terminaron mezclándose con la población mestiza que con el tiempo daría origen a los miserables aldeanos de hoy en día. Los demás siguieron tercamente apegados a su mansión ancestral, volviéndose cada vez más insociables y taciturnos, aunque desarrollando una nerviosa receptividad a las numerosas tormentas.

Casi toda esta información salió al mundo exterior gracias al joven Jan Martense, que, movido por alguna rara inquietud, se alistó en el ejército colonial al llegar a la Montaña de la Tempestad la noticia sobre la Convención de Albany[7]. Fue el primero de los descendientes de Gerrit que vio el mundo exterior; y cuando regresó en 1760, tras seis años de campaña, su padre, sus tíos y sus hermanos le trataron despectivamente como a un intruso, a pesar de tener los típicos ojos de los Martense. Ya no pudo compartir sus peculiaridades y prejuicios, y tampoco le afectaban como antes las frecuentes tormentas de la montaña. En cambio, le deprimía el entorno, y escribía con frecuencia a un amigo de Albany relatándole sus planes para abandonar el techo paterno.

En la primavera de 1763, Jonathan Gifford, el amigo de Jan Martense que residía en Albany, empezó a sentirse preocupado por su silencio, sobre todo a causa de las riñas y discrepancias que estaban teniendo lugar en la mansión Martense. Decidió visitar a Jan en persona, y se internó en las montañas a lomos de su caballo. En su diario consta que llegó a la Montaña de la Tempestad el 20 de septiembre, y que encontró la mansión en un estado de gran decadencia. Los huraños Martense, de ojos insólitos, cuyo aspecto impuro y animal le impactó desagradablemente, le dijeron con acento gutural que Jan había muerto. Repitieron una y otra vez que un rayo había caído sobre él el otoño anterior, y que ahora estaba enterrado al otro lado de los descuidados jardines. Mostraron la tumba al visitante, un montón de tierra estéril y carente de marcas. Algo en la forma de actuar de los Martense despertó en Gifford un sentimiento de repugnancia y sospecha, y una semana más tarde regresó armado de pico y pala, dispuesto a explorar la fosa. Descubrió lo que se había temido: un cráneo cruelmente aplastado como por unos golpes salvajes; de modo que volvió a Albany y acusó formalmente a los Martense del asesinato de uno de los miembros de su familia.

No se encontraron pruebas legales, pero la noticia se propagó rápidamente por todo el vecindario; y, desde entonces, los Martense fueron condenados al ostracismo. Nadie quería tratos con ellos, y su apartada mansión fue considerada un lugar maldito. Pero ellos se las arreglaron de alguna manera para subsistir con el producto de sus tierras, pues las luces ocasionales que se podían ver en la casa desde las colinas lejanas atestiguaban su presencia. Dichas luces siguieron viéndose hasta 1810, pero cada vez resultaban menos frecuentes.

Mientras tanto, empezaron a circular un sinfín de diabólicas leyendas acerca de la mansión y la montaña. El lugar era aún más evitado, y se le dotó de toda clase de leyendas y mitos que la tradición pudo proporcionar. La mansión siguió sin ser visitada hasta 1816, cuando a los aldeanos les llamó la atención la prolongada ausencia de luces en su interior. Una partida de hombres efectuó entonces un registro, encontrando la casa desierta y parcialmente en ruinas.

No se descubrió ningún esqueleto, de manera que se creyó que simplemente se habían marchado. La familia parecía haber partido varios años atrás, y los improvisados añadidos de la casa revelaban lo numerosa que había sido antes de su migración. Su nivel cultural había decaído muchísimo, como probaban el deteriorado mobiliario y la diseminada vajilla de plata, que debió de haber sido abandonada por sus propietarios mucho antes de que se marcharan. Pero, a pesar de que los temibles Martense se habían ido, el miedo a la casa encantada persistió, y se hizo aún más intenso cuando los aldeanos comenzaron a murmurar nuevos y extraños relatos. Se alzaba allí, desierta, temida y ligada al fantasma vengativo de Jan Martense. Y allí seguía la noche que yo cavaba en la tumba de Jan Martense.

He calificado de idiota mi prolongada excavación y, en realidad, así era, tanto por su objetivo como por su método. El ataúd de Jan

Martense pronto quedó al descubierto –aunque ya sólo contenía polvo y nitratos–; pero en mis ansias por exhumar su fantasma, seguí cavando irracional y torpemente por debajo de donde yacía. Sólo Dios sabe qué esperaba encontrar... La única sensación que sentía era la de estar cavando en la tumba de un hombre cuyo fantasma acechaba por las noches.

Resulta imposible decir qué monstruosa profundidad había alcanzado cuando mi pala, y luego mis pies, se hundieron en el terreno que había debajo. Este acontecimiento, dadas las circunstancias, fue terrorífico; pues la existencia de un espacio subterráneo en aquel lugar confirmaba mis más descabelladas teorías. La suave caída hizo que se apagara el farol, pero saqué una linterna eléctrica del bolsillo y descubrí un pequeño túnel horizontal que discurría ininterrumpidamente en ambas direcciones. Era lo bastante amplio para que un hombre pudiera avanzar arrastrándose; y, aunque ninguna persona en su sano juicio se habría internado por él en aquellas circunstancias, yo dejé a un lado el peligro, la razón y la prudencia, y me dejé llevar por mi obsesión en desenterrar el miedo que acecha. Escogí el ramal que iba hacia la casa y me introduje temerariamente en la estrecha madriguera, reptando a ciegas y con prisas, alumbrando el frente de cuando en cuando con la linterna.

¿Con qué palabras podría describir el espectáculo de un hombre perdido en el interior de los abismos subterráneos e infinitos, arañando, retorciéndose, respirando apenas, avanzando locamente por un intrincado laberinto sumido en unas tinieblas prehistóricas, sin noción clara del tiempo, la prudencia, dirección y el objetivo último? Hay algo espantoso en todo ello; y sin embargo, eso es lo que hice. Lo hice durante tanto tiempo que la vida llegó a parecerme un lejano recuerdo, y creí formar parte de aquellas tenebrosas profundidades pobladas de topos y gusanos. Y, en realidad, así era, pues tan sólo la casualidad hizo que, tras innumerables contorsiones, se encendiera mi olvidada linterna, iluminando de manera tétrica la madriguera de barro endurecido que se estiraba y describía una curva un poco más adelante.

Había seguido arrastrándome de esta forma durante un rato, y la pila de la linterna ya casi se había agotado, cuando el pasadizo comenzó a subir abruptamente, haciendo que alterara mi modo de avanzar. Y al levantar la vista, sin previo aviso, vi el destello de dos reflejos diabólicos que brillaban en la distancia a la luz agonizante de mi linterna; dos reflejos que resplandecían con un fulgor nefasto e inconfundible, y que trajeron a mi memoria unos recuerdos nebulosos y enloquecedores. Me detuve al instante, pero sin voluntad para retroceder. Los ojos se acercaban, aunque sólo podía distinguir una garra del ser al que pertenecían. ¡Pero qué garra! Luego, muy arriba, escuché un débil estampido que enseguida reconocí. Se trataba del trueno salvaje de la montaña, que rugía con histérica furia... Debí de arrastrarme hacia arriba durante un trecho, ya que ahora la superficie se encontraba muy cerca. Y mientras los truenos estallaban sordamente, aquellos ojos seguían mirándome con vacua malevolencia.

Gracias a Dios, entonces no supe de quién se trataba; de lo contrario, estaría muerto sin duda. Me salvó el mismo trueno que lo había invocado, ya que tras una espera terrible, el cielo invisible explotó en uno de esos frecuentes relámpagos cuyas huellas había yo observado en la montaña, y que eran como tajos profundos que herían la tierra y fulguritas de diversos tamaños. Con furia salvaje se hundió entre la tierra que había encima de aquel pozo deplorable, cegándome y ensordeciéndome, aunque no llegó a hacerme perder la consciencia.

Seguí cavando y avanzando a trompicones en medio de un caos de tierra que cedía y se deslizaba, hasta que sentí la tranquilizadora lluvia sobre mi cabeza y descubrí que había salido a la superficie en un paraje que me resultaba familiar: una zona desarbolada en la ladera suroeste de la montaña. Los continuos relámpagos iluminaban el caótico terreno y los restos de aquellos curiosos montículos achaparrados que descendían de la zona más alta y boscosa de la ladera, pero no había ninguna señal en medio de aquel desorden que indicara por dónde había escapado de la mortal catacumba. Mi cerebro estaba sumido en un caos tan grande como el de la tierra que me rodeaba, y cuando un resplandor rojizo iluminó a lo lejos los campos que había más al sur, apenas pude darme cuenta del horror que acababa de soportar.

Pero cuando dos días más tarde los aldeanos me dijeron lo que significaba aquel resplandor rojizo, mi espanto fue mayor que el que había sentido en aquella madriguera cenagosa al contemplar la garra y los ojos; y fue mayor por las insidiosas implicaciones que conllevaba. En una aldea que se encontraba a treinta y cinco kilómetros de distancia, había tenido lugar una orgía de terror justo después de que estallara el rayo que me había permitido escapar del subterráneo, y una bestia indescriptible se había precipitado desde la rama de un árbol hacia una cabaña de frágil tejado. Había cometido un acto ignominioso, pero los aldeanos consiguieron prender fuego a la choza antes de que pudiera escapar. Y todo eso sucedió justo en el mismo instante en el que la tierra se desplomó sobre la cosa de la garra y los ojos.

IV. El horror en los ojos

No puede existir nada normal en la mente del que, sabiendo lo que yo sabía sobre el horror de la Montaña de la Tempestad, se atreve a ir a solas en busca del miedo que allí acecha. El hecho de que al menos dos de las encarnaciones de aquel terror hubieran perecido, resultaba una garantía muy débil, en cuanto a la seguridad física y mental, en este Aqueronte[8] de demonismo multiforme; y sin embargo, continué mi búsqueda con celo aún mayor a medida que los acontecimientos y revelaciones se hacían cada vez más monstruosos.

Cuando, dos días después de mi aterrador vagabundeo por la cripta de los ojos y la garra, supe que un ser maligno había rondado por un lugar que se encontraba a más de veinticinco kilómetros de distancia, justo en el mismo momento en el que los ojos se fijaban en mí, experimenté un auténtico acceso de pánico. Pero este horror estaba tan unido a un sentimiento de fascinación y atractiva excentricidad, que casi me resultaba placentero. A veces, en la agonía de esas pesadillas en las que unos poderes invisibles le hacen dar vueltas a uno por encima de los tejados de extrañas ciudades muertas, transportándolo a los abismos sarcásticos de Nis[9], resulta un alivio, incluso un placer, gritar salvajemente y lanzarse por propia voluntad, en medio de un torbellino espantoso de onírica condenación, al primer abismo insondable que aparezca en el camino. Y eso es lo que yo sentía con aquella pesadilla andante de la Montaña de la Tempestad; el descubrimiento de que dos monstruos habían rondado por la región me produjo finalmente unas ansias locas de sumergirme en la tierra de aquel lugar maldito y, con las manos desnudas, desenterrar la muerte que acechaba en cada pulgada de aquel suelo ponzoñoso.

En cuanto pude me acerqué hasta la tumba de Jan Martense y cavé en vano en el mismo lugar en el que ya había cavado antes. Un importante corrimiento de tierras había hecho desaparecer toda huella del pasadizo subterráneo, y la lluvia había arrastrado tanto barro al interior de la excavación que me resultaba imposible saber a qué profundidad había llegado el día anterior. Emprendí una dificultosa caminata hasta la lejana aldea donde habían prendido fuego a la mortal criatura, aunque apenas tuve premio a mis esfuerzos. Descubrí varios huesos desperdigados entre las cenizas de la fatídica cabaña, pero en apariencia ninguno pertenecía al monstruo. Los aldeanos me contaron que la bestia sólo había conseguido una víctima; pero creo que se equivocaban, ya que, aparte del cráneo humano completo, había un fragmento óseo que realmente parecía haber pertenecido en algún tiempo al cráneo de otro ser humano. Y aunque todos habían contemplado la rápida destrucción del monstruo, nadie sabía describir qué aspecto tenía aquella criatura; los que habían podido verla la calificaban simplemente de demonio. Al examinar el enorme árbol en el que había estado apostada, no fui capaz de encontrar ninguna huella distintiva. Intenté buscar algún rastro en el tenebroso bosque, pero en esta ocasión me fue imposible soportar la visión de aquellos troncos morbosamente largos, ni de aquellas raíces con apariencia de serpientes gigantescas que se retorcían malignamente antes de hundirse en la tierra.

El siguiente paso fue volver a examinar con sumo cuidado la aldea desierta donde la muerte se había cebado con mayor frecuencia, y donde Arthur Munroe había visto algo que jamás pudo contar. Aunque mis infructuosas investigaciones anteriores habían sido hechas con sumo cuidado, ahora disponía de nuevos datos que cotejar; pues mi macabra excavación de la tumba me había convencido de que, al menos en una de sus fases, la monstruosidad había sido una criatura del subsuelo. Esta vez, el 14 de noviembre, mi búsqueda se concentró prioritariamente en las laderas de la Montaña del Cono y de la Colina del Arce que dominaban la desdichada aldea, prestando una atención especial a la tierra que se había desprendido de la falda de esta última elevación.

Durante el registro de la primera tarde no saqué nada en claro, y la oscuridad me sorprendió en la Colina del Arce, mientras contemplaba la aldea y el valle que discurría hacia la Montaña de la Tempestad. La puesta de sol había sido gloriosa, y ahora emergía una luna casi llena que derramaba un resplandor plateado sobre la llanura, la lejana ladera montañosa y los extraños montículos achaparrados que asomaban aquí y allá. Era un paisaje bucólico y apacible, pero consciente de lo que escondía no pude sino odiarlo. Odié la luna sardónica, el llano engañoso, la montaña purulenta y aquellos montículos siniestros. Todo me parecía contaminado por una enfermedad repugnante, e inspirado por una alianza nociva con poderes ocultos y deformes.

Luego, mientras contemplaba ensimismado el paisaje bañado por la luz de la luna, mi mirada se vio atraída por algo cuya naturaleza y disposición topográfica resultaban ciertamente singulares. Aunque carecía de unos conocimientos sólidos en geología, desde el principio me llamaron mucho la atención aquellos extraños montículos y mogotes tan propios de la zona. Había observado que resultaban especialmente numerosos en los alrededores de la Montaña de la Tempestad, aunque abundaban menos en la parte baja que en las cumbres de dicha altura, donde las glaciaciones sin duda hallaron escasa resistencia a sus extraños y fantásticos caprichos. Ahora, a la luz de aquella luna baja que proyectaba sombras largas y grotescas, me sorprendió descubrir que los diversos puntos y líneas del entramado de montículos guardaban una curiosa relación con la cumbre de la Montaña de la Tempestad. Aquella cima era sin duda el centro del que irradiaban, de una manera indefinida e irregular, las líneas o filas de puntos, como si la perniciosa mansión

Martense hubiera extendido unos tentáculos visibles y aterradores. Aquella hipótesis me produjo un escalofrío inexplicable, y dejé de analizar mis impulsos para creer que esos montículos estaban producidos por las glaciaciones.

Y cuanto más pensaba en ello, menos válido me parecía aquel supuesto, y en mi mente recién iluminada comenzaron a bullir analogías terribles y grotescas basadas en aspectos superficiales y en mis propias experiencias bajo la tierra. Antes de que lo supiese a ciencia cierta, había comenzado a balbucear palabras entrecortadas e incoherentes, hablando conmigo mismo: «¡Dios mío!... Son toperas... ese maldito lugar es como una colmena... cuántos... aquella noche en la mansión... primero cogieron a Bennett y a Tobey... los dos que estaban a los lados...» Luego empecé a cavar frenéticamente en el montículo que estaba más cerca; cavé desesperadamente, tembloroso, pero casi con júbilo; seguí cavando y al fin lancé un grito de gozo al descubrir una madriguera o pasadizo subterráneo exactamente igual al que había rastreado aquella diabólica noche.

Después, recuerdo que eché a correr pala en mano; fue una carrera terrorífica bajo la luz de la luna, a través de los montículos achaparrados y entre los acantilados enfermizos y abruptos de las malignas laderas boscosas; chillando, saltando, jadeando, corriendo en pos de la terrible mansión Martense. Recuerdo que cavé como un demente por todo el sótano invadido de zarzas; cavé con la intención de desenterrar el núcleo y el centro de aquel maligno universo de montículos. Y también recuerdo cómo me reí cuando encontré el pasadizo, el agujero abierto en la vieja chimenea, donde crecían las enredaderas, dibujando extrañas sombras a la luz de la única vela que casualmente portaba. Aún no podía saber qué era lo que acechaba en aquel enjambre diabólico, a la espera de que la tormenta lo despertara. Dos habían muerto; a lo mejor ya no quedaban más. Pero aún sentía esas ansias por llegar al fondo del aterrador misterio, el cual me parecía de nuevo algo definido, material y orgánico.

Mis dudas entre inspeccionar el pasadizo inmediatamente, a solas y con una simple linterna de bolsillo, o tratar de reunir una partida de aldeanos que me ayudaran en la búsqueda, fueron interrumpidas por una repentina ráfaga de viento que apagó la vela y me sumió en la más completa oscuridad. La luz de la luna ya no atravesaba las grietas y resquicios que se abrían sobre mi cabeza, y con una sensación de alarma llena de presagios oí el siniestro y elocuente bramido de una tormenta que se aproximaba. Una hecatombe de ideas se adueñó de mi cerebro, impulsándome a retroceder de espaldas hasta el rincón más apartado del sótano. Sin embargo, mis ojos jamás se apartaron del terrorífico agujero que se abría en la base de la chimenea; y pronto empecé a distinguir los vetustos ladrillos y las enfermizas enredaderas al resplandor de los relámpagos que traspasaban los bosques del exterior e iluminaban las grietas de las paredes de arriba. Cada segundo me sentía consumido por una mezcla de miedo y curiosidad. ¿Qué invocaría la tormenta... o quizá ya no había nada a lo que invocar? Guiado por el resplandor de un relámpago, me oculté tras un espeso matorral desde el que podía vigilar la abertura sin ser visto.

Si el cielo es misericordioso, algún día borrará de mi consciencia la escena que presencié, y podré vivir en paz los últimos años de mi vida. Ahora ya no soy capaz de conciliar el sueño por la noche, y necesito tomar narcóticos cuando truena. La cosa se presentó bruscamente y sin previo aviso; un demonio, un ser ratonesco que surgía de los más profundos e inconcebibles abismos, algo que jadeaba y gruñía de una manera ronca e infernal; y luego, del agujero de la chimenea salió un torrente de vida multitudinaria y leprosa, una riada nauseabunda y nocturna de orgánica corrupción, más devastadoramente espantosa que los más negros impulsos de la demencia y la morbosidad mortal. Bullía, hervía, crecía y burbujeaba como la baba de las serpientes, mientras surgía retorciéndose por la abertura, extendiéndose como una plaga contagiosa que brotaba del sótano y se desperdigaba hacia todas las salidas... desparramándose por los bosques condenados y tenebrosos, esparciendo el miedo, la demencia y la muerte.

Sólo Dios sabe cuántos eran... miles quizá. Era espeluznante contemplar aquel torrente a la luz tenue y entrecortada de los relámpagos. Cuando la marea empezó a menguar lo suficiente como para poder distinguir sus organismos individuales, vi que eran como diablos peludos y deformes, o una especie de simios enanos; caricaturas monstruosas y demoníacas de la tribu de los monos. Eran tan espantosamente silenciosos que apenas se oyó un chillido cuando uno de los que iban rezagados se dio la vuelta con la destreza de una larga práctica y engulló a un compañero más débil. Otros se precipitaron sobre los restos y los devoraron con glotona fruición. Entonces, a pesar del desconcierto que me producían el espanto y el asco, se impuso mi mórbida curiosidad; y cuando la última de las monstruosidades surgió en solitario de aquel mundo subterráneo de desconocida pesadilla, saqué mi pistola automática y disparé amparado en el bramido de un trueno.

Aullantes, escurridizas sombras torrenciales de una demencia roja y viscosa, dándose caza unas a otras entre corredores interminables y ensangrentados de cielo púrpura y refulgente... espectros informes y mutaciones caleidoscópicas de un paisaje macabro y entrevisto; bosques de robles monstruosos y sobrealimentados con raíces serpenteantes que se enroscan y succionan los jugos abominables de una tierra putrefacta infectada por millones de diablos caníbales; montículos tentaculares que brotan de un núcleo subterráneo de polípera perversión... relámpagos enfermizos que iluminan paredes infernales cubiertas de hiedra y malignos soportales ahogados entre una vegetación fungosa... Bendito sea el cielo por concederme el instinto necesario para guiarme inconscientemente a los lugares habitados por el hombre, a la pacífica aldea que dormía bajo las mansas estrellas de claros cielos.

Al cabo de una semana me había recuperado lo suficiente para solicitar de Albany una partida de hombres que dinamitaran la mansión Martense y toda la cumbre de la Montaña de la Tempestad, cegaran las madrigueras visibles y destruyeran ciertos árboles sobrealimentados cuya mera existencia representaba un insulto a la cordura. Cuando se finalizaron todas estas tareas pude dormir un poco mejor, pero el verdadero descanso jamás llegará mientras siga recordando el secreto innombrable del miedo que acecha. Continuará obsesionándome; pues, ¿quién puede afirmar que la exterminación ha sido completa, o que semejante fenómeno no se está produciendo en otro lugar del mundo? ¿Quién, sabiendo lo que yo sé, puede pensar en las ignotas cavernas de la tierra sin sufrir espeluznantes pesadillas sobre lo que podría depararnos el futuro? Soy incapaz de contemplar un pozo o asomarme a la entrada del metro sin echarme a temblar... ¿por qué los médicos no me dan algo que me haga dormir, o que sosiegue realmente mi cerebro cuando truena?

Lo que vi bajo el resplandor de los relámpagos, tras disparar a la indescriptible criatura que iba rezagada, fue tan simple que casi pasó un minuto antes de que pudiera entenderlo y cayera en un estado de delirio. Se trataba de un ser nauseabundo, un gorila repugnante y blanquecino, de colmillos puntiagudos y amarillentos, y cabellos apelmazados. Era el último eslabón de la decadencia mamífera; la espeluznante secuela del aislamiento, la multiplicación y la alimentación caníbal en la superficie y en el subsuelo; la personificación de todo el caos aullante, de todo el horror burlesco que acecha más allá de la vida. Me había mirado al morir, y en sus ojos la misma insólita cualidad de aquellos otros ojos que me habían observado en el subterráneo, despertando en mi mente confusos recuerdos. Uno de los ojos era azul, el otro castaño. Se trataba de los mismos ojos disimilares que las viejas leyendas imputaban a la familia Martense; y al fin comprendí, anonadado por un cataclismo de silencioso horror, cuál había sido el destino de aquella estirpe desaparecida; la terrible mansión Martense, enloquecida por el fragor de las tormentas.

LAS RATAS DE LAS PAREDES[1]

El 16 de julio de 1923 me mudé a Exam Priory en cuanto el último obrero acabó su trabajo. La restauración había sido una empresa de envergadura, porque quedaba poca cosa del desmantelado edificio salvo su cáscara ruinosa; pero dado que había sido morada de mis antepasados, no quise renunciar por cuestión de presupuesto. El lugar no había sido habitado desde el reinado de Jacobo I, época en que una tragedia horrorosa, aunque poco explicada, acabó con el señor, cinco de sus hijos y varios criados, arrojando una sombra de sospecha y terror sobre el hijo tercero, mi predecesor por línea directa, y único superviviente de la odiada estirpe. Con este único heredero denunciado como homicida, la propiedad revirtió a la corona, puesto que el acusado no hizo intento de exculparse ni de recuperar la propiedad. Dominado sin duda por un horror superior al de la conciencia o la ley, y manifestando tan sólo un deseo frenético de borrar el antiguo edificio de su vista y su memoria, Walter de la Poer[2], undécimo barón de Exham, huyó a Virginia, donde fundó la familia que un siglo después fue conocida como Delapore.

Exham Priory había estado desocupado, aunque más tarde fue incorporado al patrimonio de la Familia Norrys, y muy estudiado por su arquitectura particularmente compuesta; una arquitectura en la que había torres góticas sobre una infraestructura sajona o románica cuyos cimientos a su vez eran de un orden o mezcla de órdenes más antiguos: romanos, o incluso druídicos o galeses, si las leyendas dicen la verdad. Sus cimientos son muy singulares, y en un lado se funden con la sólida caliza del precipicio desde cuyo borde el priorato domina un valle desolado que hay tres millas al oeste del pueblo de Anchester. A los arquitectos y los arqueólogos les fascinaba estudiar esta extraña reliquia de siglos olvidados; pero los campesinos la odiaban. La habían odiado hacía siglos, cuando vivían en ella mis antepasados, y la odiaban ahora, con el musgo y el moho del abandono cubriéndola toda. Aún no llevaba yo un día en Anchester, cuando supe que provenía de una casa maldita. Y esta semana los obreros han volado Exham Priory, y se afanan en borrar cualquier vestigio de sus cimientos.

Siempre he sabido la estricta estadística de mi ascendencia, así como que mi primer antepasado americano llegó a las colonias envuelto en una extraña bruma. Sin embargo, me habían tenido totalmente ignorante de los detalles mediante una política de reserva siempre mantenida por los Delapore. A diferencia de nuestros vecinos colonos, no presumíamos de antepasados cruzados u otros héroes medievales o renacentistas; ni nos transmitíamos de unos a otros tradición ninguna, salvo quizá cierto documento guardado bajo sello que cada *squire*, antes de la guerra civil, encomendaba a su primogénito para que lo abriese a su muerte. Las glorias que apreciábamos eran las obtenidas desde la emigración: glorias de una estirpe orgullosa y honrada, aunque algo reservada e insociable.

Durante la guerra perdimos nuestra fortuna; y el incendio de Carfax[3], nuestro hogar a orillas del James, cambió totalmente nuestra existencia. En ese ataque incendiario pereció mi abuelo, de edad avanzada, y con él se perdió el sobre sellado que nos ataba al pasado. Hoy recuerdo ese incendio tal como lo presencié a los siete años, con los soldados federales gritando, las mujeres chillando, y los negros aullando y rezando. Mi padre estaba en el frente, en la defensa de Richmond, y tras muchas formalidades, mi madre y yo pudimos cruzar las líneas para reunirnos con él. Cuando acabó la guerra nos trasladamos al norte, de donde procedía mi madre; allí crecí, maduré, y finalmente hice fortuna como un yanqui impasible. Ni mi padre ni yo supimos nunca cuál era el contenido del sobre hereditario, y al sumergirme en el monótono mundo de los negocios de Massachussets perdí todo interés por los misterios que evidentemente se ocultaban en la parte más baja del árbol familiar. ¡De haber sospechado su naturaleza, con qué gusto habría abandonado Exham Priory a su moho, sus murciélagos y sus telarañas!

Mi padre murió en 1904, aunque sin dejarnos ningún mensaje ni a mí ni a mi único hijo, Alfred[4], de diez años y sin madre. Este niño fue el que invirtió el orden de la información familiar; porque mientras yo sólo podía ofrecerle en broma hipótesis sobre nuestro pasado, él, cuando la última guerra le llevó a Inglaterra en 1917 como oficial de aviación, me escribió hablándome de ciertas leyendas ancestrales muy interesantes. Al parecer los Delapore tenían una leyenda dramática, y quizá siniestra; porque un amigo suyo, el capitán Edward Norrys, del Royal Flying Corps, vivía en Anchester, cerca del solar familiar, y le contó ciertas supersticiones campesinas que pocos novelistas podrían igualar por lo desquiciadas e increíbles. Norrys, naturalmente, no las tomaba en serio; pero divertían a mi hijo y le proporcionaban bastante material para las cartas que me mandaba. Estas leyendas hicieron finalmente que me interesase por mi herencia transatlántica, y me decidieron a comprar y restaurar la casa familiar que Norrys mostró a Alfred en su pintoresco abandono, y le ofreció por una cantidad sorprendentemente razonable, dado que su tío era el actual propietario.

Compré Exham Priory en 1918, pero la casi inmediata llegada de mi hijo mutilado hizo que abandonase la idea de restaurarlo. Durante los dos años que vivió no pensé en otra cosa que en cuidarle, dejando incluso la dirección de mi empresa en manos de mis socios. En 1921, privado de mi hijo y sin objeto en la vida, industrial retirado y ya no joven, decidí distraer los años que me quedaran con mi nueva propiedad. Visité Anchester en diciembre, y fui recibido por el capitán Norrys, un joven rollizo y afable que había tenido en gran estima a mi hijo, al que pedí colaboración en la tarea de recoger planos y anécdotas que pudiesen orientar en el proyecto. Visité sin emoción el edificio de Exham Priory, una mezcolanza de inestables ruinas medievales cubiertas de líquenes y horadadas de nidos de grajos, asomado peligrosamente al borde de un precipicio, y desnudo de pavimentos y demás detalles interiores, salvo las paredes de piedra de las torres aisladas.

Una vez que hube recuperado la imagen del edificio tal como había sido cuando lo abandonaron mis antepasados más de tres siglos antes, empecé a contratar obreros para su reconstrucción. En cada caso me veía obligado a alejarme de la localidad vecina, ya que los habitantes de Anchester sentían un temor y un odio casi increíbles al lugar. Esta aversión era tan grande que a veces se contagiaba a los trabajadores de fuera, lo que ocasionaba muchas deserciones; y al parecer comprendía tanto al priorato como a su antigua familia.

Mi hijo me había contado que solían evitarle en sus visitas porque era un De la Poer; y ahora descubrí que también a mí me aislaban sutilmente por la misma razón, hasta que convencí a los campesinos de que sabía muy poco de la propiedad. Incluso entonces me miraban con manifiesta antipatía, de manera que la mayoría de las tradiciones del pueblo las tuve que recopilar por mediación de Norrys. Lo que la gente no perdonaba, por lo visto, era que hubiese venido a restaurar un símbolo tan detestable para ellos; porque, razonable o no, con fundamento o sin él, consideraban Exham Priory nada menos que como una guarida de demonios y hombres-lobo.

Juntando las historias que Norrys recogió para mí, y completándolas con relatos de varios expertos que habían estudiado las ruinas, deduje que Exham Priory se alzaba en el solar de un templo prehistórico, de una construcción druídica o predruídica seguramente contemporánea de Stonehenge[5]. Pocos dudaban que debieron de celebrarse en él ritos indescriptibles; y había historias desagradables sobre el traslado de esos ritos al culto a Cibeles que habían introducido los romanos. Aún eran visibles algunas inscripciones en el sótano inferior, en las que se leían de manera inequívoca letras como «DIV... OPS... Magna Mat...», signo de la Magna Mater cuyo culto oscuro les fue prohibido en vano a los ciudadanos romanos. Anchester había sido el campamento de la tercera legión de Augusto[6], como atestiguan multitud de restos, y se decía que el templo de Cibeles era espléndido y se llenaba de fieles que practicaban ceremonias innominadas bajo la dirección de un sacerdote frigio. Ciertas historias añadían que con la caída de la antigua religión no acabaron las orgías en el templo, sino que los sacerdotes vivían en la nueva fe sin observar un cambio efectivo. Asimismo se decía que no desaparecieron los ritos con el poder romano, y que algunos sajones ampliaron lo que quedaba del templo, y lo dotaron de un perfil esencial que conservó en adelante, haciendo de él el centro de un culto temido durante media heptarquía[7]. Hacia 1000 d.C. se menciona el lugar en una crónica como un importante priorato de piedra que albergaba una extraña y poderosa orden monástica, y estaba rodeado de un extenso parque que no necesitaba muros que lo protegiesen de un populacho atemorizado. Los daneses jamás lo tocaron; aunque después de la conquista normanda debió de decaer considerablemente, ya que no hubo impedimento cuando Enrique III dio el lugar a mi antecesor, Gilbert de la Poer, primer barón de Exham, en 1261.

De mi familia anterior a esa fecha no hay malos rumores de ningún género, pero algo extraño debió de ocurrir entonces. En una crónica de 1307 se cita a un De la Poer como un «maldito de Dios», mientras que las leyendas del pueblo no contienen otra cosa que una insana renuncia a hablar del castillo que se erigió sobre los cimientos del antiguo templo y el priorato. Las consejas que se contaban eran de sobrecogedora descripción, pero la amedrentada reticencia y ambigüedad de esta gente las hacían aún más tenebrosas. Pintaban a mis antepasados como una estirpe de demonios hereditarios junto a los que Gilles de Raïs y el marqués de Sade eran meros aprendices, e insinuaban veladamente que eran responsables de las desapariciones que de tiempo en tiempo se produjeron durante varias generaciones.

La peor reputación se la llevaban al parecer los barones y sus herederos directos; al menos eran de quienes más se murmuraba. Si un heredero mostraba inclinaciones sanas, aseguraban, moría prematura y misteriosamente, dejando paso a otro vástago más idóneo. Al parecer la familia observaba un culto secreto, presidido por el jefe de la casa, al que a veces sólo tenían acceso unos pocos miembros. Que alguien fuese aceptado en este culto dependía más de su temperamento que de su ascendencia, ya que en él se integraron varios miembros que habían entrado en la familia por vía del matrimonio. Lady Margaret Trevor de Cornualles, esposa de Godfrey, segundo hijo del quinto barón, se convirtió en la mala predilecta de los niños de toda la comarca, y en la heroína diabólica de una antigua balada particularmente horrible que aún circulaba en los confines de Gales. Conservada también en baladas,

aunque no ilustra el mismo asunto, se encuentra la horrenda historia
de lady Mary de la Poer, a la que, poco después de casarse con el conde
de Shrewsfield, mataron éste y su madre, aunque los dos fueron absueltos y bendecidos por el sacerdote al que confesaron lo que no se atrevieron a repetir al mundo.

Estos mitos y baladas, típicos de una tosca superstición, me producían repugnancia. Especialmente enojosa me resultaba su persistencia,
y su referencia a la larga línea de antepasados míos; mientras que la
imputación de hábitos monstruosos me recordaba desagradablemente
el único escándalo conocido de mis inmediatos antecesores: el caso de
mi primo, el joven Randolph Delapore, de Carfax, que vivió entre los
negros y se convirtió en sacerdote vudú a su regreso de la guerra con
México.

Mucho menos me turbaban las vagas historias sobre lamentos y alaridos en el valle yermo y barrido por el viento al pie de la falla de caliza,
sobre hedores a cementerio tras las lluvias de primavera, sobre el ser
blancuzco y chillón que pisó una noche el caballo de sir John Clave en
un campo solitario, o sobre el criado que había enloquecido ante lo que
vio en el priorato a plena luz del día. Todo esto eran trilladas consejas
espectrales, y yo por entonces era radicalmente escéptico. Lo que contaban acerca de desapariciones de campesinos era menos fácil de desechar, aunque carecía de especial importancia habida cuenta de la costumbre medieval: el exceso de curiosidad solía pagarse con la vida, y
más de una cabeza había sido expuesta públicamente en los bastiones
hoy desaparecidos que rodeaban Exham Priory.

Algunas de estas historias eran sumamente pintorescas, y me hacían
desear haber estudiado mitología comparada en mi juventud. Por
ejemplo, se decía que una legión de demonios con alas de murciélago
celebraba por las noches un aquelarre en el priorato; legión cuyo mantenimiento explicaría la desproporcionada abundancia de toscas hortalizas que se cultivaban en la enorme huerta. Y, lo más impresionante de
todo, estaba la dramática epopeya de las ratas[8]: el ejército de bichos
obscenos que irrumpió en el castillo tres meses después de la tragedia
que lo condenó al abandono; el flaco, inmundo y voraz ejército que lo

arrasó todo a su paso, devorando gallinas, gatos, perros, cerdos y ovejas, además de dos desventurados seres humanos, hasta que se aplacó su furia. En torno a ese inolvidable ejército de roedores gira un ciclo entero de leyendas aparte; porque se dispersó por todos los hogares del pueblo, llevando consigo la maldición y el horror.

Tal era la tradición que me asaltaba mientras, con impaciencia de viejo, apremiaba para que concluyesen la obra de restauración de mi hogar ancestral. Que nadie imagine ni por un momento que estas historias constituían mi principal entorno psicológico. Por lo demás, era constantemente elogiado y animado por el capitán Norrys y los arqueólogos que me rodeaban y asesoraban. Cuando terminaron las obras, más de dos años después de su inicio, contemplé las grandes habitaciones, las paredes enmaderadas, los techos abovedados, las ventanas con parteluz y las amplias escalinatas con un orgullo que compensaba sobradamente el coste astronómico de la restauración. Los elementos medievales estaban hábilmente reproducidos, y las partes nuevas se amalgamaban perfectamente con los muros y cimientos originales. La mansión de mis mayores estaba completa, y deseé fervientemente redimir por fin la fama local del linaje que acababa en mí. Residiría aquí de manera permanente, y probaría que un De la Poer (porque había vuelto a adoptar la grafía original del apellido) no tenía por qué ser un malvado. Mis comodidades se hallaban incrementadas, quizá, por el hecho de que, aunque Exham Priory era de concepción medieval, su interior era en realidad enteramente nuevo, y estaba exento tanto de antiguos bichos como de viejos fantasmas.

Como digo, me mudé el 16 de julio de 1923; la servidumbre la formaban siete criados y nueve gatos, especie esta última por la que siento un cariño particular; el gato más viejo, «Nigger-Man»[9], tenía siete años y había venido conmigo de mi casa de Bolton (Massachussets); a los otros los había ido acogiendo en casa de la familia del capitán Norrys mientras llevaban a cabo la restauración del priorato. Durante cinco días nuestra rutina transcurrió con la mayor placidez, en la que yo me pasaba casi todo el tiempo ordenando datos de la antigua familia. A la sazón había conseguido versiones muy detalladas de la tragedia final y huida de Walter de la Poer, lo que imaginé que constituiría el contenido del documento hereditario perdido en el incendio de Carfax. Por lo visto mi antecesor fue acusado con razón de haber matado a los demás miembros de la casa mientras dormían –excepto a cuatro criados cómplices– unas dos semanas después de un terrible descubrimiento que cambió totalmente su comportamiento, pero que, salvo de manera implícita, sólo reveló a los criados que le ayudaron y que después huyeron a donde no pudieran ser descubiertos.

Esta matanza deliberada del padre, tres hermanos y dos hermanas, fue mirada con compresión por los lugareños, y tratada con tal lenidad por la ley que su autor escapó a Virginia sin oprobio, sin daño y sin ocultamiento; el sentir general era que había purgado la comarca de una maldición inmemorial. No se me ocurría qué descubrimiento pudo impulsarle a una acción tan terrible. Sin duda Walter de la Poer conocía desde hacía años las historias siniestras que se contaban de su familia, por lo que no parecía verosímil que este material le infligiera ningún golpe inesperado. ¿Acaso había presenciado algún rito espantoso, o había tropezado con algún símbolo horrible y revelador en el priorato o alrededores? En Inglaterra se le tuvo por un joven tímido y amable. En Virginia parecía no tanto duro o cruel como acosado y receloso. De él decía el diario de otro caballero-aventurero, Francis Harley de Bellview, que era un hombre de sin par delicadeza, justicia y honor.

El 22 de junio ocurrió el primer incidente que, aunque parecía de poca importancia en el momento, relacionado con sucesos posteriores adquiere una significación preternatural. Fue algo tan simple que casi no le hice caso, y probablemente habría pasado inadvertido; porque estando como estaba en un edificio prácticamente nuevo y flamante, salvo los muros, y rodeado de una servidumbre formal y con sentido común, habría sido absurdo abrigar ningún temor a pesar del emplazamiento. Lo que después recordé es sólo esto: que mi viejo gato negro, cuyo humor conocía de sobra, estaba alerta y expectante de una manera que chocaba totalmente con su comportamiento habitual. Andaba de habitación en habitación, desasosegado y nervioso, olfateando constantemente las paredes que formaban parte de la estructura gótica. Sé que suena a tópico –como el inevitable perro del cuento de fantasmas que gruñe antes de que su amo vea la figura ensabanada–; pero por coherencia no puedo callarlo.

Al día siguiente un criado se quejó de que los gatos andaban inquietos por toda la casa. Vino a mi estudio, una pieza suntuosa de la segunda planta del ala de poniente, con arcos de crucería, enmaderada en roble oscuro y con triple ventanal gótico que asomaba al precipicio calizo y el valle desolado; y mientras me hablaba, observé la figura negra de Nigger-Man recorriendo sigilosamente la pared oeste y arañando los entrepaños nuevos que cubrían la piedra antigua. Le dije al hombre que seguramente la albañilería desprendía algún olor o emanación especial que el olfato humano no captaba, pero que los delicados órganos de los gatos percibían incluso a través del enmaderado reciente. Estaba convencido de que era así, y cuando el hombre sugirió la posibilidad de que hubiera ratones o ratas, le comenté que hacía trescientos años que allí no había ratas, y que difícilmente podía haber ratones de campo en estos muros altos, donde jamás se había visto ninguno. Esa tarde fui a ver al capitán Norrys, quien me aseguró que era totalmente inverosímil que los ratones infestaran el priorato de manera tan insólita y repentina.

Esa noche, al despedir como de costumbre a mi ayuda de cámara, me retiré al aposento de la torre de poniente que había escogido como dormitorio, al que se llegaba desde el estudio por una escalera de piedra y una breve galería, la primera parcialmente antigua y la segunda enteramente restaurada. Este aposento era circular, muy alto, y sus paredes no habían sido enmaderadas, sino que estaban cubiertas con tapices que yo personalmente había escogido en Londres. Tras comprobar que Nigger-Man estaba conmigo, cerré la pesada puerta gótica y me acomodé junto a la luz de una lámpara eléctrica que imitaba hábilmente un candelabro; finalmente apagué la luz y me metí en la cama, tallada y con dosel, con el venerable gato en su sitio de siempre, a mis pies. No corrí las cortinas, sino que me quedé mirando a través de la estrecha ventana norte que tenía frente a mí: había un atisbo de aurora en el cielo que silueteaba gratamente la delicada tracería de la ventana.

En algún momento debí de quedarme dormido, porque recuerdo la clara sensación de dejar extraños sueños cuando el gato saltó de repente de su plácida postura. Le vi a la débil claridad del alba, con la cabeza avanzada, las patas delanteras sobre mis tobillos y las traseras estiradas hacia atrás. Miraba atentamente un punto de la pared, algo al oeste de la ventana, punto en el que mis ojos no veían nada particular, pero hacia el que ahora dirigí toda mi atención. Y, al fijarme, me di cuenta de que Nigger-Man no se había alertado sin motivo. No sé si el tapiz se movía efectivamente o no. Creo que sí; muy ligeramente. Pero lo que puedo jurar es que detrás se oyó un rumor furtivo, apagado, como de ratas o ratones escabulléndose. Un momento después el gato había saltado decididamente a la tapicería que hacía de pantalla, derribando al suelo con su peso el paño correspondiente, y dejando al descubierto un antiguo y húmedo muro de piedra, parcheado aquí y allá por los albañiles, pero sin rastro de roedores. Nigger-Man corría de un lado a otro, al pie de esa parte de la pared, arañando el tapiz caído y tratando a veces de meter la zarpa entre la pared y el suelo de roble. No encontró nada; y un rato después volvió cansado a su puesto a mis pies. Yo no me había movido, pero esa noche no me volví a dormir.

Por la mañana interrogué a los criados, y ninguno había notado nada raro; salvo la cocinera, que recordó el comportamiento de un gato que dormía en el alféizar de su ventana. Este gato había maullado por la noche, no sabía a qué hora, despertándola a tiempo de verlo saltar disparado hacia la puerta abierta y desaparecer escaleras abajo. Dormité hasta mediodía, y por la tarde hice otra visita al capitán Norrys, quien se mostró sumamente interesado en lo que le conté. Estos raros incidentes –pequeños pero de lo más curiosos– atraían a su sentido de lo pintoresco; y le recordaron varias historias fantasmales de la tradición local. Estábamos sinceramente confusos con la presencia de ratas, y Norrys me prestó unos cuantos cepos y veneno, que al volver mandé a los criados que colocaran en lugares estratégicos.

Me retiré temprano, dado que me caía de sueño, pero me atormentaron las más horribles pesadillas: miraba desde una altura inmensa una gruta sombría, con inmundicia hasta las rodillas, donde un porquero demoníaco de barba blanca guiaba con su bastón una manada de animales fungosos y flácidos cuyo aspecto me llenaba de indecible aversión. Luego, mientras el porquero descansaba descuidado de su tarea, una nube de ratas caía del abismo pestilente y devoraba al hombre y a los animales por igual.

De esta visión aterradora me sacó de repente un movimiento de Nigger-Man, que dormía como de costumbre a mis pies. Esta vez no tuve que preguntarme sobre la causa de sus gruñidos y bufidos, y sobre el miedo que le hizo clavarme las uñas en el tobillo, ajeno a su efecto; porque las cuatro paredes de la cámara hervían de rumores nauseabundos: eran carreras furtivas de gigantescas ratas hambrientas. No había aurora que revelase los tapices –el que se había caído lo habían vuelto a colgar–, pero no tenía tanto miedo como para no encender la luz.

En el instante de iluminarse las bombillas vi una horrenda agitación en toda la tapicería, haciendo que algunos dibujos peculiares ejecutasen una singular danza de la muerte. Este movimiento desapareció casi en el acto, y el rumor con él. Salté de la cama, y con el mango de un calentador que tenía cerca levanté una parte para mirar detrás. No había otra cosa que la pared de piedra parcheada; incluso el gato había dejado su tensa percepción de presencias anormales. Cuando examiné la trampa colocada en el aposento la encontré con los resortes saltados, aunque sin rastro de los bichos que los habían hecho saltar.

No cabía pensar en seguir durmiendo, así que encendí una vela, abrí la puerta, salí a la galería y me dirigí a la escalera que conducía al estudio, con Nigger-Man pegado a mis talones. Antes de llegar a los escalones de piedra, no obstante, el gato salió disparado delante de mí y echó a correr hacia abajo. Mientras le seguía, oí de repente ruidos en la gran habitación; ruidos de naturaleza inconfundible. El enmaderado de las paredes hervía de ratas que corrían y chocaban, en tanto Nigger-Man se lanzaba de un lado a otro con la furia de un cazador frustrado. Al llegar encendí la luz, que esta vez no sofocó los ruidos. Las ratas seguían su ajetreo, lanzándose con tal fuerza y determinación que finalmente pude inferir una dirección clara: estos seres, cuyo número parecía inacabable, estaban llevando a cabo una formidable emigración desde alturas inconcebibles a inconcebibles profundidades.

Ahora oí pasos en el corredor, y un momento después dos criados abrieron la pesada puerta. Estaban registrando la casa, buscando la fuente desconocida del tumulto que había hecho que los gatos empezaran a bufar de terror, bajaran lanzados varios tramos de escalera y se quedaran maullando agazapados ante la puerta cerrada del segundo sótano. Les pregunté si habían oído a las ratas, pero contestaron que no. Y cuando me volví para señalarles la parte del enmaderado me di cuenta de que el ruido había cesado. Bajé con los dos criados a la puerta del segundo sótano, pero me encontré con que los gatos se habían dispersado. Decidí explorar la cripta de abajo más tarde, y de momento me conformé con efectuar una ronda para inspeccionar los cepos. Estaban todos disparados, aunque sin atrapar nada. Contento de que nadie hubiera oído a las ratas salvo los felinos y yo, me quedé en el estudio hasta la madrugada, pensando mucho, y recordando cada retazo de leyenda que yo mismo había desenterrado referente al edificio donde vivía.

Dormí un poco antes del mediodía, recostado en una cómoda butaca de la biblioteca que mi proyecto de mobiliario medieval no había logrado desterrar. Después telefoneé al capitán Norrys, que vino y me ayudó a explorar el segundo sótano. No encontramos nada de naturaleza desagradable, aunque no pudimos reprimir un estremecimiento al descubrir que esta cripta había sido construida por manos romanas. Cada arco bajo y cada pilar macizo eran romanos; no pertenecían al románico devaluado de los torpes sajones, sino al severo y armonioso clasicismo de la edad de los césares; en efecto, los muros abundaban en inscripciones conocidas de los arqueólogos que habían explorado repetidamente el lugar; tales como: «P. GETAE. PROP... TEMP... DONA...» y «L. PRAEC... VS... PONTIFI... ATYS...»

La referencia a Atys me produjo un escalofrío; porque había leído a Catulo y sabía algo sobre los ritos espantosos del dios oriental, cuyo culto estaba tan amalgamado con el de Cibeles[10]. A la luz de nuestras linternas, tratamos Norrys y yo de descifrar los singulares y casi borrados trazos de ciertos bloques de piedra irregularmente rectangulares tenidos como altares por lo general, pero no sacamos nada en claro. Recordábamos que a un dibujo, una especie de sol con rayos, le atribuían los estudiosos un origen no romano, lo que sugería que los sacerdotes romanos se habían limitado a aprovechar estos altares de época anterior, quizá de un templo aborigen erigido en ese mismo emplazamiento. En la parte superior de uno de dichos bloques había manchas marrones que me hicieron pensar. El más grande, en el centro de la estancia, mostraba rastros en su cara superior que tenían que ver con el fuego; probablemente, cremación de ofrendas.

Eso es lo que vimos en la cripta ante cuya puerta estuvieron maullando los gatos, y donde Norrys y yo decidimos ahora pasar la noche. Los criados nos bajaron dos canapés, les dijimos que no se preocupasen si los gatos armaban alboroto por la noche, y aceptamos a Nigger-Man para que nos sirviese de ayuda y compañía. Acordamos tener cerrada la gran puerta de roble –réplica moderna con ranuras de ventilación–; y hecho esto, nos acostamos, con las linternas aún ardiendo, a esperar acontecimientos.

El subterráneo se hallaba profundamente hundido en los cimientos del priorato, y sin duda muy por debajo de la cara saliente de la falla caliza que dominaba el valle desolado. Estaba claro que era aquí adonde se habían dirigido las alborotadas e inexplicables ratas, aunque no sabía por qué. Tumbados como estábamos, y expectantes, noté que en mi vigilia se mezclaban de vez en cuando ensueños de los que me sacaban los movimientos inquietos del gato que tenía a mis pies. Estos ensueños no eran sanos, sino horriblemente parecidos al de la noche anterior. Volví a ver la gruta crepuscular, y al porquero con sus animales inmundos y fungosos revolcándose en la basura; y mirándolos, me parecieron más cercanos y claros; tanto que casi podía distinguir sus rasgos. Luego observé el rostro flácido de uno de ellos... y me desperté con tal grito que Nigger-Man dio un brinco; y el capitán Norrys, que no se había dormido, se echó a reír de buena gana. Aún se habría reído más –o menos quizá– si hubiera sabido qué me había hecho gritar. Aunque yo no conseguí recordarlo hasta más tarde. El horror extremo paraliza a menudo la memoria de manera misericordiosa.

Norrys me despertó cuando empezaron los fenómenos. Me sacó del mismo sueño espantoso sacudiéndome suavemente e insistiéndome en que escuchase a los gatos. En efecto, había motivo para escuchar, porque al otro lado de la puerta cerrada de lo alto de la escalera se oía un verdadero pandemónium de maullidos y arañazos felinos, mientras Nigger-Man, indiferente a sus parientes de fuera, corría excitado de un lado a otro al pie de las paredes de piedra, en las que oía yo la misma babel de ratas que me había turbado la noche anterior.

Un intenso terror me asaltó ahora, porque aquí había anomalías que nada podía explicar de manera tranquilizadora. Estas ratas, si no eran producto de una locura que yo sólo compartía con lo gatos, debían de estar horadando y recorriendo los muros romanos que había creído de sólidos bloques de caliza... a no ser que la acción del agua durante más de diecisiete siglos hubiera socavado túneles sinuosos que los cuerpos de los roedores habrían despejado y ensanchado... Pero eso no hacía que fuera menor el horror espectral; porque si se trataba de bichos vivos ¿por qué Norrys no oía su repugnante agitación? ¿Por qué me insistía en que observase a Nigger-Man y escuchase a los gatos de fuera, y por qué hacía conjeturas disparatadas sobre lo que los excitaba?

Cuando había conseguido decirle, lo más razonadamente que pude, qué creía oír, me llegó el último rumor de carreras que descendían *más abajo* de estos sótanos inferiores, de manera que parecía que la falla estaba completamente horadada por las ratas exploradoras. Norrys no se mostró tan escéptico como yo había supuesto, sino que se quedó muy preocupado. Me hizo notar que los gatos de la puerta se habían calmado, como si hubiesen dado por perdidas a las ratas; mientras que a Nigger-Man le acometía un acceso de renovado desasosiego, y arañaba frenéticamente junto al pie del gran altar de piedra del centro de la sala, que estaba más cerca del canapé de Norrys que del mío.

Mi temor a lo desconocido, al llegar a este punto, era grande. Había ocurrido algo asombroso, y veía que el capitán Norrys, más joven, más fuerte y probablemente más pragmático que yo, estaba asimismo impresionado... quizá porque conocía de toda la vida la leyenda local. Por ahora no podíamos hacer otra cosa que observar cómo el viejo gato negro arañaba cada vez con menos fervor en la base del altar, alzaba de vez en cuando los ojos, y maullaba de manera persuasiva, como solía hacer cuando quería que le hiciese un favor.

Norrys acercó ahora una linterna al altar y examinó el sitio donde arañaba Nigger-Man; se arrodilló cautamente y rascó los líquenes seculares que unían el bloque prerromano al suelo teselado. No encontró nada; e iba a abandonar sus esfuerzos, cuando observé un detalle trivial que me produjo un estremecimiento, aunque no significaba más que lo que yo ya había imaginado. Se lo comenté, y nos quedamos los dos mirando esa casi imperceptible manifestación con la fascinada fijeza del que hace y reconoce un descubrimiento. Era sólo que la llama de la linterna que estaba en el suelo junto al altar temblaba levísimamente, pero de manera innegable, debido a una corriente de aire que antes no recibía, y que procedía sin duda de la ranura entre el piso y el altar donde Norrys había rascado los líquenes.

Pasamos el resto de la noche en el estudio iluminado, deliberando nerviosos sobre qué hacer. El descubrimiento de que había otro subterráneo debajo de los profundos cimientos romanos que reforzaban este condenado edificio —alguna cripta que sin duda les había pasado inadvertida a los curiosos arqueólogos durante tres siglos—, bastaba para que estuviésemos excitados sin ningún elemento siniestro adicional. Pero en este caso, nuestra fascinación era doble; y dudábamos si renunciar a seguir explorando y abandonar definitivamente el priorato por supersticiosa precaución, o satisfacer nuestro gusto por la aventura y desafiar los horrores que pudieran aguardarnos en las profundidades desconocidas. A la mañana siguiente habíamos llegado a un acuerdo, y decidimos ir a Londres a formar un grupo de arqueólogos y científicos capaces de abordar el misterio. Hay que decir que antes de abandonar el segundo sótano intentamos en vano mover el altar central que ahora reconocíamos como el acceso a un nuevo abismo de innominado pavor. Hombres más sabios que nosotros averiguarían qué secretos guardaba esa entrada.

Durante muchos días, en Londres, el capitán Norrys y yo expusimos nuestras experiencias, hipótesis y anécdotas legendarias a cinco autoridades, todas ellas hombres en quienes se podía confiar que respetasen cualquier secreto familiar que las exploraciones sacaran a la luz. A la mayoría los encontramos poco inclinados a tomarlo a broma, sino que se mostraron muy interesados y sinceramente comprensivos. No hace falta nombrarlos a todos, aunque sí puedo decir que entre ellos estaba sir William Brinton, cuyas excavaciones en el Troad causaron sensación en casi todo el mundo en sus tiempos. Cuando tomamos el tren para Anchester me sentía al borde de espantosas revelaciones, impresión que simbolizaba la aflicción de multitud de americanos ante la inesperada muerte del presidente[11], al otro lado del mundo.

El 7 de agosto, tarde ya, llegamos a Exham Priory, donde los criados me aseguraron que no había ocurrido nada fuera de lo normal. Los gatos, incluido el viejo Nigger-Man, habían estado completamente tranquilos; y no había saltado ningún cepo de la casa. Iniciaríamos la exploración por la mañana; entretanto yo debía asignar cómodos aposentos a todos mis huéspedes. Me retiré a descansar a mi habitación de la torre, con Nigger-Man acostado a mis pies. El sueño me llegó pronto, pero me asaltaron espantosas pesadillas. Una de ellas fue la visión de un festín romano como el de Trimalción[12], con un horror en una fuente tapada. Luego vino aquella otra detestable y recurrente sobre el porquero y su hedionda manada de la gruta crepuscular. Sin embargo, cuando desperté con los ruidos normales de la casa, abajo, era pleno día. Las ratas, espectrales o no, no me habían molestado, y Nigger-Man aún seguía durmiendo plácidamente. Al bajar me enteré de que el resto de la casa había gozado de la misma tranquilidad; circunstancia que uno de los eruditos –un individuo llamado Thornton, apasionado de la metapsíquica– atribuyó absurdamente a que ya me había sido revelado lo que determinadas fuerzas querían mostrarme.

Todo estaba preparado ahora, y a las 11 de la mañana el grupo entero, formado por los siete, provistos de potentes linternas eléctricas y herramientas para excavar, bajamos al segundo sótano y pasamos el cerrojo detrás de nosotros. Nos acompañaba Nigger-Man, porque a los investigadores les parecía bueno contar con su excitabilidad; y desde luego queríamos que estuviera presente en caso de que hubiese alguna oscura manifestación de roedores. Apenas nos detuvimos en las inscripciones romanas y los dibujos enigmáticos del altar, dado que tres de los eruditos los habían visto ya, y que los cinco conocían sus características. La mayor atención la dedicamos al importante altar central, y al cabo de una hora sir William Brinton había conseguido inclinarlo hacia atrás, haciendo que basculase por algún tipo de contrapeso.

Fue tal el horror que entonces quedó al descubierto que nos habría anonadado de no haber estado preparados. A través de la abertura prácticamente rectangular del suelo enlosado, esparcidos sobre un tramo de peldaños de piedra tan prodigiosamente gastados que apenas eran algo más que un plano inclinado en el centro, había una horrible colección de huesos humanos o semihumanos. Los que conservaban su disposición de esqueleto revelaban actitudes de un pánico terrorífico, y en todos ellos había señales de roeduras. Los cráneos denotaban rasgos de absoluta idiocia, cretinismo, o de un primitivismo casi simiesco. Sobre estos escalones de espantosa suciedad descendía su techo abovedado formando un pasadizo, al parecer tallado a cincel en la roca sólida, por el que nos llegó una corriente de aire. Esta corriente no era una súbita y pestilente bocanada que saliese de una cripta cerrada, sino una brisa fría, y limpia en cierto modo. No nos detuvimos mucho, sino que, temblando, empezamos a despejar el paso escaleras abajo. Fue entonces cuando sir William, al examinar las paredes talladas, hizo la insólita observación de que el pasadizo, según la dirección de las incisiones del cincel, había sido tallado *desde abajo*.

Ahora debo ser cauto y escoger mis palabras.

Después de bajar unos cuantos peldaños entre huesos roídos descubrimos luz delante de nosotros; no se trataba de ninguna fosforescencia brumosa, sino de una filtración de luz diurna que no podía deberse sino a alguna grieta desconocida del precipicio que dominaba el valle baldío. El hecho de que no hubieran sido descubiertas tales grietas desde el exterior no tenía nada de extraordinario, porque no sólo el valle está totalmente deshabitado, sino que el precipicio es tan alto y sobresale de tal modo que sólo un aeronauta podría examinar su cara con detalle. Unos peldaños más abajo se nos cortó el aliento literalmente ante lo que vimos; tan literalmente que Thornton, el parapsicólogo, se desmayó en brazos del que iba detrás. Norrys, con su cara llena completamente blanca y flácida, profirió un grito inarticulado; por lo que a mí respecta, creo que abrí la boca o siseé, y me cubrí los ojos. El hombre que marchaba detrás de mí –el único del grupo que era mayor que yo– graznó el consabido «¡Dios mío!» con la voz más quebrada que he oído nunca. De siete hombres cultos, sólo sir William Brinton conservó la calma; detalle que tenía más mérito en él, puesto que iba delante y fue el primero en topar con la visión.

Era una gruta crepuscular de una altura enorme que se extendía más allá de donde alcanzaba la vista, un mundo subterráneo de misterio ilimitado y horrible sugerencia. Había edificios y otros restos arquitectónicos... De una sola mirada vi una misteriosa distribución de túmulos, un círculo salvaje de monolitos, unas ruinas romanas de cúpula baja, un edificio sajón enorme y macizo, y una primitiva construcción inglesa de madera; pero todo empequeñecido por el macabro espectáculo que ofrecía el suelo en general. Alrededor de la escalera se extendía, yardas y más yardas, una alucinante confusión de huesos humanos, o al menos tan humanos como los de la escalera. Formaban como un mar espumoso, unos separados, otros total o parcialmente articulados como esqueletos; estos últimos invariablemente en posturas enloquecidamente frenéticas, o rechazando alguna amenaza, o agarrados a otras formas con propósitos caníbales.

Cuando el doctor Trask, el antropólogo, se agachó a reconocer los cráneos, halló una mezcla degradada que le desconcertó. La mayoría eran inferiores al hombre de Piltdown[13] en la escala evolutiva, pero todos definidamente humanos. Había muchos que eran de grado más elevado, y muy pocos plena y sensiblemente desarrollados. Todos los huesos estaban roídos, sobre todo por ratas, pero otros por miembros de la manada semihumana. Mezclados con ellos había minúsculos huesos de rata... individuos caídos del ejército letal que puso fin a la antigua épica.

Me asombra que siguiéramos con vida y en nuestro juicio ese día de horrendo descubrimiento. Ni Hoffmann ni Huysmans habrían podido imaginar un escenario más desquiciadamente increíble, más frenéticamente repugnante, o más góticamente grotesco que la caverna crepuscular por la que andábamos tambaleantes los siete, tropezando con una revelación tras otra, y tratando de no pensar en los sucesos que debieron de tener lugar allí hacía trescientos, o mil, o dos mil, o diez mil años. Era la antecámara del infierno; y el pobre Thornton se desmayó otra vez cuando Trask le dijo que algunos esqueletos debían de pertenecer a seres que habían retrocedido a cuadrúpedos durante las últimas veinte o más generaciones.

El horror se acumuló al horror cuando empezamos a interpretar los restos arquitectónicos. Los seres cuadrúpedos –con sus ocasionales reclutamientos de la clase bípeda– habían estado estabulados en corrales de piedra, de los que probablemente salieron en estampida en su último delirio de hambre o de terror a las ratas. Debieron de ser manadas enormes, evidentemente alimentadas con toscas hortalizas cuyos vestigios encontramos en una especie de ensilamiento inmundo en el fondo de enormes depósitos de piedra más antiguos que Roma.

Ahora comprendí por qué mis antepasados habían cultivado aquellas huertas excesivas... ¡Quiera el cielo que lo olvide! No hizo falta preguntar cuál era el destino de aquellas manadas.

Sir William, con su linterna enfocada en las ruinas romanas, tradujo en voz alta el ritual más espantoso del que tengo noticia; y habló de la dieta del culto antediluviano que los sacerdotes de Cibeles descubrieron y añadieron a la suya propia. Norrys, pese a estar acostumbrado a las trincheras, no fue capaz de caminar en línea recta cuando salió del edificio inglés: lo ocupaban una carnicería y cocina –cosa que él había esperado–; pero fue demasiado ver los familiares utensilios ingleses en semejante lugar, y leer allí las familiares *inscripciones* inglesas, algunas de 1610. Yo no tuve valor para entrar en ese edificio, un edificio a cuyas actividades diabólicas puso fin la daga de mi antepasado Walter de la Poer.

Donde sí me atreví a entrar fue en el bajo edificio sajón, cuya puerta de roble se había caído, y donde descubrí una terrible hilera de diez celdas de piedra con rejas herrumbrosas. Tres tenían ocupantes, esqueletos con alto grado de evolución; en el índice de uno de ellos descubrí un sello con mis propias armas. Sir William encontró un sótano con celdas más antiguas debajo del santuario romano, pero estaban vacías. Más abajo había una cripta baja con cajas de huesos formalmente ordenados, algunas con terribles inscripciones paralelas talladas en latín, en griego y en lengua frigia. Entretanto, el doctor Trask había abierto uno de los túmulos prehistóricos y había sacado a la luz cráneos ligeramente más humanos que el del gorila, y en los que había incisiones ideográficas indescriptibles. En medio de todo este horror, mi gato andaba cauto e imperturbable. En una ocasión le vi monstruosamente encaramado en lo alto de una montaña de huesos, y me pregunté qué secretos ocultaba detrás de sus ojos amarillos.

Una vez comprendidas someramente las sobrecogedoras revelaciones de este paraje crepuscular –paraje que ya prefiguraba horrendamente mi sueño repetido–, nos dirigimos hacia las profundidades aparentemente ilimitadas de la tenebrosa caverna adonde no llegaba ningún rayo de luz filtrado de la falla. Jamás sabremos qué mundos estígeos se abrían más allá del pequeño trecho que recorrimos; porque se decidió que tales secretos no harían ningún bien a la humanidad. Pero había a mano suficientes para absorber toda nuestra atención; porque no nos habíamos adentrado mucho, cuando las linternas nos revelaron la infinidad de pozos en los que las ratas se habían saciado, y cuya súbita falta de reabastecimiento había empujado al voraz ejército de roedores primero a atacar a las manadas de seres vivos y desmedrados, y luego a irrumpir en el priorato en esa histórica orgía de devastación que los campesinos jamás olvidarán.

¡Dios mío! ¡Esos negros pozos de carroña, con montones de huesos limpios y roídos y de cráneos abiertos! ¡Esos depósitos de huesos pitecantropoides, celtas, romanos e ingleses, de incontables siglos impíos! Unos estaban llenos, y nadie sabía qué profundidad podían tener. Otros eran insondables para nuestras linternas, y los poblaban innominadas fantasías. ¿Qué era de las miserables ratas que caían en estas trampas, pensé, en medio de la negrura de sus recorridos en este tártaro espantoso?

Una de las veces me resbaló un pie en el borde de un horrible vacío, y experimenté un instante de extático pavor. Debí de quedarme embargado largo tiempo, porque no veía del grupo más que al rollizo capitán Norrys. Luego surgió un ruido de aquella lejanía ilimitada y negra que me parecía conocer; y vi a mi viejo gato negro pasarme veloz, cual alado dios egipcio, en dirección al abismo tremendo de lo desconocido. Pero no me quedé muy atrás, porque no tuve duda un segundo después: eran las horribles carreras de las ratas diabólicas, siempre en busca de nuevos horrores, y determinadas a seguir llevándome a esas cavernas sonrientes del centro de la tierra donde Nyarlathotep, el dios loco sin rostro, aúlla ciegamente en la oscuridad al son de dos flautistas idiotas y amorfos.

Se me apagó la linterna, pero seguí corriendo. Oía voces, y aullidos, y ecos; pero sobre todo ello se elevaban poco a poco las carreras impías, insidiosas, cada vez más, como ascendería un cadáver hinchado y rígido en un río oleaginoso que discurre bajo innumerables puentes de ónice hacia un mar negro y corrompido. Algo chocó conmigo, algo blando y pesado. Sin duda eran ratas; el ejército viscoso y voraz que saciaba su hambre con muertos y vivos... ¿Por qué no se iban a comer las ratas a un De la Poer cuando un De la Poer se alimenta de seres prohibidos?... La guerra había devorado a mi hijo... malditos sean todos... y los yanquis devoraron Carfax con el fuego y quemaron al antepasado Delapore y el secreto... ¡No, no; os lo aseguro, no soy ese demonio porquero de la gruta crepuscular!. ¡*No* era el rostro gordinflón de Edward Norrys el de aquel ser flácido y fungoso!... ¿Quién dice que soy un De la Poer? ¡Él está vivo, en cambio mi hijo ha muerto! ¿Ha de tener un Norrys las tierras de un De la Poer?... Es vudú, os lo aseguro... esa serpiente manchada... ¡Maldito seas, Thornton, yo te enseñaré a desmayarte ante lo que hace mi familia!... ¡Sangra, bellaco! Yo te enseñaré a jadear... ¿conque me quieres dar trabajo?... *Magna Mater! Magna Mater!... Atys... Dia ad aghaidh's ad aodann... agus bas dunach ort! Dhonas's dholas ort, agus, agus leat-sa!... Ungl... ungl... rrrlh... chchch...*[14]

Eso es lo que dicen que farfullaba yo cuando me encontraron en medio de la oscuridad tres horas más tarde; me descubrieron agachado sobre el cuerpo medio devorado del capitán Norrys, mientras mi gato, que había saltado sobre mí, me desgarraba el cuello. Ahora han volado el priorato de Exham, se han llevado a Nigger-Man, me han encerrado en esta habitación enrejada de Hanwell[15], y murmuran con temor sobre mi herencia y mis experiencias. Thornton está en la habitación de al lado, pero no me dejan hablar con él. Intentan echar tierra a la mayoría de los sucesos relacionados con el priorato. Cuando hablo del pobre Norrys me acusan de algo horrendo; pero tienen que saber que yo lo no hice. Tienen que saber que fueron las ratas; las inquietas, escurridizas ratas cuyas carreras no me dejan dormir; las endemoniadas ratas que corren por detrás del acolchado de esta habitación y me atraen hacia horrores más grandes que los que he conocido; las ratas que ellos no oyen; las ratas, las ratas de las paredes.

LO INNOMINABLE[1]

Nos hallábamos sentados en una decrépita sepultura del siglo XVII al atardecer de un día otoñal, en el viejo cementerio de Arkham, y especulábamos acerca de lo innominable. Mirando al sauce gigantesco que se erguía en el centro del cementerio, y cuyo tronco casi había engullido la antigua y apenas legible losa[2], yo había hecho un fantástico comentario acerca del alimento fantasmagórico e inenarrable que sus raíces colosales debían de succionar de aquella tierra vetusta y sepulcral; pero mi amigo me reprendió por decir semejantes tonterías, y dijo que, puesto que no había habido ningún enterramiento desde hacía más de un siglo, con toda probabilidad allí abajo no existía nada que alimentara al árbol de otra manera que la habitual. Además, añadió, mis constantes referencias a lo «innominable» y a lo «incalificable» eran un recurso pueril, muy en consonancia con mi escasa categoría como escritor. Me gustaba demasiado finalizar mis relatos con visiones o sonidos capaces de paralizar las facultades de mis héroes y les despojaba de todo su valor, capacidad del habla y asociación de ideas para que no pudieran contar lo que habían experimentado. Conocemos las cosas que nos rodean, decía, sólo a través de nuestros cinco sentidos o de nuestras intuiciones religiosas; de otra manera resultaría imposible hacer referencia a cualquier objeto o visión que no pueda definirse claramente en base a los sólidos axiomas demostrables o a las adecuadas doctrinas teológicas –a ser posible congregacionalistas–, a las que se podría innovar con cualquier otro cambio que la tradición, o Sir Arthur Conan Doyle[3], tengan a bien aportar.

Con este amigo, Joel Manton[4], discutía a menudo despreocupadamente. Era el director de la East High School, nacido y criado en Boston, y practicante de esa ceguera autocomplaciente hacia las vagas alusiones de la vida tan característica de Nueva Inglaterra. Su punto de vista radicaba en que sólo las experiencias normales y objetivas poseen un valor estético, y que el artista no sólo debe provocar una intensa emoción por medio de la acción, el éxtasis[5] y el asombro, sino mantener un plácido interés y reconocimiento por las transcripciones precisas y detalladas de la vida cotidiana. En especial, se mostraba contrario a mi preocupación por todo lo místico e inexplicable; pues, aunque creía en lo sobrenatural mucho más que yo, no admitía que fuera un tema conveniente para ser abordado por la literatura. Resultaba virtualmente increíble para un intelecto claro, práctico y lógico como el suyo que una mente pudiera encontrar su mayor placer evadiéndose de la rutina diaria, o mezclando imágenes excepcionales y dramáticas que generalmente están destinadas, por virtud del hábito y la fatiga, al aburrido modelo de la existencia actual. En su compañía, todas las cosas y sensaciones tenían unas dimensiones, propiedades, causas y efectos perfectamente delimitados; y aunque presentía vagamente que el cerebro a veces esconde visiones y conceptos de una naturaleza bastante menos geométrica, clasificable y moldeable, se creía autorizado para dibujar una línea arbitraria y desechar todo lo que no podía ser experimentado y entendido por el ciudadano medio. Además, estaba casi seguro de que no podía existir nada verdaderamente «innominable». No sonaba demasiado sensato, según él.

Aunque me daba perfecta cuenta de la inutilidad de mis argumentos imaginativos y metafísicos frente a la complacencia de un ortodoxo de la vida diurna, había algo en la escena de esta conversación vespertina que me estimulaba a seguir con la charla. Las decrépitas losas de piedra, los venerables árboles, los centenarios tejadillos holandeses a dos aguas de la vieja ciudad embrujada que se extendía alrededor; todo contribuía a enardecer mi espíritu en defensa de mis creencias; y no tardé mucho en lanzar mis ataques contra el terreno de mi enemigo. En realidad, no resultaba demasiado difícil contraatacar, ya que sabía que Joel Manton seguía bastante aferrado a muchas de las supersticiones mundanas que las gentes más cultivadas habían dejado atrás; la creencia en las apariciones de personas que se estaban muriendo en lugares distantes, y los vestigios dejados por rostros antiguos sobre las ventanas a las que se habían asomado en vida. Para creer en estos cuentos de viejas, insistía yo ahora, hay que tener mucha fe en la existencia terrenal de ciertos elementos sobrenaturales, que a un mismo tiempo están separados de sus homólogos materiales y son consecuentes con ellos. Esto entrañaba una capacidad para creer en los fenómenos que están más allá de los conceptos tradicionales; pues si un muerto puede transmitir su imagen visible o tangible por medio mundo, o desplazarse de aquí para allá durante siglos, ¿por qué iba a resultar tan absurdo suponer que las casas deshabitadas están llenas de insólitas entidades sensibles, o que los viejos cementerios rebosan de unas inteligencias terribles e incorpóreas que han sobrevivido durante generaciones? Y dado que el espíritu, para provocar las manifestaciones que se le atribuyen, no puede estar limitado por ninguna de las leyes de la naturaleza, ¿por qué es un disparate imaginar que los muertos revividos puedan adoptar una determinada forma –o una ausencia total de forma– que para el observador humano resultaría completa y aterradoramente «innominable»? El «sentido común», al reflexionar sobre estos temas, le dije a mi amigo con cierto acaloramiento, no es más que una estúpida falta de imaginación y flexibilidad mental.

El sol estaba a punto de ponerse, pero ninguno de los dos quería dar por acabada la conversación. Manton no parecía muy impresionado por mis argumentos, y se apresuraba a refutarlos con esa confianza en sus propios criterios que, sin duda, tanto éxito le había otorgado como profesor; pero también yo estaba demasiado seguro del terreno que pisaba como para temer una derrota. Se hizo de noche y algunas lucecitas brillaron lánguidamente en distantes ventanas; pero tampoco nos movimos. El sepulcro que nos servía de asiento resultaba bastante cómodo, y yo sabía que a mi prosaico amigo no le inquietaba la cavernosa grieta que se abría en la antigua, decrépita mampostería de ladrillos horadada por las raíces, justo por detrás de nosotros, ni la total negrura en la que nos sumergía la tambaleante, desierta casona del siglo XVII que se interponía entre nosotros y la primera farola de la calle. Allí, en medio de la oscuridad, sobre aquella tumba resquebrajada próxima a la vacía casona, charlábamos sobre lo «innominable»; y cuando mi amigo terminó de exponer sus burlonas refutaciones, le conté la terrible evidencia que se ocultaba tras uno de mis relatos, precisamente del que más se había mofado.

El cuento se titulaba "La ventana del ático", y había aparecido en el ejemplar de enero de 1922 del *Whispers*[6]. En un montón de sitios, especialmente en el sur y en la costa del Pacífico, retiraron la revista de los kioscos ante las numerosísimas quejas expresadas por personas estúpidas y débiles; pero en Nueva Inglaterra no produjo ni un escalofrío y los lectores simplemente se encogieron de hombros ante mis extravagancias. Afirmaron que aquella criatura era biológicamente imposible, que no se trataba más que de otra de esas estúpidas leyendas locales que Cotton Mather había hecho lo bastante creíbles como para incluirlas en su caótica *Magnalia Christi Americana*, y que su existencia estaba tan pobremente documentada que ni tan siquiera se había atrevido a dar el nombre de la localidad donde se había desatado el horror[7]. En cuanto a cómo me las había arreglado para desarrollar la breve reseña del viejo místico... ¡todo era completamente falso e imposible, típico de un escritorzuelo frívolo e irracional! Efectivamente, Mather había afirmado que la criatura había sido parida; pero nadie, exceptuando un sensacionalista de tres al cuarto, podría pensar que se hubiera desarrollado, que se asomara a las ventanas de la gente por la noche, y que se escondiera en el ático de una casa, en cuerpo y en espíritu, hasta que alguien lo descubrió siglos después asomado a la ventana y no pudo describir qué fue lo que hizo que sus cabellos se volvieran grises. Todo esto no era más que una basura descarada, y mi amigo Manton no se reprimía a la hora de insistir en ello. Entonces le conté lo que había descubierto en un viejo diario redactado entre 1706 y 1723, que había salido a la luz entre los papeles de una familia que moraba a poco más de un kilómetro de donde nos hallábamos sentados; eso, y la verdad irrefutable de las cicatrices que mi antepasado tenía en el pecho y en la espalda, las cuales están descritas en el diario. También le hablé de los miedos que abrigaban otras personas de la región, de cómo se habían ido transmitiendo entre murmuraciones generación tras generación, y de cómo se probó que la locura de un niño que en 1793 entró en una casa abandonada para examinar ciertas huellas, no era en absoluto fingida.

Sin duda fue un suceso horrible... no es de extrañar que los investigadores se estremezcan al estudiar la época puritana de Massachussets. Se sabe tan poco de lo que ocurrió bajo la superficie... tan poco y, sin embargo, tan espantosamente repugnante que a veces sale al exterior burbujeando de imágenes putrescentes. El horror a la brujería es como un terrible rayo de luz en medio de los caóticos pensamientos de los hombres; pero incluso esa definición se queda corta. No había belleza, ni libertad... como podemos adivinar al ver los restos arquitectónicos y domésticos, o al rememorar los sermones enfermizos de los soberbios eclesiásticos. Y dentro de ese herrumbroso chaleco de fuerza acechaba una atrocidad maliciosa, el satanismo y la perversión. Ésta era, en verdad, la apoteosis de lo innominable.

Cotton Mather, en ese diabólico sexto libro que nadie debería ojear tras caer la noche, no se anda con rodeos al lanzar sus anatemas. Tan inflexible como un profeta judío, y tan lacónicamente imperturbable como nadie antes, habló de la bestia que alumbró una criatura superior a las bestias, aunque inferior al hombre... el ser del ojo manchado, y del borracho infeliz y vociferante que fue ahorcado por tener un ojo así. De todo esto habló sin rodeos, pero sin especificar qué sucedió después. Quizá no lo sabía, o quizá sí, aunque no se aventuró a contarlo. Otros sí conocían los hechos, pero no se atrevieron a relatarlos... no existe ninguna explicación oficial acerca de las murmuraciones sobre la cerradura de la puerta que daba a las escaleras del ático donde vivía un viejo solitario, ruinoso y amargado que había destapado la blanca losa de una tumba que todos evitaban, y sobre la que circulaban cientos de extrañas leyendas capaces de helar la sangre a cualquiera.

Todo está incluido en ese diario ancestral que yo había encontrado, todas las murmuraciones y relatos elusivos sobre criaturas con un ojo manchado sorprendidos espiando por las ventanas durante la noche, o en los campos desiertos rodeados de bosques. Algo había sorprendido a un antepasado mío en un tenebroso camino del valle, dejándole unas marcas de cuernos sobre el pecho y de garras simiescas en la espalda; y al buscar algún tipo de huellas impresas en la tierra pisoteada, descubrieron una mezcla de rastros pertenecientes a unas pezuñas escindidas y a unas garras vagamente antropoides. En una ocasión, un jinete del servicio de correos dijo haber visto a un anciano llamando y persiguiendo a una cosa espeluznante e indescriptible que trotaba sobre Meadow Hill[8] bajo la tenue luz de la luna que precede al amanecer; y muchos le creyeron. Y desde luego, cierta noche de 1710 corrieron extraños rumores después de que el anciano solitario y decrépito fuera enterrado en la cripta que había detrás de su casa, a la vista de la losa blanquecina. Nunca descerrajaron la puerta del ático, sino que dejaron la casa tal y como estaba, terrible y desierta. Cuando se producía algún ruido en su interior, la gente murmuraba y se estremecía, y confiaban en que el cerrojo de la puerta del ático fuera lo suficientemente robusto. Pero pronto dejaron de hacerlo cuando el horror se presentó en la casa del párroco y no dejó ni un alma con vida y ni un cuerpo de una sola pieza. Con el paso del tiempo, la leyenda fue adoptando un carácter espectral... pero supongo que la criatura debió de morir, suponiendo que llegara a estar viva alguna vez. Su recuerdo ha perdurado envuelto en un halo de miedo, que se ha ido incrementando a causa de su secretismo.

Durante esta narración, mi amigo Manton había permanecido en completo silencio, y observé que mis palabras le habían impresionado. No se rió cuando terminé, sino que me interrogó con gran seriedad acerca del muchacho que enloqueció en 1793 y que, en apariencia, era el protagonista de mi relato. Le conté que el chico había ido a aquella casa temida y abandonada, seguramente movido por la curiosidad, ya que pensaba que los cristales de las ventanas tenían la capacidad de retener las imágenes de quienes se habían asomado a ellos. El muchacho había ido a aquel terrible ático para examinar sus ventanas, ya que había oído historias sobre cosas que merodeaban tras ellas, y regresó gritando enloquecedoramente.

Como ya he dicho, Manton se quedó pensativo, pero poco a poco recuperó su talante analítico. Admitió que podía haber existido alguna monstruosidad antinatural, pero me recordó que incluso la más morbosa aberración de la naturaleza no tiene por qué ser *innominable* o científicamente indefinible. Admiré su claridad y tesón, pero añadí nuevos testimonios que había recogido entre la gente de más edad. Estas ulteriores leyendas espectrales, afirmé, se centraban en ciertas apariciones monstruosas más espeluznantes que cualquier entidad orgánica: apariciones de formas bestiales y gigantescas, que a veces eran visibles y otras apenas tangibles, y que flotaban en las noches sin luna, merodeando alrededor de la casa, la cripta que había detrás y la tumba junto a cuya losa ilegible había brotado un árbol. Tanto si fuera cierto, como si no lo fuera, que estas apariciones habían matado a determinadas personas a cornadas o asfixiándolas, como se afirmaba en algunas tradiciones sin verificar, el hecho es que habían causado honda impresión, y aún eran secretamente temidas por los más ancianos del lugar, aunque las dos últimas generaciones ya hacía tiempo que se habían olvidado de ellas... y posiblemente este olvido es lo que las hacía morir. Es más, en lo referente a la estética del asunto, si las emanaciones psíquicas de las criaturas humanas son deformaciones grotescas de la realidad, ¿qué representación coherente podría expresar o definir una vaguedad tan gibosa e infame como un espectro de maligna y caótica perversión, como una morbosa blasfemia de la naturaleza? Moldeado por el cerebro muerto de una pesadilla híbrida, ¿no constituiría semejante terror vaporoso, en toda su repugnante verdad, la exquisitez, la demencia de lo *innominable*?

Sin duda ya era muy tarde. Un murciélago singularmente silencioso me rozó al pasar a mi lado, y creo que también a Manton, pues, aunque no podía verle, noté que alzaba los brazos. Luego dijo:

–¿Y sigue en pie y abandonada esa casa de la ventana del ático?

–Sí –contesté–. Yo la he visto.

–¿Y encontraste algo... en el ático o en algún otro sitio?

–Había algunos huesos debajo de los aleros. Quizá fuera eso lo que vio el muchacho... si era muy sensible no necesitó descubrir nada más sobre el cristal de la ventana para perder el juicio. Si todos pertenecían a la misma criatura, debió de tratarse de una monstruosidad histérica y delirante. Habría sido blasfemo dejar tales huesos sobre el mundo, así que regresé con un saco y los llevé a la tumba que hay detrás de la casa. Había una grieta por donde los pude arrojar al interior. No pienses que hice el idiota... tenías que haber visto aquel cráneo. Poseía unos cuernos de más de diez centímetros de largo, aunque el rostro y la mandíbula eran como la tuya o la mía.

Por fin pude notar en Manton, que ahora estaba más cerca, un auténtico escalofrío. Pero su curiosidad no se dejó intimidar.

—¿Y los cristales de las ventanas?

—No había. Una de las ventanas ni tan siquiera tenía marco, y en el resto no quedaba ni un trocito de cristal sobre las aberturas romboidales. Eran de esa clase de ventanas con celosías que habían pasado de moda antes de 1700. No creo que conservaran ni un cristal desde hacía más de cien años... a lo mejor los rompió el niño, si llegó a la habitación; la leyenda no dice nada al respecto.

Manton volvió a quedarse ensimismado.

—Me gustaría ver esa casa, Carter[9]. ¿Dónde está? Con cristales o sin cristales, me gustaría echarla un vistazo. Y también la tumba en donde depositaste los huesos, y la otra sepultura sin inscripciones... todo este asunto parece bastante terrible.

—La has estado viendo... hasta que se hizo de noche.

Mi amigo se puso más nervioso de lo que había esperado; pues, ante este golpe de inocente teatralidad, se apartó de mí como un poseso y empezó a chillar, con una especie de grito entrecortado que liberó toda la tensión precedente. Fue un extraño alarido, y resultó aún más espeluznante porque fue contestado. Pues aún se escuchaba su eco, cuando oí un sonido chirriante en medio de la tenebrosa oscuridad, y noté que una de las ventanas de celosía de aquella casona vetusta y maldita que teníamos tan cerca se estaba abriendo. Y como todos los otros marcos de las ventanas se habían desprendido tiempo atrás, supe que se trataba del espantoso marco sin cristales de aquella diabólica ventana del ático.

Entonces sentimos una ráfaga de aire fétido, un aire glacial que venía de la misma terrible dirección, acompañado de un chillido penetrante que brotó junto a mí, desde las profundidades de aquella tumba decrépita habitada por hombres y monstruos. Un instante después, fui derribado de mi tremebundo asiento por el impulso infernal de una entidad invisible y gigantesca, pero cuya naturaleza resultaba imprecisa, y caí despatarrado sobre el moho cubierto de raíces de aquel abominable cementerio, mientras de la tumba surgía un clamor sordo y un zumbido jadeante que hicieron que mi imaginación poblara las tinieblas reinantes con las legiones de condenados deformes descritos por Milton. Se formó un torbellino de viento gélido y demoledor, y luego hubo un golpeteo de ladrillos que se desprendían del yeso; pero, afortunadamente, perdí la consciencia antes de saber lo que ocurría.

Manton, aunque más bajo que yo, tiene mayor resistencia; ya que ambos abrimos los ojos casi al mismo tiempo, a pesar de que sus heridas eran más graves. Nuestras camas estaban juntas, y en pocos segundos supimos que nos hallábamos en el hospital de St. Mary. Las enfermeras se habían congregado a nuestro alrededor, mostrando una tensa curiosidad, y estaban ansiosas por ayudar a nuestra memoria contándonos cómo habíamos llegado allí; pronto oímos hablar del granjero que nos había encontrado al mediodía en un prado solitario más allá de Meadow Hill, a casi dos kilómetros del viejo cementerio, en un lugar donde se dice que antaño existía un matadero. Manton tenía dos heridas graves en el pecho, y varios cortes y arañazos menores en la espalda. Yo no estaba herido de importancia, pero tenía el cuerpo lleno de moratones y golpes de lo más desconcertantes, incluyendo la impronta de una huella de pezuña. Era indudable que Manton sabía más que yo, pero no dijo nada a los confusos e intrigados médicos hasta que supo cuáles eran nuestras heridas. Entonces apuntó que habíamos sido víctimas de un toro salvaje... aunque resultó bastante difícil identificar y describir al animal.

Cuando los médicos y enfermeras nos dejaron, le susurré una pregunta llena de espanto:

—Por Dios, Manton, *¿qué era eso? Esas marcas... ¿realmente era eso?*

Mas yo estaba demasiado impresionado como para alegrarme, cuando me contestó entre susurros algo que yo medio me esperaba...

–No... *en realidad no era nada de eso*. Era un todo... una gelatina... un cieno... y, sin embargo, tenía forma, un millar de formas espeluznantes, alejadas de todo lo que conocemos. Tenía ojos... uno de ellos manchado. Era el abismo... la vorágine... la última abominación. Carter, *¡era lo innominable!*

EL CEREMONIAL[1]

«Efficiunt Daemones, ut quae non sunt, sic tamen quasi sint, conspicienda hominibus exhibeant».

LACTANCIO[2]

Estaba lejos de casa, y el hechizo del mar oriental ondeaba sobre mí. Lo oí bramando en las rocas bajo la luz crepuscular, y supe que se extendía detrás de la colina cubierta de sauces retorcidos que se recortaban contra el cielo diáfano y las primeras estrellas del anochecer. Y como mis padres me habían dicho que fuera a la vieja ciudad que había al otro lado, me abrí paso entre la capa de nieve poco profunda, recién caída sobre el camino que ascendía en solitario hacia Aldebarán, que titilaba entre los árboles, en busca de la antiquísima ciudad que jamás había visto, pero con la que había soñado muchas veces.

Era el mes de Yule[3], eso que los hombres llaman Navidad, aunque en sus corazones saben que es más viejo que Belén y Babilonia, más viejo aún que Menfis y toda la humanidad. Era el mes de Yule, y por fin había llegado a la antigua ciudad marinera donde mi gente había vivido y conservado el ceremonial en los antiguos tiempos, cuando éste estaba prohibido; el lugar al que habían enviado a sus hijos para que celebraran el ceremonial una vez cada cien años, para que nunca se perdiera la memoria de los secretos primigenios. La mía era una raza antigua; ya lo era cuando estas tierras fueron colonizadas hace trescientos años. Y era también una gente extraña, ya que habían llegado como un pueblo sombrío y furtivo desde los embriagadores jardines del sur cubiertos de orquídeas; y hablaban otra lengua, antes de aprender la de los pescadores de ojos azules. Y ahora estaban dispersos por el mundo, y únicamente compartían los rituales y misterios que ningún otro ser vivo podría comprender. Yo era el único que regresaba aquella noche al viejo pueblo pesquero, tal y como manda la tradición, pues sólo recuerdan el pobre y el solitario.

Luego, al otro lado de la cresta de la colina, vi la ciudad de Kingsport[4] desparramándose gélida bajo la luz crepuscular; la nevada Kingsport con sus antiguas veletas y campanarios, con sus aleros y chimeneas, con sus embarcaderos y pequeños puentes, con sus sauces y cementerios; un laberinto interminable de callejuelas empinadas, angostas y retorcidas, y la iglesia, con su vertiginosa torre central que el tiempo no ha osado mancillar; una maraña inacabable de casas coloniales amontonadas o dispersas por todos los ángulos y niveles, como los bloques de construcción de un niño desordenado; la antigüedad flotando con alas grises sobre los gabletes y tejados con cubierta a la holandesa[5] blanqueados por el invierno; tragaluces y ventanucos de vidrio que se iluminaban uno tras otro en la fría oscuridad y cuyos destellos pugnaban por mezclarse con los de Orión y las vetustas estrellas. Y el mar batiendo contra los muelles carcomidos; el mar misterioso y arcaico del que había venido nuestra gente en los tiempos antiguos.

En la cima, al lado del camino, se alzaba una altura aún mayor, un lugar inhóspito, barrido por el viento, y vi que se trataba de un cementerio donde las negras lápidas surgían fantasmagóricamente por encima de la nieve blanca como las uñas putrefactas de un cadáver gigantesco[6]. El camino, sin huellas, discurría muy solitario, y a veces me parecía escuchar un lejano y estremecedor chirrido, como el de una horca meciéndose al viento. En 1692 habían ahorcado a cuatro de los míos por brujería, aunque no sabía exactamente dónde.

Cuando el camino empezó a descender por la ladera que daba al mar, presté atención por si oía el alegre bullicio del pueblo al anochecer, mas no escuché nada. Entonces me acordé de la estación del año en la que estábamos, y sentí que aquellos viejos puritanos seguramente tendrían unas costumbres navideñas muy diferentes de las nuestras[7], plagadas de oraciones íntimas y silenciosas. Así que me hice a la idea de que no oiría ningún alborozo ni vería ningún caminante, y me dediqué a seguir hacia delante mientras pasaba al lado de granjas iluminadas y silenciosas, y renegridas paredes de piedra, donde el aire salitroso hacía chirriar las enseñas de viejas tiendecitas y tabernas marineras, y las grotescas aldabas de los portalones relucían sobre las callejuelas desiertas y sin pavimentar, a la luz de los encortinados ventanucos.

Había visto planos de la ciudad, y sabía dónde se encontraba la casa de los míos. Se me había dicho que sería reconocido y que se me acogería, porque la tradición del pueblo pervive desde hace mucho; así que me apresuré por Back Street hasta Circle Court, y luego, andando entre la nieve recién caída sobre la única calle completamente pavimentada de la ciudad, hasta llegar a Green Lane, en la parte trasera del Edificio del Mercado. Los viejos planos aún valían, y no tuve ningún problema en llegar; aunque en Arkham me habían mentido al decirme que los tranvías circulaban por la ciudad, ya que no vi ningún cableado aéreo[8]. En cualquier caso, la nieve habría ocultado los raíles. Me alegré de haber venido caminando, pues el pueblo blanco me parecía muy hermoso desde la colina; y ahora estaba ansioso por llamar a la puerta de mi gente, a esa séptima casa en la cera izquierda de Green Lane, con su vetusto y picudo tejadillo, y con su segundo piso que sobresalía un poco, todo ello levantado antes de 1650.

Había luces en el interior de la casa cuando llegué y, por lo que pude apreciar a través de la vidriera romboidal de la ventana, todo se encontraba prácticamente igual que en los viejos tiempos. La parte superior colgaba sobre la angosta calleja cubierta de hierba, rozando casi el edificio de enfrente, así que me encontraba en una especie de túnel, sobre el peldaño totalmente limpio de nieve de la entrada. No había acera, pero muchas casas tenían unas puertas elevadas a las que se accedía mediante dos tramos de escaleras con barandillas de hierro. Se trataba de un escenario singular, y como yo era un extraño en Nueva Inglaterra, jamás había visto algo parecido antes. Aunque me agradaba, me habría complacido aún más si hubiera visto pisadas en la nieve, gente en las calles y unas cuantas ventanas sin las cortinas echadas.

Cuando golpeé la vetusta aldaba de hierro, sentí algo de miedo. Un miedo que se había ido apoderando de mí poco a poco, debido quizá a lo extraño de mi estirpe, a aquel atardecer tan lóbrego y al insólito silencio que dominaba aquella vieja ciudad de curiosas tradiciones. Y cuando mi llamada fue respondida, me sentí completamente aterrorizado, pues no había oído ningún paso antes de que la puerta se abriera con un chirrido. Pero el miedo no duró mucho, ya que el anciano en pantuflas que apareció en el umbral tenía un rostro inexpresivo que me hizo cobrar ánimos; y aunque me dio a entender por señas que era mudo, escribió una antigua y pintoresca frase de bienvenida valiéndose de un punzón y una tablilla de cera que portaba.

Me llevó a una habitación baja, iluminada por el resplandor de las velas, con enormes vigas descubiertas y los típicos muebles recios, oscuros y sobrios del siglo XVII. Allí el pasado parecía cobrar vida, ya que todos sus atributos estaban presentes. Había un hogar cavernoso y una rueca ante la que se inclinaba, de espaldas a mí, una anciana vestida con holgados ropajes y cubierta con una toca con ala anterior muy saliente, hilando silenciosa a pesar de la festividad. Una humedad indefinida reinaba en el lugar, y me asombré de que no hubiera ningún fuego encendido. Había un banco de respaldo alto a la izquierda, frente a las ventanas encortinadas, y parecía estar ocupado, aunque no lo sabía con plena certeza. No me gustaba nada de lo que allí veía, y volví a sentir miedo. Y este miedo se iba acentuando cada vez más gracias a lo mismo que antes lo había aplacado, pues cuanto más miraba el rostro inexpresivo del anciano más me aterraba su extrema indiferencia. Jamás parpadeaba, y tenía la piel como de cera. Al final me convencí de que no se trataba de una cara real, sino de una máscara diabólica y casi perfecta. Pero las flácidas manos, curiosamente enguantadas, garabatearon con destreza en la tablilla, comunicándome que debía aguardar un rato antes de ser conducido al lugar en donde iba a celebrarse la ceremonia.

Tras señalarme una silla, una mesa y un montón de libros, el anciano abandonó la estancia; y cuando me senté para leer, descubrí que los libros eran muy viejos y estaban mohosos, y que entre ellos se incluían el insólito *Marvells of the Science*, de Morryster[9]; el terrorífico *Saducismus Triumphatus*, de Joseph Glanvill, publicado en 1681; el impactante *Daemonolatreia*, de Remigius[10], impreso en Lyon en 1595, y el peor de todos, el incalificable *Necronomicon*, del árabe loco Abdul Alhazred, en la prohibida traducción latina de Olaus Wormius[11]; un libro que nunca había visto, pero del que había oído murmurar cosas espeluznantes. Nadie se dirigió a mí, pero podía escuchar los aullidos del viento en el exterior y el chirrido de la rueca mientras la anciana del bonete seguía con su hilar interminable. Pensé que la habitación, los libros y aquellas gentes eran tétricos e inquietantes, pero como la tradición heredada de mis padres me había conducido a esos extraños festejos, decidí que debía esperarme cosas aún más extrañas. Así que intenté centrarme en la lectura, y pronto estuve temblorosamente absorto en algo que había encontrado en ese maldito *Necronomicon*; un pensamiento y una leyenda demasiado espantosa para la cordura y el sentido común. Luego me sobresalté cuando creí haber escuchado cómo se cerraba una de las ventanas que había enfrente del banco, como si antes alguien la hubiera abierto furtivamente. A continuación hubo un chirrido que no parecía provenir de la rueca de la anciana. Pero no podría asegurarlo, ya que la vieja hilaba sin parar y el vetusto reloj acababa de dar las horas. Después de aquello me abandonó la sensación de que había alguien sentado en el banco, y me dediqué a la lectura con todos mis sentidos, hasta que un escalofrío me hizo saber que había regresado el anciano, vestido con ropajes y bonete holgados y antiguos, y se había sentado en aquel mismo banco, de manera que ya no pude verle más. La espera me había puesto muy nervioso, y el libro blasfemo que sostenía en mis manos contribuyó sin duda a ello. Sin embargo, cuando el reloj dio las once, el anciano se incorporó, abrió un arcón enorme lleno de bajorrelieves que había en una esquina y sacó dos mantos con caperuza; uno se lo puso él y con el otro envolvió a la vieja, que había cesado su hilar monótono. Luego, ambos se encaminaron hacia la puerta; la mujer arrastrando una pierna coja, y el anciano, tras coger el mismísimo libro que yo había estado leyendo, me hizo una seña mientras se echaba la capucha sobre su inexpresivo rostro o máscara.

Nos internamos en el laberinto enmarañado y tenebroso de aquella ciudad increíblemente antigua, y caminamos mientras las luces de las ventanitas encortinadas se iban apagando una tras otra, y Sirio espiaba a la multitud de figuras encapuchadas que surgían en silencio de todos los portales, formando una procesión monstruosa que subía por la calle, bajo las enseñas chirriantes, las vetustas buhardillas y los tejadillos de paja; serpenteando entre ventanucos con vidrieras romboidales y callejuelas empinadas de casas decrépitas que se inclinaban unas con otras, tocándose entre ellas; atravesando descampados y cementerios donde los ondulantes farolillos componían constelaciones fantasmagóricas y vertiginosas.

En medio de aquella muchedumbre silenciosa, yo seguía a mis guías mudos; empujado por codos que se me antojaban de una blandura sobrenatural, oprimido por pechos y estómagos anormalmente fofos, y sin embargo jamás pude ver sus rostros ni escuchar sus voces. Las columnas espectrales seguían subiendo, subiendo y subiendo, y vi que todos los caminantes que surgían de los enloquecedores callejones laterales iban confluyendo en lo alto de una colina que había en el centro de la ciudad, donde se alzaba una inmensa iglesia blanca[12]. Ya la había visto desde lo alto del camino, mientras miraba hacia Kingsport bajo la luz del atardecer, y su visión me había hecho temblar cuando Aldebarán pareció demorarse un instante encima de su fantasmagórica torre.

Había un espacio abierto en torno a la iglesia; en parte se trataba de un camposanto del que sobresalían unas varas espectrales, y en parte de un patio a medio pavimentar que el viento había despejado casi totalmente de nieve, flanqueado por una hilera de casas arcaicas y leprosas con tejados picudos y colgantes aleros. Los fuegos fatuos danzaban sobre las tumbas, dibujando un cuadro espantoso que, insólitamente, no reflejaba sombras. Más allá del camposanto, donde ya no había casas, pude mirar por encima de la colina y ver el resplandor de las estrellas sobre el puerto, aunque la ciudad resultaba completamente invisible en las tinieblas. Sólo de vez en cuando algún farolillo rezagado oscilaba de forma horrorosa entre las callejuelas serpenteantes, al encuentro de la muchedumbre que ahora se iba deslizando en silencio hacia el interior de la iglesia. Esperé a que el gentío y el resto de los rezagados terminaran de cruzar el tenebroso pórtico. Y aunque el anciano tiraba de mi manga, yo estaba determinado a ser el último. Finalmente entré, detrás del viejo siniestro y la anciana hilandera.

Nada más cruzar el umbral y sumergirme en aquel templo rebosante de desconocida oscuridad, me volví para echar una última mirada al mundo exterior mientras las fosforescencias del camposanto arrojaban un resplandor enfermizo sobre el pavimento de la colina. Y al hacerlo me estremecí. Pues aunque el viento no había dejado demasiada nieve, aún quedaban algunos parches cerca del pórtico, y mis turbados ojos no pudieron distinguir ninguna huella de pisadas, ni tan siquiera las mías.

La iglesia apenas estaba iluminada por la luz de los farolillos que portaban los que acababan de entrar, ya que casi todos habían desaparecido. Se habían encaminado por un pasillo que discurría entre los altos y blanquecinos bancos, hacia la trampilla de las criptas que bostezaban fantasmales al pie del altar, y por la que iban desapareciendo en silencio uno tras otro. Les seguí enmudecido, descendiendo los desgastados peldaños, hasta una cripta húmeda y sofocante. La cola de aquella ondulante procesión nocturna parecía en verdad espantosa, y al verla serpentear hacia el interior de una añosa tumba me embargó una sensación aún más horrible. Luego me di cuenta de que la losa de la tumba tenía una abertura por la que entraba la muchedumbre, y enseguida todos nos encontrábamos descendiendo por una siniestra escalera de piedra toscamente tallada; se trataba de una estrecha escalera en espiral, una escalera húmeda, impregnada de un hedor peculiar, que se retorcía sin fin por las vísceras de la colina, entre monótonas paredes de bloques de piedra rezumantes y mortero desmenuzado. Fue un descenso silencioso y espeluznante, y, al cabo de un rato, advertí que la naturaleza de los muros y peldaños había cambiado, como si estuvieran tallados en la roca viva. Lo que más me turbaba era que los miles de pasos no produjeran ningún sonido ni levantaran eco alguno. Tras descender durante otra eternidad, vi unos pasadizos laterales o galerías que, desde ignorados y tenebrosos recovecos, confluían en este misterioso pozo de tinieblas. Pronto se hicieron demasiado numerosos, como impías catacumbas cargadas de innombrables amenazas; y su hedor cáustico se volvió completamente insoportable. Estaba convencido de que habíamos pasado por debajo de la colina y alcanzado los niveles inferiores de la propia Kingsport, y me estremecí ante la idea de que una ciudad pudiera ser tan vieja y se encontrara carcomida por aquellos subterráneos malignos.

Entonces vi el fulgor desvaído de una luz cadavérica, y escuché el insidioso murmullo de unas aguas tenebrosas. Volví a estremecerme, ya que no me gustaban las cosas que había presenciado aquella noche, y deseé amargamente que ningún antepasado me hubiera impuesto la asistencia a aquel rito primigenio. Mientras los peldaños y el pasadizo se iban ensanchando, me apercibí de otro sonido: el suave y mordaz quejido de una flauta enfermiza; y de pronto, ante mis ojos se proyectó el paisaje inabarcable de un mundo subterráneo... una inmensa costa fungosa iluminada por una burbujeante columna de putrefactas llamaradas verdes, bañada por un vasto y oleaginoso río que surgía de unos abismos espeluznantes y desconocidos para desembocar en las más negras simas del océano inmemorial.

Desfallecido, respirando con dificultad, contemplé aquel Erebo sacrílego de titánica fungosidad, leprosas llamaradas y caliginosas aguas, y vi cómo la encapuchada muchedumbre formaba un semicírculo alrededor de la flameante columna. Era el rito del Invierno, más antiguo que el género humano y condenado a sobrevivirle; el rito primigenio del solsticio, que prometía la llegada de la primavera y la desaparición de las nieves; el rito del fuego, del eterno verdor, de la luz y de la música. Y en aquella gruta estigia vi cómo todos celebraban el rito, cómo adoraban la enfermiza columna de fuego y cómo arrojaban al agua puñados de la viscosa vegetación que resplandecía verdosa ante la fosforescente luminosidad. Todo esto vislumbré, pero también distinguí un bulto amorfo que se mantenía alejado de la luz y que tocaba una flauta de un modo repugnante; y mientras aquella cosa tocaba su flauta, creí escuchar unas notas perniciosas y apagadas que surgían invisibles de la fétida oscuridad. Pero lo que más me aterrorizaba era la columna de fuego, esa columna que emergía como un volcán de las profundidades más recónditas e inconcebibles, que no arrojaba ninguna sombra como cualquier fuego normal, y que teñía la piedra nitrosa de la caverna de un verdor malsano y repugnante. Pues en aquella furiosa combustión no había ni un ápice de calor, tan sólo la viscosidad de la muerte y de la putrefacción.

El hombre que me había guiado se desvió ahora hasta situarse justo al lado de la espantosa llamarada y ejecutó unas rígidas genuflexiones hacia el semicírculo que tenía enfrente. En ciertos momentos del ceremonial, los acólitos le devolvieron las reverencias, sobre todo cuando levantaba por encima de su cabeza aquel detestable *Necronomicon* que llevaba consigo; y yo realicé los mismos gestos, pues había sido convocado a este ritual de acuerdo a los preceptos de mis antepasados. Entonces el anciano hizo una señal a la cosa apenas visible que tocaba la flauta en la oscuridad, y ésta cambió su tenue melodía por otra un poco más sonora y de distinto tono, provocando con ello un horror inimaginable e inesperado. Casi me desplomé sobre la tierra fangosa al escuchar aquellas notas espantosas, traspasado por un miedo que no procedía de este mundo ni de ningún otro, sino de los espacios demenciales que se abren entre las estrellas.

Más allá de la inimaginable oscuridad que se abría tras la llamarada gangrenosa de aquel fuego gélido, más allá de las tartáreas inmensidades por las que fluía aquel río oleaginoso y sobrenatural, silencioso e insospechado, surgió una horda de híbridos seres alados que revoloteaban mansa y rítmicamente, unas criaturas que ningún ojo, que ningún cerebro en su sano juicio, ha podido contemplar jamás. No eran exactamente cuervos, ni topos, ni zopilotes, ni hormigas, ni murciélagos, ni seres humanos en descomposición; eran algo que no puedo, ni debo, recordar. Revoloteaban sin fuerzas por la caverna, impulsándose a medias con sus pies palmeados y sus alas membranosas, y cuando llegaron hasta la muchedumbre de acólitos, las figuras encapuchadas se asieron a ellos, montaron a horcajadas y se alejaron uno tras otro a lo largo de aquel río tenebroso, hacia unos pozos y galerías espeluznantes donde venenosos manantiales alimentan cataratas pavorosas y desconocidas.

La vieja hilandera había partido con la muchedumbre, y el anciano se había demorado porque yo me negué a obedecer sus indicaciones para que montara como todos los demás. El amorfo flautista había desaparecido, pero dos de las bestias aladas esperaban pacientemente a nuestro lado. Mientras yo retrocedía, el anciano cogió la tableta y el punzón, y empezó a garabatear que él era el verdadero representante de aquellos antepasados míos que habían establecido el culto al Rito del Invierno en este mismo lugar, que se había decretado que yo volviera aquí, y que aún faltaban por celebrarse los más recónditos misterios. Escribió todo esto en un estilo muy arcaico, y al ver que yo aún dudaba, sacó de su amplia túnica un anillo con sello y un reloj, que ostentaban las armas de mi familia, para probar que era en verdad la persona que afirmaba ser. Pero se trataba de una prueba espantosa, pues yo sabía por ciertos documentos antiguos que aquel reloj había sido enterrado con el tatarabuelo de mi tatarabuelo en 1698.

Entonces el viejo se echó atrás la capucha y me mostró los rasgos congénitos de su rostro, pero yo me puse a temblar, ya que estaba convencido de que aquel semblante no era más que una diabólica máscara de cera. Las dos bestias voladoras arañaban inquietas el suelo cubierto de líquenes, y me percaté de que el anciano se mostraba casi tan inquieto como ellas. Cuando una de las criaturas se puso a dar saltitos y a aletear, el viejo se volvió con rapidez para sujetarla, y la brusquedad de ese movimiento hizo que la máscara se desprendiera de lo que debería haber sido su cabeza. Y entonces, como aquella pesadilla se interponía entre la escalera de piedra y yo por donde habíamos venido, me lancé al oleaginoso río subterráneo que debía desembocar en alguna de las cavernas que daban al mar, sumergiéndome en aquel líquido putrefacto que brotaba de los horrores más íntimos de la tierra, antes de que mis gritos enloquecedores pudieran atraer sobre mí a las sacrílegas legiones que pululaban en aquellos abismos pestilentes.

En el hospital[13] me dijeron que me habían encontrado aquel mismo amanecer, medio congelado, junto a los muelles de Kingsport, asido a un madero flotante que la providencia me había enviado. Me dijeron que debía de haber tomado el sendero equivocado en el cruce de caminos de la colina cuando ya era de noche, y que me había caído desde los acantilados en Orange Point[14], cosa que dedujeron por las huellas encontradas en la nieve. No había nada que rebatirles, pues todo me parecía engañoso. Nada encajaba con la vista que me mostraba aquel amplio ventanal: un mar de tejados de los que apenas uno de cada cinco parecía antiguo; ni con los ruidos de los trolebuses y las sirenas en las calles de abajo. Me aseguraron una y otra vez que aquello era Kingsport, y tampoco pude rebatírselo. Cuando caí en una especie de delirio al enterarme de que el hospital se hallaba muy cerca del viejo camposanto de Central Hill, me enviaron al hospital de St. Mary, en Arkham, donde estarían en condiciones de atenderme mejor. Me gustó, ya que los médicos eran de una mentalidad más abierta y, gracias a sus influencias, pude hacerme con una copia del censurable *Necronomicon* de Alhazred, que estaba celosamente guardado en la Biblioteca de la Universidad de Miskatonic. Hablaron de una especie de «psicosis», y añadieron que sería mejor que diera rienda suelta a mis obsesiones para que éstas no me provocaran un daño aún mayor.

Así que volví a leer aquel espantoso capítulo y me estremecí doblemente, pues aquel asunto ya no me resultaba novedoso. Lo había visto antes, dijeran lo que dijeran las huellas de mis pies; y era preciso olvidar el paraje donde lo había presenciado. No existe nadie –en mis horas de vigilia– que pueda recordármelo, pero mis sueños rebosan de espanto por culpa de ciertas frases que no me atrevo a citar. Tan sólo osaré transcribir un único párrafo que he adaptado al inglés, a partir del tosco latín vulgar en el que está originalmente escrito, de la mejor manera que he sido capaz:

«Las cavernas interiores –escribió el árabe loco– no están hechas para que sean sondeadas por los ojos que ven, porque sus prodigios son extraños y terribles. Maldita sea la tierra donde los pensamientos muertos viven de nuevo en un cuerpo singular, y maldita sea la mente que no está confinada en su envoltura corporal. Sabiamente dijo Ibn Schacabao[15] que dichosa es la tumba en la que ningún hechicero ha yacido, y dichosa de noche la ciudad en la que los han reducido a cenizas. Pues de antiguo se rumorea que el que ha vendido su alma al demonio jamás abandona su osario de arcilla, sino que ceba e instruye *al mismo gusano que roe*, hasta que de la corrupción brota una vida espantosa, y los sucios carroñeros de la tierra se multiplican para inundarla y se hinchan monstruosamente para emponzoñarla. Se excavan en secreto inmensas galerías, allí donde debían bastar los poros de la tierra, y han aprendido a caminar unas criaturas que estaban condenadas a arrastrarse eternamente».

LA CASA EVITADA[1]

I

Raramente está ausente la ironía en los más grandes horrores. Unas veces forma parte de los mismos acontecimientos, y otras ocupa sólo una posición accidental entre las personas y los lugares. Esta última clase se halla espléndidamente ejemplificada en un caso ocurrido en la antigua Providence, ciudad que solía frecuentar Edgar Allan Poe, hacia el final de los años cuarenta, durante su infructuoso galanteo a la brillante poetisa, señora Whitman. Poe se detenía por lo general ante la Mansion House de Benefit Street –la Posada Golden Ball rebautizada, cuyo techo ha cobijado a Washington, Jefferson y Lafayette–, en su paseo favorito en dirección norte, a lo largo de la misma calle, hasta el domicilio de la señora Whitman[2] y el cementerio de la iglesia de san Juan, en la cuesta, cuyo escenario de lápidas del siglo XVIII ejercía en él una fascinación[3] especial.

Pues bien, la ironía consiste en lo siguiente: en este paseo, que repitió tantas veces, el maestro más grande del mundo de lo terrible y lo insólito tenía que pasar obligadamente por delante de determinada casa del lado este de la calle; un edificio anticuado y sucio levantado en la ladera empinada de un cerro lateral, con un patio grande y descuidado que databa de un tiempo en que la zona era parcialmente campo. Nunca escribió ni habló de ella, ni hay constancia de que se fijara en ella siquiera. Sin embargo, para las dos personas que poseían información, esa casa iguala o supera en horror a la más desquiciada fantasía del genio que tantas veces pasó ajeno por delante, y se alza malévola como un símbolo de todo lo indeciblemente espantoso.

La casa era –y en realidad aún es– de las que llaman la atención de los curiosos. Originalmente casa de campo, o de semicampo, mostraba los rasgos normales de la Nueva Inglaterra colonial de mediados del siglo XVIII: el tejado puntiagudo, que era signo de prosperidad, dos plantas y ático sin lumbreras, y pórtico georgiano y enmaderado interior conforme dictaba el gusto de la época. Miraba a mediodía, con un hastial sepultado hasta las ventanas más bajas en la pendiente ascendente del cerro, y el otro al aire hasta los cimientos, por el lado de la calle. Su construcción, de hace más de siglo y medio, había seguido el nivelado y enderezamiento de la calzada en esa vecindad; porque Benefit Street –al principio llamada Back Street– consistía en un camino serpeante entre los cementerios de los primeros colonos, enderezado sólo cuando el traslado de los restos al Cementerio Norte hizo posible atravesar decentemente las parcelas de las familias antiguas.

Al principio, la pared oeste se alzaba unos veinte pies sobre un prado que subía empinado desde la calzada; pero un ensanchamiento de la calle realizado en la época de la revolución se comió casi todo el espacio intermedio, dejando al aire los cimientos, de manera que hubo que hacerle un basamento de ladrillo, con lo que el sótano tuvo fachada a la calle, con una puerta y dos ventanas por encima del nivel del suelo, cerca de la nueva vía pública. Cuando construyeron la acera, hace un siglo, eliminaron lo que quedaba de espacio intermedio; y Poe, en sus paseos, debió de ver sólo un muro de ladrillo gris adentrado en la acera, y sobre él, a una altura de diez pies, la casa propiamente dicha, con techumbre de tablilla.

El terreno, con aspecto de labrantío, se extendía detrás hasta bastante arriba, casi hasta Wheaton Street. El espacio sur de la casa, que daba a Benefit Street, estaba naturalmente muy por encima del nivel de la acera, y formaba una terraza que llegaba hasta un margen alto de piedra musgosa hendido por un tramo de escalones estrechos que subían, entre dos paredes que lo encañonaban, a una región superior de césped sarnoso, húmedos muros de ladrillo, y un jardín abandonado cuyas urnas desmanteladas de cemento, ollas herrumbrosas caídas de sus trípodes de palos torcidos, y demás trastos, hacían que resaltase la puerta expuesta a la intemperie, con su montante en abanico, podridas pilastras jónicas y carcomido frontón triangular.

Lo que oí en mi juventud sobre la casa evitada era meramente que en ella moría un número alarmante de personas. Ése era el motivo, me contaron, por el que los primeros propietarios la abandonaron veinte años después de construirla. Era claramente insalubre, quizá debido a la humedad y a las colonias fungosas del sótano, al olor nauseabundo general, a las corrientes de aire de los pasillos, o a la calidad del agua del pozo y la bomba. Todas estas cosas eran bastante nocivas, y son las que ganaron credibilidad entre las personas que yo conocía. Finalmente los cuadernos de mi tío anticuario, el doctor Elihu Whipple[4], me revelaron suposiciones vagas y oscuras que constituían un trasfondo de tradición entre los criados y la gente humilde de otro tiempo; suposiciones que nunca llegaron lejos, y que fueron en gran medida olvidadas cuando Providence se convirtió en una metrópoli, con una población moderna y cambiante.

El hecho es que la parte respetable de la comunidad nunca la consideró una casa «encantada» en sentido estricto: no había historias sobre arrastrar de cadenas, corrientes inexplicables, luces que se apagan ni rostros en la ventana. Los exagerados decían a veces que la casa traía «mala suerte», pero era a lo más que llegaban. Lo que no tenía vuelta de hoja era que en ella morían excesivas personas; o, para ser más exactos, habían muerto; porque desde que ocurrieron ciertos sucesos, hacía más de sesenta años, el edificio había sido abandonado dada la imposibilidad de alquilarlo. Esas personas no murieron súbitamente por una causa determinada; más bien parecía que habían ido perdiendo vitalidad de manera solapada, y que fallecieron prematuramente a causa de la debilidad a la que eran propensos de manera natural. Y las que no morían mostraban en grado diverso un tipo de anemia o consunción, y a veces un descenso de las facultades intelectuales, lo que hablaba muy en disfavor de la salubridad del edificio. Las casas vecinas, debo añadir, estaban enteramente exentas de ese carácter nocivo.

Todo esto lo sabía yo antes de que mis insistentes preguntas decidieran a mi tío a enseñarme las notas que finalmente nos embarcaron en nuestra investigación. Durante mi niñez la casa evitada estuvo vacía, con frutales improductivos, enmarañados, viejos y terribles, una yerba alta sorprendentemente pálida, una maleza deforme en el patio en terraza de la parte de arriba, donde jamás se detenían los pájaros. Los niños solíamos invadir el lugar, y aún recuerdo mi terror juvenil no sólo al morboso aspecto de esa vegetación siniestra, sino al horrible ambiente y olor de la casa ruinosa, cuya puerta principal trasponíamos en busca de sustos. Casi todas las ventanas tenían rotos sus cristales pequeños, y un aire indefinible de desolación impregnaba el precario revestimiento, las desvencijadas contraventanas interiores, el papel despellejado de las paredes, el yeso desconchado, la escalera destartalada, y los muebles rotos que aún quedaban. El polvo y las telarañas añadían su toque de temor. Y desde luego, era valiente el muchacho que se atrevía a subir la escalera hasta el ático, una estancia enorme con las vigas al aire, iluminada sólo por ventanas abiertas en los hastiales, y ocupada por un hacinamiento de sillas, baúles y ruecas que un sinfín de años habían ido amortajando y festoneando, dándoles formas infernales y monstruosas.

Pero en realidad no era el desván la parte más terrible de la casa. Era el sótano húmedo y malsano; nos inspiraba una intensa repugnancia, si bien quedaba totalmente por encima del nivel de la calle lateral, sólo separado de su transitada acera por una puerta delgada y una pared de ladrillo perforada por dos ventanas. No sabíamos si visitarlo cediendo a la fascinación que ejercía sobre nosotros lo espectral, o evitarlo para salvaguardar nuestra alma y nuestra cordura. En primer lugar, el mal olor de la casa era más intenso allí; y en segundo, no nos gustaban las fungosidades que se formaban, durante los veranos lluviosos, en el suelo de tierra apisonada. Esos hongos, grotescamente parecidos a la vegetación del patio de fuera, adquirían formas realmente horribles; eran repugnantes parodias de hongos y saprofitas cuyo aspecto jamás habíamos visto en ninguna parte. Se pudrían deprisa, y en determinada fase se volvían ligeramente fosforescentes; de manera que los transeúntes nocturnos hablaban a veces de que había fuegos de san Telmo tras los cristales rotos de las ventanas, de las que salía un olor fétido.

Jamás –ni siquiera cuando más imbuidos estábamos del espíritu de *Hallowe'en*– visitamos ese sótano de noche; pero en algunas de nuestras incursiones diurnas percibíamos esa fosforescencia, sobre todo si el día era oscuro y lluvioso. Había también algo más sutil que nos parecía notar a menudo: algo muy extraño que era un atisbo a lo sumo. Me refiero a una especie de figura brumosa y blancuzca en el suelo sucio, una acumulación vaga e inestable de moho o salitre que a veces nos parecía poder discernir en medio de las excrecencias fungosas diseminadas alrededor de la enorme cocina baja del sótano. A veces nos daba la impresión de que esa mancha guardaba una singular semejanza con una figura humana doblada, aunque por lo general no existía tal afinidad, y a menudo no había eflorescencia blancuzca de ningún género[5]. Cierta tarde lluviosa en que esta ilusión era asombrosamente marcada, y en la que, además, me pareció vislumbrar una especie de exhalación tenue, amarillenta, trémula, que se elevaba de la mancha salitrosa hacia la oquedad de la chimenea, se lo comenté a mi tío. Se sonrió de mi ocurrencia, aunque me dio la impresión de que su sonrisa estaba teñida de evocación. Más tarde supe que ciertas historias antiguas del pueblo contenían una idea parecida... una idea que aludía asimismo a formas macabras o lobunas que adoptaba el humo de la gran chimenea, y a extraños contornos que asumían algunas raíces de árboles que penetraban en el sótano por entre las piedras sueltas de los cimientos.

II

Hasta que no llegué a la edad adulta, no puso mi tío ante mí las notas y datos que había recopilado sobre la casa evitada. El doctor Whipple era un médico sano y conservador de la vieja escuela, y pese a su interés por la casa, no estaba ansioso por orientar los pensamientos de un joven hacia lo anormal. Su postura, consistente en postular que tal edificio y tal lugar poseían condiciones marcadamente antihigiénicas, no tenía nada que ver con la anormalidad; pero se daba cuenta de que el mismo pintoresquismo que originaba su propio interés suscitaba en el espíritu fantasioso de un chico toda clase de asociaciones imaginativas.

El doctor era soltero, un hombre de cabellos blancos, rostro afeitado, chapado a la antigua, historiador local de relevancia, que a menudo se había enfrentado con guardianes de la tradición tan polémicos como Sidney S. Rider y Thomas W. Bicknell[6]. Vivía con un criado en una casa georgiana con aldaba y barandilla de hierro en la escalera de la entrada, imponentemente asentada en una pronunciada cuesta de North Court Street, al lado del antiguo patio de ladrillo y casa colonial donde su abuelo –primo del célebre corsario capitán Whipple que prendió fuego a la goleta *Gaspée* de la armada de su majestad en 1772[7]– votó en la legislatura el 4 de mayo de 1776 a favor de la independencia de la colonia de Rhode Island. A su alrededor, en la húmeda biblioteca de techo bajo y enmaderado mohoso y blancuzco, tallado sobremanto en la chimenea, y ventanas de cristales pequeños oscurecidas por las enredaderas, tenía reliquias y documentos de su antigua familia, en los que había multitud de referencias a la casa evitada de Benefit Street. Este lugar pestilente se halla a no mucha distancia; porque Benefit discurre a manera de cornisa, justo por encima del palacio de justicia, en lo alto de un cerro empinado sobre el que se levantó el primer asentamiento.

Cuando, finalmente, mi insistencia y mi madurez decidieron a mi tío a hacerme partícipe de la información que yo ansiaba saber, puso ante mí una crónica bastante extraña. Pesada, plagada de datos estadísticos y genealógicos como era en parte, la recorría un hilo de horror solapado y de malignidad preternatural que me impresionó más que al buen doctor. Había sucesos aislados que encajaban de manera asombrosa, y detalles sin relación aparente que estaban henchidos de sugerencias horrendas. Una nueva e impaciente comezón se apoderó de mí, comparada con la cual mi curiosidad juvenil era un movimiento débil y rudimentario. La primera revelación me llevó a una investigación exhaustiva, y finalmente a esa búsqueda estremecedora que resultó desastrosa para mí y mi pariente. Porque finalmente mi tío insistió en unirse a la búsqueda que yo había comenzado, y tras una noche que pasamos en esa casa, no volvió a salir. Estoy solo, sin esa alma amable cuyos largos años conocieron únicamente el honor, la virtud, el buen gusto, la benevolencia y el saber. He erigido una urna de mármol a su memoria en el cementerio de san Juan, el lugar que le encantaba a Poe, en la umbría arboleda de sauces gigantescos en lo alto del cerro, donde los sepulcros y las lápidas se apiñan calladamente entre la mole venerable de la iglesia y las casas y los márgenes de Benefit Street.

La historia de la casa, que se inicia en medio de un laberinto de fechas, no revelaba el menor detalle siniestro relacionado con su construcción ni con la próspera y honorable familia que la levantó. Sin embargo, desde el principio se hizo evidente un halo de desgracia que no tardó en adquirir ominoso significado. La relación, cuidadosamente escrita por mi tío, empezaba con su construcción en 1763, y seguía la historia con una abrumadora cantidad de detalles. Al parecer, la habitaron por primera vez William Harris y su esposa Rhoby Dexter, con sus hijos Elkanah, nacida en 1755, Abigail, nacida en 1757, William, nacido en 1759, y Ruth, en 1761. Harris era un mercader y marino importante en el tráfico de las Indias Occidentales, vinculado a la empresa de Obadiah Brown y sus sobrinos. A la muerte de Brown en 1761, la nueva empresa Nicholas Brown & Cía. le dio el mando del bergantín *Prudence*, construido en Providence, de 120 toneladas, lo que le permitió erigir la nueva casa que había deseado desde que se casó.

El solar –en un tramo enderezado de la nueva y elegante Back Street, que corría junto a la ladera del cerro, por encima del atestado Cheapside– era inmejorable, y el edificio hacía justicia a su ubicación. Era lo máximo que unos medios económicos moderados podían permitirse, y Harris se apresuró a mudarse a él antes del nacimiento del quinto hijo que la familia esperaba. Este hijo, un varón, llegó en diciembre; pero nació muerto. Y no nació en esa casa ningún niño vivo durante siglo y medio.

En el siguiente mes de abril enfermaron Abigail y Ruth, y los dos pequeños murieron antes de que terminase dicho mes. El doctor Job Ives diagnosticó el mal como fiebres infantiles, aunque otros dijeron que se trataba más bien de un debilitamiento o consunción. En cualquier caso, parecía contagioso; porque Hannah Bowen, una de las dos criadas, murió al siguiente mes de junio. Eli Liddeason, la otra criada, se quejaba continuamente de debilidad; y habría vuelto a la granja de su padre en Rehoboth[8] de no haber sido por el súbito cariño que tomó a Mehitabel Tierce, que fue contratada en sustitución de Hannah. Murió al año siguiente; un año aciago, ya que estuvo marcado por la muerte del propio William Harris, de salud quebradiza a causa del clima de la Martinica, donde sus ocupaciones le habían retenido durante largos periodos en el decenio anterior.

La viuda, Rhoby Harris, no se recobró de la muerte de su marido, y el fallecimiento de su primogénita Elkanah, dos años más tarde, fue el golpe definitivo a su razón. En 1768 cayó enferma de una especie de demencia benigna; desde entonces vivió confinada en la parte de arriba de la casa, y Mercy Dexter, su hermana mayor soltera, se mudó allí para hacerse cargo de la familia. Mercy era una mujer fea, huesuda, de gran fuerza; pero su salud fue menguando a ojos vistas desde su llegada. Quería muchísimo a su desventurada hermana, y sentía un cariño especial por el único sobrino que sobrevivía, William, que de un niño robusto se había convertido en un chico espigado y endeble. Ese año murió la criada Mehitabel; y el criado, Preserved Smith, se marchó sin dar una explicación coherente... o, al menos, después de contar historias disparatadas y quejarse de que le repugnaba el olor de la casa. Durante un tiempo, Mercy no consiguió más ayuda, dado que siete muertes y un caso de demencia, todo en espacio de cinco años, había empezado a dar consistencia a un rumor que más tarde se volvió extravagante. Finalmente, empero, consiguió nuevos criados de fuera de la ciudad; Ann White, una mujer taciturna de esa parte de North Kingstown realzada ahora como municipio de Exeter, y un criado competente de Boston llamado Zenas Low.

Fue Ann White la primera en dar forma definida al siniestro rumor. Mercy no debió haber contratado a nadie del campo de Nooseneck Hill, porque esa remota región del interior era entonces, y es ahora, sede de las más inquietantes supersticiones. Todavía en 1892, una comunidad de Exeter exhumó un cadáver para quemarle el corazón con toda la ceremonia a fin de acabar con supuestas visitas perniciosas para la salud y la tranquilidad públicas[9], así que no es difícil imaginar cómo pensaba esa misma región en 1768. Ann tenía una lengua endiabladamente suelta, por lo que pocos meses después la despidió Mercy, y cubrió su puesto con una fiel y amable amazona de Newport: María Robbins.

Entretanto, la pobre Rhoby Harris, en sus accesos de enajenación, prestaba voz a los sueños y figuraciones más horribles. A veces, durante largos periodos, sus gritos se volvían insoportables; profería tales alaridos que su hijo tenía que refugiarse por un tiempo en casa de su primo Peleg Harris, que vivía en Presbyterian Lane, cerca del nuevo edificio de la universidad[10]. Al parecer, el muchacho volvía mejor de estas estancias; y de haber sido Mercy tan juiciosa como era bienintencionada, le habría dejado que viviese de manera estable con Peleg. La tradición no dice qué cosas exactamente gritaba la señora Harris en esos accesos de violencia; o más bien da unas explicaciones que se invalidan por sí mismas de puro absurdas. Efectivamente, es grotesco que se diga de una mujer que sólo había recibido unos rudimentos de francés que gritaba a menudo durante horas en una tosca forma de esa lengua o que, estando sola y vigilada, se quejaba desesperadamente de que algo la mordía y roía. En 1772 murió Zenas, el criado, y la señora Harris, al enterarse, se echó a reír con un regocijo horrible, cosa totalmente impropia en ella. Al año siguiente murió ella también, y fue enterrada en el Cementerio Norte para que descansase junto a su marido.

Al comienzo de la contienda con Gran Bretaña, en 1775, William Harris, a pesar de sus escasos dieciséis años y su constitución débil, consiguió alistarse en el Ejército de Observación bajo el mando del general Greene; y a partir de entonces fue ganando salud y prestigio. En 1780, como capitán de las fuerzas de Rhode Island en Nueva Jersey mandadas por el coronel Angell, conoció a Phebe Hetfield, de Elizabethtown, se casaron, y regresó con ella a Providence cuando se licenció honrosamente al año siguiente.

Ese retorno no fue una decisión afortunada del joven soldado. La casa, es cierto, aún se hallaba en buen estado; y habían ensanchado la calle y le habían cambiado el nombre de Back Street a Benefit Street. Pero la constitución en otro tiempo robusta de Mercy Dexter había sufrido un acusado y singular deterioro, de manera que ahora era una figura encorvada y patética, con una voz cavernosa y una palidez desconcertante... aspectos que compartía de manera asombrosa con María, la única criada que quedaba. En el otoño de 1782 Phebe Harris dio a luz una niña muerta, y el quince del siguiente mes de mayo Mercy Dexter abandonó este mundo tras una vida útil, austera y virtuosa.

William Harris, totalmente convencido al fin de la naturaleza radicalmente malsana de su morada, dio ahora los pasos necesarios para abandonarla y cerrarla para siempre. Tomó alojamiento provisional para él y su esposa en la posada recién inaugurada de *Golden Ball*, y emprendió la construcción de una casa nueva y más hermosa en Westminster Street, en la parte de la ciudad que estaba creciendo, al otro lado del Gran Viaducto. Allí nació, en 1785, su hijo Dutee; y allí vivió la familia hasta que la intrusión del comercio les empujó de nuevo al otro lado del río, a Angell Street, en lo alto del cerro, en el barrio residencial del Este, donde el difunto Archer Harris construyó su suntuosa pero horrenda mansión de techumbre francesa en 1876. William y Phebe sucumbieron a la epidemia de fiebre amarilla de 1797, pero a Dutee lo crió su primo Rathbone[11] Harris, hijo de Peleg.

Rathbone era un hombre práctico y alquiló la casa de Benefit Street a pesar del deseo de William de mantenerla desocupada. Consideraba una obligación para con su pupilo sacarle el máximo provecho a la propiedad del chico, y le tenían sin cuidado tanto las muertes y las enfermedades que tantos cambios de ocupantes habían motivado como la creciente aversión con que la gente miraba la casa. Es probable que sólo sintiera enojo cuando, en 1804, el ayuntamiento le ordenó que fumigase el lugar con azufre, alquitrán y alcanfor por las muy comentadas muertes de cuatro personas, probablemente debidas a la fiebre epidémica remitente. Se le dijo que el lugar olía a fiebre.

El propio Dutee se ocupó muy poco de la casa; porque siempre quiso ser corsario, y sirvió con distinción en el *Vigilant* a las órdenes del capitán Cahoone en la guerra de 1812. Regresó sano y salvo, se casó en 1814, y se convirtió en padre la noche memorable del 23 de septiembre de 1815, en que un enorme temporal arrojó las aguas de la bahía sobre media ciudad, llevando una alta goleta hasta Westminster Street, al extremo de que sus mástiles casi golpearon las ventanas de Harris en simbólica afirmación de que el recién nacido, Welcome, era hijo de marino.

Welcome no sobrevivió a su padre, aunque vivió para sucumbir gloriosamente en Frederickburg en 1862. Ni él ni su hijo Archer tuvieron otra idea de la casa que la de que era un estorbo casi imposible de alquilar, quizá por culpa de su humedad y su repugnante olor a suciedad vieja. Efectivamente, nunca fue alquilada después de una serie de muertes que culminaron en 1861, que la conmoción de la guerra tendió a oscurecer. Carrington Harris, último varón de la familia, sólo sabía de ella que era el centro deshabitado y algo pintoresco de una leyenda, hasta que le conté mi experiencia. Había pensado demolerla y construir en su solar un edificio de apartamentos, pero después de contarle yo lo que sabía decidió respetarla, dotarla de instalación sanitaria, y alquilarla. Y no ha tenido ninguna dificultad en encontrar inquilinos. El horror ha desaparecido.

III

No es difícil imaginar lo mucho que me afectaron los anales de los Harris. Me parecía que en esa crónica continua subyacía un mal persistente que superaba a cuantos he conocido en la Naturaleza; un mal claramente relacionado con la casa y no con la familia. Esta impresión me la confirmaron la serie de datos heterogéneos de mi tío: rumores transcritos de los criados, recortes de periódicos, copias de certificados de defunción redactados por médicos colegas y cosas así. No me es posible incluir todo ese material, porque mi tío era un anticuario infatigable y hondamente interesado en la casa evitada; pero puedo referir varios detalles llamativos que adquieren importancia por su repetición a lo largo de las muchas noticias de distintas fuentes. Por ejemplo, las manifestaciones de los criados eran prácticamente unánimes en atribuir al sótano fungoso y maloliente casi toda la culpa de la maligna influencia de la casa. Había habido criados —especialmente Ann White— que se negaron a utilizar la cocina del sótano, y al menos tres leyendas concretas se referían a formas cuasi-humanas o diabólicas que adoptaban las raíces de los árboles y las manchas de moho de esa región. Estas historias me interesaron especialmente por lo que había visto de niño; aunque intuía que en ellas lo más importante quedaba oscurecido por añadidos del acervo de tradiciones espectrales de la localidad.

Ann White, con el espíritu supersticioso de Exeter, había propagado el cuento más extravagante y a la vez más coherente: pretendía que debía de haber enterrado debajo de la casa uno de esos vampiros —muertos que conservan la forma y la vida corporales alimentándose con la sangre o el aliento de los vivos— cuyas horrendas legiones envían al mundo sus sombras o espíritus durante la noche en busca de presas. Para destruir a un vampiro, dicen las abuelas, hay que exhumarlo y quemarle el corazón, o al menos atravesarle esa víscera con una estaca; y la terca insistencia de Ann en organizar una búsqueda bajo el sótano había sido el principal motivo de que la despidieran.

Sus historias, no obstante, tuvieron gran difusión, y fueron tanto más fácilmente aceptadas cuanto que la casa se alzaba efectivamente sobre un terreno en otro tiempo utilizado como cementerio. Para mí, el interés de estas historias estaba menos en esa circunstancia que en la asombrosa manera de encajar con otras cosas determinadas: la queja, al marcharse, de Preserved Smith, el criado —que había precedido a Ann, de la que no sabía nada—, de que algo le «aspiraba el aliento» por las noches; los certificados de defunción de las víctimas de las fiebres en 1804, extendidos por el doctor Chad Hopkins, que constataban que las cuatro personas fallecidas estaban completamente exangües; y los oscuros pasajes sobre los delirios de la pobre Rhoby Harris, en los que se quejaba de los dientes afilados de una presencia semivisible de ojos vidriosos.

Aunque me considero libre de supersticiones sin fundamento, estas cosas me producían una sensación extraña, que se me hizo más intensa cuando tropecé con dos recortes de prensa sobre muertes acaecidas en la casa evitada, uno del *Providence Gazette and Country Journal*[12] del 12 de abril de 1815, y otro de la *Daily Tyranscript and Chronicle* del 27 de octubre de 1845; los dos detallaban un hecho espantoso cuya semejanza era de lo más asombrosa. Al parecer, en los dos casos la persona moribunda, en 1815 una dama anciana y amable llamada Stafford y en 1845 un maestro de escuela de mediana edad llamado Eleazar Durfee, experimentaron una horrible transformación: la mirada se les volvió vidriosa, e intentaron morder en el cuello al médico que les atendía. Más desconcertante aún era el caso que motivó la renuncia definitiva a alquilar la casa… Una serie de muertes por anemia precedidas de una demencia progresiva en la que el paciente atentaba taimadamente contra la vida de sus familiares mediante una incisión en el cuello o en la muñeca.

Eso fue en 1860 y 1861, cuando mi tío acababa de empezar a ejercer como médico; y antes de salir para el frente oyó hablar mucho de esos casos a sus colegas de más edad. Lo realmente inexplicable era la manera en que las víctimas –gente ignorante, porque ahora nadie más era capaz de alquilar la casa maloliente; y todo el mundo evitaba pasar junto a ella– murmuraban maldiciones en francés, lengua que no era posible que hubiesen estudiado en absoluto. Esto le hacía pensar a uno en la pobre Rhoby Harris, casi un siglo antes; y afectó de tal modo a mi tío que, después de escuchar historias de primera mano a los doctores Chase y Whitmarsh –a su regreso de la guerra–, empezó a reunir referencias sobre la casa. Desde luego, me daba cuenta de que mi tío había pensado mucho sobre el particular, y de que se alegraba de mi interés, un interés liberal y comprensivo que le permitía debatir conmigo cuestiones de las que otros se habrían reído. Su fantasía no había llegado tan lejos como la mía, pero era consciente de que el lugar ofrecía posibilidades excepcionales a la imaginación, y que era digno de tener en cuenta como fuente de inspiración en el campo de lo grotesco y lo macabro.

Por mi parte, estaba dispuesto a tomar el asunto con toda seriedad, y empezar inmediatamente no sólo a analizar los datos, sino a recoger cuantos pudiera. Hablé muchas veces con el viejo Archer Harris, dueño de la casa a la sazón, antes de su muerte en 1916. De él, y de su hermana soltera Alice, que aún vivía, obtuve total confirmación de los datos sobre la familia que mi tío había reunido. Sin embargo, cuando les pregunté qué relación podía tener la casa con Francia o con la lengua francesa, se confesaron francamente desconcertados, y tan ignorantes como yo. Archer no sabía nada; en cuanto a la señorita Harris, lo único que pudo decir fue que quizá aportara cierta luz algo que su

abuelo Dutee Harris oyó contar en sus tiempos. El viejo marino, que
había sobrevivido dos años a la muerte de su hijo Welcome en el frente,
no llegó a conocer la historia esa; pero recordaba que su primera niñera, la vieja María Robbins, parecía enigmáticamente enterada de algo
que podía prestar un misterioso sentido a los desvaríos en francés de
Rhoby Harris, que tan a menudo había oído durante los últimos días
de la pobre mujer. María estuvo viviendo en la casa desde 1769 hasta
que la familia se mudó en 1783, y había visto morir a Mercy Dexter.
Una vez comentó a Dutee, un niño a la sazón, cierto detalle singular de
los últimos momentos de Mercy; detalle que Dutee olvidó por completo, salvo que era singular. La nieta, por otra parte, recordaba esto con
dificultad. Ni ella ni su hermano estaban tan interesados en la casa
como Carrington, hijo de Archer, actual dueño, con el que hablé después de mi experiencia.

Una vez que obtuve de la familia Harris toda la información que
podía proporcionar, dirigí mi atención hacia las primeras crónicas y
documentos de la ciudad con un ardor más entusiasta que el que mi tío
había mostrado a veces en esa misma tarea. Lo que yo quería era conocer la historia entera del lugar desde el momento mismo de la coloniza-
ción en 1636, o incluso antes, si lograba desenterrar alguna leyenda de
los indios *narragansett*[13] que proporcionase información. Averigüé, al
principio, que la propiedad había formado parte de una larga franja de
tierra concedida originalmente a John Throckmorton; una de las
muchas que arrancaban de la calle de la ciudad, junto al río, y se extendían colina arriba hasta una línea que correspondía más o menos a la
moderna Hope Street. El terreno de Throckmorton se subdividió considerablemente más tarde, como es natural; y tuve que aplicarme a
fondo para identificar la parte por la que más tarde debía correr Back o
Benefit Street. Había sido, como decía efectivamente un rumor, el
cementerio de Trockmorton; pero al estudiar más detenidamente los
registros, descubrí que las sepulturas habían sido trasladadas en fecha
temprana al Cementerio Norte, en el camino oeste de Pawtucket.

Luego topé de repente –por pura casualidad, ya que no estaba en los
archivos principales y podía haberme pasado inadvertido– con algo

que me produjo una viva ansiedad, dado que encajaba con varias de las facetas más extraordinarias del asunto. Era la escritura de un contrato de arrendamiento, en 1697, de un trozo de tierra a un tal *Etienne Roulet* y esposa. Por fin aparecía el elemento francés –ése, y otro profundo elemento de horror que tal nombre hizo que emergiera de los más oscuros rincones de mis multivarias lecturas de asunto preternatural–; y estudié febrilmente el plano del lugar según había sido antes del trazado y parcial enderezamiento de Back Street entre 1747 y 1758. Descubrí lo que medio me esperaba: que donde se alzaba ahora la casa evitada los Roulet habían efectuado sus enterramientos, detrás de una casa de una planta con desván, y que no había constancia de traslado alguno de dichos enterramientos. El documento, en realidad, acababa de manera confusa; y tuve que ir a rebuscar en la Sociedad Histórica de Rhode Island y en la Biblioteca Shepley, antes de encontrar una puerta que diese acceso al nombre de Etienne Roulet. Finalmente descubrí algo; algo de tan vago pero monstruoso significado que inmediatamente emprendí la inspección del sótano de la casa evitada con renovada y ansiosa meticulosidad.

Por lo visto, los Roulet llegaron de East Greenwich a la costa oeste de la bahía de Narragansett en 1696. Eran hugonotes de Candé[14], y habían tropezado con mucha oposición antes de que el concejo de Providence les dejase establecerse en la ciudad. La impopularidad les había perseguido en East Greenwich, adonde llegaron en 1686, tras la revocación del Edicto de Nantes, y se decía que la causa de esta aversión estaba más allá del mero prejuicio racial y nacional, o de las disputas de tierras que sumieron a colonos franceses e ingleses en rivalidades que ni siquiera el gobernador Andros[15] fue capaz de atajar. Pero su ardiente protestantismo –excesivo, decían algunos– y su evidente desolación cuando prácticamente les arrojaron del pueblo a la bahía, despertaron la compasión de los ancianos de la ciudad. Aquí se les concedió refugio; y el atezado Etienne Roulet, menos inclinado a trabajar en la agricultura que a leer extraños libros y dibujar enigmáticos diagramas, recibió plaza de escribano en el muelle de Pardon Tillinghast, al sur de Town Street. Allí hubo cierto tumulto, unos cuarenta años más tarde, tras la muerte del viejo Roulet, y parece ser que a partir de entonces no volvió a saberse de la familia.

Durante un siglo o más fueron bastante recordados los Roulet, a los que se achacaban violentos incidentes en la vida tranquila de esta ciudad portuaria de Nueva Inglaterra. El hijo de Etienne, Paul, un muchacho arisco cuya conducta extravagante fue probablemente la causa del tumulto que acabó con la familia, era en particular objeto de especulaciones; y aunque Providence no compartió nunca el pánico a la brujería de sus vecinos puritanos, las viejas murmuraban abiertamente que ni rezaba sus oraciones en el momento oportuno ni las elevaba al objeto apropiado. Ésta era toda la sustancia de la leyenda que la anciana María Robbins conocía. La relación que pudiera tener con los desvaríos en francés de Rhoby Harris y otros habitantes de la casa era algo que sólo la imaginación o un futuro descubrimiento podrían determinar. Me preguntaba cuántos de los que habían estado al corriente de esas historias tenían conocimiento de ese vínculo adicional con lo terrible que mis extensas lecturas me habían permitido averiguar, de ese capítulo de los anales de horror morboso que habla del ser llamado *Jacques Roulet, de Candé,* que en 1598 fue condenado a muerte por endemoniado, después salvado de la hoguera por el parlamento de París y encerrado en un manicomio[16]. Lo habían encontrado en un bosque, cubierto de sangre y con la carne hecha jirones, poco después de que un par de lobos mataran y destrozaran a un niño. A uno de los lobos lo habían visto alejarse sin daño. Una bonita conseja si duda, de extraño significado en cuanto al nombre y el lugar; pero concluí que los chismosos de Providence no la conocían. De haber sido así, la coincidencia de nombres habría propiciado alguna medida rigurosa; y a decir verdad, ¿no habrían provocado, quizá, sus limitadas murmuraciones el tumulto final que eliminó a los Roulet de la ciudad?

Ahora visité el lugar maldito más a menudo: observaba con detenimiento la vegetación malsana del jardín, examinaba las paredes del edificio, y estudiaba cada pulgada de suelo de tierra del sótano. Por último, con el permiso de Carrington Harris, hice una llave para la puerta que daba directamente a Benefit Street, ya que prefería tener un acceso más inmediato al mundo exterior que el que ofrecían la escalera oscura, el recibidor, y la puerta de la calle. Y allí, donde más densamente se concentraba la morbosidad, busqué y hurgué durante largas tardes mientras el sol se filtraba por las ventanas, y una sensación de seguridad entraba por la puerta que me situaba a pocos pasos de la plácida acera exterior. Nada nuevo compensó mis esfuerzos –sólo el mismo moho deprimente y débiles indicios de olor nocivo y siluetas salitrosas en el suelo–, e imagino que muchos transeúntes debieron de mirarme con curiosidad a través de los cristales rotos.

Finalmente, a sugerencia de mi tío, decidí hacer estas visitas de noche; y una de las veces en que había tormenta, a eso de las doce, dirigí el haz de una linterna eléctrica hacia el suelo mohoso con sus hongos semifosforescentes de formas extrañas y retorcidas. El lugar me resultaba opresivo esa noche, de manera que casi estaba preparado cuando vi especialmente definida –o creí ver–, en medio de las concentraciones salitrosas, la «forma encogida» que me pareció adivinar en mi adolescencia. Su nitidez era asombrosa e inaudita; y mientras observaba, me pareció ver otra vez la trémula y amarillenta exhalación que me había sobresaltado aquella tarde lluviosa hacía años.

Se desprendió de la mancha antropomorfa de moho junto a la cocina: era un vapor sutil, enfermizo, casi luminoso; se quedó suspendido, temblando en la humedad, y pareció adoptar una sugerencia de forma vaga y espantosa, se fue deshaciendo gradualmente en una descomposición neblinosa, y se desplazó hacia la negrura de la gran campana de la chimenea, dejando tras de sí un rastro de fetidez. Fue verdaderamente horrible, y más para mí, dado lo que sabía del lugar. Resistiéndome a huir, me quedé mirando cómo se desvanecía; y mientras miraba, me dio la sensación de que aquello me miraba a su vez ansiosamente con ojos más imaginados que visibles. Cuando le hablé a mi tío de esto, se impresionó enormemente; y tras meditar durante una tensa hora, llegó a una decisión clara y radical. Sopesando mentalmente la importancia del asunto, y el significado de nuestra relación con él, insistió en que debíamos estudiar –y si era posible eliminar– el horror de la casa; para lo cual estableceríamos vigilancia una noche o las que fueran en ese sótano mohoso invadido de hongos.

IV

El miércoles, 25 de junio de 1919, tras comunicárselo oportunamente a Carrington Harris sin decirle nada sobre lo que esperábamos descubrir, trasladamos mi tío y yo a la casa evitada dos sillas de tijera y una litera plegable, junto con algunas máquinas científicas más complicadas y pesadas. Lo instalamos todo en el sótano de día, y cubrimos las ventanas con papel, dispuestos a volver al anochecer para nuestra primera vigilancia. Habíamos cerrado con llave la puerta que comunicaba el sótano con el interior de la casa; y dado que teníamos la de la puerta exterior, estábamos dispuestos a dejar allí los caros y delicados aparatos –que habíamos conseguido secretamente y a precios elevados– tantos días como guardias nocturnas hiciesen falta. Nuestro propósito era permanecer los dos en vela hasta tarde, y luego vigilar por turnos hasta el amanecer en guardias de dos horas; yo haría la primera y después me relevaría mi compañero; el que no estuviese de guardia se acostaría en la litera.

La natural autoridad con que mi tío obtuvo los instrumentos de los laboratorios de la Brown University y de la armería de Cranston Street, y con que asumió instintivamente la dirección de la aventura, era demostración elocuente de la poderosa vitalidad y resistencia de este hombre de ochenta y un años. Eliu Whipple había vivido conforme a las leyes higiénicas que él mismo había predicado como médico, y de no ser por lo que ocurrió más tarde, aún estaría hoy aquí lleno de vigor. Sólo dos personas tienen idea de lo que efectivamente ocurrió: Carrington Harris y yo. Tuve que decírselo a Harris porque era el dueño de la casa y merecía saber lo que había salido de ella. Pero además, le habíamos informado ya de nuestra búsqueda; y tuve la seguridad, cuando desapareció mi tío, de que comprendería, y me ayudaría a la hora de dar la inevitable explicación pública. Se puso muy pálido, pero accedió a ayudarme, y pensó que ahora ya no habría dificultad en alquilar la casa.

Sería una exageración grosera y ridícula decir que no estábamos nerviosos esa noche lluviosa de vigilancia. Como he dicho, no éramos en absoluto supersticiosos; pero el estudio científico y la reflexión nos habían enseñado que el universo tridimensional conocido abarca una ínfima porción del cosmos de la sustancia y la energía. En este caso, una abrumadora cantidad de testimonios procedentes de multitud de fuentes ciertas y fiables señalaban la existencia incontestable de fuerzas de gran poder y, en lo que al punto de vista humano se refiere, de una malevolencia excepcional. Afirmar que creíamos en los vampiros o en hombres-lobo sería ir demasiado lejos. Más bien habría que decir que no estábamos en condiciones de negar la posibilidad de determinadas modificaciones no conocidas ni catalogadas de fuerza vital y materia atenuada, y que acontecían excepcionalmente en el espacio tridimensional debido a una conexión más íntima con otras unidades espaciales, pero lo bastante cerca del límite de las nuestras como para proporcionarnos alguna manifestación ocasional que, por falta de una perspectiva apropiada, no podemos llegar a comprender.

En resumen, nos parecía a mi tío y a mí que una serie de hechos irrefutables hacían pensar en una influencia continuada en la casa, rastreable hasta uno u otro de los repulsivos colonos franceses de hacía dos siglos, y todavía operativa en virtud de leyes excepcionales y desconocidas del movimiento atómico y electrónico. Que la familia Roulet tuvo una conexión anormal con círculos de entidades exteriores —oscuras esferas que a la gente corriente sólo inspiraban repugnancia y terror— era algo que su historia parecía dejar probado. ¿No activaron los tumultos de aquellos años de 1730 determinadas pautas cinéticas en el cerebro morboso de uno o más de ellos —especialmente del siniestro Paul Roulet—, las cuales sobrevivieron oscuramente a los cuerpos de los que el populacho mató y enterró, y siguieron activas en algún espacio multidimensional conforme a las originales líneas de fuerza determinadas por un odio frenético a la comunidad entrometida?

Tal cosa no era desde luego una imposibilidad física o bioquímica a la luz de una ciencia más reciente que incluye las teorías de la relatividad y de la acción interatómica[17]. Cabría imaginar un núcleo extraño de sustancia o energía, amorfo o no, que se mantuviera vivo mediante sustracciones imperceptibles o inmateriales de fuerza vital o de tejidos y fluidos corporales a otros seres más palpablemente vivos en los que penetraría y en cuya textura se fundiría a veces sin residuo. Podría ser activamente hostil, o podría moverse sólo por motivos ciegos de auto-conservación. En todo caso, semejante monstruo tendría que ser sin duda, en nuestro sistema de realidades, una anomalía y un intruso cuya erradicación constituiría un deber de primer orden para cualquiera que no fuera enemigo de la vida, la salud y la cordura del mundo.

Lo que nos desorientaba era no saber con qué aspecto veríamos a tal ser. Nadie mentalmente sano lo había visto, y pocos lo habían sentido de manera clara. Quizá fuera pura energía –una forma etérea y ajena al reino de la sustancia–, o tal vez parcialmente material; una masa de plasticidad equívoca y desconocida capaz de cambiarse a voluntad en brumosas aproximaciones al estado sólido, líquido, gaseoso, o a una sutileza sin partículas. La mancha antropomorfa del suelo, la silueta del vapor amarillento, la forma de las raíces de la que hablaban los viejos rumores, todo parecía hacer remota referencia a la figura humana; pero nadie sabía hasta dónde era representativa o persistente esa similitud.

Habíamos pensado en dos armas para combatirlo: un gran tubo de Crookes[18], expresamente adaptado, movido por potentes acumuladores y provisto de pantallas y reflectores, en caso de que fuera intangible y sólo pudiera combatírsele con enérgicas radiaciones de éter, y un par de lanzallamas militares como los utilizados en la guerra mundial, si resultaba ser parcialmente material y se le podía destruir de manera mecánica... Porque, como los rústicos supersticiosos de Exeter, estábamos dispuestos a quemarle el corazón si lo tenía. Instalamos en el sótano toda esta maquinaria agresiva en sitios estratégicamente escogidos respecto a la litera y las sillas, y apuntando al suelo de delante de la cocina, donde el moho adoptaba extrañas formas. A todo esto la mancha, tanto cuando dejamos los enseres e instrumentos, como cuando volvimos más tarde para iniciar la vigilancia, apenas era perceptible. Por un momento, casi dudé haberla visto más definidamente dibujada... pero entonces pensé en las leyendas.

Empezamos la vigilancia a las 10 de la noche; la luz diurna nos ahorró tiempo y, según se iba, no nos daba la impresión de que fuera a producirse ninguna novedad. El resplandor débil que se filtraba de las farolas de la calle azotada por la lluvia, y la pálida fosforescencia de los detestables hongos del interior, revelaban la piedra goteante de las paredes, de las que había desaparecido todo vestigio de cal; el húmedo y mohoso suelo de tierra apisonada con sus hongos inmundos; los restos podridos de lo que fueron un día escabeles, sillas y mesas y otros muebles menos definibles; las gruesas tablas y vigas del techo que formaban el piso de la planta baja; la puerta decrépita que daba a rincones y cámaras bajo otras secciones de la casa; la escalera ruinosa con el pasamanos de madera roto; y la tosca y cavernosa chimenea de ladrillo ennegrecido donde trozos de hierros oxidados revelaban la pasada presencia de ganchos, morillos, espetones, cadenas y una placa de asador de vuelta... todo esto, al igual que la litera, las sillas de tijera, y la pesada y complicada maquinaria destructora que habíamos llevado.

Como en mis exploraciones anteriores, no cerramos con llave la puerta de la calle, de manera que contábamos con una salida práctica y directa en caso de que surgiera alguna manifestación a la que no pudiéramos hacer frente. Teníamos el convencimiento de que nuestra presencia continuada durante la noche propiciaría la aparición de cualquier maligna entidad allí cobijada, y que, como estábamos preparados, podríamos eliminarla con uno de los medios que habíamos llevado en cuanto la hubiéramos reconocido y observado lo suficiente. No sabíamos cuánto tiempo tardaríamos en provocar la aparición de dicho ser y destruirlo. Nos dábamos cuenta, también, de que la aventura no carecía de peligro ni mucho menos, porque ignorábamos la fuerza que tendría. Pero consideramos que valía la pena arriesgarse, y nos embarcamos los dos solos en ella sin vacilar; porque pedir ayuda no habría hecho sino exponernos al ridículo y quizá al fracaso de la empresa. Tal era nuestro estado de ánimo mientras charlábamos... hasta que, bien entrada la noche, la creciente somnolencia de mi tío me hizo recordarle que debía acostarse y dormir sus dos horas.

Yo sentía un frío como de miedo, allí sentado, solo, en las primeras horas de la madrugada... Digo solo porque estar junto a alguien que duerme es estar solo; quizá más de lo que uno es consciente. Mi tío respiraba pesadamente, y sus profundas inspiraciones y espiraciones eran acompañadas por la lluvia de fuera, y puntuadas por un enervante goteo de agua en algún lugar alejado del interior; porque la casa era desagradablemente húmeda incluso en tiempo seco, de manera que con esta tormenta parecía un pantano. Observaba la albañilería suelta y antigua de las paredes a la escasa luz que entraba de la calle a través de las ventanas tapadas y la fosforescencia de los hongos; y en un momento en que el ambiente insalubre parecía a punto de provocarme náuseas, abrí la puerta y miré a uno y otro lado de la calle, recreando la vista en objetos corrientes y el olfato en el aire saludable. Pero no ocurría nada que acreditase mi vigilancia; y no hacía más que bostezar, dado que el cansancio, en mí, se iba imponiendo al temor.

Entonces mi tío se agitó en sueños, lo que hizo que me fijase en él. Se había dado la vuelta varias veces durante la segunda mitad de la primera hora. Respiraba con anormal irregularidad, exhalando de vez en cuando un suspiro con toda la pinta de gemido ahogado. Le alumbré con el haz de la linterna; estaba con la cara para el otro lado, así que me levanté, crucé, di la vuelta a la litera y le enfoqué la luz para averiguar si sufría. Lo que vi me turbó no poco, dada su relativa trivialidad. Sin duda se debió sólo a la asociación de un detalle singular con la naturaleza siniestra del sitio donde estábamos y de nuestra misión; porque en sí el detalle no era ni horrible ni antinatural. Consistía en que el rostro de mi tío –turbado seguramente por sueños extraños inspirados por nuestra situación– reflejaba un enorme desasosiego, lo que no era en absoluto característico en él. Su expresión habitual era de una amable y educada placidez, mientras que ahora parecía que en su interior luchaban emociones diversas. Creo que, de todo, fue esta *disparidad* lo que principalmente me alarmó: jadeando y revolviéndose con creciente desasosiego, y los ojos ahora abiertos, no parecía uno, sino muchos hombres, y que sufría una extraña especie de enajenamiento.

De repente empezó a murmurar, con un rictus desagradable mientras lo hacía. Al principio no se distinguían las palabras; luego –con un sobresalto– reconocí en ellas algo que me produjo un temor frío, hasta que recordé los vastos conocimientos de mi tío y las innumerables traducciones de artículos sobre antropología y arqueología que había hecho para la *Revue des Deux Mondes*[19]. Porque el venerable Elihu Whipple mascullaba *en francés*, y las pocas frases que logré entender parecían hacer referencia a los mitos más tenebrosos que había adaptado para la famosa revista parisina.

De súbito se le cubrió la frente de sudor, y se incorporó de un salto, despierto sólo a medias. Y su galimatías en francés se cambió en un grito en inglés, y exclamó con voz ronca y excitada: «¡Mi aliento! ¡Mi aliento!» A continuación se despertó del todo; y relajándosele el semblante, me cogió la mano y empezó a contarme un sueño cuya sustancia sólo adivinaba yo con una especie de temor.

Se había desplazado flotando, dijo, de una serie de escenarios de lo más corriente a otro cuya extrañeza no tenía relación con nada de cuanto había leído. Era de este mundo, y sin embargo no lo era: se trataba de una sombría confusión geométrica en la que veía elementos de objetos familiares en insólitas y turbadoras combinaciones. Había una sugerencia de imágenes desquiciadas, superpuestas unas a otras; disposición en la que los elementos esenciales del tiempo y el espacio parecían hallarse disueltos y mezclados de forma totalmente ilógica. En este vórtice calidoscópico de imágenes fantasmáticas había instantáneas ocasionales, si es posible utilizar ese término, singularmente claras pero de inexplicable heterogeneidad.

En determinado momento creyó que estaba tendido en un hoyo excavado de cualquier manera, con una multitud de rostros airados, enmarcados por rizos desordenados y sombreros de tres picos, que le miraban desde arriba con ceño fruncido. En otro se encontraba en el interior de una casa —una casa vieja, al parecer—; pero los detalles y sus moradores cambiaban continuamente, de manera que no había forma de retener la imagen de las caras ni de los muebles; ni siquiera la de la habitación, ya que sus puertas y ventanas fluctuaban igual que los objetos. Era asombroso, tremendamente asombroso; y casi con vergüenza, medio esperando que no le creyera, me confesó que muchas de las caras extrañas tenían los rasgos inequívocos de la familia Harris. Y a todo esto, tenía sensación de ahogo, como si una presencia penetrante hubiese invadido su cuerpo e intentase tomar posesión de sus órganos vitales. Me estremecí al imaginar esos órganos vitales, gastados como estaban tras ochenta y un años de continuo funcionamiento, en conflicto con fuerzas desconocidas ante las que temblaría una constitución joven y fuerte; pero un momento después pensé que los sueños eran sólo sueños, y que estas visiones, aunque inquietantes, no debían de ser otra cosa que la reacción de mi tío a las investigaciones y a la expectación que últimamente nos tenía acaparada la mente, con exclusión de todo lo demás.

La conversación, también, hizo que no tardara en disipárseme la sensación de extrañeza; y un momento después dejé de reprimir los bostezos y me dispuse a aprovechar mi turno de descanso. Mi tío estaba ahora completamente despabilado y asumió de buen grado su guardia, aun cuando la pesadilla le había despertado mucho antes de las dos horas de que disponía. El cansancio me venció enseguida, y al punto me asaltaron los sueños más turbadores. Sentí, en estas visiones, una soledad cósmica y abismal, acompañada de una hostilidad que surgía de todas partes de la prisión donde me hallaba encerrado. Al parecer estaba atado y amordazado, mientras una multitud lejana me increpaba y pedía a gritos mi sangre. El rostro de mi tío vino hacia mí con una expresión menos amable que la que mostraba en la vida vigil; y recuerdo mis vanos esfuerzos por gritar. No fue un sueño agradable y, por un momento, no lamenté el grito que hendió la barrera del sueño y me arrojó a una conciencia alerta, sobresaltada, en la que cada objeto material ante mis ojos destacó con una claridad y una realidad más que naturales.

V

Había estado tumbado de espaldas a la silla de mi tío, de manera que al abrir de repente los ojos sólo vi la puerta que daba a la calle, la ventana del lado norte, y la pared, el suelo y el techo de esa parte del sótano, fotografiado todo con morbosa intensidad en mi cerebro con algo más de claridad que la fosforescencia de los hongos o la luz que entraba de la calle; no era una claridad fuerte, ni siquiera medianamente fuerte; desde luego, no la suficiente para poder leer un libro con letra normal. Pero proyectaba en el suelo mi sombra y la de la litera, y poseía una calidad amarillenta penetrante que superaba cualquier luminiscencia. Esto lo percibí con anómala nitidez, a pesar de que otros dos sentidos míos sufrían una brutal agresión; porque en los oídos me resonaban las vibraciones de aquel grito espantoso, en tanto me llegaba al olfato un hedor nauseabundo que inundaba el lugar. Mi cerebro, tan alerta como mis sentidos, reconoció el carácter alarmante de todo esto; y, casi maquinalmente, me levanté de un salto y corrí a los aparatos destructores que había dejado apuntando a la mancha mohosa de delante de la chimenea. Miré hacia allí, temeroso de lo que iba a ver; porque el grito lo había dado mi tío, y no sabía a qué amenaza debía enfrentarme en defensa suya y mía.

Finalmente, la visión fue peor de lo que me temía. Hay horrores que sobrepasan el horror, y ésta era una de esas concentraciones de todos los espantos soñables que el cosmos se reserva para aniquilar a algún que otro desdichado. De la mancha fungosa del suelo se elevó una luminiscencia cadavéricamente amarillenta y enferma que, según borboteaba y se enroscaba, iba adoptando vagos contornos mitad humanos mitad monstruosos de altura gigantesca, y a través de ella veía la chimenea y el hogar del otro lado. Era toda ojos: ojos lobunos y burlones... y la rugosa cabeza de insecto, en lo alto, se deshizo en una banda de niebla que se rizó pútridamente y desapareció chimenea arriba. Digo que vi a ese ser, pero sólo de manera retrospectiva me es posible determinar su abominable remedo de forma. En aquel momento para mí era sólo una nube fungosa, de tenue fosforescencia, que envolvía y disolvía, reduciéndolo una sustancia plástica repugnante, el objeto en el que tenía yo concentrada la atención. Ese objeto era mi tío, el venerable Eliu Whipple, que con el rostro ennegrecido y cada vez más deshecho, sonreía y farfullaba y, movido por la furia que este horror le infundía, alargaba sus zarpas goteantes para desgarrarme.

Fue un reflejo rutinario lo que evitó que enloqueciera. Me había entrenado para cuando llegase el momento crítico, y esa reacción ciega me salvó. Comprendiendo que el maligno borboteo no era ninguna sustancia a la que pudiera afectar un agente material o químico, ignoré el lanzallamas que tenía a mi izquierda, conecté el tubo de Crookes, y proyecté hacia el escenario de inmortal blasfemia la más poderosa radiación etérea que el arte del hombre es capaz de concentrar de los espacios y fluidos de la Naturaleza. Hubo una neblina azulenca y un chisporroteo frenético, y la fosforescencia amarillenta fue perdiendo fuerza ante mis ojos. Pero observé que lo que se había debilitado era sólo el contraste, y que las ondas de la máquina no habían hecho efecto.

Entonces, en medio de esa escena demoníaca, vi un nuevo horror que me arrancó un grito de los labios e hizo que me dirigiera a tientas, tambaleándome, hacia la puerta de la calle, sin preocuparme de qué anormalidades había liberado en el mundo, ni de qué concepto o juicio de los hombres acababa de hacerme merecedor. Envuelta en aquella mezcla borrosa de azul y amarillo, la persona de mi tío había comenzado a licuarse de una manera nauseabunda que escapa a toda descripción, y en la que su rostro desvaneciente iba experimentando cambios de identidad que sólo la locura puede concebir. Era a la vez un demonio y una multitud, un pudridero y una cabalgata. Iluminado por los rayos mezclados y ondulantes, su rostro gelatinoso adoptó una docena... una veintena... un centenar de aspectos, sin dejar de sonreír mientras se hundía en un cuerpo que se derretía como el sebo, adoptando semejanzas caricaturescas de legiones de rostros extraños y, no obstante, no extraños.

Vi los rostros de la estirpe de los Harris, masculinos y femeninos, adultos e infantiles, y otros viejos y jóvenes, refinados y toscos, familiares y desconocidos. Durante un segundo surgió la efigie degradada de la pobre loca Rhoby Harris cuya miniatura había visto yo en el School of Design Museum[20], y en otro momento distinguí la imagen huesuda de Mercy Dexter según la recordaba de un cuadro de la casa de Carrington Harris. Era inimaginablemente espantoso; hacia el final, cuando una mezcla singular de rostros de criados y bebés fluctuaba cerca ya del suelo fungoso donde se iba extendiendo el charco de grasa verdosa, pareció como si los rostros evanescentes contendieran entre sí, y pugnaran por formar contornos como los del rostro amable de mi tío. Quiero pensar que en esos momentos estaba él allí, y que trataba de despedirse. Creo que de mi garganta reseca brotó un adiós entrecortado en el instante en que salí tambaleante a la calle; un delgado reguero de grasa me siguió por la puerta, hasta la acera empapada de lluvia.

El resto es oscuro y monstruoso. No había nadie en la calle lluviosa, ni había nadie en el mundo a quien osara acudir. Eché a andar sin objeto en dirección sur, pasé por delante de College Hill y del Atheneum, seguí Hopkins Street abajo, y crucé el puente hasta la zona comercial donde los altos edificios parecían protegerme como las cosas materiales y modernas protegen al mundo de todo prodigio antiguo y malsano. Entonces se desplegó en el este el alba húmeda y gris, silueteando el cerro arcaico y sus campanarios venerables, y atrayéndome al lugar donde había quedado inacabado mi terrible trabajo. Así que regresé finalmente, sin sombrero, deslumbrado por la luz de la mañana, y entré por la puerta espantosa de Benefit Street que había dejado medio abierta y que aún oscilaba crípticamente a plena vista de los vecinos madrugadores a los que no me atreví a interpelar.

La grasa había desaparecido, dado que el suelo era poroso. Delante de la chimenea tampoco había ningún vestigio de la gigantesca y encogida forma salitrosa. Miré la litera, las sillas, los instrumentos, mi sombrero tirado, y el sombrero de paja de mi tío. Estaba aturdido, y no podía recordar qué era sueño y qué realidad. Luego me fue volviendo el discernimiento, y comprendí que había presenciado cosas más horribles que las que había soñado. Me senté, y traté de hacerme una idea —hasta donde me permitía la cordura— de lo que había ocurrido, y discurrir cómo podría acabar con el horror, si era efectivamente real. Corpóreo no parecía ser; ni etéreo, ni de ninguna sustancia concebible por el humano entendimiento. ¿Qué otra cosa podía ser, entonces, sino una exótica *emanación*, un vapor vampírico como los que dicen los rústicos de Exeter que flotan en algunos cementerios? Ésta, comprendí, era la clave; y examiné otra vez el suelo de delante de la chimenea, donde el moho y el salitre habían adoptado extrañas formas. Diez minutos después mi cerebro tomó una determinación; recogí el sombrero y regresé a casa, me di un baño, comí, y encargué por teléfono un pico, una pala, una careta antigás y seis garrafas de ácido sulfúrico, y pedí que lo llevaran todo, a la mañana siguiente, a la puerta del sótano de la casa evitada que daba a Benefit Street. Hecho esto, intenté dormir; y al no conseguirlo, pasé las horas leyendo y componiendo versos insustanciales para contrarrestar mi estado de ánimo.

Al día siguiente, a las 11 de la mañana, empecé a cavar. El tiempo era soleado, cosa que me alegraba. Había ido solo; porque, por mucho que temiera al horror desconocido al que pretendía enfrentarme, era mayor el que me inspiraba la idea de confiar nada a nadie. Más tarde se lo conté a Harris por pura necesidad, y porque había oído hablar a los viejos de extrañas historias a las que siempre había dado poco crédito. Empecé a quitar la tierra negra y hedionda de delante de la chimenea temblando ante la incertidumbre de lo que podía descubrir, mientras la pala hacía rezumar un icor viscoso y amarillo de los hongos blancuzcos al cortarlos. Hay secretos en el interior de la tierra que no es bueno que conozca la humanidad, y éste me parecía uno de ellos.

Las manos me temblaban visiblemente, pero seguí cavando; al cabo de un rato me hallaba dentro del hoyo que había hecho, de unos seis pies de lado. A medida que lo ahondaba, el hedor iba en aumento, por lo que ya no tuve duda de mi inminente contacto con el ser infernal cuyas emanaciones habían tenido estigmatizada la casa durante más de siglo y medio. Me pregunté cómo sería, qué forma y consistencia tendría, y cuánto habría aumentado de tamaño después de tantos años de succionar vida. Finalmente salí del hoyo, aparté la suciedad amontonada, coloqué las garrafas de ácido junto a dos de los lados a fin de, llegado el momento, poder vaciarlas en el hoyo en rápida sucesión. Después preparé los montones de tierra en los otros dos lados. Ahora trabajé más despacio, con la careta antigás puesta, ya que el olor era cada vez más intenso. Me sentía casi sin fuerzas pensando en la proximidad de un ser innominado en el fondo del hoyo.

De repente la pala dio con algo de consistencia más blanda que la tierra. Me estremecí, e inicié un movimiento como para salir del hoyo, ahora hasta el cuello de hondo. A continuación me volvió el valor, y seguí quitando barro a la luz de la linterna eléctrica. Descubrí una superficie como de pescado, vidriosa: una especie de gelatina semipútrida y coagulada de aspecto translúcido. Rasqué un poco más, y vi que tenía forma. Había una fisura en una parte doblada. Dicha parte, al descubierto, era enorme y más o menos cilíndrica; como un tubo de estufa gigantesco, blanquiazul, doblado en dos, con unos dos pies de diámetro en lo más ancho. Rasqué más, y me aparté del ser inmundo y salté fuera del hoyo; destapé frenéticamente las pesadas garrafas y las decanté hacia el hoyo, vertiendo su corrosivo contenido uno tras otro en aquel pudridero, sobre la inconcebible anormalidad cuyo *codo* titánico había visto.

Jamás se me irá de la memoria el cegador torbellino de vapores amarillo-verdosos que brotaban tumultuosamente mientras caían los chorros de ácido. Los vecinos del cerro hablan del día amarillo en que se elevó una emanación violenta y espantosa de los residuos industriales arrojados al río Providence; pero yo sé que están muy equivocados en cuanto a la causa[21]. Hablan además de un bramido tremendo que brotó a la vez de alguna alcantarilla rota o conducto de gas del subsuelo; pero también en eso podría corregirles, si me atreviese. Fue insoportablemente horrible, y no comprendo cómo sigo con vida. Después de verter la cuarta garrafa, que tuve que volcar cuando los vapores ya empezaban a penetrar en la máscara, sufrí un desmayo; aunque al recobrarme descubrí que habían dejado de salir emanaciones.

Vacié las dos garrafas que quedaban sin más consecuencias, y un rato más tarde comprendí que podía volver a llenar de tierra el hoyo sin peligro. Empezaba a anochecer antes de que hubiera terminado; pero el miedo había desaparecido del lugar. La humedad era menos fétida, y los extraños hongos habían quedado reducidos a una especie de polvo grisáceo e inocuo que andaba por el suelo como si fuese ceniza. Uno de los más profundos terrores de la tierra había quedado suprimido para siempre; y de haber habido infierno, habría acogido finalmente el alma demoníaca de aquel ser impío. Y mientras aplanaba la última paletada de moho, derramé la primera de las muchas lágrimas con que he rendido sincero homenaje a la memoria de mi amado tío.

A la primavera siguiente no volvió a salir más yerba pálida ni vegetación extraña en el huerto en terrazas de la casa evitada, y poco más tarde Carrington Harris consiguió alquilarla. Aún se la ve espectral; pero me fascina su aire extraño; y mezclado con mi alivio, sentiré un raro pesar cuando la derriben para levantar un establecimiento de relumbrón o un vulgar edificio de apartamentos. Los árboles viejos e improductivos del patio han empezado a dar pequeñas y dulces manzanas, y el año pasado los pájaros anidaron en sus ramas retorcidas.

EL HORROR DE RED HOOK[1]

«Hay sacramentos tanto del mal como del bien a nuestro alrededor, y, a mi juicio, vivimos y nos movemos en un mundo desconocido, en un lugar en el que existen cavernas y sombras y habitantes del crepúsculo. Es posible que el hombre a veces pueda retroceder en la senda de la evolución, y creo que pervive una sabiduría atroz que aún no ha muerto».

ARTHUR MACHEN[2]

I

No hace muchas semanas, en la esquina de una calle del pueblo de Pascoag (Rhode Island), un peatón alto, robusto y de aspecto saludable dio mucho que hablar por culpa de su extraño comportamiento. Al parecer había descendido la colina por el camino de Chepachet[3], y al llegar a la zona más espesa había torcido a la izquierda y tomado la calle principal, donde varios edificios modestos de oficinas dan cierta impresión de núcleo urbano. En ese lugar, y sin ningún tipo de provocación, comenzó a actuar de tan singular manera: después de echar un extraño vistazo a la más alta de las construcciones que tenía delante, se puso a gritar de una forma histérica y aterradora, y luego inició una frenética carrera que se interrumpió al tropezar y caer en el cruce siguiente. Tras ser levantado y sacudido por otros peatones, se comprobó que estaba consciente, que no mostraba daños físicos y que parecía totalmente recuperado de su repentino ataque de nervios. Murmuró algunas disculpas avergonzadas acerca de la tensión que había estado soportando últimamente y, con la cabeza agachada y sin volver la vista atrás ni una sola vez, se encaminó de nuevo hacia la carretera de Chepachet hasta desaparecer de vista. Resultaba bastante extraño que aquel incidente le hubiera acontecido a un sujeto tan alto, robusto y corriente, y aquella singularidad no disminuyó precisamente gracias a los comentarios de uno de los viandantes, que le había reconocido como el huésped de un conocido lechero de las afueras de Chepachet.

Resultó ser un detective de la policía de Nueva York llamado Thomas F. Malone, el cual se encontraba entonces de baja laboral a causa de un tratamiento médico que se le estaba aplicando tras llevar a cabo un trabajo excepcionalmente difícil en un aterrador caso local en el que se había producido un accidente de dramáticas consecuencias. Varios edificios de viejos ladrillos se habían derrumbado durante una redada en la que él había participado, y algo sucedió entre toda aquella mortandad, tanto relativa a los detenidos como a sus propios compañeros, que le había horrorizado particularmente. A resultas de ello, había desarrollado un miedo intenso y antinatural hacia todas las edificaciones que se parecieran, aunque tan sólo fuera remotamente, a las que se habían desplomado; de manera que al final los especialistas en enfermedades cerebrales le prohibieron contemplar cualquier construcción parecida durante un periodo de tiempo indeterminado. Un cirujano de la policía, con familia en Chepachet, sugirió que aquella pintoresca aldea de casas de madera coloniales podría ser un lugar ideal para la recuperación mental del paciente; y allí se había retirado, prometiendo no aventurarse por las calles franqueadas de hileras de ladrillos de las grandes ciudades hasta que se lo permitiera el especialista de Woonsocket, con quien le habían puesto en contacto. Aquel paseo hasta Pascoag para comprar unas revistas había sido un error, y el paciente había pagado su desobediencia con un susto, varias magulladuras y algo de humillación.

Esto era todo lo que sabían los chismosos de Chepachet y Pascoag; y eso era también lo que creían los especialistas más entendidos. Pero Malone, en un principio, había contado muchas más cosas a esos mismos especialistas, hasta que vio la incredulidad reflejada en sus rostros y ya no quiso decir más. A partir de entonces guardó silencio, y no les llevó la contraria cuando todos coincidieron en afirmar que la caída de ciertos edificios ruinosos en el sector de Red Hook[4] (Brooklyn) y la consiguiente muerte de muchos valerosos oficiales, había provocado su desequilibrio nervioso. Dijeron que había trabajado demasiado intentando limpiar aquellos antros de desorden y violencia; algunos sucesos fueron realmente impactantes, y la inesperada tragedia había supuesto la gota que colmaba el vaso. Se trataba de una explicación muy sencilla que todos podían entender, y como Malone no era una persona simple, decidió que era mejor dejar las cosas así. Hablar a personas sin imaginación de un horror que escapa a toda experiencia humana –un horror agazapado en bloques de casas, y ciudades leprosas y cancerígenas invadidas de una maldad procedente de antiguos mundos– habría sido como invitarles a que le encerrasen en una celda acolchada, en lugar de permitirle un descanso temporal, y Malone era un hombre de gran sentido común, a pesar de todo su misticismo. Poseía esa lejana visión céltica para las cosas sobrenaturales y ocultas, y también un desarrollado instinto lógico para todo lo aparentemente desconocido, y a consecuencia de esta amalgama había conseguido llegar muy lejos en los cuarenta y dos años de su vida, visitando lugares muy extraños para un sujeto educado en la Universidad de Dublín, que había nacido en una aldea georgiana próxima a Phoenix Park.

Y ahora, mientras revivía todo lo que había visto, sentido y aprendido, Malone se alegraba de haber guardado en secreto algo que podía transformar a un intrépido luchador en un neurótico tembloroso, y a las viejas barriadas de ladrillos y a la marea de rostros cetrinos y astutos en una pesadilla de portentosa malignidad. No sería ésta la primera vez que sus sentimientos quedarían sin una interpretación válida, pues ¿acaso su disposición a internarse en los abismos polígotas del mundo subterráneo de Nueva York, no resultaba también un acto que escapaba a toda lógica razonable? ¿Qué sabía él de las antiguas brujerías y de las grotescas maravillas que unos ojos sensibles podían captar entre toda mezcolanza de un caldero venenoso donde bullía toda la escoria de épocas malsanas y se perpetuaban sus obscenos terrores? Había visto la infernal llama verde de un secreto prodigioso en aquel maremágnum farragoso y ambiguo de avidez exterior y de interna blasfemia, y se había reído en silencio cuando todos los neoyorquinos que conocía se mofaron de los experimentos que realizó en su trabajo policial. Habían actuado de una manera cínica y guasona, ridiculizando su fantástica persecución de los misterios insondables, y le habían asegurado que, en estos tiempos, Nueva York no era más que un antro de ordinariez y vulgaridad. Uno de ellos se había apostado una considerable suma de dinero –obviando incluso las conmovedoras noticias que habían aparecido en la *Dublin Review*– a que no sería capaz de escribir una narración medianamente interesante sobre la vida en los barrios bajos de Nueva York; y ahora, al mirar hacia atrás, se percataba de la ironía cósmica que había justificado las palabras proféticas, demostrando secretamente el error de su frívolo significado. El miedo, al final se dio cuenta, no podía ser el protagonista de un relato; pues, como en el libro alemán citado por Poe[5], «*es lässt sich nicht lesen*», «no se deja leer».

II

Para Malone, la sensación de un misterio latente en toda existencia siempre era algo muy cercano. Durante su juventud siempre había percibido la belleza y el éxtasis que ocultan las cosas, y había sido poeta; pero la escasez, el sufrimiento y el exilio le habían hecho volver la mirada hacia otros caminos más tenebrosos, y se había estremecido ante los atributos del mal que medraban en el mundo. La vida cotidiana se había convertido en un espejismo de sombras macabras; a veces grata y bullanguera, sin dejar ver su lado más repulsivo como en las mejores obras de Beardsley, y otras rebosantes de horrores insinuados entre las figuras y objetos más habituales, como en los dibujos más agudos y menos llamativos de Gustave Doré. A menudo consideraba misericordioso que la mayoría de las personas cultas se burlaran de los misterios más recónditos; de esta manera, observaba, si las mentes superiores entraran en pleno contacto con los secretos preservados por antiguos cultos inferiores, las anormalidades resultantes no sólo harían zozobrar al mundo, sino que amenazarían la propia integridad del universo. Sin duda, todas estas reflexiones eran bastante morbosas, pero su lógica acerada y su marcado sentido del humor las apaciguaba hábilmente. Malone se sentía satisfecho de que sus creencias permanecieran como una especie de visiones apenas entrevistas y prohibidas, con las que luego podía cavilar despreocupadamente; la histeria vino después, cuando sus obligaciones le empujaron hacia un infierno de revelaciones demasiado precipitado e insidioso para poder huir de él.

Llevaba algún tiempo destinado en la comisaría de Butler Street, en Brooklyn, cuando tuvo conocimiento del caso de Red Hook. Red Hook es un laberinto de híbrida miseria enclavado en la zona portuaria que se levanta frente a Governor's Island, con sucias avenidas que suben desde los muelles hacia lo alto de la colina, una zona elevada donde las decadentes callejas de Clinton Street y Court Street discurren en dirección al Ayuntamiento. La mayoría de sus edificios están hechos de ladrillo, y datan de la segunda mitad del siglo XIX; algunas callejuelas y travesías oscuras poseen ese antiguo y fascinante sabor que la literatura tradicional nos lleva a tachar de «dickensiano». Su población es una amalgama miserable y enigmática: sirios, españoles, italianos y negros entremezclados entre sí, junto con bolsas de escandinavos y americanos que medran no muy lejos de los anteriores. Es una babel de ruidos e inmundicia que lanza gritos extraños en respuesta a las oleaginosas mareas que lamen los mugrientos espigones y a las monstruosas letanías que brotan de las sirenas portuarias. Tiempo atrás, aquel lugar resultaba mucho más bello, cuando los marinos de ojos claros abundaban en las calles de abajo, y las casas más pomposas y bonitas se alzaban alrededor de la colina. Aún pueden descubrirse las reliquias de aquel antiguo esplendor en las esbeltas formas de los edificios, en la elegancia de las iglesias, y en las reminiscencias de un arte propio que pervive en pequeños detalles diseminados aquí y allá: un desgastado tramo de escaleras, una puerta maltrecha, una deteriorada pareja de esplendorosas columnas, o el fragmento de un espacio antaño verde provisto de una barandilla torcida y herrumbrosa. En general, las casas son unos bloques homogéneos, y en muchos lugares aún pueden verse las cúpulas perladas de ventanas que nos hablaban de los días en que las familias de los capitanes y armadores vigilaban el mar.

En aquel laberinto de putrescencia material y espiritual, podía oírse blasfemar en un centenar de dialectos que azotaban los cielos. Hordas de merodeadores aullaban y cantaban por las callejuelas y travesías; unas manos furtivas apagaban súbitamente las luces y corrían las cortinas; unos rostros morenos y pecaminosos desaparecían tras las ventanas al ser sorprendidos por algún paseante. La policía es incapaz de imponer el orden, y prefieren levantar barreras para proteger el mundo exterior de un posible contagio. El tintineo metálico de la ronda policial es respondido por una especie de silencio sepulcral, y los detenidos jamás se muestran muy comunicativos. Los delitos son tan variados como los dialectos locales, y abarcan desde el contrabando de ron, la entrada clandestina de emigrantes, todo tipo de depravaciones y vicios oscuros, hasta el asesinato y la mutilación en sus más terribles formas. El hecho de que estos delitos constatados no se produzcan con mayor frecuencia no es ninguna honra para el vecindario, a menos que el arte de la ocultación sea digno de honra. En Red Hook entra más gente de la que sale –al menos de la que sale por vía terrestre–, y son precisamente los menos locuaces los más apegados a quedarse.

En medio de esta situación, Malone descubrió un vago hedor poblado de secretos más espantosos que cualquier crimen denunciado por los vecinos y condenado por los sacerdotes y filántropos. Era consciente, gracias a la mezcla de imaginación y ciencia que imperaba en su mente, de que las personas que viven al margen de la ley tienden misteriosamente a repetir las pautas instintivas más tenebrosas de salvajismo primitivo en todos los actos y rituales de su vida cotidiana; también había observado a menudo, con un escalofrío de antropólogo, las columnas aullantes y blasfemas formadas por jóvenes de ojos turbios y rostros picados de viruela que desfilaban durante las horas más tenebrosas de la madrugada. Cualquiera podía ver aquellas procesiones de jóvenes a todas horas; a veces, al espiar desde alguna recóndita esquina; otras, en los portales, tocando insólitas melodías con baratos instru-

mentos de música; totalmente narcotizados, absortos en diálogos inde-
centes alrededor de las mesas de una cafetería cercana al Ayuntamiento,
o murmurando entre los taxis desvencijados que paraban ante los pórticos recargados de algún vetusto caserón abandonado y ruinoso. Le
espeluznaban y le atraían a un mismo tiempo, más de lo que osaba confesar a sus compañeros de trabajo, pues le parecía ver en ellos una especie de eslabón perdido, una secreta continuidad, una pauta diabólica,
críptica y antigua que estaba más allá y por debajo de la sórdida masa
de acontecimientos, hábitos y escondrijos anotados con gran cuidado
técnico por la policía. Sin duda se trataba, él lo sentía en su interior, de
los herederos de una tradición salvaje y primigenia; los preservadores
de unos ritos y ceremoniales envilecidos más viejos que la propia
humanidad. Su coherencia y precisión así lo sugería, y también una
extraña sensación de orden que subyacía bajo la miserable patina de
desorden. No en vano había leído tratados como *Witch-Cult in Western
Europe*, de la señorita Murray[6], y sabía que sus enseñanzas habían subsistido entre los campesinos, las sociedades secretas de nuestros días y
ciertas reuniones orgiásticas y clandestinas que provenían de oscuras
religiones anteriores al mundo ario, y que, en las leyendas populares, se
las tildaba de misas negras o aquelarres. No tenía dudas acerca de la
existencia presente de aquellos vestigios infernales de la magia asiático-
turania[7] y el culto a la fertilidad, y a menudo se preguntaba si aquellos
vestigios no serían en realidad mucho más tenebrosos y arcaicos de lo
que se murmuraba en las leyendas.

III

Fue el caso de Robert Suydam[8] el que metió de lleno a Malone en el
corazón de los sucesos de Red Hook. Suydam era un personaje solitario
y culto que descendía de una antigua familia holandesa, que tenía los
medios necesarios para vivir con total independencia y que moraba en
la espaciosa y decadente mansión que su abuelo había construido en
Flatbush[9] cuando la aldea no era más que un agradable conjunto de

granjas coloniales erguidas alrededor de la Iglesia Reformada, con su campanario, sus muros cubiertos de hiedra y su camposanto de cercas herrumbrosas y lápidas con nombres holandeses[10]. En aquel solitario caserón de Martense Street, rodeado de un bosquecillo de venerables árboles, Suydam había leído y meditado durante casi seis décadas, exceptuando un periodo de tiempo, una generación atrás, durante el cual embarcó rumbo al viejo continente, permaneciendo allí completamente ignorado durante ocho años. No podía permitirse el lujo de contratar sirvientes y apenas admitía visitas que perturbasen su absoluta soledad, evitaba las amistades más íntimas y recibía a sus escasos conocidos en una de las tres habitaciones de la planta baja que él mismo se ocupaba de limpiar; se trataba de una estancia enorme cuyas paredes estaban forradas de estanterías repletas de libros rancios, gruesos y de aspecto vagamente repugnante. El crecimiento posterior de la aldea, y su absorción final por el distrito de Brooklyn, no había significado nada para Suydam; y también éste había ido significando cada vez menos para el pueblo. Los más viejos del lugar aún le señalaban al pasar por la calle, pero para la mayoría de los jóvenes tan sólo se trataba de un tipo raro, un viejo corpulento, de cabello canoso y despeinado, barba de varios días, chaqueta negra y reluciente, y bastón de empuñadura dorada, cuyo aspecto exterior tan sólo provocaba una mirada divertida. Malone no lo conocía personalmente hasta que le llamaron para intervenir en el caso, pero había oído decir que era una verdadera autoridad en todo lo relacionado con las supersticiones medievales, y en una ocasión había intentado conseguir un estudio suyo, ya agotado, que versaba sobre la cábala y la leyenda de Fausto, y que su amigo había recitado de memoria.

Suydam se convirtió en un «caso» cuando sus lejanos parientes trataron de que los jueces se pronunciaran sobre su salud mental. Aquella actitud parecía muy precipitada para el mundo exterior, pero en realidad la tomaron después de una prolongada observación y muchas discusiones penosas. Se basaba en ciertos cambios que se habían producido en sus hábitos y su manera de hablar, en sus insólitas referencias a unas maravillas inminentes y en las inexplicables visitas que dedicaba a ciertos lugares de Brooklyn que cargaban con una pésima reputación. Con el pasar de los años se había ido haciendo cada vez más descuidado, y ahora parecía un auténtico pordiosero; sus conocidos, avergonzados, a veces le veían vagabundeando por las estaciones del metro, o sentado en los bancos de los alrededores del Ayuntamiento, charlando con grupos de extranjeros morenos y de ojos turbios. Cuando hablaba, era para mascullar cosas acerca de unos poderes ilimitados que casi tenía bajo control, y para repetir con una mirada de lascivia y conocimiento palabras o nombres místicos como «Sefirot», «Asmodeo» y «Samael[11]». Los jueces declararon que estaba consumiendo sus rentas y malgastando su capital en la adquisición de raros volúmenes, importados de Londres y París, y en el alquiler de un miserable sótano situado en el distrito de Red Hook, donde pasaba casi todas las noches recibiendo extrañas delegaciones de forasteros escandalosos y heterogéneos, y al parecer llevando a cabo cierta clase de actos ceremoniales al amparo de las verdosas cortinas que cubrían las ventanas. Los detectives contratados para seguirle informaron de haber oído extraños gritos y cánticos, y ruidos como de saltos que se producían en medio de aquellos ritos nocturnos, y se estremecían ante su peculiar éxtasis y abandono, a pesar de que estaban habituados a las orgías salvajes de aquel pecaminoso distrito. Sin embargo, cuando la noticia salió a la luz, Suydam se las arregló para salvaguardar su libertad. Delante del juez tuvo un comportamiento civilizado y razonable, y admitió sin reservas la conducta insólita y la extravagante forma de hablar en las que había caído a causa de su excesiva dedicación al estudio y la investigación. Dijo que estaba embebido en el análisis de ciertos detalles de las tradiciones europeas que requerían un contacto muy estrecho con grupos de extranjeros, y la necesidad de conocer sus cánticos y danzas folclóricas. La acusación de que una sociedad secreta de los bajos fondos estaba haciendo mella en él, como apuntaban sus familiares, era totalmente absurda, y demostraba lo poco que sabían de su persona y de su trabajo. Tras conseguir aplacar los ánimos gracias a sus serenas explicaciones, se le dejó marchar sin cargos, y los detectives contratados por los Suydam, los Corlear y los Van Brunt fueron retirados muy a su pesar.

Fue entonces cuando una alianza de inspectores federales y policías, Malone entre estos últimos, se hicieron cargo del caso. La policía había seguido con interés todo lo referente al asunto Suydam, y en muchas ocasiones se les había requerido para ayudar a los detectives privados. Así se puso de manifiesto que los nuevos socios de Suydam figuraban entre los más siniestros y depravados criminales que poblaban las tortuosas callejuelas de Red Hook, y que al menos una tercera parte de ellos eran ladrones habituales y reincidentes, borrachos y sujetos dedicados a la introducción de inmigrantes ilegales. En realidad, no resultaba exagerado afirmar que el círculo personal del viejo erudito coincidía casi a la perfección con la más peligrosa organización delictiva dedicada al tránsito de cierta escoria innombrable e inclasificable de asiáticos sabiamente expulsados de Ellis Island[12]. En los abarrotados tugurios de Parker Place –que más tarde cambió de nombre–, donde Suydam tenía el sótano, se había formado una extraña colonia de sujetos ambiguos y de ojos rasgados que utilizaban el alfabeto árabe, pero que, al mismo tiempo, eran rechazados visiblemente por la gran mayoría de sirios que habitaban en Atlantic Avenue y sus aledaños. Todos podían haber sido deportados por carecer de documentación, pero los mecanismos legales funcionan con demasiada lentitud y nadie quiere perturbar Red Hook, a no ser que la publicidad les obligue a ello.

Estos sujetos acudían a una iglesia de piedra que estaba en ruinas, usada como pista de baile todos los miércoles, que alzaba sus contrafuertes góticos cerca de la zona más inmunda del barrio costero. En teoría se trataba de una iglesia católica, pero los prelados de Brooklyn negaban toda categoría y autenticidad a aquel lugar, y la policía no discrepaba con ellos tras escuchar el bullicio que surgía de ella por las noches. Malone a veces imaginaba oír, cuando la iglesia permanecía solitaria y a oscuras, las notas terribles y desentonadas de un órgano oculto en las profundidades de la tierra, y a todos los demás observadores les aterrorizaban los chillidos y el retumbar de los tambores que acompañaban sus servicios religiosos. Cuando se interrogó a Suydam, éste dijo que creía que el ritual era un vestigio del culto cristiano-nestoriano[13] mezclado con el chamanismo del Tíbet. La mayoría de aquellas gentes, según sus propias conjeturas, eran de origen mongólico, de algún lugar próximo o en el interior del Kurdistán... y Malone no pudo evitar el pensamiento de que el Kurdistán es el país de los yezidíes[14], los últimos supervivientes de los adoradores persas del diablo. Pero lo que realmente demostraron las investigaciones de Suydam fue que estos sujetos clandestinos recién llegados acudían en masa a Red Hook, y que cada vez lo hacían en mayor número; entraban gracias a algún acuerdo con las autoridades portuarias que los oficiales y la policía de aduanas no podían desenmascarar, y se desperdigaban por Parker Place, invadiendo rápidamente el distrito de la colina y siendo acogidos con una extraña camaradería por el resto de los variopintos vecinos del lugar. Sus figuras encorvadas y sus peculiares ojos rasgados, combinados grotescamente con las llamativas vestimentas americanas, aparecían cada vez con mayor frecuencia entre los forajidos y maleantes que pululaban por el sector del Ayuntamiento; hasta que al fin se juzgó prudente realizar un censo de todos ellos, así como investigar cuáles eran sus recursos y ocupaciones, y, si ello era posible, descubrir la manera de cercarles y entregárselos a las preceptivas autoridades de inmigración. Malone fue designado para esta tarea con el beneplácito de las fuerzas federales y municipales, y nada más comenzar su labor en Red Hook se sintió suspendido al borde de un terror sin nombre, con la figura andrajosa y descuidada de Robert Suydam como principal enemigo y adversario.

IV

Los métodos de la policía son múltiples e ingeniosos. Malone, valiéndose de discretas excursiones, conversaciones calculadamente fortuitas, oportunos ofrecimientos de licor y acertados diálogos con los acobardados detenidos, se enteró de muchos detalles sueltos acerca de esa sociedad que había alcanzado un cariz tan amenazador. En realidad, los recién llegados eran kurdos, aunque hablaban un dialecto extraño y desconcertante para los filólogos. Los que trabajaban lo hacían mayoritariamente como cargadores de mercancías en los muelles, o de vendedores ambulantes sin licencia, aunque a menudo servían de camareros en los restaurantes griegos y atendían los kioskos de periódicos de las esquinas. La mayoría, sin embargo, carecía de un medio visible de subsistencia, y, en consecuencia, éste tenía que ver con las actividades delictivas de los bajos fondos, de las cuales el contrabando y el tráfico ilegal de alcohol eran las menos ignominiosas. Habían llegado en buques de vapor, seguramente alguna clase de carguero vagabundo, y habían sido desembarcados durante las noches sin luna en botes de remo que se deslizaban furtivamente por debajo de cierto muelle, siguiendo un canal escondido, hasta un secreto embarcadero subterráneo situado en el subsuelo de una casa. Malone no consiguió localizar el embarcadero, ni el canal, ni la casa, ya que los recuerdos de sus informadores eran terriblemente confusos y el lenguaje que empleaban resultaba totalmente incomprensible hasta para los más hábiles intérpretes; tampoco pudo obtener ningún dato relacionado con los motivos de esta inmigración ilegal y sistemática. Se mostraban reticentes a confesar sus lugares exactos de procedencia y nunca bajaban la guardia cuando se les interrogaba por los nombres de los agentes que los habían ido a buscar para traerlos hasta aquí. En realidad, manifestaron un espanto terrible cuando se les preguntó por los verdaderos motivos de su presencia en el lugar. Las asociaciones de delincuentes de otras razas se mostraron igual de taciturnos, y lo único que se les pudo sonsacar versaba acerca de un dios o gran sacerdote que les había prometido poderes inusitados y reinos que gobernar en una tierra extraña.

La asistencia, tanto de los recién llegados como de los antiguos hampones, a las reuniones nocturnas estrechamente vigiladas de Suydam era muy regular, y la policía no tardó en darse cuenta de que el viejo misántropo había alquilado pisos adicionales para acomodar a aquellos huéspedes que conocían sus consignas; al final adquirió tres bloques completos de pisos en los que albergaba de manera permanente a muchos de estos misteriosos compañeros. Ahora apenas pasaba por su mansión de Flatbush, adonde sólo iba para tomar o devolver algún libro, y su rostro y modales habían alcanzado un grado espantoso de salvajismo. Malone le interrogó dos veces, pero en ambos casos fue rechazado con brusquedad. Dijo que no sabía absolutamente nada sobre conspiraciones o movimientos secretos, y que no tenía ni la más mínima idea de cómo se las habían ingeniado los kurdos para entrar ilegalmente, ni cuáles eran sus pretensiones. Su labor consistía en el estudio sosegado del folclore de todos los inmigrantes del distrito, asunto en el que la policía no podía entrometerse sin incurrir en la ilegalidad. Malone expresó su admiración por el antiguo tratado de Suydam acerca de la cábala y de otros mitos, pero el anciano apenas se apaciguó momentáneamente. Se sentía acosado, y despidió a su visitante sin más contemplaciones; Malone se retiró disgustado y atendió a otros canales de información.

Jamás sabremos lo que Malone podría haber descubierto de trabajar con mayor continuidad en el caso. Pero un estúpido conflicto entre las autoridades federales y las municipales hizo que se suspendiera la investigación durante varios meses, en el curso de los cuales el inspector estuvo ocupado en otros menesteres. Mas no perdió el interés en ningún momento, ni se sintió menos asombrado ante lo que le estaba empezando a ocurrir a Robert Suydam. Coincidiendo con una ola de secuestros y desapariciones que conmocionó Nueva York, el desastrado erudito empezó a experimentar una metamorfosis tan sorprendente como absurda. Fue visto un día por los alrededores del Ayuntamiento con el rostro afeitado, los cabellos arreglados y un traje elegante y resplandeciente; a partir de entonces, día tras día, se observaba una extraña mejoría en su aspecto. No dejaba de mostrar una actitud melindrosa, su mirada era ahora más penetrante y hablaba con suma nitidez; poco a poco empezó a perder la corpulencia que durante tanto tiempo había deformado su cuerpo. Ahora resultaba normal que se le atribuyese menos edad de la que en realidad tenía; adquirió gran agilidad en sus movimientos y una solidez en el porte que cuadraba con su nuevo estilo de vida, y sus cabellos empezaron a oscurecerse de una manera insólita, aunque no parecía ser gracias al tinte. Con el paso del tiempo, su vestimenta se hizo cada vez menos conservadora, y por último pasmó a sus nuevos amigos al renovar y cambiar toda la decoración de su mansión de Flatbush, la cual inauguró con una serie de recepciones a las que invitó a cuantas amistades pudo recordar, dispensando un trato especialmente cariñoso a los familiares perdonados que hacía tan poco habían intentado mandarle al asilo. Algunos asistieron por simple curiosidad, otros por obligación, pero todos se sintieron súbitamente cautivados ante la gracia y los buenos modales del antiguo ermitaño. Éste explicó que había dado por terminada la mayor parte de la tarea que se había impuesto, y que acababa de heredar cierta propiedad de un amigo europeo semiolvidado, por lo que pensaba pasar el resto de sus días en una segunda y renovada juventud que el desahogo económico, los cuidados corporales y una dieta adecuada habían hecho posible. Cada vez se le veía menos por Red Hook, y cada vez se movía más entre los miembros de la alta sociedad en la que había nacido. La policía observó una tendencia de los delincuentes a reunirse ahora en la pétrea y vieja iglesia-salón de baile, en lugar de acudir a la planta baja de Parker Place, aunque tanto éste como sus recientes anexos aún bullían de una vida repugnante.

Y entonces se produjeron dos incidentes bastante inconexos entre sí, aunque de un enorme interés para el caso, tal y como Malone lo concebía. Uno fue la discreta nota que apareció en el *Eagle*[15] acerca del compromiso entre Robert Suydam y la señorita Cornelia Gerritsen de Bayside, una joven de excelente posición y lejano parentesco con su anciano prometido; el otro fue una redada efectuada por la policía local en la iglesia-salón de baile, después de que alguien informara de haber visto la cara de un niño secuestrado asomada durante unos segundos a una de las ventanas de la parte baja. Malone intervino en aquella redada y examinó el interior del local con sumo cuidado. No descubrieron absolutamente nada —en realidad, el edificio estaba desierto cuando llegaron—, pero su sensibilidad céltica se sintió vagamente turbada por lo que vio dentro. Había unos tableros con groseras pinturas que no le agradaron, unos tableros que representaban rostros sagrados en actitudes sardónicas y mundanas, adoptando a veces gestos depravados que incluso resultaban ofensivos para alguien vulgar y sin decoro. Tampoco le gustó la inscripción griega que había en la pared, justo encima del púlpito; se trataba de un antiguo encantamiento con el que ya se había tropezado en sus tiempos de estudiante en Dublín, y que, una vez traducido, rezaba literalmente:

«¡Oh, amiga y compañera de la noche, tú que te regocijas en el ladrido de los perros y en la sangre derramada, tú que vagas en medio de las sombras entre las tumbas, que anhelas la sangre y traes el terror a los mortales, Gorgona, Mormo, luna de mil caras, sé condescendiente con nuestros sacrificios!»[16]

Se estremeció al leerlo, y recordó vagamente las notas desafinadas y débiles del órgano que imaginó haber escuchado ciertas noches sonando desde el subsuelo de la iglesia. Volvió a estremecerse de nuevo al observar el óxido en el borde de un cuenco metálico que había sobre el altar, y se detuvo nervioso cuando detectó un tufo hediondo que procedía de algún lugar cercano. El recuerdo de las notas de aquel órgano le obsesionaba, y examinó el sótano con especial atención antes de abandonar la iglesia. Odiaba ese lugar; sin embargo, ¿qué otra cosa podían ser aquellas pinturas e inscripciones blasfemas sino simples groserías perpetradas por personas ignorantes?

Hacia la fecha designada para la boda de Suydam, la epidemia de secuestros se había convertido en un escándalo que llenaba los periódicos. La mayoría de las víctimas eran niños de la clase social más baja, pero el progresivo número de desapariciones había hecho surgir un sentimiento de furia salvaje. Los diarios demandaban la intervención de la policía, y una vez más la comisaría de Butler Street envió a sus hombres a Red Hook en busca de pistas. Malone estaba feliz de volver al trabajo, y se sintió muy orgulloso de participar en una de las redadas a los edificios que Suydam poseía en Parker Place. Aun así, no se encontró a ninguno de los niños desaparecidos, a pesar de los rumores que circulaban acerca de unos gritos que se oían habitualmente, y a pesar de haberse encontrado en el patio una venda ensangrentada; pero las pinturas y grotescas inscripciones que inundaban las paredes desnudas de la mayoría de las habitaciones, y el primitivo laboratorio químico del ático, resultaron pruebas suficientes para convencer al inspector de que estaba en la pista de algo espeluznante. Las pinturas eran verdaderamente atroces: monstruos terribles de todos los tamaños y aspectos, y parodias humanas imposibles de describir. Las inscripciones estaban en rojo, en caracteres árabes, griegos, latinos y hebreos. Malone apenas pudo leerlos, pero lo que consiguió descifrar resultaba por sí solo suficientemente portentoso y cabalístico. Una de las frases, que se repetía con frecuencia en una especie de griego hebraizado del periodo helenístico, sugería las más terribles evocaciones al demonio de la decadencia alejandrina:

«HEL • HELOYM • SOTHER • EMMANVEL • SABAOTH • AGLA • TETRA-GRÁMATON • AGIRO • OTHEO • ISQUIRO • ATÁNATO • JEHOVÁ • VA • ADO-NÁI • SADAY • HOMOVSION • MESÍAS • ESCHEREHEYE»[17].

Por todas partes aparecían círculos y pentagramas que hablaban sin lugar a dudas de las extrañas creencias y ambiciones de aquellos que moraban allí de tan miserable manera. Sin embargo, fue en el sótano donde encontró lo más insólito de todo: un montón de genuinos lingotes de oro, cubiertos cuidadosamente por una basta tela de saco, que llevaban impresos en uno de sus lados los mismos terribles jeroglíficos que adornaban las paredes. Durante la redada, la policía apenas encontró una leve resistencia pasiva por parte de los estrábicos orientales que surgían en enjambres de todas las puertas. Al no descubrir otra cosa de mayor relevancia, tuvieron que dejar todo tal y como estaba; sin embargo, el comisario del distrito escribió una nota a Suydam en la que le aconsejaba que vigilara estrechamente los movimientos de sus inquilinos y protegidos, en vista del creciente clamor popular.

V

En junio tuvo lugar la boda, acontecimiento que causó una enorme conmoción. En Flatbush reinaba el júbilo hacia las doce del mediodía, y los automóviles engalanados ocupaban las calles cercanas a la vieja iglesia holandesa donde se había instalado un toldo que iba desde la puerta hasta la calzada. Ningún evento local superó los esponsales Suydam-Gerritsen en tono y categoría, y el grupo que escoltó a los novios hasta Cunard Pier fue, si no el más elegante, al menos sí representaba una sólida página de la alta sociedad. A las cinco en punto se produjeron las despedidas, y el impresionante transatlántico se despegó del espigado muelle, giró lentamente la proa hacia el mar, soltó amarras y se deslizó sobre las anchas aguas en pos de las maravillas del viejo mundo. Al anochecer se despejó la cubierta, y los pasajeros rezagados pudieron contemplar las estrellas que parpadeaban por encima de un impoluto océano.

No se sabe si fue el extraño carguero que entró en escena o el grito lo primero que llamó la atención de los presentes. Seguramente fueron ambas cosas a la vez, aunque de nada sirve hacer conjeturas. El grito procedía del camarote de Suydam, y el marinero que derribó la puerta quizá podría haber contado algunos detalles espeluznantes de no ser porque se volvió completamente loco en ese mismo instante; el caso es que empezó a gritar aún más fuerte que las propias víctimas, y luego echó a correr riendo como un demente por las cubiertas del buque hasta que le cogieron y le encadenaron. El médico de a bordo que entró en el camarote y encendió las luces unos momentos después, no se volvió majareta, pero tampoco relató a nadie lo que acababa de ver hasta pasado un tiempo, cuando entablé correspondencia con Malone en Chepachet. Se trataba de un asesinato por estrangulación, pero no hace falta decir que las marcas que aparecieron en el cuello de la señora Suydam no pertenecían a las manos de su esposo ni de ningún otro ser humano, y que los símbolos en caracteres rojos que oscilaron durante unos instantes sobre el blanco mamparo, grabados a fuego en la memoria, parecían corresponderse nada menos que con las espeluznantes letras caldeas que formaban la palabra «LILITH». Todo esto no resulta una prueba concluyente, ya que desaparecieron enseguida; en cuanto a Suydam, al menos se consiguió evitar que nadie entrara en su camarote hasta saber a qué atenerse. El médico ha asegurado de manera determinante a Malone que no llegó a ver ESO. Justo antes de que encendiera las luces, se percató de una extraña fosforescencia que manaba de la portilla abierta, y durante un rato pareció resonar un eco exterior en mitad de la noche que sugería algo así como una risita ahogada y diabólica, aunque sus ojos no pudieron distinguir nada concreto. Como prueba, el doctor se acoge al hecho de que aún conserva su cordura.

Luego, el extraño carguero acaparó la atención de todo el mundo. Un bote fue arriado, y una horda de rufianes insolentes de piel morena, vestidos con uniforme de oficial, invadieron la cubierta del buque de la Cunard, que en esos momentos estaba parado. Exigían que se les entregara a Suydam en persona, o su cadáver si había muerto; sabían que se hallaba a bordo y estaban convencidos, por ciertas razones ocultas, de que iba a morir. El puente de mando era casi un pandemónium, y durante unos momentos, entre el informe del médico sobre lo hallado en el camarote y las peticiones de los hombres del barco, ni el más juicioso y osado de los tripulantes supo qué hacer. De pronto, el líder de los marineros extranjeros, un árabe de labios desagradablemente negros, sacó un trozo de papel sucio y arrugado y se lo tendió al capitán. Estaba firmado por Robert Suydam, y contenía este insólito mensaje:

«En caso de que sufra un súbito e inexplicable accidente, o de que se produzca mi fallecimiento, ruego que mi cuerpo sea confiado sin mayores requerimientos al portador de esta nota y a sus acompañantes. Para mí, y también quizá para usted, todo depende del ineludible cumplimiento de esta petición. Las explicaciones llegarán más tarde... no me falle ahora.

Robert SUYDAM»

El capitán y el doctor se miraron el uno al otro, y este último susurró algo al primero. Finalmente asintieron con un gesto de impotencia y abrieron la marcha en dirección al camarote de Suydam. El médico obligó al capitán a que desviara la mirada al abrir la puerta y dejar paso a los extraños marineros, y no se atrevió casi ni a respirar hasta que salieron con su cargamento, tras permanecer largo rato preparándolo. Lo habían envuelto con las sábanas de la litera, y el médico estaba muy satisfecho de que no se destacara demasiado su silueta. Los hombres se las arreglaron de alguna manera para bajar el bulto por un costado hasta la cubierta de su propio carguero sin que el cuerpo quedara al descubierto. El barco de la Cunard reemprendió la marcha, y el médico y el encargado de pompas fúnebres de a bordo fueron al camarote de Suydam para prestar los últimos servicios. El doctor se vio de nuevo obligado a guardar silencio, aun incurriendo en falsedades, ante el terrible hecho que había tenido lugar. Cuando el encargado de pompas fúnebres le preguntó por qué había extraído toda la sangre del cuerpo de la señora Suydam, evitó decir que no había sido obra suya, ni señaló los espacios vacíos que había entre las botellas de la estantería, ni mencionó el olor del lavabo que revelaba la precipitación con la que se había vaciado el contenido original de las botellas. Los bolsillos de aquellos hombres –si en verdad se trataba de hombres– abultaban mucho más en el momento de abandonar el barco que antes de abordarlo. Dos horas más tarde el mundo ya conocía por la radio todo cuanto se debía saber de aquel horrible asunto.

VI

Esa misma tarde de junio, sin tener ninguna noticia de lo que había acontecido en el mar, Malone se hallaba desesperadamente ocupado por las callejuelas de Red Hook. Una súbita conmoción parecía haber hecho mella en el distrito, y, como advertidos por un rumor oculto de un hecho singular, los ciudadanos se concentraron alrededor de la iglesia-salón de baile y de las casas cercanas a Parker Place. Acababan de desaparecer tres niños –noruegos de ojos azules que vivían en las calles próximas a Gowanus[18]–, y corrió la voz de que se estaba congregando una muchedumbre compuesta por los robustos vikingos de aquel sector. Malone llevaba semanas aconsejando a sus colegas la realización de una limpieza general; al fin, acuciados por hechos más evidentes al sentido común que las simples conjeturas de un soñador dublinés, accedieron a asestar el golpe definitivo. El desasosiego y la amenaza de aquella tarde fue un factor decisivo, y hacia la medianoche una partida de agentes, reclutados en tres comisarías distintas, se desplazaron en dirección a Parker Place y aledaños. Derribaron puertas, arrestaron a todos los que no pudieron escapar y abrieron las habitaciones iluminadas con velas por donde brotaron hordas inconcebibles de extranjeros mestizos embutidos en túnicas extravagantes, mitras y demás emblemas indescriptibles. Mucho fue lo que se perdió durante la refriega, ya que arrojaron apresuradamente todos los objetos que pudieron al interior de unos pozos insospechados de los que surgía un hedor que intentaban disimular quemando incienso. Pero había manchas de sangre por todas partes, y Malone se estremeció al ver un altar o pebetero del que aún salía humo.

Le hubiera gustado estar en varios sitios a la vez, y no se decidió a inspeccionar el sótano de Suydam hasta que un comisionado le dijo que la desmoronada iglesia-salón de baile se hallaba completamente vacía. Pensó que en aquel piso quizá hubiera alguna pista sobre el culto del cual el erudito de lo prohibido se había convertido en indudable líder espiritual, y registró con verdaderas ansias las mohosas habitaciones, percibiendo su débil olor a osario y examinando los curiosos libros, instrumentos, lingotes de oro y botellas con tapón de cristal que estaban esparcidas de cualquier manera por todas partes. Una vez se le cruzó entre las piernas un gato esmirriado de color blanco y negro, haciéndole tropezar y consiguiendo que volcara una cubeta que estaba medio llena de un líquido rojizo. El susto fue tremendo, y Malone aún no sabe a ciencia cierta qué es lo que vio en realidad, pero todavía aparece en sus sueños, con ciertas alteraciones peculiares y monstruosas, ese mismo gato que se escabulle. Luego llegó hasta la puerta del sótano y se puso a buscar algo con que derribarla. Al lado había un pesado taburete, y su recio asiento fue más que suficiente para romper los vetustos tableros. Se abrió una abertura que fue ensanchándose poco a poco, y la puerta cedió de golpe... pero cedió *desde el otro lado*, de donde brotó una aullante ráfaga de viento helado que hedía con la pestilencia de un pozo sin fondo, el cual adquirió una fuerza de succión que no era humana ni divina, y que se enroscó como algo vivo alrededor del paralizado detective, arrastrándole por la abertura y llevándole a insondables espacios poblados de susurros, gemidos y burlescas carcajadas.

Por supuesto, se trataba de un sueño. Todos los especialistas se lo han asegurado, y él no puede probar lo contrario. En realidad, preferiría que fuese así; de esa manera, la visión de las vetustas barriadas de ladrillo y de los rostros foráneos y aceitunados no devoraría su alma con tanta vehemencia. Pero en aquellos momentos todo resultaba espantosamente real, y nada puede borrar el recuerdo de aquellas criptas tenebrosas, de aquellas arcadas titánicas, de aquellas diabólicas figuras a medio formar que daban gigantescas zancadas en silencio, llevando consigo los despojos aún vivos de unas criaturas que aullaban clemencia o reían enloquecidas. El aroma del incienso y de la corrupción se mezclaba en nauseabundo concierto, y el aire negro bullía con la vida de unos bultos informes y casi invisibles pertenecientes a seres elementales provistos de ojos. En alguna parte, un agua oscura y legamosa chapoteaba sobre los espigones de ónice, y, en una ocasión, se escuchó el tintineo estremecido de unas campanillas estridentes que saludaban las risotadas demenciales de una cosa fosforescente y desnuda que nadó hasta la orilla, salió del agua y se encaramó a lo alto de un pedestal tallado en oro que había en el fondo, quedando finalmente en cuclillas sobre él.

Unas avenidas de noche eterna parecían irradiar en todas direcciones, y cualquiera podía pensar que se encontraba en el núcleo de una enfermedad contagiosa destinada a contaminar y engullir ciudades enteras, y a sepultar a las naciones bajo una fetidez de híbrida pestilencia. El pecado cósmico había hecho presa en ese lugar y, animado por unos ritos sacrílegos, había iniciado la marcha burlona y mortal que iba a descomponernos a todos en unas fungosidades amorfas demasiado espantosas para ser cobijadas en la tumba. Aquí tenía Satán su corte babilónica, y con la sangre de niños inmaculados la fosforescente Lilith lavaba sus leprosas extremidades. Los íncubos y los súcubos aullaban sus cánticos de alabanza a Hécate, y unos acéfalos becerros-luna mugían a la Magna Mater. Las cabras brincaban al son de unos pífanos malditos, y los egipanes perseguían sin tregua a unos faunos deformes que saltaban entre rocas con forma de sapos hinchados. No faltaban Moloc ni Astarot[19], pues en esta quintaesencia de toda condenación habían quedado suprimidos los límites de la consciencia, y la fantasía del hombre quedaba abierta a las visiones de los lugares más horribles y de las dimensiones prohibidas que el mal pudiera moldear. El mundo y la Naturaleza estaban desamparados ante tales asaltos de los abismos desencadenados de la noche, y ningún signo ni oración era capaz de contener la desbordante riada de horror que se había desencadenado cuando el sabio que tenía una llave maldita había tropezado con una horda en posesión de un arca sellada y repleta hasta el borde de un saber diabólico transmitido generación tras generación.

De repente, un rayo de luz física hizo desaparecer todas estas fantasmagorías, y Malone escuchó el batir de unos remos entre las criaturas blasfemas que debían estar muertas. Apareció un bote con un farol colgado en la proa deslizándose rápidamente hacia una argolla de hierro que sobresalía de entre las legamosas piedras del embarcadero, y vomitó varios hombres cetrinos cargados con un largo bulto envuelto en una sábana. Se lo llevaron a la criatura fosforescente y desnuda que estaba en cuclillas sobre el pedestal tallado en oro, y ésta lanzó una risita y manoseó el envoltorio. Luego quitaron la sábana y pusieron de pie, delante del pedestal, el cuerpo gangrenoso de un anciano corpulento de barba incipiente y cabellos canos y despeinados. La criatura fosforescente volvió a reír, y los hombres sacaron unas botellas de los bolsillos y le ungieron los pies con un líquido rojizo, al mismo tiempo que le entregaban los recipientes para que bebiese su contenido.

De repente, desde una avenida abovedada que se perdía en el infinito, llegaron las vibraciones y jadeos infernales de un órgano blasfemo, sofocando con sus bajos sardónicos y cascados aquellas risas infernales. Entonces todas las entidades que allí había quedaron como petrificadas, y se agruparon hasta formar una procesión ceremonial, una horda de pesadilla que se alejó en pos de la música: cabras, sátiros y egipanes, íncubos, súcubos y lemures, sapos contrahechos e informes espíritus elementales, criaturas con cara de perro que aúllan en la oscuridad, y otras silenciosas que andan contoneándose, guiados todos por la abominable criatura fosforescente y desnuda que había permanecido en cuclillas sobre el pedestal tallado en oro, y que ahora caminaba insolente portando en sus brazos el cadáver de ojos vidriosos de aquel anciano corpulento. Los extraños hombres cetrinos danzaban a su espalda, y toda la cabalgata brincaba y saltaba con furia dionisíaca. Malone dio unos cuantos pasos tambaleantes detrás de ellos, confundido y trastornado, sin saber si se encontraba en este mundo o en otro. Luego dio media vuelta, trastabilló y se derrumbó sobre la piedra fría y húmeda, jadeante y tembloroso, mientras el órgano diabólico seguía emitiendo sus notas cascadas, y los aullidos, el retumbar de los tambores y el tintineo de la demente cabalgata se hacían cada vez más débiles.

Fue consciente de unos cánticos terroríficos y de unos espeluznantes graznidos que se evaporaban en la lejanía. De vez en cuando captaba un gemido o llanto impregnado de devoción que llegaba desde la tenebrosa avenida, hasta que al fin surgió la terrible invocación griega cuyo texto había leído encima del púlpito de aquella iglesia-salón de baile.

«¡Oh, amiga y compañera de la noche, tú que te regocijas en el ladrido de los perros *(aquí estalló un terrible aullido)* y en la sangre derramada *(ruidos atroces que competían con espeluznantes chillidos)*, tú que vagas en medio de las sombras entre las tumbas *(aquí sonó un silbido jadeante)*, que anhelas la sangre y traes el terror a los mortales *(gritos cortos y agudos de un millar de gargantas)*, Gorgona *(repetido en respuesta)*, Mormo *(repetido con éxtasis)*, luna de mil caras *(jadeos y notas de flauta)*, sé condescendiente con nuestros sacrificios!»

Al finalizar el cántico, se produjo un griterío generalizado, y unos ruidos sibilantes casi lograron ahogar las notas cascadas y bajas del órgano desafinado. Luego surgió un bufido de una multitud de gargantas, y una babel de ladridos y palabras lastimeras: «¡Lilith, Gran Lilith, he aquí el Novio!» Más gritos, una algarabía exultante, y el ruido seco de pisadas de una figura que corría. Los pasos se acercaron, y Malone se incorporó, apoyándose en el codo para mirar.

La luminosidad de la cripta, que había ido disminuyendo, aumentó ahora débilmente, y en esa claridad diabólica apareció la forma indeterminada de alguien que ya no podía huir, ni sentir, ni respirar: el cuerpo gangrenoso de ojos vidriosos del corpulento anciano, que ya no necesitaba ser sostenido, sino que estaba animado por alguna brujería infernal llevada a cabo en el rito que acababa de finalizar. Tras él corría la entidad desnuda, alborozada y fosforescente del pedestal tallado en oro, y aún más atrás resollaban los hombres cetrinos y toda la espeluznante cabalgata dotada de una vida nauseabunda. El cadáver iba sacando ventaja a sus perseguidores, y parecía correr con un propósito determinado, forzando cada uno de sus músculos putrefactos en pos del dorado pedestal, cuya sacrílega importancia al parecer era inmensa. Enseguida alcanzó su meta, mientras la multitud que lo seguía continuó su frenética carrera. Pero llegaron demasiado tarde, ya que el cuerpo de ojos desorbitados, que en otro tiempo había pertenecido a Robert Suydam, había logrado su objetivo y el triunfo final gracias a un último impulso que le desgarró los tendones y provocó el desmembramiento de su cuerpo putrefacto, que fue a caer sobre el suelo en un estado de gelatinosa descomposición. El esfuerzo había sido tremendo, pero no le falló el ímpetu hasta el final; y mientras se desplomaba convertido en una costra de lodosa corrupción, el pedestal que acababa de empujar cabeceó, se ladeó y finalmente se desmoronó de su base de ónice, yendo a caer en las aguas espesas que había debajo, y despidiendo un último destello dorado antes de hundirse pesadamente en los inimaginables abismos del Tártaro inferior. En ese mismo instante se disipó igualmente la terrorífica escena ante los ojos de Malone, y el policía perdió el conocimiento en mitad de un estallido atronador que pareció borrar todo aquel universo maligno.

VII

El sueño de Malone, experimentado en su totalidad antes de enterarse de la muerte de Suydam y de su posterior traslado en mar, se vio complementado por ciertos extraños incidentes reales relacionados con el caso; aunque ello no sea motivo para que nadie lo crea. Los tres vetustos edificios de Parker Place, sin duda corroídos por la decadencia desde hacía tiempo, se desplomaron sin un motivo aparente mientras aún se hallaban dentro la mitad de los policías y casi todos los detenidos; estos últimos murieron de forma instantánea. Sólo los que estaban en los sótanos y bodegas consiguieron salvarse, y Malone tuvo mucha suerte de encontrarse en las profundidades de la casa de Suydam. Pues efectivamente estaba allí, hecho que nadie se atrevería a negar. Le encontraron inconsciente al borde de un estanque de aguas tenebrosas, tendido cerca de un grotesco revoltijo de huesos y carne en descomposición, que más tarde los análisis dentales identificaron como el cadáver de Suydam. El asunto estaba claro, pues hasta allí llegaba el canal subterráneo que utilizaban los contrabandistas, el mismo que habían seguido los hombres encargados de trasladar el cuerpo de Suydam desde el trasatlántico. A éstos no se les llegó a encontrar nunca, o, al menos, no se les pudo identificar; pero al médico de a bordo no le convencen las interpretaciones simplistas de la policía.

Suydam era, con total seguridad, el cabecilla de una vasta empresa dedicada al tráfico de inmigrantes, ya que el canal que llegaba hasta su casa no era más que otra galería entre la numerosa red de túneles de la vecindad. Existía un canal que iba desde su casa hasta una cripta situada bajo la iglesia-salón de baile, que sólo era accesible desde un estrecho pasadizo que se abría en la pared norte de la iglesia y en donde se descubrieron ciertas cosas terribles y singulares. Allí estaba el órgano destartalado, así como una inmensa capilla abovedada con bancos de madera y un altar insólitamente engalanado. Las paredes estaban cubiertas de pequeñas celdas alineadas, y en diecisiete de ellas –resulta espeluznante relatarlo– encontraron unos prisioneros encadenados e indefensos que se hallaban en un estado de completa idiotez, incluyendo cuatro madres con sus respectivos bebés de un aspecto inquietantemente extraño. Dichos niños murieron tan pronto como fueron expuestos a la luz, circunstancia que los médicos calificaron de misericordiosa. Aparte de Malone, ninguno de los que los examinaron recordó la sombría pregunta del viejo Del Río: *«An sint unquam daemones incubi et succubae, et an ex tali congressu proles nascia queat?*[20]*»*

Antes de sellar los canales, procedieron a drenarlos en su totalidad, extrayendo una enorme cantidad de huesos de todos los tamaños, aserrados y triturados. Era evidente que al fin se había dado con la raíz de la epidemia de secuestros, aunque tan sólo dos de los detenidos que habían sobrevivido pudieron ser acusados legalmente. Dichos hombres se hallan ahora en prisión, ya que no se ha podido demostrar de manera contundente su participación en los asesinatos. El trono o pedestal tallado en oro, y al que con tanta asiduidad se refería Malone como un objeto de gran importancia cabalística, jamás salió a la luz, aunque se comprobó que en la parte del canal que estaba por debajo de la casa de Suydam, las aguas eran tan profundas que resultaba imposible drenarlas. Cegaron aquel pozo con cemento al construir los sótanos de los modernos edificios, pero Malone reflexiona con frecuencia acerca de lo que hay debajo. La policía, satisfecha de haber desarticulado una peligrosa banda de siniestros traficantes de emigrados, dejaron a los kurdos restantes en manos de las autoridades federales, descubriéndose, aun antes de ser deportados, que pertenecían a la secta yezidí de los adoradores del diablo. El carguero pirata y su tripulación siguen siendo un misterio absoluto, aunque los policías más cínicos están dispuestos una vez más a combatir el contrabando de alcohol y el tráfico de personas. Malone considera que estos policías dan muestras de una lamentable falta de perspectiva y poca capacidad de asombro ante la multiplicidad de detalles inexplicados y la sugestiva penumbra del caso; aunque también resulta igual de crítico con los periódicos, que tan sólo vieron un asunto morboso y sensacionalista, y se recrearon en los sádicos cultos menores, cuando podían haber sacado a la luz un espanto que procedía del mismísimo corazón del universo. Pero se siente feliz en su retiro de Chepachet, tranquilizando su sistema nervioso y rezando para que el tiempo pueda ir trasladando paulatinamente su terrible experiencia desde la región de la realidad presente al de la pintoresca y mítica lejanía.

Robert Suydam yace junto a su esposa en el cementerio de Greenwood. No hubo funerales por aquellos huesos extrañamente recuperados, y sus familiares agradecen el rápido olvido que ha caído sobre el caso. Desde luego, jamás pudo demostrarse legalmente algo más que una simple conexión erudita entre él y los horrores acaecidos en Red Hook, ya que su muerte impidió que se le practicara el interrogatorio al que se habría visto condenado. Tampoco se habla mucho de su fallecimiento, y los Suydam confían en que la posteridad le recuerde como el sencillo y afable ermitaño que se dedicaba al inofensivo estudio de la magia y el folclore.

En cuanto a Red Hook, sigue como siempre. Suydam apareció y desapareció, llegó el terror y más tarde se disipó, pero el espíritu maligno de la oscuridad y la miseria aún late entre los mestizos que pueblan los viejos bloques de ladrillo, y las bandas de camorristas siguen desfilando sin destino delante de las ventanas donde aparecen y desaparecen incontables luces y rostros contrahechos. El horror del pasado más arcaico es una hidra de mil cabezas, y los cultos de las tinieblas hunden sus raíces en pecados más profundos que el pozo de Demócrito[21]. El alma de la bestia es omnipresente e invencible, y las legiones de ojos turbios y rostros jóvenes picados de viruela de Red Hook aún entonan sus cánticos y maldicen y aúllan mientras desfilan de abismo en abismo, sin que nadie sepa de dónde vienen ni adónde van, empujados por las leyes ciegas de la biología que nunca han sido capaces de comprender. Igual que en el pasado, sigue entrando más gente en Red Hook de la que finalmente sale, y vuelven a correr rumores sobre nuevos canales subterráneos que se deslizan por debajo de ciertos lugares en los que se trafica con alcohol y con otras cosas menos confesables.

La iglesia-salón de baile es casi siempre ahora un verdadero salón de baile, aunque han empezado a verse extraños rostros asomados a las ventanas durante la noche. Recientemente, un policía expresó su convencimiento de que la cripta sellada se había vuelto a excavar, y por motivos que no resultaban en absoluto claros. ¿Quiénes somos nosotros para combatir ponzoñas más arcaicas que la historia y la humanidad? Los simios danzaban en Asia ante esos horrores, y el cáncer medra y se extiende al abrigo de los seres furtivos que se ocultan en aquellas hileras de ladrillos descompuestos.

Malone no se echa a temblar sin motivo, pues incluso el otro día un oficial escuchó accidentalmente a una vieja bruja de tez oscura que enseñaba a un chiquillo una salmodia susurrada bajo la sombra de un patio. Prestó atención, aunque le resultaba muy extraño que ella se la repitiese una y otra vez, una y otra vez...

«¡Oh, amiga y compañera de la noche, tú que te regocijas en el ladrido de los perros y en la sangre derramada, tú que vagas en medio de las sombras entre las tumbas, que anhelas la sangre y traes el terror a los mortales, Gorgona, Mormo, luna de mil caras, sé condescendiente con nuestros sacrificios!»

ÉL[1]

Le vi una noche de insomnio, mientras paseaba desesperado por salvar mi alma y mis visiones. Mi marcha a Nueva York había sido una equivocación; pues al buscar la maravilla y la inspiración entre los atestados laberintos de antiguas callejuelas que serpentean sin fin entre patios olvidados, plazas y muelles, en dirección a más patios, plazas y muelles igualmente olvidados, y en las modernas torres ciclópeas y pináculos que se yerguen tenebrosos y babilónicos bajo unas lunas menguantes, no había encontrado más que una sensación de espanto y opresión que amenazaba con someterme, paralizarme y aniquilarme.

El desengaño había sido gradual. Al llegar por primera vez a la ciudad, la contemplé desde un puente, iluminada por la luz crepuscular, irguiéndose majestuosa por encima de las aguas, con sus increíbles agujas y pirámides destacando cual flores entre lagos de niebla violeta, para jugar con las nubes de dorados destellos y los primeros luceros del atardecer. Luego se fue iluminando, ventana tras ventana, por encima de las mareas estremecidas repletas de farolillos temblorosos y resplandecientes, y unos cuernos graves irradiaban salvajes melodías, y la propia ciudad se convirtió en un estrellado firmamento de sueños, colmado de músicas encantadas, con todas las maravillas de Carcasona, Samarcanda y El Dorado, con toda la gloria y pompa de las ciudades de fábula. Un poco después me mostraron aquellos rincones caminos que tanto adora mi fantasía: callejuelas estrechas y serpenteantes, y pasajes delimitados por fachadas de rojo ladrillo georgiano en las que brillaban pequeñas ventanas abuhardilladas sobre los pilares de los pórticos que en otros tiempos acogieron dorados palanquines y carruajes revestidos de madera…; y al descubrir todas esas cosas, entusiasmado como estaba, pensé que al fin había dado con los tesoros que harían de mí un poeta.

Pero el éxito y la felicidad no iban a llegar tan fácilmente. La estridente luz diurna tan sólo mostró miseria, alineación y la nociva elefantiasis de piedra que se elevaba y se extendía hacia las regiones en donde la luna reinaba con su encanto y antigua magia; y la muchedumbre que bullía en las calles estaba compuesta de extranjeros vivaces y achaparrados, con rostros duros y ojos estrechos, taimados extranjeros sin sueños ni parentescos con todo lo que les rodeaba, que jamás tendrían nada en común con los hombres de ojos azules del antiguo pueblo, con el amor hacia las limpias calles verdes y los blancos campanarios de los pueblos de Nueva Inglaterra.

Así que, en lugar de la poesía que yo había esperado, tan sólo obtuve unas tinieblas estremecedoras y una soledad inefable; y descubrí al fin la tremenda verdad que nadie se había atrevido a formular, el más inconfesable de todos los secretos: que esta ciudad de piedra y discordancia no es una continuación sensible del viejo Nueva York, como Londres lo es del viejo Londres y París del viejo París, sino que está completamente muerta, y su cadáver ha sido embalsamado de una manera imperfecta y ahora está infectado por unas criaturas extrañas y animadas que ya no pueden hacer nada por ella. Tras realizar aquel descubrimiento, fui incapaz de dormir tranquilo; aunque con el tiempo fui recobrando una resignada tranquilidad al adquirir poco a poco el hábito de evitar las calles en las horas diurnas y aventurarme en ellas sólo al anochecer, cuando la oscuridad evoca lo poco que aún permanece de aquel brumoso pasado, y los vetustos pórticos blancos recuerdan las figuras corpulentas que en otro tiempo los cruzaron. Con esta especie de consuelo fui capaz incluso de escribir unos cuantos poemas, y hasta reprimí mis impulsos de volver a casa con los míos, para no entristecerlos al regresar agobiado por el fracaso.

Entonces, durante uno de sus paseos nocturnos, conocí al hombre. Ocurrió en un patio grotescamente escondido en el distrito de Greenwich, donde había ido en mi ignorancia, ya que se decía que aquel sitio era el hogar natural de los poetas y artistas. Ciertamente me habían entusiasmado las vetustas callejuelas y las inesperadas plazoletas y casas, y cuando descubrí que los poetas y artistas eran unos pretenciosos vociferantes cuya originalidad no es más que una falacia y cuyas vidas consisten en la negación de la belleza pura que es la poesía y el arte, seguí allí por amor a las demás cosas venerables. Las imaginaba como fueron en un principio, cuando Greenwich no era más que una plácida aldea que aún no había sido engullida por la ciudad; y en las horas que preceden al alba, cuando todos los noctámbulos se habían desvanecido, solía vagabundear en solitario por los rincones enigmáticos y meditar acerca de los curiosos arcanos que las generaciones pasadas debieron depositar allí. Todo esto mantenía viva mi alma, y me proporcionaba algunos de esos sueños y visiones que anhelaba el poeta que había en lo más profundo de mi ser.

El hombre me abordó una brumosa madrugada de agosto, mientras yo paseaba por una serie de patios independientes, a los que sólo se podía acceder a través de los tenebrosos callejones que se abrían entre los edificios, pero que antaño formaban una red continua de pintorescas callejuelas. Había oído vagos rumores sobre ellos, y advertí que no debían de figurar en ninguno de los planos modernos, pero el hecho de que estuvieran tan olvidados no hizo más que aumentar su atracción, de manera que me puse a buscarlos con renovado interés. Y ahora que los había encontrado, mi entusiasmo se incrementó aún más, pues algo en su disposición indicaba que quizá los que allí había tan sólo eran una pequeña parte de un conjunto más vasto, y que tenían sus duplicados silenciosos y lóbregos, encajonados entre paredes altas y lisas y solitarios bloques traseros de edificios, acechando a oscuras entre las arcadas, respetados por las hordas de inmigrantes y salvaguardados por huidizos artistas cuyas actividades no invitan a ser desveladas bajo la luz del día.

Se puso a hablarme sin que yo se lo pidiera, tras observar mi actitud y el interés con que miraba algunas puertas con aldabas situadas en lo alto de unas escalerillas con barandas de hierro, mientras mi rostro era iluminado por el pálido reflejo de los dinteles ornamentados. Su cara estaba oculta en las sombras, y llevaba un sombrero de ala ancha que, de alguna manera, concordaba a la perfección con la anticuada capa que vestía; pero me sentí ligeramente preocupado antes incluso de que se dirigiera a mí. Su figura era muy delgada, casi cadavérica, y su voz resultó excepcionalmente suave y hueca, aunque no demasiado profunda. Dijo que me había sorprendido durante algunos de mis paseos, y que se había dado cuenta de mi amor por las huellas del pasado, cosa que él también sentía. ¿No me agradaría disponer de alguien muy experto en tales exploraciones, y que tenía una información local mucho más profunda que la que cualquier recién llegado pudiera poseer?

Mientras hablaba, distinguí brevemente su rostro al resplandor amarillento de una solitaria ventana abuhardillada. Era un semblante noble, incluso hermoso, lleno de antigua gracia, y revelaba las marcas distintivas de un linaje y refinamiento inusuales para aquella época y lugar. Sin embargo, había algo en él que me inquietaba casi en la misma medida en que me agradaban sus facciones; quizá estaba demasiado pálido, o era demasiado inexpresivo, o desentonaba terriblemente con lo que le rodeaba, cosas que no ayudaban a que me sintiera cómodo en su compañía. No obstante, le seguí, pues en aquellos tristes días, mi búsqueda de los misterios y bellezas antiguas era lo único que mantenía con vida mi alma, y reconocía que toparme con alguien cuyos vagabundeos habían sido mucho más hondos que los míos podría ser un raro favor del Destino.

Algo en la atmósfera nocturna hizo que el hombre de la capa guardara silencio, y durante una larga hora me orientó sin pronunciar ni una palabra de más, haciendo tan sólo breves comentarios acerca de nombres antiguos, fechas y cambios, guiando mis pasos por medio de gestos cuando girábamos en alguna esquina, cruzábamos sigilosamente ciertas travesías, saltábamos una tapia de ladrillo, o nos internábamos finalmente a gatas por un pasadizo de piedra bajo y abovedado, cuya inmensa longitud y tortuosas revueltas borraron al fin todo el sentido de la orientación que había procurado mantener. Todo lo que vimos era antiguo y maravilloso, o al menos así nos lo parecía bajo aquel suave resplandor lunar que bañaba todas las cosas; jamás olvidaré las oscilantes columnas jónicas, las pilastras acanaladas, los postes de hierro fundido de las verjas, las ventanas de dinteles resplandecientes y los tragaluces ornamentados que parecían hacerse cada vez más extraños y excepcionales según nos íbamos internando en aquel laberinto infinito de desconocida antigüedad.

No nos encontramos con nadie y, a medida que pasaba el tiempo, las ventanas iluminadas se fueron haciendo más escasas. Las primeras farolas de las calles que visitamos eran de aceite, con su típica forma romboidal. Más adelante descubrí algunas de candela, y por último, después de cruzar un espantoso patio sombrío al que me había conducido mi guía con su mano enguantada hasta llegar, en la más absoluta negrura, a una estrecha puerta de madera abierta en el muro, desembocamos en un callejón apenas alumbrado por farolas emplazadas cada siete casas; y eran éstas unas farolas de hojalata de un aspecto increíblemente colonial, con topes cónicos y agujeros a los lados. El callejón subía vertiginosamente, con una pendiente que no creía posible en aquella zona de Nueva York, y la parte más alta se hallaba bloqueada por la pared cubierta de hiedra de una propiedad privada, detrás de la cual pude distinguir una cúpula desvaída y las copas de unos árboles que se balanceaban contra la vaga luminosidad del cielo. En esta pared había una pequeña puerta de oscuro roble, rematada en arco y tachonada de clavos, que el hombre procedió a abrir con una pesada llave. Me invitó a seguirle y abrió la marcha, en medio de la oscuridad más absoluta, por lo que parecía ser un camino de grava, y finalmente subimos los escalones de piedra que conducían a la puerta de la casa, que también abrió para que yo pasara.

Entramos; y al hacerlo creí estar a punto de desmayarme a causa del terrible hedor a moho que nos recibió, y que parecía el fruto de perniciosos siglos de descomposición. Mi anfitrión no pareció advertirlo y, por cortesía, yo no hice ningún comentario mientras me conducía por una escalera curva, que ascendía desde el recibidor, hasta una habitación cuya puerta cerró con llave nada más atravesarla. Luego le vi correr las cortinas de las tres pequeñas ventanas de vidrio que apenas destacaban contra la luminosidad del cielo; acto seguido fue hasta la chimenea, golpeó el pedernal, encendió dos velas de un candelabro de doce brazos y me hizo un gesto para que hablara bajo.

En aquel vago resplandor descubrí que estábamos en una amplia biblioteca, correctamente amueblada y recubierta de paneles de madera, que databa del primer cuarto del siglo XVIII, con espléndidos frontones encima de las puertas, una sugestiva cornisa dórica y una chimenea magníficamente tallada, con remates de volutas y urnas. Por encima de las estanterías, a lo largo de las paredes, había retratos familiares bien ejecutados, y, aunque estaban oscurecidos y sus figuras quedaban tras un velo de enigmática tenebrosidad, aún se podía ver su indudable parecido con el hombre que ahora me señalaba una butaca dispuesta junto a una elegante mesa Chippendale. Antes de sentarse al otro lado, frente a mí, el hombre se paró un momento, como si se sintiera avergonzado; luego, quitándose lentamente los guantes, el sombrero de ala ancha y la capa, se quedó teatralmente quieto revelando unas vestimentas de mitad del periodo georgiano, desde la coleta y la gorguera hasta los calzones de media caña, las medias de seda y los zapatos con hebilla en los que aún no me había fijado. Luego se arrellanó lentamente en una silla con respaldo de lira y empezó a observarme con atención.

Con el sombrero quitado, su aspecto era de una extrema vejez, cosa que antes apenas era discernible, y me pregunté si esa marca inadvertida de tan singular longevidad no sería una de las causas de mi primera inquietud. Cuando al fin habló, lo hizo con una voz suave, hueca y cuidadosamente amortiguada que temblequeaba con frecuencia; y a veces me costaba seguirle mientras le escuchaba con un escalofrío de asombro y callada alarma que cada vez se hacía más pronunciada.

–Contempla usted, señor –empezó a decir mi anfitrión–, a un hombre de hábitos tremendamente excéntricos, que no necesita disculparse por su indumentaria delante de una persona con su ingenio e inclinaciones. Pensando en tiempos mejores, no he tenido el menor escrúpulo para establecer sus costumbres y adoptar sus vestimentas y maneras; se trata de un capricho que no ofende a nadie si no se practica con ostentación. He tenido mucha suerte de poder conservar la hacienda rural de mis antepasados, a pesar de estar cercada por dos ciudades; Greenwich fue la primera, que se extendió hasta aquí después de 1800, y luego Nueva York, hacia 1830. Existen muchos motivos para conservar este lugar tan ligado a mis ancestros, y jamás he desistido de tales obligaciones. El lugarteniente que tomó posesión de los terrenos en 1768 se dedicó al estudio de ciertas artes e hizo ciertos descubrimientos, todos ellos relacionados con atributos propios de esta zona concreta, que fueron motivo de una estrecha vigilancia. Me gustaría mostrarle ahora, bajo el más estricto de los secretos, algunos efectos curiosos de estas artes y descubrimientos; creo que puedo fiarme lo suficiente de mi intuición para juzgar a las personas como para no tener dudas de su interés y discreción.

Hizo una pausa; aunque yo apenas pude asentir con la cabeza. Ya he dicho antes que me sentía inquieto; sin embargo, para mí no existía otra cosa peor que el mundo diurno y materialista de Nueva York y, tanto si este hombre fuera un inofensivo excéntrico como una autoridad en artes más peligrosas, no podía hacer otra cosa que seguirle la corriente y saciar mis ansias de maravillas en lo que pudiera ofrecerme. Así que le escuché.

—A... mi antepasado —prosiguió con voz suave—... le parecía que ciertas cualidades extraordinarias aún siguen presentes en el alma humana, cualidades que no sólo prevalecen sobre los actos personales y de los demás, sino también sobre todo tipo de fuerzas y sustancias de la Naturaleza, y sobre la mayoría de los elementos y dimensiones que son considerados aún más universales que la propia Naturaleza. ¿Se me permitiría decir que se mofaba de la pureza de cosas tan sublimes como el espacio y el tiempo, y que utilizó de extraña manera los ritos de unos indios mestizos que antaño habían acampado en su colina? Estos indios se encolerizaron mucho cuando se construyó la residencia, mostrándose insoportablemente tercos en su afán de entrar a los prados cuando la luna estaba llena. Durante años, y cuando podían, saltaban el muro todos los meses y se entregaban en sigilo a ciertas ceremonias. Más tarde, en 1768, el nuevo propietario les sorprendió en mitad de sus actividades, y se quedó petrificado por lo que vio. A partir de entonces hizo un trato con ellos, dejándoles pasar libremente a sus terrenos a cambio de que le hicieran partícipe del verdadero significado de lo que hacían; entonces supo que sus abuelos habían heredado aquellas costumbres en parte de sus propios antepasado pieles rojas y en parte de un viejo holandés de la época de los Estados Generales[2]. Y, ¡mal rayo le parta!, me temo que el lugarteniente debió de suministrarles un ron condenadamente malo –ya fuera intencionadamente o no–, porque una semana después de estar al tanto del secreto se convirtió en el único ser vivo que lo conocía. Usted, señor, es el primer extraño que sabe de la existencia de tal secreto, y que se hunda el suelo si me hubiera atrevido a hablar antes de... esos poderes... de no verle a usted tan interesado por las cosas del pasado.

Me estremecí ante la creciente locuacidad del hombre... y al oírle hablar de manera tan familiar en una lengua de otro tiempo. Prosiguió:

–Pero debe usted saber, señor, que lo que... el terrateniente... consiguió aprender de aquellos salvajes mestizos no fue más que una ínfima parte de todo lo que llegó a saber luego. No en vano había estado en Oxford y conversado con un viejo alquimista y astrólogo de París. Para ser exactos, se había percatado de que el mundo no era más que un velo de humo ideado por nuestra inteligencia; se encontraba por encima del vulgo, pero los más sabios podían aspirarlo y exhalarlo como una bocanada del antiguo tabaco virginiano. Podemos invocar todo lo que ansiamos, y también somos capaces de borrar lo que nos disgusta. No quiero decir que todo esto sea una verdad irrefutable, pero sí que resulta lo suficientemente cierto como para escenificar un buen espectáculo de vez en cuando. No tengo dudas de que a usted le encantaría tener una visión más exacta que la que le proporciona su imaginación de ciertas épocas pasadas, así que le ruego arrincone cualquier temor ante lo que me propongo mostrarle. Acérquese a la ventana y permanezca quieto[3].

Mi anfitrión me tomó de la mano y me llevó a una de las dos ventanas del lado más largo de la pestilente habitación; el contacto de sus dedos desenguantados me hizo sentir un frío helador. Su carne, aunque seca y firme, poseía la cualidad del hielo, y estuve a punto de retroceder a su contacto. Pero de nuevo volví a pensar en el vacío y el horror de la realidad, y resolví seguirle con valentía allá donde quisiera llevarme. Cuando estuvimos frente a la ventana, el hombre descorrió las amarillentas cortinas de seda y me hizo dirigir la mirada hacia la oscuridad exterior. Durante un rato no vi nada excepto la miríada de lucecitas vacilantes que brillaban lejos, muy lejos de donde nos encontrábamos. Luego, como en respuesta a un movimiento insidioso en la mano de mi anfitrión, estalló un relámpago que iluminó todo el escenario, y me descubrí mirando sobre un mar de lujuriante vegetación, una vegetación completamente virgen, y no sobre el mar de tejadillos que habría esperado encontrar cualquier mente normal. A mi derecha, el río Hudson resplandecía siniestro, y en la lejanía, frente a mí, observé el centelleo malsano de unas marismas inmensas perladas de inquietas luciérnagas. El resplandor murió, y una sonrisa maligna iluminó el rostro cerúleo del viejo nigromante.

—Eso fue antes de mis tiempos... antes incluso de los tiempos del primer terrateniente. Probemos otra vez.

Yo me sentía fatal, peor aún que ante la aberrante modernidad de aquella ciudad maldita.

—¡Por Dios! —susurré—, ¿puede hacer eso con *cualquier época*?

Al ver que asentía, y tras observar las negras raíces de lo que en otro tiempo fueron dientes, tuve que asirme a las cortinas para no desmayarme. Pero él me retuvo con aquella zarpa gélida y terrorífica, y repitió de nuevo su gesto insidioso.

Estalló otro relámpago... pero esta vez descubrió un escenario menos extraño. Se trataba de Greenwich, el Greenwich del pasado, con sus tejadillos dispersos y sus filas de casas, tal y como hoy la conocemos, pero con callejas verdeantes y prados y terrenos comunales cubiertos de hierba. Las marismas aún brillaban en la lejanía, pero más allá pude distinguir los campanarios de la antigua Nueva York, y las iglesias Trinity, de St. Paul[4] y Brick Church descollando entre sus hermanas, y una vaporosa neblina de humo de leña que se extendía por los campos. Inspiré profundamente, no tanto por causa de la visión en sí misma, sino por las posibilidades que se despertaban en mi aterrada imaginación.

—¿Podría... se atrevería... a ir aún más lejos? —dije atemorizado; y creo que él compartió este miedo durante un segundo, auque enseguida recuperó su maligna sonrisa.

–*¿Ir aún más lejos?* ¡Lo que yo he contemplado le convertiría a usted en una estatua de piedra! Atrás, muy atrás... y adelante, también *hacia delante...* ¡Mire, estúpido gallina!

Y mientras rumiaba estas palabras para sus adentros, hizo un nuevo gesto que provocó un resplandor aún más cegador que todos los anteriores. Durante tres segundos completos pude avistar una visión diabólica, y en ese espacio de tiempo contemplé una escena que siempre atormentará mis sueños. Vi unos cielos que hervían de extraños seres voladores y, debajo, una ciudad negra e infernal de gigantescas terrazas de piedra, obscenas pirámides que se erguían salvajemente hasta la luna, e incontables ventanas de las que manaba una luminosidad demoníaca. Y vi a los moradores amarillos y de ojos rasgados de la ciudad que pululaban en enjambres por unas nauseabundas galerías aéreas, vestidos con espantosas indumentarias rojas y naranjas, y danzaban trastornados al frenético son de unos timbales, al repiqueteo de unos crótalos obscenos y al demente gemido de unos cuernos apagados cuyas notas incesantes subían y bajaban ondulantes, como las olas de un sacrílego océano de betún.

Digo que vi todo esto, y que escuché con el oído de la mente la algarabía blasfema que lo acompañaba. Era la culminación estridente de todo el horror con el que esa ciudad cadavérica había invadido mi alma, y olvidando que debía permanecer en silencio, grité y grité y grité, hasta que mis nervios cedieron y las paredes vibraron a mi alrededor.

Luego, cuando el resplandor se desvaneció, vi que mi anfitrión también temblaba, y que una mirada de miedo lacerante casi borraba de su rostro la deformada expresión de rabia que le habían provocado mis gritos. Trastabilló, se agarró a las cortinas como yo lo había hecho antes, y zarandeó la cabeza salvajemente como un animal herido. Bien sabe Dios que tenía motivos, pues al apagarse los últimos ecos de mis chillidos, surgió otro sonido tan sugestivo y diabólico que sólo gracias a mis sentidos obnubilados pude mantenerme consciente y dueño de mis actos. Se trataba de un crujido continuo y disimulado en los escalones que había al otro lado de la puerta, como si una horda de pies descalzos o enfundados en mocasines ascendiera los peldaños; por fin se escucharon unas sacudidas cautelosas y secas en el picaporte de latón, que brilló bajo la tenue luz de las velas. El anciano palmoteó, escupió al aire mohoso en mi dirección, y me espetó varias frases mientras se agarraba tambaleante a la cortina amarilla:

—¡La luna llena... maldito seas... seas... tú... tú... perro escandaloso... tú les has llamado, y ellos vienen a por mí! Pies con mocasines... cuerpos muertos... que Dios os aplaste... a vosotros, diablos de piel roja. Yo no envenené vuestro ron... ¿acaso no he mantenido a salvo vuestra magia perversa?... Bebisteis como cerdos hasta enfermar, malditos seáis, y ahora queréis culpar al terrateniente... ¡Fuera! Soltad el picaporte... no tengo nada para vosotros aquí...

En ese momento, tres golpes secos y muy deliberados sacudieron los paneles de la puerta, y una saliva blancuzca afloró a la boca del aterrorizado nigromante. Su espanto, convertido en una acerada desesperación, hizo que renaciera su furia contra mí, y dio un paso tambaleante hacia la mesa en cuyo extremo me sostenía. Seguía sujetando la cortina con su mano derecha, mientras que con la izquierda arañaba el aire en mi dirección, y al avanzar finalmente cedió, desprendiéndose de la barra que la aguantaba y dejando entrar en la habitación un chorro resplandeciente de luz lunar que la claridad del cielo presagiaba. Bajo esos rayos verdosos la luminosidad de las velas pareció empalidecer, y un nuevo aspecto de decadencia se adueñó de la mohosa habitación, de su carcomido artesonado, sus suelos abombados, ruinosa chimenea, muebles destartalados y andrajosos tapices. Se adueñó también del anciano y, acaso por la misma razón, o debido a su espanto y vehemencia, le vi marchitarse y oscurecerse mientras se tambaleaba hacia mí e intentaba desgarrarme con sus zarpas de buitre. Sólo sus ojos permanecían indemnes, y brillaban con una mirada incandescente que fue dilatándose al tiempo que su rostro se carbonizaba y consumía.

Los golpes se repitieron ahora con una tremenda insistencia, y esta vez tenían un deje a metal. La cosa negra que me miraba había quedado reducida a una simple cabeza con ojos que trataba de arrastrarse impotente por el suelo abombado hacia donde yo me encontraba, y que de cuando en cuando lanzaba escupitajos de una malicia inmortal.

Arreciaron las sacudidas insistentes y demoledoras sobre los frágiles paneles de la puerta, y vi el centelleo de un *tomahawk* al atravesar la destrozada madera. No me moví, no podía moverme, pero observé idiotizado cómo la puerta se desprendía en astillas y dejaba pasar una sustancia informe, negra y colosal, perlada de ojos brillantes y malévolos. Se desparramó lentamente, como una marea de aceite al reventar un recipiente carcomido, volcó una silla y al final se esparció por debajo de la mesa y por todo el suelo de la habitación, en busca de la renegrida cabeza cuyos ojos aún seguían observándome. Se cerró en torno a ella y acabó engulléndola en su totalidad; acto seguido, empezó a retroceder, llevando consigo su invisible presa sin tocarme a mí, y, deslizándose de nuevo hacia la negra abertura de la puerta y los ocultos escalones que había más allá, partió produciendo los mismos crujidos que emitió al llegar, aunque en sentido inverso[5].

Entonces el suelo cedió finalmente, y me precipité jadeando en la oscura cámara de abajo, medio asfixiado por las telarañas y casi desfallecido por el terror. La luz verdosa de la luna, que brillaba a través de las ventanas rotas, me reveló la puerta entornada del recibidor, y mientras me incorporaba del suelo sembrado de cascotes y me liberaba de aquellas paredes abombadas, vi pasar arrastrándose un torrente de negrura en el que relucían cientos de ojos malignos y centelleantes. Buscaba la puerta del sótano, y, al encontrarla, desapareció tras ella. Me di cuenta entonces de que el suelo de esta habitación inferior también estaba cediendo, igual que antes había ocurrido con el de arriba; acto seguido, se produjo un gran estrépito en la parte superior, seguido por la caída de algo que vi pasar por la ventana de poniente y que seguramente eran los restos de la cúpula. Libre al fin de los escombros, crucé el recinto y corrí hacia la puerta; al descubrir que no podía abrirla, cogí una silla, rompí la ventana y me lancé frenéticamente por ella hacia el descuidado césped donde los rayos de luna brincaban entre la maleza y la hierba crecida. La tapia era alta y todas las puertas estaban cerradas, pero apilé un montón de cajas que había en un rincón, subí hasta arriba y conseguí asirme a una gran urna de piedra que sobresalía.

Casi completamente agotado, apenas pude distinguir paredes y ventanas extrañas, y vetustos tejadillos de estilo holandés. No descubrí la callejuela empinada por la que había venido, y lo poco que pude reconocer quedó rápidamente envuelto en la bruma que subía del río y que la luz de la luna no podía atravesar. De pronto, la urna a la que me había asido comenzó a tambalearse, como contagiada de mi vértigo letal; y un instante después mi cuerpo se desprendió del muro, cayendo hacia un destino incierto.

El hombre que me encontró dijo que debía de haber estado arrastrándome durante un trecho muy largo, a pesar de mis huesos rotos, ya que había dejado un rastro de sangre que iba más allá de donde él se había atrevido a mirar. La lluvia había borrado enseguida aquella conexión con el escenario de mi terrible experiencia, y los informes sólo pudieron determinar que había surgido de algún lugar desconocido, hasta llegar a las inmediaciones de un pequeño y tenebroso patio al final de Perry Street[6].

Jamás he intentado regresar a esos lúgubres laberintos, ni enviaría allí a ningún hombre en su sano juicio. No sé quién –o qué– era aquella anciana criatura; pero sigo sosteniendo que la ciudad está muerta y llena de horrores insospechados. Ignoro adónde habrá ido *él;* pero yo he vuelto a casa, a las callejas limpias de Nueva Inglaterra, por donde circula la fragante brisa marina del atardecer.

EN LA CRIPTA[1]

Dedicado a C. W. Smith, de cuyas sugerencias tomé la idea central[2].

Desde mi punto de vista, no hay nada más absurdo que la tradicional asociación entre lo hogareño y lo saludable que parece dominar la psicología de las multitudes. Describa un bucólico paisaje yanqui, un torpe y obeso encargado de una funeraria de pueblo, y un lamentable contratiempo acaecido en una tumba, y a ningún lector corriente se le ocurrirá esperar otra cosa que un desbordante, aunque grotesco, episodio cómico. Sin embargo, bien sabe Dios que la prosaica historia que la muerte de George Birch me permite narrar contiene ciertos matices que harían palidecer nuestras tragedias más lúgubres.

Birch sufrió una crisis y traspasó su negocio en 1881, aunque jamás hablaba de ello si podía evitarlo. Y tampoco lo hizo su anciano médico, el doctor Davis, que murió años atrás. Se tenía por cierto que la invalidez y la conmoción que le mantenían postrado fueron causadas por un desafortunado resbalón que obligó a Birch a estar encerrado durante nueve horas en la cripta del cementerio de Peck Valley, lugar del que sólo pudo salir tras rudimentarios y desastrosos procedimientos mecánicos; pero, aunque indudablemente todo eso era cierto, también existían otros hechos más tenebrosos que Birch solía contarme entre susurros durante los delirios de borracho de sus últimos años. Confiaba en mí porque era su médico, y porque seguramente tenía la necesidad de abrirse a alguien tras la muerte de Davis. Era un hombre soltero, y no tenía ningún pariente.

Birch había sido el director de la funeraria de Peck Valley hasta 1881, y uno de los individuos más insensibles y primitivos que uno pueda imaginarse. Los métodos que solían atribuírsele resultarían totalmente impensables hoy en día, al menos en cualquier ciudad; incluso la gente de Peck Valley se habría estremecido un tanto de haber estado al corriente de la frágil ética de su artista de pompas fúnebres en materias tan delicadas como la propiedad de la valiosa «mortaja» que se ocultaba tras la tapa del ataúd, y el grado de dignidad del que hacía gala al colocar y ajustar los miembros cubiertos de sus inanimados clientes en féretros cuyas medidas no siempre habían sido calculadas con total precisión. En resumidas cuentas, Birch era un sujeto poco estricto e insensible, y un indeseable en los cometidos de su profesión; y sin embargo, aún sigo pensando que no tenía malas intenciones. Simplemente, se trataba de un ser grosero y burdo, poco habituado a pensar, vago, aficionado al alcohol –como lo demuestra su absurdo accidente– y que carecía de ese toque de imaginación que mantiene al ciudadano medio dentro de los límites del decoro.

No sé por dónde comenzar la historia de Birch, ya que no soy un narrador experto. Supongo que debería empezar en aquel gélido diciembre de 1880, cuando la tierra se heló y los sepultureros del cementerio se dieron cuenta de que ya no podrían excavar más fosas hasta la primavera. Afortunadamente, el pueblo era pequeño y el índice de mortalidad bajo, de manera que no resultó demasiado difícil dar a los inanimados clientes de Birch un refugio temporal en la única cripta del cementerio, aunque fuera bastante antigua. El dueño de la funeraria se aletargó aún más a causa de aquel clima tan duro, sobrepasando con creces su habitual desidia. Jamás había claveteado ataúdes más endebles y destartalados, ni se había despreocupado tanto de las necesidades de la oxidada cerradura de la cripta, cuya puerta abría y cerraba de golpe con la mayor indiferencia.

Por fin llegó el deshielo primaveral, y las fosas fueron sigilosamente preparadas para las nueve presas mudas de la tétrica Parca que aguardaban en la cripta. Birch, a pesar de su poca predisposición al traslado y enterramiento de los cuerpos, se puso manos a la obra una desapacible mañana de abril; pero antes del mediodía, tras depositar en su morada eterna un único cadáver, tuvo que renunciar a la tarea debido al intenso chaparrón que parecía irritar a su caballo. El cuerpo pertenecía a un tal

Darius Peck, un anciano nonagenario, cuya sepultura no se encontraba muy lejos de la cripta. Birch decidió retomar su trabajo al día siguiente con el cadáver del viejo y enjuto Matthew Fenner, cuya fosa también estaba cerca; pero en realidad postergó el enterramiento durante tres días más, hasta el 15 de abril, día de Viernes Santo. Como no era un individuo supersticioso, no le dio mayor importancia a la fecha, aunque a partir de aquel día se negó siempre a hacer cualquier cosa de importancia en ese fatídico sexto día de la semana. Y en verdad, los acontecimientos de aquel anochecer cambiaron profundamente a George Birch.

Así pues, la tarde del viernes 15 de abril Birch conducía su carromato tirado por un caballo en dirección a la cripta, con la finalidad de trasladar el cadáver de Matthew Fenner. Que no se encontraba del todo sobrio es algo que luego admitiría; aunque también es cierto que aún no se había entregado en serio a la bebida, como más adelante haría para intentar olvidar ciertas cosas. Simplemente se encontraba algo atontado, y lo bastante distraído como para desconcertar a su impresionable jumento, que, tras soportar un fuerte tirón de riendas al llegar a la cripta, se puso a relinchar mientras pateaba el suelo y sacudía la cabeza de la misma manera que en aquella otra ocasión en la que le había sorprendido la lluvia. El día era claro, pero se había levantado una fuerte brisa, y Birch estaba contento de hallarse a resguardo mientras abría el portón de hierro y entraba en la cripta excavada sobre la ladera. Cualquier otra persona se habría sentido incómoda en aquel recinto húmedo y pestilente que contenía los otros ocho ataúdes colocados sin orden ni concierto; pero, en aquellos días, Birch era insensible a todo, y lo único que le importaba era emplazar cada ataúd en su fosa respectiva. Aún no se había olvidado del revuelo que se armó cuando los familiares de Hanna Bixby, que deseaban trasladar su cadáver al cementerio de la ciudad en la que habían establecido su nueva residencia, encontraron el féretro del juez Capwell bajo la lápida de Hanna.

La luz era escasa, pero Birch tenía buena vista, y no se confundió con el ataúd de Asaph Sawyer[3], aunque ambos eran muy parecidos. En realidad, había hecho aquel féretro para Matthew Fenner, pero al final tuvo que desecharlo por ser demasiado endeble y rústico, en un curioso ataque de sentimentalismo provocado por el recuerdo de la generosidad y amabilidad que aquel anciano le había mostrado cinco años atrás, cuando se hallaba completamente arruinado. De manera que dio al viejo Matt lo mejor que podía salir de sus manos, pero su tacañería le impulsó a conservar el ataúd desechado, y así pudo aprovecharlo cuando el viejo Asaph Sawyer murió de unas fiebres malignas. Sawyer no era un sujeto simpático, y circulaban montones de historias sobre sus inhumanas ansias de venganza y su increíble facilidad para recordar ofensas reales o imaginarias. Birch no sintió ningún remordimiento al asignarle el desvencijado ataúd, que ahora echaba a un lado mientras buscaba la caja de Fenner.

Justo al reconocer el ataúd de Matt, una ráfaga de viento cerró de golpe la puerta, dejándole sumido en una oscuridad aún más profunda. Por el estrecho dintel apenas pasaban unos débiles rayos de luz, y prácticamente ninguno a través del conducto de ventilación que había sobre su cabeza, de manera que tuvo que avanzar a trompicones entre las cajas alargadas mientras buscaba el tirador de la puerta. En medio de aquella fúnebre luminosidad tiró de la oxidada manivela, empujó las planchas metálicas y se preguntó por qué la puerta se había vuelto tan súbitamente obstinada. Atardecía, y entonces empezó a darse cuenta de su verdadera situación; se puso a gritar despavorido, como si su caballo pudiera hacer algo más que contestarle con un relincho de indiferencia. Lo cierto es que aquel picaporte, tras largos años de abandono, estaba roto, y el descuidado dueño de la funeraria se había quedado encerrado en la cripta, víctima de su propia desidia.

Los hechos debieron de acontecer hacia las tres y media de la tarde. Birch, que era un sujeto de temperamento pragmático y eminentemente práctico, dejó de gritar enseguida y se puso a buscar unas herramientas que recordaba haber visto en un rincón de la cripta. No está muy claro si llegó a intimidarse por aquella situación un tanto horrible y tremendamente absurda, pero el hecho de estar allí encerrado, tan lejos de los sitios comunes por donde transitaba la vida cotidiana de los hombres, era suficiente como para exasperarlo profundamente. Sus tareas diarias fueron tristemente interrumpidas, y a menos que la providencia llevara hasta allí a algún caminante despistado, tendría que hacer noche en la cripta. Pronto dio con el montón de herramientas y, tras coger un martillo y un cincel, Birch volvió a la puerta caminando por encima de los ataúdes. El aire empezaba a estar muy cargado, pero no dio demasiada importancia a este hecho mientras bregaba, casi a tientas, con el pesado y herrumbroso picaporte de metal. Habría dado cualquier cosa por disponer de una linterna o de un pequeño trozo de vela, pero, a falta de ambos, intentaba apañárselas en medio de la penumbra como buenamente podía.

Cuando se percató de que la manivela no iba a ceder, contando sólo con aquellas frágiles herramientas y en unas condiciones de luz tan precarias, Birch miró a su alrededor en busca de otras salidas posibles. La cripta había sido excavada en una ladera de la colina, de manera que el estrecho conducto de ventilación que había sobre su cabeza discurría a lo largo de varios metros de tierra, haciendo impracticable aquella vía de escape. Sin embargo, encima de la puerta había una especie de abertura sobre un montante empotrado en la fachada de ladrillo, y pudiera ser que un trabajador diligente fuera capaz de ensancharla; así que se quedó mirándola fijamente mientras se devanaba los sesos pensando en la manera de llegar hasta el montante. En la cripta no había nada parecido a una escalerilla, y los nichos que había a los lados y en la parte trasera –que Birch jamás se había tomado la molestia de usar– no posibilitaban el ascenso a la parte superior de la puerta. Tan sólo los mismos ataúdes podían convertirse en potenciales peldaños, y mientras consideraba esta posibilidad pensaba en cuál sería la mejor manera de colocarlos. Decidió que con tres ataúdes podría alcanzar el montante, pero que sería mejor utilizar cuatro. Los féretros eran prácticamente iguales, y podían apilarse uno sobre otro; así que empezó a hacer cálculos sobre cuál sería la forma más estable de colocar los ocho para conseguir una plataforma escalable de cuatro peldaños. Mientras pensaba en todo esto, no pudo menos que desear que las unidades de su proyectada escalera hubieran sido construidas de un modo más sólido. El hecho de que hubiera tenido la suficiente imaginación para haber deseado que las cajas estuvieran vacías es una cuestión que ya ofrece serias dudas.

Por fin, decidió formar una base de tres cajas paralelas a la pared, sobre la que colocaría dos niveles más de dos cajas cada uno, el último de los cuales remataría con una sola caja a modo de plataforma. De esta manera podría ascender y alcanzar la altura deseada con muy pocos esfuerzos. Aunque si lo hubiera pensado mejor, podría haber usado tan sólo dos cajas en la base para sostener toda la estructura, dejando otra de reserva para la cúspide en caso de que necesitara llegar más arriba para poder salir de allí. De forma que el cautivo se puso manos a la obra en medio de la creciente oscuridad, transportando los insensibles restos mortales sin ninguna ceremonia mientras su Torre de Babel en miniatura crecía peldaño a peldaño. Algunos ataúdes empezaron a rajarse debido a la presión que soportaban, por lo que Birch decidió reservar para el último escalón la sólida caja de Matthew Fenner, con la intención de que sus pies tuvieran una plataforma lo más estable posible. En medio de aquella penumbra, se veía obligado a confiar en el tacto para escoger el ataúd adecuado, y acabó dando con él de una manera prácticamente accidental, ya que sus manos tropezaron milagrosamente con la caja, tras haberla colocado por error al lado de otro ataúd del tercer piso.

Una vez terminada la torre, y tras una pausa para dar descanso a sus doloridos brazos, durante la cual permaneció sentado en el peldaño inferior de su tétrico artefacto, Birch ascendió con suma cautela, equipado con sus herramientas, y se colocó al nivel del estrecho montante. Los márgenes de la abertura eran de ladrillo, y no parecían existir muchas dudas de que podría agrandarlos rápidamente a golpe de cincel y conseguir que su cuerpo pasara. Nada más descargar los primeros martillazos, el caballo se puso a relinchar de una forma que igual podría ser de aliento como de burla ante la tarea de su dueño. En cualquier caso, las dos cosas resultaban bastante apropiadas, ya que la inesperada resistencia de los, en apariencia, desgastados ladrillos constituía sin duda una sardónica acotación a la vanidad de los anhelos mortales, y la fuente de una tarea cuya ejecución se merecía los más grandes estímulos.

Cayó la noche y Birch seguía dándole al martillo. Ahora sólo podía valerse del sentido del tacto, ya que las nubes habían ocultado la luna, y aunque su trabajo progresaba lentamente, él se sentía algo más animado al ver cómo se ensanchaba la abertura tanto por la parte de arriba como por la de abajo. Estaba convencido de que a medianoche podría salir; tampoco dejó que esta circunstancia se viera enturbiada por fantasmales apreciaciones. Libre pues de toda preocupación por la hora, el lugar y la compañía que tenía bajo sus pies, martilleaba filosóficamente los endurecidos ladrillos, lanzando maldiciones cuando alguna esquirla le golpeaba la cara y riéndose cuando otra impactaba en el caballo, que cada vez estaba más nervioso y no paraba de relinchar junto al ciprés. Al rato, el montante se había ensanchado tanto que cada cierto tiempo probaba a introducir su cuerpo por él, inclinándose de un lado a otro de forma que las cajas que tenía debajo empezaban a rechinar y tambalearse. Se dio cuenta de que no necesitaría apilar otro ataúd sobre la plataforma para alcanzar la altura apropiada, ya que la oquedad se encontraba exactamente al nivel idóneo para traspasarla cuando sus dimensiones lo permitiesen.

Sería la medianoche cuando Birch consideró que podría atravesar el dintel. Agotado y sudoroso a pesar de los abundantes descansos, bajó hasta el suelo de la cripta y se sentó un rato sobre el ataúd de la base con la intención de reponer fuerzas para llevar a cabo su esfuerzo final y conseguir saltar al exterior. Su hambriento animal relinchaba sin descanso y de una forma casi sobrenatural, y Birch hubiera deseado que éstos cesaran. Curiosamente apenas sentía entusiasmo ante su inminente liberación, y estaba preocupado por el esfuerzo que debía realizar, pues su cuerpo ya mostraba esa corpulencia indolente propia de los hombres entrados en años. Mientras volvía a subir por los rechinantes ataúdes sintió su propio peso de una dolorosa manera; sobre todo cuando, al llegar al que estaba más alto, escuchó aquel exasperante chasquido que presagiaba el total desmoronamiento de la madera. Al parecer, no había elegido el ataúd más robusto para rematar la plataforma, ya que en cuanto volvió a descansar todo su peso sobre él, la carcomida tapa cedió, haciéndole caer unos centímetros más abajo, sobre una superficie que ni tan siquiera él mismo se atrevía a imaginar. Desquiciado por el sonido, o quizá por el hedor que se diseminó incluso en el aire libre, el caballo emitió un chillido demasiado horrendo como para tratarse de un simple relincho y se lanzó frenéticamente hacia la oscuridad de la noche, mientras el carromato traqueteaba locamente tras él.

Birch, que se encontraba ahora en una lúgubre situación, estaba demasiado bajo para afrontar la salida a través del dintel ensanchado, pero reunió todas sus fuerzas para hacer un último intento. Asiéndose a los bordes de la abertura, trató de izarse hasta ella, cuando notó que algo extraño se aferraba a sus tobillos y le impedía el avance. Acto seguido, supo lo que era el miedo por primera vez durante aquella noche; pues, a pesar de todos sus tirones, no conseguía librarse del misterioso abrazo que mantenía cautivos sus pies. Sintió unos dolores espantosos, como si algo le desgarrara brutalmente las pantorrillas, y su mente era un torbellino de espanto mezclado con sensaciones más materialistas que sugerían astillas, clavos sueltos o alguna otra característica de una caja de madera despedazada. Es posible que gritara. Lo que sí está claro es que se puso a dar patadas y a retorcerse frenética y maquinalmente, mientras su consciencia quedaba prácticamente eclipsada a causa de un leve desvanecimiento.

El instinto le guió mientras culebreaba a través del montante, y también después, al arrastrarse por el suelo después del sordo batacazo que se produjo al caer sobre el terreno empapado. Al parecer, no podía mantenerse en pie y la luna, que empezaba a aparecer de nuevo, debió presenciar un fantasmagórico espectáculo mientras Birch remolcaba sus tobillos ensangrentados hacia la caseta del cementerio, arañando frenéticamente con los dedos el barro ennegrecido, mientras su cuerpo respondía con esa lentitud enloquecedora que se experimenta cuando alguien se siente perseguido por los fantasmas de su propia pesadilla. Y sin embargo, estaba claro que nadie le perseguía, ya que se encontraba solo y con vida cuando Armington, el guardia del cementerio, respondió a sus débiles arañazos en la puerta.

Armington ayudó a Birch a sentarse en el borde de un camastro desnudo y mandó a su hijo Edwin en busca del doctor Davis. El aterrorizado Birch estaba plenamente consciente, aunque era incapaz de decir nada con sentido; tan sólo musitaba cosas como: «¡Oh, mis tobillos!»,

«¡suelta!», o «... encerrado en la cripta». Al rato llegó el doctor con su maletín y le hizo unas cuantas preguntas muy concretas mientras le quitaba la ropa, los zapatos y los calcetines. Las heridas –pues ambos tobillos estaban terriblemente desgarrados a la altura del tendón de Aquiles– parecieron intrigar soberanamente al anciano médico, hasta el punto de casi llegar a asustarle. Sus preguntas se hicieron más agudas que las simples cuestiones médicas, y sus manos temblaban mientras vendaba los miembros desgarrados de Birch, intentando ocultarlos de la vista lo antes posible.

Para un médico tan impersonal como el doctor Davis, resultó bastante extraordinario el ominoso y exhaustivo interrogatorio al que sometió a Birch, como si intentara sonsacar del agotado director de la funeraria hasta el más mínimo detalle de su terrible experiencia. Se hallaba insólitamente ansioso por saber si Birch estaba seguro –completamente seguro– de la identidad del cadáver que había dentro de aquel último ataúd; quería averiguar cómo lo había escogido, cómo había llegado a la conclusión de que era la caja de Fenner, a pesar de la oscuridad reinante, y cómo pudo distinguirlo del féretro del malvado Asaph Sawyer que, aunque de inferior calidad, era igual al otro. ¿Cómo podía haber cedido con tanta facilidad el robusto ataúd de Fenner? Davis, que era el médico del pueblo desde hacía años, había estado presente en los funerales de los dos fallecidos, y también los había tratado durante la enfermedad que acabó con ellos. Incluso se había preguntado, en el funeral de Sawyer, cómo se las habían arreglado para que el vengativo granjero cupiese totalmente estirado en un féretro de tamaño tan parecido al del diminuto Fenner.

Tras dos largas horas, el doctor Davis se retiró, recomendando encarecidamente a Birch que insistiera en todo momento en que sus heridas habían sido causadas únicamente por una mezcla de clavos sueltos y madera astillada. ¿Qué otra cosa habría podido causarlas? Pero lo mejor sería hablar lo menos posible del asunto, y no consentir que ningún otro médico le tratara las heridas. Birch siguió aquella recomendación durante toda su vida, hasta que un día me lo contó todo, y cuando vi sus cicatrices –ya viejas y descoloridas– reconocí que había actuado sabiamente. La cojera lo persiguió el resto de sus días debido a los profundos tajos que le habían desgarrado los tendones, pero pienso que la mayor herida se había producido en su alma. Sus procesos mentales, antaño tan flemáticos y lógicos, habían quedado marcados por una profunda cicatriz, y daba lástima observar sus reacciones a ciertas referencias casuales como «viernes», «cripta», «ataúd», y otras palabras de vínculos menos obvios. El aterrorizado caballo de Birch había vuelto a casa, pero la cordura de su amo no había sido del todo capaz de hacer lo mismo. Traspasó su negocio, pero desde entonces siempre había algo que lo inquietaba. Quizá sólo era el miedo, un miedo mezclado con una especie de raro y tardío remordimiento por su antigua ordinariez. La bebida, por supuesto, no hizo más que agravar lo que pretendía atemperar.

Cuando el doctor Davis dejó a Birch la citada noche, cogió una linterna y se acercó a la vieja cripta del cementerio. La luz de la luna resplandecía sobre los fragmentos de ladrillo y en la vetusta fachada, y el picaporte del portón cedió fácilmente a un pequeño empujoncito desde el exterior. Insensibilizado por sus muchas y terribles experiencias en la sala de disección, el doctor entró en la cripta y echó un vistazo a su alrededor, conteniendo las náuseas mentales y físicas que le provocaban todo lo que veía y olfateaba. Tan sólo emitió un único y fuerte grito, y luego un jadeo ahogado que resultó aún más terrible que cualquier chillido. Acto seguido, salió corriendo en dirección a la casa del guarda y rompió todas las reglas de la profesión médica al levantar y sacudir a su paciente, mientras le soltaba una retahíla de susurros estremecedores que resonaron en los atolondrados oídos de Birch como el sisear de un vitriolo ardiente.

—¡Era el ataúd de Asaph, Birch, tal y como suponía! Reconocí su dentadura, a la que le faltaban los incisivos de la mandíbula superior... ¡Por el amor de Dios, jamás enseñe esas heridas! El cuerpo estaba en un estado muy avanzado de descomposición, pero nunca he visto una expresión tan vengativa en ningún rostro... vivo o muerto... Ya sabe cuán rencoroso era el despiadado Asaph, cómo arruinó al viejo Raymond treinta años después del pleito que tuvieron por una cuestión de límites, y cómo pisoteó al cachorro que le dio un mordisco hará un año en agosto... Era el mal encarnado, Birch, y en mi opinión su estricta observancia del ojo por ojo se ha impuesto a la mismísima Muerte. ¡Dios, qué furia la suya! ¡Estaría aterrado si la hubiera tomado conmigo!

»¿Por qué lo hizo, Birch? Asaph era un bribón, y no le condeno por haberle proporcionado un ataúd de desecho, ¡pero de nuevo se pasó de la raya! Habría bastado con cualquier otro féretro, y usted ya sabía que el viejo Fenner era un hombre pequeño.

»Jamás mientras viva lograré quitarme de la cabeza el cuadro que contemplé. Usted debió patalear con gran desesperación, ya que el ataúd de Asaph se encontraba en el suelo. Tenía la cabeza destrozada, y había un gran revoltijo. He visto cosas espantosas antes, pero nada igual a lo que descubrí en la cripta. ¡Ojo por ojo! ¡Por todos los cielos, Birch, usted se lo buscó! Aquel cráneo me revolvió el estómago, pero lo otro resultó mucho peor: *¡esos tobillos seccionados limpiamente para que el cuerpo de Asaph pudiera encajar en el desechado ataúd de Matt Fenner!*

EL DESCENDIENTE[1]

En Londres hay un hombre que grita cuando tañen las campanas de la iglesia. Vive solo con un gato listado en Gray's Inn[2], y la gente le considera un loco inofensivo. Su habitación está repleta de los libros más insulsos e infantiles, y a todas horas intenta aislarse de la realidad en sus torpes páginas. Lo único que le pide a la vida es no pensar. Por alguna razón, pensar es espantoso para él, y huye como de una plaga de todo lo que pueda estimular su imaginación. Es un sujeto muy flaco, gris y arrugado, aunque algunos dicen que no es tan viejo como aparenta. El miedo ha clavado en él sus truculentas garras, y cualquier sonido le hace dar un respingo, con los ojos muy abiertos y la frente cubierta de sudor. Los amigos y conocidos le evitan porque no quiere contestar a sus preguntas. Los que le conocieron en otro tiempo, cuando era un erudito y un esteta, dicen que da pena verlo ahora. Ha dejado de relacionarse con ellos desde hace varios años, y nadie sabe a ciencia cierta si ha abandonado el país o simplemente se ha perdido en algún paraje oculto. Ya han pasado diez años desde que se instaló en Gray's Inn, y jamás ha mencionado dónde había estado antes, hasta la noche en la que el joven Williams compró el *Necronomicon*.

Williams era un soñador de sólo veintitrés años cuando se mudó a la antigua casa y sintió algo extraño, como una ráfaga de viento cósmico, en el hombre marchito y gris que moraba en la habitación de al lado. Le obligó a aceptar su amistad cuando sus propios conocidos no se atrevieron a imponerle la suya, y se quedó fascinado por el terror que dominaba a aquel hombre adusto y demacrado que todo lo vigilaba y escuchaba. Pues nadie podía poner en duda que siempre estaba vigilando y escuchando. Vigilaba y escuchaba con la mente, más que con los ojos y oídos, y en todo momento parecía contener alguna cosa dándose a la lectura incesante de novelas insípidas y superficiales. Y cuando las campanas de la iglesia empezaban a repicar, se tapaba los oídos y empezaba a gritar, y el gato gris que vivía con él maullaba al mismo tiempo, hasta que se apagaban los últimos ecos de la campana.

Pero por mucho que Williams lo intentaba, no podía conseguir que su vecino hablara de cualquier asunto profundo o esotérico. El anciano no vivía acorde a su aspecto y maneras, sino que fingía una sonrisa y una conducta despreocupada, y parloteaba ardientemente y lleno de frenesí sobre alegres nimiedades; su voz subía y bajaba de tono todo el rato, hasta quebrarse en un falsete aflautado e inconexo. Que sus conocimientos eran hondos y sólidos quedaba claramente demostrado a través de sus triviales observaciones, y a Williams no le sorprendió descubrir que había estado en Harrow y Oxford. Más tarde averiguó que aquel sujeto no era otro que lord Northam, de cuyo castillo ancestral en la costa de Yorkshire tantas historias insólitas se contaban; pero cuando Williams trató de hablar de su castillo y de su supuesto origen romano, él se negó a admitir que hubiera nada extraño en todo ello. Incluso lanzó una risita estridente cuando salió a relucir el tema de la existencia de unas criptas subterráneas excavadas en los sólidos acantilados que miran ceñudos al Mar del Norte.

Así andaban las cosas hasta la noche en que Williams regresó a casa con el infame *Necronomicon* del árabe loco Abdul Alhazred. Sabía de la existencia de este aterrador volumen desde los dieciséis años, cuando su incipiente pasión por lo extraño le indujo a preguntar un montón de cosas insólitas a un viejo y encorvado librero de Chandos Street; y siempre le había fascinado que los hombres empalidecieran al hablar de dicho libro. El viejo vendedor le dijo que sólo había constancia de que hubieran sobrevivido cinco copias a los edictos condenatorios de los sacerdotes y legisladores, y que todas ellas estaban escrupulosamente custodiadas por los guardianes que se habían aventurado a iniciar la lectura de sus caracteres negros e impíos. Pero ahora, por fin, no sólo había encontrado una copia accesible, sino que la había hecho suya por un precio ridículo. Estaba en la tienda de un judío situada en el mísero distrito de Clare Market, donde solía comprar otras cosas extrañas, y casi le pareció observar que el viejo y retorcido semita sonreía por debajo de la maraña de su barba en cuanto se percató de su importante descubrimiento. Las gruesas tapas de piel con cierres de latón resultaban tremendamente llamativas, y su precio ridículamente bajo.

Una simple mirada al título bastó para sumirle en el éxtasis, y algunos de los diagramas en latín que adornaban el texto conjuraron en su cerebro los recuerdos más inquietantes y perturbadores. Supo que era totalmente indispensable regresar a casa en posesión de aquel pesado volumen y descifrarlo; se lo llevó de la tienda con tal precipitación que el viejo judío rió entre dientes mientras salía. Pero cuando al fin se halló a salvo en su habitación, descubrió que la mezcla de su texto ennegrecido y su lenguaje degradado resultaban excesivos para sus conocimientos lingüísticos, y resolvió, no sin mucha convicción, ir a ver a su atemorizado amigo para que le ayudara con aquel latín retorcido y medieval. Lord Northam estaba haciendo carantoñas a su gato listado, y se sobresaltó mucho cuando el joven entró en el cuarto. Entonces vio el libro y se puso a temblar con violencia, cayendo desmayado en cuanto Williams leyó el título. Al recobrar el conocimiento le contó su historia entre susurros, describiéndole su fantástica locura con frenesí, no fuera que su amigo no se decidiera a quemar rápidamente el libro y esparcir sus cenizas.

*   *   *

Sin duda hubo un error al principio, susurró lord Northam, pero no habría ocurrido nada si no hubiera llegado demasiado lejos en sus investigaciones. Era el decimonoveno barón de una estirpe cuyos inicios se remontan inquietantemente en el pasado... en un pasado increíblemente lejano[3], si se hacía caso de la ambigua tradición, ya que las historias familiares situaban sus orígenes en los tiempos presajones, cuando un tal Cneo Gabinio Capito, tribuno militar de la Tercera Legión de Augusto, cuyo campamento estaba situado entonces en Lindum, en la Britania romana, había sido degradado sumariamente de su cargo por participar en ciertos ritos ajenos a cualquier religión conocida.

Los rumores afirmaban que Gabinio había acudido a la gruta que se abría en el acantilado, lugar en el que se reunían por la noche unas gentes extrañas para hacer el Signo Mayor[4]; gentes extrañas a quienes los britanos no conocían pero que les causaban pavor, los últimos supervivientes de una tierra inmensa que se había hundido en el occidente, quedando tan sólo unas islas plagadas de megalitos, piedras y santuarios circulares, de los cuales Stonehenge era el más grande. Por supuesto, no se sabía cuánto había de cierto en la leyenda que atribuía a Gabinius la construcción de una fortaleza inexpugnable sobre una caverna prohibida y la fundación de una dinastía que ni pictos, ni sajones, ni daneses, ni normandos fueron capaces de sojuzgar; o en la tácita presunción de que de dicha dinastía nació el intrépido compañero y lugarteniente del Príncipe Negro, a quien Eduardo III nombró barón de Northam. Estos hechos no estaban demostrados, aunque se hablaba de ellos con frecuencia; y en verdad, la mampostería de la torre del homenaje de Northam se parecía alarmantemente a la del Muro de Adriano[5]. De niño, lord Northam había tenido extraños sueños siempre que dormía en las zonas más antiguas del castillo, y había adquirido la costumbre de escarbar en el pasado de su memoria en busca de nebulosas visiones, modelos e impresiones que no formaran parte de sus experiencias habituales. Se convirtió en un soñador a quien la vida le resultaba insípida y poco satisfactoria, un buscador de extraños países y relaciones antaño familiares, pero que no se encontraban en ninguna de las regiones visibles de la Tierra.

Dominado por la sensación de que el mundo tangible es un simple átomo en mitad de una estructura más vasta y ominosa, y que unas potencias desconocidas presionan y se adentran en la esfera de todo lo percibido, Northam, durante su adolescencia y primera madurez, agotó, uno tras otro, los fundamentos de la religión formal y de los misterios ocultos. Y sin embargo, en ningún sitio encontró consuelo y satisfacción; y al comenzar a envejecer, el anquilosamiento y las limitaciones de la vida se fueron haciendo cada vez más insoportables. Durante los años noventa se interesó por el satanismo, y siempre devoró con avidez cualquier doctrina o teoría que pareciera prometerle la evasión de las limitadas perspectivas de la ciencia y de las tediosamente inmutables leyes de la Naturaleza. Devoraba entusiasmado libros como el quimérico relato de Ignatius Donelly[6] sobre la Atlántida, y acabó cautivado por las extravagancias de una docena de escritores precursores de Charles Fort[7]. Habría sido capaz de recorrer grandes distancias con tal de seguir la pista a cualquier leyenda pueblerina de insólita magia, y en una ocasión se internó en el desierto de Arabia en busca de la Ciudad Sin Nombre, de la que había oído una vaga descripción, y que ningún ser humano había contemplado. Allí sintió nacer en él la tentadora convicción de que en algún lugar existía una puerta de fácil acceso, y que si era capaz de encontrarla, tendría el camino libre a las profundidades exteriores cuyos ecos resonaban tan lejanos en lo más recóndito de su memoria. Puede que se encontrara en el mundo visible; pero también podría ser que no existiera más que en su mente y en su alma. Quizá retenía en su cerebro casi inexplorado el críptico vínculo que le despertaría a otras vidas antiguas y futuras de olvidadas dimensiones, que le ligaría a las estrellas, y a las infinitudes y eternidades que hay más allá.

AIRE FRÍO[1]

Me piden que les explique por qué aborrezco las corrientes de aire frío, por qué tiemblo más que otros al entrar en una habitación fría, por qué siento náusea y asco cuando el viento gélido del anochecer comienza a imponerse sobre la atmósfera caldeada de un apacible día otoñal. Hay quien dice que reacciono frente al frío de la misma manera que otros lo hacen ante los malos olores, y esto es algo que no se me ocurriría cuestionar. Lo que voy a hacer es narrar el asunto más espeluznante con el que nunca me he topado, y dejaré que ustedes juzguen si mi relato puede contribuir a dar una explicación adecuada a esta peculiaridad mía.

Es un error suponer que el miedo está incuestionablemente asociado a la oscuridad, el silencio y la soledad. Yo me tropecé con el horror en medio de la luminosidad de la tarde, entre el bullicio de una gran urbe y el ajetreo propio de una deteriorada y modesta pensión, mientras estaba acompañado por una prosaica casera y dos robustos hombretones. En la primavera de 1923 había conseguido un tedioso y mal remunerado trabajo en una revista de Nueva York[2]; y como no podía permitirme el pago de un alquiler demasiado alto, empecé a trasladarme de una humilde casa de huéspedes a otra en busca de una habitación que reuniera ciertas condiciones de limpieza, un mobiliario decente y el precio más razonable posible[3]. Pronto descubrí que no había más remedio que elegir entre varias combinaciones a cada cual peor, pero al cabo de un tiempo di con una casa en la calle Catorce Oeste que me desagradaba mucho menos que todas las demás en las que antes me había hospedado.

Se trataba de una mansión de cuatro pisos construida en piedra caliza rojiza[4], que debía datar de finales de la década de 1840, y estaba adornada con una carpintería de madera y mármol cuyo oxidado y descolorido esplendor daba muestra de la decadente opulencia en la que se hallaba inmersa. En todas sus habitaciones, bastante grandes y de techo alto, decoradas con un papel pintado inimaginable y ridículamente adornadas con enlucidos de escayola, imperaba un deprimente olor a humedad y a guisos de dudosa procedencia; pero los suelos estaban limpios, la ropa de cama resultaba tolerable y el agua caliente no se enfriaba casi nunca ni se cortaba, de manera que llegué a considerarlo un lugar lo suficientemente digno como para hibernar hasta que al fin pudiera volver a llevar una vida decente. La patrona, una desaliñada mujer española con una barba incipiente que se apellidaba Herrero[5], no me importunaba con cotilleos ni me criticaba cuando dejaba encendida la luz del rellano del tercer piso hasta altas horas de la noche; y mis compañeros de pensión eran tan pacíficos y poco habladores como siempre había deseado, toscos sujetos de procedencia española sin mucha educación escolar[6]. Sólo el clamor de los coches que circulaban por la calle constituía una seria molestia.

Llevaba hospedado cerca de tres semanas cuando sucedió el primer incidente extraño. Una noche, a eso de las ocho, oí una especie de goteo sobre el suelo y de repente me di cuenta de que llevaba un rato olfateando el hedor cáustico del amoniaco. Miré a mi alrededor y descubrí que el techo estaba húmedo y goteaba; la filtración al parecer provenía de una esquina del costado de la habitación que daba a la calle. Ansioso de atajar el problema de raíz, me dirigí apresuradamente a la planta baja para comunicárselo a la patrona, quien me aseguró que el asunto se solucionaría de inmediato.

—El doctor Muñoz[7] —dijo a gritos mientras corría escaleras arriba delante de mí— ha debido derramar algún producto químico. Está demasiado enfermo para cuidar de sí mismo, cada día más enfermo, pero no quiere que nadie le ayude. Es muy rara esta enfermedad suya; se pasa todo el día tomando baños que huelen fatal, y no puede excitarse ni soporta el calor. Él mismo se arregla el cuarto, que está lleno de botellas y artilugios, y ya no ejerce la medicina. Pero fue famoso en otros tiempos: mi padre oyó hablar de él en Barcelona, y hace poco recolocó el brazo del fontanero que se lo había dislocado accidentalmente. No sale nunca a la calle; como mucho se le ve en el balcón, y mi hijo Esteban le lleva la comida, la ropa limpia, las medicinas y los productos químicos. ¡Por Dios, qué mal huele el amoniaco que utiliza ese hombre para mantenerse frío!

La señora Herrero desapareció por el hueco de la escalera que daba al cuarto piso, y yo regresé a mi habitación. El amoniaco dejó de gotear y, mientras limpiaba el que se había derramado y abría la ventana para ventilar la estancia, oí sobre mi cabeza los pesados pasos de la patrona. Jamás había oído antes al doctor Muñoz, excepto por ciertos sonidos que parecían proceder de un mecanismo propulsado por un motor de gasolina, ya que su andar era pausado y apenas perceptible. Me pregunté durante unos instantes en qué consistiría la extraña enfermedad de aquel hombre, y si su obstinada negativa a cualquier ayuda exterior no sería más que el resultado de una extravagancia sin demasiado fundamento. Existe, reflexioné sin mucha originalidad, un tremendo patetismo en el estado de aquellas personas eminentes que han caído en la decadencia y el olvido.

Nunca habría conocido al doctor Muñoz, de no ser por el repentino ataque al corazón que sufrí una mañana mientras escribía en mi cuarto. Los médicos ya me habían advertido del peligro que conllevaban aquellos accesos, y yo sabía que no podía perder ni un minuto; así que, recordando lo que me había dicho la patrona acerca de la ayuda que el enfermo le había prestado al fontanero, me arrastré escaleras arriba y golpeé débilmente la puerta que estaba justo encima de la mía. Mi llamada fue contestada en un inglés muy correcto por una voz extraña cuya procedencia se encontraba a cierta distancia a la derecha de la puerta, y que me preguntó cuál era mi nombre y el motivo de mi visita; aclarados ambos puntos, se abrió una puerta situada al lado de la que yo había estado llamando.

Me recibió una ráfaga de aire frío, y aunque era uno de los días más calurosos de finales de junio, me estremecí al cruzar el umbral de una amplia estancia, cuya refinada y suntuosa decoración me sorprendió encontrar en semejante nido de miseria y sordidez. Una cama plegable desempeñaba ahora su rol diurno de sofá[8], y los muebles de caoba, los ostentosos cortinajes, las antiguas pinturas y las añejas estanterías encajaban más con el estudio de un caballero que con la habitación de una casa de huéspedes. Entonces descubrí que la sala que había encima de mi cuarto –la «pequeña habitación» llena de botellas y artilugios a la que se había referido la señora Herrero– no era más que el laboratorio del doctor, y que la pieza principal en la que vivía se encontraba en la espaciosa habitación contigua, cuyas hornacinas y amplio cuarto de baño le permitían mantener ocultos todos los aparadores y molestos artilugios utilitarios. El doctor Muñoz era, sin duda alguna, un hombre de buena cuna, educación y criterio.

La figura que tenía ante mí era de baja estatura, pero exquisitamente bien proporcionada, y vestía un traje bastante formal de excelente corte y hechura. Un rostro noble y de expresión firme, aunque no arrogante, adornado por una barba corta de un gris acerado, y unos anticuados anteojos que resguardaban unos grandes ojos negros y coronaban una nariz aguileña, daban un toque moruno a una fisonomía predominantemente celtibérica. El cabello espeso y bien cortado que revelaba la visita regular al barbero, estaba graciosamente peinado a raya por encima de una frente alta; su aspecto general, en suma, era el de alguien que poseía una inteligencia aguda y una sangre y crianza superior.

Y sin embargo, cuando conocí al doctor Muñoz en medio de aquella corriente de aire frío, experimenté una repugnancia que nada en su aspecto parecía justificar. Sólo la extrema palidez de su rostro y la frialdad de su tacto podrían haber proporcionado una base física para semejante sensación, e incluso ambos hechos habrían resultado justificables debido a la enfermedad que padecía. Mi reacción podría haberse debido también a aquel frío singular que me había enajenado, pues no resultaba en absoluto normal tratándose de un día tan caluroso, y lo anormal siempre suscita el rechazo, la desconfianza y el miedo.

Pero la repugnancia pronto dio paso a la admiración, pues las dotes extraordinarias de aquel médico se pusieron al instante de manifiesto a pesar de la gelidez y el temblor de aquellas manos por las que no parecía circular la sangre. De un vistazo supo lo que me pasaba, y aplicó sus conocimientos con una destreza magistral, mientras me calmaba con una voz finamente modulada, aunque extrañamente hueca y carente de entonación, diciéndome que él era el enemigo más acérrimo e implacable de la muerte, y que había gastado toda su fortuna y perdido a todos sus amigos por dedicar toda su vida a la realización de extraños experimentos para contenerla y derrotarla. Algo de benevolente fanatismo parecía residir en su interior, mientras seguía hablando casi con demasiada locuacidad al tiempo que me auscultaba el pecho y mezclaba convenientemente las drogas que había traído de la pequeña habitación que hacía las veces de laboratorio. Era evidente que la compañía de un hombre culto resultaba una extraña novedad en aquel miserable antro, y se vio impulsado a hablar más de lo habitual a medida que rememoraba tiempos mejores.

Su voz, a pesar de ser bastante rara, tenía un efecto sedativo, y ni tan siquiera me di cuenta de su respiración mientras las fluidas sentencias salían con esmero de sus labios. Intentaba distraerme de mis inquietudes hablándome de sus teorías y experimentos, y recuerdo con cuanto tacto me consoló acerca de la fragilidad de mi corazón, insistiendo una y otra vez en que la voluntad y la conciencia son más fuertes que la propia vida orgánica, de manera que si se mantenía en buen estado un cuerpo saludable, se podía, mediante la mejora científica de aquellas cualidades, conservar una especie de animación nerviosa, cualesquiera que fuesen los graves impedimentos, defectos, o incluso ausencia de órganos críticos. Algún día, me dijo medio en broma, podría enseñarme cómo vivir –o poseer al menos una especie de existencia consciente– ¡sin corazón! Por su parte, estaba aquejado de una serie de complejas dolencias que le obligaban a guardar un tratamiento muy estricto, y la exposición constante al frío formaba parte del mismo. Cualquier aumento apreciable de la temperatura podría, si se prolongaba durante cierto tiempo, resultarle mortal, y había conseguido mantener la frialdad de su habitación –de unos 12 ó 13 grados centígrados– gracias a un sistema absorbente de enfriamiento por amoniaco, cuyas bombas eran accionadas por el motor de gasolina que con tanta frecuencia escuchaba desde mi habitación en el piso de abajo.

Recuperado del ataque en un lapso de tiempo extraordinariamente breve, abandoné aquel gélido lugar convertido en un devoto discípulo del genial recluso. Desde entonces le hice bastantes visitas, aunque siempre con el abrigo puesto, y le escuchaba atentamente mientras hablaba de investigaciones secretas y secuelas bastante escalofriantes, y me ponía a temblar imperceptiblemente cuando examinaba los extraños y sorprendentes volúmenes que reposaban en los estantes de su biblioteca. Debo añadir que me encontraba prácticamente curado de mi dolencia, y todo gracias a sus acertados remedios. Al parecer, no menospreciaba los conjuros de los medievalistas, pues creía que aquellas fórmulas crípticas contenían unos singulares estímulos psicológicos que en buena cuenta podrían afectar de una manera sorprendente a la sustancia de un sistema nervioso en el que hubieran cesado todas sus pulsaciones orgánicas. Me conmovió su relato sobre el viejo doctor Torres, de Valencia, que había compartido con él sus primeros experimentos y que le estuvo cuidando durante la grave enfermedad que había padecido 18 años atrás, y de la cual provenían todos sus trastornos actuales. Pero nada más salvar a su colega, el venerable médico sucumbió ante el lúgubre enemigo contra el que tanto había luchado. Quizá la tensión nerviosa a la que estuvo sometido había resultado demasiado grande, pero el caso es que el doctor Muñoz me susurró claramente –aunque sin mucho detalle– que los métodos de curación habían sido de lo más extraordinarios, incluyendo ciertas técnicas y procedimientos que los galenos más ancianos y conservadores habrían rechazado categóricamente.

A medida que se sucedían las semanas, observé apesadumbrado que el vigor físico de mi nuevo amigo iba decayendo lenta pero progresivamente, tal y como la señora Herrero había pronosticado. Se intensificó la palidez de su rostro, su voz se hizo más hueca e indefinida, los movimientos de sus extremidades cada vez eran más lentos y descoordinados, y su mente y su voluntad mostraban menos elasticidad e iniciativa. El doctor parecía darse perfecta cuenta de tan lamentable empeoramiento, y poco a poco su expresión y su conversación fueron adquiriendo un matiz irónico y truculento que hizo que retornara a mí esa repugnancia imprecisa que sentí al conocerle.

Empezó a tener extraños caprichos, aficionándose a las especias exóticas y al incienso egipcio, hasta el punto de que su habitación olía como el sepulcro de un faraón enterrado en el Valle de los Reyes. Al mismo tiempo, su necesidad de aire frío fue incrementándose, y, con mi ayuda, amplió los conductos de amoniaco que ventilaban su cuarto y modificó las bombas y los sistemas de alimentación de la máquina refrigerante hasta conseguir que la temperatura bajara hasta los cuatro grados centígrados, luego a uno y finalmente quedara estabilizada en los dos grados bajo cero; el cuarto de baño y el laboratorio, desde luego, mantenían una temperatura algo más elevada con vistas a que el agua no se congelara y a que pudieran darse los oportunos procesos químicos. El ocupante de la habitación contigua se quejó del aire glacial que penetraba por la puerta que comunicaba ambas estancias, de manera que ayudé al doctor a colgar unos pesados cortinajes para solucionar el problema. Una especie de horror progresivo, estrafalario y mórbido, pareció adueñarse de él. Hablaba de la muerte a todas horas, pero estallaba en carcajadas cuando se le sugería con suma delicadeza cualquier preparativo que tuviera que ver con el entierro o los funerales.

Con todo, el doctor Muñoz llegó a convertirse en un compañero desconcertante e, incluso, truculento; sin embargo, yo me sentía agradecido por los cuidados que me había dispensado y no estaba dispuesto a abandonarle en manos de los extraños que le rodeaban; así que me las arreglé para seguir limpiando su habitación y atender sus necesidades diarias, enfundado en un grueso capote que compré especialmente para tal fin. También me ocupaba de sus compras habituales, quedándome perplejo ante alguno de los compuestos químicos que encargaba en las farmacias y proveedores de laboratorios.

Una creciente e inexplicable atmósfera de espanto pareció apoderarse de su apartamento. Todo el edificio, como ya he comentado antes, despedía un olor a moho; pero el hedor de sus habitaciones era mucho peor, a pesar de las especias, el incienso y el aroma acre de los productos químicos en los que ahora se bañaba continuamente y sin dejarse ayudar por nadie. Comprendí que aquel olor debía estar relacionado con su enfermedad, y me estremecí al pensar qué tipo de dolencia sería la suya. La señora Herrero se santiguaba cada vez que le veía, dejando por completo en mis manos su cuidado, y ya no permitía que su hijo Esteban siguiera haciéndole los recados. Cuando le sugería que visitara a otros médicos, estallaba en unos accesos de cólera tan rabiosos como se atrevía a alcanzar. Era evidente que le atemorizaban los efectos físicos de una reacción violenta, pero su voluntad y fortaleza mental parecían crecer en lugar de disminuir, y se negó tajantemente a quedarse confinado en el lecho. La lasitud de los primeros días de su enfermedad dio lugar a un retorno de su fiera determinación, como si desafiara a gritos al demonio de la muerte, aunque ese antiguo enemigo estuviera a punto de atraparle. Dejó de tomar las diferentes comidas diarias, que curiosamente siempre habían sido una formalidad en él, y sólo el poder de la mente parecía protegerlo del colapso definitivo.

Adquirió la costumbre de escribir largos documentos, que lacraba cuidadosamente y a los que adjuntaba todo tipo de instrucciones para que a su muerte yo los remitiera a ciertas personas que él había reseñado: la mayor parte eran de las Indias Orientales, pero también había un célebre médico francés que ahora se daba por muerto, y de quien se comentaban los más extraordinarios chismorreos. Pero, tras lo acontecido, lo que hice fue quemar todos aquellos papeles sin abrirlos ni enviarlos. El aspecto y la voz del doctor Muñoz se volvieron absolutamente espantosos, y su compañía era casi insoportable. Un día de septiembre, una simple mirada suya provocó una crisis de epilepsia en un hombre que había ido a reparar la lámpara eléctrica de su escritorio, crisis de la que consiguió recuperarse gracias a las indicaciones que el mismo doctor le transmitía mientras se mantenía fuera del alcance de su vista. Aquel hombre, bastante curioso también, había vivido los horrores de la Gran Guerra sin llegar a sufrir una sensación tan espantosa.

Poco después, a mediados de octubre, sobrevino el horror de los horrores de una manera asombrosamente repentina. Una noche, a eso de las once, se rompió la bomba de la máquina de refrigeración, y al cabo de tres horas el proceso de enfriamiento por medio del amoniaco cesó por completo. El doctor Muñoz me llamó dando golpes en el suelo, y yo intenté arreglar desesperadamente la avería mientras el médico no paraba de lanzar maldiciones en un tono de voz tan hueco y carente de vida que sobrepasa toda descripción. Mis esfuerzos de aficionado no obtuvieron ningún resultado; y cuando al rato me presenté con el mecánico de un garaje nocturno del vecindario, comprobamos que no podía hacerse nada hasta la mañana siguiente, ya que necesitábamos un pistón nuevo. La rabia y el miedo del moribundo ermitaño adquirieron proporciones grotescas, y daba la sensación de que lo que quedaba de su debilitado físico fuera a derrumbarse de un momento a otro; en cierto momento se echó las manos a los ojos y corrió precipitadamente hacia el baño tras sufrir un espasmo. Cuando salió tenía un vendaje alrededor de la cabeza, andaba a tientas y ya no volví a verle los ojos.

El frío que reinaba en el apartamento había empezado a disminuir de manera evidente y a eso de las cinco de la madrugada el doctor se retiró al cuarto de baño tras pedirme que le procurara todo el hielo que pudiera conseguir en las tiendas y cafeterías nocturnas. Cada vez que regresaba de mis excursiones, a veces bastante descorazonadoras, y dejaba el botín frente a la puerta cerrada del baño, podía oír un chapoteo incesante que procedía del interior y una voz espesa y cascada que gritaba: «¡Más! ¡Más!» Por fin amaneció un día caluroso, y las tiendas comenzaron a abrir sus puertas una tras otra. Le pedí a Esteban que se encargara de conseguir el hielo mientras yo intentaba hacerme con un pistón nuevo, o que fuera él a buscar el pistón mientras yo seguía con el hielo; pero, aleccionado por su madre, se negó en redondo.

Al final, tuve que contratar a un haragán malencarado que encontré en la esquina de la Octava Avenida para que se ocupara de suministrar al paciente el hielo de una pequeña tienda que le enseñé, mientras yo me aplicaba diligentemente a la tarea de encontrar un pistón para la bomba y a alguien competente que fuera capaz de instalarlo. La misión parecía interminable, y casi llegué a enrabietarme tanto como mi huraño vecino al ver cómo pasaban las horas corriendo de un lado para otro, apenas sin aliento y totalmente en ayunas, haciendo una llamada tras otra sin ningún resultado y llevando a cabo un agotador rastreo, por metro o en taxi, de todos los lugares imaginables. A eso de las doce di con un almacén de repuestos en las afueras donde tenían lo que buscaba, y aproximadamente a la una y media llegué a la pensión con todos los repuestos necesarios y dos robustos y experimentados mecánicos. Había hecho todo lo que estaba en mis manos, y ya sólo me quedaba esperar que hubiera llegado a tiempo.

El más negro de los horrores, sin embargo, me había precedido. El edificio se hallaba en un estado de total confusión, y por encima de los comentarios de las sobrecogidas voces pude oír a un hombre que rezaba en un tono profundo. Algo diabólico flotaba en el ambiente, y los huéspedes acariciaban las cuentas de sus rosarios mientras les invadía el hedor que surgía por debajo de la atrancada puerta del doctor. Al parecer, el tunante que había contratado huyó precipitadamente, gritando con la mirada enloquecida, poco después de llevar a cabo su segundo viaje en busca de hielo; quizá como resultado de un exceso de curiosidad. Desde luego, él no podía haber cerrado la puerta con llave tras huir precipitadamente; y sin embargo ahora estaba atrancada, presumiblemente desde el interior. No se oía el más mínimo sonido dentro, excepto una especie de goteo parsimonioso, indefinible y espeso.

Tras discutir brevemente con la señora Herrero y los dos mecánicos, y a pesar del miedo que atenazaba mi voluntad, aconsejé que lo mejor sería forzar la puerta; pero la patrona halló un modo de accionar la cerradura desde el exterior con un alambre. Con anterioridad, habíamos abierto las puertas de todas las demás habitaciones de aquel piso, y lo mismo hicimos con las ventanas. Acto seguido, tras proteger nuestras narices con sendos pañuelos, accedimos temblorosos a la detestable habitación meridional que resplandecía inundada del cálido sol de primeras horas de la tarde.

Había una especie de rastro oscuro y viscoso que iba desde la puerta abierta del baño hasta la del vestíbulo, y de ahí al escritorio, donde se había formado un terrorífico charco. Alguien había estado garrapateando con un lápiz empuñado por una mano repugnante y ciega sobre un papel horriblemente manchado, como si hubiera estado en contacto con las garras que trazaron apresuradamente las últimas palabras. El rastro se dirigía luego hacia el sofá, donde terminaba indescriptiblemente.

No me atrevo a detallar aquí lo que había en el sofá. Pero lo que viene a continuación es todo cuanto pude descifrar, en medio del espanto general, del pegajoso y embadurnado papel, antes de prender una cerilla y dejarlo reducido a cenizas... todo lo que pude descifrar, completamente aterrorizado, mientras la patrona y los dos mecánicos huían frenéticamente de aquella habitación diabólica en busca de la comisaría más cercana, donde balbucearían su incoherente historia. Las nauseabundas palabras resultaban algo más que increíbles bajo la luz amarillenta del sol, el estruendo de los coches y el rugido de los camiones que ascendían runruneando por la tumultuosa Calle Catorce; pero tengo que confesar que en aquellos momentos creí lo que decían. Ahora mismo, y siendo completamente honesto, ya no sé si creerlas o no. Existen ciertas cosas sobre las que es mejor no preguntarse nada, y lo único que puedo afirmar es que odio el olor del amoniaco y que me siento desfallecer cuando soy sacudido por una corriente de aire inusitadamente fría.

«Ha llegado el fin —rezaban aquellos asquerosos garabatos—. No hay más hielo... el hombre me vio y ha echado a correr. El calor aumenta minuto a minuto, y los tejidos ya no pueden soportarlo. Supongo que lo sabe... todo lo que dije acerca de la voluntad, del sistema nervioso y de la conservación del cuerpo cuando los órganos vitales han dejado de funcionar. Era una buena teoría, pero no podía mantenerse eternamente. No tuve en cuenta el progresivo deterioro. El doctor Torres lo sabía, y la impresión acabó con su vida. No pudo resistir la tarea que se vio obligado a ejecutar: tuvo que introducirme en un lugar extraño y tenebroso, cuando cumplió lo que yo le había pedido en mi carta y consiguió curarme. Pero los órganos no volvieron a funcionar. Tenía que hacerse a mi manera —conservación artificial—; *¿lo entiende?, pues fallecí en aquel momento, dieciocho años atrás»*.

LA LLAMADA DE CTHULHU[1]

(Encontrado entre los papeles del difunto
Francis Wayland[2] Thurston, de Boston)

«Es posible que tales poderes o seres sean una supervivencia
[...] la supervivencia de una época enormemente remota en la
que [...] la conciencia debía manifestarse a través de formas y
figuras que desaparecieron hace ya mucho tiempo ante la
ascendente marea de la humanidad [...], formas de las que sólo
la poesía y la leyenda han conservado un fugaz recuerdo bajo la
denominación de dioses, monstruos, seres míticos de todas
clases y especies...»

ALGERNON BLACKWOOD[3]

I. El horror en arcilla

Lo más piadoso del mundo, creo, es la incapacidad de la mente
humana para relacionar todos sus contenidos. Vivimos en una plácida
isla de ignorancia en medio de negros mares de infinitud, y no estamos
hechos para emprender largos viajes. Las ciencias, esforzándose cada
una en su propia dirección, nos han causado hasta ahora poco daño;
pero algún día el ensamblaje de todos los conocimientos disociados
abrirá tan terribles perspectivas de la realidad y de nuestra espantosa
situación en ella, que o bien enloqueceremos ante tal revelación, o bien
huiremos de esa luz mortal y buscaremos la paz y la seguridad en una
nueva edad de tinieblas.

Los teósofos han sospechado la tremenda magnitud del ciclo cósmico del que nuestro mundo y el género humano constituyen efímeros incidentes. Han insinuado extrañas pervivencias en términos que helarían la sangre, si no quedaran enmascaradas por un optimismo complaciente. Pero no es de ellos de quienes me llegó la fugaz visión de evos prohibidos que me hace estremecer cuando me vuelve a la memoria y enloquecer cuando sueño con ella. Esa visión, como todas las visiones de la verdad, surgió como un relámpago al encajar accidentalmente las piezas separadas, en este caso, un artículo de un periódico atrasado y las notas de un profesor ya fallecido. Espero que nadie más llegue a encajar estas piezas; ciertamente, si vivo, no facilitaré jamás intencionadamente un eslabón a tan horrible cadena. Creo que el profesor también trató de guardar silencio respecto de la parte que él sabía, y que había destruido sus notas de no sobrevenirle accidentalmente la muerte.

Empecé a enterarme del asunto en el invierno de 1926-27, con la muerte de mi tío abuelo George Gammell Angell[4], profesor honorario de lenguas semíticas de la Universidad de Brown[5], en Providence (Rhode Island). El profesor Angell era ampliamente conocido como una autoridad en epigrafía, y había sido consultado frecuentemente por directores de prominentes museos; así que muchos recordarán su fallecimiento a los noventa y dos años. Localmente, el interés aumentó debido a la oscura causa de su muerte. El profesor murió cuando regresaba del barco de Newport; se derrumbó súbitamente, como declaró un testigo, tras recibir un empujón de un marinero negro que surgió de una de esas casuchas oscuras y extrañas de la empinada cuesta que constituye un atajo desde el muelle a la casa del difunto en Williams Street. Los médicos no pudieron descubrir ninguna causa visible, aunque concluyeron, después de una perpleja deliberación, que la causa del desenlace debió de ser un oscuro fallo del corazón provocado por el rápido ascenso de una cuesta tan pronunciada para un hombre de tantos años. En aquel entonces no encontré ninguna razón para disentir del dictamen, pero recientemente me inclino a dudarlo... y más que a dudarlo.

Como heredero y testamentario de mi tío abuelo, pues murió viudo y sin hijos, era natural que revisase yo sus papeles con cierto detenimiento; así que con ese motivo me llevé toda la serie de archivos y cajas

a mi casa de Boston. Gran cantidad del material que he logrado ordenar lo publicará más adelante la Sociedad Americana de Arqueología;
pero había una caja que me pareció enigmática por demás y no me sentía decidido a enseñársela a nadie. Estaba cerrada, y no encontré la llave
hasta que se me ocurrió examinar el llavero personal que el profesor llevaba siempre en el bolsillo. Entonces, efectivamente, logré abrirla; pero
fue para encontrarme tan sólo con un obstáculo aún más grande y hermético. Pues ¿qué podían significar el extraño bajorrelieve en arcilla y
las notas y apuntes y recortes de periódico que contenía? ¿Se había
vuelto mi tío crédulo de las más superficiales imposturas? Decidí buscar al excéntrico escultor que ocasionó esta supuesta turbación de la
paz espiritual del anciano.

El bajorrelieve era un tosco rectángulo de unos dos centímetros de
espesor, y una superficie de doce por quince centímetros, de origen
moderno evidentemente. Sus dibujos, no obstante, no eran modernos
ni mucho menos, tanto por su atmósfera como por lo que sugerían;
pues, aunque los desvaríos del cubismo y del futurismo son muchos y
extravagantes, no suelen reproducir esa misteriosa regularidad que
encierra la escritura prehistórica. Y ciertamente, escritura parecía aquella serie de trazos; aunque mi memoria, pese a estar muy familiarizada
con los papeles y colecciones de mi tío, no lograba identificar en ningún sentido aquel tipo de escritura en particular, ni descubrir su más
remoto parentesco.

Sobre estos supuestos jeroglíficos había una figura de evidente
carácter representativo, aunque su ejecución impresionista impedía
hacerse una idea sobre su naturaleza. Parecía una especie de monstruo,
o símbolo representativo de un monstruo, de una forma que sólo una
imaginación enferma podría concebir. Si digo que a mi imaginación
algo extravagante le sugirió imágenes de un pulpo, un dragón y una
caricatura humana, no sería infiel a la naturaleza del diseño. Una
cabeza pulposa, tentaculada, coronaba un cuerpo grotesco y escamoso,
dotado de unas alas rudimentarias; pero era el *contorno general* lo que lo
hacía más estremecedor. Detrás de la figura, un vago bosquejo de
arquitectura ciclópea servía de fondo.

El escrito que acompañaba a esta rareza, aparte del montón de recortes de periódico, estaba redactado con la más reciente letra del profesor Angell, sin la menor pretensión literaria. El principal documento, al parecer, era el que llevaba por título «EL CULTO DE CTHULHU», escrito cuidadosamente en caracteres de imprenta para evitar la lectura errónea de palabra tan insólita[6]. Dicho manuscrito estaba dividido en dos secciones; la primera se titulaba: «1925. Sueño y obra ejecutada en sueños, de H. A. Wilcox, Thomas St., 7, Providence (Rhode Island)»; y la segunda: «Informe del Inspector John R. Legrasse, Bienville St., 121, Nueva Orleans (Luisiana), al Congreso de la Sociedad Americana de Arqueología, 1928. Notas sobre la misma, y declaración del profesor Webb». Los demás escritos eran todos anotaciones breves; algunas, referencias a extraños sueños de distintas personas; otras, citas de libros teosóficos y revistas (en particular, *La Atlántida y la Lemuria perdida,* de W. Scott-Elliott[7]), y el resto, comentarios sobre pasajes de textos mitológicos y antropológicos como *La rama dorada,* de Frazer y *El culto de la brujería en la Europa occidental,* de Margaret Murray. Los recortes de periódicos aludían ampliamente al desencadenamiento de una extraña enfermedad mental y accesos de locura o manía colectiva en la primavera de 1925.

La primera mitad del manuscrito principal relataba una historia muy curiosa. Parece ser que el 1 de marzo de 1925, un joven delgado, moreno y de aspecto neurótico y excitado había ido a visitar al profesor Angell, con el singular bajorrelieve de arcilla, entonces excesivamente húmedo y fresco. Su tarjeta ostentaba el nombre de Henry Anthony Wilcox[8], y mi tío le había reconocido como el hijo más joven de una excelente familia ligeramente conocida suya, el cual había estudiado recientemente escultura en la Escuela de Bellas Artes de Rhode Island y había vivido solo en el Edificio Fleur-de-Lys, próximo a dicha institución. Wilcox era un joven precoz de reconocido genio pero de gran excentricidad, y había llamado la atención desde niño por las extrañas historias y singulares sueños que acostumbraba relatar. Decía de sí mismo que era «físicamente hipersensible», pero la gente seria de la antigua ciudad comercial le tenía simplemente por «raro». No relacionándose nunca mucho con sus semejantes, se había ido alejando gradualmente de la visibilidad social, y ahora sólo era conocido de un reducido grupo de estetas de otras ciudades. El Círculo Artístico de Providence, deseoso de preservar su conservadurismo, lo había considerado un caso perdido.

En esta visita, decía el manuscrito del profesor, el escultor recabó precipitadamente los conocimientos arqueológicos de su anfitrión para que identificase los jeroglíficos del bajorrelieve. Hablaba en un tono altisonante y pomposo que delataba afectación y le enajenaba toda simpatía; y mi tío le contestó con cierta sequedad, pues el evidente frescor de la tablita presuponía cualquier cosa menos que se relacionara con la arqueología. La respuesta del joven Wilcox, que impresionó a mi tío hasta el punto de recordarla después y consignarla al pie de la letra, fue de una naturaleza tan fantásticamente poética que debió de simbolizar su conversación entera, y que más tarde he observado como característica suya. Dijo:

—Es reciente, en efecto, pues la hice anoche mientras soñaba extrañas ciudades; y los sueños son más antiguos que la taciturna Tiro, la contemplativa Esfinge o la rodeada de jardines Babilonia[9].

Y entonces comenzó a relatar esa peregrina historia que, súbitamente, brotó de su memoria dormida, acaparando febrilmente el interés de mi tío. Hubo un ligero temblor de tierra la noche antes, el más fuerte que se había notado en Nueva Inglaterra desde hacía años[10], y la imaginación de Wilcox se había visto hondamente afectada. Una vez en la cama, había tenido un sueño sin precedentes sobre ciudades ciclópeas de gigantescos sillares y monolitos que se erguían hasta el cielo, que rezumaban un limo verdoso e irradiaban un aura siniestra de latente horror. Los muros y pilares estaban cubiertos de jeroglíficos, y desde algún lugar indeterminado de la parte inferior había brotado una voz que no era voz, sino una sensación caótica que sólo la fantasía podía transmutar en sonido, pero que él intentó traducir en una impronunciable confusión de letras: «*Cthulhu fhtagn*».

Este galimatías fue la clave del recuerdo que excitó y turbó al profesor Angell. Interrogó al escultor con minuciosidad científica y examinó casi con frenética intensidad el bajorrelieve en el que el joven se había sorprendido a sí mismo trabajando, muerto de frío y en pijama, cuando, paulatinamente, se despertó desconcertado. Mi tío atribuyó a su avanzada edad, dijo después Wilcox, su lentitud en reconocer los jeroglíficos y el dibujo. Muchas de sus preguntas parecieron sin sentido a su visitante, en especial las que pretendían relacionarle con cultos o sociedades extrañas; y Wilcox no logró comprender las repetidas promesas de silencio que le ofreció a cambio de que admitiese su afiliación a alguna sociedad religiosa mística o pagana de ámbito mundial. Cuando el profesor Angell se convenció de que el escultor ignoraba por completo todo culto o sistema de ciencia críptica, asedió a su visitante con peticiones de que le tuviese al corriente sobre sus nuevos sueños. Su petición produjo cierto fruto, pues a partir de la primera entrevista, el manuscrito registraba diarias visitas del joven, durante las cuales le contaba fragmentos espantosos de nocturnas fantasías cuyo contenido se relacionaba siempre con algún terrible escenario ciclópeo de oscura y rezumante piedra, con una voz o llamada subterránea que gritaba monótonamente en forma de enigmáticos impulsos sensitivos imposibles de describir. Los dos sonidos más frecuentemente repetidos son los que podrían transcribirse por las palabras «*Cthulhu*» y «R'lyeh».

El 23 de marzo, proseguía el manuscrito, Wilcox dejó de acudir; y al preguntar por él en la residencia, el profesor se enteró de que le había dado una oscura especie de fiebre y había regresado a casa de su familia en Waterman Street. Había empezado a gritar por la noche, despertando a varios otros artistas que vivían en el edificio, y desde entonces alternaba su estado entre periodos de inconsciencia y de delirio. Mi tío telefoneó inmediatamente a la familia, y a partir de entonces siguió el caso de cerca, acudiendo frecuentemente al despacho del doctor Tobey de Thayer Street, el médico que le atendía. La mente febril del joven repetía con insistencia, al parecer, cosas extrañas, y el médico se estremecía cada vez que hablaba de ellas. No sólo repetía lo que había soñado al principio, sino que aludía a un ser gigantesco que tenía «millas de estatura» y caminaba o avanzaba pesadamente. En ningún momento describió a este ser completamente, pero, por las palabras frenéticas que el doctor Tobey recordaba, el profesor se convenció de que debía de ser la misma criatura monstruosa que había tratado de representar en su escultura. Cada vez que el joven aludía a este ser, añadió el doctor, era invariablemente preludio de una recaída en el letargo. Su temperatura, cosa rara, no era superior a la normal; pero su estado parecía deberse más a una fiebre violenta que a un trastorno mental.

El 2 de abril, a eso de las tres de la tarde, cesaron súbitamente todos los síntomas de enfermedad en Wilcox. Se incorporó en la cama, asombrado de encontrarse en su casa, completamente ignorante de cuanto le había sucedido en sueños o en la realidad desde la noche del 22 de marzo. Declarado sano por el médico, regresó a su residencia a los tres días; pero ya no le sirvió de ninguna ayuda al profesor Angell. Con su recuperación desaparecieron todos sus sueños extraños, y tras una semana de anotar observaciones triviales sobre visiones completamente ordinarias, mi tío dejó de consignar sus nocturnas figuraciones.

Aquí termina la primera parte del manuscrito, pero las alusiones a ciertas notas dispersas me dieron mucho que pensar... tanto, que sólo el arraigado escepticismo que entonces constituía mi filosofía puede explicar mi persistente desconfianza con respecto al artista. Las notas a que me refiero describían los sueños de diversas personas durante el mismo periodo en que el joven Wilcox había tenido sus extrañas visiones. Mi tío, al parecer, había iniciado rápidamente una dilatada encuesta entre casi todos los amigos a quienes podía interrogar sin pecar de indiscreto, pidiéndoles que le contasen sus sueños y le facilitasen los detalles de cualquier visión excepcional que hubiesen tenido anteriormente. La información recibida era muy variada; pero, en definitiva, debió de recibir más respuestas de las que un hombre corriente habría podido manejar sin ayuda de un secretario. No conservó la correspondencia original, pero sus notas constituían una síntesis de lo más completa y significativa. Las gentes corrientes y hombres de negocios —la tradicional «sal de la tierra» de Nueva Inglaterra— dieron un resultado casi completamente negativo, aunque aparecieron casos, dispersos aquí y allá, de inquietantes aunque imprecisas impresiones nocturnas, siempre entre el 23 de marzo y el 2 de abril, periodo del delirio del joven Wilcox. Los hombres de ciencia no se sintieron muy afectados, si bien cuatro de los casos describían vagas visiones de extraños paisajes, y uno de ellos atribuía el miedo a algo anormal.

Fue de los artistas y poetas de quienes recibió las respuestas más interesantes, y comprendo el pánico que se habría desencadenado, de haber podido ellos mismos comparar notas. Dado que no existían las cartas originales, deduje que el compilador les había hecho preguntas específicas, o había dirigido la correspondencia con el fin de corroborar lo que personalmente había decidido ver. Ésa es la razón por la que seguí convencido de que Wilcox, conocedor de los viejos documentos de mi tío, había estado embaucando al viejo científico. Estas respuestas de los artistas contaban una historia turbadora. Del 28 de febrero al 2 de abril, muchos tuvieron sueños muy extraños, que alcanzaron su máxima intensidad durante el periodo de delirio del escultor. Una cuarta parte narraban escenas y sonidos parecidos a los descritos por Wilcox; y algunos confesaron haber experimentado un gran miedo ante un ser abominable. Un caso, que las notas describían con énfasis, resultaba particularmente triste. El sujeto, un arquitecto muy conocido con afición a la teosofía y al ocultismo, se volvió repentinamente loco el día que el joven Wilcox sufrió el ataque, y murió unos meses más tarde, gritando innecesariamente que le salvaran de cierta criatura escapada del infierno. De haber dejado mi tío la referencia nominal de estos casos, en vez de reducirlos a números, habría intentado yo alguna comprobación; de este modo, en cambio, sólo pude seguir la pista de unos cuantos. Todos, sin embargo, corroboraron plenamente las notas. Me he preguntado a menudo si todos aquellos a quienes el profesor había interrogado se sentirían tan intrigados como éstos. Bien está que no hayan llegado a saber jamás la explicación.

Los recortes de prensa, como he dicho ya, referían los casos de pánico, manía o excentricidad durante dicho periodo. El profesor Angell debió de emplear una oficina de recortes, pues el número de extractos era enorme, y además procedían de todas las partes del mundo. Uno hablaba de un suicidio en Londres durante la noche, en que un hombre se había levantado de la cama y arrojado por la ventana, luego de lanzar un grito espantoso. Otro era una carta incoherente dirigida a un periódico sudamericano, en la que un fanático auguraba un espantoso futuro por las visiones que había tenido. Otro era un despacho procedente de California que relataba que una colonia de teósofos empezó a vestirse en masa con ropas blancas para cierto «glorioso acontecimiento» que nunca llegaba, mientras que otras noticias de la India hablaban cautelosamente de una gran agitación entre los nativos que había tenido lugar a finales de marzo. Las orgías del vudú se habían multiplicado en Haití, y las agencias africanas de noticias hablaban de murmullos presagiosos. Los oficiales americanos con destino en Filipinas habían observado la inquietud de algunas tribus en este mismo tiempo, y algunos policías neoyorquinos habían sido atropellados por orientales histéricos la noche del 22 al 23 de marzo. En el oeste de Irlanda también corrían rumores insensatos, y un pintor llamado Ardois-Bonnot colgó un blasfemo *Paisaje onírico* en el Salón de Primavera de París, en 1926. Por otra parte, fueron tan numerosos los disturbios registrados en los manicomios que sólo un milagro pudo impedir que el cuerpo médico advirtiese extraños paralelismos y extrajese confusas conclusiones. En suma, se trataba de una escalofriante colección de noticias; y aún hoy, no comprendo qué sequedad racionalista me impulsó a desecharlas. Pero estaba convencido de que el joven Wilcox había tenido noticia de unos *casos* anteriores citados por el profesor.

II. El relato del inspector Legrasse

Los casos anteriores que movieron a mi tío a dar tanta importancia al sueño y al bajorrelieve del escultor constituían el tema de la segunda parte de su largo manuscrito. Al parecer, el profesor Angell había visto anteriormente la infernal silueta de la anónima monstruosidad, había estudiado los desconocidos jeroglíficos y había oído los siniestros vocablos que podrían traducirse por la palabra *Cthulhu,* encontrándolo todo tan horriblemente relacionado que no es extraño que acosara al joven Wilcox con preguntas y precisiones de fechas.

Esta experiencia anterior había tenido lugar diecisiete años antes, en 1908, cuando la Sociedad Americana de Arqueología celebró su congreso anual en Saint Louis. El profesor Angell, debido a su autoridad y sus méritos, había desempeñado un destacado papel en todas las deliberaciones, viéndose abordado por varios extranjeros que aprovecharon su ofrecimiento para aclarar las preguntas y problemas que le quisieran formular.

El jefe de este grupo de extranjeros, que se convirtió pronto en centro de atención de todo el congreso, era un hombre de aspecto ordinario y edad mediana, que había venido de Nueva Orleans en busca de cierta información que no había podido conseguir de fuentes locales. Se llamaba John Raymond Legrasse, y era inspector de policía. Con él traía el objeto motivo de su viaje: una estatuilla de piedra, de aspecto grotesco y repulsivo, aparentemente muy antigua, cuyo origen no acertaba a determinar.

Esto no significaba que el inspector Legrasse tuviera el más mínimo interés por la arqueología. Al contrario, su deseo de saber se debía a consideraciones puramente profesionales. La estatuilla, ídolo, fetiche o lo que fuera, había sido confiscada unos meses antes en los pantanos boscosos del sur de Nueva Orleans, durante una incursión para disolver una supuesta sesión de vudú; y tan extraños y horribles eran los ritos relacionados con ella, que la policía no pudo por menos de comprender que acababan de dar con un oscuro culto totalmente desconocido para ellos e infinitamente más diabólico que los más tenebrosos ritos de los círculos de vudú africanos. No pudieron averiguar nada sobre su origen, aparte de las disparatadas e increíbles historias arrancadas por la fuerza a los miembros capturados; de ahí los deseos de la policía de acudir a algún arqueólogo que pudiese ayudarles a identificar el espantoso símbolo, y por él seguir la pista del culto hasta su fuente.

El inspector Legrasse no se esperaba la impresión que su ofrecimiento causó. La aparición del objeto bastó para provocar en los científicos una tensa excitación, e inmediatamente se congregaron en torno a la estatuilla para contemplar la pequeña figura cuya rareza y auténticamente abismal antigüedad hacían vislumbrar perspectivas insospechadas y arcaicas. No aparentaba pertenecer este objeto terrible a ninguna escuela escultórica conocida, aunque parecían haberse inscrito los siglos y hasta los milenios en la oscura y verdosa superficie de su piedra.

La figura, que finalmente pasó de mano en mano para ser examinada cuidadosa y detenidamente, tenía unos veinte centímetros de altura, y estaba artísticamente labrada. Representaba un monstruo de contornos vagamente antropomorfos, aunque con cabeza de octópodo, y cuyo rostro era una masa de palpos, un cuerpo de aspecto gomoso y cubierto de escamas, garras prodigiosas en las extremidades traseras, y unas alas estrechas en la espalda. Este ser, que parecía dotado de una perversidad espantosa y antinatural, evidenciaba una pesada corpulencia, y descansaba sobre un bloque rectangular o pedestal, cubierto de caracteres indescifrables. Las puntas de las alas rozaban el borde posterior del bloque, la figura ocupaba el centro, mientras que las largas y curvadas garras de las cuatro patas plegadas llegaban al borde delantero y colgaban una cuarta de la altura del pedestal. Tenía la cabeza del cefalópodo inclinada hacia delante, de suerte que los extremos de los tentáculos faciales rozaban el dorso de las enormes zarpas posadas sobre las rodillas levantadas. La impresión general que producía era de vida anormal y del más penetrante pavor, dado su origen absolutamente desconocido. Su inmensa, espantosa e incalculable edad era innegable; sin embargo, no parecía tener relación con ningún tipo conocido de arte perteneciente a los albores de la civilización... ni, desde luego, con ningún otro tiempo.

Totalmente diverso e ignorado, su mismo material era un misterio; aquella piedra jabonosa, verdinegra, con sus doradas e iridiscentes manchas y estrías, resultaba desconocida para la geología y la mineralogía. Los caracteres de la base eran igualmente desconcertantes, y ninguno de los miembros del congreso, a pesar de que constituían una representación de expertos de medio mundo y cada uno era una autoridad en este campo, pudo aportar la más ligera idea del parentesco lingüístico. Tanto la figurilla como el material pertenecían a algo tremendamente remoto y distinto de la humanidad tal como la conocemos; a algo que sugería de manera estremecedora viejos e impíos ciclos de vida, en los que no participaban nuestro mundo ni nuestras concepciones.

Y sin embargo, mientras algunos de los miembros movían la cabeza y confesaban su impotencia ante el problema del inspector, un hombre de la reunión confesó que tanto la monstruosa figura como la escritura le resultaban vagamente familiares, y a continuación contó con cierta timidez un extraño incidente que conocía. Esta persona era el fallecido William Channing Webb, profesor de antropología de la Universidad de Princeton y explorador de no poca reputación. El profesor Webb había participado, cuarenta y ocho años antes, en una expedición a Groenlandia e Islandia, en busca de inscripciones rúnicas que no pudo descubrir; y estando en la costa occidental de Groenlandia, se habían tropezado con una extraña y degenerada tribu de esquimales cuya religión, una rara forma de culto al diablo, les había hecho estremecer por sus deliberadas ansias de sangre y su repulsión. Era una fe poco conocida por los demás esquimales, a la que aludían con un escalofrío, y decían que provenía de edades inconcebiblemente remotas, aun anteriores a los comienzos del mundo. Además de los ritos innominados y los sacrificios humanos, había ciertos rituales transmitidos hereditariamente que se dirigían a un demonio supremo y más antiguo o *tornasuk;* el profesor Webb había tomado cuidadosa nota de la expresión fonética de un anciano *angekok* o sacerdote-hechicero, y transcribió los sonidos lo mejor que pudo en caracteres latinos[11]. Pero ahora lo más importante era el fetiche que adoraba ese culto, alrededor del cual danzaban sus adeptos cuando la aurora boreal se derramaba por encima de los acantilados de hielo. Era, declaró el profesor, un bajorrelieve de piedra, formado por una figura horrenda y una especie de escritura críptica. Y por lo que él podía decir, guardaba un rudimentario paralelo con los rasgos esenciales de la bestial criatura que ahora constituía el centro de atención de toda la asamblea.

Estos datos, acogidos con asombro y duda por los miembros allí reunidos, parecieron excitar al inspector Legrasse, quien empezó inmediatamente a asediar al profesor con preguntas. Dado que había copiado una invocación ritual de los adoradores de los pantanos que sus hombres habían arrestado, suplicó al profesor que tratase de recordar lo mejor que pudiese las palabras de los esquimales diabolistas. A continuación siguió una exhaustiva comparación de detalles, y un silencio espantoso cuando el detective y el científico coincidieron en la virtual identidad de frases en dos rituales demoníacos separados por una distancia de tantos mundos. Lo que en definitiva habían entonado los hechiceros esquimales y los sacerdotes de los pantanos de Luisiana a sus ídolos era algo muy parecido a esto –deducidas las separaciones entre vocablos de las tradicionales pausas en la frase al cantar en voz alta–:

«Ph'nglui mglw'nafh Cthulhu R'lyeh wgah'nagl fhtagn».

Legrasse había tenido más suerte que el profesor Webb, pues algunos de sus prisioneros le habían revelado la significación de esas palabras. La frase decía más o menos así:

«En su morada de R'lyeh, Cthulhu muerto aguarda soñando».

Y a continuación, respondiendo a una insistente petición general, relató lo más detalladamente que pudo su experiencia con los adoradores de los pantanos; y contó una historia a la que, ahora me doy cuenta, mi tío debió de conceder suma importancia. Tenía cierta semejanza con los sueños más absurdos y disparatados de los teósofos y mistificadores, y revelaba un asombroso grado de imaginación cósmica, jamás sospechada en una sociedad de parias y de mestizos.

El 1 de noviembre de 1907, la policía de Nueva Orleans había recibido una llamada de los pantanos y la región situada al sur de la laguna. Los colonos, gentes primitivas en su mayoría, pero afables descendientes de los hombres de Lafitte[12], se sentían presa de un insuperable terror a causa de algo desconocido que les había sorprendido en la noche. Al parecer era un rito vudú, pero de una naturaleza más terrible que los conocidos hasta entonces por ellos. Y desde que empezó el incesante batir del tam-tam en el corazón de los negros bosques donde ningún habitante se aventuraba, habían desaparecido algunas mujeres y niños. Se oían gritos enloquecedores y alaridos demenciales, cánticos estremecedores e infernales llamas que crepitaban inquietas; y, añadió el aterrado mensajero, la gente no podía resistirlo más.

Así que, atardecido ya, había salido un cuerpo de policías en dos furgonetas y un automóvil, guiados por un colono tembloroso. Cuando el camino se hizo intransitable, dejaron los vehículos y avanzaron durante varios kilómetros chapoteando en silencio a través de los terribles bosques de cipreses donde nunca penetraba la luz del día. Las raíces retorcidas y el nudoso musgo español obstruían el paso y, de cuando en cuando, algún montón de piedras húmedas o los fragmentos de un muro en ruinas hacían más intensa la opresiva sensación que cada árbol deformado y cada islote fangoso contribuía a crear. Finalmente, surgió ante ellos el poblado de colonos, una miserable agrupación de cabañas; y los histéricos habitantes salieron presurosos y se apiñaron alrededor de las balanceantes linternas. El apagado batir de los tam-tam se oía ahora en la lejanía; y a intervalos prolongados se escuchaba un alarido aterrador, cuando el viento soplaba en dirección hacia ellos. Un resplandor rojizo parecía filtrarse a través de la pálida maleza, más allá de las interminables avenidas de la negrura del bosque. A pesar de la repugnancia a quedarse solos otra vez, los colonos se negaron a dar un paso más hacia el escenario del impío culto, de modo que el inspector Legrasse y sus diecinueve hombres se sumergieron sin nadie que les guiase en las negras arcadas de horror que ninguno de ellos había hollado jamás.

La región en que ahora penetraba la policía tenía tradicionalmente una fama maligna, y en su mayor parte estaba inexplorada por el hombre blanco. Había leyendas sobre un lago secreto jamás contemplado por ojos humanos, en el que habitaba un inmenso ser informe, blancuzco, semejante a un pólipo y de ojos refulgentes; y decían los colonos en voz baja que había demonios con alas de murciélago que surgían volando de las cavernas para adorarlo a medianoche. Afirmaban que estaba allí antes que D'Iberville, antes que La Salle[13], antes que los indios, y antes incluso que las saludables bestias y aves de los bosques. Era una pesadilla, y verlo significaba la muerte. Pero se aparecía en sueños a los hombres, y eso bastaba para mantenerles alejados. La actual orgía vudú se desarrollaba, efectivamente, en los límites de esta zona execrable, pero aun así el paraje era bastante malo, y quizá fuera eso, más que los espantosos gritos e incidentes, lo que había aterrorizado a los colonos.

Sólo la poesía o la locura podían hacer justicia a los ruidos que oyeron los hombres de Legrasse al abrirse paso a través de las negras ciénagas hacia el rojo resplandor y los apagados sones del tam-tam. Hay calidades vocales características de los animales; y nada hay más terrible que oír una de ellas cuando su fuente se halla en otra. La furia animal y la licencia orgiástica se elevaban a unas alturas demoníacas con aullidos y graznidos extáticos que se desgarraban y reverberaban a través de esos bosques tenebrosos como tempestades de pestilencia surgidas de los abismos del infierno. De cuando en cuando cesaban los gritos incoherentes y se elevaba un coro de voces entonando la horrenda fórmula ritual:

«*Ph'nglui mglw'nafh Cthulhu R'lyeh wgah'nagl fhtagn*».

Finalmente, los hombres llegaron a un lugar donde los árboles eran más raros, y vieron de repente ante sí el espectáculo. Cuatro de ellos se tambalearon, uno se desmayó y dos prorrumpieron en gritos frenéticos que afortunadamente apagó la demente cacofonía. Legrasse roció con agua el rostro del hombre desmayado; luego se quedaron todos contemplando el espectáculo hipnotizados de horror.

En un claro natural del pantano había una isla cubierta de yerba de quizá un acre de extensión, vacía de árboles y relativamente seca. En ella saltaba y se contorsionaba la más indescriptible horda de humana deformidad que nadie, a no ser un Sime o un Angarola[14], sería capaz de plasmar. Despojados de toda indumentaria, aquella horda híbrida bramaba, rugía y se contorsionaba alrededor de una hoguera monstruosa de forma circular; en su centro, al rasgarse de cuando en cuando la cortina de las llamas, se veía un gran monolito de granito de unos dos metros y medio de altura; en la parte superior, desproporcionadamente pequeña, descansaba la maléfica estatuilla. En diez cadalsos erigidos en espacios regulares formando círculo en torno a las llamas, colgaban, cabeza abajo, los cuerpos desfigurados de los desdichados colonos que habían desaparecido. Dentro de este círculo, los adoradores saltaban y rugían, girando en masa de izquierda a derecha en una interminable bacanal, entre el círculo de cuerpos y el círculo de fuego.

Puede que fuera sólo producto de la imaginación, y puede que fuese sólo el eco lo que indujo a uno de los hombres, un español excitable, a creer que había oído respuestas antifonales del ritual desde algún punto lejano, no iluminado, más al interior del bosque de antigua leyenda y horror. Este hombre, José D. Gálvez, a quien fui a ver e interrogar más tarde, era exageradamente imaginativo. Efectivamente, llegó incluso a insinuar que había oído el batir de unas alas enormes, y que vio el brillo de unos ojos fulgurantes y un bulto blancuzco y montañoso, más allá de los lejanos árboles... pero supongo que habría oído demasiados rumores supersticiosos de los nativos.

De hecho, la horrorizada pausa de los hombres fue de corta duración. El deber era ante todo; y aunque debía de haber cerca de un centenar de celebrantes mestizos, los policías sacaron sus armas y se internaron decididamente en la repulsiva barahúnda. Durante cinco minutos, el tumulto que se produjo fue indescriptible. Hubo golpes, disparos y carreras; pero al final Legrasse pudo contar unos cuarenta y siete prisioneros, a los que obligó a vestirse apresuradamente y formar fila entre sus policías. Cinco de los celebrantes murieron, y otros dos, heridos de gravedad, fueron transportados en improvisadas parihuelas por sus camaradas prisioneros. La imagen del monolito, naturalmente, fue retirada cuidadosamente y confiscada por Legrasse.

Examinados en el cuartel de la policía, tras un viaje agotador, todos los prisioneros resultaron ser de muy baja condición, mestizos y mentalmente trastornados. La mayoría eran marineros, entre ellos negros y mulatos, casi todos originarios de las Islas Occidentales, o portugueses procedentes de las islas de Cabo Verde, que daban cierto matiz vudú a este culto heterogéneo. Pero, tras las primeras preguntas, se puso de manifiesto que dicho culto era infinitamente más antiguo que el fetichismo negro. A pesar de ser ignorantes y degradadas, estas criaturas sostenían con sorprendente coherencia la idea central de su repugnante culto.

Adoraban, dijeron, a los Grandes Antiguos, que eran muy anteriores a la aparición del hombre y habían llegado al joven mundo desde el cielo. Estos Antiguos se habían retirado ahora al interior de la tierra y bajo el mar, pero sus cuerpos muertos revelaron secretos al primer hombre, mediante sueños, y éste instauró un culto que jamás había muerto. Éste era ese culto, y los prisioneros dijeron que siempre había existido y siempre existiría, ocultándose en alejados yermos y parajes retirados de todo el mundo hasta el tiempo en que el gran sacerdote Cthulhu saliese de su tenebrosa morada en la poderosa ciudad sumergida de R'lyeh[15] y sometiese a la Tierra una vez más a su poder. Algún día vendría, cuando los astros fueran favorables; y el culto secreto estaría siempre allí, dispuesto a liberarlo.

Entretanto, nada más podían decir. Se trataba de un secreto que ni aun la tortura les podría arrancar. La humanidad no era la única clase de seres con conciencia sobre la Tierra, pues había formas que surgían de las tinieblas para visitar a los pocos fieles. Pero éstas no eran los Grandes Antiguos. Ningún hombre había visto nunca a los Antiguos. El ídolo esculpido representaba al gran Cthulhu, aunque nadie podía decir si los demás eran o no semejantes a él. Nadie era capaz de descifrar ahora la antigua escritura, si bien se transmitían cosas oralmente. El cántico ritual no era el secreto; éste no se expresaba jamás en voz alta. El cántico significaba sólo esto: «En su morada de R'lyeh, Cthulhu muerto aguarda soñando».

Sólo dos de los prisioneros fueron declarados mentalmente sanos y se les ahorcó; los demás fueron trasladados a diversas instituciones. Todos negaron haber participado en los homicidios rituales, y afirmaron que las muertes habían sido perpetradas por Los de las Alas Negras, que habían venido desde su inmemorial refugio en el bosque encantado. Pero no hubo manera de sacar en claro una descripción coherente de estos misteriosos aliados. Lo que la policía pudo averiguar se debió sobre todo a un mestizo casi centenario llamado Castro, el cual pretendía haber tocado extraños puertos en sus viajes y haber hablado con los inmortales dirigentes del culto en las montañas de China.

El viejo Castro recordaba fragmentos de una espantosa leyenda que haría palidecer las lucubraciones de los teósofos y presentaban al hombre y al mundo como algo reciente y efímero. Hubo milenios en que la Tierra estuvo gobernada por otros Seres que habitaron en inmensas ciudades. Sus vestigios, le habían contado los chinos inmortales, se encontraban aún en forma de piedras ciclópeas en las islas del Pacífico. Habían muerto miles y miles de años antes de la aparición del hombre en la

Tierra, pero había artes que podían hacerlos revivir, cuando los astros volvieran a la correcta posición en el ciclo de la eternidad. Habían venido, efectivamente, de las estrellas, y habían traído sus imágenes con Ellos.

Estos Grandes Antiguos, prosiguió Castro, no estaban hechos de carne y hueso. Tenían forma –¿no lo probaba acaso esta imagen de silueta estrellada?–, pero esta forma no era material. Cuando los astros se hallaban en la posición correcta, Ellos podían precipitarse de mundo en mundo a través del firmamento; pero cuando los astros estaban en posición adversa, no podían vivir. Pero aunque ya no viviesen, tampoco morían definitivamente. Reposaban en las moradas de piedra de la gran ciudad de R'lyeh, protegidos por los sortilegios del poderoso Cthulhu, y aguardaban una gloriosa resurrección, el día en que los astros y la Tierra estuviesen una vez más preparados para Ellos. Pero aun entonces, alguna fuerza del exterior debía ayudarles a liberar sus cuerpos. Los encantamientos que les conservaban intactos les impedían asimismo realizar el movimiento inicial, y sólo podían reposar despiertos en la oscuridad y pensar, mientras transcurrían incontables millones de años. Todos Ellos sabían qué ocurría entretanto en el universo, pues su lenguaje era telepático. Aun ahora hablaban en sus tumbas. Cuando, después de infinitos caos, aparecieron los primeros hombres, los Grandes Antiguos hablaron a los más sensibles modulando sus sueños; pues sólo así podía llegar su lenguaje a las mentes orgánicas de los mamíferos.

Luego, prosiguió Castro en voz baja, esos primeros hombres instituyeron un culto en torno a pequeños ídolos que los Primordiales les mostraron: ídolos traídos en edades lejanas desde las oscuras estrellas. Ese culto no moriría jamás, hasta que las estrellas volvieran a su correcta posición y los sacerdotes secretos sacaran al gran Cthulhu de Su tumba para revivir a sus vasallos y recobrar su dominio sobre la Tierra. Sería fácil conocer la llegada de ese momento, pues entonces la humanidad se parecerá a los Grandes Antiguos: será libre y salvaje y estará más allá del bien y del mal, arrojará a un lado las leyes y la moral, y todos los hombres gritarán y matarán y se refocilarán jubilosos. Entonces los Antiguos liberados les enseñarán nuevas formas de gritar

y matar y refocilarse y regocijarse, y toda la Tierra arderá en el holo-
causto del éxtasis y la libertad. Entretanto, el culto, ejecutado mediante
ritos apropiados, debe mantener vivo el recuerdo de esas antiguas formas y evocar la profecía de su retorno.

En otros tiempos, algunos escogidos habían hablado en sueños con
los Antiguos que descansaban en sus tumbas; pero luego algo había
ocurrido. La gran ciudad de piedra de R'lyeh, con sus monolitos y
sepulcros, se había hundido bajo las olas; y las aguas profundas, henchidas de un misterio primitivo, impenetrable incluso para el pensamiento, habían interrumpido la espectral comunicación. Pero no había
muerto el recuerdo, y los altos sacerdotes decían que la ciudad surgiría
otra vez, cuando los astros fuesen favorables. Entonces saldrían los
negros espíritus de la tierra, mohosos y sombríos, y propagarían los
rumores recogidos en las cavernas de los olvidados fondos de los mares.
Pero de esto último no se atrevió a hablar mucho el viejo Castro. Calló
repentinamente, y no hubo medio de persuasión ni de astucia que
lograra sonsacarle nada más al respecto. También se negó a dar detalles
sobre el *tamaño* de los Antiguos. En cuanto al culto, dijo que creía que
su centro se encontraba en la inexplorada región central de los desiertos
de Arabia, donde Iram, la Ciudad de las Columnas, sueña oculta e
intacta. No tenía relación alguna con el culto de las brujas en Europa, y
era prácticamente desconocido fuera del círculo de sus adeptos. Ningún libro aludía realmente a él, aunque los chinos inmortales decían
que en el *Necronomicon* del árabe loco Abdul Alhazred subyacía un sentido oculto que los iniciados podían interpretar a su criterio, especialmente el discutidísimo dístico:

> «*Que no está muerto lo que puede yacer eternamente,*
> *y en los eones venideros hasta la muerte puede morir*».

Legrasse, hondamente impresionado y no poco confundido, había
tratado sin éxito de averiguar la filiación histórica del culto. Parecía
ser que Castro había dicho la verdad al afirmar que era totalmente
secreto. Las autoridades de la Universidad de Tulane no pudieron

arrojar ninguna luz sobre dicho culto ni sobre la imagen, y ahora el detective había acudido a las personalidades más competentes del país, y se encontraba nada menos que con la historia de Groenlandia del profesor Webb.

El febril interés que despertó en la asamblea la historia de Legrasse, corroborada por la estatuilla, tuvo algún eco en la correspondencia que luego intercambiaron los congresistas; en la publicación oficial de la sociedad, en cambio, se citó meramente de pasada. La prudencia es el primer cuidado de quienes están acostumbrados a enfrentarse con el charlatanismo y la impostura. Legrasse dejó la imagen durante un tiempo al profesor Webb, pero a la muerte de éste volvió a sus manos, y sigue en su posesión, donde la he visto no hace mucho. Es algo verdaderamente terrible, y se parece de manera inequívoca a la escultura que modeló en sueños el joven Wilcox.

No me cabía la menor duda de que mi tío se excitó ante la historia del escultor; ¿qué pensamientos debieron venirle, sabiendo lo que Legrasse había averiguado de ese culto, al contarle un joven sensible que había *soñado* no sólo con la figura y los exactos jeroglíficos de la imagen encontrada en el pantano y de la tableta de Groenlandia, sino que además había oído *en sus sueños* tres palabras de la fórmula que pronunciaban tanto los diabolistas esquimales como los mestizos de Luisiana? Evidentemente, era natural que el profesor Angell iniciara una investigación minuciosa; aunque yo sospechaba, personalmente, que el joven Wilcox había oído hablar del culto y había inventado una serie de sueños para acrecentar el misterio a costa de mi tío. Los relatos de los demás sueños y los recortes coleccionados por el profesor constituían una sólida corroboración de la historia del joven; pero mi acendrado racionalismo y la extravagancia de todo este asunto me llevaron a adoptar lo que me pareció la conclusión más palmaria. Así que, después de estudiar con atención el manuscrito y cotejar las notas teosóficas y antropológicas con el informe de Legrasse, hice un viaje a Providence para ver al escultor y decirle lo que pensaba de él por haber embaucado tan descaradamente a un sabio de tan avanzada edad.

Wilcox vivía aún solo en el Edificio Fleur-de-Lys de Thomas Street, horrenda imitación victoriana de la arquitectura bretona del siglo XVII, con su fachada de estuco en medio de amables casas coloniales y a la sombra del más fino campanario georgiano que pudiera verse en América[16]. Lo encontré trabajando en sus habitaciones, e inmediatamente descubrí, por las obras que tenía allí, que su genio era profundo y auténtico. Creo que dentro de un tiempo figurará entre los grandes decadentes, pues ha logrado plasmar en barro y en mármol esas pesadillas y fantasías que Arthur Machen evoca en su prosa y Clark Ashton Smith ha hecho visibles en verso y en pintura.

Moreno, endeble y de aspecto algo descuidado, se volvió lánguidamente al llamar yo y me preguntó qué deseaba sin levantarse de su silla. Cuando le dije quién era, manifestó cierto interés; pues mi tío había despertado su curiosidad al estudiar sus extraños sueños, aunque nunca había explicado la razón de su estudio. Yo no le aclaré demasiado el asunto, y traté de sonsacarle con tacto.

Me bastó poco tiempo para convencerme de su absoluta sinceridad, pues me habló de los sueños de un modo que nadie podría tergiversar. Tanto los sueños como su residuo subconsciente habían influido en su arte hondamente, y me enseñó una morbosa escultura cuyos contornos casi me hicieron estremecer por su oscura potencia sugestiva. No recordaba él si había visto el original de esta criatura, a no ser en su propio bajorrelieve que modelara en sueños, pero sus perfiles habían surgido insensiblemente bajo sus manos. Era sin duda la forma gigantesca que tanto le atormentara en su delirio. Seguidamente, aclaró que él no sabía en verdad nada del misterioso culto, aparte de lo que las incansables preguntas de mi tío le habían permitido inferir; y nuevamente me esforcé en averiguar de qué manera pudo haber recibido las horribles impresiones.

Habló de sus sueños de un modo extrañamente poético, haciéndome ver con terrible intensidad la húmeda ciudad ciclópea de piedras verdosas y cubiertas de limo, cuya *geometría*, dijo extrañamente, *era totalmente errónea*, y oír con aterrada expectación la incesante, semimental llamada que surgía de la tierra: *«Cthulhu fhtagn»*, *«Cthulhu fhtagn»*.

Estas palabras formaban parte de aquel espantoso ritual que hablaba del sueño vigil de Cthulhu muerto en la cripta de piedra de R'lyeh, y me sentí hondamente impresionado, a pesar de mis convicciones racionales. Wilcox, estoy seguro, había oído hablar del culto de alguna manera casual, y había debido de olvidarlo poco después, en medio de la masa de sus igualmente inquietantes lecturas y figuraciones. Más tarde, en virtud de su acusada impresionabilidad, debió de encontrar la expresión subconsciente en sus sueños, en el bajorrelieve y en la terrible estatua que ahora tenía yo delante; de modo que su impostura había sido involuntaria. El joven era a la vez un poco afectado y descortés, la clase de carácter que nunca me ha gustado; pero ahora estaba dispuesto a admitir su genio y su honestidad. Me despedí amistosamente de él, y le deseé todos los éxitos a su prometedor talento.

El asunto del culto seguía fascinándome, y a veces me imaginaba a mí mismo alcanzando fama mundial al averiguar sus orígenes y relaciones. Visité Nueva Orleans, hablé con Legrasse y otros sobre aquella antigua redada, vi la espantosa imagen y hasta interrogué a los mestizos prisioneros que aún vivían. El viejo Castro, desgraciadamente, había fallecido hacía unos años. Lo que escuché entonces de viva voz, aunque en realidad no fue más que una confirmación de lo que mi tío había escrito, excitó de nuevo mi interés; pues sentí la seguridad de que me hallaba sobre la pista de una auténtica, secreta y antigua religión cuyo descubrimiento me convertiría en un antropólogo de renombre. Mi actitud era todavía absolutamente materialista, *como aún quisiera que lo fuese*, y deseché con la más inexplicable perversidad mental la coincidencia de las transcripciones de sueños con los extraños recortes coleccionados por el profesor Angell.

Una cosa empecé entonces a sospechar, y ahora *temo saber*, y es que la muerte de mi tío no fue ni mucho menos natural. Se cayó en un estrecho callejón que ascendía del barrio marinero donde pululan los mestizos extranjeros, tras un empujón sin importancia de un marinero negro. No olvidaba yo la mezcla de sangre y las ocupaciones marineras de los miembros del culto de Luisiana, y no me hubiera sorprendido averiguar la existencia de métodos secretos y agujas envenenadas hace tiempo conocidas, y tan crueles como los misteriosos ritos. Legrasse y sus hombres, es cierto, no han sido molestados; pero en Noruega ha muerto cierto marinero que había visto ciertas cosas. ¿No podría ser que hubiesen llegado a oídos siniestros las averiguaciones de mi tío, tras haber recogido la información del escultor? Creo que el profesor Angell murió porque sabía demasiado, o porque probablemente estaba a punto de sacar a la luz demasiadas cosas. Ahora falta ver si voy a correr yo esa misma suerte, pues he llegado demasiado lejos.

III. La locura del mar

Si alguna vez el cielo desea concederme un don, que sea el total olvido del descubrimiento que hice casualmente al fijarse mis ojos en determinado trozo de periódico que cubría un estante. Era un ejemplar atrasado del australiano *Sydney Bulletin*, del 18 de abril de 1925, y no tenía nada que me llamase la atención en mi rutina diaria. Incluso había escapado a la agencia de recortes que en esas fechas andaba recogiendo ávidamente material para mi tío.

Yo había abandonado casi por completo mis investigaciones sobre lo que el profesor Angell llamaba el «Culto de Cthulhu», y había ido a visitar a un científico amigo de Paterson, en Nueva Jersey, conservador de un museo local y mineralogista de renombre[17]. Al examinar un día los ejemplares de reserva, amontonados en desorden en los estantes de una estancia de la parte trasera del museo, me fijé en una extraña fotografía que traía una de las hojas del periódico extendidas debajo de las piedras. Era el *Sydney Bulletin* al que me he referido, pues mi amigo estaba suscrito a la prensa de todos los países imaginables; era una fotografía en sepia de una espantosa imagen de piedra, casi idéntica a la que Legrasse había encontrado en el pantano.

Despejé ansiosamente la hoja de su precioso contenido, leí el artículo con toda atención, y me sentí decepcionado ante su brevedad. Lo que sugería, sin embargo, era sumamente significativo para mi poco animada investigación; lo recorté con cuidado, dispuesto a ocuparme de él inmediatamente. Decía lo siguiente:

MISTERIOSO HALLAZGO DE UN BUQUE ABANDONADO
EN ALTA MAR

El Vigilant llega a puerto remolcando un yate armado
de Nueva Zelanda.
Un superviviente y un muerto encontrados a bordo.
Historia de una desesperada batalla con muertes en alta mar.
El marinero rescatado se niega a dar detalles de tan extraña
experiencia.
Misterioso ídolo encontrado en su posesión.
Se inician las investigaciones.

El carguero *Vigilant* de la compañía Morrison, procedente de Valparaíso, ha atracado esta mañana en los muelles de Darling Harbour trayendo a remolque, desmantelado y con grandes averías, pero fuertemente armado, el yate de vapor *Alert* de Dunedin, N. Z., al que avistó el 12 de abril en 34º 21' latitud sur, 152º 17' longitud oeste, con un superviviente y un muerto a bordo.

El *Vigilant* había zarpado de Valparaíso el 25 de marzo, y el 2 de abril se vio obligado a desviarse considerablemente hacia el sur, debido a fuertes temporales que provocaban olas excepcionalmente grandes. El 12 de abril avistó el buque a la deriva; al principio parecía abandonado, pero luego descubrieron a bordo a un superviviente en estado de delirio y a un hombre que evidentemente llevaba muerto más de una semana.

El superviviente tenía apretado en sus manos un horrible ídolo de piedra de origen desconocido, de unos treinta centímetros de alto, cuya procedencia tiene confundidas a las autoridades de la Universidad de Sydney, de la Royal Society y del Museo de College Street, y que el superviviente declaró haber encontrado en la cabina del yate, en una pequeña hornacina.

Este hombre, tras recobrar el sentido, contó una historia de lo más extraña de piratería y de muertes. Se trata de un noruego llamado Gustaf Johansen, de cierta cultura, el cual iba de segundo piloto en la goleta de dos palos *Emma* de Auckland, que había zarpado con destino a El Callao el 20 de febrero, con una dotación de once hombres.

La *Emma,* dijo, se demoró y se desvió considerablemente hacia el sur en su rumbo por el gran temporal del 1 de marzo, y el 22 de ese mismo mes se cruzó con el *Alert* en 49º 51' latitud sur, 128º 34' longitud oeste, tripulado por un grupo de canacos[18] y mestizos malencarados y extraños. El capitán Collins se negó a obedecer la orden de virar en redondo, y la extraña tripulación abrió fuego contra la goleta sin previo aviso con un cañón enormemente pesado que formaba parte del armamento del yate.

Los hombres de la *Emma* opusieron resistencia, dijo el superviviente, y aunque la goleta comenzó a hundirse al ser alcanzada por los disparos por debajo de la línea de flotación, se las arreglaron para acercarse al enemigo para abordarlo, entablando lucha en la cubierta del yate, y viéndose obligados a matar a todos sus tripulantes, pese a su número ligeramente superior, por su repugnante aunque torpe manera de luchar.

Tres hombres de la *Emma,* incluidos el capitán Collins y el primer piloto Green, murieron; los ocho restantes, bajo el mando del segundo piloto Johansen, siguieron navegando en el yate capturado, reanudando su rumbo original para ver si había alguna razón por la que les habían ordenado virar en redondo.

Al día siguiente desembarcaron en un islote, aunque éste no figuraba en sus cartas; allí murieron seis de los hombres, aunque Johansen se muestra extrañamente reservado acerca de esta parte del relato; sólo dice que se cayeron por una quebrada.

Más tarde, él y un compañero subieron a bordo del yate y trataron de gobernarlo, pero el temporal les barloventeó el 2 de abril.

Desde ese día hasta el 12 de abril en que fue rescatado, recuerda poco, y ni siquiera sabe cuándo murió William Briden, su compañero. La muerte de Briden no revela otra causa aparente que la excitación o las privaciones.

Los cables recibidos de Dunedin informan que el *Alert* era muy conocido allí como barco mercante, y que tenía mala fama. Su tripulación la componía un extraño grupo de mestizos cuyas frecuentes reuniones y excursiones nocturnas a los bosques habían despertado no poca curiosidad; tras la tormenta y los temblores de tierra del 1 de marzo, se echó a la mar apresuradamente.

Nuestro corresponsal en Auckland afirma que la *Emma* y su tripulación gozaban de una excelente reputación, y describe a Johansen como un hombre serio y digno de toda estima.

El almirantazgo iniciará una investigación sobre todo este asunto, y presionará a Johansen para que sea más explícito de lo que ha sido hasta ahora.

Esto era todo, además de la fotografía de la infernal imagen; pero ¡qué cantidad de ideas suscitó en mi mente! Aquí tenía datos preciosísimos sobre el culto de Cthulhu que probaban que contaba con extraños seguidores tanto en el mar como en tierra. ¿Qué motivo impulsaría a la híbrida tripulación a ordenar a la *Emma* que diese media vuelta, mientras ellos navegaban con su ídolo espantoso? ¿Cuál era la desconocida isla en la que murieron seis de los tripulantes de la *Emma,* y sobre la que tan reservado se mostraba el piloto Johansen? ¿Qué habría averiguado ya el almirantazgo, y qué se sabía del repulsivo culto en Dunedin? Y lo más sorprendente, ¿qué profunda y natural relación de datos era ésta, que daba una maligna y ya innegable significación a los diversos sucesos meticulosamente consignados por mi tío?

El 1 de marzo –28 de febrero, según el huso horario internacional–, tuvieron lugar el temporal y el terremoto. El *Alert* y su repulsiva tripulación habían zarpado precipitadamente de Dunedin como si hubiesen sido llamados imperiosamente, y en otra parte de la Tierra, los poetas y los artistas habían empezado a soñar una extraña ciudad ciclópea, mientras un joven escultor modelaba en sueños la forma terrible de Cthulhu. El 23 de marzo, la tripulación de la goleta *Emma* desembarcó en una isla desconocida, dejando en ella seis hombres muertos; y en esa misma fecha, los sueños de los hombres de acusada sensibilidad adquirieron una mayor intensidad y se vieron atormentados por el temor de la malévola persecución de un monstruo gigantesco, al tiempo que un arquitecto enloquecía y un escultor era presa del delirio. ¿Y qué pensar de esta tormenta del 2 de abril, fecha en que todos los sueños sobre la húmeda ciudad cesaron, y Wilcox quedó libre de la esclavitud de la extraña fiebre? ¿Qué, de aquellas alusiones del viejo Castro sobre los sumergidos, estelares Primordiales, y sobre su reino venidero, su culto fiel y *su dominio de los sueños*? ¿Acaso vacilaba yo en el borde de un abismo de horrores cósmicos, insoportables para las fuerzas humanas? Si era así, entonces se trataba de horrores mentales tan sólo, pues de algún modo, el 2 de abril quedó paralizada la monstruosa amenaza que había empezado a asediar el espíritu de los hombres.

Aquella noche, tras un día de enviar precipitados cablegramas y de hacer preparativos, me despedí de mi anfitrión y cogí el tren para San Francisco. Menos de un mes después estaba en Dunedin, donde, no obstante, me encontré con que se sabía bien poco de los extraños miembros del culto que habían vivido en las viejas tabernas portuarias. La escoria es demasiado frecuente en los barrios marineros para mencionarla especialmente; pero corría el rumor de que estos mestizos por los que yo preguntaba habían realizado una incursión hacia el interior, durante la cual se había escuchado el lejano percutir de unos tambores y se había visto un resplandor rojo en las lejanas colinas.

En Auckland me enteré de que Johansen había regresado de Sydney *con el pelo blanco*, tras un interrogatorio poco convincente, y que poco después vendió la casa que tenía en West Street y embarcó con su esposa regresando a su vieja casa en Oslo. De su tremenda experiencia no contó a sus amigos más que lo que ya había dicho a los oficiales del Almirantazgo, y todo lo que ellos pudieron hacer fue facilitarme su dirección en Oslo.

Después de eso fui a Sydney y hablé infructuosamente con los marineros y los miembros del tribunal del Vicealmirantazgo. Vi el *Alert* en el Circular Quay de la bahía de Sydney, pero su casco no me dijo nada. La imagen acurrucada con su cabeza de pulpo, cuerpo de dragón, alas escamosas y jeroglíficos en el pedestal, se conservaba en el Museo de Hyde Park; y yo la examiné larga y minuciosamente, y me pareció un objeto exquisitamente labrado, con el mismo profundo misterio, la misma terrible antigüedad y la misma rareza de material que había observado en el pequeño ejemplar de Legrasse. Los geólogos, me dijo el conservador, la consideraban un enigma monstruoso, y juraban que no existía en el mundo roca parecida. Entonces recordé con un escalofrío lo que el viejo Castro le había contado a Legrasse sobre los Grandes: «Vinieron de las estrellas, y trajeron sus imágenes con Ellos».

Profundamente turbado ante un impacto de esta naturaleza, decidí visitar al piloto Johansen en Oslo. Embarqué para Londres, y a continuación volví a embarcar rumbo a la capital noruega; y un día de otoño pisé tierra en los cuidados muelles al cobijo del Egeberg.

La casa de Johansen, descubrí, se hallaba situada en la Ciudad Vieja del rey Harold Haardrada, que conservó el nombre de Oslo durante los siglos en que la ciudad más grande se disfrazara con el nombre de Cristianía. Hice un breve viaje en taxi, y llamé, con el corazón palpitante, a la puerta de un cuidado y antiguo edificio de enjalbegada fachada. Una mujer de rostro triste y vestida de negro respondió a mi llamada, y en un inglés vacilante me informó de que Gustaf Johansen había fallecido.

No había sobrevivido mucho tiempo a su regreso, dijo su esposa, pues su experiencia en el mar en 1925 le había quebrantado. No le había confiado a ella más que lo que había dicho públicamente, pero había dejado un largo manuscrito –sobre «asuntos técnicos», decía él–, escrito en inglés, evidentemente con el propósito de salvaguardarlo del peligro de una lectura casual. Cuando paseaba por un callejón próximo a la dársena de Gothenburg[19], le cayó encima un paquete de viejos periódicos desde la ventana de un ático y le derribó. Dos marineros indios le ayudaron inmediatamente a ponerse de pie, pero antes de que pudiese llegar la ambulancia había muerto. Los médicos no encontraron una causa adecuada que justificase su muerte, y la atribuyeron a una deficiencia del corazón y a su debilidad.

Entonces sentí en mis entrañas la mordedura de ese terror tenebroso que ya nunca me abandonará hasta que yo muera también, «accidentalmente» o como sea. Tras convencer a la viuda de que mi relación con los «asuntos técnicos» de su marido era suficiente como para autorizarme el acceso a su manuscrito, me llevé el documento y comencé a leerlo en el barco que me llevaba de regreso a Londres.

Era una historia simple, desordenada; un diario redactado de memoria en el que trataba de consignar día a día aquel viaje espantoso. No me es posible transcribirlo textualmente, a causa de su oscuridad y sus redundancias, pero haré un resumen para mostrar por qué el sonido del agua contra los costados del barco se me hizo tan insoportable hasta el punto de tener que taponarme los oídos con algodones.

Johansen, gracias a Dios, no lo sabía todo, aun cuando había visto la ciudad y el monstruo, pero yo no volveré a dormir en paz mientras recuerde los horrores que acechan constantemente detrás de la vida, en el tiempo y el espacio, y las impías blasfemias venidas de las más antiguas estrellas, que sueñan bajo el mar, conocidas y favorecidas por un culto de pesadilla, deseoso de liberarlas sobre nuestro planeta tan pronto como un temblor de tierra haga surgir nuevamente su monstruosa ciudad de piedra al sol y a la luz.

El viaje de Johansen había empezado exactamente como había declarado él al Vicealmirantazgo. La goleta *Emma* había zarpado de Auckland con lastre el 20 de febrero, y había sentido toda la fuerza del temporal originado por el terremoto que debió de sacar del fondo del mar los horrores que invadieron los sueños de los hombres. Recuperado el gobierno, el barco proseguía con normalidad, cuando le salió al encuentro el *Alert* el 22 de marzo, y comprendí el sentimiento del piloto cuando tuvo que describir el bombardeo y hundimiento de su nave. Hablaba de los atezados adoradores del demonio que tripulaban el *Alert* con significativo horror. Había en ellos algo abominable que hacía que su exterminio pareciese casi un deber, y Johansen manifiesta una auténtica sorpresa ante la acusación de crueldad lanzada contra su grupo durante el curso de la encuesta judicial. Luego, llenos de curiosidad, una vez que el yate capturado estuvo bajo el mando de Johansen, los hombres vieron un gran pilar que surgía del mar, y en 47º 9' latitud sur, 126º 43' longitud oeste, avistaron una costa, mezcla de negro barro, légamo, y ciclópea albañilería cubierta de algas que no podía ser sino la materialización del supremo terror del mundo: la pesadillesca ciudad-cadáver de R'lyeh, construida hace innumerables eones antes del comienzo de la historia por las inmensas y horrendas entidades que descendieron de las oscuras estrellas. Allí, yacían el gran Cthulhu y sus hordas, ocultos en criptas verdosas y cubiertas de légamo, desde donde enviaban, después de un número incalculable de ciclos, los pensamientos que infundían miedo a los sueños de quienes poseían una naturaleza sensible, y llamaban imperiosamente a sus fieles para que acudiesen en peregrinaje de liberación y restauración. Johansen no llegó a sospechar todo esto, ¡pero bien sabe Dios que había visto bastante!

Creo que sólo emergió de las aguas una simple cima de montaña, la horrenda ciudadela que corona el monolito en donde está enterrado el gran Cthulhu. Cuando pienso en las *dimensiones* de lo que puede estar latente allí abajo, casi me dan ganas de quitarme inmediatamente la vida. Johansen y sus hombres estaban aterrados ante el poder cósmico de esta chorreante Babilonia habitada por demonios, y debieron de adivinar que no pertenecía a un planeta normal. El terror ante las increíbles proporciones de los bloques de verdosa piedra, ante la vertiginosa altura del gran monolito labrado y ante la turbadora identidad de las colosales estatuas y bajorrelieves con la extraña imagen encontrada en la hornacina del *Albert,* se hace patéticamente visible en cada línea de la aterrada descripción del piloto.

Sin tener idea de futurismo, Johansen llevó a cabo algo muy semejante al hablar de la ciudad; pues en lugar de describir una construcción concreta o un edificio cualquiera, hace hincapié sólo en las impresiones generales de inmensos ángulos y superficies de piedra... superficies demasiado grandes para que puedan corresponder a seres normales o propios de esta tierra, e impíos con sus horribles imágenes y jeroglíficos. Menciono su referencia a los *ángulos* porque sugieren algo que Wilcox me había contado de sus horribles sueños. Había dicho que la geometría del lugar soñado por él era anormal, no euclidiana, y de repugnantes esferas y dimensiones distintas de las nuestras. Ahora, un marinero profano sentía lo mismo al contemplar la terrible realidad.

Johansen y sus hombres desembarcaron en un plano sesgado y cubierto de limo de esta monstruosa acrópolis, y subieron gateando por la resbaladiza superficie de los titánicos bloques que de ningún modo podían haber sido una escalera para hombres mortales. El mismo sol del cielo parecía deformado al atravesar los polarizadores miasmas que emanaban de esta perversión empapada de mar, y trenzaba la amenaza y la incertidumbre que acechaban de soslayo en aquellos ángulos locamente esquivos de roca tallada, en los que una segunda mirada descubría una concavidad donde antes había visto una convexidad.

Un terror indeterminado se apoderó de todos los exploradores, antes de llegar a ver otra cosa que rocas y limo y algas. Por sí mismos, cada uno habría echado a correr, de no haber temido la burla de los demás; así que muy poco convencidos, buscaron –en vano, como quedó demostrado– algún recuerdo que llevarse.

El portugués Rodríguez trepó hasta el pie del monolito y gritó que había encontrado algo. Los demás le siguieron, y miraron curiosos la inmensa puerta labrada con el ahora familiar bajorrelieve del dragón-cefalópodo. Era, dice Johansen, como una gran puerta de granero; y les pareció una puerta por los adornos del dintel, umbral y jambas, aunque no pudieron determinar si estaba horizontal como una trampa o inclinada como la puerta exterior de una bodega. Como Wilcox había dicho, la geometría de este lugar era totalmente errónea. Uno no podía estar seguro de que el mar y el suelo fuesen horizontales, de aquí que la relativa posición de todo lo demás pareciese fantasmalmente variable.

Briden empujó la piedra en varios lugares sin resultado. Luego Donovan la palpó delicadamente en los bordes, presionando cada punto separadamente. Subió muy despacio por la grotesca piedra esculpida –o sea, puede decirse que subía si es que la piedra no estaba, en definitiva, horizontal–, y los hombres se preguntaban cómo una puerta, por grande que fuese, podía serlo tanto. En ese momento, el descomunal panel empezó a ceder hacia el interior, girando sobre el quicio de arriba, y vieron que la piedra estaba contrapesada. Donovan se deslizó o impulsó de algún modo hacia abajo o a lo largo de la jamba y se unió a sus compañeros, y todos contemplaron el extraño retroceso de la monstruosa puerta esculpida. En esta fantasía de distorsión prismática, la piedra se movía de manera anormal, diagonalmente, de modo que parecía transgredir todas las leyes de la materia y la perspectiva.

La abertura dejó ver una oscuridad casi material. Esta negrura era efectivamente una *cualidad positiva*[20], pues oscurecía la parte de las paredes interiores que debían ser visibles y, de hecho, brotó como el humo liberado de su milenario encierro, oscureciendo visiblemente el sol al esparcirse en aleteos membranosos por el contraído y curvado cielo. El hedor que se elevó de las recién abiertas profundidades se hizo intolerable; por último, a Hawkins le pareció oír un ruido nauseabundo, cenagoso, en el interior. Prestaron todos atención, y aún escuchaban, cuando surgió la monstruosidad, baboseando y tanteando, constriñó su verde inmensidad gelatinosa en la entrada, y se irguió en el aire mefítico de esa ciudad de locura.

La letra del pobre Johansen se vuelve nerviosa al hablar de esto. De los seis hombres que no llegaron jamás al barco, cree que dos perecieron de miedo en ese instante fatal. No es posible describir a ese Ser; no hay lenguaje que pueda transcribir semejante abismo de locura inmemorial, semejante transgresión de las leyes de la materia, la fuerza y el orden cósmico. Era una montaña lo que caminaba bamboleante. ¡Dios! ¿Qué tiene de extraño que en la Tierra se volviese loco un gran arquitecto, y que el pobre Wilcox delirase de fiebre en aquel instante telepático? La Entidad de los ídolos, la viscosa criatura de las estrellas, había despertado para reclamar lo que era suyo. Las estrellas estaban en conjunción otra vez, y lo que un culto intemporal no había conseguido intencionadamente, un grupo de inocentes marineros lo había hecho por casualidad. Después de millones de años, el gran Cthulhu era libre otra vez, y estaba sediento de goce.

Tres hombres fueron barridos por las blandas zarpas antes de que nadie tuviese tiempo de volverse. Dios les dé eterno descanso, si es que hay descanso en el universo. Eran Donovan, Guerrero y Angstrom. Parker resbaló mientras los otros tres echaban a correr frenéticamente por el interminable pasaje de roca verdosa en dirección al barco, y Johansen jura que se sintió absorbido hacia arriba por un ángulo rocoso que no debía haber estado allí, un ángulo que era agudo, pero que se comportó como si fuese obtuso. Así que sólo Brinden y Johansen llegaron al bote, y bogaron desesperadamente hasta el *Alert*, mientras la montañosa monstruosidad se dejaba deslizar por el limo de las piedras y vacilaba en el borde del agua.

La caldera no había perdido presión, a pesar de que todos los hombres habían saltado a tierra, y tras unos momentos de afanoso correr entre engranajes y mecanismos, pusieron al *Alert* en movimiento. Lentamente, en medio de los horrores distorsionados de aquel escenario indescriptible, comenzó el barco a agitar sus aguas letales; entretanto, sobre las rocas de esa costa sepulcral, ajena a este mundo, el titánico Ser de las estrellas baboseaba y farfullaba como Polifemo maldiciendo el barco fugitivo de Ulises. Luego, más audaz que los cíclopes, el gran Cthulhu se deslizó vigorosamente en el agua y comenzó a perseguirlos dando enormes zarpazos de cósmica potencia que levantaban grandes olas. Briden miró hacia atrás y enloqueció, y no paró de soltar carcajadas, hasta que la muerte le sorprendió en el camarote, mientras Johansen deambulaba delirando por la cubierta.

Pero Johansen no se había rendido todavía. Sabiendo que el monstruo alcanzaría indefectiblemente al *Alert* antes de que la caldera tuviese toda la presión, decidió probar una posibilidad desesperada; dio toda la potencia a la máquina, subió veloz a cubierta y giró la rueda del timón todo lo que daba de sí. Se produjo un fuerte remolino en las pestilentes aguas y, mientras aumentaba la presión, el valeroso noruego enfiló la proa de su embarcación contra el gelatinoso Ser que le perseguía, y que se elevaba por encima de la turbia espuma como la popa de un galeón diabólico. Su espantosa cabeza de cefalópodo de tentáculos contorsionantes llegaba casi hasta el bauprés del porfiado yate, pero Johansen siguió implacablemente.

Hubo un estallido como si se reventase una vejiga, manó una fangosa suciedad como cuando se rasga el cuerpo de un pez luna, un hedor equivalente a un millar de tumbas abiertas, y se oyó un rugido que el cronista no tuvo el valor de consignar en un manuscrito. Por un instante, el barco quedó envuelto en una nube verdosa, acre, cegadora, y luego sólo hubo una ponzoñosa efervescencia a popa, donde –¡Dios del cielo!– la dispersa plasticidad de aquella abominable criatura estelar se *recomponía* nebulosamente y recobraba su horrenda forma original, mientras se agrandaba la distancia, a medida que el *Alert* ganaba velocidad al aumentar la presión.

Eso fue todo. Después, Johansen se limitó a meditar sobre el ídolo de la cabina y a procurar un poco de alimento para sí y para el maníaco que tenía a su lado. No trató de gobernar la nave; pues después de su audaz maniobra, había perdido como una parte de su alma. Luego sobrevino la tormenta del 2 de abril, y un cúmulo de nubes ofuscaron aún más su conciencia. Se apoderó de él una sensación de vértigo espectral, de que giraba en un torbellino que descendía hacia líquidos abismos de infinitud, era arrastrado vertiginosamente por la cola de un cometa fugaz y sacudido histéricamente de los abismos marinos a la luna, y de la luna a los abismos marinos, azuzado por el coro de carcajadas de los antiguos dioses y de los verdosos y burlescos trasgos del Tártaro, de alas de murciélago.

De más allá del sueño le llegó el rescate: el *Vigilant*, el tribunal del Vicealmirantazgo, las calles de Dunedin y el largo viaje de regreso a su casa natal junto al Egeberg. Nada podía contar: todos pensarían que se había vuelto loco. Escribiría cuanto sabía antes de que le sobreviniese la muerte, pero su esposa no debía saber nada. La muerte sería una bendición que le borraría esos recuerdos.

Éste es el documento que leí, y ahora lo he guardado en una caja de hojalata junto al bajorrelieve y los papeles del profesor Angell. Guardaré también mi relato, esta prueba de mi propia cordura, en donde he unido lo que espero no se vuelva a unir jamás. He considerado todo lo que en el universo puede haber de horroroso, y aun los cielos de la primavera y las flores del verano me parecerán ponzoñosos. Pero no creo que mi vida sea muy larga. Tal como desapareció mi tío, tal como ha desaparecido el pobre Johansen, así moriré yo. Sé demasiado, y el culto sigue vivo aún.

Cthulhu vive aún, también, supongo, en ese refugio de piedra que le ha protegido desde que el Sol era joven. Su ciudad maldita se ha sumergido otra vez, pues el *Vigilant* cruzó por su demarcación después de la tormenta de abril; pero sus ministros en la Tierra rugen y se contorsionan y matan en torno a los monolitos coronados por el ídolo, en los parajes solitarios. Ha debido de quedar encerrado en su trampa y hundirse en los negros abismos; si no, el mundo gritaría ahora de horror. ¿Quién conoce el final? Lo que ha emergido puede sumergirse, y lo que se hundió puede volver a emerger. La abominación aguarda y sueña en las profundidades, y sobre las vacilantes ciudades de los hombres fluctúa la destrucción. Llegará un tiempo..., ¡pero no debo ni puedo pensarlo! Pido que, si no sobrevivo a este manuscrito, mis albaceas eviten cometer imprudencias, e impidan que caiga en manos de nadie.

EL MODELO DE PICKMAN[1]

No tienes que pensar que estoy loco, Eliot: muchos otros tienen prejuicios más raros que éste. ¿Por qué no te ríes del abuelo de Oliver, que se empeña en no subir a un automóvil? Si no me gusta ese condenado metro, es asunto mío; y, de todas maneras, hemos llegado más deprisa en taxi. Habríamos tenido que subir a pie la colina desde Park Street si hubiéramos tomado el metro.

Sé que estoy más nervioso que cuando me viste el año pasado, pero no es preciso que me amenaces con internarme en una clínica. Dios sabe que existen muchos motivos para ello, pero me parece que por fortuna estoy completamente cuerdo. ¿Por qué ese tercer grado? No solías ser tan inquisitivo.

Bueno, si has de oírlo, no sé por qué no tendrías que hacerlo. De todas maneras, tal vez debas oírlo, ya que no has dejado de escribirme como lo haría un padre afligido cuando te enteraste de que había dejado de ir al Art Club[2] y me mantenía apartado de Pickman. Ahora que él ha desaparecido voy por el club de vez en cuando, pero mis nervios no son lo que eran.

No, no sé qué ha sido de Pickman, y prefiero no adivinarlo. Podías haberte imaginado que tenía alguna información confidencial cuando dejé de verlo; y que ése es el motivo de que no quiera pensar adónde ha ido. Dejemos que la policía averigüe lo que pueda… que no será mucho, a juzgar por el hecho de que todavía no saben nada de la vieja casa del North End[3] que Pickman alquiló bajo el nombre de Peters. No estoy seguro de que yo mismo pudiera encontrarla de nuevo… ni de que vaya a intentarlo, ¡ni siquiera a plena luz del día! Sí, sé, o temo saber, por qué la conservaba. De eso voy a hablarte. Y creo que, antes de que haya terminado, comprenderás por qué no se lo cuento a la policía. Me pedirían que les guiara, pero yo no podría volver a aquel lugar aun cuando conociese el camino. Algo había allí... por eso ahora ya no puedo coger el metro ni (y lo mismo puedes reírte también de esto) bajar a ningún sótano.

Supongo que habrás comprendido que no dejé de ver a Pickman por las mismas razones absurdas por las que lo hicieron esas viejas remilgadas como el doctor Reid, Joe Minot o Bosworth. El arte morboso no me escandaliza, y cuando un hombre tiene el talento de Pickman considero un honor el haberlo conocido, no importa la dirección que tome su obra. Boston nunca tuvo un pintor tan magnífico como Richard Upton Pickman. Lo dije al principio y sigo diciéndolo, y no me desvié un ápice, tampoco, cuando expuso aquel "Gul alimentándose". Aquello, como recordarás, fue el motivo por el que Minot dejó de verlo.

Tú sabes muy bien que producir cosas como las de Pickman requiere un arte profundo y una profunda comprensión de la naturaleza. Cualquier portadista de revistas de pacotilla puede pintarrajear un lienzo como un desaforado y llamarlo Pesadilla, Aquelarre de brujas o Retrato del diablo, pero sólo un gran pintor puede conseguir que aquello realmente asuste o parezca verosímil. Y ello porque sólo un auténtico artista conoce la verdadera anatomía de lo terrible o la fisiología del miedo: el tipo exacto de líneas y proporciones que se relacionan con los instintos latentes o los recuerdos hereditarios del miedo, y los adecuados contrastes de color y los efectos luminosos que provocan el sentido encubierto de lo extraño. No tengo que explicarte por qué un Fuseli[4] nos hace realmente estremecer mientras que el frontispicio de un vulgar cuento de fantasmas sólo nos hace reír. Hay algo que esos artistas captan —algo que trasciende a la propia vida— y que son capaces de hacernos captar por unos instantes. Doré lo tenía. Sime también. Y otro tanto puede decirse de Angarola de Chicago[5]. Y Pickman lo tenía como nadie lo tuvo antes ni —quiéralo el cielo— nunca volverá a tenerlo.

No me preguntes qué es lo que ven. Tú sabes que en el arte normal existe una gran diferencia entre las cosas vitales y palpitantes sacadas de la naturaleza o de modelos y esas baratijas sintéticas que los mercantilizados pintores de poca monta producen sin interrupción en un estudio vacío de acuerdo con las reglas. Bueno, debería decir que el auténtico artista de lo espeluznante tiene un tipo de visión que le permite modelar o evocar lo que significan las verdaderas escenas del mundo espectral en el que vive. En resumidas cuentas, se las arregla para obtener unos resultados que difieren de los melindrosos sueños del simulador, casi tanto como la producción del pintor de la naturaleza difiere de los pastiches del caricaturista que ha aprendido por correspondencia. Si yo hubiera visto lo que Pickman vio... pero ¡no! Tomemos algo antes de seguir adelante. ¡Pardiez, yo no estaría vivo si hubiera visto lo que aquel hombre –si es que era un hombre– vio!

Recordarás que el fuerte de Pickman eran los rostros. No creo que desde Goya[6] nadie haya puesto tanto del auténtico infierno en una serie de rasgos o en una expresión. Y antes de Goya, habría que remontarse a aquellos tipos del medioevo que esculpieron las gárgolas y las quimeras de Nôtre Dame y de Mont Saint-Michel. Ellos creían en toda clase de cosas... y posiblemente veían también toda clase de cosas, pues la Edad Media tuvo algunas fases extrañas. Recuerdo que en cierta ocasión le preguntaste a Pickman, el año antes de marcharte, dónde demonios conseguía semejantes ideas y visiones. ¿No te soltó una desagradable carcajada? A aquella risa se debió en parte el que Reid dejara de verlo. Como sabes, Reid acababa de empezar un curso sobre patología comparada, y no hablaba más que de pomposas «teorías confidenciales» acerca del sentido biológico o evolutivo de éste o aquel síntoma mental o físico. Decía que Pickman le repugnaba más cada día que pasaba, y que al final llegó casi a asustarlo… que sus rasgos y expresión estaban adoptando poco a poco una forma que no le gustaba, que no tenía nada de humano. Hablaba mucho sobre alimentación, y decía que Pickman era sin duda un ser anormal y excéntrico en grado sumo. Supongo que le dirías a Reid, si es que habéis tenido alguna correspondencia sobre el asunto, que había permitido que los cuadros de Pickman le crisparan los nervios o atormentaran su imaginación. Eso mismo le dije yo... entonces.

Pero recuerda que no dejé de ver a Pickman por nada de eso. Al contrario, mi admiración por él siguió creciendo; pues su "Gul alimentándose" me parecía un logro asombroso. Como sabes, el club no quiso exponerlo y el Museo de Bellas Artes[7] no lo aceptó como donación; y puedo añadir que nadie quiso comprarlo, de modo que Pickman lo guardó en su casa hasta el día en que se marchó. Ahora lo tiene su padre en Salem... como sabes Pickman procede de una antigua familia de esa ciudad, y uno de sus antepasados fue colgado en 1692 por brujería[8].

Me acostumbré a visitar a Pickman con bastante frecuencia, sobre todo desde que empecé a recoger material para una monografía sobre arte fantástico. Probablemente fue su obra la que me metió la idea en la cabeza y, en todo caso, descubrí en él una mina de datos y sugerencias cuando me puse a redactarla. Me enseñó todos los cuadros y dibujos que tenía; incluso algunos bocetos a pluma que, creo sinceramente, habrían provocado su expulsión del club si muchos de sus socios los hubieran visto. Muy pronto era ya casi un adepto, y me pasaba horas enteras escuchando como un colegial teorías artísticas y especulaciones filosóficas lo bastante descabelladas como para justificar que lo internaran en el manicomio de Danvers[9]. La veneración que sentía por mi héroe, unida al hecho de que la gente en general empezaba a tener cada vez menos trato con él, hizo que se mostrara muy confidencial conmigo; y una tarde me insinuó que si de verdad era discreto y no me hacía el remilgado, me mostraría algo muy poco corriente... algo más subido de tono que todo lo que tenía en su casa.

—Ya sabes que hay cosas —me dijo— que no van con Newbury Street... cosas que estarían fuera de lugar aquí y que, en cualquier caso, no podrían imaginarse. Yo me dedico a captar las implicaciones del alma, y eso es algo que no encontrarás en un advenedizo conjunto de calles artificiales construidas por el hombre. Back Bay[10] no es Boston... no es nada todavía, porque no ha tenido tiempo todavía de reunir recuerdos y atraer a espíritus urbanos. Si hay aquí algún fantasma, son los fantasmas domesticados de alguna marisma salada o gruta poco profunda; y yo necesito fantasmas humanos: los fantasmas de seres lo bastante organizados como para mirar al infierno y comprender el significado de lo que ven.

»El lugar indicado para vivir un artista es el North End. Si los estetas fueran sinceros, se conformarían con los suburbios porque allí se concentran las tradiciones. Pero ¡por Dios! ¿No te das cuenta de que lugares como ésos no han sido simplemente *hechos* sino que en realidad han ido *creciendo*? Generación tras generación, allí vivieron, sintieron y murieron, y eran tiempos en que la gente no tenía miedo de vivir, ni de sentir, ni de morir. ¿Sabías que en 1632 había un molino en Copp's Hill, y que la mitad de las calles actuales fueron trazadas hacia 1650? Puedo mostrarte casas que se mantienen en pie después de dos siglos y medio y más; casas que han presenciado lo que haría derrumbarse a una casa moderna y la reduciría a escombros. ¿Qué sabe el hombre moderno de la vida y de las fuerzas que hay detrás de ella? Tú llamas alucinación a la brujería de Salem, pero me apostaría que la madre de la tatarabuela de mi tatarabuela podría contarte algunas cosas. La ahorcaron en Gallows Hill, bajo la mirada del mojigato de Cotton Mather[11]. Mather, maldito sea, temía que alguien pudiera librarse de aquella condenada jaula de monotonía. ¡Ojalá alguien le hubiese hechizado o sorbido la sangre durante la noche!

»Puedo mostrarte una casa en donde él vivió, y otra en la que temía entrar a pesar de todas sus primorosas fanfarronadas. Sabía cosas que no se atrevió a incluir en aquel estúpido *Magnalia* ni en el pueril *Wonders of the Invisible World*. Escucha un momento, ¿sabías que hubo un tiempo en que en el North End había una serie de túneles a través de los cuales las casas de ciertas personas se comunicaban entre sí, y además con el cementerio y con el mar? ¡Por mucho que las procesaran y las persiguieran sin tapujos… cada día pasaban cosas que no se podían comprender y de noche se oían risas que no había manera de reconocer!

»Pues bien, de cada diez casas construidas antes de 1700 que se han conservado intactas, apostaría que en ocho podría mostrarte algo raro en el sótano. Apenas hay un mes en que no leamos que unos obreros han descubierto, al desplomarse éste o aquel edificio, bóvedas y pozos tapiados con ladrillos que no conducen a ninguna parte; sin duda verías uno el año pasado, desde el ferrocarril elevado, cerca de Henchman Street. Había brujas y lo que sus sortilegios convocaban; piratas y lo que ellos trajeron del mar; contrabandistas, corsarios... ¡y te aseguro que en los viejos tiempos la gente sabía cómo vivir, y cómo ampliar los límites de la vida! Éste no era el único mundo que un hombre audaz y hábil podía conocer... ¡quia! Y pensar que hoy en cambio, los cerebros se han reblandecido tanto que hasta un club de supuestos artistas se estremece y se convulsiona si un cuadro va más allá de los sentimientos de los contertulios de un salón de té de Beacon Street.

»Lo único que salva al presente es que su condenada estupidez le impide poner en duda el pasado de manera concluyente. ¿Qué dicen en realidad los mapas, documentos y guías acerca del North End? ¡Bah! Me comprometo a llevarte a treinta o cuarenta callejones y redes de callejuelas al norte de Prince Street, de cuya existencia no sospechan ni siquiera diez seres vivos aparte de los extranjeros que pululan por ellas. ¿Y qué saben de ellas esos extranjeros de piel morena[12]? No, Thurber, esos antiguos lugares están repletos de espléndidos sueños y rebosan de prodigios, espanto y posibilidades de evadirse del tópico, y sin embargo no hay alma humana que los comprenda ni se beneficie de ellos. Mejor dicho, no hay más que una... ¡pues no he estado escarbando en el pasado en vano!

»Escucha, a ti te interesan esta clase de cosas. ¿Y si te dijera que tengo otro estudio allí, donde puedo captar el espíritu nocturno de antiguos horrores y pintar cosas en las que ni siquiera se me hubiera ocurrido pensar en Newbury Street? Naturalmente, no voy a ir a contárselo a esas malditas solteronas del club... empezando por Reid, maldito sea, que incluso hace correr el rumor de que yo soy una especie de monstruo que desciende por el tobogán de la evolución en sentido contrario. Sí, Thurber, hace mucho tiempo decidí que había que pintar el terror de la vida, lo mismo que se pinta su belleza, de modo que hice algunas investigaciones en lugares donde tenía motivos para saber que en ellos habitaba el terror.

»Conseguí un local que no creo que hayan visto nunca más de tres hombres nórdicos aparte de mí. No está muy lejos del elevado, por lo que se refiere a la distancia, pero se encuentra a siglos de él por lo que al alma respecta. Lo alquilé a causa del extraño y viejo pozo de ladrillo que hay en el sótano… uno de esos sótanos de los que ya te he hablado. La casucha casi se está cayendo en ruinas, de modo que a nadie se le ocurriría vivir allí, y no soportaría decirte lo poco que pago por ella. Las ventanas están tapiadas, pero lo prefiero así, pues no necesito la luz del día para lo que hago. Pinto en el sótano, donde la inspiración es más intensa, pero tengo otras habitaciones amuebladas en la planta baja. El dueño es un siciliano, y lo he alquilado bajo el nombre de Peters.

»Si te animas, te llevaré allí esta noche. Creo que te gustarán los cuadros pues, como dije, en ellos se me ha ido un poco la mano. El trayecto no es largo… a veces lo hago a pie, pues no quiero llamar la atención con un taxi en semejante lugar. Podemos tomar el elevado en South Station hasta Battery Street, y desde allí no hay que andar mucho.

Bueno, Eliot, después de aquella arenga no pude hacer otra cosa que contenerme para no correr en vez de andar en busca del primer taxi libre que saliera a nuestro encuentro. Tomamos el elevado en South Station y a eso de las doce ya habíamos bajado las escaleras de Battery Street y enfilamos el viejo muelle dejando atrás Constitution Wharf. No me fijé en los cruces de calles, y no sabría decirte por dónde pasamos, pero puedo asegurarte que no fue por Greenough Lane.

Cuando giramos, fue para subir por un tramo desierto del callejón más antiguo y sucio que he visto en mi vida, con gabletes a punto de desmoronarse, pequeñas ventanas con los cristales rotos y arcaicas chimeneas que sobresalían medio derruidas en el cielo iluminado por la luna. No creo que hubiera tres casas a la vista que no estuvieran ya levantadas en tiempos de Cotton Mather; desde luego vislumbré por lo menos dos con un alero, y en cierta ocasión me pareció ver una hilera de tejados puntiagudos del olvidado estilo anterior al holandés[13], aunque los anticuarios dicen que ya no queda ninguno en Boston.

Desde aquel callejón, apenas iluminado, giramos a la izquierda y nos adentramos en otro igualmente silencioso y todavía más estrecho, sin ninguna luz; y en un momento me pareció que doblábamos una curva en ángulo obtuso siguiendo hacia la derecha en plena oscuridad.

Poco después Pickman sacó una linterna y descubrió una puerta antediluviana de diez entrepaños, que parecía terriblemente carcomida. Abriéndola, me hizo entrar en un vestíbulo vacío cuyo revestimiento de madera de roble oscuro debió de ser magnífico en otro tiempo: sencillo, desde luego, pero que evocaba de manera emocionante los tiempos de Andros, Phipps y la brujería[14]. Luego me hizo cruzar una puerta que había a la izquierda, encendió una lámpara de petróleo y me dijo que me acomodara como si estuviera en mi propia casa.

Pues bien, Eliot, soy lo que el hombre de la calle llamaría con toda justicia un tipo «duro», pero confieso que lo que vi en las paredes de aquella habitación me dio un buen susto. Eran los cuadros de Pickman, ya sabes a lo que me refiero –los que no podía pintar ni siquiera exponer en Newbury Street– y tenía razón cuando dijo que se le había «ido la mano». Oye… echemos otro trago… ¡en cualquier caso lo necesito!

No tiene sentido que trate de describirte aquellos cuadros, pues el más espantoso y blasfemo horror, la más increíble asquerosidad y hediondez moral se desprendían de unas simples pinceladas completamente imposibles de expresar con palabras. No había nada en ellos de la técnica exótica que se advierte en Sidney Sime, nada de los paisajes de planetas situados más allá de Saturno ni de los hongos lunares con los que Clark Ashton Smith nos hiela la sangre. Los fondos eran en su mayoría antiguos camposantos, misteriosos bosques, arrecifes marinos, túneles de ladrillo, habitaciones con antiguos revestimientos de madera o simples sótanos de mampostería. El cementerio de Copp's Hill, apenas a unas manzanas de la casa, era uno de sus escenarios favoritos.

La locura y la monstruosidad estaban latentes en las figuras que se veían en primer término… pues en el morboso arte de Pickman predominaba el retrato demoníaco. Estas figuras muy pocas veces eran completamente humanas, aunque con frecuencia se acercaban a lo humano en diversos grados. La mayoría de los cuerpos, aunque toscamente bípedos, tenían una postura inclinada hacia delante y un ligero aspecto canino. La textura de muchos de ellos era algo parecida a la goma y bastante desagradable al tacto. ¡Puf! ¡Todavía los estoy viendo! Se ocupaban en… bueno, no me pidas que entre en detalles. Normalmente se estaban alimentando… pero no diré de qué. A veces los mostraba en grupos en cementerios o pasadizos subterráneos, y a menudo aparecían disputándose su presa… o más bien su tesoro descubierto. ¡Y qué detestable expresividad infundía Pickman a veces a los ciegos rostros de su horrendo botín! De vez en cuando se los veía saltando desde ventanas abiertas en plena noche, o agazapados sobre el pecho de algún durmiente, acosando su garganta. Uno de los lienzos mostraba un grupo de ellos aullando alrededor de una bruja ahorcada en Gallows Hill, cuyas cadavéricas facciones guardaban un gran parecido con las de aquellos seres.

Pero no creas que fue todo ese espantoso asunto del tema y el escenario de aquellos cuadros lo que me impresionó hasta el punto de hacerme perder el sentido. No soy un niño de tres años, y he visto con anterioridad muchas cosas así. ¡Fueron los *rostros*, Eliot, aquellos malditos *rostros,* que miraban de soslayo y parecían querer salirse ansiosamente del lienzo con un verdadero aliento vital! ¡Válgame Dios, en verdad creo que *estaban* vivos! Aquella hechicera nauseabunda había despertado los fuegos del averno en el propio pigmento y su escoba había sido una varita que generaba pesadillas. ¡Pásame aquella garrafa, Eliot!

Había un lienzo llamado "La lección"… ¡Que el cielo se apiade de mí! ¿Por qué lo vería? Escucha… ¿te imaginas un círculo de criaturas indescriptibles con aspecto canino agachadas en un camposanto enseñando a un niño pequeño a alimentarse como ellas? El resultado de una permuta de niños al nacer, supongo… ya sabes, el viejo mito de esa gente sobrenatural que deja su prole en las cunas en sustitución de los recién nacidos humanos que roban[15]. Pickman mostraba en el cuadro lo que les sucede a aquellos niños robados –cómo crecen–, y en aquel momento empecé a comprender el espantoso parentesco que existía entre los rostros de las figuras humanas y las no humanas. Establecía, en todas sus gradaciones de morbosidad, un sardónico nexo evolutivo entre lo manifiestamente no humano y lo degradadamente humano. ¡Las criaturas con aspecto de perro se habían desarrollado a partir de los humanos!

Y nada más preguntarme qué haría con sus propias crías que se quedaban con los seres humanos a modo de trueque, me llamó la atención un cuadro que expresaba aquella misma idea. Se trataba de un antiguo interior puritano: una habitación de gruesas vigas con ventanas de celosía, un escaño con arcón en el asiento y mobiliario del siglo XVII bastante tosco ocupado por la familia rodeando al padre, que leía las Escrituras. Todos los rostros, excepto uno, mostraban nobleza y veneración, pero ese uno reflejaba la burla del infierno. Era el rostro de un joven, y sin duda pertenecía a un supuesto hijo de aquel piadoso padre, que en realidad estaba emparentado con las criaturas impuras. Era un niño suplantado... y, en un rasgo de suprema ironía, Pickman le había dado a sus facciones un parecido bastante apreciable con las suyas.

Para entonces, Pickman había encendido una lámpara en una habitación contigua y mantenía la puerta abierta, cortésmente, para que yo pasara, preguntándome si quería ver sus «estudios modernos». Me había sentido incapaz de comunicarle muchas de mis opiniones –el miedo y la repugnancia me habían dejado sin habla–, pero creo que comprendió perfectamente mi estado de ánimo y se sintió muy halagado. Y ahora quiero asegurarte una vez más, Eliot, que no soy un gallina de esos que se echan a gritar en cuanto ven algo que se aparte un poco de lo habitual. Soy de mediana edad y bastante sofisticado, y supongo que con lo que viste de mí en Francia te basta para saber que no me dejo impresionar con facilidad. Recuerda también que acababa de recobrar el aliento y empezaba a acostumbrarme a aquellos espantosos cuadros que convertían la Nueva Inglaterra colonial en una especie de dependencia del infierno. Pues bien, a pesar de todo ello, aquella habitación contigua me obligó a gritar, y tuve que agarrarme al marco de la puerta para no desplomarme. El otro aposento mostraba una serie de gules y brujas que invadían el mundo de nuestros antepasados, pero lo que había en éste ¡traía el horror a nuestra propia vida cotidiana!

¡Pardiez, qué cosas pintaba aquel hombre! Había un estudio llamado "Accidente en el metro", en el que un tropel de repugnantes criaturas subían gateando de alguna ignota catacumba a través de una grieta abierta en el suelo de la estación de metro de Boylston Street y atacaban a una multitud de gente que esperaba en el andén. Otro mostraba un baile en Copp's Hill en medio de las tumbas, sobre un fondo actual.

Había además numerosas vistas de sótanos, con monstruos que entraban sigilosamente a través de grietas y agujeros abiertos en la mampostería, enseñando los dientes mientras permanecían en cuclillas detrás de toneles o calderas a la espera de que su primera víctima descendiera por la escalera.

Un asqueroso lienzo parecía representar un corte transversal de Beacon Hill, con hormigueantes ejércitos de aquellos mefíticos monstruos abriéndose paso por escondrijos que acribillaban el suelo. Había profusas representaciones de bailes en cementerios modernos, pero lo que más me impresionó de todo, por alguna razón, fue una escena en un desconocido sótano, en donde innumerables bestias se apiñaban alrededor de una que sostenía entre las manos una conocida guía de Boston, que obviamente leía en voz alta. Todas las bestias señalaban un determinado pasaje, y sus rostros parecían crispados por una risa tan epiléptica y resonante que casi me pareció oír su diabólico eco. El título del cuadro era "Holmes, Lowell y Longfellow yacen enterrados en Mount Auburn"[16].

A medida que me iba tranquilizando y volvía a adaptarme a aquella segunda habitación de diabluras y morbosidad, me puse a analizar algunos aspectos de la nauseabunda aversión que me producía todo aquello. En primer lugar, me dije a mí mismo, aquellos seres me repugnaban porque ponían de manifiesto la total falta de humanidad y la insensible crueldad de Pickman. Aquel individuo debía ser un implacable enemigo de todo el género humano para regodearse tanto en la tortura mental y física y en la degradación del cuerpo humano. En segundo lugar, aquellas telas me aterrorizaban a causa de su misma grandiosidad. Su arte era un arte que convencía: al mirar los cuadros veíamos a los propios demonios y nos asustaban. Y lo más extraño del caso era que Pickman no obtenía su indudable fuerza de la elección de motivos o del empleo de lo estrafalario. Nada estaba difuminado, distorsionado ni estilizado; los contornos estaban bien definidos y eran completamente naturales, y los detalles eran precisos casi hasta la exasperación. ¡Y qué decir de los rostros!

Lo que veíamos no era simplemente la interpretación de un artista;

era el mismo pandemónium[17], nítidamente reproducido con la más absoluta objetividad. Eso es lo que era, ¡cielos! Aquel hombre no era ni mucho menos un fantasioso o un romántico: ni siquiera trataba de ofrecernos las agitadas y llamativas imágenes fugaces que nos asaltan en los sueños, sino que reflejaba fría y sardónicamente un mundo de horror estable, mecanicista y bien organizado, que él veía en detalle, de manera intensa, directa y resuelta. Dios sabe lo que podía haber sido aquel mundo, o dónde llegó a vislumbrar Pickman las blasfemas figuras que corrían a grandes zancadas, trotaban y se arrastraban por él; pero, cualquiera que fuese la desconcertante fuente en que se inspiraban sus imágenes, una cosa era evidente: Pickman era, en todos los sentidos –tanto en la concepción como en la ejecución–, un minucioso, esmerado y casi científico *realista*.

Acto seguido mi anfitrión me mostró el camino de bajada al sótano donde tenía su verdadero estudio, y me preparé para recibir alguna impresión horrible entre aquellos lienzos sin terminar. Cuando llegamos al pie de la húmeda escalera, Pickman enfocó su linterna hacia un rincón del amplio espacio abierto que quedaba junto a nosotros, descubriendo el brocal circular de ladrillo de lo que obviamente era un gran pozo excavado en el suelo de tierra. Nos acercamos y vi que debía tener un diámetro de unos cinco pies [algo más de metro y medio], y que sus paredes, de más de un pie de grosor [poco más de treinta centímetros], sobresalían unas seis pulgadas [unos quince centímetros] por encima del nivel del suelo… una sólida construcción del siglo XVII, si no me equivocaba. Aquello, me dijo Pickman, era una de esas cosas de las que había estado hablando antes: una abertura de la red de túneles que solían socavar la colina. Observé despreocupadamente que el pozo no parecía estar tapiado con ladrillos, y que un pesado disco de madera constituía aparentemente su única cubierta. Pensando en las cosas con las que aquel pozo debía haber estado en contacto si las disparatadas sugerencias de Pickman no habían sido mera retórica, me estremecí ligeramente; luego volví a seguirle, subimos un escalón y atravesamos una estrecha puerta que daba a una habitación de tamaño mediano, provista de un suelo de madera y amueblada como un estudio. Un aparato de gas acetileno suministraba la luz necesaria para trabajar.

Los cuadros inacabados, montados en caballetes o apoyados contra la pared, eran tan horrorosos como los terminados que había visto en el piso de arriba, y revelaban la meticulosidad con que trabajaba el artista. Las escenas estaban esbozadas con sumo cuidado, y las pautas trazadas a lápiz ponían de manifiesto la minuciosa exactitud con que Pickman trataba de conseguir la perspectiva y las proporciones correctas. Era un gran pintor… lo digo incluso después de saber todo lo que sé. Me llamó la atención una gran cámara fotográfica que había sobre una mesa, y Pickman me dijo que la utilizaba para fotografiar escenarios que le sirvieran de fondo para sus cuadros, de modo que podía pintar a partir de fotografías sin salir del estudio, evitando así tener que desplazarse con su equipo por toda la ciudad en busca de un paisaje determinado. Opinaba que una fotografía era tan buena para apoyar su trabajo como cualquier escenario o modelo reales, y confesó que las empleaba habitualmente.

Había algo muy preocupante en los nauseabundos bocetos y en las monstruosidades a medio terminar que lanzaban maliciosas miradas desde todas partes de la habitación y, cuando Pickman descubrió de pronto un enorme lienzo en la pared más alejada de la luz, por mucho que lo intenté no pude contener un fuerte grito… el segundo que había proferido aquella noche. Resonó una y otra vez a través de las oscuras bóvedas de aquel antiguo y salitroso sótano, y tuve que realizar un tremendo esfuerzo para no estallar en una histérica carcajada. ¡Dios misericordioso! Eliot, no sé cuánto había de real y cuánto de febril fantasía en todo aquello. ¡No me parecía que un sueño como aquél fuera posible en este mundo!

El cuadro representaba una colosal e indescriptible monstruosidad de fulminantes ojos rojos, que sostenía en sus huesudas garras algo que debió haber sido un hombre, y le roía la cabeza como un chiquillo mordisquea un pirulí. Estaba en cuclillas, y al mirarlo parecía como si de un momento a otro fuera a soltar su presa para ir en busca de un bocado más jugoso[18]. Pero, ¡maldita sea!, no era aquel diabólico motivo la imperecedera fuente de pánico… ni aquel rostro perruno de orejas puntiagudas, ojos inyectados en sangre, nariz chata y labios babeantes. Ni tampoco aquellas garras escamosas, ni el cuerpo de moho apelmazado, ni los pies semiungulados… nada de eso, aunque cualquiera de aquellas características habría bastado para volver loco a un hombre impresionable.

Era la técnica, Eliot… ¡aquella maldita, impía y contranatural técnica! Nunca en toda mi vida había visto plasmado en un lienzo el aliento vital de forma tan real. El monstruo tenía tal presencia –fulminaba con la mirada y roía alternativamente– que comprendí que sólo una suspensión de las leyes de la naturaleza podía llevar a un hombre a pintar una cosa como aquélla sin un modelo… sin haber vislumbrado ese mundo inferior que ningún mortal no vendido al demonio ha visto nunca.

Prendido con una chincheta a una parte sin pintar del lienzo había un trozo de papel muy abarquillado… probablemente, pensé, sería una fotografía que Pickman tenía la intención de utilizar para pintar un fondo tan horroroso como la pesadilla que iba a realzar. Alargué el brazo para estirarlo y echarle una ojeada, cuando de pronto Pickman se sobresaltó como si le hubiera dado una punzada. Había estado escuchando con especial atención desde que mi grito de horror despertase insólitos ecos en el oscuro sótano, y ahora parecía estar sobrecogido por un miedo que, sin ser comparable al mío, era más físico que espiritual. Sacó un revólver y me indicó con la mano que me callara, y acto seguido salió al sótano principal y cerró la puerta tras él.

Creo que me quedé paralizado durante unos instantes. Imitando a Pickman agucé el oído, y me pareció oír un leve sonido como si alguien correteara en alguna parte, y una serie de chillidos o gemidos en una dirección que no pude determinar. Pensé en enormes ratas y me estremecí. Luego se oyó una especie de ruido apagado que de alguna manera me puso la carne de gallina… una especie de sigiloso y vacilante ruido, aunque me sería imposible tratar de expresarlo en palabras. Era como si una pesada madera hubiese caído sobre piedra o ladrillo… madera sobre ladrillo… ¿qué me sugería aquello?

Se oyó de nuevo el ruido, y esta vez más fuerte. Hubo una vibración como si la madera hubiese caído más lejos de lo que había caído antes. Después de aquello siguió un sonido chirriante y agudo, unos confusos y atropellados gritos de Pickman y la atronadora descarga de las seis recámaras de un revólver, disparadas espectacularmente como un domador de leones podría disparar al aire para impresionar al público. A continuación, un chillido o graznido amortiguado, y un golpe sordo. Luego, más chirridos producidos por la madera y el ladrillo, una pausa y la apertura de la puerta… ante lo cual, lo confieso, me sobresalté enormemente. Pickman reapareció con su arma todavía humeante, maldiciendo a las abultadas ratas que infestaban el antiguo pozo.

–El diablo sabrá lo que comen, Thurber –dijo, enseñando los dientes–, pues esos arcaicos túneles comunican con cementerios, guaridas de brujas y llegan hasta el litoral. Pero sea lo que fuere, se les ha debido acabar, pues estaban sumamente ansiosas por salir. Tus gritos las despertaron, supongo. Será mejor andar con precaución por estos andurriales: nuestros amigos roedores son el único inconveniente, aunque a veces pienso que su presencia constituye una evidente ventaja pues le dan una cierta atmósfera y colorido.

Bueno, Eliot, aquél fue el final de la aventura nocturna. Pickman había prometido enseñarme el lugar, y bien sabe Dios que lo hizo. Me sacó de aquel laberinto de callejones por otra dirección al parecer, pues cuando vimos la luz de una farola nos encontrábamos en una calle que me resultaba familiar, con monótonas hileras de bloques de viviendas y viejos caserones. Resultó ser Charter Street, aunque yo estaba demasiado nervioso para darme cuenta de adónde habíamos llegado. Era ya demasiado tarde para tomar el elevado, y regresamos a pie al centro de la ciudad atravesando Hanover Street. Recuerdo muy bien aquel paseo. Nos desviamos en Tremont, subimos por Beacon, y Pickman me dejó en la esquina de Joy, donde me despedí. No he vuelto a hablar con él.

¿Por qué dejé de ver a Pickman? No seas impaciente. Espera que llame para que nos traigan café. Hemos tomado bastante de lo otro, y yo por lo menos necesito beber algo. No... no fueron los cuadros que vi en aquel lugar; aunque juraría que ellos serían motivo suficiente para que le hicieran el vacío a Pickman en nueve de cada diez hogares y clubes de Boston, y supongo que ahora comprenderás por qué evito los metros o los sótanos. Fue... algo que encontré en mi abrigo a la mañana siguiente. Ya sabes, el papel arrugado prendido con chinchetas a aquel espantoso lienzo del sótano; lo que tomé por una fotografía de algún escenario que Pickman se proponía utilizar como fondo para el cuadro de aquel monstruo. El último susto de Pickman se produjo cuando yo iba a desenrollar el papel, y al parecer lo arrugué y me lo metí distraídamente en el bolsillo. Pero aquí llega el café... tómatelo puro, Eliot, si eres sensato.

Sí, aquel papel fue el motivo de que dejara de ver a Pickman; Richard Upton Pickman, el más grande artista que he conocido... y el ser más detestable que haya traspasado nunca los límites de la vida para adentrarse en los abismos del mito y la locura. El viejo Reid tenía razón, Eliot: Pickman no era estrictamente humano. O bien nació bajo una influencia maligna, o encontró la forma de abrir la puerta prohibida. Ya da lo mismo, pues desapareció... regresó a aquella increíble oscuridad que a él le gustaba frecuentar. Ahora será mejor que encendamos el candelabro.

No me pidas que te explique, o siquiera que haga conjeturas acerca de lo que quemé. Tampoco me preguntes qué había tras aquella especie de topos que gateaban que Pickman tenía tanto interés en hacer pasar por ratas. Hay secretos que pueden proceder de la época de la antigua Salem, y Cotton Mather cuenta cosas todavía más extrañas. Ya sabes lo condenadamente vivos que parecían los cuadros de Pickman... cómo nos preguntamos todos más de una vez dónde conseguía aquellos rostros.

Bueno... después de todo, aquel papel no era la fotografía de ningún fondo. Lo que mostraba era simplemente el ser monstruoso que estaba pintando en aquel atroz lienzo. Era el modelo que estaba utilizando... y el fondo no era sino la pared del estudio del sótano pintada con todo detalle. Por el amor de Dios, Eliot, aquella fotografía *estaba tomada del natural.*

LA EXTRAÑA CASA ELEVADA ENTRE LA NIEBLA[1]

Por la mañana la niebla asciende desde el mar por los acantilados de más allá de Kingsport[2]. Blanca y ligera como una pluma, llega desde el piélago a unirse con sus hermanas las nubes, henchidas de sueños de fríos y húmedos pastos y cavernas de leviatanes[3]. Y más tarde, en apacibles lluvias estivales que caen sobre los empinados tejados de los poetas, las nubes esparcen parte de esos sueños, que los hombres no vivirán sin el rumor de los viejos y extraños secretos, y de las maravillas que los planetas se cuentan unos a otros sólo por la noche. Cuando los relatos vuelan copiosamente hacia las grutas de los tritones, y las caracolas de las ciudades algosas tocan aires extravagantes aprendidos de los Mayores, entonces las grandes brumas impacientes se congregan en el cielo cargado de saber y los ojos que miran al océano desde las rocas sólo ven una mística blancura, como si el borde del acantilado fuese el confín de la tierra y las solemnes campanas de las boyas tañesen libremente en el éter de ensueño.

Pues bien, al norte de la arcaica Kingsport los despeñaderos se elevan altos y curiosos, terraza sobre terraza, hasta que el más septentrional de todos flota en el cielo como una nube gris y helada arrastrada por el viento. Una triste punta solitaria sobresale en el espacio ilimitado, ya que allí la costa gira de pronto donde el gran Miskatonic desemboca torrencialmente procedente de las llanuras después de haber dejado atrás Arkham, trayendo leyendas de los bosques y pintorescos recuerdos de los cerros de Nueva Inglaterra. La gente de mar que vive en Kingsport mira hacia aquel acantilado como otros miran hacia la estrella polar y calculan las guardias nocturnas según lo que oculte o permita ver a la Osa Mayor, Casiopea y el Dragón[4]. Para ellos forma parte del firmamento, y realmente desaparece de su vista cuando la niebla oculta las estrellas o el sol. Algunos acantilados les gustan, como el que llaman Padre Neptuno por su grotesca silueta, o aquel otro de tajos escalonados sostenidos por columnas al que llaman la Calzada Elevada; aunque ése les da miedo porque está muy cerca del cielo. Los marineros portugueses que llegan de viaje se santiguan nada más verlo, y los viejos yanquis creen que escalarlo sería un asunto mucho más serio que la muerte, si realmente eso fuera posible. Sin embargo hay una casa antigua en aquel acantilado y al anochecer se ven luces en sus ventanas de cristales pequeños.

Esa casa antigua está allí desde siempre, y la gente dice que habita Uno que habla con las brumas matinales que suben del piélago, y que es posible que vea cosas singulares en el océano cuando el borde del acantilado se convierte en el confín de la tierra y las majestuosas boyas tañen libremente en el blanco éter de ensueño. Eso lo cuentan de oídas pues jamás han visitado aquel despeñadero prohibido, y a los nativos no les gusta dirigir hacia allí sus catalejos. Los veraneantes la han examinado, por supuesto, con sus ostentosos prismáticos pero nunca han visto más que el primitivo tejado gris, puntiagudo y cubierto con guijarros, cuyos aleros llegan casi hasta los grises cimientos, y la pálida luz amarillenta de sus pequeñas ventanas que asoma por debajo de esos aleros al anochecer. Estos veraneantes no creen que ese mismo Uno haya vivido en la antigua casa desde hace siglos; pero no pueden demostrar que sea una herejía a ningún vecino auténtico de Kingsport. Hasta el Viejo Terrible que habla con péndulos de plomo encerrados en botellas, compra comestibles con secular oro español y guarda ídolos de piedra en el patio de su antediluviano *cottage* de Water Street, sólo puede decir que ya vivía allí cuando su abuelo era niño, lo que debió ocurrir hace una eternidad, cuando Belcher, o Shirley o Pownall o Bernard, gobernaban la provincia de Massachusetts-Bay al servicio de Su Majestad[5].

Entonces un verano llegó un filósofo a Kingsport. Se llamaba Thomas Olney[6] y enseñaba cosas pesadas en una facultad cercana a Narragansett Bay. Llegó con una esposa corpulenta y unos hijos juguetones, y sus ojos estaban cansados de ver las mismas cosas durante muchos años y de pensar los mismos pensamientos bien disciplinados. Miró las brumas desde la diadema del Padre Neptuno y trató de adentrarse en aquel mundo blanco y misterioso por los colosales tajos escalonados de la Calzada Elevada. Mañana tras mañana se tumbaba en los acantilados a echar un vistazo desde el borde del mundo al enigmático éter que se extendía más allá, y a escuchar las campanas espectrales y los gritos frenéticos de lo que posiblemente fueran gaviotas. Luego, cuando levantaba la niebla y el mar recobraba su aire prosaico con el humo de los buques de vapor, suspiraba y bajaba al pueblo, donde le encantaba recorrer las angostas y antiguas callejuelas que subían y bajaban por la colina, y observar los desvencijados y ruinosos gabletes y los portales de extraños pilares que habían acogido a tantas generaciones de robustos marineros. E incluso hablaba con el Viejo Terrible a quien no le gustaban los forasteros, y era invitado a su espantoso y arcaico *cottage* cuyos techos bajos y artesonados carcomidos escuchan los ecos de inquietantes soliloquios en la oscuridad de las primeras horas de la madrugada.

Fue inevitable por supuesto que Olney se fijara en el abandonado *cottage* gris situado en lo alto de aquel siniestro despeñadero que mira hacia el norte y forma un conjunto con las brumas y el firmamento. Siempre estuvo suspendido sobre Kingsport y siempre corrió el rumor de su misterio por los tortuosos callejones de aquella ciudad. El Viejo Terrible le contó a Olney casi sin voz una historia que había oído a su padre sobre un rayo que una noche salió disparado *de* aquel *cottage* de tejado puntiagudo y se perdió en las nubes más altas del cielo; y la Abuelita Orne[7], cuya diminuta casa de Ship Street tiene su tejado a la holandesa todo cubierto de musgo y de hiedra, le dijo con voz ronca algo que su abuela había oído contar acerca de unas figuras que salían de las brumas orientales y volaban en línea recta hacia la única puerta estrecha de aquel inalcanzable lugar… ya que está situada al borde mismo del despeñadero que desciende hasta el océano y sólo se vislumbra desde los barcos que pasan por debajo.

Por fin, ávido de nuevas experiencias y sin que le contuvieran ni el temor de los vecinos de Kingsport ni la usual indolencia de los veraneantes, Olney tomó una determinación muy terrible. A pesar de su formación conservadora –o a causa de ella, ya que las vidas monótonas generan antojos nostálgicos por lo desconocido– juró solemnemente escalar aquel acantilado septentrional que todos evitaban y visitar el anormalmente antiguo *cottage* gris en las alturas. Es muy posible que su yo más cuerdo le sugiriera que sus habitantes debían de llegar hasta él desde tierra adentro a través de alguna cresta más accesible junto al estuario del Miskatonic. Probablemente hacían sus transacciones comerciales en Arkham, conscientes de lo poco que les gustaba su morada a los habitantes de Kingsport, o incapaces tal vez de bajar el acantilado por la parte que daba a dicha ciudad. Olney recorrió los acantilados más accesibles hasta donde el gran despeñadero se elevaba con insolencia para confraternizar con las criaturas celestes, y comprobó sin lugar a dudas que ningún ser humano podía subir ni bajar por aquella pendiente meridional que sobresalía amenazadoramente. Al este y al norte se elevaba verticalmente desde el agua hasta una altura de miles de pies, de modo que sólo quedaba la ladera occidental, tierra adentro en dirección a Arkham.

Una mañana de agosto Olney se puso en camino muy temprano en busca de algún sendero que subiera hasta la inaccesible cima. Se dirigió hacia el noroeste por agradables caminos secundarios, dejó atrás Hooper's Pond y el viejo polvorín de ladrillo hasta llegar a donde los pastos ascienden a la cresta que se asoma sobre el Miskatonic y ofrecen una preciosa perspectiva de los blancos campanarios georgianos de Arkham que se alzan leguas más allá al otro lado del río y de los prados. Allí encontró un camino sombreado en dirección a Arkham, pero ningún sendero hacia el mar como quería. Espesos bosques y praderas se agolpaban en la ribera alta de la desembocadura del río, sin que se apreciara signo alguno de presencia humana, ni siquiera una tapia de piedra ni una vaca extraviada, sólo hierba alta, árboles gigantescos y marañas de zarzas que posiblemente habían visto los primeros indios. A medida que subía lentamente por el este, cada vez a mayor altura por encima del estuario que quedaba a su izquierda y más cerca del mar, comprobó que el camino crecía en dificultad; hasta que se preguntó cómo se las arreglaban los moradores de aquel desagradable lugar para llegar al mundo exterior, y si bajaban a menudo al mercado de Arkham.

Luego disminuyeron los árboles y muy por debajo de él, a su derecha, vio los lejanos cerros y los antiguos tejados y campanarios de Kingsport. Incluso Central Hill era una elevación enana vista desde aquella altura, y apenas podía distinguir el antiguo cementerio situado junto al Hospital Congregacional, bajo el cual se rumoreaba que había terribles cavernas o escondrijos ocultos. Delante de él había una extensión de hierba poco densa y matorrales achaparrados de arándanos; y más allá la roca pelada del despeñadero y el delgado pico sobre el que se asentaba el pavoroso *cottage* gris. La cresta se estrechaba y Olney se sintió mareado en medio de la soledad de aquellas alturas. Al sur de donde se encontraba, el horroroso precipicio por encima de Kingsport, al norte la caída vertical de casi una milla hasta la desembocadura del río. De pronto se abrió ante él una gran sima de unos diez pies de profundidad, de modo que tuvo que colgarse de las manos y dejarse caer hasta su suelo inclinado, y luego trepar peligrosamente por un desfiladero natural que había en la pared opuesta. ¡Así que aquél era el camino que los habitantes de la misteriosa casa recorrían entre la tierra y el cielo!

Cuando salió trepando de la sima se estaba formando una bruma matinal, pero vio claramente ante él el arrogante e impío *cottage;* sus paredes eran tan grises como la roca y la elevada cumbre contrastaba audazmente con la blancura lechosa de los vapores marinos. Y se dio cuenta de que en aquel extremo más próximo a tierra no había puerta, sino sólo un par de ventanillas enrejadas de deslustrados cristales abombados según la moda del siglo XVII. A su alrededor no había más que nubes y caos, y por debajo no podía ver más que la blancura del espacio infinito. Se encontraba solo en las alturas con aquella extraña y perturbadora casa; y al rodearla sigilosamente en dirección a la fachada y ver que el muro estaba a nivel con el borde del acantilado, de modo que no se podía llegar a su única puerta salvo por el vacío éter, sintió un inconfundible terror que la altura no podía explicar del todo. Y era muy extraño que unas tablillas tan carcomidas como aquéllas pudieran conservarse, y que unos ladrillos tan desmenuzados formaran todavía una chimenea estable[8].

Cuando espesó la niebla, Olney reptó de una ventana a otra por las fachadas norte, oeste y sur, tratando de abrirlas, pero comprobó que todas estaban cerradas. Se alegró un poco de que estuvieran cerradas, porque cuanto más conocía de aquella casa menos deseaba entrar. Entonces un ruido le hizo detenerse. Oyó el chasquido de una cerradura y el ruido de un cerrojo al descorrerse, y un prolongado chirrido como si abrieran una pesada puerta lenta y cautelosamente. Era en la parte que daba al océano, que él no podía ver, donde la estrecha puerta se abría al vacío en el cielo brumoso a miles de pies por encima de las olas.

Acto seguido sonaron unos pesados y lentos pasos en el *cottage* y Olney oyó que abrían las ventanas; primero las que daban al norte, el lado opuesto adonde él se encontraba, después las del oeste nada más doblar la esquina. Luego abrieron las ventanas que daban al sur, debajo de los grandes y estrechos aleros del lado donde él se encontraba; y hay que decir que se sintió más que incómodo pensando que tenía la detestable casa a un lado y al otro el vacío del aire de más arriba. Cuando le llegó el forcejeo con que abrían las ventanas más próximas de nuevo se deslizó sigilosamente hacia el oeste, aplastándose contra el muro junto a las ventanas que ya estaban abiertas. Estaba claro que el propietario había llegado a casa; pero no había llegado por tierra, ni en globo ni en ninguna aeronave que se pueda imaginar. Volvieron a sonar pasos y Olney se dirigió cautelosamente hacia el norte; pero antes de que pudiera encontrar un refugio una voz le llamó suavemente, y comprendió que debía enfrentarse con su anfitrión.

Asomado a la ventana oeste vio un rostro con una gran barba negra, en cuya mirada fosforescente brillaba la impronta de visiones sin precedente. Pero la voz era amable y pintorescamente anticuada, de modo que Olney no se estremeció cuando le tendió una mano morena para ayudarle a subirse al alféizar y saltar al interior de la estrecha habitación revestida de madera de roble negro[9] y con mobiliario tallado estilo Tudor. El hombre vestía ropas antiguas y le envolvía una imprecisa aureola de sabiduría marinera y de ensueños acerca de increíbles galeones. Olney no recuerda muchos de los prodigios que le contó, ni siquiera quién era; pero dice que era raro y amable, y estaba henchido de la magia de insondables vacíos de tiempo y de espacio. La pequeña habitación parecía verde a causa de la pálida luz acuosa que la iluminaba, y Olney vio que las ventanas lejanas que daban al este no estaban abiertas, sino cerradas al brumoso éter con gruesos cristales mate como culos de botellas viejas.

El barbado anfitrión parecía joven, aunque miraba con ojos impregnados de viejos misterios; y por los maravillosos relatos de asuntos antiguos que contaba, se podía pensar que los aldeanos tenían razón al decir que se comunicaba con las brumas del mar y con las nubes del cielo desde antes de que existiese una aldea que observara su taciturna morada desde la llanura de abajo. Y pasó lentamente el día, y Olney seguía escuchando los rumores de los viejos tiempos y de lugares lejanos; y oyó cómo los reyes de la Atlántida lucharon contra escurridizas blasfemias que salían con dificultad de las grietas del fondo oceánico, y cómo el templo hipóstilo de Poseidonis[10], cubierto de maleza, todavía era vislumbrado a medianoche por los barcos extraviados, que al verlo comprendían que estaban perdidos. El anfitrión rememoró los tiempos de los Titanes, pero se volvió medroso al hablar de la era oscura y rudimentaria del caos que precedió a los dioses e incluso al nacimiento de los Mayores, cuando sólo *los otros dioses* iban a danzar a la cima del Hatheg-Kla situado en el desierto pedregoso próximo a Ulthar, más allá del río Skai[11].

Al llegar a este punto llamaron a la puerta; aquella antigua puerta de roble tachonada de clavos, más allá de la cual sólo existía un abismo de nubes blancas. Olney se sobresaltó del susto, pero el hombre barbudo le indicó con la mano que permaneciese en silencio, anduvo de puntillas hasta la puerta y miró al exterior a través de una mirilla muy pequeña. Lo que vio no le gustó, de modo que se llevó un dedo a la boca y cruzó el cuarto de puntillas para cerrar y bloquear todas las ventanas antes de regresar al banco de madera, con respaldo alto y un arcón en el asiento, que ocupaba junto a su invitado. Entonces Olney vio pasar lenta y sucesivamente tras los rectángulos translúcidos de cada una de las pequeñas ventanas oscuras una extraña silueta negra, según el visitante se trasladaba de un sitio a otro con mucha curiosidad antes de marcharse; y se alegró de que su anfitrión no hubiera contestado a las llamadas.

Pues hay extraños seres en el gran abismo y el buscador de sueños debe tener cuidado de no despertar ni encontrar a los que no debe.

Entonces empezaron a aumentar las sombras; primero unas pequeñas sombras furtivas debajo de la mesa, y después otras más atrevidas por las esquinas recubiertas de madera oscura. Y el hombre barbudo hizo enigmáticos gestos de súplica, encendió largas velas y las puso en candelabros de latón curiosamente labrados. A menudo echaba una mirada a la puerta como si esperase a alguien, y por fin unos extraños golpecitos secos, que debían responder a algún antiguo código secreto, parecieron contestar a su mirada. En aquella ocasión ni siquiera echó un vistazo por la mirilla, sino que movió la gran tranca de roble, descorrió el cerrojo, levantó el picaporte y abrió de par en par la pesada puerta de cara a las estrellas y la niebla.

Y entonces al son de oscuras armonías entraron flotando en aquella habitación procedentes del piélago todos los sueños y recuerdos de los Poderosos de un nivel inferior de la tierra. Y unas llamas doradas flotaron cual guedejas de algas, de modo que Olney quedó deslumbrado mientras él les rendía homenaje. Allí estaba Neptuno con su tridente, y los juguetones tritones y las fantásticas nereidas, y a lomos de delfines se balanceaba una enorme valva minuciosamente dentada en la que iba montada la horrible figura gris de Nodens, Señor del Gran Abismo[12]. Y las caracolas de los tritones emitían misteriosos sones, y las nereidas producían extraños ruidos al golpear grotescas conchas resonantes de desconocidos merodeadores de las negras cavernas marinas. Acto seguido el vetusto Nodens tendió una mano arrugada y ayudó a Olney y a su anfitrión a subir a su gigantesca valva, a lo cual las conchas y los gongs lanzaron un impresionante y frenético clamor. Y el fabuloso cortejo salió al éter ilimitado haciendo eses y el ruido de sus gritos se perdió en los ecos de los truenos.

Los habitantes de Kingsport estuvieron toda la noche observando el majestuoso acantilado cuando la tormenta y las brumas les permitían vislumbrarlo; y cuando a las primeras horas de la madrugada se apagaron las pálidas luces de las ventanas, hablaron en voz baja de temores y desastres. Y los hijos y la corpulenta esposa de Olney rezaron al propio dios afable de los anabaptistas y confiaron en que el viajero pediría prestados un paraguas y unos chanclos si no dejaba de llover por la mañana. Entonces salió del mar el rezumante amanecer envuelto en brumas, y las boyas tañeron majestuosas en los vórtices del blanco éter. Y a mediodía los cuernos mágicos sonaron por encima del océano mientras Olney, seco y ligero de pies, descendió de los acantilados a la antigua Kingsport con una expresión distante en los ojos. No podía recordar lo que había soñado en la casucha encaramada en el cielo del todavía anónimo ermitaño, ni explicar cómo había bajado sigilosamente por aquel despeñadero que no habían podido recorrer otros pies. Ni fue capaz de hablar de aquellas cuestiones con nadie salvo con el Viejo Terrible de larga barba blanca, quien después masculló extrañas cosas; juró que el hombre que había bajado de aquel despeñadero no era el mismo que había subido, y que en alguna parte bajo aquel puntiagudo tejado gris, o entre inconcebibles tramos de aquella siniestra niebla blanca subsistía todavía el espíritu extraviado del que fuera Thomas Olney.

Y desde aquel momento, durante lentos e interminables años de monotonía y hastío, el filósofo ha trabajado, comido y dormido, y ha cumplido con resignación sus apropiados deberes de ciudadano. Ya no echa en falta la magia de los lejanos cerros, ni suspira por secretos que aparecen como verdes arrecifes en un mar insondable. La uniformidad de sus días ya no le produce tristeza, y sus bien disciplinados pensamientos han madurado lo suficiente para su imaginación. Su buena esposa es cada vez más corpulenta y sus hijos se hacen mayores y más prosaicos y valiosos, y él no deja de sonreír con orgullo, como debe ser, cuando la ocasión lo exige. En su mirada no hay ningún destello de inquietud, y si alguna vez escucha solemnes campanas o lejanos cuernos mágicos es sólo de noche cuando los viejos sueños vagan libremente. Nunca ha vuelto a visitar Kingsport porque a su familia no le gustan las casas viejas y extrañas, y se quejan de que el alcantarillado es increíblemente malo. Ahora tienen un chalet bien cuidado en las tierras altas de Bristol, donde no hay elevados riscos que descuellan y los vecinos son corteses y modernos.

Pero en Kingsport corren extraños rumores, y hasta el Viejo Terrible admite algo que su abuelo no contó. Pues ahora, cuando el viento tempestuoso del norte azota la antigua casa elevada que se funde con el firmamento, se rompe al fin aquel ominoso silencio inquietante que siempre fue la pesadilla de la rústica gente de mar de Kingsport. Y los ancianos cuentan que allí se oyen cantar voces agradables, y risas henchidas de un júbilo muy por encima de lo que es normal en la tierra; y dicen que al atardecer las pequeñas ventanas bajas están más iluminadas que antes. También dicen que la implacable aurora llega más a menudo a aquel lugar y su resplandor azulado rebosa por el norte de visiones de mundos helados mientras el despeñadero y el *cottage* están suspendidos en el aire, negros y fantásticos, rodeados de extraños centelleos. Y que las brumas del amanecer son más espesas, y que los marineros no están completamente seguros de que todos los sonidos amortiguados de mar adentro procedan de las majestuosas boyas.

Lo peor de todo, sin embargo, es el encogimiento de los viejos temores en los corazones de los jóvenes de Kingsport, cada vez más propensos a escuchar de noche los sonidos apenas perceptibles en la lejanía del viento del norte. Juran que ningún perjuicio ni dolor puede habitar en aquel *cottage* en la cumbre, ya que en las nuevas voces palpita la alegría y con ella un tintineo de risas y música. No saben qué relatos pueden traer las brumas marinas a aquella cima encantada más septentrional, pero anhelan extraer alguna pista de los prodigios que llaman a la puerta del profundo acantilado cuando las nubes son más espesas. Y los patriarcas temen que algún día busquen, uno a uno, aquel inaccesible pico elevado y se enteren de los secretos seculares que se ocultan bajo el empinado tejado cubierto con guijarros que forma parte de las rocas, las estrellas y los antiguos miedos de Kingsport. No dudan de que aquellos jóvenes aventureros regresarán; pero creen posible que se extinga el brillo de sus ojos y la volición en sus corazones. Y no desean que una pintoresca Kingsport con sus empinados callejones y sus arcaicos gabletes se arrastre indiferente con el paso de los años mientras, una voz tras otra, el coro de risas se hace más potente y desaforado en aquel desconocido y terrible nido de águilas en el que las brumas y los sueños de las brumas evitan detenerse en su trayecto del mar a los cielos.

No desean que las almas de sus jóvenes abandonen los agradables hogares y las tabernas de tejado a la holandesa de la vieja Kingsport, ni quieren que en aquel elevado lugar rocoso las risas y canciones suenen más estrepitosamente. Pues lo mismo que la voz recién llegada ha traído nuevas brumas del mar y nuevas luces del norte, también dicen que otras voces traerán más brumas y más luces, hasta que tal vez los viejos dioses (cuya existencia insinúan sólo en susurros por temor a que les oiga el pastor congregacional) salgan del piélago y vengan de la ignota Kadath en el desierto helado, y fijen su morada en aquel despeñadero diabólicamente apropiado tan próximo a los suaves cerros y valles de los callados y sencillos pescadores. Eso no lo desean, ya que para la gente sencilla las cosas que no son de esta tierra son poco gratas; y además el Viejo Terrible recuerda a menudo lo que Olney dijo acerca de una llamada que el morador solitario temía, y de una forma negra e inquisitiva que ambos vieron recortarse en la bruma a través de aquellas extrañas ventanas emplomadas de abombado cristal translúcido.

Todas esas cosas, sin embargo, sólo las pueden decidir los Mayores, y mientras tanto las brumas matinales ascienden todavía por aquel solitario pico vertiginoso con la vieja casa empinada, aquella casa gris de aleros bajos en la que no se ve a nadie, pero a la que el ocaso trae furtivas luces mientras el viento del norte habla de extrañas fiestas. Vienen del piélago, blancas y ligeras como una pluma, a unirse con sus hermanas las nubes, henchidas de sueños de fríos y húmedos pastos y cavernas de leviatanes. Y cuando los relatos vuelan copiosamente hacia las grutas de los tritones, y las caracolas de las ciudades algosas tocan aires extravagantes aprendidos de los Mayores, entonces las grandes brumas impacientes se congregan en el cielo cargado de saber; y Kingsport, recostándose inquieta en sus acantilados menores bajo aquel impresionante centinela que cuelga de la roca, sólo ve al mirar al océano una mística blancura, como si el borde del acantilado fuese el confín de la tierra y las solemnes campanas de las boyas tañesen libremente en el éter de ensueño.

LA BÚSQUEDA EN SUEÑOS
DE LA IGNOTA KADATH[1]

Tres veces soñó Randolph Carter con la maravillosa ciudad, y tres veces fue arrebatado mientras todavía estaba detenido en la elevada terraza que la dominaba. Toda la ciudad resplandecía, dorada y fascinante, a la caída de la tarde: sus murallas, templos, columnatas y puentes arqueados de mármol veteado, fuentes de tazas plateadas y llamativos surtidores en amplias plazas y perfumados jardines, calles anchas bordeadas de frágiles árboles y urnas cargadas de flores y estatuas de marfil en relucientes filas; mientras por las empinadas laderas hacia el norte ascendían hileras de tejados rojos y antiguos gabletes puntiagudos, que daban abrigo a pequeños callejones adoquinados cubiertos de hierba. Había un fervor de dioses, una fanfarria de trompetas celestiales y un estruendo imperecedero de címbalos. El misterio pendía sobre ella como las nubes sobre una fabulosa montaña no frecuentada; y mientras Carter permanecía sin resuello y expectante en aquel parapeto con balaustres le invadió el patetismo y la incertidumbre de unos recuerdos casi olvidados, el dolor de las cosas perdidas y la exasperante necesidad de reconocer de nuevo lo que hace tiempo fuera un impresionante y trascendental lugar.

Sabía que alguna vez aquel lugar debió haber tenido para él un significado supremo; aunque no sabría decir en qué época o encarnación lo había conocido, ni si había sido en sueños o en vigilia. Recordaba vagamente fugaces vislumbres de una primera juventud lejana y olvidada, en la que el asombro y el placer colmaban el misterio de los días, y el amanecer y el crepúsculo se sucedían de la misma manera al ritmo vehemente y profético de laúdes y canciones, abriendo puertas mágicas hacia nuevas y sorprendentes maravillas. Pero cada noche, mientras se encontraba en aquella elevada terraza de mármol con extrañas urnas y barandilla labrada, y echaba un vistazo a aquella silenciosa ciudad crepuscular de belleza e inmanencia sobrenatural, sentía el cautiverio de los tiránicos dioses del sueño; pues de ningún modo podía abandonar aquel elevado lugar, ni bajar por la ancha escalinata de mármol que descendía sin fin hasta donde se despliegan aquellas atrayentes calles saturadas de antiguos encantamientos.

Cuando despertó por tercera vez sin haber descendido todavía por aquellos peldaños, sin haber recorrido aún aquellas silenciosas calles bajo el crepúsculo, rezó durante mucho tiempo y de todo corazón a los ocultos dioses del sueño que se ciernen caprichosos sobre las nubes que envuelven a la ignota Kadath, en el yermo helado donde ningún hombre se aventura. Pero los dioses no le respondieron, ni se aplacaron, ni mostraron ningún signo favorable cuando les rezó en sueños o cuando les imploró mediante sacrificios por medio de los barbados sacerdotes Nasht y Kaman-Thah, cuyo templo subterráneo con su columna de fuego se encuentra no lejos de las puertas del mundo vigil. Parecía, sin embargo, que sus plegarias no habían sido escuchadas favorablemente, ya que tras la primera dejó por completo de mirar la maravillosa ciudad, como si sus tres vislumbres fugaces hubieran sido meros accidentes o descuidos, en contra de algún plan o deseo oculto de los dioses.

Por fin, harto de suspirar por aquellas calles que relucían a la puesta del sol y aquellas enigmáticas callejuelas de la colina encajonadas entre antiguos tejados, que ni en sueños ni despierto era capaz de quitarse de la cabeza, Carter decidió llegar con audaz empeño hasta donde ningún otro ser humano había llegado antes, y desafiar los glaciales desiertos atravesando la oscuridad hasta donde la ignota Kadath, cubierta de nubes y coronada de estrellas inimaginables, mantiene escondido y en perenne nocturnidad el castillo de ónice de los Grandes[2].

En uno de sus sueños ligeros, descendió los setenta peldaños que conducen a la caverna de la llama y habló de su proyecto a los sacerdotes barbudos Nasht y Kaman-Thah. Y los sacerdotes movieron negativamente sus cabezas coronadas con la *pschent*[3] y juraron solemnemente que eso implicaría la muerte de su alma. Le advirtieron que los Grandes ya habían manifestado sus deseos y que no les agradaría sentirse agobiados por sus insistentes súplicas. Le recordaron también que no sólo ningún hombre había llegado nunca a la ignota Kadath, sino que nadie había sospechado jamás dónde podía estar, si en los países del sueño que rodean nuestro mundo, o en aquellas regiones que rodean a alguna misteriosa acompañante de Fomalhaut o de Aldebarán[4]. Si estuviera en nuestro país de los sueños, cabría la posibilidad de llegar a ella; pero desde el principio de los tiempos sólo tres criaturas enteramente humanas habían atravesado los funestos e impíos abismos que nos separan de otros países del sueño, y de los tres, dos habían regresado completamente locos. En tales viajes existían incalculables peligros locales, además de ese aterrador riesgo final que farfulla de manera inenarrable fuera del universo ordenado, donde no llega ningún sueño; esa última plaga amorfa del más profundo desconcierto, que blasfema y se burla en el centro del espacio infinito: el desmedido sultán de los demonios Azathoth[5], cuyo nombre ninguna boca se atreve a pronunciar en voz alta, y que roe ávidamente en inconcebibles aposentos oscuros, más allá del tiempo, entre los exasperantes redobles apagados de viles tambores y el débil y monótono gemido de flautas odiosas, al son de cuyos golpeteos y pitidos danzan lenta, torpe y absurdamente los gigantescos dioses primordiales, los ciegos, mudos, tenebrosos, estúpidos Otros Dioses, cuya alma y mensajero es Nyarlathotep[6], el caos reptante.

De todas estas cosas Carter fue prevenido por los sacerdotes Nasht y Kaman-Thah en la caverna de la llama, pero no obstante decidió hallar a los dioses de la ignota Kadath en el yermo helado, dondequiera que pudiese estar, para lograr de ellos la visión y el recuerdo y la protección de la maravillosa ciudad del crepúsculo. Sabía que su viaje sería extraño y largo, y que los Grandes se opondrían a ello; pero como era un inveterado soñador, podía contar con la ayuda de muchos recuerdos y estratagemas útiles. De modo que, tras pedir a los sacerdotes una bendición de despedida y reflexionar con perspicacia acerca del rumbo a seguir, descendió audazmente los setecientos peldaños hasta la Puerta del Sueño Más Profundo y se puso en camino a través de aquel bosque encantado.

En las galerías de aquel bosque enmarañado, cuyos escasos pero enormes robles entrelazan a tientas sus ramas y brillan débilmente con la fosforescencia de extraños hongos, habitan los furtivos y sigilosos zoogs, que conocen muchos oscuros secretos del mundo de los sueños, y unos cuantos del mundo vigil, ya que el bosque linda con las tierras de los hombres por dos lugares, aunque sería desastroso decir dónde. Ciertos rumores inexplicables, sucesos y desapariciones ocurren entre los hombres en los lugares a los que los zoogs tienen acceso, por lo que es conveniente no alejarse mucho del mundo de los sueños. Pero ellos cruzan libremente en las zonas más próximas de dicha región, saltan de un lado a otro sin ser vistos, por lo pequeños y oscuros que son, y se llevan graciosos cuentos para entretener con ellos a su vuelta las horas que pasan en torno al hogar, en su querido bosque. La mayoría vive en escondrijos, aunque algunos habitan en los troncos de los grandes árboles; y a pesar de que se alimentan sobre todo de hongos, se musita que también les gusta un poco la carne, tanto la física como la espiritual, ya que indudablemente muchos soñadores han entrado en aquel bosque y nunca han salido. Sin embargo Carter no tenía miedo; pues era un inveterado soñador que había aprendido su trepidante lenguaje y había hecho muchos tratos con ellos; y con su ayuda había encontrado la espléndida ciudad de Celephaïs, en Ooth-Nargai, más allá de los cerros Tanarianos, donde reina durante la mitad del año el gran rey Kuranes, un hombre a quien había conocido en la vida vigil bajo otro nombre. Kuranes era la única persona que había alcanzado los abismos estelares y regresado sin perder el juicio.[7]

Habiéndose colado, pues, en los estrechos pasillos fosforescentes que quedaban entre aquellos troncos gigantescos, Carter hizo sonidos trepidantes a la manera de los zoogs, y de vez en cuando estaba atento a sus respuestas. Se acordaba de cierta aldea de los zoogs cerca del centro del bosque, donde un círculo de grandes rocas musgosas en lo que una vez fue un claro revelaba que hubo moradores más antiguos y más terribles hace mucho tiempo olvidados, y hacia aquel lugar se dirigió a toda prisa. Se orientaba por los hongos grotescos, que en todo caso parecían mejor alimentados a medida que se acercaba al espantoso círculo donde habían danzado y celebrado sus sacrificios aquellos seres más antiguos. Finalmente, la mayor luz de aquellos hongos más abultados reveló una siniestra inmensidad verdosa y gris que subía por el techo del bosque hasta perderse de vista. Como se encontraba muy cerca del anillo de piedras, Carter comprendió que la aldea de los zoogs debía estar a poca distancia. Reanudó sus sonidos trepidantes y esperó pacientemente; y por fin se vio recompensado cuando tuvo la impresión de que una multitud de ojos le observaba. Eran los zoogs, pues sus extraños ojos se ven mucho antes de que puedan distinguirse sus pequeñas y escurridizas siluetas oscuras.

Salieron en enjambre de sus escondrijos y de los árboles llenos de perforaciones, hasta que toda aquella zona escasamente iluminada rebosó de ellos. Los más fieros lo rozaron desagradablemente, y uno incluso le dio un fastidioso pellizco en una oreja; pero aquellos seres descontrolados fueron contenidos muy pronto por sus mayores. El Consejo de Sabios, al reconocer al visitante, le ofreció una calabaza con savia fermentada de un árbol encantado distinto a todos los demás, que había nacido de una semilla que alguien había dejado caer en la luna, y mientras Carter bebía ceremoniosamente, comenzó un extraño coloquio. Lamentablemente, los zoogs no sabían dónde estaba situada la cumbre de Kadath, ni siquiera podían decir si el yermo helado se hallaba en nuestro mundo de los sueños o en otro. Rumores acerca de los Grandes llegaban de todas partes por igual; y sólo se podía decir que era más probable verlos en las cumbres de las altas montañas que en los valles, ya que en tales cumbres ejecutan sus danzas conmemorativas cuando la luna está encima y las nubes debajo.

Entonces un zoog muy anciano recordó algo que los demás desconocían: dijo que en Ulthar, al otro lado del río Skai, todavía se conservaba el último ejemplar de los Manuscritos Pnakóticos, hechos por hombres del mundo vigil en olvidados reinos boreales, y llevados al país de los sueños cuando los caníbales peludos llamados gnophkehs conquistaron Olathoë, la de los muchos templos, y mataron a todos los héroes del país de Lomar.[8] Aquellos manuscritos, dijo, revelaban muchas cosas acerca de los dioses; y, además, en Ulthar había quienes habían visto los rastros de los dioses, e incluso vivía un anciano sacerdote que había escalado una gran montaña para contemplar cómo bailaban a la luz de la luna. No lo había logrado, aunque su compañero había tenido éxito y pereció de una forma indescriptible[9].

De modo que Randolph Carter dio las gracias a los zoogs, que trepidaron amigablemente y le dieron otra calabaza de vino del árbol de la luna para que se la llevara consigo, y emprendió el camino a través del bosque fosforescente hacia el otro lado, donde las impetuosas aguas del Skai se precipitan por las laderas de Lerion, y Hatheg, Nir y Ulthar están desperdigados por la llanura. Tras él, de manera solapada y sin ser vistos, reptaban varios de esos curiosos zoogs, pues deseaban saber lo que le iba a acontecer para luego poder contarlo a su gente. Los inmensos robles eran cada vez más tupidos a medida que se alejaba de la aldea, e inmediatamente buscó un lugar un poco más despoblado, en el que los árboles estaban prácticamente muertos o moribundos, entre hongos anormalmente espesos, mantillo podrido y troncos pulposos de sus hermanos caídos. Allí se desvió bruscamente, pues en aquel lugar había en el suelo del bosque una enorme losa de piedra, y los que se han atrevido a acercarse a ella dicen que tiene una argolla de hierro de tres pies de ancho. Recordando el arcaico círculo de rocas musgosas, y la razón por la que fue erigido, los zoogs no se detuvieron cerca de la amplia losa con su enorme argolla; pues se daban cuenta de que no todo lo que se ha olvidado está necesariamente muerto, y no les gustaría ver levantarse la losa lenta y deliberadamente.

Carter dio un rodeo para evitar aquel lugar y oyó a sus espaldas los asustados sonidos trepidantes de algunos de los zoogs más timoratos. Se había dado cuenta de que le seguían, de modo que no se preocupó; pues uno se acostumbra enseguida a las anomalías de esas criaturas entrometidas. Cuando llegó a la linde del bosque había una luz crepuscular cuyo resplandor cada vez mayor le anunció que iba a amanecer. Por encima de las fértiles planicies que descendían hasta el Skai vio el humo de las chimeneas de los *cottages,* y a ambos lados se extendían los setos y los campos arados y los tejados de paja de una tierra pacífica. Una vez se detuvo en una granja para pedir un vaso de agua, y los perros ladraron asustados por los discretos zoogs que reptaban por la hierba tras él. En otra casa, donde la gente estaba alterada, les hizo preguntas acerca de los dioses y si danzaban con frecuencia en la cumbre del Lerion; pero el granjero y su esposa se limitaron a hacer el Signo Mayor[10] y a indicarle el camino a Nir y a Ulthar.

A mediodía caminaba por la ancha calle mayor de Nir, que ya había visitado antes y que era el lugar más alejado al que había llegado en sus viajes en aquella dirección. Poco después llegó al gran puente de piedra que cruza el Skai, en cuya pila central los canteros han encerrado a un ser humano, sacrificado cuando lo construyeron mil trescientos años antes. Una vez llegado al otro lado, la frecuente presencia de gatos (que arqueaban sus lomos al paso de los zoogs) puso de manifiesto la proximidad de Ulthar; pues en aquella ciudad, según una antigua e importante ley, nadie puede matar a un gato[11]. Los suburbios de Ulthar eran muy agradables, con sus pequeños *cottages* verdes y sus granjas de bien cuidados cercados; y todavía más agradable era la pintoresca ciudad misma, con sus viejos tejados puntiagudos, sus salientes pisos altos, sus innumerables sombreretes de chimeneas y sus estrechas calles en cuesta, donde podían verse los viejos adoquines cuando los elegantes gatos dejaban espacio suficiente. Al dispersarse un poco los gatos cuando entrevieron a los zoogs, Carter se dirigió directamente al modesto Templo de los Mayores, donde se decía que estaban los sacerdotes y los viejos archivos; y una vez dentro de aquella venerable torre circular de piedra cubierta de hiedra –que corona el cerro más alto de Ulthar–, buscó al patriarca Atal, que había subido al prohibido pico de Hatheg-Kla, en el desierto de piedra, y había bajado con vida.

Sentado sobre un estrado de marfil en un santuario adornado con festones en la parte más elevada del templo, Atal tenía por lo menos trescientos años de edad, aunque conservaba todavía su aguda inteligencia y su excelente memoria. De él aprendió Carter muchas cosas acerca de los dioses, pero sobre todo, que realmente sólo son dioses de la tierra, que no ejercen más que un débil dominio sobre nuestro país de los sueños, y que no tienen ningún otro poder ni habitan en ningún otro lugar. Según le dijo Atal, podían atender la plegaria de un hombre si estaban de buen humor; pero no se debía intentar subir a su fortaleza de ónice, encima de Kadath, en el yermo helado. Era una suerte que ningún hombre supiera dónde estaban las torres de Kadath, pues las consecuencias de su ascensión serían muy graves. El compañero de Atal, Barzai el Sabio, había sido arrastrado hasta el cielo entre grandes alaridos, sólo por escalar el conocido pico de Hatheg-Kla. Con la ignota Kadath, si alguien la encontrara, las cosas serían mucho peores; pues aunque a veces los dioses de la tierra puedan ser superados por algún sabio mortal, están protegidos por los Otros Dioses del Exterior, de los que es mejor no hablar. Al menos dos veces, en la historia del mundo, los Otros Dioses habían puesto su sello en el granito primordial de la tierra: la primera en tiempos antediluvianos, como se deduce de un dibujo en aquellos pasajes de los Manuscritos Pnakóticos demasiado antiguos para poder interpretarse; y otra en Hatheg-Kla, cuando Barzai el Sabio intentó ver a los dioses de la tierra bailando a la luz de la luna. De modo que, dijo Atal, sería mucho mejor dejar en paz a todos los dioses, salvo para dirigirles discretas plegarias.

Aunque decepcionado por el descorazonador consejo de Atal y por la escasa ayuda encontrada en los Manuscritos Pnakóticos y los Siete Libros Crípticos de Hsan[12], Carter no se desesperó del todo. Primero preguntó al anciano sacerdote sobre aquella maravillosa ciudad del crepúsculo que había visto desde una terraza con barandillas, pensando que tal vez pudiera encontrarla sin ayuda de los dioses; pero Atal no pudo decirle nada. Probablemente, dijo Atal, aquel lugar pertenecía a su mundo onírico particular y no al país general de las quimeras que todos conocen; y cabría la posibilidad de que estuviera en otro planeta. En ese caso, los dioses de la tierra no podrían guiarlo aunque quisieran. Pero eso no era probable, ya que la interrupción de los sueños por tres veces demostraba bastante claramente que había algo que los Grandes querían ocultarle.

Entonces Carter hizo algo inicuo: ofreció a su cándido anfitrión tantos tragos del vino de la luna que los zoogs le habían dado que el anciano se volvió irresponsablemente locuaz. Privado de su reserva, el pobre Atal reveló voluntariamente ciertas cosas prohibidas; le habló de una gran imagen que, según contaban los viajeros, está esculpida en la roca viva del monte Ngranek, en la isla de Oriab, en el Mar Meridional; y le dio a entender que podía ser un retrato que los dioses de la tierra habían tallado con su propios rasgos en los tiempos en que bailaban a la luz de la luna en aquella montaña. Y dijo también hipando que los rasgos de aquella imagen son muy extraños, de suerte que uno podía reconocerlos fácilmente y eran señales inequívocas de la auténtica raza de los dioses.

Enseguida se le hizo patente a Carter la utilidad de todo aquello para encontrar a los dioses. Es sabido que los más jóvenes de los Grandes a menudo se casan, disfrazados, con las hijas de los hombres, de modo que cerca de las lindes del yermo helado, donde se encuentra Kadath, los campesinos deben llevar su sangre. Siendo esto así, la forma de encontrar aquel yermo donde se encuentra Kadath debe de ser ir a ver el rostro de piedra de Ngranek y fijarse bien en sus rasgos; y después de haber tomado cuidadosa nota de ellos, buscar tales rasgos entre los seres vivos. Donde sean más evidentes y marcados, debe ser el lugar más próximo al que viven los dioses; y cualquier desierto de piedra que se extienda más allá de esas aldeas debe ser el lugar donde está situada Kadath.

En tales regiones puede aprenderse mucho de los Grandes, y los que lleven su sangre podrían haber heredado pequeños recuerdos muy útiles para un investigador. Ellos podrían ignorar su parentesco, pues a los dioses les disgusta tanto ser reconocidos por los hombres que no es posible encontrar uno solo que haya visto sus rostros deliberadamente; algo que Carter comprendió en cuanto intentó subir a Kadath. Sin embargo, tenían curiosos pensamientos elevados, incomprensibles para sus compatriotas, y en sus canciones mencionaban lugares lejanos y jardines tan distintos a cualquiera conocido, incluso en el país de los sueños, que la gente corriente los tomaría por locos; y de ellos tal vez podrían aprenderse los viejos secretos de Kadath, o conseguir alguna pista sobre la maravillosa ciudad del crepúsculo que los dioses guardan en secreto. Y lo que es más, en ciertos casos podría cogerse como rehén a algún hijo bienamado de los dioses; o incluso capturar a algún joven dios de los que viven disfrazados entre los hombres, casados con jóvenes y atractivas campesinas.

Atal no sabía, sin embargo, cómo encontrar Ngranek, en su isla de Oriab, y le recomendó a Carter que siguiera el curso del cantarín Skai bajo los puentes hasta el Mar Meridional, donde jamás ha llegado ningún ciudadano de Ulthar, pero de donde vienen los mercaderes en barcos o en largas caravanas de mulas y carros de dos ruedas. Allí hay una gran ciudad, Dylath-Leen, pero en Ulthar tiene mala reputación a causa de los negros trirremes que zarpan hacia ella con rubíes, venidos de costas no fácilmente identificables. Los comerciantes que vienen en esas galeras a tratar con los joyeros son humanos, o casi, pero a los remeros nunca los ha visto nadie; y en Ulthar no se considera prudente que los comerciantes trafiquen con aquellos barcos negros que vienen de lugares ignotos y cuyos remeros no pueden ser mostrados.

Cuando terminó de darle esa información, Atal estaba bastante adormilado y Carter lo depositó con cuidado en un lecho de ébano taraceado y le recogió con decoro su larga barba sobre el pecho. Cuando se disponía a irse, observó que no le seguía ningún ruido trepidante contenido, y se preguntó por qué habrían descuidado los zoogs su curiosa persecución. Entonces reparó en que los satisfechos y lustrosos gatos de Ulthar se lamían los morros con inusitado placer, y recordó los escupitajos y maullidos que había oído débilmente en las salas inferiores del templo, mientras estaba absorto en la conversación del anciano sacerdote. Recordó también con qué malintencionada hambre un joven zoog particularmente descarado había mirado a un gatito negro afuera en la calle adoquinada. Y como a él nada le gustaba en este mundo tanto como los gatitos negros, se detuvo a acariciar a los lustrosos gatos de Ulthar mientras se lamían los morros, y no lamentó que aquellos entrometidos zoogs hubieran dejado de escoltarlo.

Como ya había caído la tarde, Carter se detuvo en una antigua posada situada en una callejuela empinada, desde la que se dominaba la parte baja de la ciudad. Y cuando salió al balcón de su habitación y vio la multitud de tejados de tejas rojas y de calles adoquinadas, y los deliciosos prados que se extendían a lo lejos, le pareció que todo era armonioso y mágico a la luz sesgada del atardecer, y juró que Ulthar sería un lugar muy apropiado para vivir, si no fuera por el recuerdo de una más grande ciudad del crepúsculo que le incitaba a uno a arrostrar peligros desconocidos. Entonces empezó a anochecer y las rosadas paredes enlucidas de los gabletes se volvieron violáceas y misteriosas, y de las celosías de las viejas ventanas brotaron una a una varias lucecitas amarillas. Y en lo alto de la torre del templo repicaron melodiosas campanas, y la primera estrella parpadeó tenuemente por encima de los prados al otro lado del Skai. Con la noche vinieron las canciones, y Carter asintió con la cabeza cuando los tañedores de laúd elogiaron los tiempos antiguos desde más allá de los balcones afiligranados y los patios decorados con mosaicos de la sencilla Ulthar. Y hasta podría haberse apreciado dulzura en los maullidos de la multitud de gatos de Ulthar, pero la mayoría de ellos estaban abatidos y callados a causa de su extraño festín. Algunos se escabulleron hacia aquellos territorios ocultos que sólo conocen los gatos y que los aldeanos aseguran que están en la cara oculta de la luna, adonde suben desde los tejados más altos; pero un gatito negro subió sigilosamente las escaleras y saltó al regazo de Carter para ronronear y jugar, y se hizo un ovillo a sus pies cuando él se tumbó en el pequeño lecho cuyas almohadas estaban rellenas de hierbas fragantes y soporíferas.

A la mañana siguiente Carter se unió a una caravana de mercaderes que se dirigía a Dylath-Leen con lana hilada de Ulthar y coles de sus industriosas granjas. Y durante seis días viajaron con el tintineo de cascabeles por un camino llano que bordeaba el Skai; unas noches se detenían en las posadas de los pintorescos pueblos pesqueros, y otras acampaban bajo las estrellas, mientras desde el plácido río les llegaban fragmentos de canciones de los barqueros. El campo era muy hermoso, con setos verdes y arboledas, y típicos *cottages* de techos puntiagudos y molinos octogonales.

Al séptimo día apareció en el horizonte una nubecilla de humo, y enseguida las altas torres negras de Dylath-Leen, construidas en su mayor parte de basalto. Con sus delgadas torres angulares, Dylath-Leen parece desde lejos un trozo de la Calzada de los Gigantes[13], y sus calles son oscuras y poco atractivas. Tiene muchas deprimentes tabernas marinescas cerca de sus innumerables muelles, y toda la ciudad está llena de extraños marineros venidos de todos los países de la tierra, y de algunos de fuera de ella, se dice. Carter preguntó a los hombres de aquella ciudad, vestidos de manera tan rara, por el pico Ngranek en la isla Oriab, y comprobó que lo conocían muy bien. A aquella isla llegaban barcos procedentes de Baharna, uno de ellos debía regresar al cabo de un mes, y el Ngranek queda apenas a dos días de viaje a lomos de cebra. Pero pocos han visto el rostro de piedra del dios, porque está situado en una ladera del Ngranek de muy difícil acceso, desde la que únicamente se dominan escarpados despeñaderos y un siniestro valle volcánico. Una vez los dioses se enfadaron con los hombres de aquella parte, y hablaron del asunto a los Otros Dioses.

Era difícil obtener esta información de los mercaderes y de los marineros de las tabernas de Dylath-Leen, porque casi todos preferían cuchichear acerca de las galeras negras. Una de ellas debía llegar antes de una semana con rubíes de su desconocido puerto de origen, y a la gente de la ciudad le daba pavor verla entrar en el muelle. Los hombres que venían en ella a comerciar tenían la boca demasiado grande, y la forma en que sus turbantes formaban dos gibas sobre la frente era particularmente de mal gusto. Y sus zapatos eran los más pequeños y más raros jamás vistos en los Seis Reinos. Pero lo peor de todo era el asunto de los remeros nunca vistos. Aquellas tres filas de remos se movían con demasiado brío, precisión y vigor para que resultase cómodo; y no era razonable que un barco permaneciese en puerto durante semanas, mientras los mercaderes hacían sus transacciones, sin que se llegara a vislumbrar a su tripulación. Tampoco les parecía normal a los taberneros de Dylath-Leen, ni a los tenderos y carniceros; pues nunca se embarcó ni una pizca de provisiones. Los mercaderes sólo se llevaban oro y robustos esclavos negros, procedentes de Parg al otro lado del río. Eso era lo único que se llevaban aquellos mercaderes de facciones desagradables y sus nunca vistos remeros; nunca compraban nada a los carniceros y tenderos más que oro y corpulentos negros de Parg, que compraban al peso. Y el olor que despedían aquellas galeras, que el viento del sur traía desde los muelles, era indescriptible. Los más duros parroquianos de las viejas tabernas sólo podían soportarlo fumando tabaco fuerte constantemente. Dylath-Leen nunca habría tolerado la presencia de las galeras negras de haber podido obtener tales rubíes en cualquier otra parte; pero en todo el país de los sueños no se conocía ninguna mina que los produjera como aquéllos.

La gente cosmopolita de Dylath-Leen chismorreaba sobre todas estas cosas, mientras Carter esperaba pacientemente el barco de Baharna que le llevaría a la isla en la que el esculpido Ngranek se alza arrogante y yermo. Mientras tanto no dejó de buscar en los lejanos lugares que frecuentaban los viajeros cualquier relato que pudiera referirse a Kadath, en el yermo helado, o a una maravillosa ciudad de muros de mármol y fuentes de plata que había visto al atardecer desde unas terrazas. Sin embargo no pudo enterarse de nada; aunque una vez se imaginó que cierto anciano mercader de ojos achinados le dirigía una mirada de extraña inteligencia cuando oyó mencionar el yermo helado. Aquel hombre se decía que comerciaba con los horribles poblados de piedra que se levantan en la helada meseta desértica de Leng[14], que nadie en su sano juicio visita, y cuyas nefastas hogueras se ven por la noche en la lejanía. Incluso se rumoreaba que tenía trato con aquel sumo sacerdote que no se debe describir, el cual cubre su rostro con una máscara de seda amarilla[15] y vive completamente solo en un prehistórico monasterio de piedra. No cabía duda de que aquel individuo bien pudo haber tenido algún trato con esos seres que es posible que habiten en el yermo helado; pero Carter no tardó en comprobar que no servía de nada preguntarle.

Entonces entró en el puerto la galera negra dejando atrás el malecón de basalto y el gran faro, silenciosa y hostil, envuelta en un extraño hedor que el viento del sur irradiaba por toda la ciudad. La inquietud se propagó por las tabernas que se extendían a lo largo de los muelles y, al poco rato, los atezados mercaderes de boca grande, turbantes gibosos y pies pequeños desembarcaron sigilosamente y se dirigieron en grupos a buscar los bazares de los joyeros. Carter los observó con atención, y cuanto más los miraba, menos le gustaban. Entonces vio cómo subían por la pasarela a los corpulentos negros de Parg, gruñendo y sudando, y los embarcaban en aquella singular galera, y se preguntó a qué países –si es que iban a alguno– estarían destinadas a servir aquellas pobres y toscas criaturas.

Y la tercera tarde de estancia de aquella galera, uno de aquellos inquietantes mercaderes le habló, sonriéndole afectada y escandalosamente, y le dio a entender que había oído en la taberna que andaba buscando algo. Parecía estar enterado de cosas demasiado secretas para decirlas en público y, aunque el sonido de su voz era insoportablemente odioso, Carter se dio cuenta de que no debía menospreciar los conocimientos de un viajero que venía de tan lejos. Por consiguiente, lo invitó a uno de los aposentos privados del piso de arriba, y sacó lo que le quedaba del vino lunar de los zoogs para soltarle la lengua. El extraño mercader bebió más de la cuenta, pero no dejó de sonreír satisfecho como si el trago no le hubiese afectado. Luego sacó una rara botella de vino que traía consigo, y Carter reparó en que se trataba de un rubí ahuecado, grotescamente tallado con motivos demasiado fabulosos para poder entenderlos. Le ofreció el vino a su anfitrión y, aunque Carter sólo bebió un sorbo mínimo, sintió el vértigo del espacio y la fiebre de junglas inimaginables. El invitado había estado todo el tiempo sonriendo cada vez más abiertamente y, mientras Carter se sumía en el desconcierto, lo último que vio fue aquel odioso rostro negro que se desternillaba de risa malvadamente, y algo completamente indescriptible donde una de las protuberancias frontales de aquel turbante anaranjado se había deshecho a causa de las sacudidas de aquellas epilépticas carcajadas.

Carter recobró el conocimiento entre horribles olores, debajo de una especie de tienda de campaña o toldilla en la cubierta de un barco, viendo pasar con anormal rapidez las maravillosas costas del Mar Meridional. No estaba encadenado, aunque tres de aquellos sardónicos y atezados mercaderes estaban a su lado sonriéndole abiertamente, y la visión de las gibas de sus turbantes le mareó casi tanto como el hedor que se filtraba por entre las siniestras escotillas. Vio pasar ante él los magníficos países y ciudades de los que un compañero de sueños de la tierra –torrero de faro del antiguo Kingsport– le había hablado a menudo en los viejos tiempos, y reconoció los templos escalonados de Zar, moradas de sueños olvidados, las agujas de la infame Thalarion, esa diabólica ciudad de las mil maravillas donde reina el ídolo Lathi, los jardines-osarios de Xura, tierra de placeres inaccesibles, y los promontorios gemelos de cristal, que se unen por arriba formando un arco resplandeciente que custodia el puerto de Sona-Nyl, la bendita tierra de la imaginación[16].

Pasadas todas aquellas espléndidas tierras, el maloliente barco salió disparado de una manera malsana, impulsado por la boga anormal de sus ocultos remeros. Y antes de acabar el día, Carter vio que el timonel no podía tener otra meta que las Columnas Basálticas del Oeste, más allá de las cuales la gente sencilla dice que se halla la espléndida Cathuria, aunque los soñadores avisados saben muy bien que son la entrada a una monstruosa catarata por la que todos los océanos del país de los sueños caen en la nada abismal y se lanzan a través de los espacios desocupados hacia otros mundos y otros astros, y hacia los espantosos vacíos más allá del universo ordenado donde Azathoth, sultán de los demonios, roe ávidamente en medio del caos entre redobles de tambores, sonidos de flauta y el baile infernal de los Otros Dioses, ciegos, mudos, tenebrosos y estúpidos, cuya alma y mensajero es Nyarlathotep.

Mientras tanto, los tres sardónicos mercaderes no decían nada de sus intenciones, pero Carter sabía muy bien que debían estar conchabados con los que querían impedir su búsqueda. Se supone que en el país de los sueños los Otros Dioses tienen muchos agentes mezclados entre los hombres; y todos esos agentes, casi en su totalidad o poco menos que humanos, están deseosos de ejecutar la voluntad de aquellas criaturas ciegas y estúpidas, a cambio de obtener el favor de su monstruosa alma y mensajero, el caos reptante Nyarlathotep. De esta manera Carter dedujo que los mercaderes de turbantes gibosos, al enterarse de su osada búsqueda de los Grandes en su castillo de Kadath, habían decidido llevárselo y entregarlo a Nyarlathotep a cambio de cualquier obsequio indecible que pudiera ofrecerles en recompensa. Carter no podía adivinar de qué país debían ser aquellos mercaderes, si se encontraba en nuestro universo conocido o en los inquietantes espacios exteriores; ni podía imaginar en qué infernal lugar de encuentro se reunirían con el caos reptante para entregarlo y reclamar su recompensa. Sabía, sin embargo, que ningún ser casi tan humano como aquéllos se atrevería a acercarse al primordial trono sombrío del demonio Azathoth en el informe vacío central.

Al ponerse el sol los mercaderes se lamieron los enormes labios, lanzándose ávidas miradas desafiantes, y uno de ellos bajó a alguna repugnante cámara oculta y regresó con una olla y una cesta con platos. Se sentaron juntos bajo la toldilla y comieron carne ahumada, que se pasaban de mano en mano. Pero cuando le dieron un trozo a Carter, éste descubrió algo muy terrible en su tamaño y forma; de manera que se puso aún más pálido que antes y arrojó al mar aquella ración, cuando nadie le veía. Y volvió a acordarse de aquellos remeros ocultos en la parte baja del barco y del sospechoso alimento del cual sacaban su fuerza demasiado mecánica.

Cuando la galera pasó entre las Columnas de Basalto del Oeste ya había anochecido y el ruido de la catarata final aumentó a proa ominosamente. Y el roción de la catarata se elevó hasta oscurecer a las estrellas, y la cubierta se mojó todavía más, y el navío se tambaleó por efecto de la encrespada corriente del borde. Entonces, con un extraño silbido, el barco tomó impulso y saltó, y Carter sintió los horrores de la pesadilla al notar que la tierra desaparecía, y que el gran buque salía disparado, silencioso como un cometa, hacia los espacios planetarios[17]. Nunca hasta entonces había tenido noticia de las informes criaturas negras que están al acecho y hacen cabriolas y se revuelcan por todo el éter, mirando de soslayo y sonriendo burlonamente a los viajeros que puedan pasar, y tanteando a veces con sus zarpas viscosas cualquier objeto móvil que excite su curiosidad. Son las nefandas larvas de los Otros Dioses y, como ellos, son ciegas y carecen de inteligencia, y están poseídas por un hambre y una sed excepcionales.

Pero aquella repugnante galera no se dirigía a un lugar tan lejano como Carter había temido, pues no tardó en comprender que el timonel seguía un rumbo que llevaba directamente a la luna. La luna estaba en cuarto creciente y cada vez brillaba más y aumentaba de tamaño a medida que se iban acercando, mostrando de manera alarmante sus singulares cráteres y picos. El barco se dirigía hacia el borde, y pronto quedó claro que su destino era aquella cara oculta y misteriosa que siempre ha vuelto la espalda a la tierra y que ninguna persona completamente humana, salvo quizá el soñador Snireth-Ko, ha contemplado nunca. Visto de cerca, el aspecto de la luna según se acercaba la galera, le resultó a Carter muy preocupante, y no le gustó ni el tamaño ni la forma de las ruinas diseminadas por todas partes. Los templos sin vida de las montañas estaban colocados de tal forma que no podían haber servido para honrar a ningún dios bienhechor o satisfactorio, y en la simetría de las rotas columnas parecía esconderse algún significado oscuro y oculto que no invitaba a ser resuelto. Y Carter rechazó firmemente hacer conjeturas sobre la forma y las proporciones que pudieran haber tenido los antiguos adoradores de aquellos templos.

Cuando el barco dobló el borde, y navegó sobre aquellas tierras jamás vistas por el hombre, aparecieron ciertos signos de vida en el raro paisaje, y Carter vio muchos *cottages,* bajos, anchos y redondos, en medio de campos de grotescos hongos blancuzcos. Observó que esos *cottages* no tenían ventanas, y pensó que su forma recordaba a los iglús de los esquimales. Entonces vislumbró el oleaje aceitoso de un mar en calma, y comprendió que el viaje iba a ser otra vez sobre el agua… o al menos, a través de algún líquido. La galera chocó contra la superficie con un ruido peculiar, y la extraña forma elástica con que las olas la recibieron causó mucha perplejidad a Carter. Para entonces se deslizaban a gran velocidad, y en una ocasión la galera adelantó y saludó a otra de forma parecida, pero por lo general no veían más que aquel extraño mar, y un cielo negro salpicado de estrellas aunque el sol brillaba de manera abrasadora.

Acto seguido aparecieron a proa los cerros recortados de una costa de aspecto costroso, y Carter vio las gruesas y enojosas torres grises de una ciudad. La forma en que se inclinaban y curvaban, el modo con que estaban agrupadas y el hecho de que no tuvieran ninguna ventana, resultaba muy preocupante para el prisionero; y éste lamentó con amargura el desatino de haber probado el raro vino de aquel mercader del turbante giboso. Cuando se acercaban a la costa, y el repugnante hedor de aquella ciudad se hizo más intenso, vio sobre los cerros recortados muchos bosques, algunos de cuyos árboles reconoció como de la misma especie de aquel solitario árbol de la luna del bosque encantado de la tierra, de cuya savia los pequeños zoogs bronceados fermentaban su peculiar vino.

Carter podía distinguir unas figuras que se movían por los fétidos muelles a proa, y cuanto mejor las veía, más las temía y las detestaba. Porque no eran hombres en modo alguno, ni siquiera aproximadamente, sino grandes criaturas escurridizas, blanco-grisáceas, que podían dilatarse y contraerse a voluntad, pero cuya forma original —aunque a menudo cambiaba— era la de una especie de sapo sin ojos, pero con una curiosa masa vibrátil de cortos tentáculos rosáceos al final de sus imprecisos hocicos obtusos. Dichas criaturas se contoneaban afanosamente por los muelles, moviendo fardos, embalajes y cajas con fuerza poco común, y de vez en cuando subían o bajaban de un salto a algunas de las galeras ancladas llevando largos remos en sus patas delanteras. Y de cuando en cuando aparecía una de ellas conduciendo una grey de esclavos, que realmente eran más o menos seres humanos con enormes bocas como las de los mercaderes que comerciaban en Dylath-Leen; sólo que los componentes de esa grey, al no llevar turbante ni calzado ni ropa, no parecían de ninguna manera tan humanos. Algunos de esos esclavos —los más obesos, a los que una especie de supervisor probaba a pellizcar— eran descargados de barcos y encerrados en embalajes asegurados con clavos que los obreros metían a empujones en los almacenes de poca altura o cargaban en grandes y pesados furgones.

Una vez pasó de largo un furgón y la fabulosa criatura que lo conducía era tan anómala que Carter se quedó boquiabierto, aun después de haber visto las demás monstruosidades de aquel aborrecible lugar. De vez en cuando un pequeño grupo de esclavos, vestidos y con turbantes como los de los atezados mercaderes, eran conducidos a bordo de una galera, seguidos de una numerosa tripulación de escurridizas criaturas grises con aspecto de sapo que hacían de oficiales, navegantes y remeros.

Y Carter vio que las criaturas casi humanas estaban reservadas para las más ignominiosas tareas serviles, que no requerían una fuerza excepcional, tales como gobernar el timón y cocinar, navegar y portar, y negociar con los hombres de la tierra o de los otros planetas con los que comerciaban. Estas criaturas debían de ser muy prácticas en la tierra, ya que realmente eran muy parecidas a los hombres una vez vestidas, y esmeradamente calzadas y tocadas con turbantes, y podían regatear en las tiendas de éstos sin pasar vergüenza ni tener que dar ningún tipo de explicaciones. Pero la mayor parte de ellas, salvo las flacas o poco agraciadas, iban desnudas y embaladas en cajones que aquellas fabulosas criaturas transportaban en pesados carromatos. Alguna que otra vez descargaban y embalaban otras criaturas; algunas muy parecidas a esas semihumanas, otras no tan similares, y algunas completamente diferentes. Y Carter se preguntó si alguno de aquellos desgraciados negros corpulentos de Parg iba a ser descargado, embalado y enviado tierra adentro en aquellos odiosos carretones.

Cuando la galera arribó a un muelle de roca esponjosa de aspecto resbaladizo, una horda pesadillesca de criaturas con aspecto de sapo salió contoneándose de las escotillas, y dos de ellas agarraron a Carter y lo desembarcaron a rastras. El olor y el aspecto de aquella ciudad eran indescriptibles, y Carter sólo pudo captar imágenes dispersas de las calles embaldosadas, de los negros portales y de los interminables precipicios de grises paredes verticales sin ventanas. Finalmente, lo metieron a rastras en un portal de poca altura y le hicieron subir una infinidad de peldaños por un lugar oscuro como boca de lobo. Al parecer, a esas criaturas con aspecto de sapo les daba lo mismo la luz que la oscuridad. El olor de aquel lugar era insufrible, y cuando Carter fue encerrado en un aposento y lo dejaron solo, apenas tuvo fuerzas para moverse con lentitud y averiguar su forma y dimensiones. Era circular y tendría unos veinte pies de diámetro[18].

A partir de entonces, el tiempo dejó de existir. De vez en cuando le echaban comida, pero Carter no la probó. No sabía lo que sería de él; pero tenía el presentimiento de que le retenían hasta la llegada de aquella horrible alma y mensajero de los Otros Dioses del infinito, el caos reptante Nyarlathotep. Finalmente, después de un insospechado lapso de horas o días, la gran puerta de piedra volvió a abrirse de par en par y Carter fue llevado a empujones escaleras abajo hasta las calles de aquella temible ciudad, iluminadas con luces rojas. Era de noche en la luna, y por toda la ciudad se veían esclavos estacionados que llevaban antorchas.

En una detestable plaza se había formado una especie de procesión: diez de aquellas criaturas con aspecto de sapo y veinticuatro portadores de antorchas casi humanos, once a cada lado y uno delante y otro detrás. Carter fue colocado en medio de la fila, con cinco de aquellas criaturas con aspecto de sapo delante y otras cinco detrás, y un casi humano llevando una antorcha a cada lado. Algunas de las criaturas con aspecto de sapo sacaron desabridamente unas flautas de ébano cinceladas y emitieron sonidos detestables. Al son de aquellos infernales toques de flautas, la columna desfiló por las calles embaldosadas, se internó por las ensombrecidas planicies pobladas de asquerosos hongos y enseguida comenzó a subir uno de los cerros más bajos y menos empinados que estaba situado detrás de la ciudad. A Carter no le cabía la menor duda de que el caos reptante le esperaba en alguna de aquellas tremendas cuestas o en alguna sacrílega meseta, y deseaba que la incertidumbre acabase pronto. El gimoteo de aquellas impías flautas era aterrador, y habría dado lo que fuera por un sonido siquiera seminormal; pero aquellas criaturas con aspecto de sapo carecían de voz y los esclavos no hablaban.

Entonces, a través de aquella oscuridad salpicada de estrellas, le llegó un sonido normal. Retumbó por los cerros más altos y en todos los picos serrados en derredor, y sus ecos resonaron en un fenomenal coro caótico. Era el maullido del gato a medianoche, y Carter comprendió por fin que los viejos aldeanos tenían razón cuando hacían conjeturas en voz baja acerca de regiones ocultas que sólo conocen los gatos, a las que los más viejos acuden a hurtadillas por la noche, saltando desde los tejados más altos. En verdad, es a la cara oculta de la luna adonde van para saltar y retozar en los cerros, y conversar con sombras antiguas; y en medio de aquella columna de fétidas criaturas, Carter oyó sus familiares gritos amistosos, y pensó en los tejados empinados y en los cálidos hogares y en las ventanitas débilmente iluminadas de su ciudad natal.

Randolph Carter conocía bastante bien el lenguaje de los gatos, y en aquel terrible paraje lejano emitió el maullido idóneo. Pero no hacía falta que lo hiciera, pues en cuanto abrió la boca oyó que el coro aumentaba y se acercaba, y vio recortarse contra las estrellas unas rápidas sombras mientras unas pequeñas y graciosas formas saltaban de cerro en cerro, en legiones cada vez más numerosas. La llamada del clan había sido lanzada y, antes de que la horrible procesión tuviese tiempo siquiera de asustarse, una densa nube de pieles y una falange de patas asesinas cayeron tempestuosamente sobre ella como una marea. Callaron las flautas y la noche se llenó de chillidos. Los agonizantes casi humanos gritaron, y los gatos dieron bufidos y aullaron y rugieron; pero las criaturas con aspecto de sapo no dejaban escapar ni un sonido, mientras su apestoso icor verdoso rezumaba fatalmente sobre aquella tierra porosa poblada de asquerosos hongos.

Fue un formidable espectáculo mientras duraron las antorchas, y Carter nunca había visto tantos gatos. Negros, grises y blancos; amarillos, atigrados y mestizos; callejeros, persas, sin cola; tibetanos, de Angora y egipcios; y en el furor de la batalla se cernía sobre todos ellos algún rastro de aquella profunda e inviolada santidad que confirió grandeza a su diosa en los templos de Bubastis[19]. Siete de ellos saltaron resueltamente a la garganta de un casi humano o al rosáceo hocico tentacular de una criatura con aspecto de sapo, y los arrastraron salvajemente hasta caer a la planicie fungosa, donde miles de compañeros se abalanzaron frenéticamente sobre ellos con uñas y dientes, presos del furor divino de la batalla. Carter había cogido una antorcha de un esclavo herido, pero no tardó en verse dominado por las encrespadas oleadas de sus fieles defensores. Entonces se quedó completamente a oscuras, escuchando el fragor de la batalla y los gritos de los vencedores, y sintió las blandas patas de sus amigos que, en medio de la refriega, saltaban de un lado para otro y se abalanzaban sobre él.

Por fin, el temor y el agotamiento le cerraron los ojos y, cuando los abrió de nuevo, contempló una extraña escena. El gran disco resplandeciente de la tierra, trece veces mayor que el de la luna tal como nosotros la vemos, se había elevado por encima del paisaje lunar, inundándolo con una rara luz; y, a través de todas aquellas leguas de meseta agreste y de crestas recortadas, se agazapaba una interminable oleada de gatos en disciplinadas formaciones. Llegó un grupo tras otro, y dos o tres cabecillas que salieron de las filas le lamieron la cara y ronronearon para reconfortarlo. De los esclavos muertos y las criaturas con aspecto de sapo no quedaba ni rastro, aunque Carter creyó ver un hueso a poca distancia de donde se encontraba, en el espacio que quedaba entre él y el comienzo de los compactos grupos de guerreros.

Carter habló entonces con los cabecillas en el suave lenguaje de los gatos, y se enteró de que su antigua amistad con la especie era muy conocida y comentada con frecuencia en los lugares donde se congregan estos felinos. No había pasado inadvertido cuando estuvo en Ulthar, y los viejos gatos lustrosos recordaban cómo los acarició después de que ellos se hubieran ocupado de los hambrientos zoogs que miraron con malas intenciones a un gatito negro. Y recordaban también cómo había recibido al gatito que fue a verlo en la posada, y que le había dado un platillo de rica nata la mañana antes de marcharse. El abuelo de aquel gatito era precisamente el cabecilla del ejército allí reunido, pues había visto la diabólica procesión desde una lejana colina, y reconocido al prisionero como un amigo declarado de su especie, tanto en la tierra como en el país de los sueños.

Entonces llegó un aullido desde un pico más lejano, y el viejo cabecilla interrumpió su charla bruscamente. Era una de las avanzadillas del ejército, apostada en la montaña más alta para vigilar al único enemigo que temen los gatos de la tierra: los enormes y singulares gatos de Saturno, que por alguna razón no han olvidado el encanto de la cara oculta de nuestra luna. Dichos gatos están ligados por un tratado a las malvadas criaturas con aspecto de sapo, y es bien sabido que están en contra de nuestros gatos terrestres; de modo que, en esa coyuntura, un encuentro con ellos habría sido un asunto un tanto grave.

Tras una breve consulta a los generales, los gatos se levantaron y adoptaron una formación más cerrada, congregándose en torno a Carter para protegerlo, y preparándose para dar el gran salto a través del espacio y regresar a los tejados de nuestra tierra y su país de los sueños. El anciano mariscal de campo aconsejó a Carter que se dejara llevar suave y pasivamente por las filas concentradas de saltadores peludos, y le dijo cómo debía saltar cuando los demás saltaran, y cómo aterrizar airosamente cuando el resto aterrizase. También se ofreció a depositarlo en cualquier lugar que quisiera, y Carter optó por la ciudad de Dylath-Leen, de donde había zarpado la negra galera; pues deseaba navegar desde allí hacia Oriab y la cresta tallada del Ngranek, y también quería prevenir a sus habitantes para que no tuvieran más comercio con las galeras negras, si de verdad podían interrumpir tal comercio discreta y diplomáticamente. Luego, a una señal, los gatos saltaron ágilmente, llevando a su amigo entre ellos bien sujeto; mientras, en una negra caverna que había en una lejana cumbre no consagrada de las montañas lunares, seguía esperando en vano el caos reptante Nyarlathotep.

El salto de los gatos a través del espacio fue muy rápido; y estando rodeado por sus compañeros, Carter no vio en esa ocasión las grandes deformidades negras que acechan, brincan y se revuelcan en el abismo. Antes de que se diera cuenta plenamente de lo que había sucedido, se encontró de nuevo en su familiar habitación de la posada de Dylath-Leen, y oleadas de sigilosos y amistosos gatos salían a borbotones por la ventana. El anciano cabecilla de Ulthar fue el último en irse y, cuando Carter le estrechó la pata, le dijo que podría llegar a su casa al amanecer. Cuando despuntaba el alba, Carter bajó las escaleras y se enteró de que había transcurrido una semana desde su captura y consiguiente partida. Tenía que esperar todavía casi una quincena para poder embarcar con destino a Oriab, y durante aquel tiempo habló cuanto quiso en contra de las galeras negras y sus infames rumbos. La mayor parte de los ciudadanos le creyó; sin embargo a los joyeros les gustaban tanto los grandes rubíes, que nadie quiso prometerle cabalmente que dejaría de comerciar con los mercaderes de bocas inmensas. Si le ocurre alguna desgracia a Dylath-Leen a causa de tal comercio, no será por culpa de Carter.

Al cabo de una semana, el deseado barco atracó junto al muelle negro y el alto faro, y Carter se alegró al ver que se trataba de una corbeta tripulada por gente normal, con los costados pintados, velas latinas amarillas y un capitán de pelo gris y ropas de seda. Su cargamento consistía en resina aromática procedente de los bosquecillos del interior de Oriab, delicada cerámica cocida por los artesanos de Baharna, y extrañas figurillas talladas en la antigua lava del Ngranek. A cambio les daban lana de Ulthar, tejidos iridiscentes de Hatheg y marfiles que los negros labran en Parg, al otro lado del río. Carter llegó a un arreglo con el capitán para ir a Baharna, y le dijeron que el viaje duraría diez días. Y durante la semana de espera habló mucho con el capitán sobre el Ngranek, y éste le contó que muy pocos habían visto el rostro esculpido allí, pero que la mayor parte de los viajeros se contentan con enterarse de sus leyendas a través de los ancianos, los recolectores de lava y los estatuarios de Baharna, y después dicen en sus lejanos hogares que realmente lo han visto. El capitán ni siquiera estaba seguro de que alguna persona viva hubiese visto aquel rostro esculpido, pues la otra ladera del Ngranek es de muy difícil acceso, árida y siniestra, y corren rumores de cuevas cerca de la cumbre en la que moran los noctívagos demacrados[20]. Pero el capitán no quiso decir qué aspecto tiene un noctívago demacrado, porque sabido es que tal ganado suele aparecerse una y otra vez en los sueños de quienes piensan demasiado a menudo en él. Luego Carter preguntó a aquel capitán por la ignota Kadath del yermo helado, y por la maravillosa ciudad del crepúsculo; pero de todo aquello el buen hombre realmente no supo decirle nada.

Carter zarpó de Dylath-Leen una mañana muy temprano con el cambio de marea, y vio los primeros rayos del sol naciente reflejados en las delgadas torres angulares de aquella lúgubre ciudad de basalto. Y durante dos días navegaron hacia el este, costeando verdes litorales y avistando a menudo los pacíficos pueblecitos pesqueros que trepaban abruptamente por las laderas, con sus tejados rojos y sus cañones de chimeneas, desde viejos muelles de ensueño y playas con las redes extendidas para secarse. Pero al tercer día viraron repentinamente hacia el sur, donde el oleaje era más fuerte, y no tardaron en perder de vista la tierra. Al quinto día, los marineros estaban nerviosos, pero el capitán disculpó sus temores diciendo que el barco estaba a punto de pasar por encima de las murallas cubiertas de algas y de las columnas rotas de una ciudad sumergida, demasiado antigua para ser recordada, y que, cuando el agua estaba clara, podían verse tantas sombras en movimiento en aquellas profundidades que a la gente sencilla no le gustaban nada. Admitía, además, que se habían perdido muchos barcos por aquella parte del mar; los habían saludado cuando pasaron cerca de ellos, pero nunca más se los volvió a ver.

Aquella noche la luna brillaba mucho, y se podía ver hasta una gran profundidad bajo el agua. Había tan poca brisa que el barco apenas se movía y el océano permanecía en calma. Echando un vistazo por encima de la batayola, Carter vio la cúpula de un gran templo a muchas brazas de profundidad, y delante del mismo una avenida de esfinges monstruosas que desembocaba en lo que una vez fuera una plaza pública. Los delfines retozaban alegremente entrando y saliendo de las ruinas, y las marsopas se divertían desmañadamente por todas partes, subiendo a veces hasta la superficie y saltando fuera del agua. Al derivar un poco el barco, el fondo del océano se elevó formando cerros, y se pudo distinguir claramente los alineamientos de antiguas calles empinadas y las paredes humedecidas de miles de casas pequeñas.

Luego aparecieron los suburbios, y finalmente un gran edificio solitario, en lo alto de un cerro, de arquitectura más simple que las demás construcciones y en mucho mejor estado. Era oscuro y bajo, y ocupaba los cuatro lados de una manzana, con una torre en cada esquina, un patio enlosado en el centro, y extrañas ventanitas redondas por todas partes. Probablemente era de basalto, aunque las algas cubrían la mayor parte; y parecía tan solitario e impresionante sobre aquel lejano cerro que debía haber sido un templo o un monasterio. Algunos peces fosforescentes que se movían en su interior daban la sensación de que las ventanitas redondas brillaban, y Carter no censuró demasiado a los marineros por sus temores. Después, a la luz acuosa de la luna, reparó en un extraño monolito alto en medio de aquel patio central, y vio que había algo atado a él. Y cuando, gracias al catalejo que cogió del camarote del capitán, vio que la cosa atada era un marinero vestido con las ropas de seda de Oriab, cabeza abajo y sin ojos, se alegró de que una brisa que acababa de levantarse impulsara el barco hacia otras zonas más favorables del mar.

Al día siguiente se comunicaron con un barco de velas color violeta con destino a Zar, en el país de los sueños olvidados, con un cargamento de bulbos de lirios de extraños colores. Y en la tarde del undécimo día, avistaron la isla de Oriab, en la que se alzaba a lo lejos el Ngranek de perfil serrado y coronado de nieve. Oriab es una isla muy grande, y su puerto de Baharna una ciudad enorme. Los muelles de Baharna son de pórfido, y la ciudad se alza tras ellos formando grandes terrazas de piedra con calles escalonadas, que a menudo están abovedadas y permiten que los edificios se comuniquen por encima, y puentes. Hay un gran canal que atraviesa toda la ciudad por un túnel horadado en granito que conduce al lago interior de Yath, en cuya orilla más lejana se hallan las extensas ruinas de ladrillo arcilloso de una primitiva ciudad cuyo nombre no se recuerda. Cuando el barco entró en el puerto, por la tarde, los dos faros gemelos Thon y Thal destellaron en señal de bienvenida, y en la infinidad de ventanas de las terrazas de Baharna asomaron lenta y gradualmente unas tenues luces mientras las estrellas parpadeaban arriba en la oscuridad, hasta que el empinado puerto de mar se convirtió en una reluciente constelación suspendida entre las estrellas del cielo y sus reflejos en la tranquila dársena.

Después de desembarcar, el capitán invitó a Carter a su propia casita a orillas del Yath, hasta donde descienden las últimas cuestas de la ciudad; y su esposa y sus criados sacaron extraños y apetitosos manjares para deleitar al viajero. Y en los días que siguieron Carter inquirió en todas las tabernas y lugares públicos donde se reúnen los recolectores de lava y los estatuarios acerca de rumores o leyendas del Ngranek, pero no encontró a nadie que hubiera subido a las laderas más altas o hubiera visto el rostro esculpido. El Ngranek era un monte muy arduo que no tiene más que un detestable valle detrás, y además, no se puede uno fiar a ciencia cierta de que los noctívagos demacrados sean realmente imaginarios.

Cuando el capitán zarpó de nuevo rumbo a Dylath-Leen, Carter se alojó en una antigua taberna que da a un callejón escalonado en la parte antigua de la ciudad; está construida con ladrillos y recuerda a las ruinas de la orilla más alejada del Yath. Allí trazó sus planes para ascender al Ngranek y estableció una correlación entre todo cuanto le habían contado los recolectores de lava acerca de los caminos para llegar hasta allí. El tabernero era un hombre muy viejo y había oído tantas historias que le fue de gran ayuda. Incluso llevó a Carter a una habitación en el piso de arriba de aquella vieja casa, y le mostró un tosco dibujo que, en los viejos tiempos en que los hombres eran más audaces y menos reacios a ir a las laderas más altas del Ngranek, un viajero había garabateado en la pared de arcilla. El bisabuelo del viejo tabernero le había oído contar a su bisabuelo que el viajero que garabateó aquel dibujo en la pared había subido al Ngranek y había visto el rostro esculpido, dibujándolo allí para que otros pudieran contemplarlo; pero Carter albergaba serias dudas, ya que los grandes y toscos trazos estaban hechos deprisa y a la ligera, y quedaban totalmente eclipsados por una multitud de figuritas del peor gusto, con cuernos, alas, garras y colas rizadas.

Por fin, habiendo conseguido toda la información que le fue posible en las tabernas y lugares públicos de Baharna, Carter alquiló una cebra y una mañana emprendió camino por la carretera que bordea la orilla del Yath, hacia aquella zona del interior donde se alza el pétreo Ngranek. A su derecha había ondulados cerros y agradables huertas y bien cuidadas alquerías de piedra que le recordaban muchísimo los fértiles campos que bordean el Skai. Por la tarde se hallaba ya cerca de las indescriptibles ruinas antiguas de la orilla más alejada del Yath, y aunque los recolectores de lava le habían aconsejado que no acampara allí de noche, ató la cebra a una rara columna que había delante de un muro derruido y tendió su manta en un rincón resguardado, al pie de unas esculturas cuyo significado nadie podía descifrar. Se envolvió en otra manta, porque en Oriab las noches son frías, y cuando, al despertarse en una ocasión, tuvo la sensación de que las alas de algún insecto le rozaban la cara, se cubrió la cabeza completamente y durmió en paz, hasta que le despertaron las aves magah de los lejanos bosquecillos resinosos.

El sol acababa de salir por encima de la gran ladera donde leguas de primitivos cimientos de ladrillo, paredes desmoronadas y alguna que otra columna o pedestal agrietados se extendían hasta la desolada orilla del Yath, y Carter echó una mirada alrededor en busca de su cebra atada. Grande fue su consternación al ver a la dócil bestia tendida boca abajo junto a la extraña columna a la que la había atado, y todavía mayor fue su desconcierto al descubrir que el animal estaba muerto y que le habían sorbido toda la sangre por una extraña herida en el pescuezo. Habían registrado su equipaje y se habían llevado varias chucherías brillantes, y en el polvoriento suelo había por todos lados huellas enormes de pies palmeados, que de ninguna forma podía explicar. Las leyendas y las advertencias de los recolectores de lava le vinieron a la cabeza, y se acordó de lo que le había rozado la cara durante la noche. Entonces se echó al hombro el equipaje y se dirigió a grandes zancadas hacia el Ngranek, aunque no sin sentir un escalofrío al ver cerca de él, cuando el camino atravesaba las ruinas, un gran arco que se abría en el muro de un viejo templo, cuyos peldaños descendían en la oscuridad hasta perderse de vista.

Su ruta le llevó cuesta arriba por una región más agreste y parcialmente arbolada, y sólo vio las cabañas de los carboneros y los campamentos de los que recogían resina en el bosque. Todo el aire olía a bálsamo y las aves magah cantaban alegremente, mientras sus siete colores lanzaban destellos al sol. Cercana ya la puesta del sol llegó a otro campamento de recolectores de lava, que regresaban cargados con sus sacos desde las laderas más bajas del Ngranek; y también acampó allí, y escuchó las canciones y los cuentos de aquellos hombres, y oyó por casualidad lo que cuchicheaban acerca de un compañero que habían perdido. Había subido muy alto hasta llegar a una mole de fina lava que había visto más arriba, y al anochecer no había regresado con sus compañeros. Cuando lo buscaron al día siguiente sólo encontraron su turbante, pero no había ninguna huella en los riscos de que se hubiera caído. No buscaron más, porque el más viejo de todos ellos dijo que sería inútil. Nadie encontró nunca a los que se llevan los noctívagos demacrados, aunque se duda tanto acerca de la existencia de tales bestias que casi parecen imaginarias. Carter les preguntó si los noctívagos demacrados sorbían la sangre, y si les gustaban los objetos brillantes, y si dejaban huellas de pies palmeados, pero ellos negaron con la cabeza y parecieron asustarse de que les hiciera tales preguntas. Cuando vio lo taciturnos que se habían vuelto, no les preguntó más y se fue a dormir a su manta.

Al día siguiente se levantó a la vez que los recolectores de lava y se despidió, pues ellos se dirigían hacia el oeste y él iba al este montado en una cebra que les había comprado. Los más viejos le echaron la bendición y le pusieron sobre aviso, diciéndole que sería mejor que no subiera al Ngranek demasiado arriba, pero aunque él les dio las gracias sinceramente, de ningún modo se dejó disuadir. Pues todavía tenía el presentimiento de que allí iba a encontrar a los dioses de la ignota Kadath, y que obtendría de ellos la forma de llegar a aquella obsesionante y maravillosa ciudad crepuscular. Al mediodía, después de un largo trayecto cuesta arriba, llegó a alguna de las abandonadas aldeas de ladrillo de los montañeses que hace tiempo habitaron cerca del Ngranek y esculpieron imágenes en su suave lava. Allí habían vivido hasta los tiempos del abuelo del viejo tabernero, pero por aquella época se dieron cuenta de que su presencia no era grata. Habían erigido sus hogares incluso en la ladera de la montaña, pero cuanto más arriba edificaban, cuando salía el sol notaban la ausencia de más gente.

Por fin, decidieron que era mejor marcharse todos, ya que las cosas que a veces vislumbraban nadie podía interpretarlas favorablemente; de modo que al final bajaron todos hasta el mar y se instalaron en Baharna, donde habitaron un barrio muy antiguo y enseñaron a sus hijos el viejo arte de tallar imágenes, que siguen haciendo hasta el día de hoy. Fue de estos descendientes de los montañeses exilados de quienes Carter había escuchado las mejores historias sobre el Ngranek cuando estuvo investigando por las viejas tabernas de Baharna.

Durante todo aquel tiempo, a medida que Carter se aproximaba, la lúgubre mole del Ngranek parecía cada vez más alta y amenazadora. En la parte más baja de su falda había escasos árboles, y más arriba frágiles arbustos; y a continuación la horrible roca desnuda se elevaba espectral hacia el cielo, confundiéndose con las heladas nieves eternas. Carter podía ver las grietas y escarpaduras de aquella roca sombría, y la perspectiva de escalarla no le agradó nada. En algunos lugares había ríos de lava solidificada y montones de escoria que cubrían declives y salientes. Hacía noventa eones, antes incluso de que los dioses hubieran danzado en su puntiaguda cumbre, aquella montaña había hablado con fuego y había rugido con las voces de los truenos interiores. En aquellos momentos se erguía silenciosa y siniestra, portando en su cara oculta aquella secreta imagen titánica de la que hablaban los rumores. Y había cuevas en aquella montaña que podían estar vacías y solitarias y más oscuras todavía, o tal vez –si la leyenda decía la verdad– albergaran horrores de una forma imposible de figurarse.

El terreno ascendía hasta el pie del Ngranek, cubierto de escasas encinas chinquapin[21] y fresnos, y sembrado de fragmentos de rocas, lava y antiguas cenizas. Había rescoldos carbonizados de muchos fuegos de campamento, donde los recolectores de lava acostumbraban a detenerse, y varios altares rudimentarios, que habían construido para aplacar a los Grandes, o conjurar a lo que se imaginaban que habitaba en los altos desfiladeros y las laberínticas cuevas del Ngranek. Por la tarde Carter llegó al montón más lejano de ascuas y acampó para pasar la noche, atando la cebra a un pimpollo y envolviéndose bien en su manta antes de acostarse. Y durante toda la noche un voonith aulló en la lejanía desde la orilla de alguna charca escondida, pero Carter no sintió miedo alguno de aquel espanto anfibio, ya que le habían asegurado que ninguno de ellos se atreve a acercarse siquiera a las laderas del Ngranek.

A la clara luz solar de la mañana siguiente empezó Carter el largo ascenso, llevando su cebra hasta donde aquel útil animal pudo llegar, pero cuando la pendiente del estrecho sendero se hizo demasiado pronunciada la ató a un fresno raquítico. A partir de entonces subió solo; primero a través del bosque, con sus ruinas de antiguas aldeas en los claros cubiertos de maleza, y después sobre duros pastos donde crecían aquí y allá unos arbustos anémicos. Lamentó que cada vez hubiera menos árboles, ya que la pendiente era muy empinada y todo aquello le producía vértigo. Finalmente empezó a distinguir todo el paisaje que se extendía ante él dondequiera que mirase: las chozas deshabitadas de los estatuarios, los bosquecillos de árboles resinosos y los campamentos de los que recogían la resina, los bosques donde anidan y cantan las llamativas magahs, e incluso vislumbró a lo lejos las riberas del Yath y aquellas antiguas ruinas prohibidas cuyo nombre se ha olvidado. Prefirió no mirar a su alrededor y siguió trepando hasta que los matorrales se hicieron cada vez más escasos, y a menudo no había nada a lo que agarrarse más que la dura hierba.

Luego el suelo se hizo más árido, con grandes trechos donde afloraba la roca desnuda, y de vez en cuando el nido de algún cóndor en una grieta. Finalmente no había más que roca pelada, y de no haber sido tan dura y estar tan erosionada, difícilmente habría podido seguir subiendo. Sin embargo, los montículos, salientes y picos le ayudaron mucho; y se alegró al ver de vez en cuando el rastro de algún recolector de lava que había raspado toscamente en la friable roca, comprendiendo que seres humanos normales y corrientes habían estado allí antes que él. A partir de cierta altura, la presencia del hombre se manifestaba además por los asideros para pies y manos tallados donde hacían falta, y las pequeñas canteras y excavaciones efectuadas donde se había descubierto alguna veta o río de lava de primera calidad. En cierto lugar se había tallado artificialmente un estrecho saliente a fin de acceder a un yacimiento especialmente rico situado bastante lejos a la derecha de la principal vía de ascenso. Una o dos veces se atrevió Carter a echar una mirada alrededor, y la extensión del paisaje que dominaba desde aquella altura casi le dejó anonadado. Toda la isla, entre él y la costa, se extendía ante su vista, y en la lejanía podía distinguir las terrazas de piedra de Baharna y el misterioso humo de sus chimeneas. Y más allá, el ilimitado Mar Meridional con sus curiosos secretos.

Hasta aquel momento había estado dando vueltas alrededor de la montaña, de modo que su vertiente más lejana, la que estaba esculpida, permanecía todavía oculta. Carter vio entonces un saliente arriba a la izquierda, que parecía indicar el camino que buscaba, y tomó esa dirección con la esperanza de que no se interrumpiría. Diez minutos después comprobó que, en efecto, no se trataba de un callejón sin salida, sino que conducía por una empinada pendiente hasta un arco, el cual, a menos que se interrumpiera bruscamente o se desviase, le llevaría en unas pocas horas de ascensión a aquella desconocida ladera meridional que domina los desolados riscos y el condenado valle de lava. La nueva región que apareció ante él era más inhóspita y salvaje que las tierras próximas al mar que había atravesado. La ladera de la montaña era también algo diferente; estaba perforada por extrañas aberturas y cuevas como no había visto hasta entonces en la ruta que acababa de abandonar. Algunas estaban por encima de él y otras por debajo, y todas ellas se abrían en precipicios totalmente verticales, inalcanzables por completo al hombre. El aire era muy frío en aquellos momentos, pero la escalada era tan difícil que no le importó. Únicamente le preocupaba su creciente enrarecimiento, y pensó que quizá fuera aquello lo que había hecho perder la cabeza a otros viajeros, provocando aquellas absurdas historias de los noctívagos demacrados, mediante las cuales explicaban la desaparición de los que trepaban por aquellos senderos peligrosos, los cuales sin duda se caían. No le habían impresionado mucho los relatos de los viajeros, pero traía consigo una buena cimitarra por si acaso surgía algún problema. Todos los demás pensamientos perdían importancia ante el deseo de ver aquel rostro esculpido que podía ponerle sobre la pista de los dioses que rigen la ignota Kadath.

Por último, en medio de la espantosa gelidez de aquellas alturas, dio la vuelta completa al Ngranek y llegó a su cara oculta, viendo en la infinidad de abismos que se abrían a sus pies los precipicios menores y las estériles simas de lava que testimoniaban la antigua ira de los Grandes. Una vasta extensión de tierra se desplegaba también hacia el sur; pero era un erial, sin campos cultivados ni chimeneas de *cottages,* y parecía no tener fin. No se veía ni el menor vestigio de mar por aquel lado, pues Oriab es una isla grande. Las negras cuevas y las extrañas grietas eran todavía numerosas en aquellos precipicios completamente verticales, pero ninguna de ellas era accesible a un escalador. Por encima aparecía una gran masa que sobresalía amenazadoramente e impedía ver lo que había más arriba, y por un momento Carter se estremeció ante la

posibilidad de que resultase infranqueable. Suspendido en difícil equilibrio en medio de aquellas alturas inseguras batidas por el viento, a
muchas millas por encima del suelo, con sólo el vacío y la muerte a un
lado y resbaladizas paredes de roca al otro, por un momento conoció el
miedo que hace que los hombres eviten la cara oculta del Ngranek. No
podía volver atrás, y además el sol estaba ya bajo. Si no había un camino que siguiese hacia arriba, la noche le sorprendería allí agazapado, y
ya no vería amanecer.

Pero había un camino y Carter lo vio a su debido tiempo. Sólo un
soñador muy experto podría haber utilizado aquellos imperceptibles
asideros, sin embargo a Carter le bastaron. Al remontar la roca suspendida en el vacío, comprobó que la pendiente era mucho más accesible
que la de abajo, ya que el derretimiento de un glaciar había dejado un
abundante espacio con mantillo y salientes. A la izquierda un precipicio caía a pico desde alturas desconocidas hasta profundidades ignotas,
y por encima de él, justo fuera de su alcance, se vislumbraba la oscura
boca de una cueva. En otro lugar, sin embargo, la montaña volvía a
inclinarse mucho, e incluso le dejaba espacio para apoyarse y descansar.

Por el frío que hacía pensó que debía encontrarse cerca del límite de
las nieves perpetuas, y alzó los ojos para ver si brillaba todavía algún
pico bajo aquellos últimos rayos rojizos del crepúsculo. Sin duda alguna había nieve a incalculables miles de pies más arriba, y debajo sobresalía amenazadoramente un gran risco como el que acababa de escalar,
colgado allí desde siempre en atrevido perfil, negro sobre el blanco de
la cumbre helada. Y al ver aquel risco se quedó boquiabierto y gritó con
todas sus fuerzas, y atemorizado se agarró a las mellas de la roca; ya que
aquella titánica protuberancia no conservaba la forma que tenía en los
albores de la tierra, sino que relucía en el ocaso, roja y formidable, con
las facciones cinceladas y pulidas de un dios.

Aquel rostro severo y terrible brillaba iluminado por la rojiza luz del
crepúsculo. Era tan inmenso que nadie sería capaz de calcular sus
medidas, pero Carter supo inmediatamente que era imposible que lo
hubieran moldeado manos humanas. Era un dios cincelado por los
dioses, el cual, arrogante y majestuoso, miraba despectivamente al

buscador. El rumor popular afirmaba que era foráneo y que no dejaba lugar a dudas, y Carter comprobó que era así, en efecto; pues aquellos ojos alargados y estrechos, aquellas orejas de grandes lóbulos, aquella nariz fina y el puntiagudo mentón, todo ello revelaba una raza que no es de hombres sino de dioses. Se quedó impresionado en aquel elevado y peligroso nido de águilas, aunque era eso lo que había esperado y lo que iba buscando; ya que en el rostro de un dios hay mucho más para maravillarse de lo que es posible predecir, y cuando ese rostro es más enorme que un gran templo, y lo recorre uno con la mirada a la caída de la tarde en el enigmático silencio de aquellas cumbres, en cuya oscura lava fue divinamente tallado antaño, la maravilla es tan notable que nadie podría librarse de ella.

Había que añadir, además, la sorpresa al reconocer sus facciones; pues aunque había proyectado buscar por todo el país de los sueños a los que por su parecido con ese rostro pudieran ser calificados como hijos de los dioses, en aquellos momentos se dio cuenta de que ya no necesitaba hacer eso. Desde luego, el gran rostro esculpido en aquella montaña no le era del todo desconocido, sino que parecía tener parentesco con la gente que había visto a menudo en las tabernas portuarias de Celephaïs, que se halla en Ooth-Nargai, más allá de los Cerros Tanarianos y está gobernada por el rey Kuranes, a quien Carter conoció una vez en su vida vigil. Todos los años llegaban desde el norte en sus negras embarcaciones marineros con un rostro parecido, para cambiar su ónice por jade tallado, hilo de oro y rojas aves canoras de Celephaïs, y no cabía duda de que no podían ser otros que los semidioses que él buscaba. El lugar en que habitasen debía de estar cerca del yermo helado, en donde se encuentra la ignota Kadath, con su castillo de ónice donde moraban los Grandes. De modo que debía dirigirse a Celephaïs, que está bastante lejos de la isla de Oriab, por lo que tendría que regresar a Dylath-Leen y remontar el Skai hasta el puente de Nir, y atravesar de nuevo el bosque encantado de los zoogs, a partir de donde el camino tuerce hacia el norte y cruza los vergeles que bordean el Oukranos hasta llegar a los dorados chapiteles de Thran, donde podría encontrar algún galeón que zarpara rumbo al Mar Cereneriano.

Pero la oscuridad era entonces más densa, y el gran rostro esculpido parecía todavía más severo en la sombra. La noche sorprendió al buscador encaramado en aquel saliente; y en aquella oscuridad no podía bajar ni subir, tan sólo quedarse allí y agarrarse, y estremecerse en aquel angosto lugar hasta que llegase el nuevo día, rezando para mantenerse despierto, no fuese que el sueño le hiciera soltarse y se precipitara a través de las vertiginosas millas de espacio hasta estrellarse en los despeñaderos y las afiladas rocas de aquel maldito valle. Salieron las estrellas, pero aparte de ellas no se veía más que un negro vacío, un vacío ligado a la muerte, contra cuya atracción no podía hacer nada más que agarrarse a las rocas y recostarse en ellas, manteniéndose alejado del borde del invisible precipicio. Lo último que vio, antes de que cayera la noche, fue un cóndor que planeaba muy cerca del abismo que tenía a su izquierda, y que salió disparado chillando al pasar por delante de la cueva cuya boca se abría justo fuera de su alcance.

De pronto, sin un ruido que le previniera en la oscuridad, Carter sintió que una mano desconocida le sacaba sigilosamente la cimitarra del cinto. Luego la oyó caer estrepitosamente sobre las rocas de abajo. Y le pareció ver, entre él y la Vía Láctea, la terrible silueta de un ser perniciosamente delgado y con cuernos, cola y alas de murciélago. Otras criaturas habían empezado también a ocultar trozos de estrellas a su izquierda, como si una densa y silenciosa bandada de entidades imprecisas saliera aleteando de aquella cueva inaccesible en la pared del precipicio. Luego, una especie de frío brazo elástico le agarró por el cuello, y algo le cogió los pies y lo elevó desconsideradamente y lo balanceó en el espacio. Un minuto después las estrellas habían desaparecido, y Carter comprendió que los noctívagos demacrados lo habían atrapado.

Lo llevaron jadeante al interior de aquella cueva en la cara del precipicio y lo condujeron a través de enormes laberintos. Cuando trató de forcejear para soltarse, cosa que al principio hizo instintivamente, le hicieron cosquillas a propósito. No hacían ningún ruido, e incluso movían sus alas membranosas en completo silencio. Eran espantosamente fríos, húmedos y resbaladizos, y sus zarpas le manoseaban de manera repugnante. No tardaron en lanzarse de cabeza de manera atroz a través de abismos inconcebibles en un rotatorio, vertiginoso y nauseabundo torbellino de aire húmedo y malsano, como de tumba; y Carter sintió que se precipitaban en un vórtice final de chillidos y furia demoníaca. Gritó una y otra vez, pero siempre que lo hacía, las negras garras le cosquilleaban de manera sutil. Luego vio a su alrededor una especie de fosforescencia gris, y supuso que estaban llegando a aquel mundo oculto de horror subterráneo del que hablan difusas leyendas, y que está iluminado tan sólo por un pálido fuego letal que apesta la atmósfera propia de gules y las primitivas brumas de los abismos del centro de la tierra.

Por último, a lo lejos, debajo de él, vio los contornos casi imperceptibles de ominosas cumbres grises, que sabía que debían de ser los fabulosos Picos de Thok[22]. Atroces y siniestros, se alzan en la embrujada oscuridad de las profundidades eternas y sin sol; más altos de lo que el hombre es capaz de calcular, protegen los terribles valles en los que los bholes[23] se arrastran y se esconden de mala manera. Pero Carter prefería mirar a aquellos picos que a sus captores, que eran, en efecto, unas toscas y espantosas criaturas negras, de piel tersa y grasa como la de las ballenas, con unos cuernos desagradables, curvados hacia dentro, alas de murciélago que no hacían ningún ruido al batir, abyectas patas prensiles e incisivas colas que hacían restallar de manera inquietante y sin ninguna necesidad. Y lo peor de todo, nunca hablaban ni reían, ni tampoco sonreían, porque carecían por completo de rostro, donde debían tenerlo sólo había un sugestivo vacío. Lo único que hacían era agarrar, volar y hacer cosquillas; tal era la manera de ser de los noctívagos demacrados.

Cuando la bandada voló más bajo, surgieron por todas partes los Picos de Thok, grises e imponentes, y se veía claramente que nada vivía en aquel austero e imperturbable granito, sumido en eterna penumbra. A niveles todavía más bajos, los fuegos letales de la atmósfera se extinguieron, y sólo quedó la primitiva oscuridad del vacío, excepto arriba, donde los finos picos sobresalían como si fueran duendes. Las cumbres no tardaron en perderse en la lejanía, y no quedó nada salvo los impetuosos vientos, cargados de humedad procedente de las grutas más profundas. Luego, por fin, los noctívagos demacrados se posaron en un suelo sembrado de cosas desconocidas que parecían un amasijo de huesos, y dejaron a Carter solo en aquel tenebroso valle. Llevarlo hasta allí había sido la misión de los noctívagos demacrados que protegen el Ngranek; una vez cumplida, se marcharon aleteando silenciosamente. Cuando Carter trató de seguir su vuelo con la mirada, comprobó que no podía, pues incluso los Picos de Thok habían desaparecido de la vista. No había nada en ninguna parte, salvo oscuridad, horror, silencio y huesos.

Ahora sabía Carter de fuente fidedigna que se encontraba en el valle de Pnath[24], donde se arrastran y esconden los enormes bholes; pero no podía saber lo que le esperaba, porque nadie ha visto nunca un bhole ni siquiera ha imaginado qué aspecto tiene semejante ser. A los bholes se les reconoce únicamente por un rumor apagado, por los crujidos que hacen al arrastrarse entre montones de huesos, y por su tacto viscoso cuando le rozan a uno al pasar. No se les puede ver porque sólo se arrastran en la oscuridad. Carter no deseaba encontrarse con ningún bhole, de modo que escuchó atentamente para captar cualquier ruido que saliera de aquel olvidado amazacotamiento de huesos que había a su alrededor. Hasta en aquel espantoso lugar tenía un plan y un objetivo, ya que los rumores sobre Pnath y sus vías de acceso no le eran desconocidos a un individuo con quien había conversado bastante en los viejos tiempos. En resumen, parecía bastante probable que aquél fuera el lugar en donde todos los gules del mundo vigil arrojan las sobras de sus festines; y con un poco de buena suerte podría encontrar aquel enorme risco, más alto incluso que los Picos de Thok, que señala el límite de sus dominios. Los montones de huesos le indicarían dónde mirar, y en cuanto lo encontrara, podría pedirle a un gul que le arrojase una escala; pues, aunque parezca extraño, Carter tenía un vínculo muy especial con esas terribles criaturas.

Un hombre que había conocido en Boston –un pintor de extraños cuadros que tenía un estudio secreto en un antiguo e impío callejón cerca de un cementerio– había llegado a hacer amistad con los gules y le había enseñado a comprender la parte más sencilla de su repugnante glugluteo y guirigay[25]. Aquel hombre había acabado por desaparecer, y Carter no estaba seguro de poder encontrarlo, ni de poder utilizar por primera vez en el país de los sueños el remoto inglés de su ofuscada vida vigil. En cualquier caso, le parecía que podría convencer a algún gul para que le ayudara a salir de Pnath; y que sería preferible encontrarse con un gul, al que uno puede ver, que con un bhole, que es invisible.

De modo que Carter caminó en la oscuridad y, cuando creyó oír algo entre los huesos bajo sus pies, echó a correr. De pronto se tropezó con una ladera pétrea y comprendió que debía de ser la base de uno de los Picos de Thok. Entonces oyó un horrendo golpeteo y un estruendo lejano que llegaba de las alturas y tuvo el convencimiento de estar muy cerca del risco de los gules. No estaba seguro de que le pudieran oír desde el fondo de aquel valle varias millas por debajo, pero se daba cuenta de que el mundo oculto tiene extrañas leyes. Mientras reflexionaba, le golpeó un hueso tan pesado que debía tratarse de una calavera, y luego, al darse cuenta de lo cerca que estaba del fatídico risco, lanzó lo mejor que pudo el grito melancólico que sirve de reclamo a los gules.

El sonido se propaga lentamente, de modo que pasó algún tiempo hasta que escuchó el guirigay de respuesta. Pero llegó por fin, y enseguida dedujo que le iban a echar una escala de cuerda. La espera fue muy tensa, pues no hay ni que decir lo que su grito podía haber despertado entre aquellos huesos. En efecto, no tardó en oír un vago susurro a lo lejos. A medida que se acercaba solícitamente, Carter se fue sintiendo cada vez más incómodo, ya que no quería alejarse del lugar donde le iban a echar la escala. Finalmente, la tensión creció hasta hacerse casi insoportable y estaba a punto de huir, presa del pánico, cuando el golpe sordo de algo que chocó contra los huesos recién amontonados cerca de él desvió su atención del otro ruido. Era la escala, y tras buscarla a tientas durante breves instantes, consiguió mantenerla tensa entre las manos. Pero el otro ruido no cesaba, y lo siguió incluso durante la escalada. Cuando había subido por lo menos cinco pies [poco más de metro y medio], el ruido metálico de abajo se acentuó y, al llegar a más de diez pies del suelo, algo hizo oscilar la escala desde abajo. A una altura de unos quince o veinte pies [algo más de cuatro y medio y seis metros respectivamente], sintió que le pasaba rozando por todo el costado algo largo y resbaladizo que se movía haciéndose alternativamente convexo y cóncavo, y a partir de entonces trepó desesperadamente para escapar de la intolerable caricia de aquel asqueroso y sobrealimentado *bhole*, cuya figura ningún hombre ha podido ver.

Trepó durante horas y horas, con los brazos doloridos y las manos cubiertas de ampollas, viendo de nuevo el grisáceo fuego letal y las inquietantes cumbres de Thok. Por último, distinguió por encima de él el borde saliente del gran risco de los gules, cuya pared vertical no podía vislumbrar; y horas más tarde vio un extraño rostro que le miraba con ojos escrutadores encaramado en él, como una gárgola en un antepecho de Nôtre Dame. Aquello casi le hizo soltarse por desfallecimiento, pero un momento después se había recuperado; ya que en cierta ocasión su desaparecido amigo Richard Upton Pickman le había presentado a un gul, y conocía bien sus rostros caninos, sus cuerpos inclinados hacia delante y su indecible idiosincrasia. De modo que ya había conseguido dominarse cuando aquella repelente criatura le sacó del vertiginoso vacío, izándolo por encima del borde del precipicio, y no gritó al ver los despojos parcialmente consumidos que se amontonaban a un lado o los grupos de gules en cuclillas que roían y le observaban con curiosidad.

Se encontraba en aquellos momentos en una planicie débilmente iluminada cuyos únicos rasgos topográficos eran grandes rocas y bocas de madrigueras. Los gules eran, en general, respetuosos, aunque uno de ellos intentó pellizcarlo mientras que varios otros miraban especulativamente su delgadez. Mediante un laborioso guirigay pidió información acerca de su desaparecido amigo, y se enteró de que se había convertido en un gul de cierta importancia en los abismos más próximos al mundo vigil. Un gul mayor de color verdoso se ofreció a llevarlo a la morada actual de Pickman, de modo que, a pesar de su repugnancia natural, siguió a aquella criatura hasta una amplia madriguera y anduvo a gatas tras ella durante horas y horas en medio de una maloliente oscuridad mohosa. Salieron a una planicie poco iluminada, sembrada de extrañas reliquias terrestres —viejas lápidas, urnas rotas y grotescos fragmentos de monumentos— y Carter comprendió con cierta emoción que probablemente se encontraba más cerca del mundo vigil que en ningún otro momento desde que bajara los setecientos peldaños que conducen desde la cueva del fuego a la Puerta del Sueño Más Profundo.

Allí, encima de una lápida de 1768 robada del Cementerio de Granary en Boston[26], estaba sentado el gul que una vez fue el artista Richard Upton Pickman. Estaba desnudo y su piel parecía de goma, y había adquirido tantos rasgos fisonómicos de los gules que ya no podía distinguirse su origen humano. Pero todavía recordaba un poco del idioma inglés y pudo conversar con Carter mediante gruñidos y monosílabos, recurriendo de vez en cuando al guirigay de los gules. Cuando se enteró de que Carter quería llegar al bosque encantado, y desde allí a Celephaïs, en Ooth-Nargai, más allá de los Cerros Tanarianos, pareció más bien indeciso; pues estos gules del mundo vigil no trabajan en los cementerios del alto país de los sueños (se los dejan a los wamps de pies palmeados que se reproducen en las ciudades muertas), y muchas cosas se interponen entre su abismo y el bosque encantado, inclusive el terrible reino de los gugs.

Hace tiempo los peludos y gigantescos gugs habían levantado círculos de piedra en aquel bosque y ofrecieron extraños sacrificios a los Otros Dioses y al caos reptante Nyarlathotep, hasta que cierta noche una de aquellas abominaciones llegó a oídos de los dioses de la tierra, y fueron desterrados a las cavernas inferiores. Sólo una gran trampilla de piedra con una argolla de hierro comunica el abismo de los gules de la tierra con el bosque encantado, y los gugs tienen miedo de abrirla a causa de una maldición. Es inconcebible que un soñador mortal pueda atravesar su reino subterráneo y salir por aquella trampilla; ya que en tiempos pasados los soñadores mortales eran su alimento, y tienen leyendas sobre la exquisitez de tales soñadores, aunque su destierro ha restringido su dieta a los ghasts, esos seres repulsivos que mueren si se exponen a la luz y que viven en los sótanos de Zin[27], y saltan como canguros con sus largas patas traseras.

De modo que el gul que fue Pickman aconsejó a Carter que abandonara el abismo en Sarkomand, ciudad abandonada en el valle que hay debajo de la meseta de Leng, cuyas negras escaleras nitrosas, protegidas por leones alados de diorita, descienden desde el país de los sueños a los abismos inferiores; o que regresara al mundo vigil a través de algún camposanto y empezara la búsqueda de nuevo bajando los setenta peldaños que llevan del sueño ligero a la cueva de la llama, y los setecientos que conducen a la Puerta del Sueño Más Profundo y al bosque encantado. Sin embargo, esa información no le era útil al buscador; ya que no conocía el camino de Leng a Ooth-Nargai, y asimismo estaba poco dispuesto a despertarse, por temor a olvidar todo lo que había aprendido durante este sueño. Sería desastroso para su búsqueda olvidar los augustos y celestiales rostros de aquellos marineros del norte que comerciaban con ónice en Celephaïs, y que, al ser hijos de dioses, le señalarían el camino hacia el yermo helado y hacia Kadath donde moran los Grandes.

Después de insistir mucho, el gul consintió en guiar a su huésped al interior de la gran muralla que rodea el reino de los gugs. Había una posibilidad de que Carter pudiera atravesar sigilosamente aquel reino crepuscular de torres circulares de piedra a una hora en la que aquellos seres gigantescos estarían atiborrados y roncando en sus casas, y llegar a la torre central, sobre la que aparece el signo de Koth[28], desde donde arranca la escalera que conduce a la trampilla de piedra que comunica con el bosque encantado. Pickman accedió incluso a prestarle tres gules para que le ayudaran a levantar la trampilla de piedra con una palanca de violador de tumbas; pues los gugs les tienen un poco de miedo a los gules, y a menudo huyen de sus propios cementerios colosales cuando les ven celebrar allí algún festín.

También aconsejó a Carter que se disfrazara de gul, que se afeitara la barba que se había dejado crecer (pues los gules no las llevan), que se revolcara desnudo en el moho para adquirir el aspecto adecuado, que anduviera con paso largo y tambaleante como ellos acostumbran, y que llevara la ropa en un fardo como si fuera un selecto bocado sacado de una tumba. Llegarían a la ciudad de los gugs –que limita con todo el reino– a través de las adecuadas madrigueras y saldrían a un cementerio situado no lejos de la Torre de Koth, que es de donde parten las escaleras. Debían tener cuidado, sin embargo, con una gran cueva que había cerca del cementerio; ya que ésa era la entrada a los sótanos de Zin, y los vindicativos ghasts están siempre al acecho para asesinar a aquellos habitantes del abismo superior que los persiguen para que les sirvan de alimento. Los ghasts intentan salir cuando los gugs duermen, y atacan a los gules de tan buena gana como a aquéllos, pues no son capaces de distinguirlos. Son muy primitivos y se comen unos a otros. Los gugs tienen apostado un centinela en una estrecha plataforma de los sótanos de Zin, pero a menudo se queda adormilado, y a veces es sorprendido por una partida de ghasts. Aunque los ghasts no pueden sobrevivir a la verdadera luz, son capaces de soportar durante algunas horas el crepúsculo gris de los abismos.

De modo que finalmente Carter avanzó lentamente a través de interminables madrigueras acompañado de tres serviciales gules, que llevaban la lápida sepulcral de pizarra del coronel Nehemiah Derby, fallecido en 1719, procedente del cementerio de Charter Street, en Salem. Cuando salieron de nuevo a la clara luz del crepúsculo, estaban en un bosque de enormes monolitos, cubiertos de líquenes tan altos que casi no se podía ver dónde acababan, que eran las modestas lápidas de los gugs. A la derecha del agujero por el que habían salido con dificultad, se veía, a través de pasillos de monolitos, una formidable perspectiva de ciclópeas torres redondas que se elevaban hasta el infinito en la atmósfera gris de las entrañas de la tierra. Era la gran ciudad de los gugs, cuyas puertas tienen treinta pies [algo más de nueve metros] de altura. Los gules iban allí a menudo ya que un gug sepultado puede alimentar a toda una comunidad durante casi un año, e incluso, teniendo en cuenta los peligros adicionales, es mejor excavar en busca de gugs que tomarse la molestia de hacerlo en las tumbas de los hombres. Carter comprendió entonces la presencia de algún que otro hueso gigantesco que había notado bajo los pies en el valle de Pnath.

Frente a ellos, y nada más salir del cementerio, se alzaba un precipicio completamente vertical en cuya base se abría una enorme e impresionante caverna. Los gules le dijeron a Carter que debían hacer todo lo posible por evitarla, ya que era la entrada a los impíos sótanos de Zin, donde los gugs cazan a los ghasts en la oscuridad. Y realmente aquella advertencia no tardó en estar bien justificada; porque en el momento en que un gul comenzaba a arrastrarse hacia las torres para ver si habían calculado correctamente la hora de descanso de los gugs, en la penumbra de la boca de aquella gran caverna brilló primero un par de ojos rojo-amarillentos, y luego otro, dando a entender que los gugs tenían un centinela menos y que los ghasts poseen realmente una gran agudeza olfativa. De modo que el gul regresó a la madriguera e indicó con la mano a sus compañeros que se callaran. Era mejor dejar a los ghasts que se las arreglasen solos, pues cabía la posibilidad de que se retiraran pronto, ya que lógicamente debían estar cansados después de enfrentarse con un centinela gug en los oscuros sótanos. Al cabo de un momento algo del tamaño de un caballo pequeño pegó un salto en el gris crepúsculo y Carter se puso enfermo al ver el aspecto de aquella bestia depravada y nociva, cuyo rostro era curiosamente tan humano, pese a la ausencia de nariz, frente y otros importantes detalles.

Enseguida otros tres ghasts salieron de un salto de la caverna para unirse a su compañero, y un gul farfulló a Carter en voz baja que la falta de marcas de lucha en sus cuerpos era una mala señal. Demostraba que no habían luchado con el centinela gug, sino que simplemente habían pasado por delante de él mientras dormía, de modo que conservaban todavía intactas toda su fuerza y fiereza, y así permanecerían hasta que encontraran y liquidaran a alguna víctima. Resultaba muy desagradable ver a aquellos asquerosos y desproporcionados animales, que pronto ascendieron a unos quince, hozando y dando saltos de canguro en el gris crepúsculo en medio del cual se levantaban las torres y monolitos gigantescos; pero fue todavía más desagradable cuando se pusieron a hablar entre ellos con los carraspeos guturales propios de los ghasts. Y aunque eran horribles, no lo eran tanto como lo que enseguida salió de la caverna detrás de ellos con desconcertante precipitación.

Era una pata de unos dos pies y medio [poco más de setenta y seis centímetros] de anchura, provista de formidables garras. Después apareció otra; y luego, un enorme brazo de negro pelaje al que ambas patas estaban unidas mediante cortos antebrazos. A continuación brillaron dos ojos de color de rosa, y apareció a la vista la cabeza bamboleante, grande como un barril, del centinela gug que acababa de despertarse. Los ojos sobresalían dos pulgadas [poco más de cinco centímetros] a cada lado, protegidos por unas protuberancias óseas cubiertas de pelos gruesos. Pero el terrible aspecto de aquella cabeza se debía sobre todo a la boca. Aquella boca tenía grandes colmillos amarillos y se extendía por toda la cabeza de arriba abajo, abriéndose verticalmente en lugar de horizontalmente.

Pero antes de que el infortunado gug pudiera salir de la cueva y levantar sus veinte pies [poco más de seis metros], los vengativos ghasts cayeron sobre él. Carter temió por un momento que diera la alarma y despertara a los suyos, pero un gul le farfulló en voz baja que los gugs no tienen voz y se comunican por medio de gestos faciales. La batalla que tuvo lugar a continuación fue realmente tremenda. Los malévolos ghasts se abalanzaron febrilmente desde todas partes sobre el abatido gug, mordiéndolo y desgarrándolo con sus hocicos, e hiriéndolo gravemente de manera asesina con sus duras y afiladas pezuñas. Durante todo el tiempo carraspeaban con excitación, gritando cuando la enorme boca vertical del gug mordía ocasionalmente a uno de ellos, de modo que el fragor del combate sin duda habría despertado a la ciudad dormida de no ser porque el cada vez más debilitado centinela empezó a trasladar la batalla cada vez más al interior de la caverna. Sea como fuere, el tumulto no tardó en perderse de vista completamente en la oscuridad, y sólo de vez en cuando algún eco infernal indicaba que proseguía.

Entonces el más alerta de los gules dio la señal de avanzar, y Carter siguió los pasos largos de sus tres compañeros hasta salir del bosque de monolitos y entrar en las oscuras y fétidas calles de aquella espantosa ciudad, cuyas torres circulares de piedra ciclópea se elevaban hasta perderse de vista. Caminaron con paso vacilante y en silencio por aquella fragosa calzada rocosa, escuchando con displicencia los abominables bufidos apagados que salían de las grandes puertas oscuras, lo que indicaba que los gugs dormían. Temiendo que acabara la hora de descanso de éstos, los gules apretaron un poco el paso; pero aun así, el trayecto no fue breve, ya que en aquella ciudad de gigantes las distancias son a gran escala. Sin embargo, finalmente llegaron a una especie de espacio abierto, delante de una torre aún más enorme que las demás, encima de cuya colosal puerta había un monstruoso símbolo en bajorrelieve que hacía a uno estremecerse aun sin conocer su significado. Era la torre central que ostentaba el signo de Koth, y aquellos enormes peldaños apenas visibles en la oscuridad de su interior eran el comienzo de la gran escalera que conducía al alto país de los sueños y al bosque encantado.

Empezó entonces un ascenso interminable, completamente a oscuras, que resultaba casi imposible, debido al tamaño monstruoso de los peldaños hechos para los gugs, y que por tanto medían casi una yarda [algo menos de un metro] de altura. Carter no pudo hacer un cálculo, ni siquiera aproximado, del número de peldaños, porque no tardó en sentirse tan agotado que los incansables y flexibles gules se vieron obligados a ayudarle. Durante el interminable ascenso, les acechaba el peligro de ser descubiertos y perseguidos; pues aunque los gugs no se atreven a levantar la trampilla de piedra del bosque a causa de la maldición de los Grandes, no existen tales limitaciones con respecto a la torre y a los peldaños, y los ghasts que intentan escaparse suelen ser perseguidos incluso hasta lo alto de la escalera. El oído de los gugs es tan fino que, cuando la ciudad se despertara, habrían oído perfectamente el ruido de los pies desnudos y de las manos de los que subían; y, desde luego, a aquellos gigantes que andaban a grandes zancadas, acostumbrados a ver en completa oscuridad gracias a sus cacerías de ghasts en los sótanos de Zin, les habría llevado muy poco tiempo dar alcance en aquellos ciclópeos peldaños a una presa más pequeña y más lenta. Era muy deprimente pensar que los silenciosos perseguidores gug no podían ser oídos, sino que caerían de pronto sobre ellos de manera aterradora en medio de la oscuridad. Tampoco podían contar con el tradicional temor que los gugs sienten hacia los gules en aquel peculiar lugar, donde todas las ventajas están de parte de aquéllos. Existía también el peligro fortuito de tropezarse con los furtivos y malévolos ghasts, que a menudo suben a la torre durante la hora de sueño de los gugs. Si los gugs durmiesen un poco más y los ghasts regresaran pronto de su combate en la caverna, el olor de los que subían sería captado fácilmente por aquellas criaturas repugnantes y hostiles, en cuyo caso casi sería mejor ser devorados por los gugs.

Luego, después de una ascensión que duró eones, oyeron una tos arriba en la oscuridad, y la situación tomó un cariz inesperado y muy serio. No cabía duda de que un ghast, o tal vez incluso más, se había extraviado en el interior de la torre antes de la llegada de Carter y sus guías; y estaba igualmente claro que el peligro era inminente. Después de un segundo intenso, el gul que iba en cabeza empujó a Carter contra la pared y colocó a sus dos compañeros de la mejor manera posible, con la vieja lápida de pizarra en alto para dejar caer un golpe apabullante en cuanto apareciese el enemigo. Los gules pueden ver en la oscuridad, de modo que el grupo no andaba tan mal como habría ocurrido si Carter hubiera estado solo. Al cabo de unos momentos, un estrépito de cascos reveló que al menos una de las bestias bajaba dando saltos, y los gules que llevaban la lápida prepararon su arma para descargar un golpe desesperado. Acto seguido brillaron dos ojos rojo-amarillentos, y el jadeo del ghast se impuso al ruido de cascos. Cuando saltaba al peldaño que estaba justo encima de los gules, éstos arrojaron la vieja lápida con fuerza prodigiosa, de modo que sólo se oyó un resuello y un estertor, antes de que la víctima se desplomara formando un asqueroso montón. Al parecer no había más animales y, después de pararse a escuchar durante unos instantes, los gules dieron un golpecito a Carter para indicarle que podían proseguir la marcha. Como antes, se vieron obligados a ayudarle, y él se alegró de abandonar aquel lugar de mortandad donde los zafios restos mortales del ghast yacían invisibles en la oscuridad como si no hubiera existido.

Por fin, los gules detuvieron a su compañero; y tanteando por encima de él, Carter se dio cuenta de que finalmente habían llegado a la gran trampilla de piedra. Levantar del todo algo tan grande no había ni que pensarlo, pero los gules esperaban abrirla justo lo suficiente para meter por debajo la lápida a modo de puntal y permitir así que Carter se escapara por la hendidura. Los gules, por su parte, tenían la intención de bajar de nuevo por la escalera y regresar a través de la ciudad de los gugs, ya que les resultaba muy fácil pasar inadvertidos y no conocían el camino por tierra para llegar a la espectral Sarkomand y a la puerta custodiada por los leones que conduce al abismo.

Fue extraordinario el esfuerzo que tuvieron que hacer los tres gules sobre la trampilla, y Carter les ayudó empujando con todas sus fuerzas. Estimaron que el borde más próximo al final de las escaleras sería el idóneo, y allí concentraron toda la fuerza de sus músculos vergonzosamente alimentados. Pocos instantes después apareció una rendija de luz y Carter, a quien le habían encargado aquella tarea, deslizó el extremo de la vieja lápida por la abertura. Luego siguió un enorme forcejeo, pero se avanzaba muy poco y, como es natural, tenían que volver al punto de partida cada vez que fallaban en su intento de hacer girar la losa y mantener abierto el portal.

De pronto, su desesperación se vio mil veces multiplicada por un ruido que oyeron debajo de ellos en los peldaños. Era sólo el ruido sordo del choque y golpeteo del cuerpo ungulado del ghast muerto al caer rodando escaleras abajo; pero de todas las causas posibles del desplazamiento y rodadura de aquel cuerpo, ninguna resultaba tranquilizadora ni muchísimo menos. Por consiguiente, conociendo las costumbres de los gugs, los gules se pusieron a trabajar un tanto enloquecidos; y en un periodo de tiempo sorprendentemente corto habían levantado tanto la trampilla que pudieron sostenerla mientras Carter giraba la losa y dejaba una abertura lo suficientemente holgada. Entonces ayudaron a pasar a Carter, dejando que se subiera a sus espaldas gomosas y después guiando sus pies en el exterior cuando se aferró al bendito suelo del alto país de los sueños. Un instante después habían pasado los tres, quitaron de golpe la lápida y cerraron la gran trampilla, mientras abajo se oía un jadeo. Debido a la maldición de los Grandes, ningún gug podría nunca salir por aquella puerta; de modo que, con un profundo alivio y una sensación de sosiego, Carter se tumbó discretamente entre los abultados y grotescos hongos del bosque encantado, mientras sus guías se pusieron en cuclillas cerca de él, como suelen descansar los gules.

Por muy extraño que fuera el bosque encantado por el que había viajado hacía tanto tiempo, en aquellos momentos le parecía un remanso de paz y una delicia después de los abismos que había dejado atrás. No había ningún ser vivo por los alrededores, pues los zoogs evitan aquella misteriosa puerta que les da miedo, y Carter consultó inmediatamente a los gules sobre el itinerario que iban a seguir. Ellos no se atrevían a regresar a través de la torre, y el mundo vigil no les atraía al enterarse de que tenían que pasar ante los sacerdotes Nasht y Kaman-Thah en la caverna de la llama. Así que finalmente decidieron regresar por Sarkomand y su puerta al abismo, aunque no sabían cómo llegar hasta allí. Carter recordó que dicha ciudad está situada en el valle que hay debajo de la meseta de Leng e igualmente se acordaba de que había visto en Dylath-Leen a un anciano y siniestro mercader de ojos achinados que tenía fama de comerciar con la gente de Leng. Por consiguiente aconsejó a los gules que buscaran fuera de Dylath-Leen, cruzando el territorio de Nir hasta el Skai y siguiendo el curso del río hasta su desembocadura. Inmediatamente decidieron hacer eso y, sin perder tiempo, se alejaron con paso largo, ya que el aumento progresivo de la oscuridad presagiaba que tenían por delante toda una noche de viaje. Carter estrechó las zarpas de aquellas bestias repulsivas, les dio las gracias por su ayuda y les pidió que expresaran su gratitud a la bestia que una vez fue Pickman; pero no pudo evitar un suspiro de satisfacción cuando se marcharon. Pues un gul siempre es un gul, y a lo sumo un compañero poco grato para el hombre. Después de aquello, Carter buscó una charca en el bosque y se limpió el barro de la tierra que traía de las regiones inferiores, e inmediatamente después volvió a ponerse las ropas que tan cuidadosamente había llevado consigo.

Era ya de noche en aquel temible bosque de árboles monstruosos, pero a causa de la fosforescencia se podía caminar igual que si fuese de día; por lo que Carter se puso en camino siguiendo el conocido itinerario hacia Celephaïs, en Ooth-Nargai, más allá de los Cerros Tanarianos. Y mientras caminaba, pensó en la cebra que había dejado atada a un fresno en el Ngranek, en la lejana Oriab, hacía tantos eones, y se preguntó si algún recolector de lava le habría dado de comer y la habría puesto en libertad. Y también se preguntó si volvería alguna vez a Baharna para pagar la cebra que le habían matado durante la noche en aquellas antiguas ruinas junto a las riberas del Yath, y si el viejo tabernero se acordaría de él. Tales fueron los pensamientos que se le ocurrieron en la recobrada atmósfera del alto país de los sueños.

Al cabo de un rato interrumpió la marcha al oír un ruido que salía de un enorme árbol hueco. Había evitado el gran círculo de piedras, ya que en aquellos momentos no quería hablar con los zoogs; pero parecía, a juzgar por la extraña agitación de aquel árbol inmenso, que debía de estar celebrándose una importante asamblea en alguna parte. Al acercarse más comprendió que tenía lugar una tensa y acalorada discusión; y muy pronto se dio cuenta de que el asunto le importaba mucho. Pues lo que se debatía en aquella asamblea soberana de los zoogs era nada menos que una declaración de guerra a los gatos. Todo provenía de la derrota del grupo de zoogs que había seguido a hurtadillas a Carter hasta Ulthar, al cual los gatos habían castigado justamente por sus intenciones impropias. El asunto les había dolido bastante; se habían reunido y sus tropas estaban dispuestas a atacar a toda la tribu felina en el plazo máximo de un mes. El plan de los zoogs consistía en una serie de ataques por sorpresa, a fin de capturar gatos solitarios o grupos de gatos desprevenidos, sin conceder siquiera a los innumerables gatos de Ulthar la oportunidad de ejercitarse y movilizarse. Y Carter comprendió que tenía que desbaratarlo antes de proseguir con su extraordinaria búsqueda.

Por lo tanto, Randolph Carter se dirigió sigilosa y discretamente hasta la linde del bosque y lanzó el maullido del gato por los campos iluminados por las estrellas. Y un gran gato viejo de un *cottage* cercano asumió la responsabilidad y lo transmitió, a través de leguas de prados ondulados, a los guerreros grandes y pequeños, negros, grises, atigrados, blancos, amarillos y mestizos; y resonó por todo el Nir y más allá del Skai, hasta Ulthar, y los numerosos gatos de aquella ciudad respondieron a coro y formaron en filas de marcha. Fue una suerte que la luna no hubiera salido, pues así todos los gatos estaban en la tierra. Saltaron rápidamente y en silencio, surgieron de todos los hogares y tejados y se desparramaron por las llanuras como una gran marea afelpada, hasta llegar a la linde del bosque. Carter estaba allí para saludarlos, y la visión de aquellos gatos sanos y bien proporcionados fue desde luego un regalo para sus ojos, después de las criaturas que había visto y acompañado en los abismos. Se alegró de ver a su venerable amigo y antiguo salvador a la cabeza del destacamento de Ulthar, con el collar que indicaba su rango alrededor de su lustroso cuello, y los bigotes erizados que le daban un aire marcial. Y todavía se alegró más cuando vio que el alférez de aquel ejército, un dinámico y eficiente jovenzuelo, resultó ser ni más ni menos que el mismo gatito de la taberna, a quien Carter había dado un platillo de rica nata en aquella mañana ya lejana en Ulthar. En aquellos momentos era un robusto y prometedor gato, que ronroneó al estrechar la mano a su amigo. Su abuelo dijo que estaba medrando en el ejército y que tras otra campaña más podría aspirar al grado de capitán.

Carter les explicó el peligro que corría la tribu gatuna, y fue recompensado con profundos ronroneos de gratitud procedentes de todas partes. Tras consultar con los generales, dispuso un plan de acción inmediata que requería marchar inmediatamente contra la asamblea y otras plazas fuertes conocidas de los zoogs, anticipándose a sus ataques por sorpresa y obligándoles a llegar a un acuerdo antes de que pudieran movilizar su ejército invasor. Por tanto, sin perder un momento, la gran oleada de gatos inundó el bosque encantado y rodeó el árbol donde se celebraba la asamblea y el gran círculo de piedras. La agitación de los zoogs se elevó hasta un grado que daba miedo cuando el enemigo vio a los recién llegados, y hubo muy poca resistencia por parte de los furtivos y curiosos zoogs morenos. Al comprender que estaban vencidos por adelantado, dejaron de lado sus propósitos de venganza para atender únicamente a su instinto de conservación.

La mitad de los gatos se sentaron en círculo alrededor de los zoogs capturados y dejaron un corredor abierto para que pudieran pasar los nuevos cautivos que los demás gatos habían apresado en otras partes del bosque. Finalmente discutieron las condiciones. Carter actuó de intérprete y se decidió que los zoogs podían seguir formando una tribu independiente a condición de que pagaran a los gatos un gran tributo anual de urogallos, codornices y faisanes procedentes de las partes menos ficticias del bosque. Doce jóvenes zoogs de familias nobles fueron tomados como rehenes y quedaron retenidos en el Templo de los Gatos de Ulthar, y los vencedores dejaron claro que cualquier desaparición de gatos en las fronteras de los dominios de los zoogs tendría desastrosas consecuencias para ellos. Una vez despachados estos asuntos, los gatos allí reunidos rompieron filas y permitieron que los zoogs se escabulleran uno a uno a sus respectivas casas, lo que se apresuraron a hacer con más de una mirada hacia atrás con gesto ceñudo.

Entonces el viejo general ofreció a Carter una escolta para llevarlo a través del bosque hasta la linde a la que deseara llegar, considerando probable que los zoogs pudieran abrigar contra él un tremendo resentimiento por haberse frustrado su iniciativa guerrera. Carter recibió este ofrecimiento con gratitud; no sólo por la seguridad que le proporcionaba, sino porque le gustaba la graciosa compañía de los gatos. De modo que, en medio de un simpático y travieso regimiento, relajado tras el acertado desempeño de su función, Randolph Carter atravesó dignamente aquel fosforescente bosque encantado de árboles colosales, hablando de su búsqueda con el general y su nieto, mientras otros miembros del grupo se permitían dar fantásticos brincos o perseguían las hojas caídas que el viento arrastraba entre los hongos de aquel suelo sin hollar. Y el viejo gato dijo que había oído hablar mucho de la ignota Kadath en el yermo helado, pero que no sabía dónde se encontraba. En cuanto a la maravillosa ciudad del crepúsculo, ni siquiera había oído hablar de ella, pero con mucho gusto transmitiría a Carter cualquier información de la que pudiera enterarse.

También le dio al buscador algunas contraseñas de gran valor entre los gatos del país de los sueños, y le recomendó especialmente al viejo jefe de los gatos de Celephaïs, que era adonde él se dirigía. Aquel viejo gato, a quien Carter ya conocía un poco, era un circunspecto maltés; y resultaría muy influyente en cualquier tipo de transacción. Cuando llegaron a la apropiada linde del bosque ya había amanecido, y Carter se despidió de sus amigos a regañadientes. El joven alférez al que había conocido cuando era un gatito le habría seguido de no habérselo prohibido el anciano general, pero aquel austero patriarca insistió en que era su deber permanecer con la tribu y el ejército. De modo que Carter emprendió solo el camino a través de los dorados campos que se extendían misteriosos junto al río bordeado de sauces, y los gatos regresaron al bosque.

El viajero conocía bien aquellos vergeles que se extienden entre el bosque y el Mar Cereneriano, y siguió alegremente el curso cantarino del Oukranos, que indicaba su ruta. El sol se elevó por encima de las suaves laderas cubiertas de arboledas y prados, y realzó los colores de los millares de flores desparramadas por las lomas y las hondonadas frondosas. Una bendita neblina cubre toda esta región, en la que la luz del sol parece demorarse un poco más que en otros lugares, así como la zumbante música veraniega de las aves y las abejas; de modo que los hombres la cruzan como si se tratara de un paraje encantado, y sienten mayor júbilo y asombro del que pueden recordar.

Cerca del mediodía Carter llegó a las terrazas de jaspe de Kiran, que descienden hasta la orilla del río y llevan a un bello templo, adonde el rey de Ilek-Vad acude una vez al año desde su lejano reino del mar crepuscular en un palanquín de oro para orar ante el dios de Oukranos, al que cantó en su juventud cuando vivía en un *cottage* junto a sus riberas. Ese templo es todo de jaspe y cubre un acre [algo menos de media hectárea] de terreno con sus muros y patios, sus siete torres rematadas en pináculo y su capilla interior, en donde el río penetra a través de canales ocultos y el dios canta bajito por la noche. Muchas veces la luna escucha extrañas melodías, mientras sus rayos bañan aquellos patios y terrazas y pináculos, pero nadie, salvo el propio rey de Ilek-Vad, podría decir si esa melodía es la canción del dios o el cántico de sus enigmáticos sacerdotes; pues él es el único que ha entrado en el templo o ha visto a los sacerdotes. En aquellos momentos, con la somnolencia del mediodía, aquel primoroso templo tallado permanecía en silencio y, mientras caminaba bajo un sol encantado, Carter sólo escuchaba el murmullo de la gran corriente, el canto de los pájaros y el zumbido de las abejas.

Durante toda la tarde el peregrino vagó a través de los perfumados prados, al abrigo de las suaves colinas ribereñas salpicadas de tranquilos *cottages* con techos de paja y de santuarios erigidos a dioses amables, tallados en jaspe o crisoberilo. A veces caminaba cerca de la orilla del Oukranos y silbaba a los vivaces e iridiscentes peces de aquella corriente cristalina, y en otras ocasiones se detenía entre los rumorosos juncos a contemplar el gran bosque sombrío de la otra orilla, cuyos árboles descendían hasta el borde del agua. En anteriores sueños había visto salir tímidamente de aquel bosque extraños y torpes buopoths, que iban a beber en el río, pero en aquellos momentos no vislumbró ninguno. De vez en cuando se detenía a observar cómo un pez carnívoro atrapaba un pájaro pescador, al cual atraía al agua mostrando sus tentadoras escamas al sol, y lo agarraba por el pico con su boca enorme mientras el alado cazador intentaba lanzarse sobre él.

Al declinar la tarde, Carter subió a una pequeña elevación cubierta de hierba y vio cómo brillaban a la luz del crepúsculo las mil agujas doradas de los campanarios de Thran. Las murallas de alabastro de aquella increíble ciudad son más altas de lo que nadie podría creer, inclinándose hacia dentro cerca de la cima, y están construidas de una sola pieza nadie sabe cómo, pues son más antiguas que la memoria. Aun siendo tan altas con sus cien puertas y doscientos torreones, más altas todavía son las torres que se apiñan en su interior, completamente blancas bajo sus agujas doradas; de modo que los hombres de la planicie circundante las ven elevarse hasta el cielo, unas veces brillando claramente, otras con las cumbres cubiertas por una maraña de nubes y nieblas, o nubladas por la parte de abajo con sus mayores pináculos resplandeciendo por encima de los vapores. Y donde las puertas de Thran se abren sobre el río hay grandes muelles de mármol, donde están anclados engalanados galeones de aromático cedro y palisandro que se mecen suavemente, y misteriosos marineros barbudos están sentados en toneles y balas que llevan jeroglíficos de lugares lejanos. Tierra adentro, más allá de las murallas, se extienden las tierras de cultivo, donde dormitan diminutos *cottages* blancos entre pequeños cerros, y caminos estrechos con muchos puentes de piedra serpentean airosamente entre ríos y jardines.

Carter atravesó aquella fértil tierra por la tarde, y vio que el crepúsculo subía flotando desde el río a los maravillosos chapiteles dorados de Thran. Y justo al anochecer llegó a la puerta meridional, donde un centinela vestido de rojo no le dejó pasar hasta que le hubo contado tres sueños inverosímiles, demostrando que era un soñador digno de caminar por las misteriosas calles empinadas de Thran y de entretenerse en los bazares donde se vendían las mercancías de los engalanados galeones. Luego entró en aquella increíble ciudad a través de una puerta en una muralla tan gruesa que en realidad era un túnel, y más tarde siguió por ondulantes pasajes curvos, profundos y estrechos, que serpenteaban entre torres que apuntaban al cielo. Brillaban luces en las ventanas enrejadas y en los balcones, y una vacilante música de laúdes y flautas salía furtivamente de los patios interiores, donde fluían mansamente fuentes de mármol. Carter conocía el camino y se abrió paso a través de calles oscuras hasta el río, donde en una vieja taberna de marineros encontró a los capitanes y marineros que había conocido en muchos otros sueños. Allí compró un pasaje para ir a Celephaïs, a bordo de un gran galeón verde, y se quedó a pasar la noche después de hablar seriamente con el venerable gato de aquella posada, que dormitaba delante de un enorme fuego de chimenea y soñaba con viejas guerras y dioses olvidados.

A la mañana siguiente, Carter embarcó en el galeón con destino a Celephaïs y se sentó a proa mientras largaban amarras, y empezó la larga travesía hacia el Mar Cereneriano. Durante muchas leguas, las riberas eran poco más o menos como las de Thran, viéndose de vez en cuando algún curioso templo erigido en lo alto de las colinas más lejanas de la margen derecha, y algún pueblecito somnoliento pegado a la orilla, con empinados tejados rojos y redes tendidas al sol. Consciente de su búsqueda, Carter interrogó a fondo a todos los marineros sobre la clase de gente que había encontrado en las tabernas de Celephaïs, preguntándoles por los nombres y las costumbres de aquellos hombres extraños de ojos rasgados y estrechos, orejas de grandes lóbulos, nariz fina y barbilla puntiaguda, que venían del norte en misteriosos barcos y cambiaban ónice por figuritas de jade, hilo de oro y rojos pajarillos cantores de Celephaïs. De tales gentes los marineros no sabían gran cosa, salvo que raras veces hablaban y que en torno a ellos flotaba una especie de temor.

Su país, muy lejano, se llamaba Inganok, y no eran muchos los que querían ir allí, porque se trataba de una tierra fría y crepuscular que, según dicen, está cerca de la poco grata Leng; aunque altas e infranqueables montañas se elevan en el lado donde se supone que está Leng, de modo que nadie podría decir con seguridad que aquella nefasta meseta, con sus horribles pueblecitos de piedra y sus indescriptibles monasterios, esté realmente allí; o si el rumor es sólo consecuencia del temor que la gente pusilánime siente por la noche, cuando la negra silueta de aquella formidable barrera de picos se recorta contra la luna recién salida. Desde luego se podía llegar a Leng desde muy diferentes océanos. Pero aquellos marineros no sabían nada de las demás fronteras de Inganok, ni habían oído hablar del yermo helado y la ignota Kadath salvo en relatos imprecisos e ilocalizables. Y de la maravillosa ciudad del crepúsculo que Carter buscaba, no sabían nada en absoluto. De modo que el viajero no hizo más preguntas sobre cosas tan remotas, sino que esperó el momento oportuno hasta poder hablar de la fría y crepuscular Inganok con aquellos hombres extraños, que son descendientes de los dioses cuyas facciones están talladas en el monte Ngranek.

A última hora del día, el galeón llegó a los meandros del río que atraviesan las perfumadas junglas de Kled. Allí quería Carter haber desembarcado, pues en aquellas marañas tropicales duermen maravillosos palacios de marfil, solitarios e intactos, donde un día moraron los fabulosos monarcas de un país cuyo nombre se ha olvidado. Los sortilegios de los Mayores mantienen aquellos lugares intactos e inalterables, pues está escrito que algún día pueden volver a necesitarlos; y las caravanas de elefantes los han vislumbrado desde lejos, a la luz de la luna, aunque nadie se atreve a acercarse mucho a ellos a causa de los guardianes que velan por su integridad. Pero el barco siguió avanzando, y la oscuridad acalló el bullicio del día, y las primeras estrellas parpadearon en respuesta a las primeras luciérnagas de las orillas, mientras la jungla iba desapareciendo a sus espaldas, dejando únicamente su fragancia como un recuerdo de lo que había sido. Y durante toda la noche el galeón se dejó llevar por la corriente y dejó atrás misterios desconocidos e insospechados. Un vigía anunció una vez la presencia de hogueras en los cerros del este, pero el soñoliento capitán dijo que era mejor no mirar mucho, ya que no se sabía muy bien quién o qué las habría encendido.

Por la mañana, el río se había ensanchado enormemente y Carter comprendió, por las casas que se alineaban en las orillas, que estaban cerca de la gran ciudad comercial de Hlanith, en el Mar Cereneriano. Allí las murallas eran de duro granito, y las casas increíblemente puntiagudas con brillantes aguilones enlucidos. Los habitantes de Hlanith se parecen más a los del mundo vigil que a cualquier otro del país de los sueños; de modo que nadie acude a la ciudad salvo para hacer trueques, aunque es apreciada por el sólido trabajo de sus artesanos. Los muelles de Hlanith son de madera de roble y allí amarró el galeón mientras el capitán comerciaba en las tabernas. Carter también desembarcó y miró con curiosidad las calles con rodadas, donde las carretas de bueyes avanzaban a trompicones y febriles vendedores vociferaban neciamente sus mercancías en los bazares. Todas las tabernas marineras estaban cerca de los muelles, en callejuelas adoquinadas salpicadas de salitre por la espuma de las pleamares, y parecían sumamente antiguas, con sus bajos techos de vigas ennegrecidas y sus ventanas de verdosos cristales abombados. Los viejos marineros que frecuentaban aquellas tabernas hablaban mucho de lejanos puertos y contaban muchas historias sobre los curiosos habitantes de la crepuscular Inganok, aunque tenían poco que añadir a lo que ya le habían relatado los tripulantes del galeón. Hasta que finalmente, después de mucha carga y descarga, el barco zarpó de nuevo hacia el mar crepuscular, y las altas murallas y aguilones de Hlanith se fueron haciendo más pequeños mientras la última luz dorada del día les confería un aspecto maravilloso y una belleza que superaba a la que los hombres le habían dado.

Dos noches y dos días navegó el galeón por el Mar Cereneriano, sin avistar tierra y sin comunicarse más que con otro barco. El segundo día, próximo ya el ocaso, surgió a proa el nevado pico de Aran con sus bajas laderas cubiertas de cimbreantes ginkgos[29], y Carter se dio cuenta de que estaban llegando al país de Ooth-Nargai y a la maravillosa ciudad de Celephaïs. Enseguida aparecieron los relucientes minaretes de aquella fabulosa ciudad, y las murallas de mármol impoluto con sus estatuas de bronce, y el gran puente de piedra donde el Naraxa se junta con el mar. Luego surgieron las suaves colinas verdes que se alzan detrás de la ciudad, con sus arboledas y jardines de asfódelos, y los pequeños santuarios y *cottages;* y al fondo, a lo lejos, la purpúrea cordillera de los Cerros Tanarianos, poderosa y mística, más allá de la cual están los caminos prohibidos que conducen al mundo vigil y a otras regiones del sueño.

El puerto estaba lleno de galeras pintadas, algunas de las cuales procedían de la marmórea ciudad coronada de nubes de Serannian[30], situada en los espacios etéreos, más allá de donde el mar se junta con el cielo, y otras venían de partes más sustanciosas del país de los sueños. El timonel se coló entre ellas hasta llegar a los muelles de especias fragantes, donde el galeón atracó en plena oscuridad, mientras las innumerables luces de la ciudad comenzaban a centellear sobre el agua. Siempre nueva parecía esta inmortal ciudad quimérica, pues allí el tiempo no tiene poder para deslustrar o destruir. La turquesa de Nath-Horthath sigue estando como siempre ha estado, y los ochenta sacerdotes coronados de orquídeas son los mismos que la edificaron hace diez mil años. Todavía brilla el bronce de sus grandes puertas, y tampoco se han gastado ni deteriorado sus aceras de ónice. Y las grandes estatuas de bronce que adornan sus murallas contemplan desde las alturas a unos mercaderes y conductores de camellos más viejos que las fábulas, aunque sin una sola cana en sus barbas bífidas.

Carter no buscó de inmediato ni el templo, ni el palacio, ni la ciudadela, sino que se quedó junto a la muralla que da al mar, entre comerciantes y marineros. Y cuando se hizo demasiado tarde para escuchar rumores y relatos, buscó una antigua taberna que conocía bien y descansó soñando con los dioses de la ignota Kadath que andaba buscando. Al día siguiente, indagó en los muelles en busca de alguno de aquellos misteriosos marineros de Inganok, pero le dijeron que en aquellos momentos ninguno estaba en el puerto, que sus galeras procedentes del norte no fondearían por lo menos en dos semanas. Encontró, sin embargo, a un marinero thorabonio que había estado en Inganok y había trabajado en las canteras de ónice de aquella ciudad crepuscular; y ese marinero le dijo que, ciertamente, había un declive al norte de la región habitada que todo el mundo parecía temer y evitar. El thorabonio opinaba que ese desierto rodeaba las últimas estribaciones de los infranqueables picos de la horrible meseta de Leng, y que ése era el motivo por el que los hombres lo temían; aunque admitió que existían otras imprecisas habladurías acerca de presencias malignas e innominados centinelas. No podía decir si aquél era el fabuloso desierto en el que se halla la ignota Kadath; pero parecía poco probable que tales presencias y centinelas, si en efecto existían realmente, estuvieran allí en balde.

Al día siguiente, Carter subió por la Calle de las Columnas hasta el templo de turquesa y habló con el sumo sacerdote. Aunque Nath-Horthath es venerado sobre todo en Celephaïs, en las plegarias diarias se mencionan a todos los Grandes; y el sacerdote está bastante versado en sus caprichos. Como hiciera Atal en la lejana Ulthar, le desaconsejó encarecidamente que intentara verlos; declaró que son irritables y caprichosos, y están sujetos a la extraña protección de los estúpidos Otros Dioses del Exterior, cuya alma y mensajero es Nyarlathotep, el caos reptante. El celo con que ocultaban la maravillosa ciudad del crepúsculo mostraba claramente que no querían que Carter llegara a ella, y era dudoso cómo recibirían a un forastero cuyo objetivo era verlos e implorarlos. Ningún hombre había encontrado nunca Kadath en el pasado, y podría ser también que nadie la encontrara en el futuro. Los rumores que corrían acerca de aquel castillo de ónice de los Grandes no eran ni mucho menos tranquilizadores.

Después de agradecer al sumo sacerdote coronado de orquídeas, Carter abandonó el templo en busca del bazar donde se vendía carne de oveja, pues allí vivía lustroso y contento el anciano jefe de los gatos de Celephaïs. Aquel ser gris y digno tomaba el sol tumbado en la acera de ónice, y al acercarse el visitante le tendió una pata con gesto lánguido. Pero cuando Carter repitió las contraseñas y cartas de presentación que le había proporcionado el viejo general felino de Ulthar, el peludo patriarca se volvió muy cordial y comunicativo; y le contó muchos de los saberes ocultos que conocen los gatos de las laderas de Ooth-Nargai que dan al mar. Y lo mejor de todo, repitió lo que le habían contado a hurtadillas los huraños gatos del puerto de Celephaïs sobre los hombres de Inganok, en cuyos sombríos barcos ningún gato quiere ir.

Parece que aquellos hombres están rodeados de un aura que no es de este mundo, aunque no es ése el motivo por el que ningún gato quiere navegar en sus barcos. El verdadero motivo es que Inganok alberga sombras que ningún gato puede aguantar, de modo que en todo aquel frío territorio crepuscular nunca se oye un maullido alentador ni un ronroneo familiar. Nadie sabría decir si es a causa de las criaturas que flotan por encima de los infranqueables picos de la hipotética Leng, o de las que se infiltran desde el frío desierto del norte; pero es un hecho que en aquellas tierras lejanas hay como una emanación del espacio exterior que no les gusta a los gatos, a la cual son más sensibles que los hombres. Por esa razón no quieren embarcarse en los sombríos barcos que zarpan rumbo a los muelles de basalto de Inganok.

El anciano jefe de los gatos también le dijo dónde encontrar a su amigo el rey Kuranes, que en los últimos sueños de Carter había reinado alternativamente en el Palacio de las Setenta Delicias de Celephaïs, de cuarzo rosa, y en el castillo con torreones y coronado de nubes de Serannian, que flota en el cielo. Al parecer, ya no encontraba satisfacción en aquellos lugares, sino que sentía una enorme añoranza por los acantilados ingleses y por las tierras bajas de su niñez, donde en pueblecitos de ensueño se oyen por las noches antiguas canciones inglesas tras las ventanas enrejadas, y donde grises campanarios atisban tras el verdor de los valles lejanos. No podía volver a aquellas cosas del mundo vigil porque su cuerpo había muerto; pero se había aproximado lo más que había podido y había soñado con una pequeña extensión de

dicho país en la región este de la ciudad, donde los prados se extienden airosamente desde los acantilados hasta el pie de los Cerros Tanarianos. Allí moraba en una mansión gótica de piedra gris que daba al
mar, y trataba de imaginarse que era la antigua Trevor Towers, donde
él nació y trece generaciones de antepasados habían visto la luz por vez
primera. Y en la costa vecina había edificado un pueblecito pesquero
como los de Cornualles, de empinadas calles adoquinadas, y había
instalado en él a gentes con rasgos marcadamente ingleses, a las que
procuró enseñar el querido y añorado acento de los viejos pescadores
de aquel condado británico. Y en un valle no muy lejano había erigido
una gran abadía normanda, cuya torre podía ver desde su ventana, y
en el camposanto que la rodeaba había puesto lápidas grises con los
nombres de sus antepasados grabados, recubiertas de musgo parecido
al de la vieja Inglaterra. Pues aunque Kuranes fue monarca del país de
los sueños, y gozó a su antojo de la supuesta pompa y de las maravillas, magnificencias y bellezas, éxtasis y deleites, novedades y entusias-
mos, con mucho gusto habría renunciado para siempre a todo su
poder, lujo y libertad a cambio de volver a ser, por un bendito día, un
simple muchacho de aquella Inglaterra pura y tranquila, aquella antigua y amada Inglaterra que había modelado su ser y de la que siempre
sería parte inmutable.

De modo que cuando se despidió del viejo y canoso jefe de los
gatos, Carter no buscó el palacio colgante de cuarzo rosa, sino que salió
por la puerta oriental y atravesó los campos de margaritas en dirección
a un gablete puntiagudo que vislumbró entre los robles de un parque
que ascendía hasta los acantilados. Y en un momento llegó a un gran
seto y una verja, con una garita de ladrillo, y cuando hizo sonar la campana, no salió cojeando para franquearle el paso ningún untoso lacayo
uniformado, sino un viejo bajito y con una barba incipiente y blusón,
que intentó hablar lo mejor que pudo con el pintoresco acento de la
lejana Cornualles. Y Carter ascendió el sombreado sendero entre unos
árboles muy parecidos a los de Inglaterra, y subió a las terrazas entre
jardines dispuestos como en la época de la reina Ana[31]. En la puerta,
flanqueada por gatos de piedra al viejo estilo, fue recibido por un

mayordomo patilludo y con librea como era de esperar; y enseguida fue conducido a la biblioteca, donde Kuranes, Señor de Ooth-Nargai y del Cielo que rodea Serannian, meditaba sentado en una silla junto a la ventana, mientras contemplaba su pueblecito costero, deseando que entrase su antigua nodriza y le riñese porque no estaba listo para aquella aborrecible reunión campestre en casa del vicario, cuando el carruaje estaba ya esperando y su madre a punto de perder la paciencia.

Vestido con una bata semejante a las que los sastres londinenses pusieron de moda en su juventud, Kuranes se levantó con ansiedad e impaciencia para recibir a su invitado; pues apreciaba mucho la visión de un anglosajón procedente del mundo vigil, aun cuando se tratara de un sajón de Boston (Massachusetts) y no de Cornualles. Y hablaron durante mucho rato de los viejos tiempos, pues tenían mucho que decirse, ya que ambos eran inveterados soñadores, y muy versados en las maravillas y los lugares increíbles. Kuranes, desde luego, había estado en el vacío absoluto, más allá de las estrellas, y se decía que era el único que había regresado cuerdo de semejante viaje.

Finalmente, Carter sacó a colación el objeto de su búsqueda y le hizo a su anfitrión las preguntas que había hecho a tantos otros. Kuranes no sabía dónde se encontraba Kadath, ni la maravillosa ciudad del crepúsculo; pero sabía que los Grandes eran criaturas muy peligrosas para salir en su busca, y que los Otros Dioses tenían extrañas formas de protegerlos de la impertinente curiosidad. Había aprendido mucho acerca de los Otros Dioses en las lejanas regiones del espacio, especialmente en una región donde la forma no existe y donde los gases de colores estudian los secretos más recónditos. El gas violeta S'ngac le había contado cosas terribles del caos reptante Nyarlathotep, y le había aconsejado que no se acercara nunca al vacío central donde el sultán de los demonios Azathoth roe ávidamente en la oscuridad. En suma, no era conveniente meterse con los Otros Dioses; y si ellos cerraban una y otra vez cualquier acceso a la maravillosa ciudad del crepúsculo, lo mejor sería no buscar esa ciudad.

Kuranes dudaba además de que su invitado pudiera sacar provecho alguno de llegar a la ciudad, aunque consiguiera hacerlo. Él también había soñado y suspirado durante muchos años por la encantadora Celephaïs y el país de Ooth-Nargai, y por la libertad, el colorido y la sublime experiencia de una vida exenta de ataduras, de convencionalismos y estupideces. Pero ahora que había llegado a aquella ciudad y a aquel país, y era el rey del mismo, comprobaba que la libertad y la viveza se agotaban demasiado pronto, volviéndose monótonas por falta de acoplamiento con lo que hay de más sólido en los sentimientos y los recuerdos. Era rey de Ooth-Nargai, pero no le encontraba sentido a eso, y se inclinaba siempre por las cosas conocidas de Inglaterra que habían marcado su juventud. Daría todo su reino por volver a escuchar el repicar de campanas de las iglesias de Cornualles por encima de las lomas, y los mil minaretes de Celephaïs a cambio de los sencillos tejados empinados del pueblo cercano a su casa. De modo que dijo a su invitado que probablemente la desconocida ciudad del crepúsculo no le proporcionaría lo que buscaba, y que tal vez valdría más que siguiera siendo un sueño maravilloso y semiolvidado. Pues había visitado con frecuencia a Carter en los viejos tiempos de su época vigil, y conocía muy bien las encantadoras laderas de Nueva Inglaterra que le vieron nacer.

Estaba seguro de que, al final, el buscador únicamente echaría de menos los primeros escenarios recordados: el fulgor de Beacon Hill al atardecer, los altos campanarios y las tortuosas y empinadas calles de la pintoresca Kingsport, los vetustos tejados con cubierta a la holandesa de la antigua y embrujada Arkham, las benditas millas de praderas y valles con sus tapias de piedra formando meandros, y los blancos tejados a dos aguas de los *cottages* asomando entre las enramadas de verdura. Todo esto le contó a Randolph Carter, pero el buscador persistió no obstante en su propósito. Y al final se separaron, cada uno con su propia convicción, y Carter regresó a Celephaïs, atravesó la puerta de bronce y bajó por la Calle de las Columnas hasta la vieja muralla junto al mar, donde volvió a hablar con los marineros procedentes de parajes remotos, y aguardó a que llegara el sombrío barco de la fría y crepuscular Inganok, cuyos marineros y mercaderes de ónice tienen extraños semblantes y llevan en sus venas sangre de los Grandes.

Una noche estrellada en que el Faro[32] brillaba esplendoroso sobre el puerto hizo escala el ansiado barco, y los tripulantes y mercaderes de extraños rostros aparecieron de uno en uno o por grupos en las viejas tabernas que se extienden a lo largo del rompeolas. Resultaba apasionante volver a ver aquellos rostros cuyos rasgos eran tan parecidos a los de los semblantes divinos tallados en el Ngranek, pero Carter no se dio prisa en hablar con aquellos silenciosos marineros. No sabía cuánto orgullo, discreción y vaga memoria superna podían almacenar aquellos hijos de los Grandes, pero estaba seguro de que no sería prudente hablarles de su búsqueda ni preguntar con demasiada insistencia por aquel yermo helado que se extiende al norte de su país crepuscular. Hablaban poco con los demás parroquianos de aquellas viejas tabernas portuarias; pero se reunían en grupos en los rincones más remotos y cantaban entre ellos inolvidables tonadas de lugares desconocidos, o se recitaban unos a otros largos relatos en tono monótono y con acentos distintos al del resto del país de los sueños. Y tan raras y conmovedoras eran aquellas canciones y narraciones, que se podía adivinar las maravillas que encerraban por el rostro de los que escuchaban, aunque las letras no fueran para los oídos profanos más que extrañas cadencias y desconocidas melodías.

Durante una semana los extraños marineros se entretuvieron en las tabernas y comerciaron en los bazares de Celephaïs; y antes de que zarparan, Carter ya había tomado un pasaje en su sombrío barco, diciéndoles que era un minero con experiencia en minas de ónice y deseaba trabajar en sus canteras. El barco era muy bonito y estaba hábilmente trabajado en madera de teca con accesorios de ébano y tracerías de oro, y el camarote en que se alojaba el pasajero tenía cortinajes de seda y terciopelo. Una mañana, al cambiar la marea, izaron las velas, levaron anclas y, mientras estaba de pie en lo alto de la popa, Carter vio hundirse en la distancia las murallas, las estatuas de bronce y los dorados minaretes, resplandecientes por los primeros rayos del sol, de la eterna Celephaïs, y el pico nevado del Monte Aran se hizo cada vez más pequeño. Hacia el mediodía no tenían a la vista más que el azul discreto del Mar Cereneriano y, a lo lejos, una galera pintada que se dirigía a aquel reino de Serannian, colgado entre nubes, donde el mar se junta con el cielo.

Y llegó la noche con sus brillantes estrellas, y el sombrío barco puso proa al Carro Mayor y la Osa Menor, que giraban lentamente alrededor del polo. Y los marineros cantaron extrañas canciones de lugares desconocidos, y luego se marcharon a hurtadillas, uno por uno, al castillo de proa, mientras los nostálgicos vigías murmuraban viejos cánticos y se inclinaban sobre la barandilla para contemplar cómo jugaban bajo el agua los peces luminosos junto al ancla de leva. Carter se durmió a medianoche y, al levantarse con los primeros arreboles de la mañana, observó que el sol parecía hallarse mucho más al sur que de costumbre. Y durante todo aquel segundo día hizo progresos en cuanto a su trato con los tripulantes, logrando poco a poco que le hablaran de su frío país crepuscular, de su exquisita ciudad de ónice y de su temor a las elevadas e infranqueables cumbres, más allá de las cuales, dicen, se encuentra Leng. Le dijeron cuánto lamentaban que ningún gato quisiera vivir en el país de Inganok y que, en su opinión, la desconocida proximidad de Leng tenía la culpa. De lo único que no hablaron fue del desierto pétreo del norte. Había algo inquietante en torno a aquel desierto, y les parecía más conveniente no admitir su existencia.

En días posteriores hablaron de las canteras en las que Carter decía que iba a trabajar. Había muchas, pues toda la ciudad de Inganok estaba construida de ónice, aunque los grandes bloques pulidos de ese material los compraban en los mercados de Rinar, Ogrothan y Celephaïs, o en su propio país a mercaderes de Thraa, Ilarnek y Kadatheron[33], a cambio de bellas mercancías procedentes de aquellos fabulosos puertos. Y muy al norte, casi en el frío desierto cuya existencia no les importaba admitir a los hombres de Inganok, había una cantera que no se usa, mucho más grande que todas las demás, de la que habían labrado en tiempos inmemoriales bloques tan enormes, que la visión de sus huecos abiertos a golpe de cincel sobrecogían de terror al que los contemplaba. Nadie sabría decir quién había extraído aquellos bloques increíbles, ni adónde habían sido transportados; pero se creía que era mejor no perturbar aquella cantera, en torno a la cual cabía la posibilidad de que persistieran recuerdos inhumanos. De modo que la dejaron abandonada en el crepúsculo, y sólo el cuervo y el famoso pájaro shantak anidan en sus inmensidades. Cuando Carter oyó hablar de esa cantera, se sumió en profundas reflexiones, pues sabía por viejas leyendas que el castillo de los Grandes situado encima de Kadath es de ónice.

Cada día el sol daba vueltas a más baja altura en el cielo, y las brumas de encima se hacían más espesas. Y al cabo de dos semanas ya no había luz solar, sólo una fantasmagórica penumbra grisácea que se filtraba a través de una cúpula de nubes eternas durante el día, y por la noche una fría fosforescencia sin estrellas procedente del borde inferior de aquellas mismas nubes. Al vigésimo día avistaron a lo lejos en el mar una gran roca serrada, la primera tierra que vislumbraban desde que la nevada cumbre de Aran se había desvanecido detrás del barco. Carter preguntó al capitán el nombre de aquella roca, pero le dijeron que no tenía nombre y que ningún barco se había dirigido allí nunca a causa de los ruidos que salían de ella durante la noche. Y cuando, después de anochecer, un incesante aullido sordo salió de aquella roca serrada de granito, el viajero se alegró de que no hubieran hecho escala, y de que la roca no tuviera nombre. Los marineros rezaron y cantaron hasta quedar fuera del alcance del ruido, y de madrugada Carter tuvo terribles sueños dentro de otros.

Dos mañanas después apareció a lo lejos a proa, hacia el oeste, una fila de grandes montañas grises cuyas cimas se perdían entre las invariables nubes de aquel mundo crepuscular. Y al verlas, los marineros entonaron alegres canciones y algunos se arrodillaron sobre cubierta para rezar; de manera que Carter comprendió que estaban llegando al país de Inganok, y que pronto atracarían en los muelles de basalto de la gran ciudad que llevaba el nombre del país. Hacia el mediodía apareció un sombrío litoral, y antes de las tres se destacaron hacia el norte las cúpulas bulbosas y las fantásticas agujas de la ciudad de ónice. Rara y curiosa, aquella ciudad arcaica se alzaba sobre sus murallas y muelles, toda ella de un delicado color negro, con volutas, estrías y arabescos de oro incrustado. Las casas eran altas y tenían muchas ventanas, y sus fachadas estaban adornadas con flores esculpidas y motivos cuya enigmática simetría deslumbraba los ojos por su belleza más conmovedora que la luz. Algunas estaban rematadas con turgentes cúpulas que se afilaban hasta terminar en punta, otras con pirámides escalonadas sobre las que se elevaban minaretes apiñados que mostraban todo un despliegue de novedades y de imaginación. Las murallas eran bajas y las atravesaban numerosas puertas, cada una de las cuales se abría bajo un gran arco que se elevaba por encima del nivel del propio muro, coronado por la cabeza de un dios, tallada con la misma habilidad que mostraba el monstruoso rostro del lejano Ngranek. En una colina del centro se alzaba una torre de dieciséis lados, mayor que todas las demás, y cuyo campanario terminado en un alto pináculo descansaba sobre un domo achatado. Ése era, dijeron los marineros, el Templo de los Mayores, gobernado por un anciano sumo sacerdote oprimido por tantos secretos ocultos.

De vez en cuando, el tañido de una extraña campana estremecía la ciudad de ónice, y era contestado cada vez por un sonido de música mística, compuesto de trompas, violas y voces cantoras. Y de una fila de trípodes que se alineaban en una galería que rodeaba la alta cúpula del templo, brotaban llamaradas de fuego en ciertos momentos; pues los sacerdotes y los habitantes de aquella ciudad estaban al tanto de los primitivos misterios, y observaban fielmente los ritmos de los Grandes, tal como se exponen en pergaminos más antiguos que los Manuscritos Pnakóticos. Cuando el barco pasaba por delante del gran rompeolas de basalto para entrar en el puerto, los ruidos menores de la ciudad empezaron a hacerse evidentes, y Carter vio esclavos, marineros y mercaderes por los muelles. Los marineros y los mercaderes eran de la misma raza de extraño rostro de los dioses, pero los esclavos eran achaparrados, de ojos achinados y, por lo que se decía, habían venido sin rumbo fijo desde los valles del otro lado de Leng, atravesando de algún modo o rodeando la infranqueable cadena de montañas. Los muelles llegaban hasta bastante fuera de las murallas de la ciudad, y en ellos se amontonaba toda clase de mercancías de las galeras allí ancladas, mientras que en uno de sus extremos había grandes montones de ónice, tallado o sin tallar, en espera de ser embarcados con destino a los lejanos mercados de Rinar, Ogrothan y Celephaïs.

Todavía no había anochecido cuando el sombrío barco atracó junto a un muelle de piedra que sobresalía, y todos los marineros y mercaderes desembarcaron y entraron en la ciudad a través de la puerta con arco. Las calles de la ciudad estaban pavimentadas con ónice, y algunas eran amplias y rectas, mientras que otras eran tortuosas y estrechas. Las casas cercanas al mar eran más bajas que el resto, y encima de sus portales con curiosos arcos tenían ciertos símbolos de oro en honor, decían, de los pequeños dioses que las protegían. El capitán del barco llevó a Carter a una vieja taberna donde se congregaban marineros de países exóticos, y le prometió que al día siguiente le mostraría las maravillas de aquella ciudad crepuscular, y le llevaría a las tabernas que frecuentaban los mineros que trabajaban el ónice junto a la muralla del norte. Y cayó la noche, y se encendieron las pequeñas farolas de bronce, y los marineros de aquella taberna entonaron canciones de lugares remotos. Pero cuando desde su alta torre la gran campana estremeció a toda la ciudad, y el sonido de las trompas, las violas y las voces se elevó en enigmática respuesta, todos dejaron de cantar o contar historias y se inclinaron en silencio hasta que el último eco se desvaneció. Pues ésa es una de las rarezas y prodigios de la ciudad crepuscular de Inganok, cuyos habitantes temen ser negligentes con sus ritos, no sea que la perdición y la venganza les aceche de manera inesperada.

En un rincón envuelto en sombras de aquella taberna Carter vio una silueta achaparrada que no le gustó, pues se trataba indudablemente de aquel viejo mercader de ojos achinados que había visto hacía tanto tiempo en las tabernas de Dylath-Leen, que según decían comerciaba con los horribles pueblos de piedra de Leng, que ninguna persona en su sano juicio visita, y cuyos perversos fuegos se ven por la noche desde muy lejos, e incluso que tenía tratos con aquel gran sacerdote que no se debe describir, el cual lleva una máscara de seda sobre el rostro y vive completamente solo en un prehistórico monasterio de piedra. Al parecer los ojos de aquel hombre habían mostrado una curiosa chispa de complicidad cuando Carter preguntó a los mercaderes de Dylath-Leen acerca del yermo helado y la ciudad de Kadath; y de una forma u otra, su presencia en la sombría y encantada Inganok, tan cerca de las maravillas del norte, no era tranquilizadora. Desapareció por completo de la vista antes de que Carter pudiera hablarle, y los marineros dijeron más tarde que había llegado en una caravana de yacs procedente de algún lugar indeterminado, y que llevaba enormes y sabrosísimos huevos de los famosos pájaros shantak para cambiarlos por las copas de jade hábilmente talladas que los mercaderes traían de Ilarnek.

A la mañana siguiente, el capitán del barco llevó a Carter por las calles de ónice de Inganok, oscuras bajo su cielo crepuscular. Las puertas taraceadas y las fachadas adornadas con frescos, los balcones labrados y los miradores acristalados, resplandecían con una belleza melancólica y refinada; y de vez en cuando se extendía ante ellos una plaza con pilares negros, columnatas y estatuas de extraños seres, a la vez humanos y fabulosos. Algunas de las perspectivas de calles largas y rectas o de callejones laterales, así como de cúpulas bulbosas, agujas de campanario y tejados cubiertos de arabescos, eran misteriosas y bellas hasta lo indecible; pero nada igualaba la magnificencia de la maciza mole del gran templo central de los Mayores, con sus dieciséis caras esculpidas, su domo achatado y su elevado campanario acabado en punta, que descollaba entre todos los demás edificios, majestuoso desde cualquier ángulo. Y siempre hacia el este, mucho más allá de las murallas de la ciudad y de las leguas de pastizales, se elevaban las desoladas laderas grises de aquellos picos infranqueables que no tienen cima, detrás de los cuales, se decía, estaba la espantosa Leng.

El capitán condujo a Carter a aquel enorme templo con su jardín tapiado situado en una gran plaza circular de donde parten las calles como del cubo de una rueda. Las siete puertas del jardín, con sus elevados arcos, cada uno de ellos rematado por un rostro esculpido como los de las puertas de la ciudad, están siempre abiertas; y la gente pasea respetuosamente a su conveniencia por los senderos embaldosados y a través de las pequeñas sendas flanqueadas de grotescos mojones y de altares consagrados a dioses menores. Y hay surtidores, estanques y fuentes de ónice, donde se refleja el habitual resplandor de los trípodes que arden en la terraza de arriba, y en ellos hay pececillos luminosos capturados por los clavadistas en las profundidades del océano. Cuando el grave tañido del campanario del templo estremece el jardín y la ciudad, y la respuesta de trompas, violas y voces resuena en las siete garitas que flanquean las verjas del jardín, salen de las siete puertas del templo largas columnas de sacerdotes vestidos de negro, enmascarados y encapuchados, llevando en las manos grandes cuencos dorados de los que asciende un extraño vapor. Y las siete columnas caminan en fila de a uno contoneándose de una forma rara, con las piernas muy estiradas hacia delante y sin doblar las rodillas, a lo largo de los senderos que conducen a las siete garitas, donde desaparecen y ya no vuelven a aparecer. Se dice que unos pasadizos subterráneos comunican las garitas con el templo, y que las largas filas de sacerdotes regresan a través de ellos; y se rumorea también que hay un tramo bien guardado de escaleras de ónice que descienden hasta unos misterios de los que nunca se habla. Pero son muy pocos los que insinúan que los sacerdotes enmascarados y encapuchados no son humanos.

Carter no entró en el templo; porque a nadie le está permitido hacerlo salvo al rey Velado. Pero antes de abandonar el jardín llegó la hora de la campana, y oyó su tembloroso y ensordecedor tañido por encima de su cabeza, y el lamento en voz alta de trompas, violas y cánticos que provenía de las garitas que estaban junto a las puertas. Y por los siete grandes paseos comenzaron a desfilar con paso majestuoso las largas filas de sacerdotes portadores de cuencos con sus raros andares, provocando un miedo en el viajero que no es corriente que dé ningún sacerdote humano. Cuando hubo desaparecido el último de ellos, Carter abandonó aquel jardín, fijándose al hacerlo en una mancha que había caído en el pavimento al pasar los cuencos. Ni siquiera al capitán le gustó aquella mancha, y le metió prisa para que fuera a la colina donde se alza el maravilloso palacio de múltiples cúpulas del rey Velado.

Los caminos que conducen al palacio de ónice son empinados y estrechos, salvo el ancho y curvo por donde el rey y sus acompañantes cabalgan sobre yacs o en carros tirados por esos bóvidos. Carter y su guía subieron por un paseo escalonado, entre muros con incrustaciones de extraños signos de oro, y por debajo de balcones y miradores donde a veces flotaban suaves compases de música o efluvios de exótica fragancia. Delante de ellos seguían surgiendo amenazadores aquellos muros titánicos, enormes contrafuertes, y enjambres de domos bulbosos por los que es famoso el palacio del rey Velado; y finalmente pasaron por debajo de un gran arco negro, y salieron a los jardines de recreo del monarca. Allí se detuvo Carter desfallecido ante tanta belleza; pues las terrazas de ónice y los paseos bordeados de columnas, los alegres arriates y los delicados árboles en flor arrimados a espaldera a doradas celosías, las urnas de bronce y los trípodes de ingeniosos bajorrelieves, las estatuas de mármol negro veteado casi animadas en sus pedestales, los estanques de fondo de basalto y las fuentes de azulejos con peces luminosos, los diminutos templetes llenos de iridiscentes pájaros cantores en lo alto de columnas esculpidas, las maravillosas volutas de las grandes puertas de bronce, y las enredaderas en flor guiadas por cada pulgada de los pulidos muros, se unían para formar un escenario cuyo encanto superaba cualquier realidad y resultaba casi fabuloso incluso en el país de los sueños. Todo relucía como en un sueño bajo aquel crepuscular cielo gris: al frente la magnificencia de los domos y las grecas del palacio con sus cúpulas y esculturas, y a la derecha la fantástica silueta de los lejanos picos infranqueables. Y los pajaritos y las fuentes no dejaban de cantar, mientras el perfume de exóticas flores se extendía como un velo por aquel increíble jardín. No había allí ninguna otra presencia humana, y Carter se alegró de que así fuese. Luego se volvieron y descendieron de nuevo por el callejón de peldaños de ónice, pues ningún visitante podía entrar al palacio; y no es conveniente mirar demasiado tiempo ni fijamente la gran cúpula central, pues se dice que alberga al arcaico ancestro de los famosos pájaros shantak, y que envía extraños sueños a los curiosos.

Después de eso, el capitán llevó a Carter al barrio norte de la ciudad, cerca de la Puerta de las Caravanas, donde están las tabernas que frecuentan los mercaderes de yacs y los mineros de ónice. Y allí, en una taberna de canteros, de techo bajo, se despidieron; pues al capitán lo reclamaban sus asuntos, mientras que Carter estaba deseando hablar con los mineros acerca de la región del norte. Había muchos hombres en aquella taberna, y el viajero no tardó mucho en hablar con alguno de ellos, diciendo que había sido minero de ónice y deseaba conocer algunos detalles de las canteras de Inganok. Pero no se enteró de mucho más de lo que ya sabía, pues los mineros eran tímidos y se mostraban evasivos con respecto al frío desierto del norte y a la cantera que ningún hombre visita. Tenían miedo de legendarios emisarios que venían de las montañas, donde se dice que está Leng, y de presencias malignas y desconocidos centinelas en el lejano norte entre las rocas dispersas. Y decían en voz baja que los famosos pájaros shantak no son criaturas saludables; y que, a decir verdad, es mejor que nadie los haya visto nunca realmente (pues aquel famoso ancestro de los shantak que habita en la cúpula real es alimentado en la oscuridad).

Al día siguiente, diciendo que deseaba inspeccionar por sí mismo las diferentes minas y visitar las granjas dispersas y los pintorescos pueblos de ónice de Inganok, Carter alquiló un yac y llenó completamente unas enormes alforjas de cuero para el viaje. Más allá de la Puerta de las Caravanas, el camino seguía en línea recta entre campos cultivados y muchas alquerías extrañas rematadas por cúpulas bajas. El buscador se detuvo en algunas de ellas a preguntar; en una ocasión encontró un anfitrión tan austero y reservado, y de una majestuosidad tan ilocalizable como la del enorme rostro del Ngranek, que tuvo la certeza de haberse tropezado por fin con uno de los Grandes en persona, o con alguien que, aun viviendo entre los hombres, llevaba por lo menos nueve décimas partes de su sangre. Y al dirigirse a aquel austero y reservado campesino, tuvo mucho cuidado en hablar muy bien de los dioses y en expresar su gratitud por todos los beneficios que le habían concedido.

Aquella noche Carter acampó en un prado al borde de la carretera, bajo un gran árbol lygath, al que ató el yac, y por la mañana reanudó su peregrinaje hacia el norte. Hacia las diez llegó al pueblo de Urg, de pequeñas cúpulas, en donde paran los mercaderes y los mineros cuentan sus historias, y se detuvo en sus tabernas hasta el mediodía. Allí es donde la gran ruta de las caravanas se desvía hacia el oeste en dirección a Selarn, pero Carter continuó hacia el norte por la ruta de las canteras. Durante toda la tarde siguió aquel camino ascendente, algo más estrecho que la gran carretera, que atravesaba una región con más rocas que campos cultivados. Y al atardecer, los cerros bajos a su izquierda se habían convertido en considerables precipicios negros, por lo que se dio cuenta de que estaba muy cerca de la cuenca minera. Durante todo aquel tiempo, las desoladas laderas de las infranqueables montañas se elevaban en la lejanía a su derecha, y cuanto más avanzaba, peores eran las cosas que oía decir de ellas a los diseminados granjeros, a los mercaderes y a los conductores de pesadas carretas cargadas de ónice con los que se cruzaba a lo largo del camino.

La segunda noche acampó a la sombra de un enorme risco negro, atando su yac a una estaca clavada en el suelo. Observó la gran fosforescencia de las nubes en aquel paraje septentrional, y más de una vez creyó ver recortarse contra ellas ciertas formas oscuras. Y a la tercera mañana apareció la primera cantera de ónice, y saludó a los hombres que trabajaban allí con picos y escoplos. Y antes de que anocheciera, había pasado por once canteras; el terreno había cambiado por completo y estaba formado por precipicios de ónice y peñascos, sin ninguna vegetación, sólo grandes fragmentos rocosos esparcidos por el suelo de tierra negra, con los infranqueables picos grises alzándose siempre a su derecha, desolados y siniestros. La tercera noche la pasó en un campamento de canteros, cuyos vacilantes fuegos arrojaban extraños reflejos sobre los pulidos riscos que se alzaban hacia el oeste. Y cantaron muchas canciones y contaron muchas historias, mostrando tan inesperados conocimientos acerca de los tiempos antiguos y las costumbres de los dioses, que Carter comprendió que conservaban muchos recuerdos latentes de sus antepasados los Grandes. Le preguntaron adónde se dirigía, advirtiéndole que no fuera demasiado hacia el norte; pero él contestó que estaba buscando nuevos riscos de ónice y que no se arriesgaría más de lo que es habitual entre los prospectores. Por la mañana se despidió de ellos y siguió internándose en el norte, cada vez más sombrío, donde le habían avisado de que encontraría la temida y nunca visitada cantera de la que unas manos más antiguas que las del hombre habían arrancado bloques prodigiosos. Pero no le gustó nada cuando, al volverse para decirles adiós por última vez, le pareció ver aproximarse al campamento a aquel achaparrado y escurridizo viejo mercader de ojos achinados, cuyo supuesto comercio con los habitantes de Leng era la comidilla en la lejana Dylath-Leen.

Después de dejar atrás dos canteras más, la parte habitada de Inganok pareció terminarse, y el camino se estrechó hasta convertirse en un empinado sendero de yacs, que discurría entre impresionantes precipicios negros. Siempre a la derecha se alzaban los desolados y lejanos picos y, a medida que Carter ascendía más y más en aquella región inexplorada, comprobó que todo se iba volviendo más oscuro y más frío. Pronto notó que no había huellas de pies ni de pezuñas en el sendero negro, y se dio cuenta de que había entrado, en efecto, en extraños caminos abandonados desde tiempos remotos. De vez en cuando un cuervo graznaba lejos por encima de él, y en ocasiones un aleteo detrás de alguna roca enorme le hacía pensar con inquietud en los famosos pájaros shantak. Pero por regla general se encontraba solo con su peluda montura y le preocupaba observar que su excelente yac era cada vez más reacio a avanzar, y estaba más predispuesto a resoplar asustado al menor ruido que se escuchase a lo largo de la ruta.

El sendero se estrechó de pronto entre relucientes paredes negras y comenzó a mostrar una pendiente todavía más pronunciada que antes. Era difícil mantener el equilibrio y a menudo el yac resbalaba en los fragmentos de piedras esparcidos en abundancia por todas partes. Al cabo de dos horas, Carter vio delante de él una cresta de contornos definidos, más allá de la cual no había más que un triste cielo gris, y alabó la perspectiva de encontrar un trecho llano o descendente. Llegar a aquella cresta, sin embargo, no era empresa fácil; pues el camino se había vuelto casi vertical, y resultaba peligroso a causa de la grava negra y las piedrecitas sueltas. Finalmente, Carter desmontó y condujo a su indeciso yac, empujando con todas sus fuerzas cuando el animal se negaba a seguir o tropezaba, y manteniendo el equilibrio lo mejor que podía. Luego, de pronto, llegó a la cima y, al mirar más allá, lo que vio le cortó la respiración.

El sendero seguía recto desde luego y, como antes, descendía ligeramente entre los mismos contornos de altas paredes naturales; pero a mano izquierda se abría un espacio monstruoso de muchos acres de extensión, de donde algún arcaico poder había cortado y arrancado los riscos de ónice originarios, formando una cantera de gigantes. Al otro lado del precipicio, se extendía aquel ciclópeo boquete, y mucho más abajo, en las entrañas de la tierra, se abrían sus excavaciones inferiores. No era una cantera abierta por los hombres, y en los flancos cóncavos quedaban oquedades de muchas yardas cuadradas de extensión, lo que daba una idea del tamaño de los bloques que hace tiempo fueron tallados por manos y cinceles anónimos. Arriba, por encima de su borde serrado, aleteaban y graznaban enormes cuervos, y vagos zumbidos en las ocultas profundidades delataban la presencia de murciélagos o urhags, o seres menos mencionables que frecuentan la negrura infinita. Carter se paró en aquel estrecho camino en penumbra, mirando el sendero rocoso que descendía ante él: a su derecha se elevaban altos despeñaderos de ónice hasta donde alcanzaba la vista; a su izquierda, altos precipicios tallados justo delante para formar aquella terrible cantera extraterrena.

De repente el yac lanzó un mugido y, escapando al control de Carter, lo dejó atrás de un salto y salió disparado, preso de pánico, hasta desaparecer por el estrecho declive hacia el norte. Las piedras proyectadas por sus veloces pezuñas cayeron por el borde de la cantera y se perdieron en la oscuridad, sin que se oyera ni un solo ruido al golpear el fondo; pero Carter ignoraba los peligros de aquel insuficiente sendero y echó a correr con la respiración entrecortada en pos de su veloz montura. No tardaron en reaparecer los riscos a la izquierda, estrechando una vez más el camino hasta convertirlo en una especie de callejón; y el viajero siguió subiendo en persecución del yac, cuyas huellas espaciadas daban una idea de lo desesperado de su huida.

Una vez creyó oír el ruido de cascos del asustado animal y, animado por ello, aceleró el paso. Seguía cubriendo millas y, poco a poco, el camino se iba ensanchando, hasta que comprendió que no tardaría mucho en surgir el frío y espantoso desierto del norte. Los desolados flancos grises de los infranqueables picos lejanos volvieron a hacerse visibles por encima de los despeñaderos a mano derecha, y frente a él aparecieron las rocas y peñascos de un espacio abierto que, con toda evidencia, anticipaba la sombría e ilimitada llanura. Y una vez más llegaron a sus oídos aquellos ruidos de cascos, con más claridad que antes, pero esta vez causándole terror en lugar de animarlo, porque se dio cuenta de que no eran las asustadas pisadas de su yac fugitivo. Aquel ruido de pisadas implacable y resuelto sonaba detrás de él.

La persecución de Carter en pos del yac se convirtió en una huida de algo invisible, pues, aunque no se atrevía a echar un vistazo por encima del hombro, sentía que la criatura que venía tras él no podía ser normal ni mencionable. Su yac debió haberla oído o presentido antes que él, y no le apetecía preguntarse si aquello le había estado siguiendo desde que abandonó aquel lugar frecuentado por mineros, o si había salido dando tumbos de aquel pozo negro de la cantera. Mientras tanto, los precipicios habían quedado atrás, de modo que la noche inminente cayó sobre él en medio de una gran extensión de arena y rocas espectrales, en la que todos los senderos habían desaparecido. No pudo encontrar las huellas de su yac, pero detrás de él seguía oyendo aquel detestable ruido de cascos, acompañado de cuando en cuando por lo que a él le parecía un aleteo y un zumbido titánicos. Le pareció evidente por desgracia que estaba perdiendo terreno, y se dio cuenta de que se había extraviado irremediablemente en aquel accidentado desierto maldito de rocas sin sentido y arenas inexploradas. Sólo aquellos remotos e infranqueables picos a su derecha le servían de punto de referencia, e incluso ellos eran cada vez menos claros, a medida que el gris crepúsculo declinaba y la pálida fosforescencia de las nubes ocupaba su lugar.

Entonces, hacia el norte cada vez más oscuro, entrevió confusamente entre las nubes algo terrible. Por un momento había creído que era una cadena de montañas negras, pero enseguida comprendió que se trataba de algo más. La fosforescencia de las inquietantes nubes las mostraba claramente, e incluso el resplandor de los vapores bajos que brillaban tras ellas enmarcaba en parte su silueta. No podía decir a qué distancia se encontraban, pero debían estar muy lejos. Tenían miles de pies de altura y se extendían formando un gran arco cóncavo desde los infranqueables picos grises a los inimaginables espacios hacia el oeste y, en efecto, había sido hace mucho una cordillera de enormes montañas de ónice. Pero aquellas montañas ya no eran tales, pues alguna mano más grande que las del hombre las había tocado. Se agazapaban silenciosas encima del mundo, como lobos o gules, coronadas de nubes y brumas, vigilando para siempre los secretos del norte. Agazapadas formando un gran semicírculo, aquellas montañas estaban talladas en forma de monstruosas estatuas al acecho cual perros guardianes con la pata derecha levantada en un gesto de amenaza contra el género humano.

No era más que la luz parpadeante de las nubes lo que hacía que sus dobles cabezas mitradas parecieran moverse, pero al seguir avanzando a trompicones, Carter vio levantarse de sus oscuras depresiones unas figuras cuyo movimiento no podía ser producto de la ilusión. Aquellas figuras aladas y silbantes se hacían más grandes por momentos, y el viajero se dio cuenta de que su marcha tocaba a su fin. No se trataba de pájaros ni murciélagos, como los que se conocen en otras partes de la tierra o en el país de los sueños, pues eran más grandes que un elefante y tenían cabeza de caballo. Carter comprendió que debían ser los pájaros shantak de funesta fama, y ya no se preguntó más qué malvados guardianes e indescriptibles centinelas hacían que los hombres evitaran el desierto rocoso de la región boreal. Y cuando se detuvo completamente resignado, se atrevió por fin a mirar atrás; y en efecto, venía al trote el achaparrado mercader de ojos achinados y nefasta leyenda, sonriendo burlonamente a horcajadas sobre un esmirriado yac y conduciendo una repugnante horda de maliciosos shantaks de cuyas alas todavía colgaban la escarcha y el salitre de los pozos infernales.

Aunque atrapado por las fabulosas pesadillas hipocéfalas y aladas que le acosaban formando a su alrededor grandes círculos infernales, Randolph Carter no perdió el conocimiento. Altas y horribles, aquellas gigantescas gárgolas se elevaban por encima de él, mientras el mercader de ojos achinados bajó de un salto de su yac y se puso a sonreír burlonamente al cautivo. Luego hizo un gesto a Carter para que montase uno de aquellos repugnantes shantaks, y le ayudó a subir al ver que se esforzaba por vencer su asco. Resultó difícil subir, pues los pájaros shantak tienen escamas en lugar de plumas, y dichas escamas son muy resbaladizas. Cuando se hubo sentado, el hombre de los ojos achinados saltó tras él, dejando que uno de los increíbles colosos alados se llevara a su esmirriado yac hacia el norte, al círculo de montañas esculpidas.

Lo que siguió a continuación fue un horroroso torbellino a través del espacio glacial, cada vez más arriba y hacia el este, en dirección a los desolados flancos grises de aquellas montañas infranqueables, más allá de las cuales se decía que se encuentra Leng. Volaron muy por encima de las nubes, hasta que por fin vieron debajo de ellos aquellas fabulosas cumbres que la gente de Inganok nunca ha visto, envueltas siempre en grandes vórtices de reluciente niebla. Carter las contempló con todo detalle cuando pasaron por encima de ellas, y en sus cumbres más altas vio unas cuevas que le recordaron las del Ngranek; pero no preguntó a su captor acerca de ellas, al darse cuenta de que tanto el hombre como el shantak de cabeza de caballo parecían temerlas de una manera extraña, apresurándose a pasarlas nerviosamente y mostrando una gran tensión hasta que las dejaron muy atrás.

El shantak descendió entonces un poco, descubriendo bajo un dosel de nubes una árida llanura gris en la que brillaban tenuemente pequeños fuegos muy diseminados. Según bajaban, aparecía de vez en cuando alguna cabaña solitaria de granito e inhóspitas aldeas de piedra en cuyas minúsculas ventanas brillaba una luz pálida. Y de aquellas cabañas y aldeas llegaba un estridente sonido de flautas y nauseabundos cascabeleos de crótalos, lo que demostraba inmediatamente que la gente de Inganok tenía razón en sus rumores geográficos. Pues los viajeros ya han escuchado antes tales ruidos y saben que provienen únicamente de la fría meseta desierta que la gente sensata nunca visita, aquel embrujado lugar de maldad y misterio que es Leng.

Unas figuras oscuras danzaban alrededor de los débiles fuegos, y Carter sintió curiosidad acerca de qué clase de criaturas podían ser aquéllas; pues ninguna persona sensata ha estado nunca en Leng, y el lugar sólo es conocido por sus hogueras y sus cabañas de piedra vistas desde lejos. Aquellas figuras saltaban con mucha lentitud y torpeza, y se retorcían y doblaban de una manera insensata nada agradable de presenciar; de modo que Carter no se asombró de la monstruosa maldad que les atribuía de manera imprecisa la leyenda, ni del miedo que le tienen en todo el país de los sueños a aquella abominable meseta helada. Al volar más bajo el shantak, la repugnancia que le inspiraban los danzantes empezó a teñirse de una cierta familiaridad diabólica; y el prisionero siguió forzando la vista y rebuscó en su memoria en busca de pistas que le indicaran dónde había visto antes tales criaturas.

Saltaban como si tuvieran pezuñas en lugar de pies, y parecían llevar una especie de peluca o yelmo con pequeños cuernos. No llevaban ninguna otra ropa, pero la mayor parte de ellos eran completamente peludos. Tenían colas diminutas y, cuando miraron hacia arriba, Carter vio la excesiva anchura de sus bocas. Entonces supo lo que eran, y que, después de todo, no llevaban ni peluca ni yelmo. Pues la enigmática gente de Leng era de la misma raza de los desagradables mercaderes de las negras galeras que comerciaban con rubíes en Dylath-Leen; ¡aquellos mercaderes, no del todo humanos, que eran los esclavos de las monstruosas criaturas lunares! Eran, a decir verdad, la misma gente oscura que había narcotizado y embarcado por la fuerza a Carter en su asquerosa galera hacía mucho tiempo, y cuyos parientes había visto conducir en manada por los sucios muelles de aquella condenada ciudad lunar, en la que los más flacos hacían los trabajos duros y a los más gordos se los llevaban en jaulas para satisfacer otras necesidades de sus tentaculares y amorfos amos. En aquellos momentos comprendió de dónde procedían tales criaturas ambiguas, y se estremeció ante el pensamiento de que Leng debía ser conocida por aquellas informes abominaciones que habitaban la luna.

Pero el shantak siguió volando y dejó atrás las hogueras, las cabañas de piedra y los danzantes no enteramente humanos, y se elevó por encima de los estériles cerros de granito gris y de los sombríos yermos de rocas, hielo y nieve. Llegó el día, y la fosforescencia de las nubes dio paso al nebuloso crepúsculo de aquel mundo septentrional; y el vil pájaro seguía volando resueltamente a través del frío y el silencio. A veces, el hombre de los ojos achinados hablaba a su montura en un

odioso lenguaje gutural, y el shantak le respondía en un tono muy alto
y con la voz entrecortada y áspera como si arañase cristal esmerilado. A
todo esto el terreno se elevaba cada vez más, y finalmente llegaron a un
altiplano barrido por el viento, que parecía el propio techo de un
mundo maldito y deshabitado. Allí, en medio del silencio, la oscuridad
y el frío, se alzaban los toscos sillares de un edificio achaparrado y sin
ventanas, alrededor del cual se levantaba un círculo de bastos monolitos. En toda aquella combinación de elementos no había nada humano, y Carter supuso, en referencia a las viejas historias, que había llegado, en efecto, al más horrible y legendario de los lugares, el remoto y
prehistórico monasterio en el que mora solo el sumo sacerdote que no
se debe describir, el cual oculta su rostro bajo una máscara de seda amarilla y reza a los Otros Dioses y a su caos reptante Nyarlathotep.

El repulsivo pájaro se posó entonces en el suelo, y el hombre de los
ojos achinados saltó a tierra y ayudó a bajar a su prisionero. Carter supo
entonces con certeza cuál era el motivo de su captura; pues estaba claro
que el mercader de ojos achinados era un agente de los poderes más
ocultos, ansioso de arrastrar ante sus amos a un mortal cuya presunción
le había llevado a pretender encontrar la ignota Kadath para rezar sus
oraciones cara a cara a los Grandes en su castillo de ónice. Parecía probable que ese mercader fuera el causante de su primera captura, llevada
a cabo en Dylath-Leen por los esclavos de las criaturas lunares, y que en
aquellos momentos pretendía hacer lo que los gatos que acudieron en
su auxilio habían desbaratado: llevar a su víctima a alguna espantosa
cita con el monstruoso Nyarlathotep y decirle con qué audacia había
intentado buscar la ignota Kadath. Leng y el yermo helado que se
extiende al norte de Inganok debían de estar muy próximos a los Otros
Dioses, y los pasos de allí a Kadath estaban bien vigilados.

El hombre de los ojos achinados era de corta estatura, pero el gran
pájaro hipocéfalo estaba allí para que se le obedeciera; de modo que
Carter le siguió a donde le condujo, y pasaron al interior del círculo de
rocas verticales y cruzaron la puerta de arco poco elevado que daba
acceso a aquel monasterio de piedra sin ventanas. No había ninguna
luz en el interior, pero el malvado mercader encendió una lamparita de

arcilla adornada con morbosos bajorrelieves, y empujó a su prisionero a través de un laberinto de estrechos y tortuosos pasadizos. En las paredes de los pasadizos había espantosas escenas pintadas, más antiguas que la historia, y de un estilo desconocido para los arqueólogos de la tierra. Después de incontables eones, todavía brillaban sus pigmentos, pues el frío y la sequedad de la espantosa Leng mantienen vivas muchas cosas primitivas. Carter las vio fugazmente a la pálida luz de aquella lámpara móvil, y se estremeció ante las historias que relataban.

A través de aquellos frescos arcaicos podían seguirse paso a paso los anales de Leng; y en ellos aquellas criaturas con cuernos, pezuñas y boca inmensa, casi humanas, danzaban diabólicamente en medio de ciudades olvidadas. Había escenas de antiguas guerras, en las que las criaturas casi humanas de Leng luchaban contra las abotargadas arañas de color púrpura de los valles vecinos; y había también escenas de la llegada de las galeras negras de la luna, y del sometimiento del pueblo de Leng a las sacrílegas criaturas tentaculares y amorfas que salían de ellas saltando, revolcándose y retorciéndose. Aquellas escurridizas criaturas sacrílegas de color grisáceo-blancuzco fueron adoradas como dioses, y no hubo siquiera una queja cuando se llevaron por docenas en las galeras negras a sus machos mejores y más gordos. Las monstruosas bestias lunares habían establecido su campamento en una escabrosa isla en pleno mar, y por aquellos frescos Carter dedujo que dicha isla no era otra que la innominada roca solitaria que había visto cuando navegaba rumbo a Inganok; aquella maldita roca gris que los marineros de Inganok rehuían, y de la que salían infames aullidos que retumbaban durante toda la noche.

Y en aquellos frescos se representaba el gran puerto y la capital de los casi humanos, que se alzaba imponente y maravillosa entre acantilados y muelles de basalto, llena de columnas y de templos elevados y de edificios adornados con estatuas. Grandes jardines y calles flanqueadas de columnas conducían desde los acantilados y desde cada una de las seis puertas coronadas por una esfinge a una inmensa plaza central, y en esa plaza había un par de colosales leones alados vigilando la parte superior de una escalera subterránea. Aquellos enormes leones alados estaban representados una y otra vez, y sus imponentes flancos de diorita relucían en el gris crepúsculo diurno o en la nebulosa fosforescencia de la noche. Y a fuerza de tropezarse con las frecuentes y repetidas imágenes, a Carter se le ocurrió por fin lo que realmente significaban, y qué ciudad era esa en la que los casi humanos habían gobernado antiguamente antes de la llegada de las galeras negras. No cabía error alguno, pues las leyendas del país de los sueños son abundantes y pródigas. Indudablemente aquella primitiva ciudad no era otra que la celebrada por la historia Sarkomand, cuyas ruinas se han blanqueado al sol durante más de un millón de años antes de que el primer ser verdaderamente humano viera la luz, y cuyos titánicos leones gemelos vigilan eternamente las escaleras que descienden del país de los sueños al Gran Abismo.

Otras representaciones mostraban las desoladas cumbres grises que separan a Leng de Inganok, y los monstruosos pájaros shantak que construyen sus nidos en los salientes a media altura. Y mostraban igualmente las extrañas cuevas cerca de las mismas cumbres más altas, y cómo aun los más atrevidos shantaks huyen de ellas lanzando chillidos. Carter había visto aquellas cuevas cuando pasó por encima, y había observado su parecido con las del Ngranek. En aquellos momentos se dio cuenta de que el parecido era más que una mera casualidad, pues en aquellas pinturas estaban representados sus temibles habitantes; y aquellas alas de murciélago, cuernos curvados, rabos peludos, garras prensiles y cuerpos elásticos, no le resultaban extraños. Se había tropezado antes con esas criaturas silenciosas que revoloteaban y agarraban, esos necios guardianes del Gran Abismo a quienes temen incluso los Grandes, y cuyo señor no es Nyarlathotep, sino el venerable Nodens. Pues eran los temidos noctívagos demacrados, que nunca ríen ni sonríen porque carecen de rostro, y que aletean interminablemente en la oscuridad entre el Valle de Pnath y los pasos que dan acceso al mundo exterior.

El mercader de los ojos achinados empujó entonces a Carter al interior de un gran espacio cubierto con una cúpula, cuyos muros estaban revestidos de espeluznantes bajorrelieves, y en cuyo centro se abría un pozo circular, rodeado por un redondel de seis altares de piedra malévolamente manchados. No había ninguna luz en aquella enorme cripta maloliente, y la lamparita del siniestro mercader brillaba tan débilmente que sólo se podían captar los detalles poco a poco. En el rincón más alejado había un alto estrado de piedra al que se accedía mediante cinco peldaños; y allí estaba sentada en un trono de oro una pesada figura vestida de seda amarilla con dibujos en rojo, con el rostro cubierto por una máscara de seda amarilla. El hombre de los ojos achinados hizo ciertos signos con las manos a ese ser, y el que acechaba en la oscuridad respondió alzando entre sus patas cubiertas de seda una flauta de marfil asquerosamente tallada y soplando en ella ciertos sonidos repulsivos por debajo de su suelta máscara amarilla. Este coloquio siguió durante algún tiempo, y había algo en el sonido de aquella flauta y en el hedor de aquel lugar maloliente que a Carter le resultó asquerosamente familiar. Le hacía pensar en una horrorosa ciudad iluminada por luces rojas, y en la repelente procesión que un día desfilara por sus calles; en eso, y en un atroz ascenso a través del paisaje lunar que se extendía al otro lado, antes de la llegada de los fraternales gatos de la tierra que fueron a rescatarlo. Carter sabía que la criatura del estrado era sin duda alguna el sumo sacerdote que no se debe describir, de quien las leyendas susurran contingencias tan diabólicas y anómalas, pero le daba miedo pensar qué podría ser exactamente aquel abominable sumo sacerdote.

Entonces la seda estampada que cubría una de sus patas blanco-grisáceas se deslizó un poco, y Carter se dio cuenta de lo desagradable que era aquel sumo sacerdote. Y en aquel horroroso instante, el miedo cerval le llevó a hacer algo que su razón nunca se habría atrevido a intentar, pues en su desconcertada conciencia sólo había espacio para un frenético deseo: escapar de quien estaba sentado en aquel trono dorado. Sabía que entre él y el frío altiplano del exterior había imposibles laberintos de piedra, y que incluso en aquel altiplano todavía le aguardaban los perniciosos pájaros shantak; sin embargo, pese a todo ello, su mente sólo albergaba la imperiosa necesidad de alejarse de aquella sinuosa monstruosidad vestida de seda.

El hombre de los ojos achinados había colocado su extraña lámpara sobre uno de aquellos elevados altares de piedra siniestramente manchados que rodeaban el pozo, y se había adelantado un poco para hablar con el sumo sacerdote mediante señas. Carter, que se había mantenido hasta entonces en una actitud completamente pasiva, dio un tremendo empujón a aquel hombre con toda la desmesurada fuerza que proporciona el miedo, de modo que la víctima cayó inmediatamente a aquel pozo abierto, que según corre la voz llega hasta los infernales Sótanos de Zin, donde los gugs cazan ghasts en la oscuridad. Casi en el mismo instante, cogió la lámpara del altar y salió disparado hacia los laberintos cubiertos de frescos, corriendo en todas direcciones al azar, y procurando no pensar en los sigilosos pasos de las patas informes que venían tras él, ni en las silenciosas abominaciones que debían retorcerse y reptar a sus espaldas por los corredores sin luz.

Al cabo de unos instantes lamentó su irreflexiva precipitación, y no haber intentado retroceder por los pasadizos de los frescos que había atravesado al entrar. Es cierto que dichos frescos eran tan confusos y se repetían tanto que no podría haberle ido mucho mejor, pero a pesar de todo le habría gustado intentarlo. Los que en aquellos momentos veía eran todavía más horribles que los que había visto hasta entonces, y se dio cuenta de que no eran los corredores que llevaban al exterior. En un momento tuvo la completa seguridad de que no le seguían, y aminoró un poco la marcha; pero apenas había recuperado a medias el aliento, cuando le acució un nuevo peligro. Su lámpara se estaba apagando y pronto estaría sumido en una oscuridad extrema, sin ninguna posibilidad de ver u orientarse.

Cuando la luz se apagó del todo, anduvo a tientas y despacio en la oscuridad y suplicó a los Grandes que le proporcionasen toda la ayuda posible. A veces notaba que el suelo de piedra subía o bajaba, y en una ocasión tropezó con un peldaño que no parecía tener ninguna razón de estar allí. Cuanto más andaba, más humedad parecía haber, y cuando se daba cuenta de que había llegado a una bifurcación o a la entrada de algún pasadizo lateral, elegía siempre el camino descendente de menor pendiente. Creía, sin embargo, que su trayecto había sido de bajada en líneas generales; y el olor a sótano y las mugrientas incrustaciones de los muros y el suelo le advertían que estaba descendiendo a las profundidades del malsano altiplano de Leng. Pero nada le pudo advertir de lo que finalmente le ocurrió: sólo el hecho mismo, con su consiguiente terror, sobresalto e impresionante caos. En un momento dado avanzaba a tientas y despacio por un resbaladizo suelo casi horizontal, y en el siguiente descendía vertiginosamente en plena oscuridad a través de un conducto excavado que debía ser casi vertical.

Nunca supo con seguridad lo que duró aquella horrorosa bajada, pero parecieron horas de delirante náusea y frenético éxtasis. Entonces se dio cuenta de que estaba inmóvil y que las nubes fosforescentes de una noche boreal brillaban pálidas encima de él. Se encontraba rodeado de murallas desmoronadas y columnas rotas, y el pavimento sobre el cual yacía estaba perforado por la hierba en diversos lugares y levantado a trozos por los matorrales y las raíces. Detrás de él se elevaba verticalmente un precipicio de basalto que no parecía acabarse nunca; su lado oscuro estaba cubierto de repelentes bajorrelieves y perforado por una entrada en forma de arco tallado que daba a las tinieblas interiores de las que acababa de salir. Delante de él se extendía una doble fila de columnas, fragmentos y pedestales de columnas, que revelaban la existencia en el pasado de una calle ancha; y por las urnas y tazas de fuentes a lo largo del camino comprendió que había sido una gran calle con jardines. Lejos, en el otro extremo, las columnas se separaban para mostrar una enorme plaza redonda, y en aquel círculo abierto aparecían bajo las pálidas nubes de la noche un par de monstruosos seres gigantescos. Se trataba de descomunales leones alados de diorita, rodeados de oscuridad y sombras. Sus grotescas cabezas se alzaban intactas hasta una altura de más de veinte pies [poco más de seis metros], y parecían gruñir con sorna a las ruinas que las rodeaban. Y Carter supo perfectamente lo que debían ser, pues la leyenda sólo habla de una pareja como ésta. Eran los inmutables guardianes del Gran Abismo, y aquellas sombrías ruinas pertenecían, en verdad, a la primitiva Sarkomand.

Lo primero que hizo Carter fue cerrar y bloquear la arcada del precipicio con bloques caídos y extraños detritos que había alrededor. No quería que le siguiera nadie del odioso monasterio de Leng, pues a lo largo del camino que todavía tenía por delante le acechaban ya muchos otros peligros. No sabía en absoluto cómo llegar desde Sarkomand a las partes habitadas del país de los sueños; ni sacaría mucho provecho bajando a las grutas de los gules, pues sabía que no estaban mejor informados que él. Los tres gules que le habían ayudado a atravesar la ciudad de los gugs hasta el mundo exterior no sabían cómo llegar por Sarkomand en su regreso, pero habían planeado preguntar a los viejos mercaderes de Dylath-Leen. No le gustaba la idea de volver de nuevo al mundo subterráneo de los gugs y arriesgarse una vez más en aquella torre infernal de Koth, cuyos ciclópeos escalones conducen al bosque encantado; sin embargo le parecía que podría intentarlo si todo lo demás fallaba. No se atrevía a ir solo a la meseta de Leng y pasar por delante del solitario monasterio; pues los emisarios del sumo sacerdote debían de ser muy numerosos, y al final del viaje tendría que enfrentarse sin duda con los shantaks y quizá con otras criaturas. Si pudiera conseguir un barco, podría regresar a Inganok por mar, pasando por delante de aquella espantosa roca dentada, ya que los primitivos frescos del laberinto del monasterio demostraban que aquel horrible lugar no está lejos de los muelles de basalto de Sarkomand. Pero encontrar un barco en esta ciudad deshabitada desde hacía eones era muy poco probable, y no parecía verosímil que él mismo pudiera construirse uno.

Tales eran las consideraciones de Randolph Carter, cuando una nueva impresión empezó a rondarle la mente. Durante todo aquel tiempo se había desplegado ante él, semejante a un inmenso cadáver, la fabulosa Sarkomand, con sus negras columnas rotas, sus desmoronadas puertas coronadas de esfinges, sus titánicos sillares y sus monstruosos leones alados, recortándose contra el pálido resplandor de aquellas luminosas nubes nocturnas. Entonces vio frente a él, a su derecha, un lejano resplandor que ninguna nube podía justificar, y se dio cuenta de que no estaba solo en el silencio de aquella ciudad muerta. El resplandor aumentaba y disminuía de manera irregular, parpadeando con destellos verdosos poco tranquilizadores para quien los observara. Y cuando se acercó sigilosamente siguiendo la calle sembrada de escombros descubrió, a través de algunos angostos boquetes en las paredes derrumbadas, que había un fuego de campamento cerca de los muelles, alrededor del cual se apiñaban numerosas figuras imprecisas, y un hedor mortal flotaba pesadamente por encima de todo. Más allá se extendía el oleoso chapoteo de las aguas del puerto, en las que flotaba un gran barco fondeado, y Carter se quedó completamente paralizado de terror al ver que se trataba, en efecto, de una de las espantosas galeras negras de la luna.

Entonces, justo cuando estaba a punto de regresar sigilosamente de aquella detestable hoguera, vio moverse algo entre las imprecisas sombras oscuras, y escuchó un peculiar e inequívoco sonido. Era el asustado glugluteo de un gul, que enseguida aumentó hasta convertirse en un verdadero coro de gritos angustiosos. Aunque se encontraba seguro a la sombra de aquellas monstruosas ruinas, Carter dejó que su curiosidad venciera a su miedo y, en lugar de retirarse, avanzó de nuevo sigilosamente. En una ocasión, para cruzar una calle al descubierto, reptó sobre su vientre como un gusano, y en otro lugar tuvo que ponerse de pie para no hacer ruido al pasar entre montones de mármoles rotos. Pero siempre consiguió evitar que le descubrieran, de modo que poco después había encontrado un lugar seguro detrás de una columna titánica, desde donde podía observar todo el panorama iluminado por el resplandor verdoso de la hoguera. Allí, alrededor de un horrendo fuego alimentado con los repugnantes pedicelos de hongos lunares, estaban sentadas en hediondo círculo un grupo de bestias lunares con aspecto de sapo y sus esclavos casi humanos. Algunos de estos esclavos calentaban unas extrañas lanzas de hierro en aquellas llamas saltarinas, y de vez en cuando aplicaban sus puntas al rojo vivo a tres prisioneros firmemente atados, que yacían angustiados ante los jefes del grupo. A juzgar por los movimientos de sus tentáculos, Carter comprendió que aquellas bestias lunares de hocico chato disfrutaban enormemente del espectáculo, y cuál no sería su horror al reconocer de pronto aquel frenético glugluteo y darse cuenta de que los gules torturados no eran otros que el leal trío que le había guiado sin ningún percance por el abismo y más tarde había salido del bosque encantado para regresar a Sarkomand y encontrar el acceso a sus profundidades originarias.

El número de malolientes bestias lunares congregadas alrededor del fuego verdoso era muy grande, y Carter comprendió que no podía hacer nada para salvar a sus antiguos aliados. No tenía la menor idea de cómo habrían sido capturados los gules, pero se imaginaba que aquellas blasfemas criaturas grises con aspecto de sapo les habrían oído preguntar en Dylath-Leen por el camino a Sarkomand, y no habían querido que se acercasen tanto a la odiosa meseta de Leng y al sumo sacerdote que no se debe describir. Durante unos instantes reflexionó sobre lo que debía hacer, y recordó lo cerca que se encontraba de la entrada al funesto reino de los gules. Lo más prudente, a todas luces, era arrastrarse hacia el este hasta la plaza de los leones gemelos y descender inmediatamente al abismo, donde seguramente no encontraría horrores peores que aquéllos de arriba, y donde pronto podría encontrar gules deseosos de rescatar a sus hermanos y tal vez de aniquilar a las bestias lunares de aquella galera negra. Se le ocurrió que la entrada, como otras puertas que dan acceso al abismo, podía estar custodiada por una multitud de noctívagos demacrados; pero ya no temía a aquellas criaturas sin rostro. Sabía que estaban ligadas a los gules por solemnes acuerdos, y el gul que un día fue Pickman le había enseñado a farfullar una contraseña que ellas entendían.

De modo que Carter comenzó de nuevo a reptar en silencio por entre las ruinas, avanzando con cautela y poco a poco hacia la gran plaza central de los leones alados. Era una tarea delicada, pero las bestias lunares estaban gratamente ocupadas y no oyeron los ligeros ruidos que, casualmente, hizo por dos veces al tropezar con las piedras desparramadas. Por fin llegó a un lugar abierto y se abrió camino entre árboles raquíticos y zarzas que habían crecido allí. Los gigantescos leones surgieron amenazadores por encima de él destacándose en el pálido resplandor de las fosforescentes nubes nocturnas, pero siguió caminando resueltamente hacia ellos y acto seguido los rodeó sigilosamente hasta situarse frente a ellos, pues sabía que allí encontraría las imponentes tinieblas que vigilan. Separadas diez pies una de otra, aquellas inquietantes bestias de diorita de rostro burlón estaban agazapadas sobre ciclópeos pedestales en cuyas caras habían cincelado aterradores bajorrelieves. Entre ellas había un patio embaldosado con un espacio central que hace tiempo estuvo cercado por una barandilla de ónice. En mitad de ese espacio se abría un pozo negro, y Carter no tardó en comprender que había llegado, en efecto, al profundo abismo cuyos cochambrosos y enmohecidos peldaños de piedra descienden hasta las criptas de pesadilla.

Terrible es el recuerdo de aquel descenso a oscuras, en el que las horas pasaban lentamente, mientras Carter bajaba a ciegas dando vueltas a la redonda en una insondable espiral de empinados y resbaladizos peldaños. Tan desgastados y estrechos eran los peldaños, y tan resbaladizos por el cieno del interior de la tierra, que el que descendía no sabía muy bien si iba a desfallecer y a precipitarse al fondo del abismo; y tampoco estaba seguro de cuándo o cómo se abalanzarían de pronto sobre él los noctívagos demacrados que vigilaban aquellas simas, si es que realmente había alguno apostado en aquel primitivo pasadizo. A su alrededor había un olor agobiante que emanaba de los abismos inferiores, y notó que el aire de aquellas asfixiantes profundidades no estaba hecho para el género humano. Al cabo de un rato estaba bastante aturdido y somnoliento, pero siguió avanzando más por un impulso automático que por voluntad propia, y no advirtió ningún cambio cuando dejó de moverse porque algo lo cogió discretamente por detrás levantándolo del suelo. Antes de que un malévolo cosquilleo le indicase que los gomosos noctívagos demacrados habían cumplido con su deber estaba volando rápidamente por el aire.

Despierto por el hecho de hallarse entre las frías y húmedas garras de aquellos seres revoloteadores sin rostro, Carter recordó la contraseña de los gules y la farfulló tan alto como pudo, en medio del viento y el caos del vuelo. Aunque se dice que los noctívagos demacrados carecen de inteligencia, el efecto fue instantáneo: los cosquilleos cesaron inmediatamente y las criaturas se apresuraron a trasladar a su cautivo a una posición más cómoda. Animado por eso, Carter se permitió algunas explicaciones, hablándoles de la captura y tortura de tres gules a manos de las bestias lunares, y de la necesidad de reunir un grupo para rescatarlos. Aunque eran incapaces de expresarse, los noctívagos demacrados parecieron comprender lo que se les dijo, y mostraron una mayor prisa y determinación en su vuelo. De pronto, la espesa oscuridad dio paso al crepúsculo gris de las entrañas de la tierra, y surgió ante ellos una de esas planicies estériles y llanas en las que a los gules les gusta sentarse a roer. Las lápidas dispersas y los fragmentos de huesos delataban la presencia de habitantes en aquel lugar; y cuando Carter lanzó un gluglú de llamada urgente, una veintena de madrigueras se vaciaron de sus curtidos ocupantes de aspecto perruno. Entonces los noctívagos demacrados descendieron en su vuelo y depositaron a su pasajero en el suelo; después se apartaron un poco y se pusieron en cuclillas formando un semicírculo, mientras los gules saludaban al recién llegado.

Carter farfulló su mensaje de forma rápida y explícita al grotesco grupo, y cuatro de ellos partieron inmediatamente a través de distintas madrigueras para propagar la noticia y reunir cuantas tropas pudieran disponer para el rescate. Después de una larga espera apareció un gul de cierta importancia, que hizo señas significativas a los noctívagos demacrados, haciendo que dos de estos últimos emprendieran el vuelo y se perdieran en la oscuridad. A partir de entonces hubo un aumento progresivo de la muchedumbre de noctívagos demacrados acuclillados en la planicie, hasta que por fin el fangoso suelo de la llanura estuvo casi completamente cubierto por ellos. Mientras tanto, nuevos gules salían poco a poco de las madrigueras, uno tras otro, todos ellos farfullando con excitación y formando en tosco orden de batalla, no lejos del grupo de noctívagos demacrados. En un momento apareció aquel orgulloso e influyente gul que un día fuera el artista Richard Pickman de Boston, y a él le farfulló Carter un informe muy completo de lo que había sucedido. El que en otro tiempo fue Pickman, sorprendido de volver a saludar a su antiguo amigo, pareció muy impresionado, y sostuvo una conferencia con los demás jefes, un poco apartado de la creciente multitud.

Finalmente, después de pasar revista a la tropa con sumo cuidado, todos los jefes allí reunidos empezaron a gluglutear al unísono a las multitudes de gules y noctívagos demacrados. Un gran destacamento de voladores cornudos desapareció inmediatamente, mientras el resto se agrupó en parejas y se arrodillaron con las patas delanteras extendidas, en espera de que se fueran acercando los gules de uno en uno. Cuando cada gul llegaba a la pareja de noctívagos demacrados que le habían asignado, éstos lo cogían y se lo llevaban a la oscuridad, hasta que por fin toda la multitud había desaparecido, excepto Carter, Pickman y los demás jefes, y unas pocas parejas de noctívagos demacrados. Pickman explicó que los noctívagos demacrados eran la vanguardia y los caballos de batalla de los gules, y que el ejército se dirigía a Sarkomand para enfrentarse a las bestias lunares. Entonces, Carter y los jefes de los gules se aproximaron a los porteadores que les esperaban, los cuales los cogieron por sus escurridizas y húmedas garras. En un momento todos estaban dando vueltas en el viento y la oscuridad, subiendo y subiendo sin cesar hacia la puerta de los leones alados y las ruinas espectrales de la primigenia Sarkomand.

Cuando, al cabo de mucho tiempo, Carter vio de nuevo la pálida luz del cielo nocturno de Sarkomand, fue para contemplar la gran plaza central rebosante de belicosos gules y noctívagos demacrados. Estaba seguro de que el día debía estar a punto de despuntar, pero el ejército era tan numeroso que no habría necesidad de sorprender al enemigo. El fulgor verdoso cerca de los muelles todavía brillaba débilmente, aunque la ausencia de glugluteos de los gules indicaba que la tortura de los prisioneros había concluido por el momento. Farfullando instrucciones en voz baja a sus monturas y al tropel de noctívagos demacrados sin jinete que iban al frente, los gules se alzaron acto seguido en enormes columnas aleteantes y sobrevolaron las ruinas desérticas en dirección al horrible fuego. Carter iba al lado de Pickman en la primera fila de gules y, al acercarse al nocivo campamento, comprendió que las bestias lunares estaban completamente desprevenidas. Los tres prisioneros yacían atados e inertes junto a la hoguera, mientras sus apresores con aspecto de sapo se habían quedado amodorrados a su alrededor sin ningún orden. Los esclavos casi humanos estaban dormidos, incluso los centinelas habían descuidado un deber que en este reino debió de haberles parecido meramente perfunctorio.

El descenso en picado de los noctívagos demacrados y los gules que los montaban fue muy repentino y, antes de que pudiesen hacer el menor ruido, cada una de aquellas verdosas blasfemias con aspecto de sapo y cada uno de sus esclavos casi humanos fueron atrapados por un grupo de noctívagos demacrados. Las bestias lunares eran mudas, naturalmente; e incluso los esclavos tuvieron pocas oportunidades de gritar antes de que las garras elásticas de los noctívagos demacrados los redujeran al silencio. Fueron horribles las contorsiones de aquellas enormes anormalidades gelatinosas, mientras los sardónicos noctívagos demacrados las agarraban; pero nada servía contra la fuerza de aquellas prensiles garras negras. Cuando una bestia lunar se retorcía con excesiva violencia, un noctívago demacrado la agarraba y tiraba de sus temblorosos tentáculos rosados, lo cual parecía doler tanto que la víctima dejaba de resistirse. Carter esperaba ver una enorme degollina, pero comprobó que los gules tenían planes más insidiosos. Farfullaron ciertas órdenes sencillas a los noctívagos demacrados que retenían a los cautivos, confiando el resto al instinto; y las desventuradas criaturas no tardaron en ser llevadas en silencio al Gran Abismo para ser distribuidas con imparcialidad entre los bholes, los gugs, los ghasts y otros moradores de las tinieblas, cuyas formas de alimentación no son indoloras para sus víctimas. Mientras tanto, los tres gules atados habían sido liberados y consolados por sus victoriosos parientes, mientras varios grupos registraban los alrededores por si quedaba alguna bestia lunar, y abordaban la maloliente galera negra, anclada en el muelle, para asegurarse de que nada se había librado de la derrota general. Sin duda alguna los habían capturado a todos; pues los vencedores no pudieron descubrir ni rastro de vida. Deseoso de conservar un medio de acceso al resto del país de los sueños, Carter les pidió con insistencia que no hundieran la galera; y su petición fue aceptada por ellos de buen grado en agradecimiento por haberles comunicado la difícil situación del trío capturado. En el barco encontraron algunos objetos y ornamentos muy extraños, algunos de los cuales Carter arrojó inmediatamente al mar.

Los gules y los noctívagos demacrados formaron entonces en grupos separados, y los primeros preguntaron a sus compañeros rescatados acerca de lo que había pasado. Al parecer, los tres habían seguido las instrucciones de Carter, y se habían dirigido desde el bosque encantado a Dylath-Leen, pasando por Nir y el Skai, robando vestidos humanos en una alquería solitaria y andando muy deprisa de forma lo más parecida posible a la de los hombres. En las tabernas de Dylath-Leen, sus modales y rostros grotescos habían suscitado muchos comentarios; pero ellos habían persistido en preguntar por el camino de Sarkomand, hasta que por fin un anciano viajero pudo orientarles. Entonces se enteraron de que sólo el barco que iba a Lelag-Leng servía para el caso, y se dispusieron a esperar pacientemente la llegada de tal nave.

Pero los malvados espías sin duda habían informado de todo; pues poco después entraba en puerto una galera negra, y los mercaderes de rubíes de boca grande invitaron a los gules a beber con ellos en una taberna. Sacaron vino de una de aquellas siniestras botellas grotescamente talladas en un solo rubí, y después de beberlo los gules comprobaron que estaban prisioneros en la galera negra, como le había ocurrido a Carter. En esta ocasión, sin embargo, los invisibles remeros no se dirigieron a la luna, sino a la antigua Sarkomand, empeñados evidentemente en llevar a sus cautivos ante el sumo sacerdote que no se debe describir. Habían recalado en la roca serrada del mar del norte que los marineros de Inganok rehúyen, y los gules habían visto allí por vez primera a los verdaderos dueños del barco, poniéndose enfermos a pesar de lo endurecidos que eran ante tales extremos de deformidad maligna y espantoso olor. Allí presenciaron también los horrendos pasatiempos de la guarnición residente de criaturas con aspecto de sapo; tales pasatiempos eran la causa de aquellos aullidos nocturnos que los hombres temen. Después de eso se había producido el desembarco en la ruinosa Sarkomand y el comienzo de las torturas, cuya continuación había impedido el oportuno rescate.

Después discutieron futuros planes, y los tres gules rescatados propusieron hacer una incursión en la roca serrada para exterminar a toda la guarnición de criaturas con aspecto de sapo allí estacionada. Los noctívagos demacrados se opusieron a ello, sin embargo, ya que la perspectiva de volar sobre el agua no les agradaba. La mayoría de los gules apoyaban el plan, pero no sabían cómo llevarlo a cabo sin la ayuda de los alados noctívagos demacrados. Inmediatamente después Carter, viendo que no sabían gobernar la galera anclada, se ofreció a enseñarles a manejar las grandes hileras de remos, a lo cual ellos accedieron con entusiasmo. El día había amanecido gris y, bajo aquel cielo plomizo del norte, un selecto destacamento de gules subió a bordo de la hedionda galera, y tomó asiento en la bancada de remeros. Carter comprobó que estaban bastante dispuestos a aprender, y antes de que anocheciera se habían expuesto haciendo varias travesías de prueba alrededor del puerto. Hasta tres días después, sin embargo, no consideraron prudente emprender la travesía de conquista. Entonces, adiestrados los remeros e instalados los noctívagos demacrados sin ningún problema en el castillo de proa, la expedición zarpó por fin. Pickman y los otros jefes se reunieron en cubierta y discutieron la manera de acercarse y el procedimiento.

Aquella misma noche escucharon los aullidos procedentes de la roca. Su timbre era tal, que toda la tripulación de la galera se estremeció visiblemente; pero los que más temblaban eran los tres gules rescatados, pues sabían exactamente lo que aquellos alaridos significaban. Consideraron preferible no intentar el ataque por la noche, de modo que el barco se puso al pairo bajo las fosforescentes nubes, a la espera de que amaneciera un día grisáceo. Cuando hubo suficiente luz y los alaridos se acallaron, los remeros reanudaron su boga y la galera se fue acercando cada vez más a la roca serrada, cuyos picos graníticos parecían desgarrar fantásticamente aquel cielo gris. Los costados de la roca eran muy escarpados; pero de cuando en cuando podían verse en algunos salientes las pandeadas paredes de unas extrañas viviendas sin ventanas, y los bajos pretiles que protegían las carreteras más concurridas. Ningún barco tripulado por seres humanos había llegado nunca tan cerca de aquel lugar, o al menos, ninguno se había acercado tanto y había vuelto a abandonar aquellas costas; pero Carter y los gules no tenían miedo, y siguieron inexorablemente, costeando la cara oriental de la roca en busca de los muelles que, según el trío de gules rescatados, se hallaban al sur, en el interior de un puerto natural formado por escarpados promontorios.

Los promontorios eran prolongaciones de la propia isla, y estaban tan próximos uno del otro, que sólo un barco podía pasar entre ellos a un tiempo. No parecía que hubiera vigías en el exterior, de modo que la galera se abrió paso audazmente por aquel estrecho parecido a una cañada y entró en el hediondo puerto de aguas estancadas. Allí, sin embargo, todo era bullicio y actividad: había varios barcos fondeados a lo largo de un imponente muelle de piedra, y veintenas de esclavos casi humanos y bestias lunares en el atracadero transportando cuévanos y cajones o conduciendo indescriptibles y fabulosos horrores enganchados a pesados carromatos. Encima de los muelles había un pueblecito de piedra tallado en un acantilado vertical, y de él arrancaba un tortuoso camino que ascendía en espiral hasta perderse de vista en dirección a los salientes más elevados de la roca. Nadie podía decir lo que había en el interior de aquel prodigioso pico de granito que coronaba la isla, pero las criaturas que se veían en el exterior no eran ni mucho menos alentadoras.

A la vista de la galera que entraba, las multitudes que abarrotaban los muelles mostraron mucha impaciencia; los que tenían ojos miraban atentamente, y los que no los tenían agitaban sus tentáculos rosados con expectación. No se habían dado cuenta, por supuesto, de que el barco negro había cambiado de manos, pues los gules se parecen mucho a los casi humanos cornudos y ungulados, y los noctívagos demacrados estaban todos fuera de la vista bajo cubierta. Para entonces, los jefes habían elaborado un detallado plan, que consistía en soltar a los noctívagos demacrados tan pronto como tocaran puerto, e inmediatamente después irse, confiando del todo el asunto a los instintos de aquellas criaturas prácticamente sin inteligencia. Abandonadas en la roca, lo primero que harían aquellas cornudas criaturas voladoras sería apoderarse de cualquier ser viviente que encontraran allí, y después, completamente incapaces de pensar salvo desde el punto de vista de su instinto cazador, olvidarían su miedo al agua y volverían rápidamente al abismo, llevándose a sus hediondas presas a las que darían un destino apropiado en las tinieblas, de donde casi nadie sale con vida.

A continuación el gul que fue Pickman bajó a la bodega y dio a los noctívagos demacrados sus sencillas instrucciones, mientras el barco se acercaba a los ominosos y malolientes muelles. Enseguida se produjo una nueva agitación a todo lo largo del atracadero, y Carter comprendió que los movimientos de la galera habían empezado a despertar sospechas. Obviamente el timonel no se dirigía hacia el muelle adecuado, y probablemente los que estaban observando habían advertido la diferencia entre los horrorosos gules y los esclavos casi humanos a los que sustituían. Alguien debió de haber dado una alarma silenciosa, ya que casi al mismo tiempo empezó a salir en tropel una horda de mefíticas bestias lunares de los pequeños portales oscuros de las casas sin ventanas y a bajar por el tortuoso camino de la derecha. Una lluvia de extrañas jabalinas cayó sobre la galera cuando su proa chocó contra el muelle, matando a dos gules e hiriendo ligeramente a otro; pero en aquel momento todas las escotillas se abrieron de par en par y arrojaron una nube negra de aleteantes noctívagos demacrados que se abalanzaron sobre el pueblo como una bandada de ciclópeos murciélagos cornudos.

Las gelatinosas bestias lunares se habían procurado una gran pértiga y trataban de desatracar el barco invasor, pero cuando los noctívagos demacrados las sorprendieron, no pensaron más en el asunto. Era un espectáculo atroz ver cómo se divertían aquellos seres elásticos y sin rostro haciéndose cosquillas, y era tremendamente impresionante contemplar cómo la espesa nube que formaban se desplegaba por el pueblo y remontaba la tortuosa calzada que conducía más allá. A veces un grupo de aquellas negras criaturas voladoras dejaba caer por error en pleno vuelo a un prisionero con aspecto de sapo, y la forma en que la víctima reventaba era enormemente desagradable tanto para la vista como para el olfato. Cuando el último noctívago demacrado hubo abandonado la galera, los jefes de los gules farfullaron la orden de retirada, y los remeros bogaron en silencio saliendo del puerto entre los promontorios grises, mientras en el pueblo continuaba el caos de la batalla.

El gul que fue Pickman concedió varias horas a los noctívagos demacrados para que sus rudimentarias mentes se decidieran a superar su miedo a volar sobre el mar, y mantuvo la galera a una milla de distancia de la roca serrada, mientras esperaba y curaba las heridas de los gules lastimados. Cayó la noche, y el crepúsculo gris dio paso a la pálida fosforescencia de las nubes bajas, y los jefes no dejaron de observar todo el tiempo los elevados picos de aquella roca maldita, por si veían algún indicio del vuelo de los noctívagos demacrados. Hacia la madrugada se vio revolotear tímidamente una mota negra por encima de la cumbre más alta, y poco después la mancha se había convertido en un enjambre. Justo antes de amanecer, el enjambre pareció esparcirse, y antes de un cuarto de hora había desaparecido por completo en la lejanía hacia el nordeste. Una o dos veces pareció caer algo al mar desde el reducido enjambre; pero a Carter no le preocupó, ya que sabía por propias observaciones que las bestias lunares con aspecto de sapo no saben nadar. Por último, cuando los gules se convencieron de que todos los noctívagos demacrados habían partido hacia Sarkomand y el Gran Abismo con su cargamento de condenados, la galera volvió a puerto, pasando entre los promontorios grises; y la horrorosa tripulación en pleno desembarcó y deambuló con curiosidad por la roca desnuda, con sus torres y nidos de águilas y fortalezas talladas en la dura roca.

Tremendos fueron los secretos que descubrieron en aquellas criptas funestas y sin ventanas; pues abundaban los restos de inconclusos pasatiempos, y se hallaban en diferentes fases de transformación con respecto a su estado primitivo. Carter quitó de en medio a ciertas criaturas que en cierto modo estaban vivas, y huyó precipitadamente de otras pocas sobre las que no estaba muy seguro de su verdadero estado. Las hediondas casas estaban amuebladas principalmente con grotescos taburetes y bancos tallados en madera de árbol lunar, y estaban pintadas por dentro con diseños indescriptibles e insensatos. Había tiradas por el suelo innumerables armas, utensilios y adornos, incluso algunos ídolos de gran tamaño, tallados en rubí macizo, que representaban a unos seres extraños que no se encuentran en la tierra. Estos últimos, pese a su valor material, no invitaban a apropiárselos ni a someterlos a un prolongado examen; y Carter se tomó la molestia de golpear cinco de ellos con un martillo hasta hacerlos trizas. Recogió las lanzas y jabalinas esparcidas y, con la aprobación de Pickman, las distribuyó entre los gules. Tales armas eran nuevas para aquellos seres parecidos a perros que andaban muy deprisa, pero su relativa simplicidad les facilitaba su manejo después de unas breves y concisas indicaciones.

En las partes altas de la roca había más templos que moradas privadas, y en muchas cámaras excavadas encontraron altares tallados de aspecto terrible, pilas con dudosas manchas y altares destinados al culto de unos seres aún más monstruosos que los bondadosos dioses de Kadath. Desde la parte posterior de un gran templo se extendía un pasadizo bajo y oscuro, que Carter siguió con una antorcha por el interior de la roca hasta llegar a un oscuro recinto abovedado de enormes proporciones, cuyas bóvedas estaban cubiertas de tallas demoníacas, y en cuyo centro se abría un fétido pozo sin fondo como el del odioso monasterio de Leng, en el que mora solo el sumo sacerdote que no se debe describir. En la parte opuesta sumida en la oscuridad, al otro lado del hediondo pozo, le pareció distinguir una pequeña puerta de bronce extrañamente labrada; pero, por alguna razón, sintió un inexplicable pavor ante la idea de abrirla o incluso de acercarse a ella y, atravesando la cueva, volvió a toda prisa junto a sus desgarbados aliados que caminaban arrastrando los pies con una tranquilidad y un desenfado que él apenas podía compartir. Los gules habían observado los inconclusos pasatiempos de las bestias lunares y los habían aprovechado a su manera. También habían encontrado un tonel del fuerte vino lunar y lo hacían rodar hacia los muelles para trasladarlo y emplearlo más tarde en sus relaciones diplomáticas, aunque el trío de gules rescatados, recordando el efecto que les había producido en Dylath-Leen, aconsejaron a sus compañeros que no lo probaran de ningún modo. En uno de los sótanos próximos al mar había una gran provisión de rubíes procedentes de las minas lunares, tanto en bruto como pulidos; pero cuando los gules comprobaron que no se podían comer perdieron cualquier interés en ellos. Carter no intentó llevarse ninguno, pues sabía demasiadas cosas de los que los habían extraído.

De pronto llegó desde los muelles el excitado farfullar de los centinelas, y los detestables saqueadores abandonaron sus ocupaciones para mirar fijamente hacia el mar y agruparse en torno al puerto. Una nueva galera negra avanzaba rápidamente por entre los promontorios grises, y tan sólo unos instantes después los casi humanos que estaban en cubierta se dieron cuenta de que el pueblo había sido invadido y dieron la alarma a las monstruosas criaturas que remaban abajo. Por suerte, los gules llevaban todavía las lanzas y las jabalinas que Carter había repartido entre ellos; y a una orden suya, apoyada por el gul que fue Pickman, formaron una línea de batalla dispuestos a impedir el desembarco. Acto seguido un estallido de excitación en la galera puso de manifiesto que la tripulación se había dado cuenta del nuevo estado de cosas, y la repentina detención del barco demostró que se habían percatado de la superioridad numérica de los gules y la tenían en cuenta. Tras unos instantes de indecisión, los recién llegados viraron en silencio y salieron de nuevo entre los promontorios, pero los gules no imaginaron ni por un momento que habían evitado el conflicto. O el barco negro iba en busca de refuerzos, o la tripulación trataba de desembarcar en alguna otra parte de la isla; por lo tanto, enviaron inmediatamente a la cumbre un grupo de exploradores para ver qué rumbo tomaba el enemigo.

Muy pocos minutos después regresó un gul sin resuello afirmando que las bestias lunares y los casi humanos estaban desembarcando en la parte de fuera del más oriental de los escarpados promontorios grises, y que subían por sendas ocultas y salientes que una cabra apenas podría pisar sin exponerse. Casi inmediatamente, la galera fue vista de nuevo cruzando el estrecho parecido a una cañada, pero fue sólo un instante. Unos momentos más tarde, un segundo mensajero descendió jadeante, afirmando que otro grupo estaba desembarcando en el otro promontorio; ambos grupos eran mucho más numerosos de lo que el tamaño de la galera permitía suponer. El propio barco, movido con lentitud por sólo una fila de remos, no tardó en aparecer entre los acantilados y se puso al pairo en el fétido puerto como para presenciar el combate que se avecinaba y estar preparado para intervenir si fuera necesario.

Para entonces, Carter y Pickman habían dividido a los gules en tres grupos, dos de ellos para enfrentarse a cada una de las dos columnas invasoras y el tercero para quedarse en el poblado. Los dos primeros treparon inmediatamente por las rocas, cada uno en su respectiva dirección, mientras el tercero se subdividía en un grupo destinado a tierra y otro al mar. El grupo del mar, mandado por Carter, abordó la galera anclada y bogó para enfrentarse a la galera insuficientemente tripulada de los recién llegados; en vista de lo cual esta última retrocedió a través del estrecho y salió a mar abierto. Carter no la persiguió inmediatamente, pues sabía que podría ser mucho más necesario en el pueblo.

Mientras tanto, los horribles destacamentos de bestias lunares y casi humanos habían avanzado pesadamente hasta llegar a la parte alta de los promontorios, y sus espeluznantes siluetas se perfilaban a ambos lados contra el cielo gris del crepúsculo. Las delgadas flautas diabólicas de los invasores habían comenzado a gimotear, y el efecto general que producían aquellas procesiones híbridas y semiamorfas era tan nauseabundo como el olor que, en efecto, despedían aquellas blasfemias lunares con aspecto de sapo. Luego aparecieron a la vista los dos grupos de gules, y se unieron al panorama de siluetas. Las jabalinas empezaron a volar desde ambos lados, y los exaltados glugluteos de los gules y los bestiales aullidos de los casi humanos se unieron paulatinamente al gemido infernal de las flautas para formar un insensato e indescriptible caos de demoníaca cacofonía. De vez en cuando caían cuerpos de las pequeñas crestas de los promontorios al mar abierto o al interior de la dársena, en cuyo caso eran sorbidos rápidamente hacia el fondo por ciertos merodeadores submarinos cuya presencia solamente delataban las prodigiosas burbujas que dejaban escapar.

Durante una media hora esta doble batalla hizo furor en el cielo, hasta que los invasores fueron completamente aniquilados en el acantilado de poniente. En el acantilado oriental, sin embargo, donde parecía estar presente el jefe del grupo de bestias lunares, a los gules no les iba tan bien: estaban retrocediendo lentamente hacia las laderas de la propia cima. Pickman había enviado rápidamente refuerzos a aquel frente con el grupo del pueblo, que tanto había ayudado en las primeras fases del combate. Luego, cuando hubo terminado la batalla en el flanco occidental, los victoriosos supervivientes acudieron a toda prisa en ayuda de sus apurados compañeros, cambiando la suerte de la contienda y obligando a los invasores a retroceder de nuevo por la estrecha cresta del promontorio. Para entonces todos los casi humanos habían muerto, pero el último de los horrores con aspecto de sapo luchaba desesperadamente asiendo grandes lanzas con sus poderosas y repugnantes patas. Ya no había tiempo para utilizar las jabalinas, y la lucha se convirtió en un duelo cuerpo a cuerpo, en el que los lanceros sólo podían enfrentarse en pequeño número por lo estrecha que era la cresta.

A medida que aumentaba la furia y la temeridad, el número de los que caían al mar era cada vez mayor. Los que se dirigieron al puerto encontraron una muerte horrenda en las fauces de aquellas invisibles criaturas burbujeantes; pero algunos de los que enfilaron hacia mar abierto pudieron nadar hasta el pie de los acantilados y mantenerse a flote en los escollos, mientras la indecisa galera del enemigo salvaba varias bestias lunares. Los acantilados no se podían escalar, salvo donde los monstruos habían desembarcado, de modo que ninguno de los gules que habían alcanzado los escollos pudo reincorporarse al frente de batalla. Algunos de ellos murieron abatidos por las jabalinas lanzadas desde la galera enemiga o por las bestias lunares que estaban en lo alto del promontorio, pero unos cuantos sobrevivieron y pudieron ser rescatados. Cuando la seguridad de los grupos que habían desembarcado pareció garantizada, la galera de Carter salió entre los promontorios y se dirigió hacia el barco enemigo que se encontraba lejos mar adentro, deteniéndose a rescatar a todos los gules que se mantenían a flote en los escollos o nadaban todavía en el océano. A varias bestias lunares que habían sido arrojadas a los escollos o a los arrecifes las quitaron de en medio rápidamente.

Finalmente, cuando la galera de las bestias lunares se hubo alejado sin ningún percance, y el ejército invasor se concentró en un sitio, Carter desembarcó una fuerza considerable en el promontorio oriental, a espaldas del enemigo; después de lo cual, la lucha fue realmente efímera. Atacadas en dos frentes, las asquerosas criaturas que se revuelcan fueron rápidamente cortadas en pedazos o arrojadas al mar, hasta que por la tarde los jefes de los gules reconocieron que la isla había quedado otra vez libre de ellas. La galera enemiga, entretanto, había desaparecido; y se decidió que sería mejor que evacuaran la horrible roca serrada, antes de que pudieran reunir y lanzar contra los vencedores otra irresistible horda de horrores lunares.

De modo que, por la noche, Pickman y Carter reunieron a todos los gules y los contaron con cuidado, descubriendo que habían perdido más de la cuarta parte en las batallas del día. Colocaron a los heridos en literas, dentro de la galera, pues Pickman rechazaba la costumbre que tenían los gules de matar y comerse a sus propios heridos, y los individuos sanos fueron asignados a los remos o a otros puestos en los que pudieran ser más útiles. Bajo la débil fosforescencia de las nubes nocturnas, la galera zarpó y Carter no sintió marcharse de aquella isla de nocivos secretos, cuyo oscuro recinto abovedado con su pozo sin fondo y su repelente puerta de bronce no dejaba de inquietar a su imaginación. El alba sorprendió al barco frente a los ruinosos muelles de basalto de Sarkomand, donde unos pocos centinelas de los noctívagos demacrados aguardaban todavía, agazapados como negras gárgolas cornudas encima de las columnas rotas y de las esfinges desmoronadas de aquella horrible ciudad que vivió y murió antes de aparecer el hombre sobre la tierra.

Los gules montaron su campamento entre las piedras caídas de Sarkomand y enviaron un mensajero para que trajeran noctívagos demacrados en cantidad suficiente para que les sirvieran de montura. Pickman y los demás jefes se mostraron efusivos en su agradecimiento por la ayuda que Carter les había prestado; y éste empezó a darse cuenta de que realmente sus planes iban por buen camino, y que ya podía pedir ayuda a sus temibles aliados no sólo para abandonar aquella región del país de los sueños, sino para proseguir su última búsqueda de los dioses de la ignota Kadath, y la maravillosa ciudad del crepúsculo que tan extrañamente ocultaban en sus sueños. Por consiguiente, habló de estas cuestiones a los jefes de los gules, contándoles lo que sabía del yermo helado donde se encuentra Kadath y de los monstruosos shantaks y las montañas esculpidas en forma de figuras bicéfalas que la custodian. Les habló del miedo que los pájaros shantaks sienten por los noctívagos demacrados, y de cómo esos inmensos pájaros hipocéfalos salen chillando de sus negras madrigueras excavadas en lo alto de los lúgubres picos grises que separan Inganok de la odiosa Leng. Les habló también de lo que había averiguado sobre los noctívagos demacrados en los frescos del monasterio sin ventanas del sumo sacerdote que no se debe describir; y que incluso los temían los Grandes, y que su señor no era el caos reptante Nyarlathotep, sino el venerable e inmemorial Nodens, señor del Gran Abismo.

Carter farfulló todas esas cosas a los gules allí reunidos, y acto seguido les resumió la petición que tenía intención de hacerles, que no le parecía desorbitada considerando los servicios que había prestado recientemente a los elásticos seres parecidos a perros que andaban muy deprisa. Pedía encarecidamente, dijo, los servicios de un número suficiente de noctívagos demacrados que lo transportaran sin peligro a través del espacio más allá del reino de los shantaks y de las montañas esculpidas hasta el yermo helado, más lejos de donde cualquier otro mortal hubiera llegado y regresado con vida. Deseaba volar hasta el castillo de ónice en lo alto de la ignota Kadath en el yermo helado para suplicar a los Grandes que le permitieran el acceso a la ciudad del crepúsculo que le negaban, y estaba seguro de que los noctívagos demacrados podrían llevarle hasta allí sin ninguna dificultad, por encima de los peligros de la planicie y de aquellas horribles figuras bicéfalas esculpidas en las montañas que son eternos centinelas agazapados en el gris crepúsculo. Pues no había peligro alguno en la tierra que pudiera amenazar a aquellas cornudas criaturas sin rostro, ya que hasta los Grandes las temen. Y aunque surgiera cualquier imprevisto procedente de los Otros Dioses, que son propensos a supervisar los asuntos de los más bondadosos dioses de la tierra, los noctívagos demacrados no tenían nada que temer; ya que los infiernos exteriores son asuntos insignificantes para esos seres voladores, silenciosos y escurridizos, que ni siquiera reconocen a Nyarlathotep como amo, sino que sólo se inclinan ante el poderoso y arcaico Nodens.

Un grupo de diez o quince noctívagos demacrados, farfulló Carter, sería sin duda suficiente para mantener a distancia a cualquier agrupamiento de shantaks; aunque quizá estaría bien que hubiera algunos gules en la partida para dirigir a las criaturas, ya que sus hábitos los conocen mejor sus aliados gules que los hombres. El grupo podía llevarlo a algún lugar conveniente en el interior de cualquier recinto amurallado que pudiera tener aquella fabulosa ciudadela de ónice, esperando en las sombras su regreso o su señal, mientras él iba al interior del castillo para exponer su petición a los dioses de la tierra. Si algunos gules decidían escoltarlo hasta el salón del trono de los Grandes, él se alegraría, pues su presencia podría añadir más peso e importancia a su súplica. Sin embargo, no insistió, sino solamente pidió que le transportaran de ida y vuelta al castillo en lo alto de la ignota Kadath; siendo su última etapa o bien la maravillosa ciudad del crepúsculo, en el caso de que los dioses se mostraran propicios, o el regreso a la tierra, a la Puerta del Sueño Profundo en el bosque encantado, si sus súplicas resultaban infructuosas.

Mientras Carter hablaba, todos los gules escucharon con gran interés y, a medida que pasaba el tiempo, el cielo se fue oscureciendo con nubes de noctívagos demacrados que los mensajeros habían ido a buscar. Los horrores alados se posaron en semicírculo alrededor del ejército de gules, esperando respetuosamente mientras sus perrunos jefes examinaban la petición del viajero terrestre. El gul que fue Pickman farfulló seriamente con sus camaradas, y al final ofrecieron a Carter mucho más de lo que él había esperado. Como había ayudado a los gules en su lucha contra las bestias lunares, ellos le ayudarían en su osado viaje a las regiones de las que nadie había regresado nunca; no sólo le prestarían unos cuantos noctívagos demacrados, aliados suyos, sino todo el ejército allí acampado: los veteranos luchadores gules y los noctívagos demacrados recién congregados, a excepción únicamente de una pequeña guarnición para custodiar la galera negra cautiva y el botín procedente de la roca serrada en el mar. Emprenderían el vuelo cuando él quisiera y, una vez llegados a Kadath, una adecuada comitiva de gules le acompañaría con gran pompa mientras él hiciera su petición a los dioses de la tierra en su castillo de ónice.

Conmovido por una gratitud y una satisfacción imposible de expresar con palabras, Carter trazó los planes para su audaz viaje con los jefes de los gules. Decidieron que el ejército volaría alto por encima de la odiosa Leng, con su indescriptible monasterio y sus malvados pueblos de piedra, deteniéndose únicamente en los enormes picos grises para consultar a los atemorizados shantaks, cuyas madrigueras forman laberintos en sus cumbres. Luego, de acuerdo con el asesoramiento que pudieran obtener de sus habitantes, decidirían la ruta definitiva y se acercarían a la ignota Kadath a través del desierto de las montañas esculpidas, al norte de Inganok, o bien se remontarían a regiones más septentrionales de la repugnante Leng. Perrunos los unos y desalmados los otros, a los gules y a los noctívagos demacrados no les asustaba lo que pudieran descubrir en aquellos desiertos inexplorados; ni sentían ningún temor disuasorio al pensar en Kadath, que se alzaba en solitario con su misterioso castillo de ónice.

Hacia el mediodía, los gules y los noctívagos demacrados se prepararon para el vuelo, escogiendo cada gul un par idóneo de monturas cornudas que lo transportara. Carter se colocó a la cabeza de la columna al lado de Pickman, y delante de todos, a modo de vanguardia, una doble fila de noctívagos demacrados sin jinete. A un enérgico glugluteo de Pickman, el aterrador ejército se elevó como una nube de pesadilla por encima de las columnas rotas y de las esfinges desmoronadas de la primordial Sarkomand, cada vez más alto, hasta que incluso el gran acantilado de basalto que había detrás de la ciudad desapareció, y empezó a verse el frío y estéril altiplano de las afueras de Leng. La tétrica hueste voló todavía más alto, hasta que incluso aquel mismo altiplano comenzó a empequeñecerse debajo de ellos; y cuando se dirigieron hacia el norte y sobrevolaron la horrorosa meseta azotada por el viento, Carter vio otra vez, estremecido, el círculo de toscos monolitos y el chato edificio sin ventanas que sabía que albergaba a aquella horrible blasfemia con máscara de seda, de cuyas garras había escapado por poco. Esta vez no descendieron cuando el ejército cruzó como una bandada de murciélagos por encima del desolado paisaje, pasando a gran altura sobre las tenues hogueras de los malsanos pueblos de piedras, ni se detuvieron a observar las morbosas contorsiones de las criaturas casi humanas con pezuñas y cuernos que allí danzan y tocan la flauta permanentemente. Una vez vieron un pájaro shantak que volaba bajo sobre la planicie, pero cuando éste los vio chilló de manera muy desagradable y se alejó hacia el norte batiendo las alas como un loco, preso de un pánico absurdo.

Al atardecer llegaron a los serrados picos grises que forman la barrera de Inganok y revolotearon en torno a esas extrañas cuevas que hay cerca de las cumbres, que tanto aterraban a los shantaks, según Carter recordaba. Ante los insistentes glugluteos de los jefes de los gules, brotó de cada madriguera una oleada de negras criaturas voladoras con cuernos, con las que los gules y los noctívagos demacrados del grupo conferenciaron largo y tendido por medio de gestos desagradables. Pronto quedó claro que la mejor ruta sería atravesar el yermo helado que se extiende al norte de Inganok, ya que los tramos en dirección norte hacia Leng están llenos de trampas invisibles que aborrecen incluso los noctívagos demacrados; pésimas influencias concentradas en ciertos edificios semiesféricos de color blanco construidos sobre extrañas lomas, que la tradición popular relaciona con los Otros Dioses y su caos reptante Nyarlathotep.

Aquellos seres que revoloteaban por encima de los picos no sabían casi nada de Kadath, salvo que debía ser cierta ciudad maravillosa e imponente que había más al norte, sobre la que los shantaks y las montañas esculpidas montan la guardia. Insinuaron que se rumoreaba que existían ciertas anormalidades desproporcionadas en aquellos territorios inexplorados que hay más allá, y recordaron vagos cuchicheos acerca de un reino donde la noche dura eternamente; pero no pudieron aportar ningún dato concreto. De modo que Carter y su grupo les dieron las gracias amablemente; y cruzando las más altas cimas de granito que dominan los cielos de Inganok, descendieron por debajo del nivel de las fosforescentes nubes nocturnas y vieron a lo lejos aquellas terribles gárgolas agazapadas que fueron montañas hasta que una mano titánica esculpiera en su roca virgen la imagen del horror.

Estaban agazapadas en un semicírculo infernal, sus patas sobre la arena del desierto y sus mitras atravesando las luminosas nubes; siniestras, parecidas a lobos, con rostros furiosos en sus dobles cabezas, y la mano derecha levantada zafia y malévolamente, observando los confines del mundo de los hombres y vigilando horrorizadas las extensiones de un frío mundo septentrional que no es humano. De sus monstruosos regazos surgieron malvados shantaks de corpulencia elefantina, pero todos ellos huyeron lanzando insensatas risas ahogadas cuando avistaron en el cielo brumoso la vanguardia de noctívagos demacrados. El ejército voló hacia el norte por encima de aquellas gárgolas que fueron montañas, cruzando leguas de sombrío desierto en el que nunca se alzó un mojón. Las nubes fueron haciéndose cada vez menos luminosas, hasta que finalmente Carter se vio rodeado de la más completa oscuridad; pero ni por un momento titubearon sus corceles alados, que estaban criados en las más negras criptas de la tierra y, al carecer de ojos, veían a través de la superficie húmeda y oscura de sus escurridizos cuerpos. Y siguieron volando y volando, más allá de vientos cargados de dudosos olores y de ruidos de dudosa procedencia, siempre rodeados de la más espesa oscuridad, y recorrieron distancias tan prodigiosas que Carter se preguntó si no habrían dejado atrás el país de los sueños terrestres.

De pronto, las nubes se disiparon y las estrellas brillaron espectralmente sobre sus cabezas. Abajo todo seguía oscuro, pero aquellas pálidas balizas en el cielo parecían animadas de un sentido y un propósito que nunca habían tenido en otro lugar. No es que las figuras de las constelaciones fuesen diferentes, sino que las mismas formas conocidas parecían revelar un significado que antes no habían logrado poner de manifiesto. Todo convergía hacia el norte; cada curva, cada asterismo del reluciente firmamento formaba parte de un vasto proyecto cuya función era obligar primero al ojo, y después al mismo observador, a dirigirse hacia un secreto y terrible objetivo convergente situado más allá del yermo helado que se extendía interminable ante ellos. Carter miró hacia el este, donde la gran cordillera formaba una barrera de picos que se elevaba a lo largo de todo Inganok, y vio recortada contra las estrellas una silueta serrada que ponía de manifiesto su presencia continua. Parecía más recortada, con profundas hendiduras y cumbres fantásticamente irregulares; y Carter examinó detenidamente los sugestivos cambios e inclinaciones de aquel grotesco perfil, que parecía compartir con las estrellas un misterioso impulso a dirigirse hacia el norte.

Volaban a una velocidad enorme, de modo que el observador tenía que esforzarse mucho para captar algún detalle; cuando de repente percibió, justo por encima del contorno de picos más altos y recortado contra las estrellas, un objeto oscuro que se movía siguiendo una trayectoria exactamente paralela a la que llevaba su propio y estrafalario grupo. Los gules también lo habían vislumbrado, pues Carter oyó su farfullar en voz baja, y por un momento imaginó que se trataba de un gigantesco shantak, de un tamaño infinitamente mayor al de un espécimen normal. Enseguida comprendió, sin embargo, que su idea no se sostenía; pues la figura que cruzaba por encima de las montañas no era ni mucho menos un pájaro hipocéfalo. Su perfil recortado contra las estrellas, aunque forzosamente confuso, se asemejaba más bien a una enorme cabeza mitrada, o a un par de cabezas infinitamente ampliadas; y su rápido vuelo errático por el cielo no parecía ser el típico de unas alas. Carter no sabría decir en qué lado de las montañas se encontraba aquella cosa, pero no tardó en darse cuenta de que no había visto todo su cuerpo ya que había partes del mismo que ocultaban las estrellas en los lugares en que la cordillera presentaba profundas hendiduras.

Luego vino una gran brecha en la cadena de montañas, donde las odiosas extensiones de la tramontana Leng se unían al yermo helado mediante un profundo desfiladero a través del cual brillaban tenuemente las estrellas. Carter observó aquella brecha con gran atención, dándose cuenta de que podía ver perfilada contra el cielo la parte inferior de aquella enorme cosa que se desplazaba por encima de las cumbres en un vuelo ondulante. El objeto avanzaba flotando, y todos los ojos de los componentes del grupo estaban fijos en la grieta donde enseguida iba a aparecer la silueta de cuerpo entero. Poco a poco la enorme cosa que avanzaba por encima de las cumbres se acercó a la brecha, aminorando ligeramente su velocidad como si se hubiera dado cuenta de haber dejado atrás al ejército de gules. Durante otro minuto la incertidumbre se intensificó, y luego apareció fugazmente la silueta completa: de los labios de los gules brotó un atemorizado y medio sofocado glugluteo de miedo cósmico y el alma del viajero fue presa de un escalofrío que nunca lo abandonaría por completo. Pues la descomunal y errática figura que sobresalía por encima de la cordillera era sólo una cabeza —una doble cabeza mitrada—, bajo cuya terrible inmensidad corría muy deprisa el espantoso cuerpo hinchado al que pertenecía; una monstruosidad, alta como una montaña, que caminaba con sigilo y en silencio; una gigantesca figura antropoide deformada hasta parecerse a una hiena que trotaba y cuyo repulsivo par de cabezas tocadas con una mitra cónica se recortaba tétricamente contra el cielo hasta media altura del cenit.

Carter no perdió el conocimiento, ni siquiera gritó, pues era un inveterado soñador; pero miró hacia atrás horrorizado y se estremeció al ver que las siluetas de otras cabezas monstruosas se recortaban sobre el nivel de los picos y avanzaban balanceándose sigilosamente detrás de la primera. Y justo detrás, tres de las impresionantes figuras talladas en la montaña, plenamente visibles contra las estrellas australes, caminaban sigilosa y pesadamente, a la manera de lobos, inclinando sus altas mitras en el aire a varios miles de pies de altura. Las montañas esculpidas, pues, no habían permanecido agazapadas en aquel rígido semicírculo al norte de Inganok, con las manos derechas tendidas hacia arriba. Tenían obligaciones que cumplir y no las habían descuidado. Pero era horrible que no hablaran nunca, e incluso que no hicieran el menor ruido al andar[34].

Entre tanto, el gul que fue Pickman había farfullado una orden a los noctívagos demacrados, y el ejército entero elevó su vuelo todavía más. La grotesca columna subió vertiginosamente hacia las estrellas, hasta que ya nada se destacaba contra el cielo: ni la inmóvil cordillera de granito gris ni las esculpidas montañas mitradas que andaban. Abajo todo estaba envuelto en tinieblas, mientras las revoloteantes legiones enfilaban hacia el norte entre impetuosos vientos y risas invisibles en el éter, y ningún shantak ni cualquier otra entidad menos mencionable se elevó de los desiertos encantados para perseguirles. Cuanto más se alejaban, más rápido volaban, hasta que su vertiginosa velocidad no tardó en superar la de una bala de rifle y se aproximó a la de un planeta en su órbita. Carter se preguntaba cómo era posible que a tal velocidad la tierra pudiera seguir extendiéndose por debajo de ellos, pero se dio cuenta de que en el país de los sueños las dimensiones poseían extrañas propiedades. Estaba seguro de que se encontraban en un lugar donde reinaba la noche perpetua, y se imaginó que las constelaciones que brillaban por encima de sus cabezas habían acentuado sutilmente su enfoque hacia el norte, recogiéndose como si fueran a arrojar al ejército volador al vacío del polo boreal, como se recogen los pliegues de una bolsa para arrojar las últimas cosas que contenía.

Entonces advirtió aterrado que las alas de los noctívagos demacrados ya no aleteaban. Los corceles cornudos y sin rostro habían plegado sus apéndices membranosos y se habían quedado completamente pasivos en el caos huracanado que se arremolinaba y reía mientras los arrastraba. Una fuerza extraterrestre había atrapado al ejército, y tanto los gules como los noctívagos demacrados se hallaban a merced de un remolino que los arrastraba loca e implacablemente hacia el norte, de donde ningún mortal había regresado nunca. Al fin fue vista una pálida luz solitaria en el horizonte, que se fue elevando sin cesar a medida que ellos se acercaban, y que tenía debajo de ella una masa negra que ocultaba las estrellas. Carter comprendió que debía de ser algún faro situado sobre una montaña, pues sólo una montaña podía ser tan enorme para ser visible desde tan prodigiosa altura.

La luz y la oscuridad debajo de ella se fueron elevando cada vez más, hasta que la mitad del hemisferio boreal quedó oscurecido por aquella desigual masa cónica. Aunque el ejército volaba muy alto, aquel pálido y siniestro faro se alzaba por encima de él, destacándose monstruoso sobre todos los picos y demás accidentes de la tierra, disfrutando del éter sin átomos donde la enigmática luna y los locos planetas dan vueltas. Aquella montaña que surgía amenazadoramente ante ellos no era ninguna de las que el hombre conocía. Las altas nubes de allá abajo no eran más que una orla para sus estribaciones. El vértigo sofocante de las capas más altas de la atmósfera no era más que una faja que ceñía sus flancos. Desdeñoso y espectral, aquel puente entre la tierra y el cielo ascendía, negro en medio de la noche eterna, y estaba coronado por una *pschent* de estrellas desconocidas cuyo espantoso y significativo perfil se iba haciendo por momentos más evidente. Los gules gluglutearon asombrados al verlo, y Carter se estremeció por miedo a que todo aquel ejército lanzado se hiciera pedazos al estrellarse contra el ónice inquebrantable de aquel ciclópeo precipicio.

La luz se elevó todavía más, hasta confundirse con las orbes más altas del cenit, y parpadeó como mofándose morbosamente de los viajeros. Por debajo de ellos, todo el norte no era ya más que una oscuridad, una espantosa oscuridad pétrea desde sus profundidades infinitas hasta sus alturas infinitas, iluminada tan sólo por aquel pálido faro parpadeante encaramado tan alto que era completamente inalcanzable a la vista. Carter examinó la luz más detenidamente, y vio por fin los contornos que su fondo negro como la tinta perfilaba contra las estrellas. Había torres en aquella gigantesca cumbre montañosa; horribles torres cubiertas con cúpulas, distribuidas en detestables e incalculables filas y grupos, y ejecutadas con una destreza que sobrepasaba cuanto el hombre pueda imaginar; almenas y terrazas asombrosas y amenazadoras, silueteadas en la lejanía, diminutas y negras, contra la estrellada *pschent* que relucía malévolamente en el límite extremo de la visión. Coronando aquella inconmensurable montaña había un castillo imposible de imaginar para un humano, y en él brillaba la luz del demonio. Entonces Randolph Carter comprendió que su búsqueda había terminado, y que estaba viendo encima de él el objetivo de todas sus prohibidas andanzas y audaces visiones: la fabulosa, la increíble morada de los Grandes, en lo alto de la ignota Kadath.

En cuanto se dio cuenta de eso, Carter notó un cambio en la trayectoria del grupo succionado irremediablemente por el viento. Se estaban elevando abruptamente, y estaba claro que el destino de su vuelo era el castillo de ónice donde brillaba la luz pálida. Estaban tan cerca de la gran montaña negra que sus laderas pasaban vertiginosamente junto a ellos mientras se precipitaban a las alturas y, en la oscuridad, no podían distinguir nada en ella. Las tenebrosas torres de aquel castillo en sombras asomaban cada vez más enormes, y Carter pudo constatar que eran casi blasfemas en su inmensidad. Sus sillares bien podían haber sido extraídos por innominados obreros en aquel horrible abismo abierto en la roca del cerro al norte de Inganok, pues su tamaño era tal que junto a ellos un hombre parecía una hormiga en la escalinata de la fortaleza más alta de la tierra. La *pschent* de estrellas desconocidas brillaba con un pálido fulgor amarillento por encima de la miríada de torres cubiertas con cúpulas, de suerte que una especie de penumbra rondaba aquellas lóbregas murallas de delicado ónice. Ahora se veía que el pálido faro no era sino una simple ventana iluminada en una de las torres más altas, y mientras el desvalido ejército se aproximaba a la cumbre de la montaña, Carter creyó detectar sombras poco gratas que cruzaban fugazmente la abertura débilmente iluminada. Se trataba de una ventana con un arco muy extraño, cuyo estilo era completamente ajeno a los que se conocen en la tierra.

La sólida roca dio paso entonces a los gigantescos cimientos del monstruoso castillo, y pareció que la velocidad del grupo se reducía un poco. Se alzaron de repente enormes murallas y se vislumbró una gran puerta a través de la cual fueron arrastrados los viajeros. El titánico patio estaba completamente a oscuras, pero luego pasaron a la más espesa oscuridad de los sitios más recónditos cuando la columna embocó un enorme portal con arco. Torbellinos de viento helado cargado de humedad surgieron de ciegos laberintos de ónice, y Carter nunca llegó a saber cuántas escaleras y corredores ciclópeos pasaron en silencio a lo largo del itinerario de su interminable serpenteo aéreo. La terrible zambullida en las tinieblas los arrastraba siempre hacia arriba, y ni un ruido, ni un roce, ni un atisbo, rasgó el espeso velo de misterio. A pesar de lo numeroso que era el ejército de gules y noctívagos demacrados, se perdía en los prodigiosos espacios de aquel castillo ultraterrestre. Y cuando por fin empezó a brillar a su alrededor de pronto la pálida luz de aquella habitación de la torre cuya ventana alta había servido de faro, Carter tardó bastante tiempo en distinguir las lejanas paredes y el alto y distante techo, y en darse cuenta de que, desde luego, no se encontraba de nuevo en el exterior, al aire libre.

Randolph Carter había esperado poder entrar en la sala del trono de los Grandes con aplomo y dignidad, flanqueado y seguido por impresionantes filas de gules en orden ceremonial, y presentar su petición como un señor libre y poderoso entre los soñadores. Se había dado cuenta de que podía hacer frente a los Grandes, pues no tienen más poder que los mortales, y había confiado en que a los Otros Dioses y a su caos reptante Nyarlathotep no se les ocurriría acudir en su ayuda en el momento crucial, como habían hecho con tanta frecuencia cuando los hombres buscaron a los dioses terrestres en su morada o en sus montañas. Y con su horrenda escolta había esperado a medias poder desafiar incluso a los Otros Dioses, si fuera necesario, sabiendo como sabía que los gules no tienen amos, y que los noctívagos demacrados no obedecen a Nyarlathotep, sino sólo al arcaico Nodens. Pero entonces se dio cuenta de que la excelsa Kadath, en su yermo helado, está rodeada, en efecto, de enigmáticos prodigios e innominados centinelas, y que los Otros Dioses están alerta, de seguro, para proteger a los bondadosos y débiles dioses terrestres. Desprovistos de autoridad sobre gules y noctívagos demacrados, las estúpidas y amorfas blasfemias de los espacios exteriores pueden, sin embargo, controlarlos si no hay más remedio; de modo que no fue en calidad de libre y poderoso señor de soñadores como Randolph Carter entró en el salón del trono de los Grandes con su séquito de gules. Arrastrado y arreado por temporales de pesadilla procedentes de las estrellas, y perseguido por los horrores invisibles del desierto boreal, todo aquel ejército flotó cautivo y desvalido en aquella luz macilenta, cayendo aturdido al suelo de ónice cuando, obedeciendo a alguna orden muda, los vientos del espanto se disiparon.

Randolph Carter no había llegado ante ningún estrado dorado, ni había allí ningún majestuoso círculo de seres coronados y auroleados, de ojos entrecerrados, orejas de grandes lóbulos, fina nariz y mentón puntiagudo, cuya similitud con el rostro esculpido de Ngranek podría catalogarlos como aquellos a quienes el soñador debía suplicar. Aparte de aquella única habitación de la torre, el castillo de ónice en lo alto de Kadath estaba a oscuras, y sus dueños no estaban presentes. Carter había llegado a la ignota Kadath en el yermo helado, pero no había encontrado a los dioses. Sin embargo, la macilenta luz todavía brillaba en aquella habitación de la torre cuyas dimensiones eran ligeramente inferiores a todas las demás, y cuyas lejanas paredes y techo casi se perdían de vista en las finas nieblas que ascendían en espirales. Era cierto que los dioses terrestres no estaban allí, pero no podían faltar otras presencias más sutiles y menos visibles. Donde están ausentes los bondadosos dioses de la tierra, los Otros Dioses no dejan de estar representados; y ciertamente el castillo de ónice por antonomasia estaba lejos de hallarse deshabitado. Carter no podía imaginar de ninguna manera qué formas extravagantes revestiría el terror la próxima vez. Presentía que habían estado esperando su visita, y se preguntaba con qué minuciosidad le habría estado vigilando el caos reptante Nyarlathotep desde el principio. Pues es a Nyarlathotep, horror de formas infinitas y pavorosa alma y mensajero de los Otros Dioses, a quien sirven las fungosas bestias lunares; y Carter se acordó de la galera negra que había desaparecido cuando el rumbo de la batalla cambió para las anormalidades con aspecto de sapo en la serrada roca que emerge del mar.

Reflexionando sobre estas cosas, le temblaban las piernas en medio de su destacamento de pesadilla, cuando sonó, sin avisar, por todo aquel ilimitado aposento débilmente iluminado el horrible toque de una trompeta demoníaca. Tres veces resonó aquel tremendo chillido de bronce y, cuando se desvanecieron los ecos del tercer toque, Randolph Carter se dio cuenta de que estaba solo. Adónde, por qué y cómo habían sido escamoteados en sus propias narices los gules y los noctívagos demacrados era algo que no podía adivinar. Lo único que sabía era que de repente se encontraba solo y que, cualesquiera que fuesen los poderes invisibles que acechaban socarronamente a su alrededor, no pertenecían al amistoso país de los sueños de la tierra. Acto seguido llegó un nuevo sonido de los más lejanos confines del aposento. Era también un ritmo de trompeta; pero de un tipo completamente distinto a los tres toques estridentes que habían dispersado a su espeluznante cohorte. En aquella débil fanfarria resonaba todo el prodigio y la dulzura de los sueños etéreos; exóticos panoramas de inimaginable belleza brotaban de cada extraño acorde y de cada cadencia sutilmente ajena. Aromas de incienso venían a emparejarse con aquellas notas excelsas; y por encima de su cabeza comenzó a brillar una gran luz, cuyos colores cambiantes obedecían a ciclos desconocidos en el espectro terrestre, y seguían el ritmo de las trompetas con asombrosas armonías sinfónicas. Unas antorchas llamearon a lo lejos, y un redoble de tambores vibró cada vez más cerca entre oleadas de tensa expectación.

De las finas nieblas y de la nube de extraño incienso salieron dos columnas paralelas de gigantescos esclavos negros vestidos con taparrabos de seda iridiscente. Sobre la cabeza portaban grandes antorchas de reluciente metal a modo de casco, que esparcían en espirales humeantes la fragancia de desconocidos bálsamos. En la mano derecha llevaban varitas de cristal cuyas extremidades estaban talladas en forma de impúdicas quimeras, mientras que en la mano izquierda empuñaban largas y finas trompetas de plata que soplaban por turnos. Llevaban brazaletes y ajorcas, unidas a pares a una larga cadena de oro, que les obligaba a andar pausadamente. Enseguida se advertía que se trataba de auténticos hombres negros del país de los sueños terrestres, pero parecía menos probable que sus ritos y vestidos procedieran realmente de la tierra. Las columnas se detuvieron a unos diez pasos de Carter, y a continuación cada uno de ellos se llevó de pronto la trompeta a sus gruesos labios. Siguió un toque frenético y extático, pero más desaforado todavía fue el grito que brotó inmediatamente después de sus oscuras gargantas, cuya estridencia parecía deberse en alguna medida a una extraña habilidad.

Entonces, por la amplia senda que separaba ambas columnas, avanzó a grandes zancadas una figura solitaria; una figura alta y delgada con el rostro joven de un antiguo faraón, vistiendo con despreocupación llamativos ropajes y coronado por una *pschent* dorada que relucía con luz propia. Aquella regia figura, cuyo porte altivo y facciones morenas tenían la fascinación de un dios aciago o un arcángel caído, y en cuyos ojos acechaba el lánguido destello de un humor caprichoso, se acercó a Carter. Habló, y su melodioso tono de voz pareció un murmullo de la suave música de las corrientes del Lete[35].

–Randolph Carter –dijo la voz–. Has venido a ver a los Grandes, cosa que la ley prohíbe a los hombres. Los vigilantes lo han revelado y los Otros Dioses han gruñido mientras giraban y daban volteretas despreocupadamente al son de las finas flautas en el negro vacío final donde mora el sultán de los demonios cuyo nombre ningunos labios se atreven a pronunciar en voz alta.

»Cuando Barzai el Sabio escaló el Hatheg-Kla para ver danzar y dar alaridos a los Grandes por encima de las nubes a la luz de la luna, nunca más regresó. Los Otros Dioses estaban allí, e hicieron lo que cabía esperar. Zenig de Aphorat trató de llegar a la ignota Kadath en el yermo helado, y ahora su cráneo está engastado en un anillo que lleva en el dedo meñique alguien a quien no hace falta que nombre.

»Pero tú, Randolph Carter, has arrostrado todos los peligros del país de los sueños del mundo terrestre, y todavía te consume el ardor de tu búsqueda. No has venido sólo por curiosidad, sino como quien procura cumplir con su deber; y nunca has dejado de venerar a los bondadosos dioses de la tierra. Sin embargo, esos mismos dioses te han mantenido alejado de la maravillosa ciudad del crepúsculo que soñaste, y lo han hecho movidos exclusivamente por su propia y mezquina codicia; porque en verdad ansiaban la sobrecogedora belleza de esa ciudad que tu fantasía había forjado, y juraron que en adelante ningún otro lugar será su morada.

»Han abandonado su castillo en la ignota Kadath para vivir en tu ciudad maravillosa. Durante el día se divierten en sus palacios de mármol veteado y, cuando el sol se pone, salen a los perfumados jardines para contemplar el dorado esplendor de los templos y columnatas, los puentes arqueados y las tazas de plata de las fuentes, las amplias calles flanqueadas de urnas llenas de flores y de estatuas de marfil en relucientes hileras. Y cuando llega la noche, suben a las altas terrazas y se sientan al relente en bancos tallados en pórfido a escudriñar las estrellas, o se inclinan sobre blancas balaustradas a contemplar los empinados declives de la ciudad en dirección norte donde, una a una, las ventanitas de edificios con viejos tejados picudos a dos aguas resplandecen suavemente en la sosegante luz amarillenta de las velas caseras.

»A los dioses les gusta tu maravillosa ciudad, y ya no se comportan como tales. Han olvidado las altas regiones de la tierra y las montañas que conocieron de jóvenes. La tierra ya no tiene dioses que sean propiamente tales, y sólo los Otros Dioses de los espacios exteriores dominan la olvidada Kadath. Lejos, en un valle de tu propia niñez, Randolph Carter, juegan los despreocupados Grandes. Has soñado muy bien, ¡oh, juicioso archisoñador!, pues has apartado a los dioses del sueño del mundo de las visiones comunes a todos los hombres, para llevarlos a otro que es enteramente tuyo, y a partir de las insignificantes fantasías de tu infancia has construido una ciudad más hermosa que todas las quimeras que han existido hasta hoy.

»No es bueno que los dioses de la tierra abandonen sus tronos para que la araña hile en ellos su tela, ni que dejen su reino para que los Otros gobiernen a su siniestra manera. De buena gana te llevarían los poderes exteriores al caos y al horror, Randolph Carter, que eres el causante de su desconcierto, pero saben que sólo tú puedes hacer que los dioses regresen a su mundo. Ningún poder de las supremas tinieblas puede aspirar a ese semivigil país de los sueños tuyo; y sólo tú puedes echar con delicadeza a los egoístas Grandes de tu maravillosa ciudad del crepúsculo, y hacer que regresen, a través de la penumbra boreal, a su lugar acostumbrado en lo alto de la ignota Kadath, en el yermo helado.

»De modo, Randolph Carter, que en nombre de los Otros Dioses, te perdono y te exhorto a obedecer mis órdenes. Te exhorto a que busques tu propia ciudad del crepúsculo, y que eches de allí a los apáticos y taimados dioses a quienes aguarda el mundo de los sueños. No es difícil encontrar esa rosácea chifladura de los dioses, esa fanfarria de trompetas celestiales y estruendo de címbalos inmortales, ese misterio cuyo emplazamiento y significado te ha perseguido por los pasillos del mundo vigil y los abismos del sueño, y te atormenta con atisbos de recuerdos evanescentes y con el dolor de las cosas perdidas, pavorosas y trascendentales. Ni tampoco es difícil encontrar ese símbolo y reliquia de tus días de prodigiosos ensueños, pues, realmente, no es sino la gema inmutable y eterna donde toda maravilla centellea cristalizada para iluminar tu camino nocturno. ¡Escucha!, no es a través de mares desconocidos por donde debes dirigir tu búsqueda, sino que has de regresar a los años bien conocidos; a las radiantes y extrañas obsesiones de la infancia y a las penetrantes visiones empapadas de sol y de magia que los viejos paisajes aportan a una ingenua mirada joven.

»Pues has de saber que tu dorada y marmórea ciudad de ensueño es sólo la suma de todo lo que has visto y amado de joven. Es el esplendor de los tejados empinados de Boston y las ventanas a poniente inflamadas por la puesta del sol; el esplendor del ejido perfumado por las flores, la gran cúpula en lo alto de la cuesta, y el laberinto de gabletes y chimeneas en el valle violáceo donde el Charles fluye soñoliento por debajo de muchos puentes. Esas cosas viste, Randolph Carter, cuando tu aya te sacó por primera vez a dar una vuelta en primavera, y será lo último que verás con los ojos del recuerdo y del amor. Y está la antigua Salem y su inquietante pasado, y la espectral Marblehead a cuyos rocosos precipicios subiste en siglos anteriores; y la belleza de las torres y los chapiteles de Salem vistos a lo lejos desde los prados de Marblehead, al otro lado del puerto, en la puesta del sol.

»Está Providence, pintoresca y señorial con sus siete colinas en torno al puerto azul, con sus terrazas de césped que conducen a campanarios y ciudadelas de palpable antigüedad; y Newport, que asciende como un espectro desde su fantástico rompeolas. Y Arkham, con sus tejados de cubiertas a la holandesa invadidas por el musgo y las rocosas praderas ondulantes a sus espaldas. Y la antediluviana y vetusta Kingsport, con sus chimeneas de barco, sus muelles desiertos y sus gabletes colgantes, y la maravilla de sus altos acantilados, y más allá el océano cubierto de brumas lechosas con sus tintineantes boyas.

»Frescos valles de Concord, callejuelas adoquinadas de Portsmouth, recodos en penumbra de caminos rurales de New-Hampshire, cuyos olmos gigantescos casi ocultan las blancas tapias de las granjas y los chirriantes cigoñales de los pozos. Muelles de sal de Gloucester y sauces de Truro azotados por el viento. Paisajes con lejanos pueblos con sus chapiteles, y sucesión de colinas a lo largo de la Costa del Norte, silenciosas laderas pedregosas y *cottages* bajos cubiertos de hiedra, al abrigo de los enormes peñascos en el interior de Rhode Island. Olor a mar y fragancia de los campos; el hechizo de los bosques sombríos y el deleite de los huertos y jardines al amanecer. Todas esas cosas, Randolph Carter, son tu ciudad; pues forman parte de ti. Nueva Inglaterra te ha dado la vida y ha vertido en tu espíritu un límpido encanto que no puede extinguirse. Ese encanto, moldeado, cristalizado y pulido por años de recuerdos y ensoñaciones, constituye la esencia misma de tus visiones de maravillosas terrazas y fugaces puestas de sol; y para encontrar aquel antepecho de mármol con extrañas urnas y barandillas esculpidas, y descender finalmente por aquellas interminables escalinatas con balaustradas hasta la ciudad de amplias plazas y llamativas fuentes, sólo necesitas retroceder a los pensamientos y visiones de tu melancólica infancia.

»¡Mira! A través de aquella ventana brillan las estrellas de la noche eterna. Todavía brillan sobre los paisajes que has conocido y amado, y beben de su encanto para brillar después más bellas que nunca sobre los jardines del sueño. Allí está Antares[36]... en estos momentos centellea sobre los tejados de Tremont Street, y podrías verla desde tu ventana de Beacon Hill. Más allá de aquellas estrellas se abren los abismos desde los que mis inconscientes amos me han enviado. Algún día tú también podrás atravesarlos, pero si eres prudente te cuidarás de cometer tal desatino; pues de todos los mortales que han estado allí y han regresado, sólo uno conserva su mente intacta tras los abrumadores y desgarradores horrores del vacío. Espantos y blasfemias se hostigan unos a otros en disputa del espacio, y hay más maldad en los menores que en los mayores; pero eso ya lo sabes por los hechos de los que han intentado entregarte a mí, aunque yo no tenía ningún deseo de hacerte daño, y desde luego te habría ayudado a llegar hasta aquí hace mucho, si no hubiera estado ocupado en otra parte, y no hubiese tenido el convencimiento de que encontrarías el camino por ti mismo. Evita, pues, los infiernos exteriores y cíñete a las cosas apacibles y bellas de tu juventud. Busca tu maravillosa ciudad y arroja de ella a los desleales Grandes, enviándolos de vuelta discretamente a los escenarios de su propia juventud, donde esperan preocupados su regreso.

»Más fácil todavía que el confuso camino de los recuerdos es el que te voy a preparar. ¡Mira! Ahí viene un monstruoso shantak, guiado por un esclavo que, para no perturbar tu espíritu, es mejor que permanezca invisible. Monta y prepárate... ¡ya! Yogash el negro te ayudará a subir a ese horror escamoso. Dirígete hacia aquella estrella más brillante justo al sur del cenit... es Vega[37], y dentro de dos horas estará justo encima de la terraza de tu ciudad del crepúsculo. Dirígete hacia ella sólo hasta que oigas un lejano cántico en lo alto del éter. Más arriba acecha la locura, de modo que refrena al shantak en cuanto las primeras notas te atraigan. Mira entonces hacia la tierra, y verás brillar en el tejado sagrado de un templo el fuego inmortal del altar de Ired-Naa. Ese templo se encuentra en tu deseada ciudad del crepúsculo, de modo que dirígete hacia él antes de prestar atención a ese cántico, pues después estarás perdido.

»Cuando te acerques a la ciudad, dirígete al mismo elevado antepecho desde donde antaño recorrías con la mirada aquel esplendoroso despliegue, y aguijonea al shantak hasta que aúlle. Ese aullido lo oirán y lo reconocerán los Grandes cuando se sienten en sus perfumadas terrazas, y se apoderará de ellos tal nostalgia que ninguna de las maravillas de tu ciudad les consolará de la ausencia de su lúgubre castillo de Kadath y de la *pschent* de estrellas que lo corona.

»Entonces debes aterrizar entre ellos con el shantak, y dejarles ver y tocar ese asqueroso pájaro hipocéfalo; mientras tanto les hablas de la ignota Kadath, que hace tan poco habrás abandonado, y les cuentas lo solitarios y oscuros que están sus inmensos salones, donde ellos solían brincar y divertirse envueltos en un resplandor celestial. Y el shantak les hablará a la manera de los shantak, pero no dispondrá de otro medio de persuasión más que el recuerdo de los tiempos pasados.

»Una y otra vez tendrás que hablar a los errabundos Grandes de su hogar y de su juventud, hasta que por fin se lamentarán y te pedirán que les muestres el camino de regreso que han olvidado. Acto seguido puedes soltar al shantak que está a la espera, y enviarlo hacia el cielo lanzando el familiar grito de su especie; al oírlo, los Grandes se pondrán a dar saltos y cabriolas y, recobrando su antiguo júbilo, se lanzarán inmediatamente en pos del repulsivo pájaro a la manera de los dioses, y cruzarán los profundos abismos del cielo hasta llegar a las familiares torres y cúpulas de Kadath.

»Entonces la maravillosa ciudad del crepúsculo será tuya, y podrás apreciarla y habitarla para siempre, y una vez más los dioses de la tierra dirigirán los sueños de los hombres desde su sede habitual. Vete ahora: la ventana está abierta y las estrellas aguardan en el exterior. Ya resuella y sonríe con impaciencia tu shantak. Dirígete a Vega a través de la noche, pero vuelve cuando suenen los primeros cánticos. No olvides esta advertencia, no sea que te succionen horrores inconcebibles hacia el abismo de espantosa y ululante locura. Acuérdate de los Otros

Dioses: son grandes, insensatos y terribles, y acechan en los vacíos exteriores. Ellos son los dioses que conviene evitar.

»*Hei! Aa-shanta 'nygh!* ¡Eres libre! Devuelve a los dioses terrestres a sus guaridas en la ignota Kadath, y ruega a todo el espacio que nunca tropieces conmigo en cualquiera de mis otras mil formas. ¡Adiós, Randolph Carter, y cuidado, *porque yo soy Nyarlathotep, el Caos Reptante!*

Y Randolph Carter, boquiabierto y aturdido, a lomos de su horrible shantak, salió disparado al espacio alarmantemente en dirección al frío resplandor azul de Vega, mirando hacia atrás nada más que una vez al caótico enjambre de pesadillescas torres de ónice, donde todavía brillaba el lívido fulgor solitario de aquella ventana por encima de la atmósfera y de las nubes del país de los sueños terrestres. Por delante de él se deslizaron misteriosamente grandes horrores tentaculares, e invisibles alas de murciélago batieron a su alrededor de manera multitudinaria; pero siguió agarrado a la desagradable crin de aquel repulsivo pájaro hipocéfalo y escamoso. Las estrellas danzaban con sorna, y de vez en cuando parecían moverse para formar tenues signos de fatalidad que podrían extrañar si no se hubieran visto y temido antes; y los vientos del éter bramaban sin cesar en las vagas tinieblas y en las soledades de más allá del cosmos.

Acto seguido, a través de la bóveda resplandeciente que tenía delante, se hizo un silencio premonitorio, y todos los vientos y los horrores se escabulleron como las criaturas nocturnas se escabullen antes del amanecer. En temblorosas oleadas que doradas briznas de nebulosa hacían extrañamente visibles, se elevó el tímido atisbo de una melodía lejana, cuyos débiles acordes eran desconocidos en nuestro universo estelar. Y cuando aquella música aumentó, el shantak levantó las orejas y se lanzó para adelante, y Carter se inclinó asimismo para captar cada uno de sus bellos compases. Era una canción, pero no provenía de voz alguna. La cantaban la noche y las esferas, y era ya vieja cuando nacieron el espacio, Nyarlathotep y los Otros Dioses.

El shantak volaba más rápido y el jinete se inclinó más, embriagado por las maravillosas visiones de extraños abismos, y dando vueltas en espirales de cristal de magia interplanetaria. Entonces se acordó, aunque demasiado tarde, de la advertencia del maligno, el sardónico aviso del legado del demonio, recomendándole que tuviera cuidado con la locura de aquella canción. Sólo para mofarse de él le había señalado Nyarlathotep el camino a la salvación y a la maravillosa ciudad del crepúsculo; sólo para burlarse de él había revelado aquel negro mensajero el secreto de aquellos tunantes dioses, cuyos pasos podía tan fácilmente hacer retroceder a voluntad. Pues la locura y la exaltada venganza del vacío son las únicas mercedes que Nyarlathotep concede a los atrevidos; y aunque el jinete se esforzara desesperadamente por lograr que su asquerosa montura diera media vuelta, aquel malicioso shantak, riendo con disimulo y batiendo sus grandes alas escurridizas con maligno regocijo, siguió con su impetuosa e implacable carrera, y se dirigió hacia aquellos impíos abismos adonde no llega ningún sueño; hacia aquella última y amorfa desertización de la más profunda confusión donde bulle y blasfema en el centro de la infinidad el insensato sultán de los demonios, Azathoth, cuyo nombre ningunos labios se atreven a pronunciar en voz alta.

Firme y obediente a las órdenes del asqueroso legado, aquel pájaro infernal se lanzó siempre hacia adelante por entre multitudes de criaturas informes que acechan y corretean en las tinieblas, y necias manadas de entidades a la deriva que andan a tientas y dan zarpazos sin parar; las indescriptibles larvas de los Otros Dioses que, como ellos, son ciegos y carecen de inteligencia, y tienen un hambre y una sed singulares.

Firme e inexorable en su marcha hacia adelante, riendo muchísimo al observar las histéricas risitas en que se había convertido el canto de sirenas de la noche y de las esferas, aquel horripilante monstruo escamoso llevaba a su desvalido jinete; lanzado a toda velocidad, abriéndose camino a través de los últimos confines y atravesando los abismos más alejados; dejando atrás las estrellas y los reinos de la materia, y precipitándose como un meteoro a través de la absoluta informidad en dirección a aquellos inconcebibles aposentos oscuros más allá del Tiempo donde el negro Azathoth –informe y voraz– roe sin parar en medio del sordo y enloquecedor redoble de infames tambores y el débil y monótono lamento de execrables flautas.

Adelante… siempre adelante… a través de sobrecogedores y cacareantes abismos poblados de oscuras criaturas... y entonces, desde algún lejano y maldito lugar, al condenado Randolph Carter le vino a la mente una imagen y un pensamiento. Nyarlathotep había planeado demasiado bien su burla y su tormento, pues le había hecho recordar lo que ningún acceso del más espeluznante terror podría borrar totalmente: su casa… Nueva Inglaterra… Beacon Hill… el mundo vigil.

–Pues has de saber que tu dorada y marmórea ciudad de ensueño no es más que la suma de todo lo que has visto y amado en tu juventud… el esplendor de los tejados empinados de Boston y las ventanas a poniente inflamadas por la puesta del sol; del ejido perfumado por las flores, la gran cúpula en lo alto de la cuesta y el laberinto de gabletes y chimeneas en el valle violáceo donde el Charles fluye soñoliento por debajo de muchos puentes... ese encanto, moldeado, cristalizado y pulido por años de recuerdos y ensoñaciones, constituye la misma esencia de tus visiones de maravillosas terrazas y fugaces puestas de sol; y para encontrar aquel antepecho de mármol con extrañas urnas y barandillas esculpidas, y descender finalmente por aquellas interminables escalinatas con balaustradas hasta la ciudad de amplias plazas y llamativas fuentes, sólo necesitas retroceder a los pensamientos y visiones de tu melancólica infancia.

Adelante… adelante… vertiginosamente adelante hacia el destino final, a través de las tinieblas en las que tentáculos invisibles palpan, asquerosos hocicos se abren paso a empujones e indescriptibles criaturas no dejan de reír disimuladamente. Pero aquella imagen y aquel pensamiento habían venido a su mente, y Randolph Carter supo de fijo que estaba soñando y sólo soñando, y que en el fondo todavía existía en algún lugar el mundo vigil y la ciudad de su infancia. Volvió a recordar las palabras: «Sólo necesitas retroceder a los pensamientos y visiones de tu melancólica juventud». Retroceder… retroceder… tinieblas por todas partes. Pero Randolph Carter pudo retroceder.

Aunque aturdido por la impetuosa pesadilla que se había apoderado de sus sentidos, Randolph Carter podía retroceder y moverse. Podía moverse y, si quería, podía bajar de un salto del malvado shantak que, por orden de Nyarlathotep, le llevaba a toda velocidad a su destino. Podía bajar de un salto y atreverse en aquellas profundidades de la noche que se abrían interminablemente a sus pies, aquellas profundidades de miedo cuyos terrores sin embargo no podían exceder al indescriptible destino que le aguardaba escondido en el corazón del caos. Podía retroceder y moverse, y saltar de su montura... podía... quería... lo haría...

El condenado y desesperado soñador bajó de un salto de aquella enorme abominación hipocéfala, y cayó por los interminables vacíos de tinieblas sensitivas. Transcurrieron eones, murieron y volvieron a nacer universos, estrellas se convirtieron en nebulosas y nebulosas se convirtieron en estrellas, y Randolph Carter seguía cayendo por aquellos interminables vacíos de tinieblas sensitivas.

Luego, en el lento y progresivo curso de la eternidad, el ciclo supremo del cosmos produjo otra de sus fútiles conclusiones, y todas las cosas volvieron a ser nuevamente como habían sido incalculables kalpas[38] antes. La materia y la luz nacieron de nuevo, tal como el espacio las había conocido; y los cometas, los soles y los mundos se lanzaron inflamados a la vida, aunque nada sobrevivió para atestiguar que habían existido y habían desaparecido una y otra vez, y siempre sin principio ni fin.

Y hubo de nuevo un firmamento, y un viento, y un resplandor de luz purpúrea a los ojos del soñador, que seguía cayendo. Hubo dioses y presencias y voluntades; belleza y maldad, y el chillido de la aborrecible noche a la que habían quitado su presa. Pues, a través del desconocido ciclo final, había sobrevivido un pensamiento y una visión de la infancia de un soñador, y se había reconstruido un mundo vigil y una vieja ciudad querida que los encarnaba y justificaba. Desde el vacío, el gas violeta S'ngac había señalado el camino, y el arcaico Nodens vociferaba sus consejos desde insospechadas profundidades.

Las estrellas se trocaron en amaneceres, los amaneceres estallaron en surtidores de oro, carmín y púrpura, y el soñador seguía cayendo. Los gritos rasgaron el éter mientras los haces de luz hacían retroceder a los demonios del exterior. Y el venerable Nodens lanzó un aullido de triunfo cuando Nyarlathotep, cerca de su presa, se detuvo desconcertado por un resplandor que chamuscaba a los informes horrores que perseguían al soñador hasta reducirlos a polvo gris. Randolph Carter había descendido, en efecto, la ancha escalinata de mármol que conducía a su maravillosa ciudad, pues había llegado de nuevo al hermoso mundo de Nueva Inglaterra que lo había forjado.

Así, a los acordes de órgano de los innumerables sonidos estridentes de la mañana, y bajo el resplandor que el deslumbrante amanecer proyectaba a través de los cristales púrpura en la gran cúpula dorada de State House en lo alto de la colina, Randolph Carter se despertó gritando y saltó de la cama en su habitación de Boston. Los pájaros cantaban en ocultos jardines, y el nostálgico perfume de los emparrados llegaba de los cenadores que su abuelo había levantado. La repisa de la chimenea clásica, la cornisa esculpida y las paredes adornadas con figuras grotescas, rebosaban de belleza y luz, mientras un lustroso gato negro se levantó bostezando del sueño junto al hogar que el sobresalto y el chillido de su dueño habían perturbado. Y a enormes infinidades de distancia, más allá de la Puerta del Sueño Profundo, del bosque encantado, de los vergeles, del Mar Cereneriano, y de las fronteras crepusculares de Inganok, el caos reptante Nyarlathotep entró con paso enérgico y gesto amenazador en el castillo de ónice que hay encima de la ignota Kadath, en el yermo helado, y se mofó insolentemente de los bondadosos dioses de la Tierra, a los que había arrebatado bruscamente de sus fragantes diversiones en la maravillosa ciudad del crepúsculo.

LA LLAVE DE PLATA[1]

Cuando tenía treinta años, Randolph Carter perdió la llave de la puerta de los sueños. Antes de eso había suplido el prosaísmo de la vida cotidiana con excursiones nocturnas a extrañas ciudades antiguas situadas más allá del espacio, y a preciosas e increíbles tierras fértiles al otro lado de mares etéreos; pero cuando la edad madura le endureció, sintió que esos privilegios se le escabullían poco a poco, hasta que finalmente los perdió por completo. Sus galeras ya no pudieron remontar el río Oukranos, más allá de los dorados chapiteles de Thran, ni sus caravanas de elefantes pudieron atravesar las fragantes selvas de Kled, donde olvidados palacios de jaspeadas columnas de marfil duermen bajo la luna, hermosos e intactos[2].

Había leído mucho acerca de cosas reales, y había hablado con demasiada gente. Los filósofos bienintencionados le habían enseñado a examinar las relaciones lógicas de las cosas, y a analizar los procesos que originaban sus pensamientos y sus quimeras. Su capacidad de asombro había desaparecido, y había olvidado que toda la vida no es más que un conjunto de imágenes en nuestro cerebro, y que no hay ninguna diferencia entre las que son fruto de las cosas reales y las engendradas por nuestros sueños más íntimos, ni ninguna razón para apreciar unas más que otras. La costumbre le había machacado los oídos con una supersticiosa veneración por todo lo que es tangible y existe físicamente, y le había hecho avergonzarse en su fuero interno por albergar tales ensueños. Los sabios le habían dicho que sus inocentes fantasías eran inanes y pueriles, y él lo creía porque era capaz de comprender que podían serlo perfectamente. Lo que no recordaba era que los hechos reales son igual de inanes y pueriles, y más absurdos aún, ya que sus actores se empeñan en suponerlos llenos de sentido e intención, mientras el ciego cosmos se esfuerza sin objeto para sacar cosas de la nada, y de las cosas vuelve a la nada otra vez, sin tener en cuenta ni reconocer los deseos o la existencia de las mentes que de vez en cuando fluctúan de manera efímera en la oscuridad.

Lo habían encadenado a las cosas reales, y luego le habían explicado el funcionamiento de esas cosas, hasta que el misterio hubo desaparecido del mundo. Cuando se lamentó y deseó ardientemente huir a las regiones crepusculares donde la magia moldeaba hasta los más pequeños fragmentos de vida y convertía las asociaciones mentales en perspectivas de intenso e inextinguible deleite, en vez de eso lo encauzaron hacia los nuevos prodigios de la ciencia, invitándolo a descubrir lo maravilloso en los vórtices del átomo y el misterio en las dimensiones del cielo. Y cuando hubo fracasado, y no encontró esas dádivas en las cosas cuyas leyes eran conocidas y mensurables, le dijeron que le faltaba imaginación y que todavía no estaba maduro, ya que prefería la ilusión del sueño a las ilusiones de nuestro mundo material.

De modo que Carter había intentado hacer lo que los demás, imaginándose que los sucesos ordinarios y las emociones de las mentes más sencillas eran más importantes que las fantasías de los espíritus más excepcionales y delicados. No discrepó cuando le dijeron que en la vida real el dolor animal de un cerdo apaleado, o de un labrador dispéptico, es más importante que la incomparable belleza de Narath, con sus cien puertas labradas y sus cúpulas de calcedonia, que él recordaba vagamente de sus sueños; y siguiendo su docto consejo adoptó un esmerado sentido de la compasión y de la tragedia.

Sin embargo, de cuando en cuando no podía evitar darse cuenta de lo superficiales, volubles y carentes de sentido que eran todas las aspiraciones humanas, y de la vacuidad con que nuestros impulsos reales contrastan con los pomposos ideales que manifestamos defender. Querría haber recurrido a la risa educada que le habían enseñado a utilizar contra la extravagancia y artificiosidad de los sueños; pues se daba cuenta de que la vida diaria de nuestro mundo es cabalmente tan extravagante y artificiosa, y mucho menos digna de respeto, debido a su carencia de belleza y a su estúpida reticencia a admitir su propia falta de motivos e intenciones. De esta manera, se convirtió en una especie de bromista, sin darse cuenta de que incluso el humor carece de sentido en un universo insensato, desprovisto de cualquier tipo de coherencia o falta de lógica.

En los primeros días de esta servidumbre, había recurrido a la tranquilizadora fe de beato que le inculcó la ingenua confianza de sus padres, pues ella le ofrecía místicos senderos que parecían augurar alguna escapatoria a esta vida. Sólo al examinarla con más detenimiento observó la falta de imaginación y de belleza, la rancia y prosaica trivialidad, la gravedad de sabiondo y las grotescas pretensiones de verdad unánime que prevalecían de manera fastidiosa y abrumadora en la mayor parte de quienes la profesaban; o se dio perfecta cuenta de la torpeza con que trataban de mantener vivos literalmente los crecientes temores y sospechas de una raza primordial enfrentada a lo desconocido. A Carter le fastidiaba ver la solemnidad con que la gente trataba de interpretar la realidad terrenal a partir de viejos mitos, que cada paso adelante de su jactanciosa ciencia refutaba, y esa seriedad que no venía al caso mató el apego que podía haber sentido por las antiguas creencias si éstas se hubieran contentado con ofrecer ritos sonoros y desahogos emocionales bajo pretexto de tratarse de verdaderas fantasías etéreas.

Pero cuando se puso a estudiar a los que se habían librado de los viejos mitos, los encontró aún más peligrosos que quienes no lo habían hecho. No sabían que la belleza reside en la armonía, y que en este cosmos sin objeto el encanto de la vida no sigue ningún patrón, salvo únicamente su concordancia con los sueños y los sentimientos que han modelado a tientas nuestras pequeñas esferas a partir del caos. No veían que el bien y el mal, la belleza y la fealdad, sólo son consecuencias ornamentales de un punto de vista, cuyo único valor reside en su vinculación con lo que por azar pensaron y sintieron nuestros padres, y cuyos detalles más sutiles son diferentes en cada raza y en cada cultura. En cambio, negaban por completo todas esas cosas, o las transferían a los rudimentarios y vagos instintos que compartían con las bestias y los palurdos; de modo que sus vidas se arrastraban escandalosamente por el dolor, la fealdad y la desproporción, aunque henchidas del absurdo orgullo de haber escapado de un universo no más imperfecto que el que todavía las sostenía. Habían trocado los falsos dioses del temor y de la devoción ciega por los del libertinaje y de la anarquía.

Carter no gozaba del todo de esas modernas libertades, ya que su bajeza y sordidez asqueaban a un espíritu como el suyo amante de la belleza exclusiva, al tiempo que su razón se rebelaba contra la lógica endeble con la que sus adalides trataban de dar un barniz superficial y aparente a los impulsos brutales mediante una santidad arrebatada a los ídolos que habían desechado. Veía que la mayor parte de ellos, de acuerdo con su descartado clericalismo, no podían zafarse de la engañifa de que la vida tiene un sentido distinto del que los hombres se imaginan, ni separar las rudimentarias nociones de ética y compromiso de la idea de belleza, aun cuando, a la luz de sus descubrimientos científicos, toda la naturaleza proclama a los cuatro vientos su inconsciencia y su impersonal amoralidad. Pervertidos y prejuiciados por sus preconcebidas ilusiones de justicia, libertad y coherencia, habían abandonado el antiguo saber, las viejas costumbres y las antiguas creencias, sin pararse nunca a pensar en que ese saber y esas costumbres eran los únicos responsables de sus actuales pensamientos y opiniones, las únicas guías y los únicos modelos en un universo desprovisto de sentido, de objetivos fijados y de puntos de referencia estables. Habiendo perdido esos marcos artificiales, sus vidas se volvieron carentes de dirección y de interés, hasta que finalmente se esforzaron por ahogar su tedio en el bullicio y en la supuesta utilidad, en el ruido y en la excitación, en los alardes bárbaros y en las sensaciones animales. Y cuando se cansaron de todas esas cosas, o les defraudaron, o el asco que les daban les hizo reaccionar, cultivaron la ironía y la mordacidad, y criticaron el orden social. Nunca llegaron a darse cuenta de que sus irracionales fundamentos eran tan cambiantes y contradictorios como los dioses de sus mayores, ni de que la satisfacción de un momento supone la ruina del siguiente. La belleza serena y duradera sólo ocurre en los sueños, y el mundo ha desperdiciado ese consuelo cuando, en su adoración de lo real, rechazó los secretos de la infancia y la inocencia.

En medio de aquel caos de falsedad y descontento, Carter intentó vivir como correspondía a un hombre dotado de ingenio y con un buen patrimonio. Cuando sus sueños se desvanecieron con la irrisión de la edad, ya no pudo creer en nada; pero su afición por la armonía lo mantuvo unido a las costumbres propias de su raza y condición. Atravesaba impasible las ciudades de los hombres y suspiraba porque ninguna perspectiva le parecía enteramente real; porque cada destello del sol en los tejados altos y cada vislumbre de las plazas balaustradas a las primeras luces del anochecer, le recordaban los sueños que había tenido tiempo atrás y le hacía sentir nostalgia por los países etéreos que ya no sabría encontrar. Viajar no era más que un burdo remedo; e incluso la primera guerra mundial le conmovió bien poco, aunque se alistó desde el principio en la Legión Extranjera de Francia. Durante algún tiempo buscó amigos, pero no tardó en cansarse de la vulgaridad de sus emociones, y de la monotonía y grosería de su imaginación. Se alegraba un tanto de que sus familiares se encontraran lejos y de haber perdido el trato con ellos, pues no habrían sabido comprender su vida mental. Es decir, ninguno salvo, quizá, su abuelo y su tío abuelo Christopher, pero los dos hacía tiempo que habían muerto.

Así que empezó de nuevo a escribir libros, cosa que había dejado de hacer cuando se acabaron sus sueños. Pero tampoco halló en ello ninguna satisfacción ni se sintió realizado, pues estaba demasiado al tanto de los asuntos de este mundo, y ya no podía pensar en cosas hermosas, como antaño. Su humor irónico echaba por tierra los alminares crepusculares que su imaginación erigía, y su vulgar temor a la inverosimilitud marchitaba las más delicadas y asombrosas flores de sus encantadores jardines. Una compasión convencional y ficticia impregnaba de sensiblería a sus personajes, en tanto que el mito de la importancia de la realidad y de la necesidad de acontecimientos y emociones significativamente humanos rebajaba su brillante inspiración hasta convertirla en una alegoría apenas velada y una chapucera sátira social. Sus nuevas novelas tuvieron un éxito que las anteriores jamás habían alcanzado; y cuando se dio cuenta de lo vacuas que debían de ser para agradar al ignorante rebaño de lectores, las quemó y dejó de escribir. Eran unas novelas muy elegantes, en las que se reía educadamente de los sueños

que apenas esbozaba; pero comprendió que su sofisticación había socavado y destruido toda su vitalidad.

Después de eso fue cuando adoptó deliberadamente el recurso a la
ensoñación, y se interesó por las teorías de lo fantasmagórico y lo
excéntrico, como un antídoto contra la banalidad. La mayor parte de
ellas, sin embargo, no tardaron en poner de manifiesto su pobreza y su
esterilidad; y pronto comprendió que las populares doctrinas ocultistas
son tan aburridas e inflexibles como las científicas, aunque sin el más
mínimo paliativo de verosimilitud que las redima. La estupidez más
zafia, la falsedad y el pensamiento incoherente no pueden ser un equivalente del sueño; no constituyen ninguna evasión de la vida real para
un espíritu de un nivel superior. De modo que Carter compró libros
todavía más extraños, y se puso a buscar autores más profundos y des-
mesurados, de fantástica erudición; ahondó en los arcanos de la conciencia que pocos habían estudiado, y aprendió cosas acerca de los
secretos abismos de la vida, de la leyenda y de la antigüedad inmemorial, que le trastornaron ya para siempre. Decidió vivir a un nivel más
inhabitual y amuebló su casa de Boston para que se ajustara a sus cambiantes caprichos; una habitación para cada uno de ellos, que adornó
con los colores adecuados, amuebló con libros y objetos convenientes,
y proveyó de aparatos que generasen las apropiadas sensaciones de luz,
calor, sonido, sabor y olor.

En una ocasión oyó hablar de un sureño al que todos rehuían y
temían por las cosas blasfemas que leía en libros prehistóricos y en table-
tas de arcilla que había traído clandestinamente de la India y de Arabia.
Fue a visitarlo, vivió con él y compartió sus estudios durante siete años,
hasta que el horror les sorprendió una noche en un cementerio arcaico y
desconocido, y de los dos que habían entrado sólo salió uno[3]. Entonces
regresó a Arkham, la antigua ciudad de sus antepasados en Nueva Inglaterra, famosa por su terrible persecución de brujas, y allí tuvo experiencias en la oscuridad, entre vetustos sauces y ruinosos tejados con cubiertas a la holandesa, que le hicieron sellar para siempre ciertas páginas del
diario de uno de sus antecesores de ideas extravagantes[4]. Pero aquellos
horrores únicamente le llevaron al borde de la realidad, y no a la auténtica

región de los sueños que había conocido en su juventud; así que, cuando cumplió los cincuenta años, perdió toda esperanza de paz o de satisfacción, en un mundo demasiado atareado para gozar de la belleza y demasiado juicioso para resignarse a los sueños.

Habiendo comprendido al fin la falacia y la inutilidad de las cosas reales, Carter pasó sus días apartado del mundo, recordando con melancolía y de manera deshilvanada su juventud plagada de sueños. Consideró que era una solemne tontería tomarse la molestia de seguir viviendo, y se procuró, a través de un sudamericano, conocido suyo, una poción muy extraña, que podía relegarlo al olvido sin el menor sufrimiento. Sin embargo, la inercia y la fuerza de la costumbre le obligaron a aplazar dicha medida, y siguió languideciendo sin tomar una decisión, recordando los viejos tiempos, quitando las extrañas colgaduras de las paredes y haciendo reparaciones en la casa para dejarla como estaba cuando era niño: vidrieras púrpura, muebles victorianos y todo lo demás.

Con el paso del tiempo, casi llegó a alegrarse de haber demorado su suicidio, pues los vestigios de su juventud y su ruptura con el mundo hicieron que la vida y su complejidad le pareciesen muy distantes e irreales; tanto que volvió a introducirse sigilosamente en sus sueños nocturnos una pizca de magia y esperanza. Durante años, en aquellos sueños sólo había visto los reflejos deformados de las cosas cotidianas, como suele ocurrir en los sueños más corrientes; pero a partir de entonces retornó el vislumbre de algo más extraño y espantoso, algo de una inmanencia vagamente aterradora, que consistía en imágenes de una tensa nitidez de sus días de niño, y le hacía recordar cosas intrascendentes que había olvidado hacía ya mucho tiempo. A menudo se despertaba llamando a su madre y a su abuelo, aunque ambos descansaban en sus tumbas desde hacía más de un cuarto de siglo.

Hasta que una noche su abuelo le recordó la llave. Aquel viejo erudito encanecido, de aspecto tan vigoroso como cuando vivía, le habló larga y seriamente de su antigua estirpe y de las extrañas visiones que habían tenido aquellos hombres refinados y sensibles que formaron parte de ella. Habló del cruzado de ojos centelleantes, que aprendió extravagantes secretos de los sarracenos que lo tuvieron cautivo; del primer sir Randolph Carter, que estudió magia cuando reinaba Isabel. Le habló también de Edmund Carter, que se había librado por los pelos de ser ahorcado durante los procesos por brujería en Salem[5], y había guardado en un cofre antiguo una gran llave de plata que le habían transmitido sus antepasados. Antes de que Carter despertara, su discreto visitante le dijo dónde encontraría el cofre; dicho cofre, tallado en madera de roble, era de una prodigiosa antigüedad y desde hacía dos siglos ninguna mano había levantado su grotesca tapa.

Lo encontró entre el polvo y las sombras del gran desván, apartado y olvidado en el fondo de un cajón de una alta cómoda. Medía alrededor de un pie cuadrado, y tenía unos bajorrelieves góticos tan aterradores que no le extrañó que nadie se hubiera atrevido a abrirlo desde los tiempos de Edmund Carter. Al sacudirlo no emitió ningún ruido, pero despidió un enigmático olor a especias olvidadas. Lo de que contenía una llave era, desde luego, una vaga leyenda y el padre de Randolph Carter nunca había sabido que tal cofre existiese. Estaba guarnecido con herrajes herrumbrosos y no había forma alguna de abrir su enorme cerradura. Carter creía vagamente que dentro encontraría la llave de la perdida puerta de los sueños, pero su abuelo no le había dicho una sola palabra de dónde y cómo usarla.

Un viejo criado suyo forzó la tapa tallada, y al hacerlo tembló al ver que las horribles caras le miraban de soslayo desde la ennegrecida madera con una familiaridad algo fuera de lugar. En el interior, envuelta en un pergamino descolorido, había una enorme llave de plata deslustrada, cubierta de enigmáticos arabescos; pero no había ningún tipo de explicación patente. El pergamino era voluminoso y sólo contenía unos extraños jeroglíficos en una lengua desconocida, trazados con un viejo junco. Carter reconoció en ellos los mismos caracteres que había visto en cierto rollo de papiro que perteneciera al terrible erudito sureño que había desaparecido a medianoche en un cementerio innominado. Aquel hombre temblaba siempre que consultaba el rollo, y Carter se estremeció también en aquel momento.

Pero limpió la llave y todas las noches la guardaba cerca de él, dentro de su aromático estuche de roble viejo. Entre tanto, sus sueños eran cada vez más pintorescos y, aunque no mostrasen ninguna de aquellas extrañas ciudades, ni los increíbles jardines de los viejos tiempos, adoptaron una apariencia precisa cuya finalidad quedaba bien clara. A lo largo de los años lo llamaban, y lo atraían mediante las voluntades unidas de todos sus antepasados hacia alguna fuente oculta y ancestral. Entonces comprendió que debía volver al pasado y fundirse con las viejas cosas; y día tras día pensó en los cerros del norte, donde se hallan la encantada Arkham y el impetuoso Miskatonic y la rústica y solitaria heredad de sus antepasados.

Bajo la melancólica luz del otoño, Carter tomó el viejo camino que recordaba, dejando atrás la primorosa sucesión de cerros ondulados y prados cercados de piedra, el lejano valle de laderas cubiertas de bosque, la serpenteante carretera con sus abrigadas granjas, y los cristalinos meandros del Miskatonic, cruzado aquí y allá por rústicos puentes de madera o de piedra. En una de sus curvas vio el grupo de olmos gigantescos entre los cuales había desaparecido de forma extraña uno de sus antepasados un siglo y medio antes, y se estremeció cuando el viento sopló entre ellos de manera significativa. Luego apareció la ruinosa alquería del viejo Goody Fowler, el brujo, con sus endiablados ventanos y su gran tejado que descendía casi hasta el suelo por el lado norte. Pisó el acelerador al pasar por delante, y no aminoró la marcha hasta haber coronado el cerro donde había nacido su madre, y antes que ella los padres de su madre, en una vieja casa blanca, al otro lado de la carretera, que todavía conservaba un aspecto soberbio y desde la que se contemplaba un impresionante paisaje delicioso de declives rocosos y valles verdeantes, en cuyo horizonte se divisaban los lejanos chapiteles de Kingsport, y más al fondo todavía se adivinaba la presencia de un mar arcaico cargado de sueños[6].

Luego llegó a la ladera más empinada donde se alzaba la antigua casa de los Carter que no había visto desde hacía cuarenta años[7]. La tarde estaba ya muy avanzada cuando llegó al pie de la ladera, y a mitad de camino se detuvo en un recodo a echar un vistazo al extenso paisaje, lustroso y soberbio bajo los mágicos raudales de luz sesgada que sobre él derramaba el sol poniente. Toda la novedad y la expectación de sus sueños recientes parecía estar presente en aquel paisaje silencioso y misterioso que le recordaba las incógnitas soledades de otros planetas, mientras recorría con la mirada los desiertos prados aterciopelados que brillaban ondulantes entre sus tapias derribadas, los macizos de bosques de ensueño que hacían resaltar las lejanas alineaciones superpuestas de cerros purpúreos, y el espectral valle poblado de árboles, que descendía entre sombras hacia las malsanas y húmedas hondonadas donde las aguas de escorrentía canturreaban y borboteaban entre turgentes y retorcidas raíces.

Algo le hizo darse cuenta de que los automóviles estaban fuera de lugar en el reino que él buscaba, de modo que dejó el suyo junto al lindero del bosque y, metiéndose la gran llave en el bolsillo de la chaqueta, siguió subiendo a pie por la cuesta. Los bosques lo rodearon por completo, aunque sabía que la casa se alzaba sobre un elevado montículo, despejado de árboles salvo por el norte. Se preguntó qué aspecto tendría, ya que estaba vacía y abandonada por negligencia suya desde la muerte de su extraño tío abuelo Christopher, ocurrida hacía treinta años. Durante su niñez había disfrutado de las largas temporadas que pasó allí, y había descubierto raras maravillas en los bosques que se extendían al otro lado del huerto.

Las sombras se hicieron más espesas a su alrededor, pues se aproximaba la noche. De pronto se abrió un claro entre los árboles, a su derecha, de modo que pudo ver a lo lejos leguas y más leguas de praderas bañadas de luz crepuscular y divisó al fondo la aguja del campanario de la iglesia congregacional de Kingsport, que se alzaba sobre Central Hill; encendidos con el último resplandor del día, los cristales de las lejanas vidrieras reflejaban llamaradas de fuego. Después, al adentrarse de nuevo en las sombras, recordó con un sobresalto que aquella visión momentánea sólo podía venir de sus recuerdos infantiles, puesto que hacía mucho tiempo que habían derribado la antigua iglesia blanca para hacer sitio al hospital congregacional. Había leído la noticia con interés, ya que el periódico hablaba de unas extrañas galerías o pasadizos que se habían encontrado en la roca, bajo sus cimientos.

En medio de su perplejidad, le pareció oír una voz de pito, y al darse cuenta de que le era familiar después de tantos años, volvió a sobresaltarse. El viejo Benijah Corey había estado al servicio de su tío Christopher, y era ya anciano en aquella época lejana de sus visitas infantiles. Entonces debía tener más de cien años, pero aquella voz aflautada no podía ser de nadie más. Carter no pudo distinguir las palabras, pero el tono era obsesionante e inconfundible. ¡Quién iba a imaginar que el «Viejo Benijy» todavía estuviese vivo!

–¡Señorito Randy! ¡Señorito Randy! ¿Dónde estás? ¿Quieres matar de un susto a tu tía Marthy? ¿No te dijo que no te alejaras de la casa durante la tarde, y que volvieras en cuanto anocheciera? ¡Randy! ¡Ran...dyy!... Nunca he visto a un mozo que le guste más escaparse al bosque; ¡se pasa la mitad del tiempo mirando a las musarañas en aquella guarida de serpientes en la arboleda de arriba!... ¡Eh, tú, Ran...dyy!

Randolph Carter se paró en medio de aquella oscuridad como boca de lobo y se restregó los ojos con la mano. Pasaba algo raro. Se encontraba en algún lugar donde no debía estar; se había perdido en un sitio muy apartado donde no le correspondía estar, y era ya imperdonablemente tarde. No había prestado atención a la hora que marcaba el reloj del campanario de Kingsport, aunque podía haberla visto fácilmente con su catalejo de bolsillo; pero sabía que su retraso era algo muy extraño e inaudito. No estaba seguro de haber cogido el catalejo, y se metió la mano en el bolsillo de la blusa para ver si lo llevaba. No, no lo traía, pero llevaba la llave de plata que había encontrado en algún sitio, dentro de un cofre. Tío Chris le había dicho en cierta ocasión algo muy raro acerca de un cofre sin abrir que contenía una llave, pero tía Martha[8] le había interrumpido bruscamente, diciendo que no era el tipo de cosas para contar a un niño que ya tenía la cabeza demasiado llena de extrañas fantasías. Trató de recordar exactamente dónde había encontrado la llave, pero algo pareció desconcertarle. Se preguntó si no sería en el desván de su casa de Boston, y recordó vagamente haber sobornado a Parks con la mitad de su asignación semanal para que le ayudara a abrir el cofre, y guardara silencio sobre el asunto; pero cuando se acordó de eso, el rostro de Parks le pareció muy extraño, como si de repente las arrugas de muchos años hubieran invadido al eficiente y menudo *cockney*[9].

–¡Ran...dyy! ¡Ran...dyy! ¡Oye, oye, Randy!

Una linterna que se balanceaba apareció por la negra curva, y el viejo Benijah se abalanzó sobre la figura silenciosa y perpleja del peregrino.

–¡Maldito muchacho, así que eres tú! ¿Por qué no contestas, te ha comido la lengua el gato? ¡Hace media hora que te estoy llamando, has tenido que oírme hace mucho! ¿No sabes que tu tía Martha está muy inquieta porque andas por ahí tan tarde? ¡Espera a que se lo diga a tu tío Chris, ya verás cómo se enfada! ¡Deberías saber que estos bosques no son lugar apropiado para andar a estas horas! Fuera hay cosas de las que nada bueno puedes esperar, como mi abuelo sabía antes que yo. ¡Vamos, señorito Randy, o Hannah ya no nos guardará la cena!

De modo que Carter siguió adelante por la carretera, donde las admirables estrellas brillaban con luz tenue a través de las ramas del otoño. Y los perros ladraron mientras la luz amarillenta de las vidrieras brillaba tras la última curva del camino, y las Pléyades[10] centelleaban al otro lado del montículo donde se alzaba amenazante, sobre el oscuro poniente, la negra silueta de un gran tejado con cubierta a la holandesa. Tía Martha estaba en el umbral, y no riñó con demasiada severidad al pequeño tunante cuando Benijah lo metió a empellones. Conocía lo suficiente al tío Chris para suponer que tales cosas eran propias de los Carter. Randolph no le enseñó la llave, sino que cenó en silencio y sólo protestó cuando llegó la hora de acostarse. A veces soñaba mejor cuando estaba despierto, y además quería utilizar esa llave.

A la mañana siguiente, Randolph se levantó temprano, y habría echado a correr hacia la arboleda de arriba, si su tío Chris no lo hubiera atrapado y obligado a tomar asiento para desayunar. Echó una mirada impaciente por aquella habitación de techo bajo con una alfombra andrajosa, por las vigas descubiertas y los postes de las esquinas, y sólo sonrió cuando las ramas del huerto arañaron los cristales emplomados de la ventana de atrás. Los árboles y los cerros quedaban muy cerca de él y constituían las puertas de aquel reino intemporal que era su verdadera patria.

Luego, cuando le dejaron libre, se registró el bolsillo de la blusa para ver si estaba allí la llave; y una vez se aseguró de ello, se largó, cruzó el huerto hacia arriba, por donde el cerro boscoso volvía a elevarse por encima incluso del montículo sin árboles. El suelo del bosque estaba tapizado de musgo y lleno de misterio, y de cuando en cuando se elevaban entre los troncos hinchados y retorcidos de un bosque sagrado, bajo la luz difusa, grandes rocas cubiertas de líquenes como si fueran monolitos druidas. Durante su ascenso, Randolph cruzó un impetuoso torrente cuyo salto de agua, un poco más lejos, entonaba misteriosos conjuros rúnicos a los faunos al acecho, a los egipanes y a las dríadas.

Entonces llegó a la extraña cueva que se abría en la falda del bosque, a la temible «madriguera de serpientes» que los campesinos evitaban, y de la que Benijah le había aconsejado una y otra vez que se mantuviera alejado. Era profunda; más profunda de lo que cualquiera que no fuera Randolph hubiera sospechado, pues el muchacho había descubierto una hendidura en el rincón más profundo y oscuro que conducía a una gruta más elevada: un lugar embrujado y sepulcral cuyos graníticos muros daban la extraña impresión de haber sido trazados deliberadamente por algún artífice. En aquella ocasión entró reptando, como de costumbre, alumbrándose con las cerillas que hurtó de la caja hermética del cuarto de estar, y consiguió meterse por la última grieta con una impaciencia difícil de explicar incluso para él mismo. No sabría decir por qué se acercó a la pared más lejana con tanta confianza, ni por qué sacó instintivamente la gran llave de plata. Pero siguió adelante y, cuando regresó a casa aquella noche dando brincos, no alegó ninguna excusa por su retraso, ni prestó la más mínima atención a los reproches que se ganó por haber ignorado por completo la llamada que anunciaba la comida de mediodía.

*   *   *

Actualmente todos los parientes lejanos de Randolph Carter están de acuerdo en que algo le ocurrió cuando tenía diez años que agudizó su imaginación. Su primo Ernest B. Aspinwall, el terrateniente de Chicago, es diez años mayor que él, y se acuerda perfectamente del cambio operado en el muchacho después del otoño de 1883. Randolph había tenido visiones de paisajes fantásticos, que muy pocos han visto antes, y más extraños todavía eran algunos de los poderes que mostró en relación con cosas muy reales. Parecía, en resumidas cuentas, haber adquirido el don singular de la profecía; y reaccionaba de modo inusitado ante cosas que, aunque en aquel momento carecían de importancia, más tarde se comprobaba que justificaban sus singulares opiniones. En las décadas posteriores, a medida que aparecían, uno tras otro, en el libro de la historia nuevos inventos, nuevos nombres y nuevos acontecimientos, la gente recordaba de vez en cuando sorprendida que años antes Carter había dejado escapar despreocupadamente alguna palabra relacionada sin duda con cosas que iban a suceder mucho después. Él mismo no comprendía sus propias palabras, ni sabía por qué ciertas cosas le hacían sentir determinadas emociones, aunque suponía que algún sueño olvidado debía ser responsable de ello. No más tarde de 1897 se puso pálido cuando cierto viajero mencionó el pueblo francés de Belloy-en-Santerre, y sus amigos lo recordaron después porque en 1916 fue gravemente herido precisamente allí, mientras servía en la Legión Extranjera durante la primera guerra mundial[11].

Los parientes de Carter hablan mucho de estas cosas porque hace poco que ha desaparecido. Su viejo criado, el menudo Parks, que durante muchos años había soportado con paciencia sus extravagancias, fue el último que lo vio aquella mañana en que se fue en coche llevándose una llave que había encontrado recientemente. Parks le había ayudado a sacar la llave del antiguo cofre que la contenía, y se sentía singularmente impresionado por los grotescos relieves que adornaban dicho cofre, y por algún otro extraño motivo que no podía mencionar. Cuando Carter se marchó, le había dicho que se iba a visitar su país ancestral en los alrededores de Arkham.

A mitad de camino de Elm Mountain, por la carretera que conduce a las ruinas de la vieja residencia de los Carter, encontraron su coche cuidadosamente aparcado en la cuneta; y en su interior había un cofre de madera aromática, adornado con unos relieves que asustaron a los campesinos que tropezaron con el vehículo. El cofre contenía tan sólo un misterioso pergamino, cuyos caracteres no fueron capaces de descifrar o identificar ningún lingüista ni ningún paleógrafo. La lluvia había borrado cualquier posible huella, aunque los inspectores de policía de Boston podrían haber dicho algo acerca de las evidentes alteraciones en las vigas derrumbadas de la mansión de los Carter. Era, según declararon, como si alguien hubiera andado rebuscando entre las ruinas no hacía mucho. Un pañuelo blanco corriente encontrado un poco más allá en la ladera, entre las rocas del bosque, no pudo ser identificado como perteneciente al desaparecido.

Entre los herederos de Randolph Carter se habla de repartir sus bienes, pero yo me opondré firmemente a ello porque no creo que haya muerto. Existen repliegues en el tiempo y en el espacio, en la fantasía y en la realidad, que sólo un soñador puede adivinar; y, por lo que sé de Carter, creo que simplemente ha descubierto una forma de atravesar esos laberintos. Si regresará o no alguna vez, es algo que no puedo decir. Él buscaba las perdidas regiones de sus sueños y suspiraba por los días de su infancia. Entonces encontró una llave y, no sé por qué, creo que fue capaz de valerse de ella para obtener un extraño provecho.

Se lo preguntaré cuando lo vea, porque espero encontrarlo dentro de poco en cierta ciudad soñada que ambos solíamos frecuentar. Corre el rumor por Ulthar, más allá del río Skai, de que un nuevo rey ocupa el trono de ópalo de Ilek-Vad, la fabulosa ciudad que asienta sus torreones en lo alto de los cavernosos acantilados de cristal que dominan aquel mar crepuscular donde los gnorri, seres barbudos y provistos de aletas, construyen sus singulares laberintos; y creo saber cómo interpretar ese rumor. Por supuesto, espero con impaciencia ver aparecer esa gran llave de plata, porque en sus crípticos arabescos pueden estar simbolizados todos los designios y misterios de un cosmos ciegamente impersonal.

NOTAS

LA BOTELLITA DE CRISTAL

1.   Título original: "The Little Glass Bottle", traducido por F. Torres Oliver. Escrito ca. 1898-1899, seguramente bajo la influencia del "Manuscrito hallado en una botella" de Poe. Publicado por vez primera en 1959 en *The Shuttered Room and Other Pieces*, Arkham House, Sauk City (Wisconsin), edición de August Derleth, y reimpreso posteriormente en 1984 en el folleto *Juvenilia: 1897-1905*, editado por S. T. Joshi para Necronomicon Press, West Warwick (Rhode Island). La traducción sigue el texto corregido que aparece en *Miscellaneous Writings*.

LA CUEVA SECRETA

1.   Título original: "The Secret Cave; or The John Lees Adventure", traducido por F. Torres Oliver. Escrito ca. 1898-1899. Publicado por vez primera en 1959 en *The Shuttered Room and Other Pieces,* y reimpreso posteriormente en *Juvenilia: 1897-1905*. La traducción sigue el texto corregido que aparece en *Miscellaneous Writings*.

EL MISTERIO DEL CEMENTERIO

1.   Título original: "The Mystery of the Grave-yard; or 'A Dead Man's Revenge'" «A Detective Story by H. P. Lovecraft», traducido por F. Torres Oliver. Escrito ca. 1898-1899, siguiendo la técnica narrativa de las populares *dime novels* [folletines en fascículos de diversos géneros (*western*, policiaco, de aventuras o fantástico) que se vendían a diez centavos (un *dime*), indudable antecedente del *pulp*], que Lovecraft confesó haber leído también en su juventud. Publicado por vez primera en 1959 en *The Shuttered Room and Other Pieces,* y reimpreso posteriormente en *Juvenilia:*

1897-1905. La traducción sigue el texto corregido que aparece en *Miscellaneous Writings*.

2.   El personaje de King John, que según Joshi [en *An H. P. Lovecraft Encyclopedia*, Hippocampus Press, Nueva York, 2001, pág. 180] era el protagonista de otro cuento escrito por aquellas mismas fechas titulado "John, the Detective", parece mezclar los nombres de otros populares héroes de las *dime novels* como Old King Brady (de *Secret Service*) y Prince John, pero está basado sin duda en el superdotado y justiciero detective políglota Nick Carter, creado en 1886 por Ormond G. Smith (1860-1933) y John Russell Coryel (1851-1924) para el *New York Weekly*, cuyas hazañas fueron escritas por un equipo de novelistas que firmaba con el propio nombre del héroe y continuaron apareciendo hasta mediados de los años cincuenta.

EL BUQUE MISTERIOSO

1.   Título original: "The Mysterious Ship", traducido por J. M. Nebreda. Escrito en 1902 en forma de folleto de 12 páginas con el pie de imprenta «Royal Press, 1902». Publicado por vez primera en 1959 en *The Shuttered Room and Other Pieces,* y recogido posteriormente en *Juvenilia: 1897-1905*. La traducción sigue el texto corregido que aparece en *Miscellaneous Writings*. Recientemente ha aparecido entre los textos de HPL recogidos por August Derleth para Arkham House una versión revisada (todavía sin publicar) que desarrolla cada capítulo con una extensión que casi dobla la del original.

LA BESTIA DE LA CUEVA

1.   Título original: "The Beast in the Cave", traducido por J. M. Nebreda. Escrito en la primavera de 1904 y terminada la versión final el 21 de abril de 1905. Publicado por vez primera en junio de 1918 en la revista dirigida por su amigo y colega de periodismo aficionado W. Paul Cook *The Vagrant*, nº 6, y recogido posteriormente en *Marginalia*, Arkham House, Sauk City (Wisconsin), 1944, edición de August Derleth y Donald Wandrei. Existe un manuscrito autógrafo de Lovecraft con ligeras correcciones posteriores a su aparición en *The Vagrant,* pero hemos preferido utilizar el texto primitivo, como hace Joshi en su edición de *Dagon*

and Other Macabre Tales. En la última página del manuscrito figura este cuento como el primero de una serie de *Tales of Terror*, de los que se ignoran los restantes.

2. Lovecraft le confesó a Derleth [en carta del 23 de septiembre de 1933 reproducida parcialmente en Sprague de Camp, op. cit., pág. 47] que tenía un «claro temor a los espacios cerrados muy grandes» y entre ellos incluye las cuevas. La documentación sobre la Cueva del Mamut, en Kentucky, la obtuvo en la Providence Public Library, donde se pasó «varios días empollando».

3. Este final parece un premeditado reverso al de "Los asesinatos de la calle Morgue", en donde el supuesto asesino resulta ser un orangután y no un hombre. Por otra parte la influencia de Poe es bien patente en la excesiva utilización de cursivas y signos de interrogación para dar fuerza al relato.

EL ALQUIMISTA

1. Título original: "The Alchemist", traducido por J. M. Nebreda. Escrito en 1908. Publicado por vez primera en noviembre de 1916 en *The United Amateur* [órgano oficial de la United Amateur Press Association (UAPA)], vol. XV, n° 4, por insistencia de W. Paul Cook, que leyó el manuscrito y lo encontró muy prometedor, y recogido posteriormente en *The Shuttered Room and Other Pieces*. La traducción sigue el texto corregido que apareció en *Dagon and Other Macabre Tales*. Según cuenta HPL en *Some Notes on a Nonentity*, especie de autobiografía escrita en 1933 para la revista *Unusual Stories* donde nunca llegó a publicarse, este relato y "La bestia de la cueva" son los únicos que conservó cuando destruyó sus escritos juveniles al cumplir dieciocho años.

2. George Muller ha visto [en su ensayo sin publicar *The Origins of H. P. Lovecraft's Fiction*, 1969, que se puede consultar en la John Hay Library de la Brown University de Providence (Rhode Island)], una cierta analogía entre este viejo criado y el abuelo de Lovecraft Whipple Phillips.

LA TUMBA

1. Título original: "The Tomb", traducido por J. M. Nebreda. Escrito en junio de 1917, tras casi nueve años sin escribir ningún relato.

Publicado por vez primera en marzo de 1922 en *The Vagrant*, nº 39, reimpreso en enero de 1926 en *Weird Tales,* vol. 7, nº 1, y recogido posteriormente en *The Outsider and Others*, Arkham House, Sauk City (Wisconsin), 1939, selección de August Derleth y Donald Wandrei. La traducción sigue el texto corregido que aparece en *Dagon and Other Macabre Tales.* El propio Lovecraft ha explicado la génesis del cuento [véase carta de enero de 1920 a los «Gallomo» (Galpin, Lovecraft, Moe), en *Lord of a Visible World: An Autobiography in Letters,* Ohio University Press, Athens, 2000, pág. 67] a partir de un paseo con su tía Lillian Clark por el Swan Point Cemetery en el que encontraron una lápida de 1711 perteneciente a un antepasado de ella. Sprague de Camp [op. cit., pág. 133] sugiere que está inspirado en *El retorno* de Walter de la Mare, novela que fascinaba a HPL, y Joshi advierte [en *An H. P. Lovecraft Encyclopedia*, pág. 271] cierta influencia de "Ligeia" de Poe.

2.   «Para que en muerte a lo menos descanse en plácidas moradas», palabras de Palinuro, piloto de la nave de Eneas que, vencido por el sueño, cayó al mar, anduvo tres días errante a merced de las olas y al cuarto logró arribar a Lucania, donde encontró la muerte, permaneciendo mucho tiempo insepulto. *Eneida*, libro VI, verso 6371 (traducción de Eugenio de Ochoa).

3.   Como señaló William Fulwiler [en "'The Tomb' and 'Dagon': A Double Dissection", *Crypt of Cthulhu,* nº 38, Pascua de 1986, págs. 8-14], este apellido parece un claro homenaje a *El extraño caso del Dr. Jekyll y Mr. Hyde* (1886) de Stevenson.

4.   Lovecraft poseía una edición inglesa en cinco volúmenes de las *Vidas paralelas* de Plutarco, en la celebrada traducción de John Dryden revisada por Arthur Hugh Clough: *The Lives of the Noble Grecians and Romans,* Modern Library, Nueva York, s.f. El episodio recogido en el cuento corresponde al número VI de la primera biografía comparada que trata de Teseo y Rómulo.

5.   Es bien conocida la abstinencia de Lovecraft a lo largo de toda su vida, y su obsesión por el tema que le llevó incluso a escribir varios poemas condenando el consumo de alcohol: "The Power of Wine: A Satire" (*Evening News*, 1915), "Temperance Song" (*Dixie Booster,* 1916), "Monody on the Late King Alcohol" (*The Tryout,* 1919), etc.

6.   Philip Dormer Stanhope, cuarto conde de Chesterfield (1694-1773), alcanzó cierta notoriedad con su manual de etiqueta para caballeros sofisticados *Letters to His Son* (1774). Lovecraft poseía un volumen de las *Obras Completas* de Chesterfield, aunque lo compró en 1931. John Wilmot, segundo conde de Rochester (1647-1690), era un poeta satírico famoso por su procacidad.

7.   Lovecraft escribió en 1914 un poema titulado "To Mr. Kleiner, on Receiving from Him the Poetical Works of Addison, Gay, and Somerville" y poseía una edición antigua (de 1858) de las *Poetical Works* de Matthew Prior (1664-1721).

8.   En un manuscrito aparte (al parecer un fragmento de carta) se conserva una versión de este poema con el título de "Gaudeamus", acompañado de un prefacio en el que Lovecraft explica que su intención al escribirlo fue mejorar una canción báquica de igual título de un anónimo escritor aficionado. Will Murray sugiere [en "A Probable Source for the Drinking Song from 'The Tomb'", *Lovecraft Studies*, nº 15, otoño de 1987, págs. 77-80] que en realidad HPL se limitó a imitar *New English Canaan* (1637), conocida obra satírica del abogado inglés asentado en Nueva Inglaterra Thomas Morton (1579?-1647?). Joshi opina, por el contrario [en *The Thing on the Doorstep and Other Weird Stories*, Penguin, Londres, 2001, pág. 370], que el modelo lo encontró Lovecraft en la comedia de Sheridan *The School for Scandal* (1777), en concreto una canción báquica que aparece en el Acto III.

DAGÓN

1.   Título original: "Dagon", traducido por J. A. Molina Foix. Escrito en julio de 1917. Publicado por vez primera en noviembre de 1919 en *The Vagrant,* nº 11, reimpreso en octubre de 1923 en *Weird Tales*, vol. 2, nº 3, y recogido posteriormente en *The Outsider and Others*. La traducción sigue el texto incluido en *Dagon and Other Macabre Tales*, basado en el manuscrito que Lovecraft envió para su publicación en *WT*.

2.   Referencia al hundimiento del *Lusitania* por un submarino alemán el 7 de mayo de 1915, que Lovecraft condenó en el poema "The Crime of Crimes" (*Interesting Items,* julio de 1915).

3.	Lovecraft confesó a su corresponsal John Ravenor Bullen, miembro del *Transatlantic Circulator* [grupo angloamericano de periodistas aficionados que se intercambiaban sus escritos], que el cuento está inspirado, al menos en parte, en un sueño que tuvo en el que vivió un incidente parecido.

4.	Véase *El Paraíso perdido* (1667), Libro II: versos 871-1055.

5.	Lovecraft vio de niño las ilustraciones de Gustave Doré para *El Paraíso perdido*, *La Divina comedia* y *La Rima del marinero de antaño*, que, según confesó más tarde, influyeron bastante en su interés por la ficción fantástica.

6.	Sir Edward Bulwer-Lytton (1803-1873) fue un prolífico y versátil escritor inglés, cuya obra más famosa es la novela histórica *The Last Days of Pompeii* (1834), pero también cultivó con éxito el género fantástico, siendo autor del cuento de fantasmas "Glenallan" (1826), las celebradas novelas sobre ocultismo *Zanoni* (1842) y *A Strange Story* (1861), y su obra más conseguida "The House and the Haunters" (1859), conocida también como "The House and the Brain", que Lovecraft consideró «uno de los mejores relatos de casas encantadas que se han escrito».

7.	Lovecraft menciona en varios relatos este supuesto «hombre de Piltdown», que se creía era el eslabón perdido entre el *Homo sapiens* y las más antiguas especies. La mistificación se perpetró en 1908, cuando apareció cerca de Piltdown (Sussex) el cráneo fosilizado de un hombre parecido a los actuales humanos junto a una quijada de mono, y no se refutó hasta 1953 [véase Ronald Millar, *The Piltdown Men*, Gollancz, Londres, 1972; o Charles J. Blinderman, *The Piltdown Inquest*, Prometheus Books, Búfalo, 1986].

8.	Una de las divinidades más veneradas de los filisteos, representada en forma híbrida con torso humano y la parte inferior de pez. La Biblia menciona su magnífico templo erigido en Gaza, derribado luego por Sansón (*Jueces* 16, 23-30), cuyo umbral sus sacerdotes y devotos ponían extremo cuidado en no pisar. Se supone que es el mismo Dagán de los semitas occidentales o amorreos de la ciudad de Mari, identificado con el antiguo dios babilonio del grano, a quien se atribuye la invención de la agricultura.

UNA SEMBLANZA DEL DOCTOR JOHNSON

1.   Título original: "A Reminiscence of Dr. Samuel Johnson", traducido por F. Torres Oliver. Escrito en el verano de 1917. Publicado por vez primera en septiembre de 1917 en *The United Amateur,* vol. XVI, nº 11, firmado por «Humphry Littlewit, Esq.», y recogido posteriormente en *Writings in The United Amateur, 1915-1925,* Necronomicon Press, 1976, edición de Marc A. Michaud. La traducción sigue el texto corregido que aparece en *Miscellaneous Writings.* Para Joshi este relato forma, junto con "La dulce Ermengarde" e "Ibid", una trilogía de joyas cómicas de Lovecraft.

2.   Lovecraft adoraba al Dr. Johnson, cuyos libros solía leer con fruición en el ático de su casa adonde iban a parar los volúmenes desterrados de la biblioteca del piso de abajo. Según cuenta su esposa Sonia (H. Greene) Davies [en la pág. 29 de "The Private Life of Howard Phillips Lovecraft", artículo inédito que se conserva en la John Hay Library]: «Cuando visité en Londres el restaurante Cheshire Cheese le envié una réplica de la jarra de cerveza en la que bebía el Dr. Johnson, además de otros recuerdos, incluida una postal del rincón […] en que se conservaban la mesa y las sillas en donde el Dr. Boswell y sus compinches se sentaban a beber y a charlar».

3.   A imitación de los *Rambler, Idler* y *Adventurer* del Dr. Johnson. Lovecraft también editó varios periódicos amateur como *The Scientific Gazette* (1899-1909), *Rhode Island Journal of Astronomy* (1903-1909) o *The Conservative* (1915-1923).

4.   Antiguo nombre de una calle de Londres [Milton Street desde 1830] en la que, según Johnson [en su *Dictionary of English Language,* 1843], vivían «escritores de relatos insignificantes, diccionarios y poemas ocasionales; por lo que se llama *grubstreet* a cualquier obra mediocre». La palabra se utiliza hoy en día en tono despectivo para designar a los escritorzuelos, plumíferos y gacetilleros.

5.   «Hombre de genio desabrido y escasa cultura», palabras que Johnson dijo al periodista Freron cuando visitó París, recogidas por su biógrafo James Boswell [*The Life of Samuel Johnson* (1791), vol. II, cap. XIX].

6.   Al igual que Lovecraft.

LA DULCE ERMENGARDE

1. Título original: "Sweet Ermengarde; or The Heart of a Country Girl", traducido por F. Torres Oliver. Publicado por vez primera en 1943 en *Beyond the Wall of Sleep*, Arkham House, Sauk City (Wisconsin), edición de August Derleth y Donald Wandrei. La traducción sigue el texto corregido que aparece en *Miscellaneous Writings*. Este cuento, que aparece firmado por «Percy Simple», es el único de toda su obra que no es posible fechar con precisión. Joshi lo sitúa entre 1919 y 1921 y se trata al parecer de una parodia del folletinista estadounidense Fred Jackson, cuyos relatos amorosos denunció Lovecraft en una extensa carta dirigida a la revista *The Argosy*, calificando a su autor de «trivial, afeminado y, en algunos pasajes, ordinario» [véase *The Argosy,* LXIII, 2 (septiembre de 1913), págs. 478 y ss.]

2. Esta enmienda a la Constitución de los Estados Unidos, que trata de la Prohibición de Licores Embriagadores origen de la tristemente célebre Ley Seca, fue ratificada el 16 de enero de 1919, corroborando la datación propuesta por Joshi.

POLARIS

1. Título original: "Polaris", traducido por J. M. Nebreda. Escrito a finales de la primavera o comienzos del verano de 1918. Publicado por vez primera en diciembre de 1920 en el periódico amateur de su amigo Alfred Galpin *The Philosopher*, reimpreso en mayo de 1926 en *The National Amateur* (otra publicación aficionada), y posteriormente en febrero de 1934 en *Fantasy Fan*, y en diciembre de 1937 en *Weird Tales*, vol. 30, nº 6, y más tarde recogido en la antología *The Outsider and Others*. La traducción sigue el texto que aparece en *Dagon and Other Macabre Tales,* que incorpora la revisión de la versión de *The National Amateur* llevada a cabo por el propio HPL.

2. Casiopea es una constelación del hemisferio boreal, situada entre las de Cefeo, la Jirafa, Perseo y el Lagarto, y está formada por 150 estrellas perceptibles a simple vista, entre las cuales hay cuatro de 2ª magnitud y dos de 3ª, formando el conjunto la letra W.

3. Arturo es el astro principal de la constelación boreal del Boyero,

situada entre las de la Osa Mayor, la Corona Boreal, Virgo y los Perros de Caza. Se trata de una estrella supergigante roja y es una de las cuatro más brillantes del hemisferio boreal, sólo superada por Sirio, Casiopea y Alfa Centauro. La Cabellera de Berenice es una constelación boreal, situada entre las de la Osa Mayor, los Perros de Caza, Virgo y Leo, y formada por varias nebulosas en espiral y gran número de estrellas (65 de ellas visibles a simple vista) de coloraciones variadas y escasa magnitud.

4. Aldebarán es una doble estrella, la más brillante de la constelación boreal de Tauro, situada entre las de Aries, los Gemelos, el Cochero y Orión.

5. Lovecraft le contó por carta a Maurice W. Moe [en *Selected Letters 1911-1924,* carta 34, pág. 62] un sueño recurrente acerca de una «extraña ciudad con muchos palacios y cúpulas doradas», que al parecer le inspiró este relato, aunque es indudable la influencia de los poemas en prosa de Poe "Silencio" y "Sombra".

6. Aparte de volver a citarse en posteriores relatos de Lovecraft, en su colaboración con Hazel Head titulada "Horror en el Museo" (1932) aparece un «velludo ser mítico de los hielos de Groenlandia, que a veces caminaba sobre dos piernas y otras sobre cuatro o seis» llamado Gnophkeh, que parece ser una especie de epónimo de esta raza de caníbales.

7. Primera mención de esta mítica obra, la primera de las muchas que se inventó Lovecraft a lo largo de su carrera.

AL OTRO LADO DE LA BARRERA DEL SUEÑO

1. Título original: "Beyond the Wall of Sleep", traducido por J. A. Molina Foix. Escrito en la primavera de 1919. Publicado por vez primera en octubre de aquel mismo año en el periódico amateur dirigido por John Clinton Pryor *Pine Cones,* vol. 1, nº 6, reimpreso en octubre de 1934 en *Fantasy Fan,* y en marzo de 1938 en *Weird Tales,* vol. 31, nº 3, y recogido posteriormente en *Beyond the Wall of Sleep.* La traducción sigue el texto incluido en *Dagon and Other Macabre Tales,* basado en el manuscrito de Lovecraft que incorpora las revisiones hechas después de su publicación inicial. HPL se inspiró para este cuento en un artículo periodístico que leyó en *The New York Tribune,* pero también se aprecian influencias de la

novela de Jack London *Antes de Adán* (1906), aunque no consta que la hubiese leído.

2.   *Sueño de una noche de verano*, acto IV, escena I, verso 39.

3.   Esta cláusula fue añadida en 1934, ya que Lovecraft no conoció la obra del vienés hasta 1921, fecha en que la menciona por vez primera en su artículo "The Defence Reopens!" [véase *Miscellaneous Writings*, Arkham House, Sauk City, 1995, pág. 154]. En sus cartas es citado con frecuencia, lo mismo que Jung y Adler.

4.   Cadena montañosa en el sureste del Estado de Nueva York, que forma parte de la cordillera de los montes Apalaches. Se trata de una región, a unas ochenta millas al norte de Nueva York y unas cuarenta al sur de Albany, dedicada preferentemente al turismo y frecuentada sobre todo por judíos, por lo que es conocida también como «Borscht Belt» o «Borscht Circuit». Lovecraft no conoció esa zona hasta 1929, cuando visitó Kingston, Hurley y New Paltz.

5.   Un eón es un periodo de tiempo que abarca mil millones de años.

6.   Doble estrella eclipsante de la constelación de Perseo, situada entre las de Casiopea, Auriga, Aries y Andrómeda. Se llama del demonio porque la palabra árabe «algol» significa «el gul», una especie de demonio del desierto, chupador de sangre y devorador de humanos.

7.   Línea vertical de estrellas en el interior de la constelación de Orión, situada entre las de Géminis, el Unicornio, Erídano y Tauro.

8.   Garrett P. Serviss (1851-1929) fue un astrónomo norteamericano que ejerció el periodismo primero en el *New York Tribune* y después en el *New York Sun*, donde publicó anónimamente una celebrada columna sobre astronomía. Fue además un prolífico autor de libros de divulgación científica y de novelas de ciencia-ficción, como *Edison's Conquest of Mars* (1898), *The Moon Metal* (1900), *A Conquest of Space* (1909) o *The Second Deluge* (1911), serializadas de vez en cuando en la revista *All-Story Weekly*. Esta cita la extrajo Lovecraft de su famoso libro *Astronomy with the Naked Eye,* Harper & Brothers, Nueva York, 1908, pág. 152.

9.   Astro principal de la constelación del Auriga o Cochero, situada entre las de Perseo, Tauro y el Lince.

MEMORIA

1.	Título original: "Memory", traducido por F. Torres Oliver. Escrito probablemente en la primavera de 1919. Publicado por vez primera en junio de aquel mismo año en el periódico amateur co-dirigido por HPL, Winifred Jackson y otros *The United Co-operative*, firmado «Lewis Theobald, Jr.», y recogido posteriormente en *Beyond the Wall of Sleep*. La traducción sigue el texto corregido que aparece en *Miscellaneous Writings*.

2.	Poe publicó en 1831 un poema titulado "The Valley of Nis" que años después revisaría a fondo y se convertiría en "The Valley of Unrest" (*American Whig Review,* abril de 1845).

3.	En "Silencio" de Poe aparece también un Demonio.

4.	En el original «Man», que evidentemente rima con Than. En el diálogo de "La conversación de Eiros y Chairmon" también se menciona la destrucción de la humanidad a causa de la combustión producida por el paso de un cometa.

EL VIEJO BUGS

1.	Título original: "Old Bugs", traducido por F. Torres Oliver. Escrito probablemente poco antes de julio de 1919. Publicado por vez primera en 1959 en *The Shuttered Room and Other Pieces*. La traducción sigue el texto corregido que aparece en *Miscellaneous Writings* con el subtítulo «An Extemporaneous Sob Story by Marcus Lollius, Proconsul of Gaul» [Improvisada tragedia lacrimosa, por Marco Lollio, procónsul de Galia].

2.	Además de «chinche» o «bicho», en EE.UU. «bug» se utiliza coloquialmente en el sentido de «gusanillo» (sentimiento que intranquiliza o inquieta) y es aplicado a los «aficionados» o «entusiastas» de algo, por ejemplo del cine, y a los «maniáticos» o «viciosos», sobre todo en relación a las bebidas y el fumar.

3.	Ese nombre corresponde a un personaje real: una chica que perteneció al Club de Prensa de la Appleton High School, de la que estaba enamorado su amigo Alfred Galpin.

4.	Homenaje a su amigo Alfred Galpin. Según Joshi [*An H. P. Encyclopedia,* pág. 193], HPL escribió este relato para disuadirle de su intención de hacerse catador de vinos muy poco antes de la Prohibición.

LA TRANSICIÓN DE JUAN ROMERO

1.   Título original: "The Transition of Juan Romero", traducido por J. M. Nebreda. Escrito el 16 de septiembre de 1919. Publicado por vez primera en 1944 en *Marginalia*. La traducción sigue el texto incluido en *Dagon and Other Macabre Tales,* basado en el manuscrito original de HPL. El relato no satisfizo a Lovecraft, que se negó rotundamente a publicarlo mientras vivía, ni tan siquiera en la prensa amateur. De hecho no figura en casi ninguna lista de sus obras completas y al parecer no dejó que nadie lo leyera hasta 1932, cuando R. H. Barlow lo convenció de que le enviara el manuscrito para mecanografiarlo.

2.   Término despectivo (originalmente «greaseball», bola de grasa) utilizado en los Estados Unidos para designar a las personas de origen mediterráneo o latino, como mexicanos e italianos.

3.   Los piutes o paiutes eran una tribu de indios que vivían en un área que abarcaba lo que hoy es el sur de Utah, el norte de Arizona, el sur de Nevada y el sudeste de California (desierto de Mojave). En lugar de búfalos (como los indios de las grandes praderas), cazaban únicamente liebres americanas, que abatían con palos en vez de flechas o atrapaban en redes.

4.   En castellano en el original.

5.   En castellano en el original.

6.   En castellano en el original.

7.   Joseph Glanvill (1636-1680) fue un clérigo (capellán del rey Carlos II y prebendado de la catedral de Worcester) y filósofo inglés, defensor del ocasionalismo [teoría acerca de la relación entre alma y cuerpo] y precursor de David Hume. Al final de su vida practicó el ocultismo en la creencia de que la ciencia podía explicar los fenómenos sobrenaturales y defendió la existencia real del mundo de los espíritus (*Lux Orientalis*, 1662) así como la brujería (*Saducismus Triumphatus*, 1681). Pese a su credulidad se le considera el padre de la moderna investigación psíquica. El pasaje citado por Poe, encabezando su relato "Un descenso al Maelström", procede de su diatriba contra la filosofía escolástica *The Vanity of Dogmatizing* (originalmente *Scepsis Scientifica*, también llamada *Confidence in Opinions Manifested in a Discourse of the Shortness and Uncertainty of our Knowledge, and its Causes; with some Reflexions on Peri-*

pateticism; and Apology for Philosophy, 1661), considerada por algunos como uno de los tratados más importantes sobre el método científico.

8. En la mitología azteca Huitzilopotchli era la divinidad solar por excelencia, el dios de la guerra que, en palabras de Fray Bernardino de Sahagún, «arroja sobre los hombres la culebra de fuego (símbolo de la penitencia purificadora), la barrera de fuego (instrumento que hace surgir la llama de un cuerpo sólido), es decir, la guerra, torrente devastador, fuego devorador». Para informarse sobre el mundo azteca Lovecraft se sirvió exclusivamente del texto *History of the Conquest of Mexico, with a Preliminar View of the Ancient Mexican Civilization, and the Life of the Conqueror Hernando Cortez,* Harper's, Nueva York, 1843, 3 vols., de William H. Prescott (1796-1859), el más célebre historiador norteamericano del siglo XIX, llamado el «Homero del Nuevo Mundo» por su genialidad y su (casi completa) ceguera física. En su Libro Primero, Bosquejo de la Civilización Azteca, Prescott lo presenta de esta guisa: «A la cabeza de todas [las deidades] estaba el terrible Huitzilopotchli, el Marte mexicano, aunque es injusto comparar al heroico dios de la guerra de la antigüedad con tan sanguinario monstruo. Este era la deidad tutelar de la nación. Su fantástica imagen estaba sobrecargada de costosos adornos: sus templos eran los más augustos y majestuosos entre los edificios públicos, y sus altares humeaban con la sangre de humanas hecatombes en todas las ciudades del imperio» [traducción de José María Fernández de la Vega (1844), que mereció los elogios del propio autor].

LA NAVE BLANCA

1. Título original: "The White Ship", traducido por J. M. Nebreda. Escrito probablemente en octubre de 1919. Publicado por vez primera en noviembre de aquel mismo año en *The United Amateur,* reimpreso en marzo de 1927 en *Weird Tales,* vol. 9, nº 3, y recogido posteriormente en *Beyond the Wall of Sleep.* La traducción sigue el texto incluido en *Dagon and Other Macabre Tales,* que incorpora las correcciones que introdujo HPL en 1934 cuando le envió una copia manuscrita a Alvin Earl Perry.

2. Cuando escribió este relato, Lovecraft no había leído todavía *The Last Man* (1826) de Mary Shelley ni *La nube púrpura* (1901) de M. P.

Shiel, dos singulares novelas sobre el tema del «último hombre sobre la tierra», al que más tarde regresaría en "Till A' the Seas" ("Hasta que todos los mares", 1935), texto en colaboración con R. H. Barlow.

3. «Eidolon» es una de las palabras fetiche de Lovecraft. Tanto en griego antiguo (de donde procede. εἰδόλον) como en inglés significa en primer término «fantasma», pero HPL suele utilizarla en su otra acepción de «imagen» de algo, sobre todo de un dios (o sea, «ídolo»), lo mismo que hizo Poe en su poema "Dream-Land" (1844). Véase el poema de HPL "The Eidolon" (1918).

4. Compárese con este párrafo extraído de "Días de ocio en el País del Yann": «Y la noche se hizo más profunda sobre el río Yann, una noche blanca con estrellas. Y con la noche se alzó la canción del timonel. En cuanto rezó, empezó a cantar para animarse a sí mismo en la noche solitaria». Aunque el parecido argumental entre ambos relatos es meramente anecdótico, el de Lovecraft se inspira indudablemente en el de Dunsany, que forma parte de sus magistrales *Cuentos de un soñador*, libro con el que nuestro autor se inició en el mundo del gran bardo irlandés.

LA MALDICIÓN QUE CAYÓ SOBRE SARNATH

1. Título original: "The Doom that Came to Sarnath", traducido por F. Torres Oliver. Escrito el 3 de diciembre de 1919. Publicado por vez primera en junio de 1920 en *The Scot,* un periódico amateur escocés dirigido por Gavin T. MacColl, reimpreso en marzo-abril de 1935 en *Marvel Tales,* y en junio de 1938 en *Weird Tales,* vol. 31, nº 6, y recogido posteriormente en *Beyond the Wall of Sleep*. La traducción sigue el texto incluido en *Dagon and Other Macabre Tales,* basado en el manuscrito que se conserva, que incorpora las correcciones que introdujo HPL después de su publicación en *The Scot.*

2. Aunque Lovecraft afirmó haber encontrado este nombre en un relato de Dunsany, lo cierto es que se trata de una invención propia, por lo que debió de sorprenderse bastante cuando más tarde se enteró de que en la India existe un lugar así llamado, a 10 km de la ciudad santa de Varanasi, donde Buda dio el primer sermón a sus cinco discípulos, que hoy en día forma parte de una ruta de peregrinación budista.

3.   Evocación de los siete dioses de jade verde, sentados en tronos en la cumbre de una montaña, de la pieza teatral de Dunsany *The Gods of the Mountain* (1911), incluida en *Five Plays* (1914).

4.   Otro préstamo dunsaniano (de "Días de ocio en el país del Yann") que Lovecraft destaca especialmente en *Supernatural Horror in Literature*: «Al llegar a la otra muralla de la ciudad [Perdondaris] vi de pronto una inmensa puerta de marfil. Me detuve un rato a admirarla y, al acercarme, me di cuenta de la espantosa verdad. ¡La puerta estaba tallada de una sola pieza!»

5.   Véase el poema de Lovecraft "To a Dreamer" (1920): «También yo he conocido los picos de Thok; / los valles de Pnath, donde se congregan figuras soñadas».

EL TESTIMONIO DE RANDOLPH CARTER

1.   Título original: "The Statement of Randolph Carter", traducido por J. A. Molina Foix. Escrito en diciembre de 1919 y basado en un sueño que contó por carta a sus amigos Alfred Galpin y Maurice W. Moss el 11 de diciembre de aquel mismo año [véase *Selected Letters 1911-1924*, págs. 94-97]. Publicado por vez primera en abril de 1920 en la revista de aficionados dirigida por su amigo Charles W. Smith *The Tryout*, vol. 6, nº 4, reimpreso en mayo del mismo año en *The Vagrant*, nº 17, y en febrero de 1925 en *Weird Tales*, vol. 5, nº 2, y recogido posteriormente en *The Outsider and Others*. La traducción sigue el texto incluido en *At the Mountains of Madness and Other Novels*, basado en el manuscrito autógrafo del autor que se conserva.

2.   En su artículo "In Defence of Dagon" [*Miscellaneous Writings*, pág. 165], Lovecraft expresa claramente su opinión sobre este asunto: «Personalmente la inmortalidad no me preocupa lo más mínimo. No hay nada mejor que el olvido, ya que en el olvido no hay ningún deseo incumplido».

3.   Antigua denominación en cirugía de un líquido seroso que supuran ciertas úlceras malignas.

4.   El apellido de este personaje tan recurrente en la obra de Lovecraft tiene su historia. HPL sabía que pertenecía a una importante familia

de Rhode Island [John Carter fundó en 1762 el primer periódico de Providence], pero no ignoraba que dicha familia procedía de Virginia. En una carta a Elizabeth Toldridge, fechada en junio de 1929 [véase *Selected Letters 1925-1929,* carta 358, pág. 353], Lovecraft comenta: «Esta transposición a Nueva Inglaterra de un linaje de Virginia siempre me ha conmovido profundamente... de ahí que recurra con tanta frecuencia al personaje de "Randolph Carter"».

5. En el sueño [op. cit., pág. 95] el acompañante de Lovecraft [su amigo Samuel Loveman] le dice a éste: «En cualquier caso, éste no es lugar para alguien que no pudo pasar un examen físico en el ejército», clara referencia al rechazo que sufrió HPL cuando quiso alistarse en la Guardia Nacional de Rhode Island y más tarde en el ejército regular cuando los Estados Unidos declararon la guerra a Alemania en mayo de 1917.

6. En el sueño [op. cit., pág. 96] Loveman hace el siguiente comentario preliminar: «Lovecraft... creo que lo he encontrado...»

7. En el sueño [ibíd.] Loveman dice: «No puedo decírtelo... no me atrevo... nunca imaginé *esto*... no puedo decir... Es suficiente para desazonar cualquier mente... espera... ¿Qué es eso?»

EL VIEJO TERRIBLE

1. Título original: "The Terrible Old Man", traducido por F. Torres Oliver. Escrito el 28 de enero de 1920. Publicado por vez primera en julio de 1921 en *The Tryout,* vol. 6, nº 7, reimpreso en agosto de 1926 en *Weird Tales,* vol. 8, nº 2, y recogido posteriormente en *The Outsider and Others.* La traducción sigue el texto incluido en *The Dunwich Horror and Others,* Arkham House, Sauk City (Wisconsin), 1984, edición de August Derleth, basado en el manuscrito que se conserva en la John Hay Library. La historia evoca otros relatos de Dunsany incluidos en *The Book of Wonder* (1912), como "The Probable Adventure of Three Literary Men" y "How Nuth Would Have Practiced His Art Upon the Gnoles" [véase su traducción al castellano en la antología de J. A. Molina Foix *En los confines del mundo,* Siruela, Madrid, 1989, págs. 17-22 y 51-58 respectivamente], así como su pieza teatral *A Night at an Inn* (1916).

2.   Esta mítica ciudad situada en alguna parte de Nueva Inglaterra, que luego aparecerá en "El ceremonial" y en "La extraña casa elevada entre la niebla", la inventó HPL basándose en Marblehead, ciudad portuaria del estado de Massachusetts.

3.   Estos tres ladrones pertenecen a los tres principales grupos étnicos no anglosajones que había en aquella época en Rhode Island: italianos, polacos y portugueses.

EL ÁRBOL

1.   Título original: "The Tree", traducido por J. M. Nebreda. Escrito durante los primeros meses de 1920, aunque concebido como muy tarde en 1918 [véase carta a Alfred Galpin del 29 de agosto de 1918 en *Letters to Alfred Galpin*, Hippocampus Press, Nueva York, 2003, pág. 35], antes por tanto de haber leído a Dunsany. Publicado por vez primera en octubre de 1921 en *The Tryout*, vol. 7, nº 9, reimpreso en agosto de 1938 en *Weird Tales,* vol. 32, nº 2, y recogido posteriormente en *Beyond the Wall of Sleep.* La traducción sigue el texto incluido en *Dagon and Other Macabre Tales,* basado en el manuscrito que se conserva, que incorpora las correcciones a mano que introdujo HPL después de su publicación en *The Tryout.*

2.   «Los hados te sacarán de ese trance», Virgilio, *Eneida,* libro III, verso 3395 (traducción de Eugenio de Ochoa).

3.   El mármol blanco que se extraía de esa montaña al NE de Atenas era muy estimado por los antiguos griegos. Con él se construyeron los principales monumentos atenienses desde finales de siglo VI a.C.

4.   Se creía que el monte Ménalo, cubierto de pinos y frecuentado por pastores, estaba consagrado a Pan porque muchos afirmaban que en él se le había oído tocar la siringa. Véase el poema de Lovecraft "To Pan", escrito a los doce años (1902), donde cuenta que, «sentado en una cañada entre bosques», vio a Pan en sueños.

5.   Lidia era un antiguo reino de Asia Menor situado al sur de Frigia, entre Misia y Caria. Neápolis es el nombre romano de la antigua Parténope, una ciudad de Campania fundada por los griegos ca. 600 a.C., conocida hoy en día como Nápoles. *Lapsus calami* de Lovecraft pues, dado que el relato está ambientado en la Grecia clásica, debió utilizar la denominación original.

6.   En Siracusa, principal ciudad griega de Sicilia fundada ca. 734 a.C., hubo varios tiranos. Como se cita el Partenón, construido entre 447 y 432 a.C., y entre 467 y 406 a.C. se interrumpió aquel régimen autoritario en favor de la democracia, la acción debe transcurrir entre 406 y 344, fecha en que dejó de gobernar el último tirano Dionisio II el Joven.

7.   Tique es en realidad una abstracción y no pertenece a la mitología propiamente dicha. Se la considera la personificación de la Fortuna o el Azar y cada ciudad tiene la suya propia.

8.   Última pista para afinar la datación del relato. Como Mausolo, sátrapa de Caria, murió en 353 a.C., no cabe duda de que la acción transcurre entre 353 y 344 a.C., y por tanto Dionisio II es el tirano mencionado en el texto. La espléndida tumba de Mausolo, edificada a instancias de su esposa y hermana Artemisa, dio nombre a todos los «mausoleos» que se construirían en el futuro.

9.   Personaje encargado en su propia ciudad de ocuparse de los intereses de los naturales de una ciudad extranjera, una especie de diplomático encargado de ofrecer hospitalidad a las embajadas de la ciudad que le concede el título, que se confiere por decreto y es vitalicio.

LOS GATOS DE ULTHAR

1.   Título original: "The Cats of Ulthar", traducido por J. M. Nebreda. Escrito el 15 de junio de 1920. Publicado por vez primera en noviembre de aquel mismo año en *The Tryout,* vol. 6, nº 11, reimpreso en febrero de 1926 en *Weird Tales,* vol. 7, nº 2, y posteriormente en febrero de 1933, vol. 21, nº 2, y más tarde recogido en *The Outsider and Others.* En la colección Grill-Binkin se conserva un boceto autógrafo, pero la traducción sigue el texto incluido en *Dagon and Other Macabre Tales,* basado en el folleto homónimo editado en 1935 por R. H. Barlow, Dragon-Fly, Classia (Florida), supuestamente revisado por él, que le regaló por Navidad a HPL.

2.   Meroé era una antigua ciudad del Sudán situada a orillas del Nilo (actualmente Kabuchia). Cuando los reyes etíopes de la XXV Dinastía fueron expulsados de Egipto por los asirios, crearon un reino independiente en Nubia, cuya capital era Napata pero pronto se trasladó a Meroé (desde el año 300 a.C. hasta el 350 d.C.). El reino meroítico siguió utili-

zando los patrones artísticos egipcios y construyendo pirámides cuando ya nadie lo hacía en Egipto, y desarrolló una floreciente cultura con sistema propio de escritura. Ofir era una legendaria región del mundo antiguo, mencionada en la Biblia, donde arribaban, desde el puerto de Eziongeber, en el Mar Rojo, los buques del rey Salomón y de Hiram, rey de Tiro, en busca de oro, plata, marfil, y piedras y maderas preciosas. Se cree que su emplazamiento coincidiría con la actual Arabia Feliz o Yemen, aunque la mayoría de investigadores la sitúan en África Oriental, bien sea el país del Punt (Somalia), Sofala (Mozambique) o el Transvaal, e incluso en alguna región costera de la India.

3. Este primer párrafo aparece casi literalmente en una carta a Rheinhardt Kleiner fechada el 21 de mayo de 1920 [véase *Selected Letters 1911-1924,* págs. 116-117].

4. Estos extraños vagabundos parecen evocar la «extraña y enigmática tribu, que una vez cada siete años bajaba de las cumbres de Mloon, cruzando la cordillera por un puerto que sólo ellos conocen, procedente de una tierra fantástica que está del otro lado», mencionada en "Días de ocio en el país del Yann".

5. El nombre es probablemente otro homenaje a Dunsany y su obra teatral *King Argimenes and the Unknown Warrior* (1914).

EL TEMPLO

1. Título original: "The Temple", traducido por J. M. Nebreda. Escrito después de "Los gatos de Ulthar" (15 de junio de 1920) y antes de "Celephaïs" (noviembre de aquel mismo año). Publicado por vez primera en septiembre de 1925 en *Weird Tales*, vol. 6, nº 3, reimpreso en la misma revista en febrero de 1936, vol. 27, nº 2, y recogido posteriormente en *The Outsider and Others.* La traducción sigue el texto incluido en *Dagon and Other Macabre Tales,* basado en una revisión de la copia impresa por *WT.*

2. En tal día Lovecraft cumplió veintisiete años.

3. Corresponden al Atlántico Norte, aproximadamente a unas 800 millas al noroeste de las islas de Cabo Verde.

4. Ciudad portuaria alemana en el Mar del Norte (estado de Baja Sajonia), sede de una importante base naval.

5. Así la consideraba Lovecraft. Véase en una de sus últimas cartas [*Selected Letters V: 1934-1937,* Arkham House, Sauk City, 1976, págs. 267-269] su discusión sobre las menciones a la misma en la literatura griega.

ARTHUR JERMYN

1. Título original: "Facts Concerning the Late Arthur Jermyn and His Family", traducido por J. A. Molina Foix. Escrito en otoño de 1920. Publicado por vez primera en marzo de 1921 en *The Wolverine,* nº 9, y reimpreso en abril de 1924 en *Weird Tales,* vol. 3, nº 4, bajo el título de "The White Ape", a instancias del director de la revista Edwin F. Baird, lo cual indignó a Lovecraft porque, en su opinión, destrozaba el desenlace [véase carta 160 a Baird en *Selected Letters 1911-1924,* pág. 294]. En lo sucesivo aparecerá con el título de "Arthur Jermyn" y así fue recogido en *The Outsider and Others.* La traducción sigue el texto incluido en *Dagon and Other Macabre Tales,* basado en el manuscrito del autor que incorpora las revisiones hechas después de su primera publicación. Acerca de la inspiración para este cuento, provocado por la lectura de *Winesburg, Ohio* (1919) de Sherwood Anderson, véase la carta de Lovecraft a Baird, publicada en *Weird Tales* en marzo de 1924 y reproducida en *Miscellaneous Writings,* pág. 508.

2. Por esta furibunda premonición de la amenaza nuclear veinticinco años antes de las explosiones atómicas de Hiroshima y Nagasaki, Juan Eduardo Cirlot calificó a Lovecraft de profeta y lo comparó con Kafka [véase "El pensamiento de Lovecraft", en *Horizonte,* nº 4, Barcelona, 1969, pág. 149].

3. Jermyn es realmente una familia aristocrática inglesa. Henry Jermyn fue nombrado barón en 1643 por su lealtad a la monarquía inglesa y en 1660 se convirtió en conde de St. Albans.

4. Abreviatura de baronet, el título nobiliario británico de carácter hereditario de más bajo rango, inmediatamente inferior al barón.

5. Al parecer, en aquella época no existía ningún manicomio en dicha ciudad.

6. Se refiere evidentemente a la guerra de Independencia norteamericana (1775-1783), iniciada con la rebelión armada de las trece colonias

británicas de América del Norte, que culminó con la creación de una nueva nación independiente: los Estados Unidos de América.

7.   Así llamaban al Barnum & Bailey Circus, que combinaba los espectáculos típicamente circenses con la exhibición de auténticos *freaks*.

8.   Alberto I (1875-1934), rey de Bélgica desde 1909 a 1934. El Congo fue colonia belga desde 1908 hasta 1960, en que obtuvo la independencia y pasó a llamarse Zaire.

LA CALLE

1.   Título original: "The Street", traducido por J. M. Nebreda. Escrito a finales de 1919. Publicado por vez primera en diciembre de 1920 en *The Wolverine*, reimpreso en enero de 1922 en *The National Amateur*, y recogido posteriormente en *The Lovecraft Collectors Library*, vol. 2, Strange Company, Madison (Wisconsin), 1953, editado por George Wetzel. La traducción sigue el texto incluido en *Dagon and Other Macabre Tales*, basado en la revisión de la copia impresa por *The Wolverine*. El 11 de noviembre de 1920 Lovecraft explicó por carta a Frank Belknap Long [*Selected Letters 1911-1924*, pág. 121] la génesis de este relato manifiestamente racista, probablemente escrito poco después de que concluyera una huelga de la policía de Boston iniciada el 8 de septiembre de 1919.

CELEPHAÏS

1.   Título original: "Celephaïs", traducido por J. M. Nebreda. Escrito a principios de noviembre de 1920. Publicado por vez primera en mayo de 1922 en el periódico amateur de Sonia Greene *The Rainbow*, vol. 2, nº 2, reimpreso en mayo de 1934 en *Marvel Tales*, vol. 1, nº 2, y póstumamente en junio-julio de 1939 en *Weird Tales*, vol. 34, nº 1, y en *The Outsider and Others*. La traducción sigue el texto incluido en *Dagon and Other Macabre Tales*, basado en una copia mecanografiada con bastante fidelidad por Donald Wandrei. Lovecraft aduce que está basado en una escueta anotación de su libro de citas: «Sueño de un vuelo por encima de una ciudad», pero también parece inspirado en esta otra: «Viaje al pasado –o a un reino imaginario– dejando atrás la envoltura corporal» [Commonplace Book, incluido en *Miscellaneous Writings*, págs. 87 y 88]. En cualquier caso su

concepción es bastante similar al relato de Dunsany, incluido en *The Book of Wonder* (1912), "The Coronation of Mr. Thomas Shap" [véase su traducción al castellano en la mencionada antología *En los confines del mundo*, págs. 59-65], en el que un comerciante londinense se imagina que es rey de una antigua ciudad oriental y acaba internado en un manicomio.

2.   Semejante a lo dicho en "La Nave Blanca": «En la Tierra de Sona-Nyl no existe el tiempo ni el espacio». Parece evocar el comentario de un habitante de Astahahn en "Días de ocio en el país del Yann": «Aquí hemos encadenado y maniatado al Tiempo, que de lo contrario habría matado a los dioses».

3.   Compárese con el comentario filosófico de Lovecraft en una carta a los «Kleicomolo» [Kleiner, Cole, Moe & HPL] fechada el 8 de agosto de 1916 [*Selected Letters 1911-1924*, pág. 24]: «¿Cómo sabemos que esa forma de mecanismo atómico y molecular llamada "vida" es la forma más elevada? Tal vez la criatura dominante… el más racional y divino de todos los seres… ¡es un gas invisible!»

4.   Imagen tomada probablemente del relato de Ambrose Bierce (que había leído un año antes) "A Horseman in the Sky" (de *Tales of Soldiers and Civilians*, 1891): «Alzando los ojos hacia la vertiginosa altura de la cumbre [del acantilado], el oficial divisó una vista asombrosa: ¡un hombre a caballo galopaba por el aire bajando hacia el valle!»

DEL MÁS ALLÁ

1.   Título original: "From Beyond", traducido por J. M. Nebreda. Escrito el 16 de noviembre de 1920. Publicado por vez primera (tras ser rechazado por varias revistas *pulp* como *Weird Tales* o *Ghost Stories*) en junio de 1934 en *The Fantasy Fan*, reimpreso en febrero de 1938 en *Weird Tales*, vol. 31, nº 2, y recogido posteriormente en *Beyond the Wall of Sleep*. La traducción sigue el texto incluido en *Dagon and Other Macabre Tales*, basado en el manuscrito original de HPL compulsado con la publicación en *Fantasy Fan*, revisada al parecer por el propio autor.

2.   En el manuscrito original el científico se llamaba Henry Annesley. Tanto Crawford como Tillinghast corresponden a los apellidos de dos antiguas y prósperas familias de la época colonial de Providence.

3.   Una de las principales calles de Providence en pleno East Side, el barrio más aristocrático plagado de casas de la época colonial.

4.   Este largo discurso refleja, según Joshi, un pasaje de *Modern Science and Materialism* (1919) de Hugh Elliott, popular defensor del materialismo mecanicista y uno de los pensadores, junto a Ernst Haeckel, T. H. Huxley, Bertrand Russell, Einstein, Tylor, Schopenhauer o Nietzsche, que más influyeron en la filosofía lovecraftiana. Véanse las cartas a Mrs. Anne Tillery Renshaw y a Frank Belknap Long [*Selected Letters 1911-1924,* págs. 134 y 158].

5.   Sorprendentemente Lovecraft parece tomarse a broma la poco convincente conjetura de Descartes de que la glándula pineal era un mediador entre el cuerpo material y el alma inmaterial.

6.   Esta frase no aparece en el manuscrito original: fue añadida con ocasión de la publicación en *Fantasy Fan*, pues como ya se dijo Lovecraft no leyó a Freud hasta 1921 [véase nota 3 de "Al otro lado de la barrera del sueño"].

7.   Esta última frase también fue añadida posteriormente, lo que podría indicar que Lovecraft pudiera haber sido víctima de un atraco, aunque por lo que se sabe nunca llevó revólver.

8.   Véase la descripción y el dibujo de la casa que perteneció en su día al capitán John Updike en la extensa carta que Lovecraft le escribió a Miss Toldridge el 10 de junio de 1929 [*Selected Letters 1925-1929,* pág. 354].

NYARLATHOTEP

1.   Título original: "Nyarlathotep", traducido por F. Torres Oliver. Escrito en noviembre o diciembre de 1920. Publicado por vez primera en enero de 1921 [con fecha de noviembre de 1920] en *The United Amateur*, vol. XX, nº 2, reimpreso en julio de 1926 en *The National Amateur*, y recogido posteriormente en *Beyond the Wall of Sleep*. La traducción sigue el texto corregido que aparece en *Miscellaneous Writings*.

2.   Lovecraft afirma que este peculiar nombre le vino en un sueño y que el primer párrafo del poema en prosa lo escribió «antes de estar completamente despierto» [véase la carta a Rheinhardt Kleiner del 14 de diciembre de 1920, en *Selected Letters 1911-1924,* pág. 160], pero cabría suponer que

tiene algo que ver con algunos personajes dunsanianos, como el dios menor Mynarthitep, mencionado fugazmente en "The Sorrow of Search" (*Time and the Gods*, 1906), o el profeta Alhireth-Hotep de *The Gods of Pegana* (1905), que «conoce Todas las Cosas» y «pasó a formar parte de las Cosas que Fueron». Para el círculo de Lovecraft, Nyarlathotep ha sido venerado en todo el mundo bajo diferentes apariencias. Los supervivientes de la civilización destruida por los lemures que formaron el reino de Estigia llevaron a Egipto el infame culto de este dios, a quien ellos llamaban Nyarlat. Durante el reinado del legendario Nefrén-Ka, último faraón de la Tercera Dinastía conocido como el Faraón Negro, el sufijo «hotep», que significa «satisfecho» y cuyo jeroglífico representa la figura de una «mesa de ofrendas», fue añadido al nombre del dios. Sobre este curioso personaje véase también el soneto XXI de *Fungi from Yuggoth* (1929-1930).

3. Según Will Murray [en "Behind the Mask of Nyarlatothep", *Lovecraft Studies*, nº 25, otoño de1991, págs. 25-29], Nyarlatothep está basado en el excéntrico físico e inventor estadounidense de origen croata Nicola Tesla (1856-1943) –«exhibicionista itinerante» lo llama él–, que patentó el motor eléctrico y construyó el transformador que lleva su nombre, y cuyos extraños experimentos eléctricos causaron sensación a finales del siglo XIX y comienzos del XX. Para Fritz Leiber Jr., este faraón-charlatán expresa «la mofa de un universo que el hombre nunca puede entender o dominar» y representa «la intelectualidad autodestructiva del hombre, su atroz habilidad para ver el universo por lo que es y a causa de ello acabar con todos los sueños ingenuos y hermosos» [véase "A Literary Copernicus", en *Essays Lovecraftian*, T-K Graphics, Baltimore, 1976, ed. de Darrell Schweitzer, pág. 9].

4. La fascinación infantil de Lovecraft por los tranvías es evidente en algunos de sus poemas y cuentos juveniles. Véase también la carta a Donald Wandrei del 24 de noviembre de 1927 [*Selected Letters 1925-1929*, pág. 199] en la que reitera su atracción por ellos.

LA LÁMINA DE LA CASA

1. Título original: "The Picture in the House", traducido por F. Torres Oliver. Escrito el 12 de diciembre de 1920. Publicado por vez pri-

mera en el verano de 1921 [con fecha de julio de 1919] en *The United Amateur*, vol. XVIII, nº 6, reimpreso en enero de 1924 en *Weird Tales*, vol. 3, nº 3, y posteriormente en marzo de 1937, vol. 29, nº 3 , y más tarde recogido en *The Outsider and Others*. La traducción sigue el texto incluido en *The Dunwich Horror and Others*, basado en una copia mecanografiada pero no por Lovecraft.

2.   Río imaginario. El término deriva probablemente del Housatonic, un río que recorre el centro del Estado de Massachusetts y atraviesa Connecticut, y de otros nombres indios. Según Will Murray es de raíz algónkina y significa aproximadamente «lugar de la montaña roja» [véase "In Search of Arhkam County", en *Lovecraft Studies*, nº 13, febrero de 1986, pág. 56].

3.   Lovecraft cuenta que en su juventud fue un «verdadero bici-centauro», aunque pronto dejó de montar por considerarlo inapropiado para adultos.

4.   Primera mención de la mítica ciudad inventada por HPL, cuya localización ha generado bastante debate. Aunque Will Murray sugirió que debía estar situada en el centro del Estado de Massachusetts, Robert D. Marten es partidario de ubicarla más bien en la costa este, como Salem [véase "Arkham Country: In Rescue of the Lost Searchers", en *Lovecraft Studies*, nº 39, verano de 1998, pág. 14]. Para el primero el nombre de Arkham proviene de Oakham, ciudad situada en el centro de Massachusetts, mientras que para el segundo deriva de Arkwright, un pueblo de Rhode Island (hoy en día asimilado a Fiskville).

5.   Se trata sin duda de *Relatione del reame di Congo e delle circonvicine contrade* (1591) del matemático italiano Filippo Pigafetta (1533-1604), que recoge un informe del marinero portugués Duarte Lopes, libro que fue traducido al holandés en 1596, y un año después al inglés y al alemán; la traducción latina, *Regnum Congo*, es de 1598 y tiene sólo sesenta páginas. Los errores de Lovecraft proceden de que no conocía el libro de primera mano, sino a través de un apéndice al ensayo de Thomas Henry Huxley (1825-1895) "On the Methods and Results of Ethnology", incluido en *Man's Place in Nature and Other Anthropological Essays* (1894).

6.   Nuevo error de Lovecraft: los grabados de De Bry representan a

los negros con apropiados rasgos negroides; fue el ilustrador W. H. Wesley, que reprodujo incorrectamente los originales para la edición de Huxley, quien los representa con rasgos caucásicos.

7. Además de ser un apasionado coleccionista de almanaques de Nueva Inglaterra, muchos de ellos del renombrado impresor Isaiah Thomas (1749-1831), Lovecraft poseía también una primera edición de 1702 de esta detallada historia de la Iglesia en Nueva Inglaterra, que es la principal obra de Cotton Mather (1622-1728), el más destacado teólogo puritano de su época en Estados Unidos.

EX OBLIVIONE

1. Título original: "Ex Oblivione", traducido por F. Torres Oliver. Escrito a finales de 1920 o comienzos de 1921. Publicado por vez primera (firmado por «Ward Phillips») en marzo de 1921 en *The United Amateur*, vol. XX, nº 5, reimpreso en julio de 1937 en la revista dirigida por su amigo y colega de periodismo aficionado Donald A. Wollheim *The Phantagraph*, vol. 6, nº 2, y recogido posteriormente en *Beyond the Wall of Sleep*. La traducción sigue el texto corregido que aparece en *Miscellaneous Writings*. El título latino de este poema en prosa significa «Del olvido», tema que su autor desarrollará más tarde siguiendo a Schopenhauer [véase la nota 2 de "El testimonio de Randolph Carter"]. Según Joshi, reitera el lema («La vida es más horrible que la muerte») de su relato perdido "Life and Death", mencionado en su libro de citas [*Miscellaneous Writings*, pág. 89] y que, al parecer, apareció en una revista amateur hacia 1920.

LA CIUDAD SIN NOMBRE

1. Título original: "The Nameless City", traducido por J. A. Molina Foix. Escrito en enero de 1921. Publicado por vez primera en noviembre de aquel mismo año en *The Wolverine*, nº 11, reimpreso en noviembre de 1938 (después de ser rechazado en dos ocasiones) en *Weird Tales*, vol. 32, nº 5, y recogido posteriormente en *The Outsider and Others*. También se publicó en *Transatlantic Circular* (1926) y en *Fanciful Tales* (otoño de 1936), una revista semiprofesional dirigida por Wilson Shepherd y Donald A. Wollheim. La traducción sigue el texto incluido en *Dagon and*

Other Macabre Tales, basado en el manuscrito del autor que incorpora las revisiones hechas después de su publicación inicial.

2.   Lovecraft le confesó por carta a su amigo Frank Belknap Long [*Selected Letters 1911-1924,* pág. 122] que este personaje ficticio era un seudónimo que se inventó cuando tenía cinco años y, tras descubrir con arrobo una edición juvenil de *Las mil y una noches,* se pasaba horas jugando a ser árabe. Sobre el origen de tal nombre HPL confesó más tarde [16 de enero de 1932] a Robert E. Howard: «No me acuerdo muy bien de dónde lo saqué. Tengo un vago recuerdo que lo asocia al anciano abogado de mi familia [Albert A. Baker], pero no puedo acordarme si le pedí que se inventara un nombre árabe para mí, o si por el contrario sólo le pregunté qué le parecía el que yo me había inventado» [citado en S. T. Joshi, *H. P. Lovecraft: A Life,* Necronomicon Press, West Warwick, 1996, pág. 19]. Según Sprague de Camp [op. cit., pág. 19], Alhazred se deriva probablemente de Hazard, apellido de una antigua familia de Rhode Island emparentada con los Phillips.

3.   Héroe griego, hijo de Titono y la Aurora, muerto por Aquiles en Troya. Los griegos creían que los dos colosos de cuarcita rosa que se erguían en Tebas delante del templo funerario de Amenofis III honraban a este personaje. Con el paso del tiempo, como consecuencia de las fracturas y grietas producidas por un terremoto que sacudió la región, una de aquellas gigantescas estatuas parecía emitir a la salida del sol una especie de cántico, que atraía al lugar a los peregrinos del mundo antiguo en la creencia de que el héroe había reaparecido en forma de estatua y entonaba, con los primeros rayos de la Aurora, una melodiosa melodía para saludar la luz de su madre.

4.   Véase la nota 2 de "Los gatos de Ulthar".

5.   Filósofo ecléctico griego (480-550?). Fue el último neoplatónico que dirigió la Academia, cerrada por el emperador Justiniano en 529 junto con otras «escuelas paganas». De su principal obra, *Dificultades y soluciones de los Primeros Principios,* se conservan algunos fragmentos en la *Bibliotheca* de Focio, erudito bizantino que llegó a ser patriarca de Constantinopla.

6.   Poeta y sacerdote francés del siglo XIII, conocido también como Gauthier de Més en Loherains, a quien se atribuye el tratado enciclopédico *L'Image du monde* (ca. 1246), llamado asimismo *Mappemonde,* que está

basado en el texto medieval en latín *Imago mundi* de Honorio Incluso. Traducido al inglés en 1481 por William Caxton (*The Myrrour of the World*), Lovecraft encontró una mención del mismo en su ejemplar de *Curious Myths of the Middle Ages* (1866) de S. Baring-Gould.

7. Esta imagen evoca el último párrafo de "El entierro prematuro" de Poe: «… los demonios en cuya compañía Afrasiab realizó su viaje por el Oxus». Afrasiab es el nombre del mítico rey de los turanios [naturales del Turán, región del Asia Central que comprendía las estepas rusas, el Turkestán, Mongolia y el Cáucaso] y uno de los héroes legendarios del *Libro de los Reyes*, vasto poema épico de Firdusi (ca. 935-1020) que narra la creación del universo hasta la conquista del país por los árabes. Según este poeta persa, Afrasiab es el antepasado de los hunos eftalitas que hicieron tambalearse el control sasánida de la región hasta mediados del siglo VI. Oxur es como se llamaba antiguamente el gran río Amu Daria que nace en Asia Central y desemboca en el mar de Aral. En el año 530 a.C. Ciro II el Grande (fundador del imperio persa) cruzó con un ejército el Oxus y sometió la región. En su segundo viaje a China en compañía de su padre y su tío, Marco Polo también atravesó este río para llegar a Irán.

8. HPL admite que este relato se lo inspiró un sueño provocado por esta sugestiva frase con que termina el relato de lord Dunsany "The Probable Adventure of the Three Literary Men", que forma parte de *The Book of Wonder* (1912). Véase su traducción al castellano en la antología *En los confines del mundo*, págs. 17-22.

9. *Alciphron* (1839), carta 4, versos 102-11, del poeta irlandés Thomas Moore (1779-1852).

10. Conocida también como Iram. Mencionada en el Corán y en la *Rubaiyyat* de Omar Khayyan, en el *Necronomicon* Abdul Alhazred pretende haberla visto. Sir Richard Burton afirma (en "The City of Many-Columned Iram and Abdullah son of Abi Kilabah", *Arabian Nights*, vol. IV) que sus palacios estaban hechos «de oro y plata» con incrustaciones de «piedras preciosas, jacintos, crisólitos, rubíes y perlas». Recientemente sus restos parecen haber sido descubiertos gracias a imágenes captadas por el satélite Challenger en 1984. Para documentarse sobre esta mítica ciudad Lovecraft utilizó en buena medida la entrada «Arabia» de la *Enciclopedia Británica* (en su

novena edición, que era la que él poseía), gran parte de la cual copió literalmente en su libro de citas [*Miscellaneous Writings*, pág. 90].

11.   Nombre hebreo del demonio [que significa «perdición»], identificado en el *Apocalipsis* (9: 11) con el ángel del abismo, rey de los demonios-langosta con «cuerpos de caballos de batalla alados, rostros humanos y colas con aguijones». Igualmente conocido como el "ángel exterminador" [literalmente "Destructor", del griego Απολίον], es el genuino representante del reino de los muertos.

12.   Se llama cacodemonía a una enajenación mental en la que el paciente cree estar poseído por un espíritu maligno.

LA BÚSQUEDA DE IRANON

1.   Título original: "The Quest of Iranon", traducido por J. A. Molina Foix. Escrito el 28 de febrero de 1921. HPL quería incluirlo en su propia publicación aficionada *The Conservative*, cuyo último número había aparecido en julio de 1919, pero como el siguiente se retrasó hasta marzo de 1923, tras ser rechazado inicialmente por *Weird Tales* [véase la carta a Donald Wandrei en *Selected Letters 1925-1929*, pág. 211], finalmente lo publicó en julio-agosto de 1935 en *The Galleon*, vol. 1, nº 5, y años más tarde (marzo de 1939) fue reimpreso en *Weird Tales*, vol. 33, nº 3, y recogido en *Beyond the Wall of Sleep*. La traducción sigue el texto incluido en *Dagon and Other Macabre Tales*, basado en el manuscrito del autor (preparado por Donald Wandrei) que incorpora ligeras revisiones introducidas después de su publicación inicial.

2.   La palabra griega «αρχηον» significa «el que está a la cabeza», «el que manda». En la antigua Grecia se llamaba arconte al jefe de una asociación o al magistrado puesto al frente de una ciudad.

3.   Véase "La maldición que cayó sobre Sarnath".

4.   Véase "Polaris".

5.   "La maldición que cayó sobre Sarnath".

LA CIÉNAGA-LUNA

1.   Título original: "The Moon-Bog", traducido por J. A. Molina Foix. Escrito en marzo de 1921 con ocasión de un acto de sabor irlandés

que se celebró en Boston el 10 de marzo de aquel año para conmemorar el día de San Patricio (17 de marzo), y leído por el propio autor ante una asamblea de escritores aficionados, que quedó «horrorizada», según le confesó por carta a su madre [véase *Selected Letters 1911-1924,* pág. 126]. Publicado por vez primera en junio de 1926 en *Weird Tales,* vol. 7, nº 6, y recogido posteriormente en *Beyond the Wall of Sleep.* La traducción sigue el texto incluido en *Dagon and Other Macabre Tales,* que reproduce corregida la versión de *WT,* única que se conserva. La trama de este cuento anticipa en cierta medida (posiblemente fortuita) un pasaje de la primera novela de lord Dunsany *The Curse of the Wise Woman* (1933).

2. Condado central de Irlanda (en la antigua provincia de Leinster), lugar de procedencia de sus antepasados en donde residía lord Dunsany en un castillo del siglo XII que heredó en 1899.

3. Según la mitología irlandesa se trata del primer invasor de Irlanda después del Diluvio. Acompañado de tres hijos y mil seguidores, Partholon (o Partolón) llegó a la bahía de Donegal en la costa noroeste de Irlanda hacia el año 1240 a.C., procedente de Grecia. Su «familia», idéntica a la raza de plata de la mitología de Hesíodo, constituyó la primera emigración mencionada en el ciclo mitológico irlandés. Véase H. D'Arbois de Jubainville, *El ciclo mitológico irlandés y la mitología céltica,* trad. de Alicia Santiago, Vision Libros, Barcelona, 1981, cap. II, págs. 27-38.

4. Debe de tratarse sin duda del *Leabhar Ghabhála,* manuscrito anónimo del siglo XIII escrito en gaélico irlandés. Véase su traducción al castellano por Ramón Sainero: *Libro de las invasiones,* Akal, Madrid, 1988. Los capítulos II y III se refieren a Partholon.

5. El segundo invasor de Irlanda según la mitología irlandesa (hacia el año 910 a.C.*).* Véase *El ciclo mitológico irlandés y la mitología céltica,* págs. 62-74, y el *Libro de las invasiones,* págs. 73-97.

6. Este nombre pudo tomarlo Lovecraft de la ninfa que por orden de Zeus educó, en compañía de sus hermanas, al joven Dioniso (Baco) en la isla de Naxos, o de la presunta hija de la poetisa Safo.

7. Véase la nota 4 de "El árbol".

8. Cíane era una ninfa de Siracusa, compañera de juegos de Perséfone, que trató de oponerse al rapto de ésta por Hades, por lo que el dios de

los muertos, encolerizado, la convirtió en una fuente de color azul como las aguas del mar.

EL EXTRAÑO

1.   Título original: "The Outsider", traducido por F. Torres Oliver. Escrito probablemente durante el verano de 1921. Publicado por vez primera en abril de 1926 en *Weird Tales,* vol. 7, nº 4, y posteriormente en junio-julio de 1931, vol. 17, nº 4, y más tarde recogido en *The Outsider and Others.* La traducción sigue el texto incluido en *Dagon and Other Macabre Tales,* que reproduce corregida la versión de *WT,* única que se conserva. Este relato con claros ribetes autobiográficos parece un homenaje a Poe, y en él se han visto ecos de "William Wilson", "Berenice", y sobre todo de "La máscara de la Muerte Roja". Otras posibles influencias podrían ser el cuento de hadas de Oscar Wilde "The Birthday of the Infanta", el ensayo de Nathaniel Hawthorne "Fragments from the Journal of a Solitary Man" (*American Monthly Magazine,* julio de 1837), e incluso la novela de Mary Shelley *Frankenstein* (1818). Sin embargo, con ser uno de los relatos que más admiración ha despertado y sobre el que más se ha escrito posiblemente, HPL lo calificó de una «pésima mezcolanza de retórica ampulosa y barroca y remedos poescos» [carta a Derleth el 13 de julio de 1931, en *Selected Letters 1929-1931,* pág. 379].

2.   De *The Eve of St. Agnes* (1820), II, versos 372-375.

3.   Droga egipcia mencionada en la *Odisea* (IV, 228) que, según la leyenda, disipaba el dolor, aplacaba la cólera y hacía olvidar todos los males [del griego $\nu\eta$- prefijo negativo y $\pi\epsilon\nu\theta o\varsigma$, pena].

4.   Véase la nota 2 de "Nyarlathotep".

5.   Nitocris fue, al parecer, la última reina de la Sexta Dinastía del Imperio Antiguo (2183-2181 a.C.) y se cree que accedió al trono tras una serie de disturbios sucesorios a la muerte de Pepi II. Según Manetón fue «la mujer más bella de su tiempo» y Heródoto cuenta [*Historia,* Libro 2º, C] que se suicidó, vengándose a la vez de los asesinos de su hermano mediante un ingenioso ardid: mandó construir un templo bajo el Nilo e invitó a los regicidas a una fiesta, y en medio del convite ordenó que se introdujese el río en la fábrica subterránea por un conducto que estaba

oculto. En esta anécdota está basada la pieza teatral de lord Dunsany *The Queen's Enemies* (1916), que en 1919 Lovecraft le oyó leer al propio bardo irlandés en Boston. Años después inspiraría también el relato de Tennessee Williams "La venganza de Nitocris" (1928).

LOS OTROS DIOSES

1.   Título original: "The Other Gods", traducido por J. M. Nebreda. Escrito el 14 de agosto de 1921. Publicado por vez primera (tras ser rechazado por varias revistas profesionales) en noviembre de 1933 en *The Fantasy Fan*, reimpreso en octubre de 1938 en *Weird Tales,* vol. 32, nº 4, y recogido posteriormente en *Beyond the Wall of Sleep*. La traducción sigue el texto incluido en *Dagon and Other Macabre Tales,* basado en el manuscrito original de HPL. El relato constituye un ejemplo clásico de orgullo desmedido, similar al de otros escritos de Dunsany como "The Revolt of the Home Gods" de *The Gods of Pegana* [véase su traducción al castellano en la antología de F. Torres Oliver *En el país del tiempo,* Siruela, Madrid, 1987, págs. 35-38].

2.   En su primera publicación en *The Fantasy Fan* «Hsan» apareció erróneamente como «Earth» [Tierra].

3.   Ulthar y el río Skai se mencionan en "Los gatos de Ulthar", mientras que los *Manuscritos Pnakóticos* y Lomar aparecen por vez primera en "Polaris".

4.   Véase "Los gatos de Ulthar".

5.   Ibíd.

LA MÚSICA DE ERICH ZANN

1.   Título original: "The Music of Erich Zann", traducido por J. A. Molina Foix. Escrito probablemente en diciembre de 1921. Publicado por vez primera en marzo de 1922 en *The National Amateur,* reimpreso en *Weird Tales* en dos ocasiones: en mayo de 1925, vol. 5, nº 5, y en noviembre de 1934, vol. 24, nº 5, y recogido posteriormente en *The Outsider and Others*. La traducción sigue el texto incluido en *The Dunwich Horror and Others,* basado en el manuscrito que Lovecraft envió para su publicación en *WT*. El relato es uno de los más publicados en vida del autor [fue

incluido en la célebre antología de Dashiell Hammett *Creeps by Night* (1931)] y uno de sus preferidos. El crítico francés Jacques Bergier cuenta [en "Lovecraft, ce grand génie venu d'ailleurs", *Planète*, nº 1, París, octubre-noviembre de 1961, pág. 45] que cuando le escribió para felicitarlo por haber descrito tan bien un barrio poco conocido de París, donde transcurre la acción, le preguntó si alguna vez había visitado la capital francesa, a lo que HPL le respondió: «Con Poe, en un sueño».

2. No existe ni nunca ha existido tal calle en París. Por otra parte la palabra no corresponde a ningún adjetivo ni sustantivo del idioma francés, ni es un nombre propio.

3. A juzgar por esta descripción parece evidente que Lovecraft se inspiró en una calle de Providence, Meeting Street, que igualmente termina con un tramo de escaleras que dan a Congdon Street. El propio HPL describirá más tarde esta calle en "El caso de Charles Dexter Ward".

4. Aunque Lovecraft utiliza indiscutiblemente el término «viol», muchas veces se ha interpretado que se refería poéticamente a un violín. Sin embargo, el propio autor aclaró definitivamente este asunto al referirse a Zann como «violoncelista» [la viola original era una especie de violoncelo arcaico, que se tocaba colocando el instrumento entre las rodillas del ejecutante] en una carta a Elizabeth Toldridge [del 31 de octubre de ¿1931?] cuyo manuscrito se conserva en la John Hay Library [véase *The Thing on the Doorstep and Other Weird Stories*, pág. 377].

HERBERT WEST, REANIMADOR

1. Título original: "Herbert West—Reanimator", traducido por J. M. Nebreda. Escrito entre septiembre de 1921 y junio de 1922. Publicado por vez primera (en seis entregas) de febrero a julio de 1922 en *Home Brew*, nueva revista profesional (de humor) de su colega aficionado George Julian Houtain (presidente de la NAPA entre 1915 y 1917), bajo el título «Grewsome Tales» [Cuentos espantosos], reimpreso en *Weird Tales* en marzo, julio, septiembre y noviembre de 1942, vol. 36, nos 4, 6, 7 y 8 (partes 1 a 4), y septiembre y noviembre de 1943, vol. 36, nos 1 y 2 (partes 5 y 6), y recogido posteriormente en *Beyond the Wall of Sleep*. La traducción sigue el texto incluido en *Dagon and Other Macabre Tales*, basado en

una copia mecanografiada por el propio HPL. Este largo texto paródico, si bien es de los menos conseguidos suyos, constituyó su primera publicación profesional: le pagaron cinco dólares por cada uno de los seis episodios, aunque la retribución de los cuatro últimos se retrasó varios meses.

2.   Ernst Haeckel (1834-1919) era un naturalista y filósofo alemán que estableció las leyes biogenéticas fundamentales y defendió el monismo y la teoría de la evolución. La traducción inglesa (*The Riddle of the Universe*, 1900) de su obra *Die Welträthsel* (1899), en la que preconiza el materialismo, influyó mucho en HPL.

3.   Lovecraft parece estar pensando en el relato de humor macabro de Ambrose Bierce "One Summer Night" (1906), incluido en la edición revisada de *Can Such Things Be?* (1910). [Véase su traducción al castellano por José Luis Moreno-Ruiz en *¿Pueden suceder tales cosas? Cuentos fantásticos completos,* Valdemar, Madrid, 2005, págs. 45-47.]

4.   Alusión a un suceso real ocurrido en Providence en 1920, cuyos pormenores Lovecraft contó por carta a Rheinhardt el 10 de febrero de aquel mismo año [véase *Selected Letters 1911-1924*, pág. 108].

5.   En la tradición musulmana el *ifrit* es un demonio de tamaño gigantesco con cuernos, zarpas de león y pezuñas de asno, que aparece en *Las mil y una noches.* Según el Corán (LV, 14) fue creado por Alá de una llama sin humo. Iblís (transcripción al árabe del griego διάβολος) es el diablo islámico, el ángel caído expulsado del Paraíso porque se negó a arrodillarse ante Adán. En el Corán es uno de los *yinns* [genios arábigos] y, como éstos, está provisto de alas. Lovecraft toma ambos términos (en inglés «afrite» y «Eblis», respectivamente) del "cuento árabe" de William Beckford *Vathek* (1786), que leyó en julio de 1921.

6.   Bolton es en realidad un pueblo de Massachusetts, una pequeña comunidad rural que no se corresponde para nada con la descripción de Lovecraft, por lo que algunos estudiosos han sugerido que se trata de una invención del autor, que debía desconocer su existencia real [véase Robert D. Marten, op. cit., pág. 15].

7.   Cfr. su ensayo "The Materialist Today" (1926): «Para el materialista, está muy claro que la mente no es una *cosa*, sino una *modalidad de animación o una forma de energía*».

8. Lovecraft no era partidario de la neutralidad en la Gran Guerra y escribió frecuentemente en contra de ella, como el poema patriótico "An American to Mother England" (1916) o el ensayo "The Renaissance of Manhood" (1917).

9. Una aldea belga a unas tres millas al sudoeste de Yprés, donde el 14 de marzo de 1915 tuvo lugar una importante batalla que enfrentó a las tropas aliadas y las alemanas, dentro del conjunto de combates que ambos contendientes llevaron a cabo en aquella región conocida como la «puerta de Flandes».

10. Distinguised Service Order (Orden del Servicio Distinguido), condecoración militar establecida por la reina Victoria en 1886.

HIPNO

1. Título original: "Hypnos", traducido por J. A. Molina Foix. Escrito en marzo de 1922. Publicado por vez primera en mayo de 1923 en *The National Amateur,* vol. 45, nº 5, reimpreso en *Weird Tales* en dos ocasiones: en mayo-junio-julio de 1924, vol. 3, nº 5, y en noviembre de 1937, vol. 30, nº 5, y recogido posteriormente en *The Outsider and Others.* La traducción sigue el texto incluido en *Dagon and Other Macabre Tales,* reproducción del aparecido en *The National Amateur,* que es la única versión que se conserva. Una copia mecanografiada encontrada recientemente revela que el cuento estaba dedicado «a S[amuel] L[oveman]», poeta amigo de Hart Crane, Ambrose Bierce y Clark Ashton Smith, que mostró un gran entusiasmo cuando Lovecraft le leyó el manuscrito.

2. *Fusées,* IX. Esta especie de aforismo forma parte de un conjunto de reflexiones íntimas, a la manera de su admirado Poe, que, junto a otros textos fragmentarios póstumos, iban a integrar un proyecto autobiográfico que Baudelaire emprendió en los últimos años de su vida y dejó inconcluso. Lovecraft disponía de un ejemplar de *Baudelaire: His Prose and Poetry,* ed. de T. R. Smith, Boni & Liveright/Modern Library, Nueva York, 1919.

3. Derivado del héroe epónimo Helén, hijo de Deucalión, el término Hélade (en griego Ἑλλας) se utilizó al principio para designar al país de Tesalia, patria de los helenos (Homero), más tarde para diferen-

ciar a la Grecia central del Peloponeso y Tesalia, y finalmente como nombre colectivo que se aplicaba en la antigüedad al conjunto de los griegos o al territorio habitado por éstos, que abarcaba, hacia el este, el litoral del mar Negro, las zonas costeras de Asia Menor y las islas del mar Egeo, la Grecia continental en el centro, y hacia el oeste, el sur de Italia y la mayor parte de Sicilia.

4.   Peter Cannon señala [en *H. P. Lovecraft*, Twayne, Boston, 1989, pág. 32] que esta descripción concuerda bastante, tanto física como psicológicamente, con la figura de Poe. Y Frank Belknap Long recuerda [en *Howard Phillips Lovecraft: Dreamer on the Nightside*, Arkham House, 1975, pág. 237] que, con ocasión de una visita al *cottage* de Poe en Fordham, HPL «sacó del bolsillo de su abrigo uno de sus primeros relatos, *Hypnos*, y se lo dedicó a Poe».

5.   Probable alusión a Freud.

6.   Alusión a Albert Einstein y su teoría de la relatividad. Lovecraft identificó a Einstein como el científico por excelencia entre los «auténticos cerebros del mundo moderno» [carta a E. Toldridge del 20 de diciembre de 1930, en *Selected Letters 1929-1931*].

7.   Constelación del hemisferio boreal formada por 36 estrellas perceptibles a simple vista, de las cuales una es de 2ª magnitud y cuatro de 3ª. Estas cinco estrellas junto con otras de 4ª magnitud forman un semicírculo, de donde proviene su denominación.

8.   En la mitología griega Hipno es la personificación del Sueño. Según Hesíodo [*Teogonía*, verso 756] era hijo de la Noche y hermano de la Muerte. Pausanias menciona un culto a Hipno en Trezén [*Descripción de Grecia*, II, XXXI, 3].

LO QUE TRAE LA LUNA

1.   Título original: "What the Moon Brings", traducido por F. Torres Oliver. Escrito el 5 de junio de 1922. Publicado por vez primera en mayo de 1923 en *The National Amateur*, y recogido posteriormente en *Beyond the Wall of Sleep*. La traducción sigue el texto corregido que aparece en *Miscellaneous Writings*.

AZATHOTH

1. Título original: "Azathoth", traducido por J. M. Nebreda. Escrito en junio de 1922. Publicado por vez primera en el verano de 1938 en el *fanzine* de Barlow (a multicopista) *Leaves,* y recogido posteriormente en *Marginalia.* La traducción sigue el texto incluido en *Dagon and Other Macabre Tales,* basado en el manuscrito original de HPL. Se trata de un fragmento de una novela «al estilo de *Vathek*», que ya le anunciaba a Frank Belknap Long que «probablemente nunca terminaré» [carta del 9 de junio de 1922, en *Selected Letters 1911-1924*, pág. 185]. Aunque en efecto la dejó inacabada (sólo se conserva este breve fragmento de 480 palabras), el personaje de Azathoth aparecería más tarde en muchos relatos y en el soneto homónimo (XXII) de *Fungi from Yuggoth* (1929-1930). Algunos estudiosos han visto un paralelismo entre Azathoth y la gnóstica Achamoth (la Sofía de abajo o terrestre), madre del Demiurgo (o Artesano) que creó el universo, o una semejanza con el culto egipcio de Atón (el disco solar).

EL SABUESO

1. Título original: "The Hound", traducido por J. M. Nebreda. Escrito en octubre de 1922. Publicado por vez primera en febrero de 1924 en *Weird Tales,* vol. 3, nº 2, reimpreso en esa misma revista en septiembre de 1929, vol. 14, nº 3, y recogido posteriormente en *The Outsider and Others.* La traducción sigue el texto incluido en *Dagon and Other Macabre Tales,* basado en una copia mecanografiada por el propio HPL.

2. Claro homenaje a Conan Doyle. Al final del capítulo 2 de *El sabueso de los Baskervilles* (1902), el doctor Mortimer exclama: «¡Eran las pisadas de un gigantesco sabueso, señor Holmes!», frase que con el tiempo se convertiría en una de las más célebres del Canon holmesiano.

3. Lovecraft se refería a menudo a su amigo Rheinhardt Kleiner como Randolph St. John [véase la carta a Kleiner del 21 de mayo de 1920, en *Selected Letters 1911-1924*, pág. 113], como si fuera descendiente del autor y parlamentario británico Henry St. John, vizconde de Bolingbroke (1678-1751), secretario de Estado del gobierno de Gran Bretaña en 1710 y encargado de las negociaciones que condujeron al Tratado de Utrecht (1713) que dio fin a la Guerra de Sucesión de España (1701-1715).

4.   Steven J. Mariconda apunta [en "'The Hound'—A Dead Dog?", *On the Emergence of "Cthulhu" and Other Observations,* Necronomicon Press, West Warwick, 1995, págs. 45-49] que en la confección de este relato le influyó bastante a Lovecraft la novela de J.-K. Huysmans *À rebours* (1884), cuya traducción al inglés por John Howard, *Against the Grain,* A. & C. Boni, Nueva York, 1930, formaba parte de su biblioteca.

5.   La frase original que se conserva en la copia mecanografiada por HPL es bien diferente: «Contenía los desconocidos e innominables dibujos de Clark Ashton Smith». Su colega C. M. Eddy le persuadió de que quitara esa referencia con el argumento de que «el director [de *Weird Tales*] se opondría a esa utilización partidista de un artista-poeta cuya obra estoy tratando de promocionar» [carta a Frank Belknap Long del 24 de febrero de 1924, en *Selected Letters 1911-1924,* pág. 292].

6.   La tarde del 16 de septiembre de 1922, Lovecraft y Rheinhardt Kleiner visitaron el camposanto de la Iglesia Reformada Holandesa de Brooklyn, próxima al apartamento en que vivía Sonia Greene. HPL cuenta que «de una de las lápidas desmenuzadas... fechada en 1747... desprendí un trocito para llevármelo. Lo tengo ante mí mientras escribo... y debería sugerirme algún tipo de cuento de miedo. Alguna de estas noches tengo que ponerlo debajo de la almohada mientras duermo... ¿quién sabe qué *criatura* podría salir de la tierra secular exigiendo venganza por haber profanado su tumba?» [carta a su tía Lillian del 29 de septiembre de 1922, en *Selected Letters 1911-1924,* pág. 198].

7.   Según George T. Wetzel [en *Howard Phillips Lovecraft: Memoirs, Critiques, and Bibliographies,* SSR Publications, North Tonawanda (N.Y.), 1955], el título procede probablemente del *Astronomicon* del poeta didáctico latino del siglo I d.C. Marco Manilio, libro y autor frecuentemente citados por HPL en sus columnas sobre astronomía en el *Evening News* de Providence (1914-1918). El conocimiento de Lovecraft acerca de la etimología griega era muy rudimentario y la derivación que él ofrece de *Necronomicon* [en *Selected Letters V: 1934-1937,* pág. 418] es bastante fallida: «Imagen de la Ley de los Muertos» (de *necro* [νεκρος] = muerto, *nomo* [νομος] = ley, y *eikôn* [εικών]= imagen). Según Joshi [en *The Call of Cthulhu and Other Weird Stories,* Penguin, Londres, 2002, pág. 380]

significa sencillamente «Estudio o Clasificación de los Muertos» (de *necro* = muerto, *nemo* [νεμο]= estudiar o clasificar, e *ikon* [ικον]= sufijo neutro).

8.   Alusión al cuento de Poe "La máscara de la Muerte Roja" (1842).

9.   Este detalle guarda cierto paralelismo con el incidente ocurrido durante la mencionada visita al camposanto de la Iglesia Reformada Holandesa de Brooklyn, según le contó HPL a Maurice W. Moe [carta de agosto de 1922, colección particular]: «Una bandada de pájaros descendió del cielo y picotearon de un modo extraño el vetusto césped como si buscaran algún desconocido tipo de alimento en aquel lugar antiguo y sepulcral».

10.   Transcripción griega del hebreo «beliya'al», que significa «sin utilidad». Mencionado en los Rollos del Mar Muerto como el cabecilla de los hijos de las tinieblas que combaten a los hijos de la luz. En el Viejo Testamento hay varias referencias a él como símbolo de los poderes del caos, la enfermedad y la muerte, y en el Nuevo Testamento aparece como sinónimo de Satanás.

EL MIEDO QUE ACECHA

1.   Título original: "The Lurking Fear", traducido por J. M. Nebreda. Escrito en noviembre de 1922. Publicado por vez primera (en cuatro entregas) de enero a abril de 1923 en *Home Brew,* reimpreso en junio de 1928 en *Weird Tales,* vol. 11, nº 6, y recogido posteriormente en *The Outsider and Others.* En 1977 Necronomicon Press reimprimió en facsímil el texto publicado por *Home Brew,* con sus ilustraciones de Clark Ashton Smith y sus cabeceras con la sinopsis de las anteriores entregas. La traducción sigue el texto incluido en *Dagon and Other Macabre Tales,* basado en una copia mecanografiada por el propio HPL.

2.   Conducto cilíndrico vitrificado (pulido por dentro y rugoso por fuera) producido por el rayo al penetrar en un terreno silíceo.

3.   Véase la nota 4 de "Al otro lado de la barrera del sueño".

4.   Existe en Brooklyn una casa llamada Jan Martense Schenk House, que constituye la más antigua construcción (data de 1656) que se conserva en todo Nueva York, pero al parecer HPL no conocía su existencia ni por tanto la visitó en ninguna de sus dos estancias en la ciudad de los

rascacielos. Es más probable que el nombre lo haya tomado de Martense Street, un callejón próximo al apartamento de Sonia Greene en Parkside Avenue.

5. El apellido coincide con el de sus amigos de la infancia en Providence, los hermanos Harold y Chester Munroe.

6. Mister en holandés.

7. Se refiere a la asamblea de los representantes de siete de las colonias británicas en América del Norte, que tuvo lugar en Albany (Nueva York) durante junio y julio de 1754 para planear la estrategia militar, política y económica en preparación de la llamada Guerra de los Siete Años (1756-1763).

8. En la mitología griega, río del mundo subterráneo que se consideraba como límite entre el mundo de los vivos y el reino de los muertos.

9. Véase la nota 2 de "Memory".

LAS RATAS DE LAS PAREDES

1. Título original: "The Rats in the Walls", traducido por F. Torres Oliver. Escrito entre finales de agosto y comienzos de septiembre de 1923. Publicado por vez primera en marzo de 1924 en *Weird Tales*, vol. 3, nº 3, tras ser rechazado por *Argosy All-Story Weekly* por ser (en palabras del propio HPL) «demasiado horrible para las delicadas sensibilidades de un público exquisitamente educado» [carta a Frank Belknap Long del 8 de noviembre de 1923, en *Selected Letters 1911-1924*, pág. 259], reimpreso en junio de 1930 en esa misma revista, vol. 16, nº 6, y recogido posteriormente en la antología de Christine Campbell Thomson *Switch On the Light,* Selwyn & Blount, Londres, 1931, y en *The Outsider and Others*. La traducción sigue el texto incluido en *The Dunwich Horror and Others,* basado en una revisión de la copia impresa por *WT*. Lovecraft explicó que la idea del relato se la sugirió «un incidente muy común: el agrietamiento del papel pintado por la noche y la cadena de figuraciones a que dio lugar» [véase la descripción del incidente en *Selected Letters V: 1934-1937*, pág. 181, y el esquema del relato en el libro de citas, *Miscellaneous Writings,* pág. 93]. Su inclusión (junto con "El horror de Dunwich") en la célebre antología de Herbert A. Wise y Phyllis Fraser *Great Tales of Terror and the*

Supernatural, Random House, Nueva York, 1944, marcó un hito importante en el reconocimiento literario de Lovecraft.

2. La poetisa de Providence Sara Helen Whitman (1803-1878), con quien Poe pensaba casarse y fundar una aristocracia intelectual estadounidense y una revista que la agrupase, encontró un antepasado de ambos llamado Poer o De le Poer. Además de los *Poems* (1894) de ella, Lovecraft tenía el libro de Caroline Ticknor *Poe's Helen,* Charles Scribner's Sons, Nueva York, 1916, en el que se refiere este hecho.

3. Homenaje a Bram Stoker. Drácula alquila la abadía de Carfax como principal residencia en Londres.

4. Cuando Lovecraft conoció a Alfred Galpin lo llamó «mi hijo Alfredus» [véase la carta a su tía Lillian del 4 de agosto de 1922 en *Selected Letters 1911-1924,* pág. 191].

5. Situado en Salisbury Plain, al sudoeste de Inglaterra, este monumento megalítico en forma de círculo de grandes piedras se cree que fue erigido entre 1900 y 1400 a.C. supuestamente para medir el tiempo y sin duda fue utilizado por los druidas en sus rituales.

6. Incomprensible error de Lovecraft: fue la segunda legión de Augusto la que estuvo estacionada en Britania y su sede fue precisamente Isca Silurum (Caerleon-on-Usk) en Gales, patria chica de su admirado Arthur Machen.

7. Término acuñado por los historiadores del siglo XVI para designar los siete reinos sajones que existían en Inglaterra antes de 88 d.C.: Northumbria, Mercia, Anglia Oriental, Wessex, Kent, Essex y Sussex.

8. Según Steven J. Mariconda [en "*Curious Myths of the Middle Ages* and 'The Rats in the Walls'", *Crypt,* nº 14, junio 1983], esta expresión la tomó Lovecraft de un libro de Sabine Baring-Gould sobre tradiciones medievales que probablemente leyó por aquella época y más tarde mencionó elogiosamente en el capítulo segundo de *Supernatural Horror in Literature* (1927).

9. De niño Lovecraft tenía un gato con ese nombre, el cual huyó en 1904 cuando la familia se trasladó del número 454 (casa del abuelo paterno, donde nació) al 598 (donde residió hasta su boda en 1924) de Angell Street.

10.   Alusión al poema de Catulo "Atis", notable por su ímpetu lírico, en el que el joven guardián del templo de Cibeles cuenta su pasión por la diosa frigia y su posterior autocastración en el curso de una escena orgiástica. Lovecraft utiliza la grafía «Atys» porque así aparece en la novena edición de la *Enciclopedia Británica* que él manejaba.

11 El republicano Warren G. Harding (1865-1923) murió el 2 de agosto de 1923 de una trombosis coronaria después de dos años y medio como vigesimonoveno presidente de Estados Unidos.

12.   Protagonista del episodio más importante del muy incompleto *Satiricón* de Petronio. Se trata de un liberto enriquecido y pedante, que en sus discursos confunde cómicamente los personajes mitológicos más conocidos.

13.   Véase la nota 7 de "Dagón".

14.   La parte final en gaélico (a partir de «Dia ad» hasta «leat-sa!») está copiada directamente de "The Sin-Eater" (1895), de Fiona Macleod (seudónimo de William Sharp, 1856-1905), que Lovecraft leyó en la antología de Joseph Lewis French *The Best Psychic Stories,* Boni & Liveright, Nueva York, 1920, donde se presenta como una maldición. En una nota a pie de página Macleod lo traduce así: «Dios contra ti y frente a ti… ¡ojalá tengas una muerte lamentable!… ¡desgracia y aflicción a ti y a los tuyos!»

15.   Manicomio de Inglaterra del que Lovecraft seguramente tuvo noticias por el mencionado relato de Dunsany "The Coronation of Mr. Thomas Shap".

LO INNOMINABLE

1.   Título original: "The Unnamable", traducido por J. M. Nebreda. Escrito en septiembre de 1923. Publicado por vez primera en julio de 1925 en *Weird Tales,* vol. 6, nº 1, y recogido posteriormente en *Beyond the Wall of Sleep.* La traducción sigue el texto incluido en *Dagon and Other Macabre Tales,* basado en una revisión de la copia impresa por *WT.* Lovecraft le confesó a Bernard Auston Dwyer [carta de junio de 1927 en *Selected Letters 1925-1929,* pág. 139] que el relato está basado en un «párrafo auténtico» de *Magnalia Christi Americana* (1702) de Cotton Mather, del que su familia guardaba un ejemplar de la primera

edición [véase la nota 7 de "La lámina de la casa"], que «representa los extremos a los que llega la credulidad de ese extraño personaje para tomar en consideración los más vagos rumores populares». Pero también podría estar inspirado por el comienzo de la novela de Arthur Machen *Los tres impostores* (1895).

2. Lovecraft le confiesa a su amigo en la citada carta que «existe realmente una antigua losa medio engullida por un sauce gigantesco en medio del cementerio de Charter Street en Salem» [ibíd.].

3. Se refiere al creciente interés de Doyle por el espiritismo y la comunicación con el Más Allá a raíz de la muerte de su hijo Kingsley durante la primera guerra mundial.

4. Este personaje está basado en Maurice W. Moe (1882-1940), un profesor de inglés en un instituto de segunda enseñanza de Milwaukee que era muy piadoso, aunque el apellido pudo haberlo tomado del cuento de Ambrose Bierce "El dedo corazón del pie derecho" o incluso de Manton Street, una calle de Providence.

5. La referencia al «éxtasis» revela la influencia del tratado de Arthur Machen *Hieroglyphics: A Note Upon Ecstasy in Literature* (1902).

6. Según Joshi [en *Dreams in the Witch House and Other Weird Stories,* Penguin, Nueva York, 2004, pág. 415], esa revista no existía entonces, aunque a partir de 1973 Stuart David Schiff comenzó a publicar una revista semiprofesional que llevaba dicho título.

7. Alusión al pasaje de *Magnalia Christi Americana* en que está basado el relato: «En el sur había una bestia que dio a luz a una criatura que presentaba cierta semejanza con una forma humana. Pues bien, la gente recordó que el *monstruo* tenía un defecto en un ojo, muy parecido al que tenía un conocido individuo de la ciudad famoso por lo disoluto que era. Enseguida examinaron a ese individuo, el cual confesó indecibles bestialidades, por las que fue ejecutado merecidamente» [Libro VI, capítulo 5, "The Tenth Remark"].

8. Véase "Herbert West, reanimador".

9. Aunque no llega a mencionarse el nombre del narrador de este relato se trata sin duda de Randolph Carter, como se comprobará más tarde en "La llave de plata" [véase la nota 4 de este cuento].

EL CEREMONIAL

1. Título original: "The Festival", traducido por J. M. Nebreda. Escrito en octubre de 1923. Publicado por vez primera en enero de 1925 en *Weird Tales,* vol. 5, nº 1, reimpreso posteriormente en esa misma revista en octubre de 1933, vol. 22, nº 4, y más tarde recogido en *The Outsider and Others.* La traducción sigue el texto incluido en *Dagon and Other Macabre Tales,* basado en una copia mecanografiada que incorpora las correcciones del propio Lovecraft tras su publicación en *WT.*

2. La cita procede de *Divinorum Institutionum libri VII,* la principal obra del teólogo africano Lactancio Firmiano (ca. 240-ca. 320), el llamado «Cicerón cristiano», profesor de elocuencia en Nicomedia y en su vejez preceptor del hijo del emperador Constantino, que constituye una exposición general del cristianismo. Sin embargo, Lovecraft la tomó de la mencionada obra de Cotton Mather *Magnalia Christi Americana,* en la que aparece en el Apéndice al Libro II. Su traducción es: «Los demonios hacen que las cosas que no existen les parezcan a los hombres que son reales».

3. Se conoce en inglés como «Yuletide», nombre que procede del escandinavo «Yultid», al mes de diciembre, consagrado antiguamente en los países nórdicos a Thor y a Frey, a lo largo del cual se celebraba, a partir de la noche más larga del año, llamada la Noche Madre, un importante Festival dedicado a celebrar el retorno del sol. Esta fiesta típicamente pagana fue pronto asumida por la cristiandad y convertida en la Navidad, por coincidir con el supuesto nacimiento de Cristo.

4. Un tipo de tejado propio de la arquitectura de Nueva Inglaterra (apenas utilizado a partir de 1750), que se caracteriza por sus ángulos obtusos.

5. Esta mítica ciudad lovecraftiana fue inventada en "El viejo terrible" [véase la nota 2 del mismo], pero es en este relato donde se puede identificar definitivamente su inspiración en Marblehead, ciudad que visitó por vez primera en diciembre de 1922.

6. Esta imagen la tomó Lovecraft casi literalmente de la descripción de su primera visita al Old Burial Hill de Marblehead, uno de los cementerios más antiguos de Nueva Inglaterra fundado en 1638, «donde las siniestras lápidas mortuorias se abren paso a través de la nieve virgen como

las uñas putrefactas de un cadáver gigantesco» [carta a Rheinhardt Kleiner del 11 de enero de 1923, en *Selected Letters 1911-1924,* pág. 205].

7. Los viejos puritanos no celebraban la Navidad ni la Pascua, ya que daban escasa importancia al simbolismo del nacimiento y la resurrección de Jesucristo.

8. Lovecraft describió así su primera impresión de Marblehead: «Cables hay pocos y no llaman la atención. Los raíles del tranvía parecen surcos profundos» [ibíd.].

9. Libro inventado por Ambrose Bierce en su cuento "The Man and the Sneak" (1890), incluido en *Tales of Soldiers and Civilians* (1891).

10. Al igual que el de Glanvill, este libro es auténtico y fue escrito por el clásico demonólogo francés Nicolas Rémy (1530-1612), fiscal del Tribunal Supremo de Lorena que se jactaba de haber quemado en la hoguera a 900 personas entre 1581 y 1591. Es probable que Lovecraft sólo lo conociera por referencias, aunque años más tarde pudo adquirir la célebre traducción al inglés de Montague Summers: *Demonolatry,* J. Rodker, Londres, 1930.

11. Nombre latino del médico y anticuario danés Ole Worm (1588-1654), autor de la cronología danesa *Fasti Danici,* (1626), la compilación o transcripción de textos rúnicos *Runir; seu, Danica Literatura Antiquissima, vulgo Gothica Dicta Luci Reddita* (1636), y el tratado clásico sobre la piedra filosofal, *Liber Aureus Philosophorum* (1625). Lovecraft se equivoca, pues, al situarlo en el siglo XIII, error que Joshi atribuye a una mala interpretación de una mención suya en un pasaje del libro de Hugh Blair (1718-1800) *A Critical Dissertation on the Poems of Ossian, the Son of Fingal* (1763), que contiene una sección dedicada a la poesía rúnica o gótica [véase "Lovecraft, Regner Lodbrog, and Olaus Wormius", en *Crypt of Cthulhu,* nº 89, Pascua de 1995, págs. 3-7].

12. Durante mucho tiempo se ha creído que Lovecraft se refería a la Iglesia Episcopal de St. Michael sita en Frog Lane, pero dado que un poco más adelante se menciona expresamente su ubicación próxima a Central Hill, es más probable que se trate de la Iglesia Congregacional First Meeting House (construida en 1648 sobre el cementerio de Old Burial Hill) o la Segunda Iglesia Congregacional, construida en 1715 en Mugford Street.

13.   Posiblemente se trate del Mary A. Alley Hospital, sito en el número 6 de Franklin Street, fundado en 1920 sobre la antigua casa de esta mecenas de Marblehead que la dejó como legado a la ciudad.

14.   Punta de la Naranja: en Marblehead existía un promontorio llamado Peach Point (Punta del Melocotón).

15.   Este nombre no es propiamente árabe y se ha especulado mucho sobre su procedencia. Unos dicen que sería Ibn Shayk Abol, «Hijo del Jeque Abol». Otros prefieren la etimología Ibn Mushacab, «Hijo del Morador» (de *shacab* = habitar, morar, y el prefijo *mu* para personalizar). Y hay quien lo deriva del vocablo hebreo *shakhabh*, «bestialidad».

LA CASA EVITADA

1.   Título original: "The Shunned House", traducido por F. Torres Oliver. Escrito en octubre de 1924 durante la enfermedad de Sonia Greene. Rechazada sucesivamente por *Detective Tales* y *Weird Tales*, no se publicó por vez primera hasta 1928, cuando W. Paul Cook, que inicialmente lo destinaba a su revista *The Recluse*, decidió editarlo en forma de folleto, del que sólo se imprimieron trescientas copias que no llegaron a encuadernarse por problemas financieros del editor. En 1934-35 R. H. Barlow encuadernó unos cuantos ejemplares, pero el relato no se distribuyó regularmente hasta su publicación en octubre de 1937 en *Weird Tales*, vol. 30, n° 4, y su inclusión dos años después en *The Outsider and Others*. En 1959 cayeron en manos de August Derleth unos 150 ejemplares sin encuadernar de la edición de Cook de los que distribuyó 50 en tapa dura con su sello editorial Arhkam House y en 1961 otros 100 más en tela negra. La traducción sigue el texto incluido en *At the Mountains of Madness and Other Novels*, basado en una copia de la cuidada impresión de W. Paul Cook en 1928 en su malograda Recluse Press. Aunque la acción se sitúa en Providence, y el relato está basado en una casa real: la mansión de Stephen Harris en Benefit Street, 135, donde Lillian D. Clark había vivido antes de morir Susie Lovecraft, lo que desencadenó su escritura fue una casa similar (destruida ya) de Elizabeth, la que fue primera capital del Estado de Nueva Jersey, ciudad que Lovecraft había visitado a principios de octubre de 1924 [véase la carta a su tía Lillian, del 4-6 de noviembre de

1924, que se conserva entre los documentos de HPL depositados en la John Hay Library].

2. Durante 1848 y 1849 Poe cortejó infructuosamente a la poetisa Sara Helen Whitman, que vivía en Benefit Street [véase la nota 2 de "Las ratas de las paredes"].

3. Lovecraft apreciaba mucho el camposanto adyacente a la iglesia y solía mostrárselo a los amigos que le visitaban. En agosto de 1936 lo recorrió en compañía de R. H. Barlow y Adolphe de Castro y escribieron poemas acrósticos con el nombre de Edgar Allan Poe.

4. Aunque el personaje está basado en su tío Franklin Chase Clark (1847-1915), su mentor literario cuando era adolescente, el apellido lo tomó Lovecraft de su abuelo materno Whipple Van Buren Phillips (1833-1904).

5. Esta imagen está tomada, lo mismo que alguna que otra idea para el relato, de una breve leyenda que cuenta Charles M. Skinner en *Myths and Legends of Our Own Land*, del que Lovecraft poseía un ejemplar, editado por J. B. Lippincot, Filadelfia, 1896.

6. Sidney Smith Rider (1833-1917) era un prolífico editor y autor de numerosos opúsculos sobre Rhode Island. Thomas W. Bicknell (1834-1925) fue un historiador conocido sobre todo por su *History of the State of Rhode Island and Providence Plantations* (1920) en cinco volúmenes.

7. El capitán Abraham Whipple (1773-1819) fue un antepasado de Lovecraft. Algunos comentaristas consideran que su destrucción de la goleta británica constituyó el primer episodio armado de la Revolución Americana.

8. Rehoboth es una pequeña ciudad de Massachusetts a la que Lovecraft y sus amigos de la infancia solían ir en bicicleta.

9. Tomado del mencionado libro de Skinner [vol. 1, pág. 77]. Véase Faye Ringel Hazel, "Some Strange New England Mortuary Practices: Lovecraft Was Right", en *Lovecraft Studies*, nº 29, otoño de 1993, págs. 13-18.

10. Presbyterian Lane era el nombre de lo que hoy es College Street, donde Lovecraft vivió desde 1933 hasta su muerte en 1937. El nuevo edificio de la universidad es University Hall, construido en 1770, que duran-

te muchos años fue la única edificación del *campus* de la Brown University (fundada en 1764).

11. Rathbone (o Rathbun) es el apellido de una antigua familia de Rhode Island, con la que estaba emparentado Lovecraft a través de su bisabuelo Jeremiah Phillips (1800-1848), casado con Roby Rathbun.

12. El primer diario de Providence fundado en 1762 y clausurado en 1825. En su juventud Lovecraft leyó toda la tirada del mismo en la Providence Public Library [véase *Selected Letters 1911-1924*, pág. 298].

13. Tribu de Rhode Island que tenía buenas relaciones con los ingleses y permaneció neutral en la guerra de éstos contra los pequots (1637). En 1675 se unió a los wamponoags y se enfrentó a los ingleses en la llamada Guerra del Rey Felipe (1675-76), siendo derrotada en la batalla de la Gran Ciénaga, y sus miembros dispersados.

14. Población francesa a unos veinte kilómetros al oeste de Angers. Lovecraft la transcribe Caude, como hace John Fiske en *Myths and Myth-Makers: Old Tales and Superstitions Interpreted by Comparative Mythology*, Houghton Mifflin, Boston, 1872, arrastrando el error de Sabine Baring-Gould en *The Book of Were-Wolves* (1865), libro que Lovecraft no leyó hasta 1934.

15. Sir Edmund Andros (1637-1714) fue gobernador del «Dominio de Nueva Inglaterra» (la región que hoy ocupan Massachusetts, Maine, Rhode Island, Connecticut y New Hampshire) en 1686, y más adelante su jurisdicción se amplió a Nueva York y Nueva Jersey. Fue depuesto en 1689 por su intromisión en asuntos de derechos coloniales.

16. Este pasaje está tomado directamente del mencionado libro de Fiske [págs. 114-115].

17. Lovecraft había mencionado ya a Einstein en 1920 en una carta a los «Gallomo» [véase *Letters to Alfred Galpin*, págs. 75-77] y tres años más tarde expresó su horror y desconcierto por la confirmación de su teoría de la relatividad en otra carta a James F. Morton [véase *Selected Letters 1911-1924*, pág. 231]. La acción interatómica se refiere a la teoría cuántica propuesta en 1900 por el físico alemán Max Planck (1858-1947), que sostiene que la acción de ciertas partículas subatómicas es intrínsecamente aleatoria. HPL aceptó esta teoría a regañadientes, pero sin darse cuenta de su verdadera importancia [véase *Selected Letters 1929-1931*, pág. 228].

18.   Tubo de descarga para gases especiales inventado por el físico-químico inglés sir William Crookes (1832-1919) para investigar el paso de la corriente a través de gases diluidos, artilugio que condujo al descubrimiento en 1895 de los rayos X por el físico alemán Wilhelm Conrad Röntgen (1845-1923).

19.   Revista francesa fundada en 1831 que todavía perdura, en la que el tío de Lovecraft Franklin Chase Clark publicó traducciones del latín, como las *Geórgicas* y la *Eneida* de Virgilio.

20.   El Rhode Island School of Design Museum que en la actualidad está en Benefit Street, se encontraba antes en Waterman Street, donde Lovecraft lo visitó en su juventud [véase la carta a su tía Lillian del 4 de octubre de 1924, que se conserva entre los documentos de HPL depositados en la John Hay Library].

21.   El 12 de abril de 1927 Lovecraft le escribió a Donald Wandrei: «La gente no demasiado mayor todavía puede acordarse del famoso "Día Amarillo", el 6 de septiembre de 1881, y yo mismo he visto muchas extrañas anomalías luminosas que deberían ser festejadas en la literatura sobrenatural» [*Mysteries of Time and Spirit: The Letters of H. P. Lovecraft and Donald Wandrei,* ed. de S. T. Joshi y David E. Schultz, Night Shade Books, San Francisco, 2002, pág. 74].

EL HORROR DE RED HOOK

1.   Título original: "The Horror at Red Hook", traducido por J. M. Nebreda. Escrito en los dos primeros días de agosto de 1925. Publicado por vez primera en enero de 1927 en *Weird Tales*, vol. 9, nº 1, y recogido posteriormente en *Beyond the Wall of Sleep*. La traducción sigue el texto incluido en *Dagon and Other Macabre Tales,* basado en una copia mecanografiada por el propio Lovecraft. Tal como aparece en el manuscrito autógrafo que se conserva en la New York Public Library, el título original del relato iba a ser "The Case of Robert Suydam". Sonia (H. Greene) Davis afirma haberle proporcionado la inspiración para escribirlo: «Una tarde mientras él, y según creo [James F.] Morton, Sam Loveman y Rheinhardt Kleiner, estaban almorzando en un restaurante en alguna parte de Columbia Heights, entró un hombre rudo y pendenciero. Su grosero comporta-

miento molestó tanto a HPL que por esa circunstancia urdió "The Horror at Red Hook"» [*The Private Life of Howard Phillips Lovecraft*, Necronomicon Press, West Warwick, 1992, pág. 12].

2. La cita procede del relato "The Red Hand", publicado en diciembre de 1895 en *Chapman's Magazine* y luego incluido en la antología *The House of Souls* (1906). Lovecraft manejó una edición de *The Three Impostors*, Knopf, Nueva York, 1923, en la que la cita aparece en la página 255.

3. Chepachet es una población a unas tres millas al sudeste de Pascoag, que Lovecraft visitó en septiembre y octubre de 1923, primero en compañía de James F. Morton con la intención de ascender la Durfee Hill, cosa que no hicieron por falta de tiempo, y luego con C. M. Eddy en busca del Dark Swamp, una ciénaga supuestamente encantada [véase la carta a Frank Belknap Long del 8 de noviembre de 1923 en *Selected Letters 1911-1924*, págs. 264-267]. La primera impresión de HPL al ver el pueblo fue: «Chepachet... es un verdadero poema bucólico: un estudio ambiental de una aldea de la Nueva Inglaterra ancestral, con sus profundos desfiladeros ribeteados de hierba, su venerable puente y sus pintorescas casas centenarias» [carta a Frank Belknap Long del 21 de septiembre de 1923, en *Selected Letters 1911-1924*, pág. 251].

4. Red Hook, cuyo nombre deriva de Roode Hoek, Punta Roja en holandés, por el color de su suelo, era una antigua región comprada a los indios en 1636, que en la época en que Lovecraft la visitó (8 de marzo de 1925) constituía uno de los peores suburbios del área metropolitana de Nueva York.

5. La cita proviene de "The Man of the Crowd", publicado en *The Casket* y en *Burton's Magazine* en diciembre de 1840, y con ella comienza el relato: «Bien se ha dicho de cierto libro alemán que "es lässt sich nicht lesen"... no se deja leer».

6. Publicado en 1921 por la Oxford University Press [existe una traducción al castellano de Beatriz Constante y Antonio Pigrau: *El culto de la brujería en Europa Occidental*, Editorial Labor, Barcelona, 1978], este original texto de la doctora Murray, catedrática de antropología del University College de Londres, es el primer estudio serio y documentado que

aborda con gran rigor científico el tema de la brujería dándole un tratamiento antropológico. Lovecraft lo leyó en el otoño de 1923 y le inspiró
en parte "El ceremonial".

7.   Los turanios o turcotártaros eran nómadas originarios del Asia
Central (Turquestán y Mongolia). Por la dirección de sus invasiones, más
que por sus particularidades étnicas, se les ha dividido en mongoles (llegaron hasta Europa pero también volvieron especialmente hacia China), tár-
taros (que irrumpieron sobre la actual Rusia) y turcos, que ocuparon el
Medio Oriente. La referencia a ellos que hace Lovecraft puede que se deba
a su mención de pasada en "La novela del sello negro" de Machen o más
probablemente a su relato "The Turanians" (1924).

8.   El apellido Suydam corresponde a una antigua familia holandesa
que se estableció en Brooklyn en el siglo XVII.

9.   Distrito de Brooklyn al sudeste de Red Hook, en el que Sonia H.
Greene tenía su apartamento, donde Lovecraft vivió de marzo a diciembre
de 1924.

10.   La Iglesia Reformada de Flatbush es un buen ejemplo de arquitectura del siglo XVIII. Lovecraft la visitó en septiembre de 1922, así como
su camposanto en el que el apellido Suydam se repite en muchas tumbas.

11.   Sefirot, palabra hebrea que significa «números», se refiere en la
literatura cabalística a cada uno de los diez atributos de Dios: las «emanaciones divinas» o «distintas etapas del proceso creativo, por medio del cual
Dios generó desde el mismo núcleo de Su ser infinito la progresión de reinos, los cuales culminan en nuestro universo físico finito». Asmodeo es en
la literatura judía (Talmud) el espíritu del mal, rey de los demonios malignos que turban la felicidad conyugal. Samael es el dios creador en las doctrinas gnósticas y es ciego como Azathoth.

12.   Pequeña isla frente a las costas de Nueva Jersey, que a partir de
1892 se convirtió en puerto de entrada de la gran afluencia de emigrantes
extranjeros.

13.   Referencia a los seguidores de Nestorio (381-451), monje sirio
que llegó a ser patriarca de Constantinopla en el siglo V y atacó a la Santísi-
ma Trinidad, siendo condenado por hereje en el año 430. Sus seguidores
se esparcieron por Persia, la India, China y Mongolia.

14.   Los yezidíes eran una secta de filiación zoroastra, adobada de elementos musulmanes, cristianos y paganos, con gran arraigo entre los kurdos de Irak y Siria. Conocidos también como «adoradores del diablo», veneraban a un dios que en su origen fue el creador del mal pero luego se hizo bueno, y realizaban sangrientos rituales satánicos. Lovecraft se informó sobre ellos a través del relato de E. Hoffmann Price (a quien todavía no conocía) "The Stranger from Kurdistan", publicado en *Weird Tales* en julio de 1925.

15.   *The Brooklyn Eagle* era un periódico local (1841-1955), que fue dirigido por Walt Whitman entre 1846 y 1848.

16.   Este conjuro está extraído del artículo «Magic» de la novena edición de la *Enciclopedia Británica,* firmado por el antropólogo Edward Burnett Tylor (1832-1917).

17.   Este conjuro procede también del mismo artículo, donde no está traducido. Lovecraft se lo tradujo por carta a Wilfred B. Talman y luego lo publicó en "The Incantation from Red Hook", incluido en *The Occult Lovecraft,* Gerry de la Ree, Saddle River (Nueva Jersey), 1975, págs. 23-30. He aquí la explicación de HPL: «HEL es obviamente el hebreo ÉL, que significa Señor o Dios. HELOYM, por la misma razón, es ELOHIM, palabra hebrea para la divinidad en su sentido menos tribal y más generalizado. SOTHER es sencillamente una mala transcripción de la palabra griega Σοτερ, que significa *Liberador.* EMMANUEL es, en hebreo, *Dios con nosotros,* y se aplica usualmente a la futura encarnación de la divinidad profetizada por el Antiguo Testamento, cuyo cumplimiento se supone que será Cristo. SABAOTH es una forma helenizada del hebreo SABAOT, calificativo de Yahvé como Señor de los Ejércitos. Era una palabra predilecta de los ocultistas medievales. AGLA es una palabra frecuente entre los ocultistas, siendo grabada a menudo en las varitas y cuchillos de los magos. Está formada por las primeras letras de las palabras hebreas que componen la frase "Eres Siempre un Dios Todopoderoso". TETRAGRÁMATON es un término griego (Τετραγράματον) de conjuro mágico identificado con cierto diagrama cabalístico. Representa una simbolización mística de los cuatro elementos: aire, agua, tierra y fuego, y se utiliza para evocar sus espíritus elementales: sílfides, ondi-

nas, gnomos y salamandras, respectivamente [Tetragrámaton significa *cuatro letras:* es una palabra mágica o "mantra" griego de inmenso poder sacerdotal que sintetiza en una unidad las cuatro letras, YHWH o JHVH, que se utilizan en la Cábala para nombrar a la divinidad (Yahweh o Jehovah)]. AGIRO es probablemente una defectuosa transcripción del griego ÁGORA (ἀγορα), *asamblea.* OTHEO es probablemente una transcripción defectuosa del griego OTHNEIO (οζνειος), *extraño.* ISQUIRO (ισχιρος) significa en griego *poderoso.* ATÁNATO [ατάνατος] significa *inmortal.* JEHOVÁ es la moderna pronunciación del hebreo YAHVÉ, que significa el supremo e impresionante dios tribal cuyo nombre era demasiado terrible para ser pronunciado excepto una vez al año por un sumo sacerdote. ¿VA? Me rindo. No tiene ni pies ni cabeza. ADONÁI es otra palabra hebrea para designar a Yahvé, utilizada con frecuencia porque estaba prohibido el uso del verdadero nombre del dios. SADAY es otro término que me supera, aunque lo he visto repetidas veces en las muchas fórmulas antiguas que he copiado de diferentes fuentes para darle color a futuros cuentos. HOMOVSION es probablemente una variante o compuesto del griego HOMOU (ηομου), *juntos* [Lovecraft se equivoca: el vocablo significa "de la misma sustancia", y se refiere a la creencia cristiana ortodoxa de que Jesucristo es de la misma sustancia que Dios]. MESÍAS, forma helenizada del hebreo MESIAH, *ungido,* término frecuente para designar a Cristo. ESCHEREHEYE me vuelve a dejar perplejo: me parece que esta palabra exótica guarda cierta relación con la griega ESQUERO (εχερος) que significa *en fila, uno después de otro, ininterrumpidamente*».

18.   Gowanus Parkway era una avenida (hoy en día es una autopista: Gowanus Expressway) que partía del sudoeste de Brooklyn y llegaba hasta los muelles de Red Hook. En 1925 Lovecraft anotó varias veces en su diario que caminó por ella.

19.   Moloc era el dios de los cananeos y fenicios, al que solían ofrecerle sacrificios humanos. Astarot es realmente el plural de Astoret, aunque suele utilizarse como una variante suya y se trata de una deliberada mala pronunciación hebrea de Astarté, la diosa semítica de la fertilidad.

20.   «¿Existieron alguna vez los demonios, íncubos y súcubos, y

puede nacer descendencia acaso de semejante unión?» La frase la anotó Lovecraft en su libro de citas [*Miscellaneous Writings*, pág. 97] y está tomada del artículo «Demonology» de la *Enciclopedia Británica,* escrito por E. B. Tylor. Procede de *Disqvisitionvm Magicarvm Libri Sex* (*VI Libros de Disquisiciones Mágicas,* Lovaina, 1599), monumental tratado sobre «las artes curiosas, las vanas supersticiones y los hechos extravagantes, mezclados con razonamientos y citas eruditas», de Martín del Río (1551-1608), jesuita español nacido en Amberes y autor de una cuantiosa obra humanística.

21.   Compárese con la frase de "Ligeia" (1838) «¿Qué era aquello… más profundo que el pozo de Demócrito… que yacía en el fondo de las pupilas de mi amada?», donde Poe parafrasea a Glanvill sin citarlo expresamente, como hace al comienzo de "Un descenso al Maelström" [véase la nota 7 de "La transición de Juan Romero"].

ÉL

1.   Título original: "He", traducido por J. M. Nebreda. Escrito el 11 de agosto de 1925. Publicado por vez primera en septiembre de 1926 en *Weird Tales*, vol. 8, nº 3, y recogido posteriormente en *The Outsider and Others.* La traducción sigue el texto incluido en *Dagon and Other Macabre Tales,* basado en una copia mecanografiada por el propio Lovecraft. La noche del 10 de agosto de 1925 Lovecraft estuvo recorriendo en solitario varias partes del área metropolitana de Nueva York y a las 7 de la mañana llegó por ferry a Elizabeth (Nueva Jersey) [véase la nota 1 de "La casa evitada"], donde compró un cuaderno y se puso a escribir el relato.

2.   Se refiere al periodo en el que Nueva York estuvo gobernada por los holandeses (1662-1664). Los Estados Generales eran el Parlamento de los Países Bajos, una asamblea nacional en la cual los principales «estados» del reino estaban representados en órganos separados.

3.   El episodio que sigue, en el que el protagonista le muestra al narrador visiones del pasado y del futuro de Nueva York, parece estar inspirado en otro similar (Crónica Tercera) de la novela picaresca de lord Dunsany *Don Rodriguez: Chronicles of Shadow Valley* (1922), en el que el catedrático de magia de la Universidad de Zaragoza le muestra al caballero

Don Rodrigo, Señor de los Valles de Arguento Harez, y a su criado Morano, visiones de célebres batallas, pasadas y futuras (incluyendo la primera guerra mundial), a través de sucesivas ventanas. Véase S. T. Joshi, "Lovecraft and Dunsany's *Chronicles of Rodriguez*", en *Crypt of Cthulhu*, nº 82, págs. 3-6.

4.   St. Paul's Chapel (situada en la esquina de Fulton Street con Broadway) es una iglesia episcopal construida en 1764-68, en la que Lovecraft se casó con Sonia H. Greene el 3 de marzo de 1924.

5.   Esta entidad bien podría ser una concepción primitiva de un *shoggoth*, como el que Lovecraft describirá más adelante en la *nouvelle* "En las montañas de la locura" (1931).

6.   Lovecraft había explorado aquella zona del Greenwich Village un año antes (el 29 de agosto de 1924) incitado por un artículo aparecido en el *New York Evening Post* sobre rincones desconocidos de la ciudad. En aquella «solitaria excursión de exploración colonial» [como la califica en la carta a su tía Lillian del 29-30 de septiembre de 1924, cuyo manuscrito se conserva en la John Hay Library] HPL se enteró de que la zona había estado habitada en gran medida por indios (que la llamaron Sapohanican) y que en aquel «callejón perdido» hubo en otro tiempo una suntuosa mansión señorial que fue arrasada en 1865.

EN LA CRIPTA

1.   Título original: "In the Vault", traducido por J. M. Nebreda. Escrito el 18 de septiembre de 1925. Publicado por vez primera en noviembre de 1925 en *The Tryout*, vol. 10, nº 6, reimpreso en abril de 1932 (tras ser rechazado inicialmente) en *Weird Tales*, vol. 19, nº 4, y recogido posteriormente en *The Outsider and Others*. La traducción sigue el texto incluido en *The Dunwich Horror and Others*, basado en una copia mecanografiada por Lovecraft que se conserva en la John Hay Library.

2.   Charles W. ("Tryout") Smith (1852-1948) era un eminente editor desde 1888 y a partir de 1914 publicó la revista aficionada *The Tryout*, en la que Lovecraft comenzó a colaborar dos años después. Se conocieron en 1920 en la casa que Smith tenía en Haverhill (Massachusetts) y se volvieron a ver en varias ocasiones. HPL lo calificó de «viejo interesante» en

una carta a Clark Ashton Smith del 20 de septiembre de 1925 [*Selected Letters 1925-1929*, pág. 26].

3.   El tatarabuelo materno de Lovecraft se llamaba Asaph Phillips (1764-1829). HPL visitó su tumba en el cementerio de Foster (Rhode Island) en dos ocasiones (1926 y 1929). El apellido Sawyer volvería a usarlo Lovecraft en "El horror de Dunwich" (1928).

EL DESCENDIENTE

1.   Título original (puesto por Barlow): "The Descendant", traducido por J. M. Nebreda. Escrito el 18 de septiembre de 1925. Publicado por vez primera en el verano de 1938 en el *fanzine* de Barlow (a multicopista) *Leaves,* y recogido posteriormente en *Marginalia*. La traducción sigue el texto incluido en *Dagon and Other Macabre Tales,* basado en el manuscrito original de HPL.

2.   Barrio del centro de Londres donde vivió Arthur Machen durante muchos años (desde 1895 hasta 1901), concretamente en Verulam Buildings nº 4.

3.   Lord Dunsany fue el decimoctavo barón de un linaje fundado en el siglo XII.

4.   Según el *Necronomicon,* se trata de un símbolo críptico para protegerse del mal que se hace con la mano (estirando los dedos índice, corazón y anular y recogiendo los otros dos). Lovecraft lo dibuja [en *Selected Letters 1929-1931*, pág. 216] como una rama frondosa, pero se suele representar como una estrella (o pentágono) con un ojo en el centro. Véase el poema "The Messenger" (1929) incluido en *The Ancient Track*.

5.   Fortificación construida por orden del emperador romano Adriano entre los años 122 y 127 d.C. para señalar la frontera de Inglaterra por el norte y defenderla de los bárbaros. Había un castillo cada milla romana (mil pasos) y entre ellos torreones. Tenía también 17 fortalezas, con una importante guarnición en cada una de ellas y a ambos lados del muro había un *vallum* (foso). Fue abandonada el año 383. Sus ruinas, que cubren 185 km desde Wallsend-On-Tyne hasta Maryport (West Cumbria), constituyen los restos más impresionantes dejados por el Imperio Romano en suelo británico.

6.   Ignatius Donnelly (1831-1901) fue un abogado de Filadelfia que llegó a ser congresista y senador por el partido republicano y candidato a la vicepresidencia por el Partido Populista. Notable orador, también destacó como historiador y escritor. Su obra más lograda es la novela de ciencia-ficción *Cæsar's Column* (1890) acerca de una revuelta obrera contra la oligarquía global ambientada en 1988. Pero el libro por el que alcanzó cierta notoriedad, aparte de *The Great Cryptogram: Francis Bacon's Cipher in the So-called Shakespeare's Plays* (1888), en el que defendía la disparatada teoría de que el verdadero autor de las piezas teatrales de Shakespeare era Bacon, fue *Atlantis: The Antediluvian World* (1882), en el que trató de demostrar que todas las civilizaciones que conocemos descienden de la cultura neolítica de la Atlántida.

7.   Charles Hoy Fort (1874-1932), coleccionista de conchas, minerales y pájaros, taxidermista, periodista y escritor, que dedicó gran parte de su vida a recopilar hechos anómalos que él denominaba «condenados» (hoy en día se conocen como «fenómenos forteanos»), sucesos sin sentido ni explicación lógica que escapan al pensamiento científico y desmoronan, de ser ciertos, todo nuestro actual sistema de medida. Intentando buscar un sentido global al caos de este mundo leía incansablemente periódicos y revistas científicas en las bibliotecas de Nueva York en busca de información, que acumulaba en fichas ordenadas (en más de 1.300 cajas de zapatos), y más tarde consignó en su célebre *Book of the Damned* ("Libro de los Hechos Condenados", 1919), en donde elaboró una teoría del mundo como «realismo fantástico». De las diez novelas que escribió sólo publicó *The Outcast Manufacturers* (1906), el resto de manuscritos los quemó, dedicándose a partir de entonces a la investigación de todos los fenómenos inexplicables. Fue el inventor del término «teleportation» para denotar las extrañas apariciones y desapariciones de personas que según sus hipótesis eran secuestradas (abducidas) por extraterrestres (aliens).

AIRE FRÍO

1.   Título original: "Cool Air", traducido por J. M. Nebreda. Escrito a finales de febrero de 1926. Publicado por vez primera en marzo de 1928 en *Tales of Magic and Mystery*, nº 4 [publicación que trató de hacerle la competencia a *Weird Tales*, con escaso éxito: sólo llegó a sacar cinco

números], reimpreso en septiembre de 1939 en *Weird Tales,* vol. 34, nº 3, y recogido posteriormente en *The Outsider and Others.* La traducción sigue el texto incluido en *The Dunwich Horror and Others,* basado en el manuscrito original de HPL. El propio autor confesó más tarde [carta a Henry Kuttner del 29 de julio de 1936, en *Letters to Henry Kuttner,* Necronomicon Press, 1990, pág. 21] que la inspiración para este cuento no le vino, como era de esperar, del relato de Poe "La verdad sobre el caso del señor Valdemar", sino de "La novela del polvo blanco" de Arthur Machen (incluido en *Los tres impostores*).

2.   Lovecraft llegó a Nueva York en marzo de 1924 y, aparte de escribir sus habituales relatos de terror, colaboró intermitentemente en una revista de humor que dirigía el antiguo propietario de *Weird Tales* J. C. Henneberger y trató, sin éxito, de obtener algún trabajo mejor remunerado en revistas o editoriales de la ciudad de los rascacielos.

3.   Su apartamento en Clinton Street nº 169 le costaba a HPL 40 dólares al mes. Acerca del edificio escribiría más tarde a Bernard Austin Dwyer [carta del 26 de marzo de 1927, en *Selected Letters 1925-1929,* pág. 114]: «Naturalmente habría evitado un alojamiento que parecía recrearse en la ordinariez, pero una vez más se conjuraron extrañas circunstancias para engañarme. Todavía creo que nadie salvo un vidente o un profeta podría haberse librado del error, y que casi hasta aquel preciso momento la casa *había* tenido la categoría que yo creía haber encontrado».

4.   De agosto a octubre de 1925 el amigo de HPL George Kirk vivió en un edificio de caliza rojiza en el número 317 Oeste de la Calle Catorce (entre la Octava y la Quinta Avenida), que le servía tanto de vivienda como de local para su librería Chelsea Book Shop. Lovecraft la describió como «una típica casa victoriana del Nueva York de *La edad de la inocencia* [novela de Edith Wharton publicada en 1920] con vestíbulo embaldosado, chimeneas de mármol tallado, inmensos espejos de cuerpo entero con imponentes marcos dorados, techos increíblemente altos cubiertos con adornos de estuco, puertas abovedadas con elaborados frontones de estilo rococó, y todas las demás características de aquella época neoyorquina de enorme riqueza y gusto increíble» [carta a su tía Lillian del 19-23 de agosto de 1925, que se conserva en la John Hay Library].

5. La casera de Lovecraft en su apartamento de Clinton Street era una irlandesa llamada señora Burns.

6. En realidad HPL no se quejaba de los «hispanos», sino de un sirio que se alojaba en una habitación contigua a la suya y «tocaba horripilantes y monótonos chirridos con una extraña cornamusa, que me hacían pensar en las increíbles y macabras criaturas que poblaban las criptas subterráneas de Bagdad y los interminables corredores de Iblís debajo de las ruinas malditas de Istajar [Persépolis]» [carta a B. A. Dwyer del 26 de marzo de 1927, en *Selected Letters 1925-1929,* pág. 116].

7. Este personaje parece inspirado por el vecino de HPL «el justamente célebre Dr. Love, senador y patrocinador del famoso "Clean Books Bill" [proyecto de ley para castigar a los editores de libros considerados obscenos o lascivos con una multa de 50 a 100 dólares y entre 10 días y un mes de cárcel] de Albany [...] evidentemente inmune o insensible al desmoronamiento» [carta a B. A. Dwyer del 26 de marzo, transcripción de Arkham House].

8. Lovecraft tenía un sofá cama tanto en su apartamento de Clinton Street como en su casa de Barnes Street, a su regreso a Providence. Cuando planeaba su vuelta al hogar le escribió a su tía Lillian: «*Ahora* sólo debo tener una cosa: un sofá-cama. *No tendré* una *cama* en mi habitación, pues ante todo debe ser un despacho a partir de ahora» [carta del 27 de marzo de 1926, que se conserva en la John Hay Library].

LA LLAMADA DE CTHULHU

1. Título original: "The Call of Cthulhu", traducido por F. Torres Oliver. Escrito en agosto o septiembre de 1926. Publicado por vez primera en febrero de 1928 en *Weird Tales*, vol. 11, nº 2, y recogido posteriormente en *The Outsider and Others*. La traducción sigue el texto que aparece en *The Dunwich Horror and Others*, basado en una revisión de la copia impresa por *WT*. Aunque lo empezó a escribir unos meses después de su regreso a Providence, el relato lo tramó HPL un año antes, según consta en una entrada de su diario fechada el 12-13 de agosto de 1925 que recoge una sinopsis, aunque el meollo del mismo figuraba ya en 1920 en su libro de citas [*Miscellaneous Writings,* pág. 88]. En realidad se trataba del resu-

men de un sueño que describió a Rheinhardt Kleiner con todo detalle en sendas cartas fechadas en 1920 [*Dreams and Fancies,* Arkham House, 1962, págs. 49-50, y *Selected Letters 1911-1924,* págs. 114-115], si bien puede considerarse una exhaustiva reelaboración de "Dagón", con la indudable influencia de "El Horla" de Guy de Maupassant, que HPL leyó probablemente en 1922, y "La novela del sello negro" de Arthur Machen.

2.   El apellido Wayland pertenecía a una antigua y eminente familia de Providence. Francis Wayland (1796-1865) fue presidente de la Brown University entre 1827 y 1855.

3.   Cita extraída del capítulo 10 de la novela *The Centaur* (1911), eje fundamental de la filosofía mística de Blacwood que buscaba una «expansión de la conciencia» que le permitiera participar de la vida unitaria de la naturaleza, y «perderse en el mágico centelleo de la nieve o en la solemne y grandiosa vida de los bosques», en palabras de Louis Vax (*L'Art et la littérature fantastique,* Presses Universitaires de France, París, 1970, pág. 100).

4.   Gammell es una variante de Gamwell, apellido de la tía materna de Lovecraft Annie E. Phillips Gamwell (1866-1941). Angell es el apellido de una de las más antiguas familias de Providence. Una de las principales calles de la ciudad, en la que HPL vivió entre 1890 y 1924 (en dos direcciones diferentes: en los números 454 y 598), se llama Angell Street, en honor de Thomas Angell (1618-1694), uno de los primeros pobladores de la ciudad, que llegó a ser condestable de la misma.

5.   Lovecraft habría ido a esa universidad de no haber sufrido una depresión nerviosa en 1908 que le obligó a abandonar sus estudios sin diplomarse.

6.   Acerca de la pronunciación de esta palabra, Lovecraft ofreció varias explicaciones diferentes en su correspondencia. Se suele considerar como definitiva la que aparece en una carta a Duane W. Rimel del 23 de julio de 1934 [*Selected Letters V: 1934-1937,* págs. 10-11]: «El vocablo se supone que representa un torpe intento humano de captar la fonética de una palabra *totalmente inhumana.* El nombre de la horrible entidad fue inventado por seres cuyas cuerdas vocales no eran como las del hombre, por lo tanto no tiene nada que ver con las dotes del habla humana. Las

sílabas no son adecuadas a nuestras aptitudes fisiológicas, *por lo que nunca podrá pronunciarlas correctamente ninguna garganta humana*».

7.   *The Story of Atlantis and the Lost Lemuria* (1925) es la reimpresión en un solo volumen de dos obras sueltas del teósofo inglés William Scott-Elliot (1873-1943), publicadas por la Theosophical Publishing Company en 1896 y 1904.

8.   La madre de la tatarabuela de Lovecraft se llamaba Hannah Wilcox.

9.   Reproducción casi exacta de las palabras que exclamó Lovecraft en el sueño que le inspiró esta faceta del relato: «Esto, dije, lo forjé en sueños; y los sueños del hombre son más antiguos que el taciturno Egipto, la contemplativa Esfinge o la rodeada de jardines Babilonia» [*Selected Letters 1911-1924*, pág. 114].

10.   Lovecraft se encontraba en Nueva York cuando el 28 de febrero de 1925 un terremoto sacudió todo el nordeste de Estados Unidos. Su único comentario fue esta lacónica entrada en su diario: «Nueve y media de la noche: la casa tiembla» [manuscrito depositado en la John Hay Library].

11.   Lovecraft copió esta información del artículo «Esquimal» de la *Enciclopedia Británica* y cometió un pequeño error de transcripción: el demonio supremo se llama en realidad *tornarsuk*.

12.   Jean Lafitte (1780?-1821?) fue un célebre corsario estadounidense nacido probablemente en Francia, que operaba desde las aguas de la bahía de Barataria al sudeste de Nueva Orleans, donde regentaba una herrería con su hermano. Perdonado en 1814 por prestarse a ayudar al general Andrew Jackson a defender la ciudad frente a las tropas británicas, luchó valientemente por la independencia de Estados Unidos.

13.   Pierre Le Moyne d'Iberville (1661-1706) fue un franco-canadiense que exploró la costa nordeste del Golfo de México y la desembocadura del río Misisipí, y construyó varios fuertes en la zona. René-Robert Cavelier, sieur de La Salle (1643-1687), fue un explorador francés que sondeó todo el río Misisipí en la década de 1680 y llegó al Golfo de México en abril de 1682.

14.   Sidney H. Sime (1867-1941) fue un pintor y dibujante británico que alcanzó notoriedad por sus ilustraciones de la obra de lord Dunsany.

Anthony Angarola (1893-1929) fue un ilustrador de libros estadounidense, a quien HPL conoció por su trabajo para *The Kingdom of Evil* (1924) de Ben Hecht.

15. Según le contó a su tía Lillian [carta del 14-19 de noviembre de 1925, que se conserva en la John Hay Library], el primitivo nombre que Lovecraft pensaba utilizar era L'yeh.

16. Se refiere a la Primera Iglesia Baptista de Providence, fundada en 1638 por Roger Williams. El actual edificio data de 1775 y cuando Lovecraft lo visitó en 1923 comentó a Samuel Loveman: «Ésta es la ancestral iglesia de mi madre, pero desde 1895 no he estado en la nave central, ni en el edificio desde 1907, cuando di una conferencia sobre astronomía en la sacristía» [carta del 5 de enero de 1924, *Selected Letters 1911-1924,* pág. 277].

17. Esta descripción corresponde con bastante exactitud a James Ferdinand Morton (1870-1941), conservador del Museo de Patterson (Nueva Jersey), con el que HPL viajó frecuentemente por Nueva Inglaterra en busca de minerales.

18. Término que utilizan los blancos en la Polinesia para designar a los indígenas de aquellas islas del Pacífico (la palabra hawaiana *kanaka* quiere decir hombre).

19. Lovecraft debe de referirse a Göteborg, principal puerto de Noruega, a unas 80 millas al sudeste de Oslo.

20. Expresión típicamente poesca tomada de "La caída de la casa Usher": «... me daba cuenta con amargura de la inutilidad de todo intento de reconfortar a una mente cuya oscuridad, como una inherente cualidad positiva, se derramaba sobre todos los objetos del universo físico y moral...»

EL MODELO DE PICKMAN

1. Título original: "The Pickman's Model", traducido por J. A. Molina Foix. Escrito probablemente en septiembre de 1926. Publicado por vez primera en octubre de 1927 en *Weird Tales,* vol. 10, nº 4, reimpreso en esa misma revista en noviembre de 1936 y recogido posteriormente en *The Outsider and Others.* La traducción sigue el texto incluido en *The*

Dunwich Horror and Others, basado en el manuscrito que se conserva en la John Hay Library.

2.	El Art Club de Boston, situado en la esquina de las calles Dartmouth y Newbury, se fundó en 1855.

3.	El barrio más viejo de Boston, junto a los muelles y el río Charles, centro de la vida ciudadana en la época colonial. En tiempos de Lovecraft, una parte del mismo se había convertido en un suburbio empobrecido habitado por emigrantes italianos.

4.	Johann Heinrich Füssli (1741-1825), pintor, dibujante, poeta y escritor suizo, que residió en Inglaterra y cambió su nombre por Henry Fuseli. Su primer gran éxito *La pesadilla* (1781) lo consagró como el adalid del terror romántico. Sus obras se caracterizan por su extravagante captación del movimiento y los gestos, sus distorsiones y estilizaciones formales, y su explicitación del miedo y el horror que se esconden en las capas más recónditas de nuestra imaginación. Son famosas sus ilustraciones para la Biblia, Dante, Shakespeare y Milton, que influyeron en William Blake. Autor de *Lectures on Painting* (1801).

5.	Sobre Doré véase la nota 5 de "Dagón", y sobre Sime y Angarola la nota 14 de "La llamada de Cthulhu".

6.	Al principio la obra de Goya dejaba indiferente a Lovecraft, quien en 1923 señaló a Frank Belknap Long que en sus horrores «*recargaba excesivamente las tintas*» [*Selected Letters 1911-1924*, pág. 228]. Pero más tarde lo consideró uno de los maestros de la pintura fantástica junto con Aubrey Beardsley, Gustave Doré, John Martin, Felicien Rops y Henry Fuseli [*Selected Letters 1932-1934*, Arkham House, Sauk City, 1976, págs. 378-379].

7.	El Boston Museum of Fine Arts se inauguró el 4 de julio de 1876 y estaba situado en Copley Square. El actual edificio, cuya fachada principal da a Huntington Avenue, se inauguró en 1909 y Lovecraft lo visitó con frecuencia en sus múltiples viajes a dicha ciudad [véase S. T. Joshi & David E. Schultz, *Lord of a Visible World: An Autobiography in Letters,* Ohio University Press, Athens, 2000].

8.	En aquel año se inició en esa población de la puritana colonia de Nueva Inglaterra un proceso por brujería cuando dos jóvenes, la hija (de nueve años) y la sobrina (de once) del reverendo Samuel Parris, empezaron a sufrir ataques de llanto y convulsiones incontroladas, por lo que fueron acusadas de estar poseídas por el demonio. Pronto se unieron a ellas como chivos expiatorios, acusadas de cómplices de brujería, las personas que más antipatía despertaban en la ciudad: una esclava negra, una mendiga que fumaba en pipa, una tullida varias veces casada y una madre soltera cuyo hijo era además mestizo. El proceso duró más de un año y el tribunal condenó a muerte a veinticinco mujeres y seis hombres, de los que fueron ahorcados un total de diecinueve.

9.   Danvers, separada de Salem por el río homónimo, fue fundada en 1636 por colonos procedentes de aquella ciudad y se llamó al principio Salem-Village, siendo el escenario de los procesos por brujería de 1692. El State Hospital for the Insane era una institución real construida en 1874.

10.   Situado al oeste de Beacon Hill, Back Bay era, durante el siglo XIX y principios del XX, el refugio de la respetable clase media bostoniana.

11.   Si bien se ha exagerado el papel de Mather en los procesos por brujería de Salem, también es cierto que en obras como *Memorable Providences Relating to Witchcrafts and Possessions* (1689) o *Wonders of the Invisible World* (1693) intentó demostrar la existencia de la brujería. Véanse también las notas 7 de "La lámina de la casa", 1 de "Lo innominable" y 2 de "El ceremonial".

12.   Lovecraft utiliza el término despectivo «dago», aplicado a españoles, portugueses e italianos.

13.   El «techo puntiagudo» en forma de V invertida fue muy utilizado en Nueva Inglaterra a mediados del siglo XVII. La llamada «Casa de la Bruja» de Salem es de este tipo, lo mismo que la que Hawthorne describe en *The House of the Seven Gables* (1851). A finales de aquel mismo siglo y comienzos del siguiente este tipo de techo fue sustituido por la llamada «cubierta a la holandesa», de ángulos obtusos.

14.   Sir Edmund Andros fue el primer gobernador de Massachusetts en 1686, pero tres años después fue destituido por una revuelta ciudadana [véase la nota 15 de "La casa evitada"]. Sir William Phipps ocupó el mismo cargo entre 1692 y 1695.

15.   Alusión a la «gente pequeña», «esa enigmática y horrible raza precéltica forzada a vivir en las entrañas de la tierra, donde todavía practica sus

infames ritos», que protagoniza los relatos de Arthur Machen "La novela del sello negro", "La pirámide resplandeciente" y "De las profundidades de la tierra" [véase la traducción al castellano de J. A. Molina Foix en *El gran dios Pan y otros relatos de terror sobrenatural,* Valdemar, Madrid, 1999].

16.   Oliver Wendell Holmes (1809-1894), James Russell Lowell (1819-1891) y Henry Wadsworth Longfellow (1807-1882), tres de los más destacados escritores estadounidenses del siglo XIX, están enterrados en efecto en el Mount Auburn Cemetery de Boston, uno de los más pintorescos de Nueva Inglaterra.

17.   En este caso, con el significado de «capital imaginaria del reino infernal».

18.   Donald R. Burleson comenta [en *Lovecraft: Disturbing the Universe,* University Press of Kentucky, Lexington, 1990, pág. 92] que debía parecerse a la célebre pintura mural al óleo de Goya (trasladada luego a lienzo) "Saturno devorando a su hijo" (1820-1823), que actualmente puede admirarse en el Museo del Prado. A esa misma conclusión llegó casi treinta años antes Hannes Bok en su célebre ilustración del relato lovecraftiano aparecida en 1951 en la revista *Famous Fantastic Mysteries.*

LA EXTRAÑA CASA ELEVADA ENTRE LA NIEBLA

1.   Título original: "The Strange High House in the Mist", traducido por J. A. Molina Foix. Escrito el 9 de noviembre de 1926. Rechazado en principio por *Weird Tales* (lo envió en 1927), iba a publicarse en el nº 2 de *The Recluse,* pero cuando Lovecraft comprendió que no saldrían más números (su editor W. Paul Cook acababa de perder a su esposa), lo volvió a enviar a Wright y en octubre de 1931 se publicó en *Weird Tales,* vol. 18, nº 3, siendo recogido posteriormente en *The Outsider and Others.* La traducción sigue la versión incluida en *Dagon and Other Macabre Tales,* basada en el manuscrito original de Lovecraft que todavía se conserva, combinado con algunas páginas de un texto mecanografiado corregido por el autor tras su publicación en *WT.*

2.   Véase "El Viejo Terrible", cuyo protagonista aparece en este relato como personaje secundario.

3.   Leviatán es el dragón bíblico de muchas cabezas, como la hidra

griega, que según los rabinos estaba destinado a la comida del Mesías. Este monstruo marino, cuyo nombre significa «el gran pez» o bien «la serpiente retorcida» y que simboliza el mal, está descrito en el *Libro de Job* (III, 8; XL, 20-28 y XLI, 1-25) y en el de *Isaías* (XVII, 1).

4.   Son tres constelaciones del hemisferio boreal. La Osa Mayor, formada por 200 estrellas perceptibles a simple vista, de las cuales hay cinco de 2ª magnitud y siete de 3ª, está situada entre las del Dragón, los Perros de Caza, el León y el Lince. Sobre Casiopea véase la nota 2 de "Polaris". El Dragón está formado por 210 estrellas perceptibles a simple vista, entre las cuales hay una de 2ª magnitud y cinco de 3ª. Sus estrellas más brillantes dibujan en el firmamento una línea sinuosa que separa las dos Osas.

5.   Lovecraft se refiere a varios gobernadores que existieron realmente: Jonathan Belcher (1730-1741), William Shirley (1741-1749), Thomas Pownall (1757-1760) y Francis Bernard (1760-1769), datos que extrajo sin duda de su edición en dos volúmenes de *Correspondence* (1912) de Shirley.

6.   El nombre lo tomó Lovecraft de Thomas Olney (1605?-1682), el primer tesorero de Providence que llegó a ser concejal y funcionario de su ciudad natal.

7.   Los Orne eran una importante y antigua familia de Salem, descendiente del colonizador inglés Deacon John Horne (1602-1684). La familia Orne o alguno de sus miembros aparecen en varios relatos de HPL.

8.   Este pasaje de la subida a la casa recuerda otro de la mencionada novela de lord Dunsany *The Chronicles of Rodriguez* [véase nota 3 de "Él"], que Lovecraft leyó a principios de 1923 [véase la carta a Samuel Loveman el 29 de abril de 1923, en *Letters to Samuel Loveman and Vincent Starrett*, Necronomicon Press, West Warwick, 1994, pág. 17].

9.   Tipo de roble (*Quercus velutina*) muy frecuente en el este y el centro de Estados Unidos, bastante similar al rebollo español (*Quercus pyrenaica*).

10.   Según los ocultistas, Poseidonis era la última porción del continente de la Atlántida que se hundió en el océano. Probablemente Lovecraft tomó este dato del libro de W. Scott-Elliot *The Story of Atlantis and the Lost Lemuria* (1925), que cita en "La llamada de Cthulhu" [véase nota 7].

11.   Véase "Los otros dioses".

12.   Aunque Arthur Machen, de quien Lovecraft lo toma, pretendió hacérnoslo pasar por un *numen* romano: dios de las Grandes Profundidades o Abismo [en "El gran dios Pan"], Nodens o Nodons es el nombre latinizado de una deidad celta, que Julio César asimiló al Marte de los galos, pero en las mitologías galesa e irlandesa es conocido como Nudd (dios solar, según algunos, de la medicina o del océano, según otros) y se le suele asociar al jefe supremo de todos los dioses célticos Nuada «el de la Mano de Plata».

LA BÚSQUEDA EN SUEÑOS DE LA IGNOTA KADATH

1.   Título original: *The Dream-Quest of Unknown Kadath*, traducido por J. A. Molina Foix. Escrito entre octubre de 1926 y el 22 de enero de 1927, aunque en realidad nunca lo dio por terminado, lo cual explicaría (más que su extensión) que nunca se publicara en vida del autor. Publicado por vez primera en *Beyond the Wall of Sleep*. Reimpreso en *Arkham Sampler*, otoño e invierno de 1948. La traducción sigue el texto incluido en *At the Mountains of Madness and Other Novels*, basado en el manuscrito autógrafo del autor que se conserva. Otros títulos alternativos que barajó Lovecraft aparecen en el verso de una página del manuscrito: *The Dream-Quest of Randolph Carter; A Pilgrim in Dreamland; A Dreamland Quest/Pilgrimage; The Seeking of Dreamland's Gods; Past the Gate of Deeper Slumber; In the Gulfs of Dream; A Seeker in Gulphs of Dream; The Quest of the Gods on Kadath; The Seeking of Unknown Kadath*. Es notoria la influencia en esta novela de *Vathek* de William Beckford, pero, según S. T. Joshi, Lovecraft también se inspiró en la curiosa novela *Etidorhpa* (1895) de John Uri Lloyd, que leyó en 1918 [véase carta a Alfred Galpin, en *Selected Letters 1911-1924*, págs. 54-55].

2.   Otra denominación de los dioses del país de los sueños.

3.   La doble corona que llevaban los faraones (llamada también «las dos potencias»), que combinaba el tocado rojo del Delta (Bajo Egipto) y la mitra blanca del Alto Egipto (hedjet).

4.   Fomalhaut es la estrella más brillante de la constelación del Pez Austral y la número 18 de todo el firmamento. Situada a 22 años luz de la

tierra, su luminosidad es trece veces la del sol. Sobre Aldebarán véase la nota 4 de "Polaris".

5.   Véase la nota 1 de la novela inconclusa del mismo título.

6.   Véase la nota 2 de "Nyarlathotep".

7.   Ver "Celephaïs".

8.   Ver "Polaris".

9.   Se refiere a Barzai el Sabio y al sacerdote Atal de "Los Otros Dioses".

10.   Véase la nota 4 de "El descendiente".

11.   Ver "Los gatos de Ulthar".

12.   Ver "Los Otros Dioses".

13.   Con este nombre (Giant's Causeway) se conoce en la costa septentrional de Irlanda del Norte a una formación geológica, consistente en un torrente de lava que, al enfriarse, ha producido una serie de columnas hexagonales, extrañamente regulares, de veinte pies de altura.

14.   Ver "Celephaïs" y "El sabueso".

15.   «Cuyos extraños pliegues parecen ocultar / un rostro que no es de esta tierra, aunque nadie osa preguntar / qué abulta en su interior». Véase "The Elder Pharos", soneto XXVII de *Fungi from Yuggoth*.

16.   Referencia a los viajes de Basil Elton en "La nave blanca", aunque en este relato no se menciona la ciudad de Kingsport, pues Lovecraft todavía no la había inventado.

17.   En este párrafo Lovecraft se hace eco de la *Historia verdadera* (120-190) de Luciano de Samosata, sátira novelada en la que este escritor griego (de origen sirio) parodia a los narradores de viajes fabulosos tan en boga en la época helenística con esa mezcla de fantasía y amargura que encontramos en los *Viajes de Gulliver*.

18.   Poco más de seis metros. Este pasaje recuerda otro parecido del cuento de Poe "El pozo y el péndulo" (1842).

19.   La actual Tell Basta, al sudeste de Zagazig (en el Delta del Nilo), centro del culto a la diosa Bastet, una de las divinidades más antiguas del Egipto faraónico, a la que a partir de la decimoctava dinastía se la representa con cabeza de gato y se le consagra dicho animal. Diosa de la alegría, la felicidad y el ocio, su auténtica naturaleza es difícil de definir, ya que a veces se la asimila a otras diosas como Sekhmet, oriunda de Menfis con

cabeza de leona. Del gran templo de Bubastis dedicado a Bastet no ha quedado ni rastro.

20.   Véase su descripción en el prólogo y en la nota 3 del mismo.

21.   Especie de encina americana (*Quercus prinoides*) que forma espesos matorrales en los suelos secos del este de Estados Unidos. Parecida a un arbusto, sus bellotas dulces son comestibles.

22.   Véase el poema "To a Dreamer" (1920), incluido en *The Ancient Track*.

23.   En las primeras ediciones de esta novela aparecen como dholes, sin duda por confusión con los dôls que aparecen en el relato de Arthur Machen "El pueblo blanco", pero S. T. Joshi corrigió el error basándose en el manuscrito de Lovecraft. En "El que susurra en la oscuridad" (1930) HPL alude a unas criaturas llamadas doels (creadas por Frank Belknap Long), y en su relato en colaboración con Hazel Read "The Horror in the Museum" (1932) se menciona un libro llamado *Dhol Chants*, pero en ninguno de ambos casos se trata de las mismas criaturas.

24.   Véase el poema "To a Dreamer".

25.   Se refiere evidentemente al pintor Richard Upton Pickman, protagonista del relato "El modelo de Pickman".

26.   Situado en Tremont Street, este cementerio es uno de los más antiguos de Boston: sus primeros enterramientos datan de 1660.

27.   Véase el poema "To a Dreamer".

28.   Sello que aparece en la Torre de Koth de la ciudad de los gugs y en varias puertas que conducen del mundo vigil al país de los sueños. Se utiliza para impedir que entren ciertas pesadillas del mundo vigil. Algunos autores afirman que el Signo Amarillo (invención de Robert Chambers) en realidad es otra representación del Signo de Koth.

29.   *Gingko biloba*, un auténtico fósil viviente cuyos orígenes se remontan a hace 200 millones de años (era Mesozoica). Los extractos de la raíz de este árbol ornamental, al igual que los de la del ginseng, se utilizan en China desde hace miles de años en el convencimiento de que aumentan la energía y el rendimiento.

30.   Véase "Celephaïs".

31.   Comienzos del siglo XVIII (1702-1714).

32.   Se refiere al Faro de Leng, una torre de piedra «donde el último Anciano vive solo / hablando al caos con redobles de tambores» (véase "The Elder Pharos"). Según el *Necromomicon* dicho faro dará la señal para que vuelvan a surgir los Grandes Antiguos, aunque eso sólo ocurrirá después de que la tierra haya desaparecido.

33.   Véase "La maldición que cayó sobre Sarnath".

34.   Esta sugestiva imagen de montañas que andan evoca la pieza teatral de lord Dunsany *The Gods of the Mountain* (1911).

35.   El río (o la fuente) del Olvido de la mitología griega, situado en el mundo subterráneo (Hades), de cuyas aguas bebían las almas de los muertos para olvidar su vida anterior, después de haber sido confinadas durante algún tiempo en las regiones más profundas del Tártaro.

36.   Doble estrella de primera magnitud en la constelación de Escorpión (hemisferio austral).

37.   Estrella de primera magnitud en la constelación de Lira (hemisferio boreal), la quinta más brillante, visible sin ayuda de telescopio.

38.   En la mitología hindú, se llama kalpa a un simple día de Brahma, que equivale a 4.320 millones de años de cómputo humano.

LA LLAVE DE PLATA

1.   Título original: "The Silver Key", traducido por J. A. Molina Foix. Escrito en noviembre de 1926. Publicado por vez primera en enero de 1929 en *Weird Tales*, vol. 13, nº 1, tras ser rechazado en el verano de 1927, y recogido posteriormente en *The Outsider and Others*. La traducción sigue la versión incluida en *At the Mountains of Madness and Other Novels*, basada en el texto mecanografiado que Lovecraft envió para su publicación en *WT*. El manuscrito original se conserva (entre los *August Derleth Papers*) en la State Historical Society of Wisconsin, con sede en Madison. Según Kenneth W. Faig, Jr. ["'The Silver Key' and Lovecraft's Childhood", en *Crypt of Cthulhu*, nº 81, 1992, págs. 11-47] el relato, que en cierta medida es una nueva versión de "La tumba", reconstruye en gran parte una visita de Lovecraft, en octubre de 1926, a la ciudad de Foster (Rhode Island) donde vivieron los antepasados de su madre.

2.   Este párrafo está relacionado con "La búsqueda en sueños de la

ignota Kadath", relato escrito a la par que éste aunque terminado un año más tarde. Pese a publicarse mucho antes que el otro (por las razones ya expuestas), la acción de este relato transcurre en realidad después, por lo que se ha pospuesto, alterando por una vez el orden establecido por Joshi y Schultz.

3. Véase "La declaración de Randolph Carter".

4. Véase "Lo innominable".

5. Sobre este proceso por brujería ver la nota 8 de "El modelo de Pickman".

6. Este párrafo repite un pasaje de una carta a Frank Belknap Long [del 26 de octubre de 1926, en *Selected Letters 1925-1929*, pág. 82] en la que le describe su visita a Foster, ciudad natal de su madre y de su bisabuela, en compañía de su tía Annie E. P. Gamwell (ver nota 1). El antepasado «desaparecido de forma extraña» era su bisabuelo Jeremiah Phillips (1800-1848), que murió al ser atrapada su levita en la maquinaria del molino que poseía.

7. HPL se refiere a la casa de su tío abuelo James W. Phillips (1830-1901), que visitó por vez primera en 1896 [véase *Selected Letters 1925-1929*, pág. 86].

8. La esposa de su tatarabuelo Stephen Place se llamaba Martha y HPL vio su tumba en Foster.

9. El término se aplica a partir del siglo XIX a los nacidos en Londres, sobre todo en el East End (y en especial en las cercanías de la Iglesia de St. Mary-le-Bow, al alcance del sonido de sus campanas), cuya peculiar habla proletaria se distingue por su entonación nasal, su monótona y rápida dicción, su utilización de vocales indebidamente aspiradas y su intercambio de ciertas consonantes, y su argot rimado.

10. Cúmulo de estrellas situado en la constelación de Tauro, de las que se conocen unas 150, siete de las cuales son perceptibles a simple vista y llevan los nombres de las hijas de Atlas y Pléyone. En España se las llama vulgarmente «las siete cabritillas».

11. Lovecraft alude al poeta estadounidense Alan Seeger (1888-1916), que se alistó en la Legión Extranjera y murió en dicho pueblecito francés. Véase el poema "To Alan Seeger" (1916), incluido en *The Ancient Track*.

Esta tercera edición de
Narrativa completa. Vol. I
de H.P. Lovecraft
se acabó de imprimir
en el mes de febrero
del año 2007